9·7급 공무원 시험대비 개정4판

박문각
공무원

기 본 서

행정법총론 압축 기본서

4편 행정의 실효성 확보수단　**5편** 행정상 전보제도　**6편** 행정쟁송　**7편** 정보행정법

공무원 / 군무원 / 소방직 / 소방간부 / 경찰간부 / 행정사 시험대비

유대웅
행정법총론 핵심정리 #2

유대웅 편저

유대웅 강의 www.pmg.co.kr

이 책의 **머리말**

이 책은 행정법의 기본서입니다. 기존 기본서들은 훌륭한 내용을 담고 있기는 했지만, 분량이 과도하게 많아 결국 수험생이 시험장까지 계속해서 들고 가기에는 과도하게 무거운 경향이 있었습니다. 그래서 수험생들이 처음에는 기본서로 공부를 시작했지만 나중에는 요약서로 갈아타는 것이 일반적인 현상이었습니다. 문제는 그렇게 중간에 책을 변경하였을 경우, 새로 그 책에 적응하는 데 시간이 추가로 소요되고, 경우에 따라서는 그 새 책에 맞춘 이론 강의를 또 다시 수강하는 일까지 빈번하게 발생하곤 하였다는 점입니다. 이 책은 그러한 현상을 방지하기 위해 만들어진 것입니다. 수험생이 처음부터 끝까지 이 책만 들고 갈 수 있도록 만들어진 행정법의 기본서입니다.

출제가능한 99.99%의 내용을 담으면서도 분량을 최소화하기 위해 애썼습니다. 지난 15년간 출제된 **모든 행정법 시험(소방간부, 국회직, 군무원, 세무사, 변호사 등등)의 기출을 반영**하였습니다. 그러면서도 분량을 이 정도로 줄인 것입니다. 이 책에 빠져 있는 것은 다른 수험생들도 모른다고 생각하셔도 좋습니다. 무슨 시험을 준비하시든 이 책 한 권만 믿고 계속 보시면 됩니다.

목차는 큰 항목부터 순서대로 노란색 박스(□) – 초록색 박스(■) – 파란색 박스(■) – 노란 테두리 박스(□) – 초록 테두리 박스(□)로 구분하였습니다. (변)으로 표시된 지문은 변별력을 확보하기 위한 목적으로 출제된 지문입니다. 공무원 시험 수준에서는 너무 어려운 내용이거나, 과도하게 지엽적인 내용들입니다. 이 지문들의 경우에는 행정법에서 96점 이상의 득점이 필요하지 않은 경우에는 보지 않아도 됩니다. 96점 이상의 득점이 필요한 경우(예 : 군무원 또는 7급 공무원, 소방직)라 하더라도 시험 막바지에 한 번 정도 정독을 하고, 시험 직전에 또 다시 한번만 눈에 바른 다음 시험장에 들어가시면 충분합니다.

개정법령은 2024년 3월 15일에 시행된 「개인정보 보호법」까지 모두 반영하였습니다.

서두에 있는 진도표를 보시면 알겠지만 이 책은 여러 번 반복해서 읽으셔야 합니다. **최소 3번은 읽을 생각을 하셔야 합니다.** 3번을 읽고 난 다음 부터만 합격 가능권 안에 들어가게 되기 때문입니다. 다만, 이때 알고 있어야 하는 중요한 '수험의 기술'이 하나 있습니다. 이해가 안 되는 부분이 나오면 바로 '그냥 그런가보다' 하고 대충 넘어가셔야 한다는 것입니다. 문제풀이를 할 때는 모든 글자를 꼼꼼하고 정확하게 읽고 넘어가야 하지만, 이렇게 옳은 문장들로만 구성된 기본서를 읽을 때는 대충대충 빨리빨리 읽는 것이 관건입니다. 진도를 쭉쭉 빼는 것이 능사입니다. 꼼꼼하고 정확한 이해는 3회독을 시작할 때 쯤 되면, 대부분 알아서 되기 때문입니다.

잔소리는 여기서 마무리 하겠습니다. 이 책이 얼마나 좋은 책인지는 독자 여러분께서 직접 읽어 보시면 알게 되실 것입니다.

이 책이 출간되기까지 김예린 님, 박소영 님, 심채림 님, 인규원 님이 많은 도움을 주셨습니다. 이 지면을 통해 깊은 감사의 마음을 전합니다.

끝으로, 이 책으로 공부하는 모든 수험생 여러분들이 내년에는 반드시 활짝 웃고, 웃고, 웃고, 웃게 되시기를 기원합니다. 감사합니다.

2024년 6월

유대웅

진도표

1쪽 ~ 50쪽		51쪽 ~ 100쪽		101쪽 ~ 150쪽		151쪽 ~ 200쪽		201쪽 ~ 250쪽		251쪽 ~ 300쪽		301쪽 ~ 350쪽		351쪽 ~ 400쪽		401쪽 ~ 450쪽		451쪽 ~ 끝		1회독
시작일		시작일		시작일		시작일		시작일		시작일		시작일		시작일		시작일		시작일		
종료일		종료일		종료일		종료일		종료일		종료일		종료일		종료일		종료일		종료일		(도장)
확인		확인		확인		확인		확인		확인		확인		확인		확인		확인		

1쪽 ~ 50쪽		51쪽 ~ 100쪽		101쪽 ~ 150쪽		151쪽 ~ 200쪽		201쪽 ~ 250쪽		251쪽 ~ 300쪽		301쪽 ~ 350쪽		351쪽 ~ 400쪽		401쪽 ~ 450쪽		451쪽 ~ 끝		2회독
시작일		시작일		시작일		시작일		시작일		시작일		시작일		시작일		시작일		시작일		
종료일		종료일		종료일		종료일		종료일		종료일		종료일		종료일		종료일		종료일		(도장)
확인		확인		확인		확인		확인		확인		확인		확인		확인		확인		

1쪽 ~ 50쪽		51쪽 ~ 100쪽		101쪽 ~ 150쪽		151쪽 ~ 200쪽		201쪽 ~ 250쪽		251쪽 ~ 300쪽		301쪽 ~ 350쪽		351쪽 ~ 400쪽		401쪽 ~ 450쪽		451쪽 ~ 끝		3회독
시작일		시작일		시작일		시작일		시작일		시작일		시작일		시작일		시작일		시작일		
종료일		종료일		종료일		종료일		종료일		종료일		종료일		종료일		종료일		종료일		(도장)
확인		확인		확인		확인		확인		확인		확인		확인		확인		확인		

1쪽 ~ 50쪽		51쪽 ~ 100쪽		101쪽 ~ 150쪽		151쪽 ~ 200쪽		201쪽 ~ 250쪽		251쪽 ~ 300쪽		301쪽 ~ 350쪽		351쪽 ~ 400쪽		401쪽 ~ 450쪽		451쪽 ~ 끝		4회독
시작일		시작일		시작일		시작일		시작일		시작일		시작일		시작일		시작일		시작일		
종료일		종료일		종료일		종료일		종료일		종료일		종료일		종료일		종료일		종료일		(도장)
확인		확인		확인		확인		확인		확인		확인		확인		확인		확인		

1쪽 ~ 50쪽		51쪽 ~ 100쪽		101쪽 ~ 150쪽		151쪽 ~ 200쪽		201쪽 ~ 250쪽		251쪽 ~ 300쪽		301쪽 ~ 350쪽		351쪽 ~ 400쪽		401쪽 ~ 450쪽		451쪽 ~ 끝		5회독
시작일		시작일		시작일		시작일		시작일		시작일		시작일		시작일		시작일		시작일		
종료일		종료일		종료일		종료일		종료일		종료일		종료일		종료일		종료일		종료일		(도장)
확인		확인		확인		확인		확인		확인		확인		확인		확인		확인		

이 책의 차례

이 책의 차례

해적정리 #2

해적벅음굴
유대용

전제 개념 정리

의의

① 공익의 실현을 위하여 국민에게 행정법상 일정한 의무(예 길가에 쓰레기를 무단 투기 하지 말아야 하는 의무)가 부과되는 경우가 있음 ➔ 이 의무는 법령에 의해 직접 부과될 수도 있고, 행정행위인 하명으로 부과될 수도 있음

② 국민이 자신에게 부과된 의무를 위반하거나, 자발적으로 이행하지 않는 경우 공익이 침해됨 ➔ 국민이 행정법상의 의무를 이행하도록 혹은 의무를 이행한 상태를 만들도록 할 필요가 있음 ➔ 이를 위한 행정작용들을 행정의 실효성 확보수단이라 함

③ 다만, ㉠ 오늘날은 본래적 의미의 실효성 확보수단('행정강제')뿐만 아니라, ㉡ 의무위반행위에 대해 제재를 가하기 위한 목적으로 존재하지만 그 결과 간접적으로 국민이 행정법상의 의무를 이행하도록 강제하게 되는 행정작용들('행정벌')까지 '실효성 확보수단'으로 묶어 논의됨

법적 의무의 종류

작위의무와 부작위의무

① [작위(作爲)의무] 무언가를 해야 하는 의무 ➔ 예 금전납부의무, 건물철거의무

② [부작위(不作爲)의무] 무언가를 하지 말아야 하는 의무 ➔ 예 허가 없이 단란주점영업을 하지 말아야 할 의무

대체적 의무와 비대체적 의무

① [대체적(代替的, fungible) 의무] 본래의 의무자가 아닌 사람이 그 의무를 이행하더라도 목적달성이 가능한 의무 ➔ 예 건물철거의무

② [비대체적(非代替的, non-fungible) 의무] 본래의 의무자가 아닌 다른 사람이 그 의무를 이행하는 것은 법적으로 허용되지 않거나 불가능한 의무 ➔ 예 대한민국 남성인 甲의 병역의무는 비대체적 의무이기 때문에 그의 친구 乙이 대신 이행해줄 수 없음

일사부재리 (一事不再理) 원칙

① 하나의 법위반행위에 대하여 성질이나 목적·대상이 동일한 제재를 두 번 이상 부과할 수 없다는 원칙 ➔ 행정법에서는 이중'처벌'금지의 원칙과 동의어로 사용하는 경향

② 대법원은 형벌◆만 이때의 '처벌'에 해당하는 것으로 봄

법적 근거

① 실효성 확보수단들은 그 자체가 독립한 침익적 행정작용에 해당하기도 함

② 실효성 확보수단을 활용하기 위해서는, 그 전제가 되는 의무를 부과하는 행정작용의 법적 근거(a)와 별도로, 당해 실효성 확보수단의 활용을 허용하는 별도의 법적 근거(b)가 필요 ➔ 행정행위의 효력으로 언급되는 자기집행력은 별도의 법적 근거가 있을 때만 인정되는 것

③ '행정의 실효성 확보수단' 편에서는, 일반법이 있는 경우에는 일반법을 중심으로 논의를 전개하고, 일반법이 없는 경우에는 개별법에 구체적으로 흩어져 규정되어 있는 것들을 이론적으로 일반화하여 논의함

④ 판례 학원의 설립·운영 및 과외교습에 관한 법령상 등록을 요하는 학원을 설립·운영하고자 하는 자가, 등록절차를 거치지 않은 경우 관할행정청이 직접 그 무등록 학원의 폐쇄를 위하여 출입제한 시설물의 설치와 같은 조치(실효성 확보수단)를 할 수 있게 규정되어 있는데, 이러한 규정은 동시에 그와 같은 폐쇄명령(의무부과 행정작용)의 근거 규정✕(99두6002)

처분성 판단방법

대법원은 어떤 행정작용이 처분에 해당하는지 여부를 판단할 때, 그 작용 자체의 법적 성질을 살피기도 하지만, 그 작용에 관한 구제수단이 어떻게 규정되어 있는지도 살핌 ➔ 만일 어떤 행정작용에 대한 구제를 행정소송이 아닌 다른 구제수단에 의하도록 하고 있다면 그 행정작용은 행정소송의 대상이 될 수 없다고 봄(국회의원들이 처분이 아닌 것으로 제도를 설정했다고 보는 것)(2017두47465)

◆ 형벌이란 형법 제41조에 열거되어 있는 9가지 종류의 제재를 말한다. 사형, 징역, 금고, 자격상실, 자격정지, 벌금, 구류, 과료, 몰수를 의미한다. 범죄를 저질러 유죄판결이 확정된 경우에 부과된다.

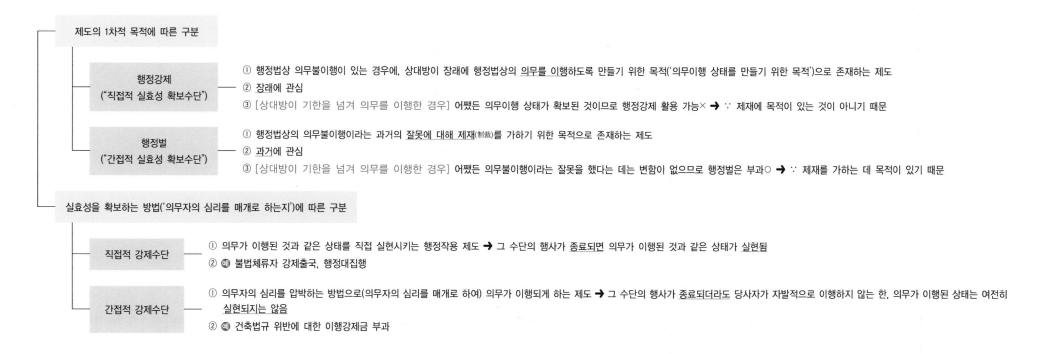

제도의 1차적 목적에 따른 구분

행정강제
("직접적 실효성 확보수단")
① 행정법상 의무불이행이 있는 경우에, 상대방이 장래에 행정법상의 <u>의무를 이행</u>하도록 만들기 위한 목적('의무이행 상태를 만들기 위한 목적')으로 존재하는 제도
② 장래에 관심
③ [상대방이 기한을 넘겨 의무를 이행한 경우] 어쨌든 의무이행 상태가 확보된 것이므로 행정강제 활용 가능× ➜ ∵ 제재에 목적이 있는 것이 아니기 때문

행정벌
("간접적 실효성 확보수단")
① 행정법상의 의무불이행이라는 과거의 잘못에 대해 제재(制裁)를 가하기 위한 목적으로 존재하는 제도
② 과거에 관심
③ [상대방이 기한을 넘겨 의무를 이행한 경우] 어쨌든 의무불이행이라는 잘못을 했다는 데는 변함이 없으므로 행정벌은 부과○ ➜ ∵ 제재를 가하는 데 목적이 있기 때문

실효성을 확보하는 방법('의무자의 심리를 매개로 하는지')에 따른 구분

직접적 강제수단
① 의무가 이행된 것과 같은 상태를 직접 실현시키는 행정작용 제도 ➜ 그 수단의 행사가 <u>종료되면</u> 의무가 이행된 것과 같은 상태가 실현됨
② 예 불법체류자 강제출국, 행정대집행

간접적 강제수단
① 의무자의 심리를 압박하는 방법으로(의무자의 심리를 매개로 하여) 의무가 이행되게 하는 제도 ➜ 그 수단의 행사가 <u>종료되더라도</u> 당사자가 자발적으로 이행하지 않는 한, 의무가 이행된 상태는 여전히 실현되지는 않음
② 예 건축법규 위반에 대한 이행강제금 부과

행정기본법 규정

① 행정기본법 제30조는 행정강제를 '행정상 강제'라고 표현하면서, 이행강제금, 직접강제, 즉시강제에 대한 별도의 절차적 규정을 두고 있음 ➜ 대집행과 강제징수에 대해서는 정의만
② ㉠ 형사(刑事), 행형(行刑) 및 보안처분 관계 법령에 따라 행하는 사항이나 ㉡ 외국인의 출입국·난민인정·귀화·국적회복에 관한 사항에 관하여는 「행정기본법」상 행정상 강제에 관한 규정을 적용×(제30조 제3항)

① 행정주체가 행정강제를 통해 행정의 실효성을 확보할 수 있는 경우에는, 소송을 통해 자신의 권리를 실현하는 것은 허용× ➜ ∵ 자력구제가 가능한 상황에서 타력구제인 소송을 활용하는 것은 괜한 소송을 벌이는 것이 되어 소의 이익이 인정되지 않기 때문

② 판례 관계 법령상 행정대집행의 절차가 인정되어 행정청이 행정대집행의 방법으로 건물의 철거 등 대체적 작위의무의 이행을 실현할 수 있는 경우에는 따로 민사소송의 방법으로 그 의무의 이행을 구할 수 없음(2013다207941, 99다18909)

③ 판례 아무런 권원 없이 국유재산에 설치한 시설물에 대하여 행정청이 행정대집행을 할 수 있는 경우에는 따로 민사소송의 방법으로 그 시설물의 철거를 구하는 것은 허용×(2009다1122)

④ 판례 「공유재산 및 물품관리법」 제83조에 따라 지방자치단체장이 행정대집행의 방법으로 공유재산에 설치한 시설물을 철거할 수 있는 경우, 민사소송의 방법으로 시설물의 철거를 구하는 것은 허용×(2013다207941)

⑤ 판례 국유(공유) 일반재산의 대부료나 연체료 등의 징수에 관하여 국세징수법 규정을 준용한(국세 체납처분의 예에 따른) 간이하고 경제적인 특별구제절차가 마련되어 있으므로, 특별한 사정이 없는 한 민사소송의 방법으로 대부료나 연체료 등의 지급을 구하는 것은 허용×(2014다203588, 2013다207941)

⑥ 판례 국유(공유) 일반재산인 대지에 대해 대부계약이 해지되어 국가가 원상회복으로 지상의 시설물을 철거하려는 경우, 이는 행정대집행의 대상이 되기 때문에, 행정대집행법에 따라 대집행을 하여야 하고, 민사소송의 방법으로 시설물의 철거를 구하는 것은 허용×(2001두4078) ➜ ※ 행정대집행은 본래 '공법상의' 대체적 작위의무 위반에 대해서만 가능○(후술) But 이 경우에는 사법상의 법률관계임에도 불구하고 그에 대하여 행정대집행을 허용하는 명문의 규정이 존재하기 때문에 대집행이 가능

⑦ (변) [비교판례] 납세의무자가 무자력이거나 그 소재가 불명하여 「국세기본법」이 규정하고 있는 납세고지, 독촉 또는 납부최고, 교부청구, 압류 등의 소멸시효 중단 사유들을 사용할 수 없는 특별한 사정이 있는 경우에는, 조세징수권의 소멸시효 중단을 위하여 납세의무자를 상대로 조세채권 존재확인의 소를 제기할 수 있고, 과세주체가 소멸시효 중단을 위해 납세의무자를 상대로 제기한 조세채권확인의 소는 공법상 당사자소송에 해당○(2017두41771) ➜ 자력구제수단을 활용할 수 없는 경우에는 소를 제기할 소의 이익이 인정되고, 이때 납세의무는 공법상의 의무이기 때문에 그 소송은 당사자소송이 된다는 말

⑧ [비교판례] 사인이 국가를 대위하는 경우 – 행정대집행×, 민사소송으로 국가의 철거청구권을 대위 행사 가능○ 제3자(甲)가 아무런 권원 없이 국유재산에 설치한 시설물에 대하여 행정청이 대집행을 실시하지 않는 경우에는, 해당 국유재산에 대한 사용청구권을 가진 사인(乙)은 일정한 경우에는 국가를 대위(代位)하여 민사소송으로 해당 시설물의 철거를 구할 수 있음(2009다1122) ➜ ∵ 이 경우 국가는 甲에 대해 ㉠ 행정대집행권한과 ㉡ 철거청구권을 갖는데, 국가는 甲에 대해 행정대집행을 할 수 있다 하더라도, 그 국가를 대위하는 사인이 행정대집행 권한을 행사할 수 있는 것은 아니기 때문 ➜ ※ '대위'한다는 것은 민법상 채권자 대위권이라는 권리를 행사한다는 의미인데, 공무원 수험의 범위를 벗어나는 민법상의 개념임

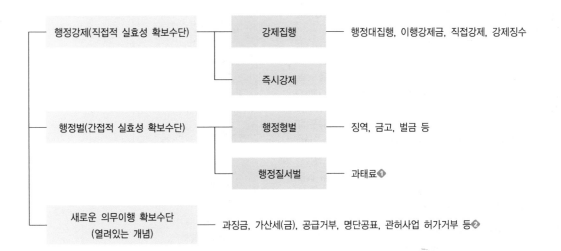

① 행정질서벌이라는 말의 문자적 의미만 보면 '행정질서벌'에 과태료 이외의 다른 것들도 포함되어 있는 것처럼 보이지만, 현행법상 행정질서벌로서 과태료만을 규정하고 있으므로, 행정법에서 행정질서벌과 과태료는 동의어로 쓰인다.

② 이외에도 고액체납자에 대한 출국금지조치, 영업정지, 입찰참가자격제한, 시정명령 등 다양한 실효성 확보수단들이 이에 해당된다.

제1절   행정대집행

행정강제 - 강제집행 - 행정대집행

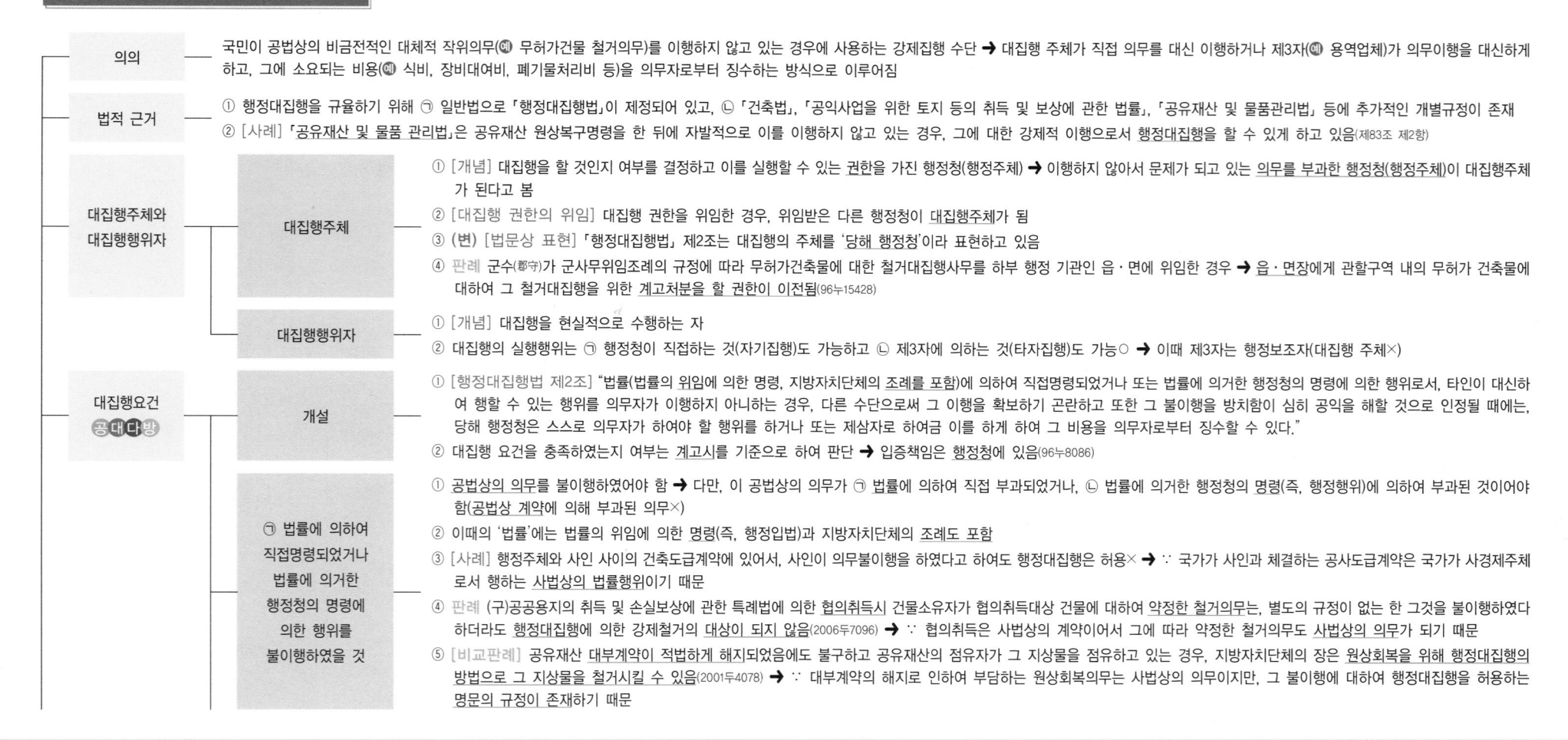

의의 ── 국민이 공법상의 비금전적인 대체적 작위의무(⑩ 무허가건물 철거의무)를 이행하지 않고 있는 경우에 사용하는 강제집행 수단 ➜ 대집행 주체가 직접 의무를 대신 이행하거나 제3자(⑩ 용역업체)가 의무이행을 대신하게 하고, 그에 소요되는 비용(⑩ 식비, 장비대여비, 폐기물처리비 등)을 의무자로부터 징수하는 방식으로 이루어짐

법적 근거
① 행정대집행을 규율하기 위해 ⊙ 일반법으로 「행정대집행법」이 제정되어 있고, ⓒ 「건축법」, 「공익사업을 위한 토지 등의 취득 및 보상에 관한 법률」, 「공유재산 및 물품관리법」 등에 추가적인 개별규정이 존재
② [사례] 「공유재산 및 물품 관리법」은 공유재산 원상복구명령을 한 뒤에 자발적으로 이를 이행하지 않고 있는 경우, 그에 대한 강제적 이행으로서 행정대집행을 할 수 있게 하고 있음(제83조 제2항)

대집행주체와 대집행행위자

대집행주체
① [개념] 대집행을 할 것인지 여부를 결정하고 이를 실행할 수 있는 권한을 가진 행정청(행정주체) ➜ 이행하지 않아서 문제가 되고 있는 의무를 부과한 행정청(행정주체)이 대집행주체가 된다고 봄
② [대집행 권한의 위임] 대집행 권한을 위임한 경우, 위임받은 다른 행정청이 대집행주체가 됨
③ (변) [법문상 표현] 「행정대집행법」 제2조는 대집행의 주체를 '당해 행정청'이라 표현하고 있음
④ 판례 군수(郡守)가 군사무위임조례의 규정에 따라 무허가건축물에 대한 철거대집행사무를 하부 행정 기관인 읍·면에 위임한 경우 ➜ 읍·면장에게 관할구역 내의 무허가 건축물에 대하여 그 철거대집행을 위한 계고처분을 할 권한이 이전됨(96누15428)

대집행행위자
① [개념] 대집행을 현실적으로 수행하는 자
② 대집행의 실행행위는 ⊙ 행정청이 직접하는 것(자기집행)도 가능하고 ⓒ 제3자에 의하는 것(타자집행)도 가능○ ➜ 이때 제3자는 행정보조자(대집행 주체×)

대집행요건
공대다방

개설
① [행정대집행법 제2조] "법률(법률의 위임에 의한 명령, 지방자치단체의 조례를 포함)에 의하여 직접명령되었거나 또는 법률에 의거한 행정청의 명령에 의한 행위로서, 타인이 대신하여 행할 수 있는 행위를 의무자가 이행하지 아니하는 경우, 다른 수단으로써 그 이행을 확보하기 곤란하고 또한 그 불이행을 방치함이 심히 공익을 해할 것으로 인정될 때에는, 당해 행정청은 스스로 의무자가 하여야 할 행위를 하거나 또는 제삼자로 하여금 이를 하게 하여 그 비용을 의무자로부터 징수할 수 있다."
② 대집행 요건을 충족하였는지 여부는 계고시를 기준으로 하여 판단 ➜ 입증책임은 행정청에 있음(96누8086)

⊙ 법률에 의하여 직접명령되었거나 법률에 의거한 행정청의 명령에 의한 행위를 불이행하였을 것
① 공법상의 의무를 불이행하였어야 함 ➜ 다만, 이 공법상의 의무가 ⊙ 법률에 의하여 직접 부과되었거나, ⓒ 법률에 의거한 행정청의 명령(즉, 행정행위)에 의하여 부과된 것이어야 함(공법상 계약에 의해 부과된 의무×)
② 이때의 '법률'에는 법률의 위임에 의한 명령(즉, 행정입법)과 지방자치단체의 조례도 포함
③ [사례] 행정주체와 사인 사이의 건축도급계약에 있어서, 사인이 의무불이행을 하였다고 하여도 행정대집행은 허용× ➜ ∵ 국가가 사인과 체결하는 공사도급계약은 국가가 사경제주체로서 행하는 사법상의 법률행위이기 때문
④ 판례 (구)공공용지의 취득 및 손실보상에 관한 특례법에 의한 협의취득시 건물소유자가 협의취득대상 건물에 대하여 약정한 철거의무는, 별도의 규정이 없는 한 그것을 불이행하였다 하더라도 행정대집행에 의한 강제철거의 대상이 되지 않음(2006두7096) ➜ ∵ 협의취득은 사법상의 계약이어서 그에 따라 약정한 철거의무도 사법상의 의무가 되기 때문
⑤ [비교판례] 공유재산 대부계약이 적법하게 해지되었음에도 불구하고 공유재산의 점유자가 그 지상물을 점유하고 있는 경우, 지방자치단체의 장은 원상회복을 위해 행정대집행의 방법으로 그 지상물을 철거시킬 수 있음(2001두4078) ➜ ∵ 대부계약의 해지로 인하여 부담하는 원상회복의무는 사법상의 의무이지만, 그 불이행에 대하여 행정대집행을 허용하는 명문의 규정이 존재하기 때문

ⓒ 대체적 작위의무를 불이행하였을 것	① 사례 군복무를 위한 징집소환 영장에의 불응에 대해서는 행정대집행× → ∵ 비대체적 작위의무 위반이기 때문
	② 사례 영업정지 기간 중 영업의 계속에 대해서는 행정대집행× → ∵ 부작위의무 위반이기 때문
	③ 사례 산지전용허가가 종료 후 산지복구명령의 불이행시 행정대집행이 가능○ → ∵ 산지복구의무는 대체적 작위의무이기 때문
	④ 사례 기부채납 부담의 불이행에 대해서는 행정대집행 가능× → ∵ 비대체적 작위의무이기 때문
	⑤ 퇴거의무와 그에 부수하는 물품반출의무 공원점용허가를 받아 설치한 도시공원시설인 공원매점에 대하여 매점의 점유자가 점용기간 만료 후에 부담하는, 퇴거의무와 이에 부수하는 그 판매 시설물 및 상품을 반출해야 하는 명도(明渡)의무는 「행정대집행법」에 의한 대집행의 대상이 되지 않음(97누157) → ※ 건물의 점유를 넘겨주는 것은 명도, 토지의 점유를 넘겨주는 것은 인도(引渡)라 표현함 → [비교] 철거는 필요하지 않았던 경우로서 뒤의 2016다213916 판례와는 상황이 다름
	⑥ 토지인도의무 공익사업을 위한 토지 등의 취득 및 보상에 관한 법률 제43조에 의하여 피수용자 등이 기업자에 대하여 부담하는 수용대상 토지의 '인도'의무에는 명도의무도 포함되는 것이고, 명도의무는 그것을 강제적으로 실현하면서 직접적인 실력행사가 필요한 것이지, 대체적 작위의무라고 볼 수 없으므로 행정대집행법에 의한 대집행의 대상이 될 수 없음 → ∵ 토지인도의무는 비대체적 작위의무이기 때문 → (변) [명도단행가처분은 가능○] 수용대상 토지의 인도 또는 그 지장물의 명도의무 등이 비록 공법상의 법률관계라고 하더라도, 그 권리에 끼칠 현저한 손해를 피하거나 급박한 위험을 방지하기 위하여 또는 그 밖의 필요한 이유가 있을 경우에는, 그 권리를 피보전권리로 하는 명도단행가처분이 허용될 수 있음(2004다2809)
	⑦ 판례 관계법령에 위반하여 장례식장 영업을 하고 있는 자의 장례식장 사용중지의무는 비대체적 부작위의무이므로 행정대집행법에 의한 대집행의 대상이 아님(2005두7464)
	⑧ 판례 공유수면에 설치한 건물을 철거하여 공유수면을 원상회복하여야 할 의무는 대체적 작위의무에 해당하므로 행정대집행의 대상이 됨(2016다213916)
	⑨ 판례 법령상의 용도 이외에 사용하는 행위를 금지하는 부작위의무의 위반은 대집행의 대상×(96누4374)
	⑩ 판례 구 「하천법」상 하천유수인용(引用) 허가신청이 불허되었음을 이유로 하천유수인용행위를 중단할 것과, 이를 불이행할 경우 「행정대집행법」에 의하여 대집행하겠다는 내용의 계고처분은 대집행의 대상이 될 수 없는 부작위의무에 대한 것으로서 그 자체로 위법함(96누5445)
	⑪ 사례 시장 甲이 건설회사 乙에 대하여 아파트 건설을 위한 「주택법」상 사업계획승인을 하면서, 아파트단지 인근에 개설되는 자동차전용도로의 부지로 사용할 목적으로 乙소유 토지의 일부를 기부채납하도록 하는 부담을 부가하였는데, 이를 불이행한 경우 행정대집행× → ∵ 비대체적 작위의무 위반이기 때문
[특수 논점] 부작위의무 위반의 결과물에 대한 대집행 당연 가부	① [문제점 – 법률유보의 원칙을 얼마나 엄격하게 요구할 것인가] 법령상으로는 부작위의무(예 허가 없이 공동주택에 조경시설을 설치하지 말아야 하는 의무)만 부과되어 있었으나, 그 의무를 위반함으로 인하여 잔존하게 된 유형적 결과물(예 불법조경시설물)이 존재하는 경우에는, 명문의 규정이 없다 하더라도 ㉠ 불이행시 그것을 제거해야 하는 작위의무(예 불법조경시설물 제거의무)도 당연히(ipso iure) 함께 부담하는 것으로 보거나 ㉡ 행정청이 별도의 행정행위(예 원상회복명령)로 작위의무를 부과할 수 있는 권한을 당연히(ipso iure) 갖는다고 보아, 행정대집행을 활용할 수는 없는지가 문제됨
	② [결론 – 엄격하게 요구] 대법원은 또 다른 새로운 의무를 부과하기 위해서는 별도의 근거 규정이 있어야 하므로, 위 두 의무가 실질적으로 연장선상에 있다 하더라도 별도의 근거 규정이 없는 한 ㉠ 당연히 작위의무가 부과되는 것도 아니고 ㉡ 행정청이 별도로 작위의무를 부과하는 행정행위를 할 수도 없다고 봄 → 대집행이 가능하기 위해서는 위 문제상황을 작위의무 위반의 문제상황으로 바꾸는 작위의무를 부과하는 별도의 명문의 규정('전환규정❶')이 있어야 한다고 봄
	③ 판례 부작위의무, 즉 관계 법령에 정하고 있는 절대적 금지나 허가를 유보한 상대적 금지를 위반한 경우, 대집행을 할 수 있으려면 「행정대집행법」 이외에 이를 대체적 작위의무로 전환하는 별도의 법적 근거가 있어야 함(96누4374)
	④ 판례 부작위의무로부터 그 의무를 위반함으로써 생긴 결과를 시정하기 위한 작위의무를 당연히 끌어낼 수는 없으며, 또 위 금지규정(특히 허가를 유보한 상대적 금지규정)으로부터 작위의무, 즉 위반결과의 시정을 명하는 권한이 당연히 추론(推論)되는 것도 아님(96누4374)
	⑤ 판례 법령상 부작위의무 위반에 대해 작위의무를 부과할 수 있는 법령의 근거가 없음에도, 행정청이 위반결과의 시정을 명하는 원상복구명령을 한 후 그 의무불이행을 이유로 대집행계고처분을 한 경우, ㉠ 그 원상복구명령은 무효이고, ㉡ 그 계고처분도 무효임(96누4374) → ∵ 이 경우 작위의무 부과하명은 권한없는 자의 처분이 되어 무효가 되는데(주체상의 하자), 계고처분은 그 무효인 처분에 후속하는 행위가 되기 때문
㉢ 다른 수단으로는 그 이행 확보가 곤란할 것	① 비례의 원칙 중 최소침해의 원칙(필요성)을 규정한 것
	② '다른 수단'은 행정대집행보다 의무자의 권익을 적게 침해하는 수단(예 행정지도)을 의미
㉣ 불이행을 방치함이 심히 공익을 해할 것으로 판단될 것	① 비례의 원칙 중 법익의 균형성(상당성)을 규정한 것 → 이익형량으로 판단
	② 판례 무허가 증축 부분으로 인하여 건물의 미관이 나아지고 증축 부분을 철거하는 데 비용이 많이 소요된다고 하더라도, 건물철거 대집행계고처분을 할 요건에 해당○(91누4140) → 그렇다 하더라도 무허가 증축 건물을 방치하는 것은 심히 공익을 해하는 것이라고 본 것
불가쟁력 발생은 대집행 요건×	의무를 명하는 행정행위에 아직 불가쟁력이 발생하지 않았다 하더라도, 그 행정행위에 따른 의무의 불이행에 대하여 대집행을 할 수 있음 → 독일 행정대집행법에는 불가쟁력의 발생을 요건으로 요구하고 있지만, 우리나라 행정대집행법에서는 요구×

❶ 대체적 작위의무 부과의 근거 규정이 있으면, 부작위의무 위반의 상황을 결과적으로 대체적 작위의무 위반의 형태로 문제삼을 수 있게 되기 때문에, 이를 학문적으로 '전환규정'이라 부른다.

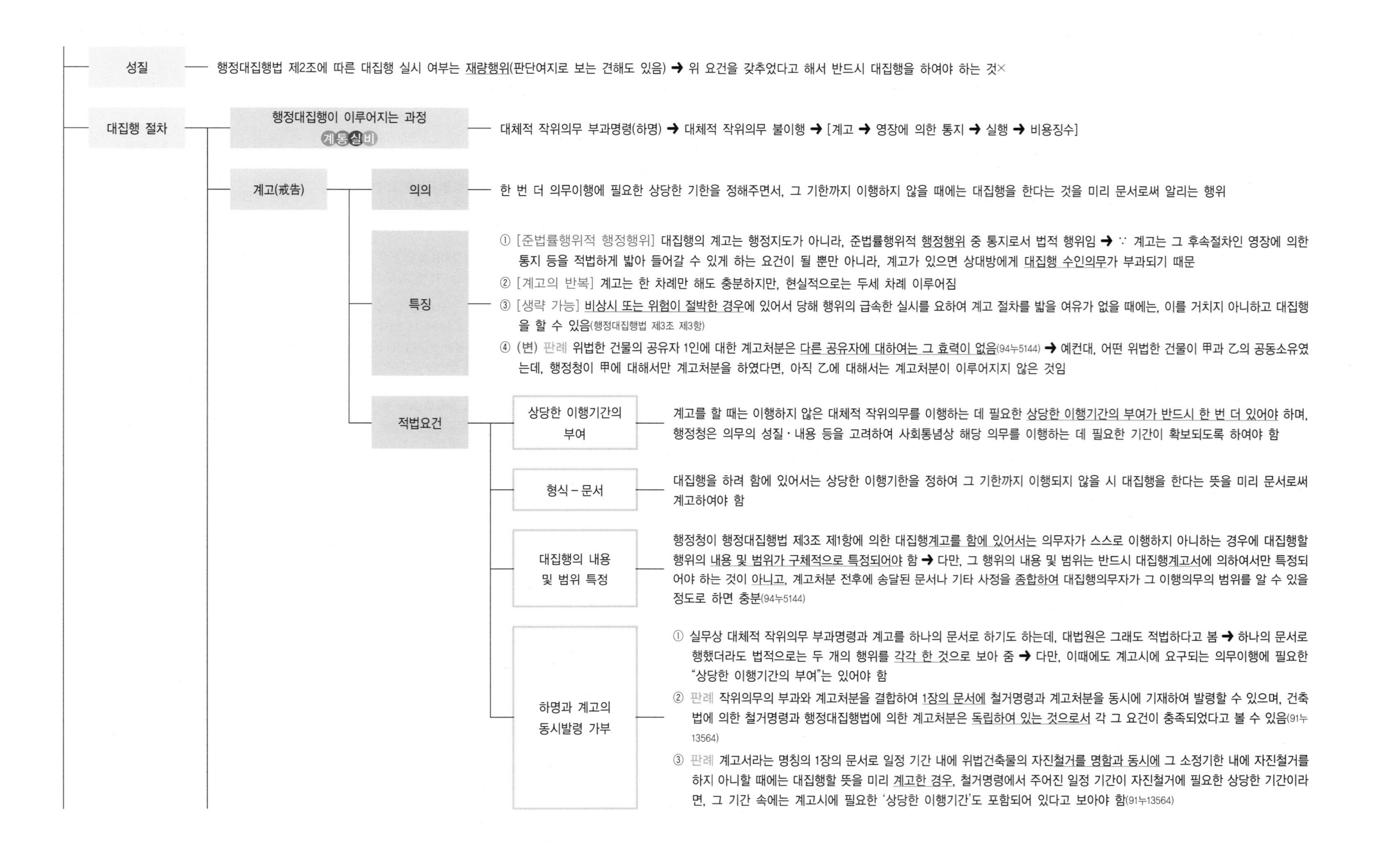

성질 —— 행정대집행법 제2조에 따른 대집행 실시 여부는 재량행위(판단여지로 보는 견해도 있음) ➔ 위 요건을 갖추었다고 해서 반드시 대집행을 하여야 하는 것×

대집행 절차

행정대집행이 이루어지는 과정 계 통 실 비 —— 대체적 작위의무 부과명령(하명) ➔ 대체적 작위의무 불이행 ➔ [계고 ➔ 영장에 의한 통지 ➔ 실행 ➔ 비용징수]

계고(戒告)

의의 —— 한 번 더 의무이행에 필요한 상당한 기한을 정해주면서, 그 기한까지 이행하지 않을 때에는 대집행을 한다는 것을 미리 문서로써 알리는 행위

특징

① [준법률행위적 행정행위] 대집행의 계고는 행정지도가 아니라, 준법률행위적 행정행위 중 통지로서 법적 행위임 ➔ ∵ 계고는 그 후속절차인 영장에 의한 통지 등을 적법하게 밟아 들어갈 수 있게 하는 요건이 될 뿐만 아니라, 계고가 있으면 상대방에게 대집행 수인의무가 부과되기 때문

② [계고의 반복] 계고는 한 차례만 해도 충분하지만, 현실적으로는 두세 차례 이루어짐

③ [생략 가능] 비상시 또는 위험이 절박한 경우에 있어서 당해 행위의 급속한 실시를 요하여 계고 절차를 밟을 여유가 없을 때에는, 이를 거치지 아니하고 대집행을 할 수 있음(행정대집행법 제3조 제3항)

④ (변) 판례 위법한 건물의 공유자 1인에 대한 계고처분은 다른 공유자에 대하여는 그 효력이 없음(94누5144) ➔ 예컨대, 어떤 위법한 건물이 甲과 乙의 공동소유였는데, 행정청이 甲에 대해서만 계고처분을 하였다면, 아직 乙에 대해서는 계고처분이 이루어지지 않은 것임

적법요건

상당한 이행기간의 부여 —— 계고를 할 때는 이행하지 않은 대체적 작위의무를 이행하는 데 필요한 상당한 이행기간의 부여가 반드시 한 번 더 있어야 하며, 행정청은 의무의 성질·내용 등을 고려하여 사회통념상 해당 의무를 이행하는 데 필요한 기간이 확보되도록 하여야 함

형식 – 문서 —— 대집행을 하려 함에 있어서는 상당한 이행기한을 정하여 그 기한까지 이행되지 않을 시 대집행을 한다는 뜻을 미리 문서로써 계고하여야 함

대집행의 내용 및 범위 특정 —— 행정청이 행정대집행법 제3조 제1항에 의한 대집행계고를 함에 있어서는 의무자가 스스로 이행하지 아니하는 경우에 대집행할 행위의 내용 및 범위가 구체적으로 특정되어야 함 ➔ 다만, 그 행위의 내용 및 범위는 반드시 대집행계고서에 의하여서만 특정되어야 하는 것이 아니고, 계고처분 전후에 송달된 문서나 기타 사정을 종합하여 대집행의무자가 그 이행의무의 범위를 알 수 있을 정도로 하면 충분(94누5144)

하명과 계고의 동시발령 가부

① 실무상 대체적 작위의무 부과명령과 계고를 하나의 문서로 하기도 하는데, 대법원은 그래도 적법하다고 봄 ➔ 하나의 문서로 행했더라도 법적으로는 두 개의 행위를 각각 한 것으로 보아 줌 ➔ 다만, 이때에도 계고시에 요구되는 의무이행에 필요한 "상당한 이행기간의 부여"는 있어야 함

② 판례 작위의무의 부과와 계고처분을 결합하여 1장의 문서에 철거명령과 계고처분을 동시에 기재하여 발령할 수 있으며, 건축법에 의한 철거명령과 행정대집행법에 의한 계고처분은 독립하여 있는 것으로서 각 그 요건이 충족되었다고 볼 수 있음(91누13564)

③ 판례 계고서라는 명칭의 1장의 문서로 일정 기간 내에 위법건축물의 자진철거를 명함과 동시에 그 소정기한 내에 자진철거를 하지 아니할 때에는 대집행할 뜻을 미리 계고한 경우, 철거명령에서 주어진 일정 기간이 자진철거에 필요한 상당한 기간이라면, 그 기간 속에는 계고시에 필요한 '상당한 이행기간'도 포함되어 있다고 보아야 함(91누13564)

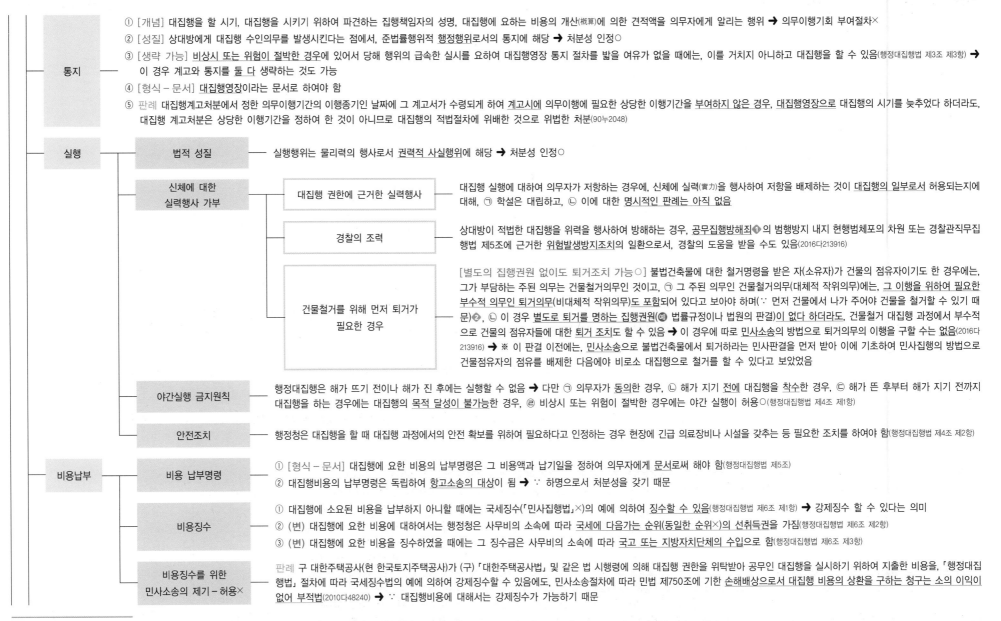

통지
- ① [개념] 대집행을 할 시기, 대집행을 시키기 위하여 파견하는 집행책임자의 성명, 대집행에 요하는 비용의 개산(概算)에 의한 견적액을 의무자에게 알리는 행위 ➜ 의무이행기회 부여절차×
- ② [성질] 상대방에게 대집행 수인의무를 발생시킨다는 점에서, 준법률행위적 행정행위로서의 통지에 해당 ➜ 처분성 인정○
- ③ [생략 가능] 비상시 또는 위험이 절박한 경우에 있어서 당해 행위의 급속한 실시를 요하여 대집행영장 통지 절차를 밟을 여유가 없을 때에는, 이를 거치지 아니하고 대집행을 할 수 있음(행정대집행법 제3조 제3항) ➜ 이 경우 계고와 통지를 둘 다 생략하는 것도 가능
- ④ [형식 – 문서] 대집행영장이라는 문서로 하여야 함
- ⑤ [판례] 대집행계고처분에서 정한 의무이행기간의 이행종기인 날짜에 그 계고서가 수령되게 하여 계고시에 의무이행에 필요한 상당한 이행기간을 부여하지 않은 경우, 대집행영장으로 대집행의 시기를 늦추었다 하더라도, 대집행 계고처분은 상당한 이행기간을 정하여 한 것이 아니므로 대집행의 적법절차에 위배한 것으로 위법한 처분(90누2048)

실행

법적 성질 — 실행행위는 물리력의 행사로서 권력적 사실행위에 해당 ➜ 처분성 인정○

신체에 대한 실력행사 가부

대집행 권한에 근거한 실력행사 — 대집행 실행에 대하여 의무자가 저항하는 경우에, 신체에 실력(實力)을 행사하여 저항을 배제하는 것이 대집행의 일부로서 허용되는지에 대해, ㉠ 학설은 대립하고, ㉡ 이에 대한 명시적인 판례는 아직 없음

경찰의 조력 — 상대방이 적법한 대집행을 위력을 행사하여 방해하는 경우, 공무집행방해죄❶의 범행방지 내지 현행범체포의 차원 또는 경찰관직무집행법 제5조에 근거한 위험발생방지조치의 일환으로서, 경찰의 도움을 받을 수도 있음(2016다213916)

건물철거를 위해 먼저 퇴거가 필요한 경우 — [별도의 집행권원 없이도 퇴거조치 가능○] 불법건축물에 대한 철거명령을 받은 자(소유자)가 건물의 점유자이기도 한 경우에는, 그가 부담하는 주된 의무는 건물철거의무인 것이고, ㉠ 그 주된 의무인 건물철거의무(대체적 작위의무)에는, 그 이행을 위하여 필요한 부수적 의무인 퇴거의무(비대체적 작위의무)도 포함되어 있다고 보아야 하며(∵ 먼저 건물에서 나가 주어야 건물을 철거할 수 있기 때문)❷, ㉡ 이 경우 별도로 퇴거를 명하는 집행권원(예 법률규정이나 법원의 판결)이 없다 하더라도, 건물철거 대집행 과정에서 부수적으로 건물의 점유자들에 대한 퇴거 조치도 할 수 있음 ➜ 이 경우에 따로 민사소송의 방법으로 퇴거의무의 이행을 구할 수는 없음(2016다213916) ➜ ※ 이 판결 이전에는, 민사소송으로 불법건축물에서 퇴거하라는 민사판결을 먼저 받아 이에 기초하여 민사집행의 방법으로 건물점유자의 점유를 배제한 다음에야 비로소 대집행으로 철거를 할 수 있다고 보았었음

야간실행 금지원칙 — 행정대집행은 해가 뜨기 전이나 해가 진 후에는 실행할 수 없음 ➜ 다만 ㉠ 의무자가 동의한 경우, ㉡ 해가 지기 전에 대집행을 착수한 경우, ㉢ 해가 뜬 후부터 해가 지기 전까지 대집행을 하는 경우에는 대집행의 목적 달성이 불가능한 경우, ㉣ 비상시 또는 위험이 절박한 경우에는 야간 실행이 허용○(행정대집행법 제4조 제1항)

안전조치 — 행정청은 대집행을 할 때 대집행 과정에서의 안전 확보를 위하여 필요하다고 인정하는 경우 현장에 긴급 의료장비나 시설을 갖추는 등 필요한 조치를 하여야 함(행정대집행법 제4조 제2항)

비용납부

비용 납부명령
- ① [형식 – 문서] 대집행에 요한 비용의 납부명령은 그 비용액과 납기일을 정하여 의무자에게 문서로써 해야 함(행정대집행법 제5조)
- ② 대집행비용의 납부명령은 독립하여 항고소송의 대상이 됨 ➜ ∵ 하명으로서 처분성을 갖기 때문

비용징수
- ① 대집행에 소요된 비용을 납부하지 아니할 때에는 국세징수(「민사집행법」×)의 예에 의하여 징수할 수 있음(행정대집행법 제6조 제1항) ➜ 강제징수 할 수 있다는 의미
- ② (변) 대집행에 요한 비용에 대하여서는 행정청은 사무비의 소속에 따라 국세에 다음가는 순위(동일한 순위×)의 선취득권을 가짐(행정대집행법 제6조 제2항)
- ③ (변) 대집행에 요한 비용을 징수하였을 때에는 그 징수금은 사무비의 소속에 따라 국고 또는 지방자치단체의 수입으로 함(행정대집행법 제6조 제3항)

비용징수를 위한 민사소송의 제기 – 허용× — [판례] 구 대한주택공사(현 한국토지주택공사)가 (구)「대한주택공사법」및 같은 법 시행령에 의해 대집행 권한을 위탁받아 공무인 대집행을 실시하기 위하여 지출한 비용을, 「행정대집행법」절차에 따라 국세징수법의 예에 의하여 강제징수할 수 있음에도, 민사소송절차에 따라 민법 제750조에 기한 손해배상으로서 대집행 비용의 상환을 구하는 청구는 소의 이익이 없어 부적법(2010다48240) ➜ ∵ 대집행비용에 대해서는 강제징수가 가능하기 때문

❶ [형법] 참고로, 대법원은 적법한 공무집행을 방해하는 경우에는 공무집행방해죄가 성립하지만, 위법한 공무집행은 이를 방해하였다 하더라도 공무집행방해죄가 성립하지 않는다고 보고 있다.

❷ [민법] 철거의무는 불법건축물의 소유자가 부담하는 것이고, 퇴거의무는 불법건축물의 점유자가 부담하는 것이다.

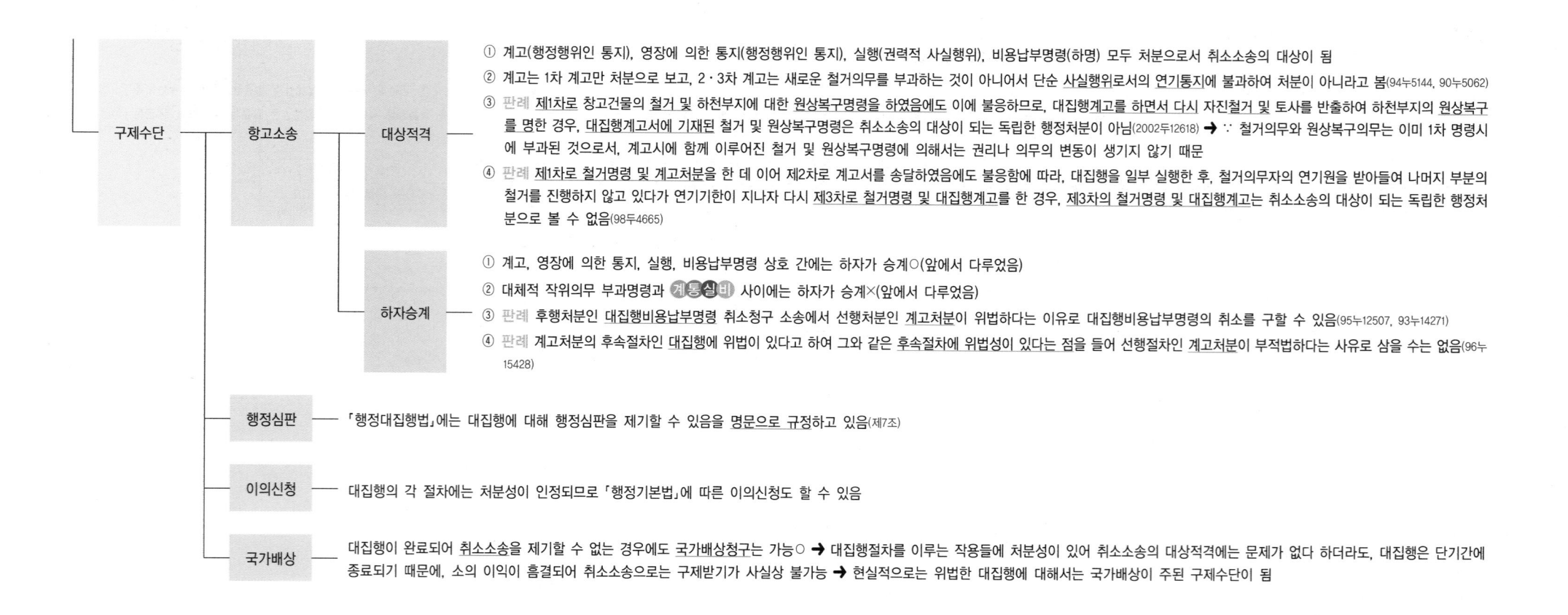

구제수단 ─┬─ 항고소송 ─┬─ 대상적격 ─

① 계고(행정행위인 통지), 영장에 의한 통지(행정행위인 통지), 실행(권력적 사실행위), 비용납부명령(하명) 모두 처분으로서 취소소송의 대상이 됨

② 계고는 1차 계고만 처분으로 보고, 2·3차 계고는 새로운 철거의무를 부과하는 것이 아니어서 단순 사실행위로서의 연기통지에 불과하여 처분이 아니라고 봄(94누5144, 90누5062)

③ 판례 제1차로 창고건물의 철거 및 하천부지에 대한 원상복구명령을 하였음에도 이에 불응하므로, 대집행계고를 하면서 다시 자진철거 및 토사를 반출하여 하천부지의 원상복구를 명한 경우, 대집행계고서에 기재된 철거 및 원상복구명령은 취소소송의 대상이 되는 독립한 행정처분이 아님(2002두12618) ➜ ∵ 철거의무와 원상복구의무는 이미 1차 명령시에 부과된 것으로서, 계고시에 함께 이루어진 철거 및 원상복구명령에 의해서는 권리나 의무의 변동이 생기지 않기 때문

④ 판례 제1차로 철거명령 및 계고처분을 한 데 이어 제2차로 계고서를 송달하였음에도 불응함에 따라, 대집행을 일부 실행한 후, 철거의무자의 연기원을 받아들여 나머지 부분의 철거를 진행하지 않고 있다가 연기기한이 지나자 다시 제3차로 철거명령 및 대집행계고를 한 경우, 제3차의 철거명령 및 대집행계고는 취소소송의 대상이 되는 독립한 행정처분으로 볼 수 없음(98두4665)

── 하자승계 ─

① 계고, 영장에 의한 통지, 실행, 비용납부명령 상호 간에는 하자가 승계○(앞에서 다루었음)

② 대체적 작위의무 부과명령과 계·통·실·비 사이에는 하자가 승계×(앞에서 다루었음)

③ 판례 후행처분인 대집행비용납부명령 취소청구 소송에서 선행처분인 계고처분이 위법하다는 이유로 대집행비용납부명령의 취소를 구할 수 있음(95누12507, 93누14271)

④ 판례 계고처분의 후속절차인 대집행에 위법이 있다고 하여 그와 같은 후속절차에 위법성이 있다는 점을 들어 선행절차인 계고처분이 부적법하다는 사유로 삼을 수는 없음(96누15428)

── 행정심판 ─ 「행정대집행법」에는 대집행에 대해 행정심판을 제기할 수 있음을 명문으로 규정하고 있음(제7조)

── 이의신청 ─ 대집행의 각 절차에는 처분성이 인정되므로 「행정기본법」에 따른 이의신청도 할 수 있음

── 국가배상 ─ 대집행이 완료되어 취소소송을 제기할 수 없는 경우에도 국가배상청구는 가능○ ➜ 대집행절차를 이루는 작용들에 처분성이 있어 취소소송의 대상적격에는 문제가 없다 하더라도, 대집행은 단기간에 종료되기 때문에, 소의 이익이 흠결되어 취소소송으로는 구제받기가 사실상 불가능 ➜ 현실적으로는 위법한 대집행에 대해서는 국가배상이 주된 구제수단이 됨

행정강제 - 강제집행 - 이행강제금

의의
① 의무자가 행정상 의무를 이행하지 아니하는 경우 행정청이 적절한 이행기간을 부여하고, 그 기한까지 행정상 의무를 이행하지 아니하면 금전급부의무를 부과하는 것(행정기본법 제30조 제1항 제2호)
② '집행벌'이라고도 부름

법적 근거
① [법적 근거 필요] 이행강제금은 침익적 강제수단이므로 법적 근거를 요함
② 이행강제금 제도를 규율하는 일반법은 따로 없음 ➡ 「건축법」, 「농지법」, 「근로기준법」, 「독점규제 및 공정거래에 관한 법률」, 「부동산 실권리자명의 등기에 관한 법률」, 「개발제한구역의 지정 및 관리에 관한 특별조치법」 등의 개별법에 의해 규율됨 ➡ 그중 「건축법」에서 가장 자세한 규정을 두고 있음
③ 판례 이행강제금 제도는 건축법이나 건축법에 따른 명령이나 처분을 위반한 건축물의 방치를 막고자 행정청이 시정조치를 명하였음에도 건축주 등이 이를 이행하지 아니한 경우에 행정명령의 실효성을 확보하기 위하여 시정명령 이행 시까지 지속해서 부과함으로써 건축물의 안전과 기능, 미관을 높여 공공복리의 증진을 도모하는 데 입법 취지가 있음(2011두27919)

법적 성질

**행정강제○
행정벌×**
① 의무이행의 강제를 직접적인 목적으로 하는 제도('행정강제')이지, 제재(制裁)에 목적이 있지 않으므로 이행기간이 지난 후에라도 의무를 이행한 경우에는 부과를 중단해야 함
② (변) [특수논점 – 제재목적의 이행강제금의 경우] 「독점규제 및 공정거래에 관한 법률」의 해당 조항에 따른 이행강제금의 경우, 이행강제금이 부과되기 전에 시정조치를 이행하거나 부작위 의무를 명하는 시정조치 불이행을 중단한 경우에도 과거의 시정조치 불이행 기간에 대하여 이행강제금을 부과할 수 있음(2018두63563) ➡ 동법상 이행강제금의 경우에는 강제의 목적과 제재의 목적이 함께 있다고 보았음(부작위 의무를 명하는 시정조치였다는 점도 중요한 포인트였음)
③ 판례 「건축법」상 이행강제금은 행정상의 간접강제 수단에 해당하므로, 시정명령을 받은 의무자가 이행강제금이 부과되기 전에 그 의무를 이행한 경우에는 비록 시정명령에서 정한 기간을 지나서 이행한 경우라도 이행강제금을 부과할 수 없음(2015두35116)
④ 판례 「국토의 계획 및 이용에 관한 법률」에 의해 이행명령을 받은 의무자가 이행명령에서 정한 기간을 지나서 그 명령을 이행한 경우라 하더라도, 의무불이행에 대한 이행강제금을 새로이 부과할 수 없음(2013두15750)
⑤ 판례 「부동산 실권리자명의 등기에 관한 법률」상 장기미등기자가 이행강제금 부과 전에 등기신청의무를 이행하였다면 이행강제금의 부과로써 이행을 확보하고자 하는 목적은 이미 실현된 것이므로 이 법상 규정된 기간이 지나서 등기신청의무를 이행한 경우라 하더라도 이행강제금을 부과할 수 없음(2015두36454)
⑥ [참고] 간접강제결정에서 정한 의무이행기간이 경과한 후라도 처분청이 확정판결의 취지에 따른 재처분을 이행한 경우에는 처분상대방이 더 이상 배상금을 추심할 수 없음(2009다37725, 2002두2444) ➡ 대법원은 취소판결의 기속력 확보수단인 간접강제를 행정강제(직접적 실효성확보수단)와 동일하게 취급

**간접적
강제(집행)수단**
① 판례 「건축법」상 이행강제금은 시정명령의 불이행이라는 과거의 위반행위에 대한 금전적 제재가 아니라, 의무자에게 심리적 압박을 주어 장래에 시정명령에 따른 의무이행을 간접적으로 확보하기 위한 강제집행수단에 해당함(2009헌바140)
② 판례 이행강제금은 행정법상의 부작위의무 또는 비대체적 작위의무를 이행하지 않은 경우에 '일정한 기한까지 의무를 이행하지 않을 때에는 일정한 금전적 부담을 과할 뜻'을 미리 '계고'함으로써 의무자에게 심리적 압박을 주어 장래를 향하여 의무의 이행을 확보하려는 간접적인 행정상 강제집행 수단(2011두2170)

형벌×
① 형벌과 병과해도 일사부재리에 반하지× ➡ ∵ 형벌이 아니기 때문
② 이행강제금은 의무자가 행정상 의무를 이행할 때까지 반복하여 부과하는 것도 가능○(행정기본법 제31조 제5항) ➡ ∵ 형벌이 아니기 때문
③ 판례 이행강제금은 행정상 간접적인 강제집행 수단의 하나로서, 과거의 일정한 법률위반 행위에 대한 제재인 형벌이 아니라 장래의 의무이행 확보를 위한 강제수단일 뿐이어서, 범죄에 대하여 국가가 형벌권을 실행하는 과벌에 해당×(2013헌바171, 2009헌바140)
④ 판례 무허가건축행위에 대한 형사처벌과 시정명령 위반에 대한 이행강제금의 부과는 그 처벌 내지 제재대상이 되는 기본적 사실관계로서의 행위를 달리하며 또한 그 보호법익과 목적에 있어서도 차이가 있으므로 이중처벌×(2001헌바80)
⑤ 판례 개발제한구역 내의 건축물에 대하여 허가를 받지 않고 한 용도변경행위에 대한 형사처벌과 「건축법」 제83조 제1항에 의한 시정명령 위반에 대한 이행강제금 부과는 이중처벌에 해당×(2002헌바26)

이행강제금 납부의무의 일신전속성	① [승계×] 이행강제금 납부의무는 일신전속적인 성질의 것이므로 상속인 기타의 사람에게 승계× ➡ ∴ 이행강제금 납부의무는 의무불이행자(상속인×)의 심리를 압박하여 의무이행 상태를 만들기 위한 목적으로 부과된 것이지, 행정주체가 돈을 받아 내는 데 목적이 있는 것이 아니기 때문 ➡ 상속인에 대해서도 이행강제금을 부과하려면, 다시 계고 및 의견청취 등 절차를 새로 밟아야 함

① [승계×] 이행강제금 납부의무는 일신전속적인 성질의 것이므로 상속인 기타의 사람에게 승계× ➡ ∴ 이행강제금 납부의무는 의무불이행자(상속인×)의 심리를 압박하여 의무이행 상태를 만들기 위한 목적으로 부과된 것이지, 행정주체가 돈을 받아 내는 데 목적이 있는 것이 아니기 때문 ➡ 상속인에 대해서도 이행강제금을 부과하려면, 다시 계고 및 의견청취 등 절차를 새로 밟아야 함

② 부과 후 상대방이 사망한 경우 – 무효 이행강제금 납부의무는 상속인 기타의 사람에게 승계될 수 없는 일신전속적인 성질의 것이므로, 이미 사망한 사람에게 이행강제금을 부과하는 내용의 처분이나 결정은 당연무효임(2006마470) ➡ 납부의무가 상속되지 않으므로 법적으로 아무 효과도 없는 처분이 되었다는 말

③ 부과 후 재판으로 다투던 중 사망한 경우 – 재판종료 구 건축법상의 이행강제금은 구 건축법 소정의 위반행위에 대하여 시정명령을 받은 후 시정기간 내에 당해 시정명령을 이행하지 아니한 건축주 등에 대하여 부과되는 간접강제의 일종으로서, 그 이행강제금 납부의무는 상속인 기타의 사람에게 승계될 수 없는 일신전속적인 성질의 것이므로, 이행강제금을 부과받은 자의 이의에 의해 비송사건절차법❶에 의한 재판절차가 개시된 후에 그 이의한 사람이 사망한 때에는 사건 자체가 목적을 잃고 재판절차가 종료됨(2006마470)

행정대집행과의 관계

① 전통적으로 행정대집행은 대체적 작위의무에 대한 강제집행수단으로, 이행강제금은 부작위의무나 비대체적 작위의무에 대한 강제집행수단으로 이해되어 왔음

② [헌법재판소] 이행강제금제도의 본질에서 오는 제약× ➡ 이행강제금은 부작위의무나 비대체적 작위의무 위반에 뿐만 아니라 대체적 작위의무 위반에 대해서도 부과 가능○ ➡ 행정대집행과 배타적 관계×, 선택적 관계○, 중첩적 활용 가능○

③ 판례 「건축법」상 위법건축물에 대한 이행강제수단으로 대집행과 이행강제금이 인정되고 있는데, 행정청은 개별사건에 있어서 위반내용, 위반자의 시정의지 등을 감안하여 대집행과 이행강제금을 선택적으로 활용할 수 있고, 합리적인 재량에 의해 선택하여 활용하는 이상 대집행과 이행강제금은 중첩적인 제재에 해당한다고 볼 수 없음(일사부재리의 원칙 위반×)(2001헌바80)

④ 판례 「건축법」에 위반된 건축물의 철거를 명하였으나 불응하자 이행강제금을 부과·징수한 후 이후에도 철거를 하지 아니하자 다시 행정대집행계고처분을 한 경우 그 계고처분은 적법·유효함(2001헌바80)

근거법률의 명확성의 원칙

이행강제금 부과의 근거가 되는 법률에는 ㉠ 부과·징수 주체, ㉡ 부과 요건, ㉢ 부과 금액, ㉣ 부과 금액 산정기준, ㉤ 연간 부과 횟수나 횟수의 상한을 명확하게 규정하여야 함 ➡ 다만, ㉣ 또는 ㉤을 규정할 경우 입법목적이나 입법취지를 훼손할 우려가 크다고 인정되는 경우로서 대통령령으로 정하는 경우는 제외(행정기본법 제31조 제1항)

가중·감경

행정청은 ㉠ 의무 불이행의 동기, 목적 및 결과, ㉡ 의무 불이행의 정도 및 상습성 ㉢ 그 밖에 행정목적을 달성하는 데 필요하다고 인정되는 사유를 고려하여 이행강제금의 부과 금액을 가중하거나 감경할 수 있음(행정기본법 제31조 제2항)

「건축법」상 이행강제금의 부과절차

㉠ 상당한 기간을 정하여 시정명령 ➡ ㉡ 불이행시, 다시 한 번 더 상당한 기간을 정하여 시정명령 이행기회 부여

① 시정명령(예 철거명령) 불이행을 이유로 이행강제금을 부과하기 위해서는, 시정명령을 이행할 수 있는 기회가 부여되었어야 함 ➡ 시정명령 이행기회의 부여를 '2차 시정명령'이라고 부르기도 함

② 판례 건축법 제80조 제1항에 따르면 건축주가 시정명령을 이행하지 않고 있는 경우에, 다시 그 시정명령의 이행에 필요한 상당한 이행기한을 정하여 그 기한까지 시정명령을 이행할 수 있는 기회를 준 후가 아니면 이행강제금을 부과할 수 없음(2010두3978)

③ 판례 비록 건축주 등이 장기간 시정명령을 이행하지 아니하였더라도, 그 기간 중에는 시정명령의 이행 기회가 제공되지 아니하였다가 뒤늦게 시정명령의 이행 기회가 제공된 경우라면, 시정명령의 이행 기회 제공을 전제로 한 1회분의 이행강제금만을 부과할 수 있고, 시정명령의 이행 기회가 제공되지 아니한 과거의 기간에 대한 이행강제금까지 한꺼번에 부과할 수는 없음(2015두46598) ➡ 이행 기회가 제공되지 아니한 과거의 기간에 대한 이행강제금까지 한꺼번에 부과하였다면 그러한 이행강제금 부과처분은 하자가 중대·명백하여 당연무효임

④ 판례 시정명령을 받은 의무자가 그 시정명령의 취지에 부합하는 의무를 이행하기 위한 정당한 방법으로 행정청에 신청 또는 신고를 하였으나, 행정청이 위법하게 이를 거부 또는 반려함으로써 결국 그 처분이 취소되기에 이르렀다면, 특별한 사정이 없는 한 그 시정명령의 불이행을 이유로 이행강제금을 부과할 수는 없음(2015두35116) ➡ 가설건축물 존치기간 연장신고를 하라는 행정청의 명령에 따라 甲이 가설 건축물 존치기간 연장신고를 하였으나, 행정청이 법령에서 요구하고 있지도 않은 조건을 요구하며 신고를 반려한 후, 무신고건축물이라는 이유로 가설건축물을 철거하라는 시정명령을 내렸던 사안

❶ [더 들어가기] 2006년 5월 8일 이전에는 건축법상 이행강제금에 대한 불복도 비송사건으로 처리되었기 때문에 이런 판례가 나온 것이다. 다만, 이 법리는 여전히 건축법상 이행강제금 부과처분에 대해 항고소송으로 다투는 경우에도 동일하게 적용된다고 본다. 따라서 항고소송 중 원고가 사망한 경우에도 그 재판절차는 종료된다고 본다.

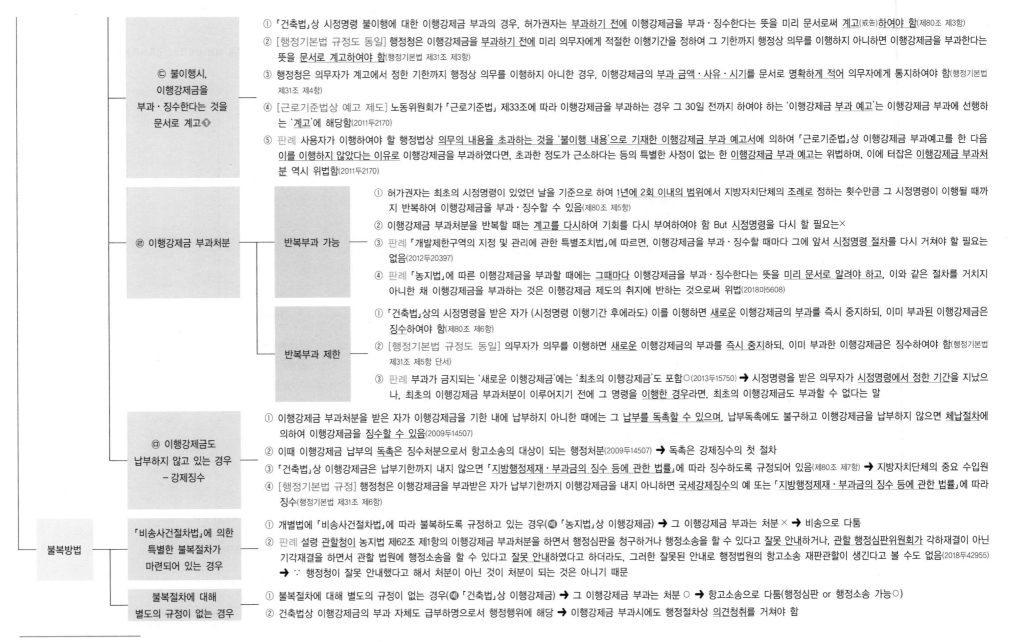

ⓒ 불이행시, 이행강제금을 부과·징수한다는 것을 문서로 계고❶

① 「건축법」상 시정명령 불이행에 대한 이행강제금 부과의 경우, 허가권자는 부과하기 전에 이행강제금을 부과·징수한다는 뜻을 미리 문서로써 계고(戒告)하여야 함(제80조 제3항)

② [행정기본법 규정도 동일] 행정청은 이행강제금을 부과하기 전에 미리 의무자에게 적절한 이행기간을 정하여 그 기한까지 행정상 의무를 이행하지 아니하면 이행강제금을 부과한다는 뜻을 문서로 계고하여야 함(행정기본법 제31조 제3항)

③ 행정청은 의무자가 계고에서 정한 기한까지 행정상 의무를 이행하지 아니한 경우, 이행강제금의 부과 금액·사유·시기를 문서로 명확하게 적어 의무자에게 통지하여야 함(행정기본법 제31조 제4항)

④ [근로기준법상 예고 제도] 노동위원회가 「근로기준법」 제33조에 따라 이행강제금을 부과하는 경우 그 30일 전까지 하여야 하는 '이행강제금 부과 예고'는 이행강제금 부과에 선행하는 '계고'에 해당함(2011두2170)

⑤ 판례 사용자가 이행하여야 할 행정법상 의무의 내용을 초과하는 것을 '불이행 내용'으로 기재한 이행강제금 부과 예고서에 의하여 「근로기준법」상 이행강제금 부과예고를 한 다음 이를 이행하지 않았다는 이유로 이행강제금을 부과하였다면, 초과한 정도가 근소하다는 등의 특별한 사정이 없는 한 이행강제금 부과 예고는 위법하며, 이에 터잡은 이행강제금 부과처분 역시 위법함(2011두2170)

ⓔ 이행강제금 부과처분

반복부과 가능

① 허가권자는 최초의 시정명령이 있었던 날을 기준으로 하여 1년에 2회 이내의 범위에서 지방자치단체의 조례로 정하는 횟수만큼 그 시정명령이 이행될 때까지 반복하여 이행강제금을 부과·징수할 수 있음(제80조 제5항)

② 이행강제금 부과처분을 반복할 때는 계고를 다시하여 기회를 다시 부여하여야 함 But 시정명령을 다시 할 필요는×

③ 판례 「개발제한구역의 지정 및 관리에 관한 특별조치법」에 따르면, 이행강제금을 부과·징수할 때마다 그에 앞서 시정명령 절차를 다시 거쳐야 할 필요는 없음(2012두20397)

④ 판례 「농지법」에 따른 이행강제금을 부과할 때에는 그때마다 이행강제금을 부과·징수한다는 뜻을 미리 문서로 알려야 하고, 이와 같은 절차를 거치지 아니한 채 이행강제금을 부과하는 것은 이행강제금 제도의 취지에 반하는 것으로써 위법(2018마5608)

반복부과 제한

① 「건축법」상의 시정명령을 받은 자가 (시정명령 이행기간 후에라도) 이를 이행하면 새로운 이행강제금의 부과를 즉시 중지하되, 이미 부과된 이행강제금은 징수하여야 함(제80조 제6항)

② [행정기본법 규정도 동일] 의무자가 의무를 이행하면 새로운 이행강제금의 부과를 즉시 중지하되, 이미 부과한 이행강제금은 징수하여야 함(행정기본법 제31조 제5항 단서)

③ 판례 부과가 금지되는 '새로운 이행강제금'에는 '최초의 이행강제금'도 포함○(2013두15750) → 시정명령을 받은 의무자가 시정명령에서 정한 기간을 지났으나, 최초의 이행강제금 부과처분이 이루어지기 전에 그 명령을 이행한 경우라면, 최초의 이행강제금도 부과할 수 없다는 말

ⓔ 이행강제금도 납부하지 않고 있는 경우 – 강제징수

① 이행강제금 부과처분을 받은 자가 이행강제금을 기한 내에 납부하지 아니한 때에는 그 납부를 독촉할 수 있으며, 납부독촉에도 불구하고 이행강제금을 납부하지 않으면 체납절차에 의하여 이행강제금을 징수할 수 있음(2009두14507)

② 이때 이행강제금 납부의 독촉은 징수처분으로서 항고소송의 대상이 되는 행정처분(2009두14507) → 독촉은 강제징수의 첫 절차

③ 「건축법」상 이행강제금은 납부기한까지 내지 않으면 「지방행정제재·부과금의 징수 등에 관한 법률」에 따라 징수하도록 규정되어 있음(제80조 제7항) → 지방자치단체의 중요 수입원

④ [행정기본법 규정] 행정청은 이행강제금을 부과받은 자가 납부기한까지 이행강제금을 내지 아니하면 국세강제징수의 예 또는 「지방행정제재·부과금의 징수 등에 관한 법률」에 따라 징수(행정기본법 제31조 제6항)

불복방법

「비송사건절차법」에 의한 특별한 불복절차가 마련되어 있는 경우

① 개별법에 「비송사건절차법」에 따라 불복하도록 규정하고 있는 경우(ⓔ「농지법」상 이행강제금) → 그 이행강제금 부과는 처분× → 비송으로 다툼

② 판례 설령 관할청이 농지법 제62조 제1항의 이행강제금 부과처분을 하면서 행정심판을 청구하거나 행정소송을 할 수 있다고 잘못 안내하거나, 관할 행정심판위원회가 각하재결이 아닌 기각재결을 하면서 관할 법원에 행정소송을 할 수 있다고 잘못 안내하였다고 하더라도, 그러한 잘못된 안내로 행정법원의 항고소송 재판관할이 생긴다고 볼 수도 없음(2018두42955) → ∵ 행정청이 잘못 안내했다고 해서 처분이 아닌 것이 처분이 되는 것은 아니기 때문

불복절차에 대해 별도의 규정이 없는 경우

① 불복절차에 대해 별도의 규정이 없는 경우(ⓔ「건축법」상 이행강제금) → 그 이행강제금 부과는 처분○ → 항고소송으로 다툼(행정심판 or 행정소송 가능○)

② 건축법상 이행강제금의 부과 자체도 급부하명으로서 행정행위에 해당 → 이행강제금 부과시에도 행정절차상 의견청취를 거쳐야 함

---

❶ 규정상으로는 ⓒ과 ⓓ의 절차가 분리되어 있지만, 실무상으로는 ⓒ과 ⓓ의 절차가 한번에 통합되어 이루어진다.

행정강제 - 강제집행 - 강제징수

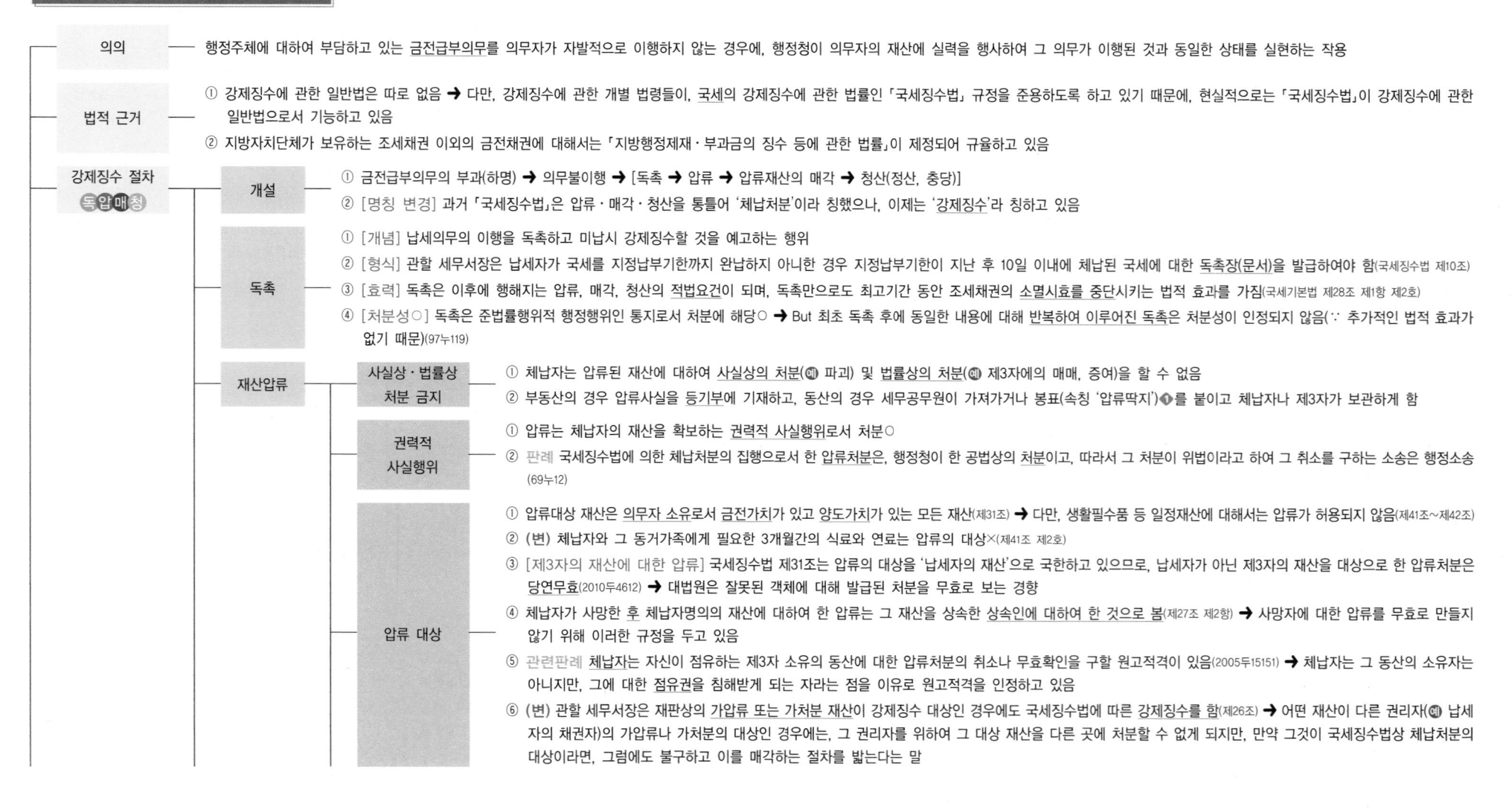

의의 — 행정주체에 대하여 부담하고 있는 금전급부의무를 의무자가 자발적으로 이행하지 않는 경우에, 행정청이 의무자의 재산에 실력을 행사하여 그 의무가 이행된 것과 동일한 상태를 실현하는 작용

법적 근거
① 강제징수에 관한 일반법은 따로 없음 ➡ 다만, 강제징수에 관한 개별 법령들이, 국세의 강제징수에 관한 법률인 「국세징수법」 규정을 준용하도록 하고 있기 때문에, 현실적으로는 「국세징수법」이 강제징수에 관한 일반법으로서 기능하고 있음
② 지방자치단체가 보유하는 조세채권 이외의 금전채권에 대해서는 「지방행정제재·부과금의 징수 등에 관한 법률」이 제정되어 규율하고 있음

강제징수 절차
독압매청

개설
① 금전급부의무의 부과(하명) ➡ 의무불이행 ➡ [독촉 ➡ 압류 ➡ 압류재산의 매각 ➡ 청산(정산, 충당)]
② [명칭 변경] 과거 「국세징수법」은 압류·매각·청산을 통틀어 '체납처분'이라 칭했으나, 이제는 '강제징수'라 칭하고 있음

독촉
① [개념] 납세의무의 이행을 독촉하고 미납시 강제징수할 것을 예고하는 행위
② [형식] 관할 세무서장은 납세자가 국세를 지정납부기한까지 완납하지 아니한 경우 지정납부기한이 지난 후 10일 이내에 체납된 국세에 대한 독촉장(문서)을 발급하여야 함(국세징수법 제10조)
③ [효력] 독촉은 이후에 행해지는 압류, 매각, 청산의 적법요건이 되며, 독촉만으로도 최고기간 동안 조세채권의 소멸시효를 중단시키는 법적 효과를 가짐(국세기본법 제28조 제1항 제2호)
④ [처분성○] 독촉은 준법률행위적 행정행위인 통지로서 처분에 해당○ ➡ But 최초 독촉 후에 동일한 내용에 대해 반복하여 이루어진 독촉은 처분성이 인정되지 않음(∵ 추가적인 법적 효과가 없기 때문)(97누119)

재산압류

사실상·법률상 처분 금지
① 체납자는 압류된 재산에 대하여 사실상의 처분(예 파괴) 및 법률상의 처분(예 제3자에의 매매, 증여)을 할 수 없음
② 부동산의 경우 압류사실을 등기부에 기재하고, 동산의 경우 세무공무원이 가져가거나 봉표(속칭 '압류딱지')❶를 붙이고 체납자나 제3자가 보관하게 함

권력적 사실행위
① 압류는 체납자의 재산을 확보하는 권력적 사실행위로서 처분○
② 판례 국세징수법에 의한 체납처분의 집행으로서 한 압류처분은, 행정청이 한 공법상의 처분이고, 따라서 그 처분이 위법이라고 하여 그 취소를 구하는 소송은 행정소송(69누12)

압류 대상
① 압류대상 재산은 의무자 소유로서 금전가치가 있고 양도가치가 있는 모든 재산(제31조) ➡ 다만, 생활필수품 등 일정재산에 대해서는 압류가 허용되지 않음(제41조~제42조)
② (변) 체납자와 그 동거가족에게 필요한 3개월간의 식료와 연료는 압류의 대상×(제41조 제2호)
③ [제3자의 재산에 대한 압류] 국세징수법 제31조는 압류의 대상을 '납세자의 재산'으로 국한하고 있으므로, 납세자가 아닌 제3자의 재산을 대상으로 한 압류처분은 당연무효(2010두4612) ➡ 대법원은 잘못된 객체에 대해 발급된 처분을 무효로 보는 경향
④ 체납자가 사망한 후 체납자명의의 재산에 대하여 한 압류는 그 재산을 상속한 상속인에 대하여 한 것으로 봄(제27조 제2항) ➡ 사망자에 대한 압류를 무효로 만들지 않기 위해 이러한 규정을 두고 있음
⑤ 관련판례 체납자는 자신이 점유하는 제3자 소유의 동산에 대한 압류처분의 취소나 무효확인을 구할 원고적격이 있음(2005두15151) ➡ 체납자는 그 동산의 소유자는 아니지만, 그에 대한 점유권을 침해받게 되는 자라는 점을 이유로 원고적격을 인정하고 있음
⑥ (변) 관할 세무서장은 재판상의 가압류 또는 가처분 재산이 강제징수 대상인 경우에도 국세징수법에 따른 강제징수를 함(제26조) ➡ 어떤 재산이 다른 권리자(예 납세자의 채권자)의 가압류나 가처분의 대상인 경우에는, 그 권리자를 위하여 그 대상 재산을 다른 곳에 처분할 수 없게 되지만, 만약 그것이 국세징수법상 체납처분의 대상이라면, 그럼에도 불구하고 이를 매각하는 절차를 밟는다는 말

❶ 참고로, 이를 훼손하면 공무상비밀표시무효죄가 되어 형법 제140조에 의해 5년 이하의 징역 또는 700만 원 이하의 벌금을 받게 된다.

압류 절차	세무공무원이 체납처분을 하기 위하여 질문·검사 또는 수색을 하거나 재산을 압류할 때에는 그 신분을 표시하는 증표 및 압류·수색 등 통지서를 지니고 이를 관계자에게 보여주어야 함 (국세기본법 제38조, 지방세기본법 제34조)

과잉압류 금지

① 관할 세무서장은 국세를 징수하기 위하여 필요한 재산 외의 재산을 압류할 수 없음(제32조)

② (변) [과잉압류의 위법성] 세무공무원이 국세의 징수를 위해 납세자의 재산을 압류하는 경우, 그 재산의 가액이 징수할 국세액을 초과한다 하여 위 압류가 <u>당연무효의 처분</u>이라고는 할 수 없음(86누479) ➡ 비례의 원칙에 반하여 <u>위법할 수는 있지만</u>, 그것이 당연무효에 해당하는 하자는 아니라고 보고 있음

(변) 압류 후 근거법률에 대해 위헌결정이 내려진 경우

① ㉠ 압류와 관계되는 체납액의 전부가 납부 또는 충당된 경우, ㉡ 국세 부과의 전부를 취소한 경우, ㉢ 여러 재산을 한꺼번에 공매(公賣)하는 경우로서 일부 재산의 공매대금으로 체납액 전부를 징수한 경우, ㉣ 총 재산의 추산(推算)가액이 강제징수비를 징수하면 남을 여지가 없어 강제징수를 종료할 필요가 있는 경우, ㉤ 그 밖에 이에 준하는 사유로 <u>압류할 필요가 없게 된 경우</u>에는 압류를 반드시(필요적으로) 해제하여야 함(제57조)

② 판례 압류 후 부과처분의 근거법률이 위헌으로 결정된 경우에는 압류처분에는 취소사유가 있는 것이 되고, 압류도 해제하여야 함(2002두3317) ➡ 압류의 근거 법령에 대해 위헌결정이 내려진 경우도 '압류할 필요가 없게 된 경우'에 해당하는 것으로 보고 있음 ➡ ∵ 위헌결정의 기속력으로 인해 후속절차를 더이상 밟아 들어갈 수 없기 때문

매각방법

① [원칙적 공매] 매각은 공매(公賣, public auction)가 원칙이고, 수의(隨意)계약은 예외적인 경우(예) 압류한 재산의 추산가격이 1천만원 미만인 경우 등)에만 가능

② [대행] 관할 세무서장은 대통령령으로 정하는 바에 따라 한국자산관리공사(KAMCO)로 하여금 공매를 대행하게 할 수 있음 ➡ 대행한 경우, 그 공매는 세무서장이 한 것으로 봄(제103조) ➡ 항고소송으로 불복하려는 경우 한국자산관리공사(구 성업공사)를 피고로 하여야 함(∵ 이 대행을 <u>위임</u>으로 보기 때문 ➡ 위임에 대해서는 뒤에서 다룸)(96누1757)

공매

① 공매는 행정행위 중 대리에 해당(通説) ➡ 처분○

② [매수인의 원고적격] 과세관청이 체납처분으로서 행하는 공매행위는 우월한 공권력의 행사로서 행정소송의 대상이 되는 행정처분이며, 공매에 의하여 재산을 매수한 자는 그 공매처분이 취소된 경우에 그 취소처분의 위법을 주장하여 행정소송을 제기할 법률상 이익이 있음(84누201)

③ [재공매결정] 한국자산관리공사가 인터넷을 통하여 재공매(입찰)하기로 한 결정 자체는 내부적인 의사결정에 불과하여 항고소송의 대상이 되는 처분×(2006두8464)

공매통지

① [개념] 공매를 하기 전에 체납자나 전세권자 등 그 물건에 대하여 권리를 가진 자들에게 공매 대상 물건이 무엇인지, 공매가 언제, 어디에서, 어떠한 방식으로 이루어지는지를 통지해 주는 절차 ➡ 이를 통해 체납자에게는 공매절차가 적법하게 이루어지는 것인지 여부를 확인하고 이에 대하여 다툴 수 있는 기회를 주는 한편, 전세권자 등에게는 공매에 참여할 기회를 부여함

② [처분×] 체납자에게 행하는 공매통지는 처분인 공매의 절차적 요건일 뿐 그 자체가 독립한 행정처분인 것은×(2007두18154 전원합의체)

③ 판례 한국자산공사의 공매통지는 공매의 요건이 아니라 공매사실 자체를 체납자에게 알려주는 데 불과한 것으로서, 통지의 상대방의 법적 지위나 권리·의무에 직접 영향을 주는 것이 아니라고 할 것이므로 이것 역시 행정처분에 해당한다고 할 수 없음(2006두8464) ➡ 공매통지는 처분이 아니라는 데 방점이 있는 판시('공매의 요건'이 아니라고 한 부분은 2007두18154 전원합의체 판결로 변경)

공매통지 하자

① 공매처분을 하면서 체납자 등에게 공매통지를 하지 않았거나, 공매통지를 하였더라도 그것이 적법하지 아니한 경우에는 절차상의 흠이 있어 그 공매처분이 위법하게 됨 ➡ 그 하자는 취소사유○, 무효사유× ➡ 공매통지를 직접 항고소송의 대상으로 삼아 다툴 수는 없고, 통지 후에 이루어진 공매처분에 대하여 다투어야 함(2010두25527, 2010다50625)

② (변) 공매통지의 하자를 이유로 다투는 경우, 체납자 등은 자신에 대한 공매통지의 하자만을 공매처분의 위법사유로 주장할 수 있을 뿐, 다른 권리자에 대한 공매통지의 하자를 들어 공매처분의 위법사유로 주장하는 것은 허용×(2007두18154)

③ [비교 – 공매대행사실·공매예고의 통지를 하지 않은 경우] 甲이 자신이 소유한 부동산에 대한 종합토지세 등을 납부하지 않자, 관할 행정청이 위 부동산을 압류한 후 한국자산관리공사에 공매를 의뢰하였고, 공사가 공매절차를 진행하여 乙에게 매각하는 결정을 한 경우, 관할 행정청이 甲 또는 그 임차인에게 공매대행(代行)사실을 통지하지 않았다거나 (대행을 통한 공매가 있을 것이라는) 공매예고통지가 없었다는 이유만으로 위 처분이 위법하게 되는 것×(2011두18304) ➡ ∵ 공매대행사실의 통지나 공매예고의 통지는 법에서 요구하고 있는 절차가 아니기 때문

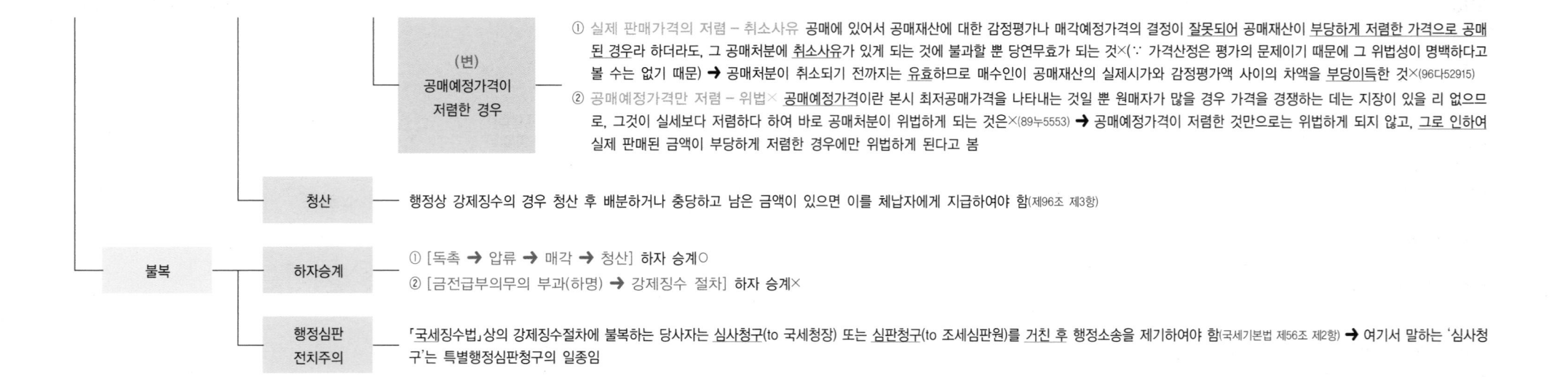

| | (변)
공매예정가격이
저렴한 경우 | ① 실제 판매가격의 저렴 – 취소사유 공매에 있어서 공매재산에 대한 감정평가나 매각예정가격의 결정이 잘못되어 공매재산이 부당하게 저렴한 가격으로 공매
된 경우라 하더라도, 그 공매처분에 취소사유가 있게 되는 것에 불과할 뿐 당연무효가 되는 것×(∵ 가격산정은 평가의 문제이기 때문에 그 위법성이 명백하다고
볼 수는 없기 때문) ➡ 공매처분이 취소되기 전까지는 유효하므로 매수인이 공매재산의 실제시가와 감정평가액 사이의 차액을 부당이득한 것×(96다52915)
② 공매예정가격만 저렴 – 위법× 공매예정가격이란 본시 최저공매가격을 나타내는 것일 뿐 원매자가 많을 경우 가격을 경쟁하는 데는 지장이 있을 리 없으므
로, 그것이 실세보다 저렴하다 하여 바로 공매처분이 위법하게 되는 것은×(89누5553) ➡ 공매예정가격이 저렴한 것만으로는 위법하게 되지 않고, 그로 인하여
실제 판매된 금액이 부당하게 저렴한 경우에만 위법하게 된다고 봄 |

청산 ── 행정상 강제징수의 경우 청산 후 배분하거나 충당하고 남은 금액이 있으면 이를 체납자에게 지급하여야 함(제96조 제3항)

불복

하자승계 ── ① [독촉 ➡ 압류 ➡ 매각 ➡ 청산] 하자 승계○
② [금전급부의무의 부과(하명) ➡ 강제징수 절차] 하자 승계×

행정심판
전치주의 ── 「국세징수법」상의 강제징수절차에 불복하는 당사자는 심사청구(to 국세청장) 또는 심판청구(to 조세심판원)를 거친 후 행정소송을 제기하여야 함(국세기본법 제56조 제2항) ➡ 여기서 말하는 '심사청
구'는 특별행정심판청구의 일종임

행정강제 - 강제집행 - 직접강제

개념
① 행정상의 의무불이행이 있는 경우에, 행정청이 의무자의 신체나 재산에 대하여 실력(實力)❶을 행사하여 의무의 이행이 있었던 것과 동일한 상태를 실현하는 작용 ➜ 이 행정작용을 마치면 행정청이 원하던 상태가 실현됨

② 📕 영업정지처분을 받고도 계속 운영하는 식당에 대한 강제폐쇄, 사업장 폐쇄, 강제퇴거명령에 불응하는 경우에 행하는 외국인 강제퇴거, 해산명령에 불응하는 집회군중에 대한 강제해산 등

법적 근거
침익적 작용이므로 법적 근거 필요 ○ ➜ 직접강제에 대한 일반법은 따로 없음 ➜ 「공중위생관리법」, 「식품위생법」, 「약사법」, 「먹는물관리법」, 「출입국관리법」 등에서 개별적으로 규정하고 있음

대상
대체적 작위의무뿐만 아니라 비대체적 작위의무·부작위의무·수인의무 등 일체의 의무불이행에 대해 행할 수 있음 ➜ 다만, 법적 근거가 마련되어 있는 경우가 적어 전천후(versatile)로는 쓰이지 못하고 있음

보충성
(최후수단성)
직접강제는, 행정대집행이나 이행강제금 부과의 방법으로는 행정상 의무 이행을 확보할 수 없거나 그 실현이 불가능한 경우에 실시하여야 함(행정기본법 제32조 제1항) ➜ ∵ 강제집행 수단들 중 국민의 인권을 가장 크게 제약하기 때문

절차
① [증표제시] 직접강제를 실시하기 위하여 현장에 파견되는 집행책임자는 그가 집행책임자임을 표시하는 증표를 보여 주어야 함(행정기본법 제32조 제2항)

② [계고] 행정청은 직접강제를 하기 전에 미리 의무자에게 적절한 이행기간을 정하여 그 기한까지 행정상 의무를 이행하지 아니하면 직접강제를 한다는 뜻을 문서로 계고(戒告)하여야 함(행정기본법 제32조 제3항)

③ [통지] 행정청은 의무자가 계고에서 정한 기한까지 행정상 의무를 이행하지 아니한 경우, 직접강제의 사유·시기를 문서로 명확하게 적어 의무자에게 통지하여야 함(행정기본법 제32조 제3항)

불복방법
직접강제는 강학상 권력적 사실행위에 해당 ○ ➜ 처분성 ○ ➜ 항고소송○(단, 금방 종료되기 때문에 소송을 제기할 때쯤엔 소의 이익이 없어져 각하되는 경우가 많음)

---

❶ 물리력이라는 뜻이다.

행정강제 - 즉시강제

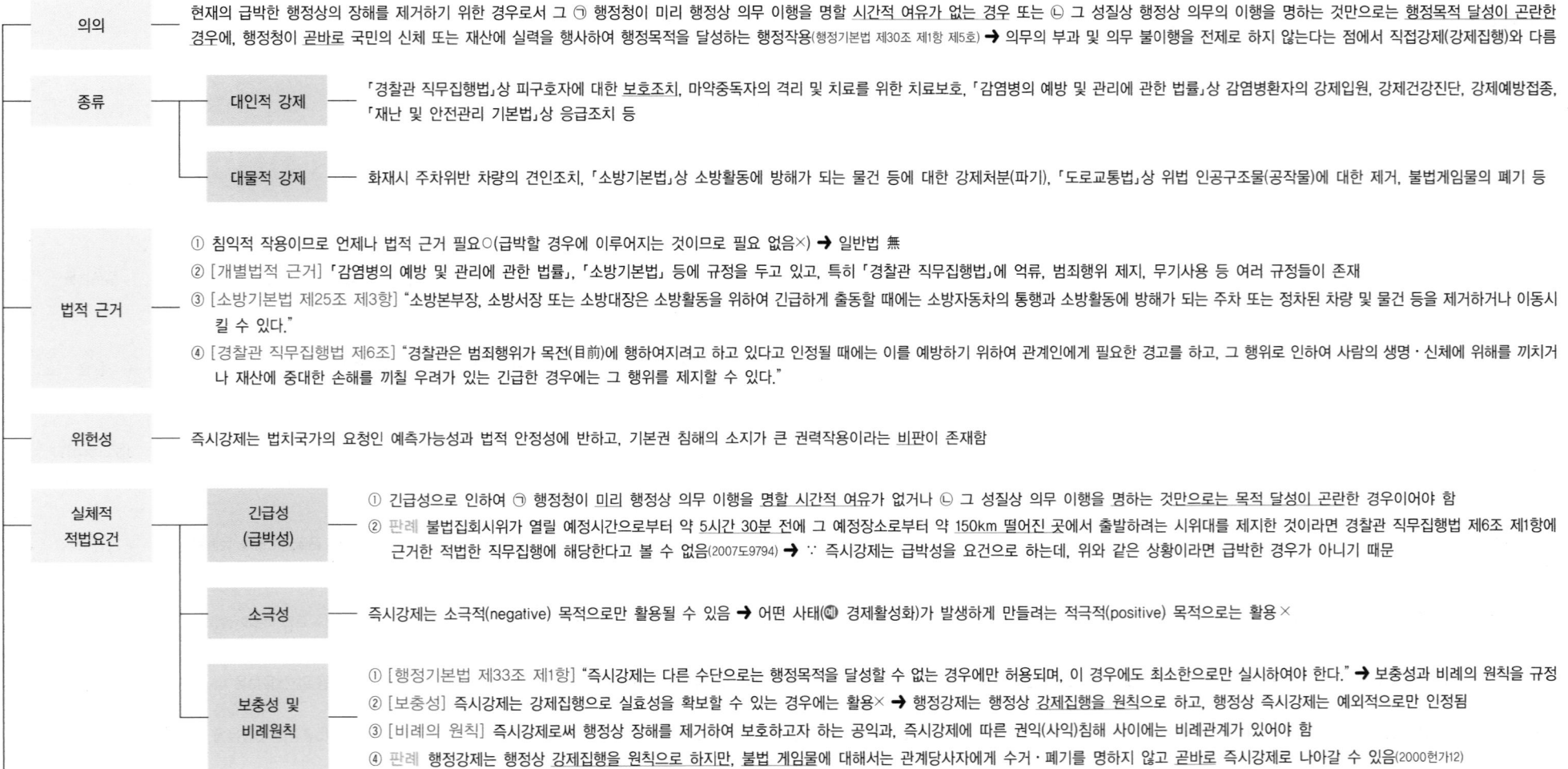

| 의의 | 현재의 급박한 행정상의 장해를 제거하기 위한 경우로서 그 ⊙ 행정청이 미리 행정상 의무 이행을 명할 시간적 여유가 없는 경우 또는 ⓒ 그 성질상 행정상 의무의 이행을 명하는 것만으로는 행정목적 달성이 곤란한 경우에, 행정청이 곧바로 국민의 신체 또는 재산에 실력을 행사하여 행정목적을 달성하는 행정작용(행정기본법 제30조 제1항 제5호) ➜ 의무의 부과 및 의무 불이행을 전제로 하지 않는다는 점에서 직접강제(강제집행)와 다름 |

종류

대인적 강제 : 「경찰관 직무집행법」상 피구호자에 대한 보호조치, 마약중독자의 격리 및 치료를 위한 치료보호, 「감염병의 예방 및 관리에 관한 법률」상 감염병환자의 강제입원, 강제건강진단, 강제예방접종, 「재난 및 안전관리 기본법」상 응급조치 등

대물적 강제 : 화재시 주차위반 차량의 견인조치, 「소방기본법」상 소방활동에 방해가 되는 물건 등에 대한 강제처분(파기), 「도로교통법」상 위법 인공구조물(공작물)에 대한 제거, 불법게임물의 폐기 등

법적 근거
① 침익적 작용이므로 언제나 법적 근거 필요○(급박할 경우에 이루어지는 것이므로 필요 없음×) ➜ 일반법 無
② [개별법적 근거] 「감염병의 예방 및 관리에 관한 법률」, 「소방기본법」 등에 규정을 두고 있고, 특히 「경찰관 직무집행법」에 억류, 범죄행위 제지, 무기사용 등 여러 규정들이 존재
③ [소방기본법 제25조 제3항] "소방본부장, 소방서장 또는 소방대장은 소방활동을 위하여 긴급하게 출동할 때에는 소방자동차의 통행과 소방활동에 방해가 되는 주차 또는 정차된 차량 및 물건 등을 제거하거나 이동시킬 수 있다."
④ [경찰관 직무집행법 제6조] "경찰관은 범죄행위가 목전(目前)에 행하여지려고 하고 있다고 인정될 때에는 이를 예방하기 위하여 관계인에게 필요한 경고를 하고, 그 행위로 인하여 사람의 생명·신체에 위해를 끼치거나 재산에 중대한 손해를 끼칠 우려가 있는 긴급한 경우에는 그 행위를 제지할 수 있다."

위헌성 — 즉시강제는 법치국가의 요청인 예측가능성과 법적 안정성에 반하고, 기본권 침해의 소지가 큰 권력작용이라는 비판이 존재함

실체적 적법요건

긴급성 (급박성)
① 긴급성으로 인하여 ⊙ 행정청이 미리 행정상 의무 이행을 명할 시간적 여유가 없거나 ⓒ 그 성질상 의무 이행을 명하는 것만으로는 목적 달성이 곤란한 경우이어야 함
② 판례 불법집회시위가 열릴 예정시간으로부터 약 5시간 30분 전에 그 예정장소로부터 약 150km 떨어진 곳에서 출발하려는 시위대를 제지한 것이라면 경찰관 직무집행법 제6조 제1항에 근거한 적법한 직무집행에 해당한다고 볼 수 없음(2007도9794) ➜ ∵ 즉시강제는 급박성을 요건으로 하는데, 위와 같은 상황이라면 급박한 경우가 아니기 때문

소극성 — 즉시강제는 소극적(negative) 목적으로만 활용될 수 있음 ➜ 어떤 사태(⑩ 경제활성화)가 발생하게 만들려는 적극적(positive) 목적으로는 활용×

보충성 및 비례원칙
① [행정기본법 제33조 제1항] "즉시강제는 다른 수단으로는 행정목적을 달성할 수 없는 경우에만 허용되며, 이 경우에도 최소한으로만 실시하여야 한다." ➜ 보충성과 비례의 원칙을 규정
② [보충성] 즉시강제는 강제집행으로 실효성을 확보할 수 있는 경우에는 활용× ➜ 행정강제는 행정상 강제집행을 원칙으로 하고, 행정상 즉시강제는 예외적으로만 인정됨
③ [비례의 원칙] 즉시강제로써 행정상 장해를 제거하여 보호하고자 하는 공익과, 즉시강제에 따른 권익(사익)침해 사이에는 비례관계가 있어야 함
④ 판례 행정강제는 행정상 강제집행을 원칙으로 하지만, 불법 게임물에 대해서는 관계당사자에게 수거·폐기를 명하지 않고 곧바로 즉시강제로 나아갈 수 있음(2000헌가12)

절차적 적법요건

(사전)영장주의 적용 여부

① [헌법 – 영장주의] 국민의 신체나 재산에 강제력을 행사하여 범죄수사(◐ 체포)를 하려할 때는 사전에 법관이 발부한 영장이라는 문서를 발급받아야 한다는 헌법상의 원칙

② [문제점] 즉시강제를 할 때에도 체포나 구속 등 형사상 강제수사를 할 때와 유사하게 국민의 신체나 재산에 대한 강제력 행사가 수반될 수 있기 때문에, 즉시강제를 하기 위해서는 영장이 필요한지가 문제됨

③ [판례의 태도] ㉠ 대법원은 원칙적으로 영장이 필요하나, 급박한 경우에는 예외적으로 영장이 필요하지 않다고 표현하지만, ㉡ 헌법재판소는 즉시강제는 본래 급박한 경우에 이루어지는 것이므로 원칙적으로 영장이 필요하지 않다고 표현 ➜ 대법원과 헌법재판소 모두, 국민의 권익보호를 위하여 예외 없이 영장주의가 적용되어야 한다는 영장필요설의 입장은 아님

④ 대법원 사전영장주의 원칙은 인신보호를 위한 헌법상의 기속원리이기 때문에, 인신의 자유를 제한하는 행정상 즉시강제에서도 존중되어야 하고, 다만 사전영장주의를 고수하다가는 도저히 그 목적을 달성할 수 없는 지극히 예외적인 경우에만 형사절차에서와 같은 예외가 인정됨(96다56115, 93추83)

⑤ 헌법재판소 행정상 즉시강제는 상대방의 임의이행을 기다릴 시간적 여유가 없을 때 하명 없이 바로 실력을 행사하는 것으로서, 그 본질상 급박성을 요건으로 하고 있어 법관의 영장을 기다려서는 그 목적을 달성할 수 없다고 할 것이므로, 원칙적으로 영장주의가 적용되지 않는다고 보아야 할 것임(2000헌가12)

⑥ (변) 동행보호제도 – 영장주의 위반× 간첩 등 반국가범죄의 재범 위험성이 현저한 자를 상대로, 긴급히 보호할 필요가 있는 경우에 한하여 단기간의 동행보호를 허용한 (구)사회안전법상 동행보호규정은, 사전영장주의를 규정한 헌법규정에 반한다고 볼 수는 없음(96다56115) ➜ 단기간의 동행보호도 즉시강제의 일종인데, 그에 대하여 영장없이도 동행보호를 할 수 있게 하고 있었으나, 대법원은 영장주의가 적용되지 않는 예외적인 경우에 해당한다고 보았음

⑦ 등급분류를 받지 않은 게임물 수거·폐기 – 영장주의 위반× (구)음반·비디오물 및 게임물에 관한 법률에 따른 등급분류를 받지 아니한 게임물을 발견한 경우, 영장 없이도 관계행정청이 관계공무원으로 하여금 이를 수거·폐기하게 할 수 있도록 한 동법 조항은 급박한 상황에 대처하기 위해 행정상 즉시강제를 행할 불가피성과 정당성이 인정되므로 헌법상 영장주의에 반하는 것으로 볼 수 없음(2000헌가12) ➜ 등급분류를 받지 않은 게임물을 수거·폐기하는 것은 즉시강제의 일종

⑧ (변) 지방의회에서의 사무감사·조사를 위한 증인의 동행명령장제도 – 영장주의 위반○ 지방의회에서의 사무감사·조사를 위한 증인의 동행명령장제도는 사전에 영장을 발부받으면 목적을 달성할 수 없는 긴박성이 인정되지 않음에도 불구하고, 법관이 아닌 지방의회 의장이 이를 발부함으로써 증인의 신체의 자유를 억압하여 일정 장소로 인치하는 것이므로, 이에 기하여 증인의 신체의 자유를 침해하여 증인을 일정 장소에 인치하도록 규정된 조례안은 영장주의원칙을 규정한 헌법 제12조 제3항에 위반된 것임(93추83)

증표제시 및 이유고지 — 즉시강제를 실시하기 위하여 현장에 파견되는 집행책임자는 그가 집행책임자임을 표시하는 증표를 보여 주어야 하며, 즉시강제의 이유와 내용을 고지하여야 함(행정기본법 제33조 제2항)

구제

항고소송 — 즉시강제는 강학상 권력적 사실행위에 해당 ➜ 처분성 ○ ➜ 항고소송○(단, 금방 종료되기 때문에 소송을 제기할 때 쯤엔 소의 이익이 없어져 각하되는 경우가 많음)

국가배상청구 — 위법한 즉시강제작용으로 손해를 입은 자는 국가나 지방자치단체를 상대로 「국가배상법」이 정한 바에 따라 손해배상을 청구할 수 있음

손실보상청구 — 국가는 경찰관의 적법한 직무집행(◐ 경찰관직무집행법 제4조에 따른 보호조치)으로 인하여 ㉠ 손실발생의 원인에 대하여 책임이 없는 자가 생명·신체 또는 재산상의 손실을 입은 경우(손실발생의 원인에 대하여 책임이 없는 자가 경찰관의 직무집행에 자발적으로 협조하거나 물건을 제공하여 생명·신체 또는 재산상의 손실을 입은 경우를 포함)나 ㉡ 손실발생의 원인에 대하여 책임이 있는 자가 자신의 책임에 상응하는 정도를 초과하는 생명·신체 또는 재산상의 손실을 입은 경우에는 손실을 입은 자에 대하여 정당한 보상을 하여야 함(경찰관직무집행법 제11조의2)

공무집행방해죄 — 위법한 즉시강제에 항거하는 경우 공무집행방해죄를 구성하지 않음(2016도19371)

행정벌

제1절 서론

행정벌 개설

행정상 제재	의의	'행정상 제재'는 매우 포괄적인 개념으로서, 법령등에 따른 의무를 위반하거나 이행하지 아니하였음을 이유로 <u>행정청이</u> 당사자에게 의무를 부과하거나 권익을 제한하는 온갖 불이익을 통틀어 일컫는 개념 ➔ 영업정지, 입찰참가자격제한, 과태료, 과징금 부과 등을 모두 포괄하는 개념
	부과요건	① 행정법규 위반에 대하여 가하는 각종 제재조치들은 행정목적 달성을 위하여 행정법규 위반이라는 <u>객관적 사실 자체에만 착안하여 부과되는 것이 원칙</u> ➔ 고의나 과실이 없었어도 부과됨 (다만, 의무해태를 탓할 수 없는 정당한 사유가 있는 예외적인 경우에만 면제됨)(2010두6700) ➔ [사례] 자기 소유의 자동차가 최고시속 50km/h의 제한이 있는 지점을 시속 80km/h로 지나간 경우, 설사 자신은 보조석에 타고 있었고 친구가 자동차를 운전한 것이었다 하더라도 과태료는 부과됨 ➔ 다만, 자동차를 도난당하였기 때문에 관리가 어려웠던 사정이 있었던 경우라면 과태료를 면제 받음(이 점은 면책을 주장하는 자가 입증해야 함) ② [법령상 책임자 제재의 원칙] 행정법상의 의무 위반이 발생하면, 누가 그러한 사태를 초래했는지와 무관하게, 법령상 책임자로 규정된 자에게 제재가 부과됨 ③ [정당한 사유의 판단] '의무위반을 탓할 수 없는 정당한 사유'가 있는지를 판단할 때에는 법령상 책임자 본인이나 그 대표자의 주관적인 인식을 기준으로 하는 것이 아니라, 그의 <u>가족, 대리인, 피용인 등과 같이 본인에게 책임을 객관적으로 귀속시킬 수 있는 관계자 모두를 기준으로 판단하여야</u> 함(2020두51587, 2019두63515) ④ 판례 입찰참가자격 제한 처분은 경쟁의 공정한 집행이나 계약의 적정한 이행을 해칠 염려가 있거나 그 밖에 입찰에 참가시키는 것이 적합하지 아니하다는 <u>객관적 사실 및 평가에 착안하여 가하는 제재이므로,</u> 반드시 현실적인 행위자가 아니라도 법령상 책임자로 규정된 자에게 부과될 수 있음(2017두39266) ➔ 대리인 등 타인을 사용하여 이익을 얻는 부정당업자는 그로 인한 위험이나 불이익을 감수하는 것이 타당하다는 점도 논거로 들었음
개념의 변천 (출제×)		① [과거 - 행정벌 = 간접적 실효성 확보수단 = 행정상 제재] 과거에는 행정상 의무불이행에 대하여 이루어지는 제재가 형벌과 과태료의 형태로만 존재하였음 ➔ 이러한 제재들을 통틀어 '행정벌'이라 하였고, 둘 중 어떤 제재를 가하느냐에 따라, 형벌(刑罰)을 부과하는 경우를 행정형벌, 과태료를 부과하는 경우를 행정질서벌로 구분하였음 ② [현재 - 행정벌 ⊂ 간접적 실효성 확보수단 = 행정상 제재] 오늘날에는 그 이외에도 각종 제재 수단들이 새로 등장하면서 ㉠ 행정법상의 의무위반에 대한 <u>각종 제재를 '간접적 실효성 확보수단'이라 부르고,</u> ㉡ 그중 특히 행정형벌과 행정질서벌만을 '행정벌'이라 부름
행정벌과 징계벌의 구분		① <u>특별권력관계에서의 질서 유지를 목적으로 하여 부과되는 징계벌</u>(예 교도소 내에서 난동을 부린 수형자에 대한 독방감금(금치)처분, 공무원에 대한 감봉처분, 국립대학교 학생에 대한 퇴학처분 등)은, 일반권력관계에 있어서 일반사인에 대한 통치권의 발동으로 과해지는 제재인 행정벌과 구분됨 ② 판례 피고인이 「행형법」에 의한 징벌을 받아 그 집행을 종료한 뒤에 <u>형사처벌을 한다고 하여 일사부재리의 원칙에 반하는 것은 아님</u>(2000도3874) ➔ ※ 「행형법」(현 「형의 집행 및 수용자의 처우에 관한 법률」)은 교도소 내에 있는 자들을 관리할 때 적용되는 법률임
형사판결과 행정상 제재의 관계		행정처분과 형벌은 각각 그 권력적 기초, 대상, 목적이 다름 ➔ 일정한 법규 위반 사실(예 공무원의 수뢰행위)이 행정처분(예 징계처분)의 전제사실인 동시에 형사법규의 위반 사실(예 수뢰죄)이 되는 경우에, 동일한 행위에 관하여 독립적으로 행정처분이나 형벌(예 징역 3년)을 부과하거나 <u>이를 병과할 수 있음</u> ➔ 법규가 예외적으로 형사소추 선행 원칙을 규정하고 있지 않은 이상, 형사판결 확정에 앞서 일정한 위반사실을 들어 행정처분을 하였다고 하여 <u>절차적 위반이 있다고 할 수 없음</u>(2015두59808)

행정벌 - 행정형벌

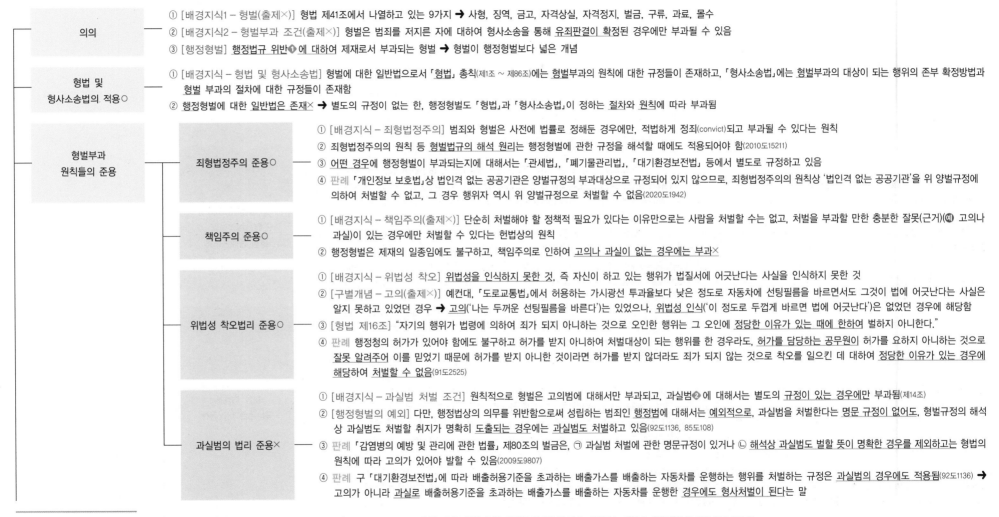

의의

① [배경지식1 - 형벌(출제×)] 형법 제41조에서 나열하고 있는 9가지 ➜ 사형, 징역, 금고, 자격상실, 자격정지, 벌금, 구류, 과료, 몰수

② [배경지식2 - 형벌부과 조건(출제×)] 형벌은 범죄를 저지른 자에 대하여 형사소송을 통해 유죄판결이 확정된 경우에만 부과될 수 있음

③ [행정형벌] 행정법규 위반❶에 대하여 제재로서 부과되는 형벌 ➜ 형벌이 행정형벌보다 넓은 개념

형법 및 형사소송법의 적용○

① [배경지식 - 형법 및 형사소송법] 형벌에 대한 일반법으로서 「형법」 총칙(제1조 ~ 제86조)에는 형벌부과의 원칙에 대한 규정들이 존재하고, 「형사소송법」에는 형벌부과의 대상이 되는 행위의 존부 확정방법과 형벌 부과의 절차에 대한 규정들이 존재함

② 행정형벌에 대한 일반법은 존재× ➜ 별도의 규정이 없는 한, 행정형벌도 「형법」과 「형사소송법」이 정하는 절차와 원칙에 따라 부과됨

형벌부과 원칙들의 준용

죄형법정주의 준용○

① [배경지식 - 죄형법정주의] 범죄와 형벌은 사전에 법률로 정해둔 경우에만, 적법하게 정죄(convict)되고 부과될 수 있다는 원칙

② 죄형법정주의의 원칙 등 형벌법규의 해석 원리는 행정형벌에 관한 규정을 해석할 때에도 적용되어야 함(2010도15211)

③ 어떤 경우에 행정형벌이 부과되는지에 대해서는 「관세법」, 「폐기물관리법」, 「대기환경보전법」 등에서 별도로 규정하고 있음

④ 판례 「개인정보 보호법」상 법인격 없는 공공기관은 양벌규정의 부과대상으로 규정되어 있지 않으므로, 죄형법정주의의 원칙상 '법인격 없는 공공기관'을 위 양벌규정에 의하여 처벌할 수 없고, 그 경우 행위자 역시 위 양벌규정으로 처벌할 수 없음(2020도1942)

책임주의 준용○

① [배경지식 - 책임주의(출제×)] 단순히 처벌해야 할 정책적 필요가 있다는 이유만으로는 사람을 처벌할 수는 없고, 처벌을 부과할 만한 충분한 잘못(근거)(예 고의나 과실)이 있는 경우에만 처벌할 수 있다는 헌법상의 원칙

② 행정형벌은 제재의 일종임에도 불구하고, 책임주의로 인하여 고의나 과실이 없는 경우에는 부과×

위법성 착오법리 준용○

① [배경지식 - 위법성 착오] 위법성을 인식하지 못한 것, 즉 자신이 하고 있는 행위가 법질서에 어긋난다는 사실을 인식하지 못한 것

② [구별개념 - 고의(출제×)] 예컨대, 「도로교통법」에서 허용하는 가시광선 투과율보다 낮은 정도로 자동차에 선팅필름을 바르면서도 그것이 법에 어긋난다는 사실은 알지 못하고 있었던 경우 ➜ 고의('나는 두꺼운 선팅필름을 바른다')는 있었으나, 위법성 인식('이 정도로 두껍게 바르면 법에 어긋난다')은 없었던 경우에 해당함

③ [형법 제16조] "자기의 행위가 법령에 의하여 죄가 되지 아니하는 것으로 오인한 행위는 그 오인에 정당한 이유가 있는 때에 한하여 벌하지 아니한다."

④ 판례 행정청의 허가가 있어야 함에도 불구하고 허가를 받지 아니하여 처벌대상이 되는 행위를 한 경우라도, 허가를 담당하는 공무원이 허가를 요하지 아니하는 것으로 잘못 알려주어 이를 믿었기 때문에 허가를 받지 아니한 것이라면 허가를 받지 않더라도 죄가 되지 않는 것으로 착오를 일으킨 데 대하여 정당한 이유가 있는 경우에 해당하여 처벌할 수 없음(91도2525)

과실범의 법리 준용×

① [배경지식 - 과실범 처벌 조건] 원칙적으로 형벌은 고의범에 대해서만 부과되고, 과실범❷에 대해서는 별도의 규정이 있는 경우에만 부과됨(제14조)

② [행정형벌의 예외] 다만, 행정법상의 의무를 위반함으로써 성립하는 범죄인 행정범에 대해서는 예외적으로, 과실범을 처벌한다는 명문 규정이 없어도, 형벌규정의 해석상 과실범도 처벌할 취지가 명확히 도출되는 경우에는 과실범도 처벌하고 있음(92도1136, 85도108)

③ 판례 「감염병의 예방 및 관리에 관한 법률」 제80조의 벌금은, ㉠ 과실범 처벌에 관한 명문규정이 있거나 ㉡ 해석상 과실범도 벌할 뜻이 명확한 경우를 제외하고는 형법의 원칙에 따라 고의가 있어야 발할 수 있음(2009도9807)

④ 판례 구 「대기환경보전법」에 따라 배출허용기준을 초과하는 배출가스를 배출하는 자동차를 운행하는 행위를 처벌하는 규정은 과실범의 경우에도 적용됨(92도1136) ➜ 고의가 아니라 과실로 배출허용기준을 초과하는 배출가스를 배출하는 자동차를 운행한 경우에도 형사처벌이 된다는 말

❶ 행정형벌은 형벌 중에서도 행정과 관련된 법규를 위반한 경우에 부과되는 것만을 말한다. 예컨대, 강도나 강간, 폭행, 살인 등의 범죄를 저지름에 따라 부과되는 형벌은 행정형벌에 해당하지 않는다.

❷ 과실범(過失犯)이란 과실로 범죄에 해당하는 행위를 한 경우(예 과실로 사람을 살해한 경우)를 말한다.

양벌규정의 문제	양벌규정의 의의	① 피고용인(종업원, 직원)의 행정법규 위반행위가 있는 경우에 피고용인(종업원, 직원)뿐만 아니라, 그를 사용한 사용자(영업주, 사업주)나 그가 속해 있는 법인에 대해서도 형벌을 부과하기로 하는 규정 ② 판례 양벌규정에 의한 법인의 처벌은 어디까지나 형벌의 일종으로서 행정적 제재처분이나 민사상 불법행위책임과는 성격을 달리함(2017도4111)
	사용자가 부담하는 책임의 성격	① [자기책임○, 과실책임○, 대위책임×] 피고용인의 위반행위로 인해 사용자나 법인도 처벌되는 것은, 피고용인의 책임을 대신 지는 것이 아니라, 보통 그들에게도 선임·감독상의 잘못(과실)이 있기 때문임 → 사용자나 법인은 피고용인에 대한 선임·감독의무를 태만히 하지 않은 경우에는 처벌× → 피고용인이 행정법규 위반행위를 했다는 이유만으로는 처벌 가능×(만약 피고용인의 위반행위가 있었다는 이유만으로 처벌한다면 책임주의 위반❶) ② [사용자나 법인의 책임은 실제 행위자에 대한 처벌과 독립된 별개의 것] 양벌규정에 의한 영업주의 처벌에 있어서 종업원의 범죄성립이나 처벌은 영업주 처벌의 전제조건이 되지 않음(2005도7673) → 사용자에 대해서만 공소를 제기하였다고 해서 위법한 공소제기가 되는 것× ③ [관련논점 – 법인 대표자의 행위에 대해 법인이 부담하는 책임의 성격] 법인 대표자의 법규위반행위에 대한 법인의 책임은, 법인 자신의 법규위반행위로 평가될 수 있는 행위에 대한 법인의 직접책임(대표자를 잘 선임·감독하지 못했기 때문에 지는 책임×)으로서, 대표자의 고의에 의한 위반행위에 대하여는 법인 자신의 고의에 의한 책임을, 대표자의 과실에 의한 위반행위에 대하여는 법인 자신의 과실에 의한 책임을 짐(2009도3876, 2013헌가18) → 선임·감독의무를 태만히 하지 않은 경우라 하더라도 법인도 처벌○ ④ 판례 종업원 등의 범죄에 대해 법인에게 어떠한 잘못이 있는지를 전혀 묻지 않고 곧바로 단순히 종업원이 업무에 관한 범죄행위를 하였다는 이유만으로 그 종업원 등을 고용한 법인에게도 종업원 등에 대한 처벌조항에 규정된 벌금형을 과하도록 규정하는 것은 책임주의에 반함(2010헌가10) ⑤ 판례 법인은 기관을 통하여 행위하므로, 법인이 대표자를 선임한 이상 그의 행위로 인한 법률효과는 법인에게 귀속되어야 하고, 법인 대표자의 범죄행위에 대하여는 법인이 자신의 행위에 대한 책임을 부담하는 것임(2019헌가25)
	양벌규정을 통한 지방자치단체 처벌가부	① 지방자치단체의 공무원이 ㉠ 자치사무(⑩ 쓰레기청소) 수행 중 행정형벌이 규정된 행정법규를 위반한 경우에는 지방자치단체도 양벌규정에 의해 처벌되는 법인에 해당○, ㉡ 반면, 기관위임사무(⑩ 항만순찰) 수행 중 행정법규를 위반한 경우는 지방자치단체는 양벌규정에 의해 처벌되는 법인에 해당× ② 자치사무 지방자치단체가 그 고유의 자치사무를 처리하는 경우에는 지방자치단체는 국가기관과는 별도의 독립한 공법인이므로, 지방자치단체 소속 공무원이 압축트럭청소차를 운전하여 고속도로를 운행하던 중 「도로법」상의 제한 축중을 초과 적재 운행함으로써 도로관리청의 차량운행제한을 위반한 경우, 해당 지방자치단체가 도로법 제86조의 양벌규정에 따른 처벌대상이 됨(2004도2657) ③ 기관위임사무 지방자치단체 소속 공무원이 지정항만순찰 등의 업무를 위해 관할관청의 승인 없이 개조한 승합차를 운행함으로써 구 자동차관리법을 위반한 경우, 지방자치법, 구 항만법, 구 항만법 시행령 등에 비추어 위 항만순찰 등의 업무가 지방자치단체의 장이 국가로부터 위임받은 기관위임사무에 해당하여, 해당 지방자치단체가 구 자동차관리법 제83조의 양벌규정에 따른 처벌대상이 될 수 없음(2008도6530)

❶ [헌법] 과거에는 사용자나 법인에게 감독의무 태만이 없는 경우에도 피고용인의 잘못만으로도 이들을 처벌하고 있었는데, 헌법재판소가 2009년부터 그러한 법률규정들에 대하여 책임주의 위반을 이유로 위헌결정을 내리고 있다.

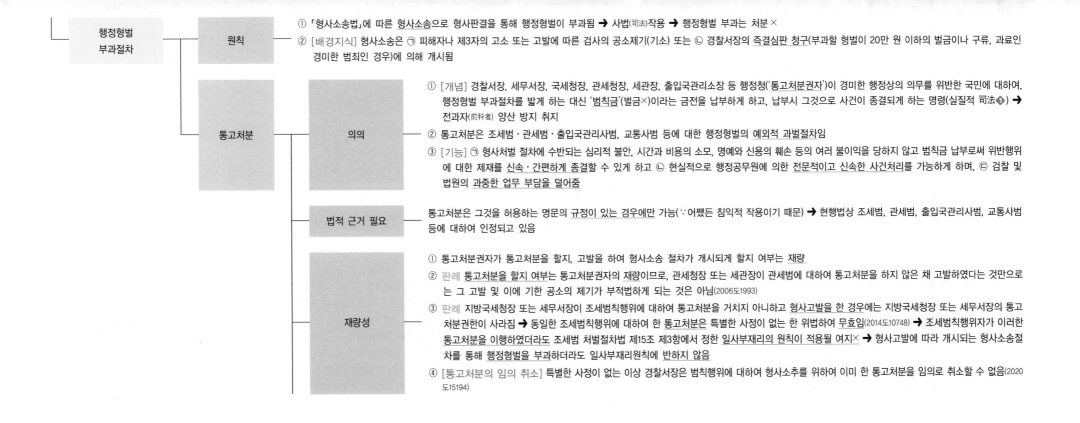

행정형벌 부과절차	원칙	① 「형사소송법」에 따른 형사소송으로 형사판결을 통해 행정형벌이 부과됨 → 사법(司法)작용 → 행정형벌 부과는 처분×
		② [배경지식] 형사소송은 ㉠ 피해자나 제3자의 고소 또는 고발에 따른 검사의 공소제기(기소) 또는 ㉡ 경찰서장의 즉결심판 청구(부과할 형벌이 20만 원 이하의 벌금이나 구류, 과료인 경미한 범죄인 경우)에 의해 개시됨
	통고처분 — 의의	① [개념] 경찰서장, 세무서장, 국세청장, 관세청장, 세관장, 출입국관리소장 등 행정청('통고처분권자')이 경미한 행정상의 의무를 위반한 국민에 대하여, 행정형벌 부과절차를 밟게 하는 대신 '범칙금'(벌금×)이라는 금전을 납부하게 하고, 납부시 그것으로 사건이 종결되게 하는 명령(실질적 司法❶) → 전과자(前科者) 양산 방지 취지
		② 통고처분은 조세범·관세범·출입국관리사범, 교통사범 등에 대한 행정형벌의 예외적 과벌절차임
		③ [기능] ㉠ 형사처벌 절차에 수반되는 심리적 불안, 시간과 비용의 소모, 명예와 신용의 훼손 등의 여러 불이익을 당하지 않고 범칙금 납부로써 위반행위에 대한 제재를 신속·간편하게 종결할 수 있게 하고 ㉡ 현실적으로 행정공무원에 의한 전문적이고 신속한 사건처리를 가능하게 하며, ㉢ 검찰 및 법원의 과중한 업무 부담을 덜어줌
	법적 근거 필요	통고처분은 그것을 허용하는 명문의 규정이 있는 경우에만 가능(∵어쨌든 침익적 작용이기 때문) → 현행법상 조세범, 관세범, 출입국관리사범, 교통사범 등에 대하여 인정되고 있음
	재량성	① 통고처분권자가 통고처분을 할지, 고발을 하여 형사소송 절차가 개시되게 할지 여부는 재량
		② 판례 통고처분을 할지 여부는 통고처분권자의 재량이므로, 관세청장 또는 세관장이 관세범에 대하여 통고처분을 하지 않은 채 고발하였다는 것만으로는 그 고발 및 이에 기한 공소의 제기가 부적법하게 되는 것은 아님(2006도1993)
		③ 판례 지방국세청장 또는 세무서장이 조세범칙행위에 대하여 통고처분을 거치지 아니하고 형사고발을 한 경우에는 지방국세청장 또는 세무서장의 통고처분권한이 사라짐 → 동일한 조세범칙행위에 대하여 한 통고처분은 특별한 사정이 없는 한 위법하여 무효임(2014도10748) → 조세범칙행위자가 이러한 통고처분을 이행하였더라도 조세범 처벌절차법 제15조 제3항에서 정한 일사부재리의 원칙이 적용될 여지× → 형사고발에 따라 개시되는 형사소송절차를 통해 행정형벌을 부과하더라도 일사부재리원칙에 반하지 않음
		④ [통고처분의 임의 취소] 특별한 사정이 없는 이상 경찰서장은 범칙행위에 대하여 형사소추를 위하여 이미 한 통고처분을 임의로 취소할 수 없음(2020도15194)

❶ 통고처분은 정식 형사 재판의 전단계에서 행해지는 작용으로서, 그 상대방이 범죄를 저질렀다고 행정기관이 판정하여 불이익을 가하는 행위이기 때문에 실질적 사법(司法)에 해당한다.

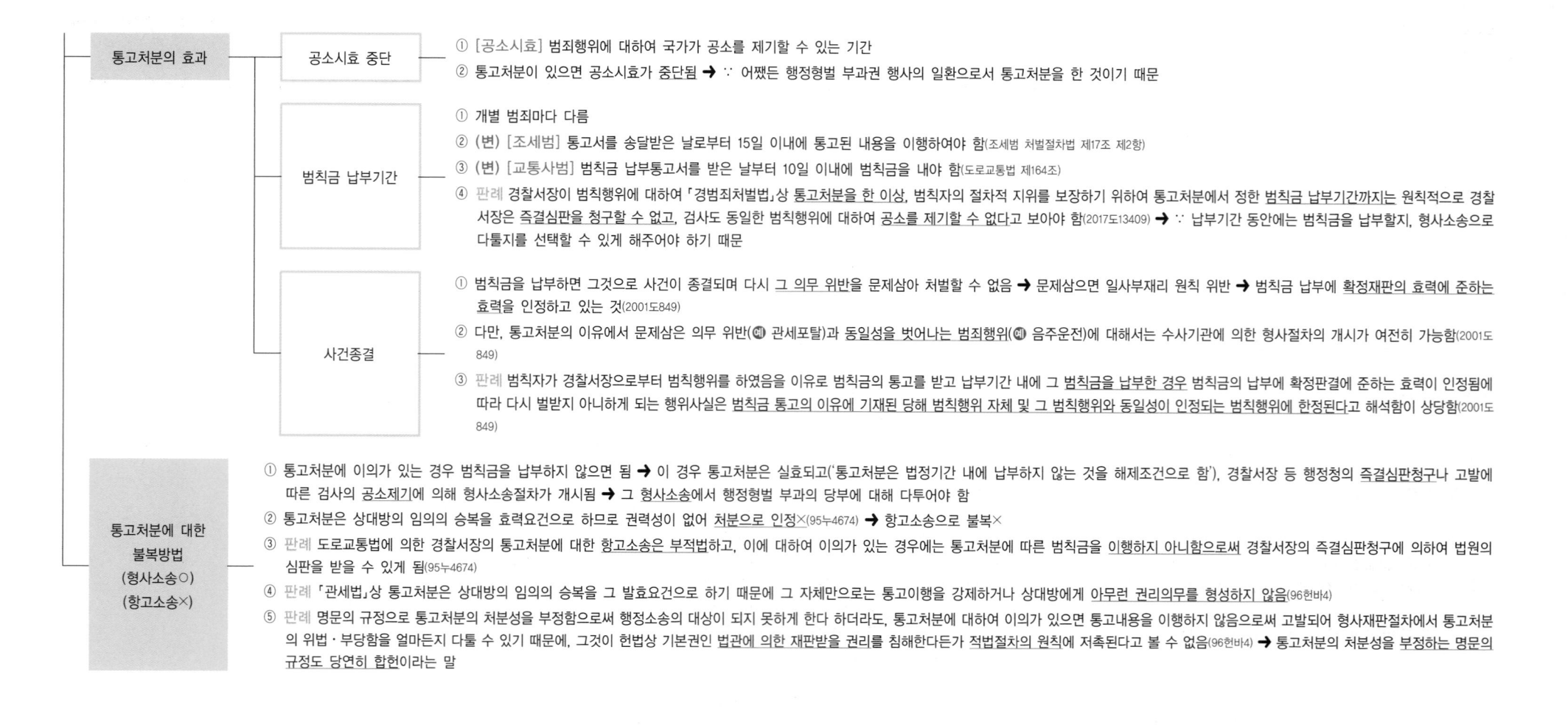

통고처분의 효과

공소시효 중단
① [공소시효] 범죄행위에 대하여 국가가 공소를 제기할 수 있는 기간
② 통고처분이 있으면 공소시효가 중단됨 ➡ ∵ 어쨌든 행정형벌 부과권 행사의 일환으로서 통고처분을 한 것이기 때문

범칙금 납부기간
① 개별 범죄마다 다름
② (변) [조세범] 통고서를 송달받은 날로부터 15일 이내에 통고된 내용을 이행하여야 함(조세범 처벌절차법 제17조 제2항)
③ (변) [교통사범] 범칙금 납부통고서를 받은 날부터 10일 이내에 범칙금을 내야 함(도로교통법 제164조)
④ 판례 경찰서장이 범칙행위에 대하여 「경범죄처벌법」상 통고처분을 한 이상, 범칙자의 절차적 지위를 보장하기 위하여 통고처분에서 정한 범칙금 납부기간까지는 원칙적으로 경찰서장은 즉결심판을 청구할 수 없고, 검사도 동일한 범칙행위에 대하여 공소를 제기할 수 없다고 보아야 함(2017도13409) ➡ ∵ 납부기간 동안에는 범칙금을 납부할지, 형사소송으로 다툴지를 선택할 수 있게 해주어야 하기 때문

사건종결
① 범칙금을 납부하면 그것으로 사건이 종결되며 다시 그 의무 위반을 문제삼아 처벌할 수 없음 ➡ 문제삼으면 일사부재리 원칙 위반 ➡ 범칙금 납부에 확정재판의 효력에 준하는 효력을 인정하고 있는 것(2001도849)
② 다만, 통고처분의 이유에서 문제삼은 의무 위반(예 관세포탈)과 동일성을 벗어나는 범죄행위(예 음주운전)에 대해서는 수사기관에 의한 형사절차의 개시가 여전히 가능함(2001도849)
③ 판례 범칙자가 경찰서장으로부터 범칙행위를 하였음을 이유로 범칙금의 통고를 받고 납부기간 내에 그 범칙금을 납부한 경우 범칙금의 납부에 확정판결에 준하는 효력이 인정됨에 따라 다시 벌받지 아니하게 되는 행위사실은 범칙금 통고의 이유에 기재된 당해 범칙행위 자체 및 그 범칙행위와 동일성이 인정되는 범칙행위에 한정된다고 해석함이 상당함(2001도849)

통고처분에 대한 불복방법 (형사소송○) (항고소송×)
① 통고처분에 이의가 있는 경우 범칙금을 납부하지 않으면 됨 ➡ 이 경우 통고처분은 실효되고('통고처분은 법정기간 내에 납부하지 않는 것을 해제조건으로 함'), 경찰서장 등 행정청의 즉결심판청구나 고발에 따른 검사의 공소제기에 의해 형사소송절차가 개시됨 ➡ 그 형사소송에서 행정형벌 부과의 당부에 대해 다투어야 함
② 통고처분은 상대방의 임의의 승복을 효력요건으로 하므로 권력성이 없어 처분으로 인정×(95누4674) ➡ 항고소송으로 불복×
③ 판례 도로교통법에 의한 경찰서장의 통고처분에 대한 항고소송은 부적법하고, 이에 대하여 이의가 있는 경우에는 통고처분에 따른 범칙금을 이행하지 아니함으로써 경찰서장의 즉결심판청구에 의하여 법원의 심판을 받을 수 있게 됨(95누4674)
④ 판례 「관세법」상 통고처분은 상대방의 임의의 승복을 그 발효요건으로 하기 때문에 그 자체만으로는 통고이행을 강제하거나 상대방에게 아무런 권리의무를 형성하지 않음(96헌바4)
⑤ 판례 명문의 규정으로 통고처분의 처분성을 부정함으로써 행정소송의 대상이 되지 못하게 한다 하더라도, 통고처분에 대하여 이의가 있으면 통고내용을 이행하지 않음으로써 고발되어 형사재판절차에서 통고처분의 위법·부당함을 얼마든지 다툴 수 있기 때문에, 그것이 헌법상 기본권인 법관에 의한 재판받을 권리를 침해한다든가 적법절차의 원칙에 저촉된다고 볼 수 없음(96헌바4) ➡ 통고처분의 처분성을 부정하는 명문의 규정도 당연히 합헌이라는 말

행정벌 - 행정질서벌(과태료)

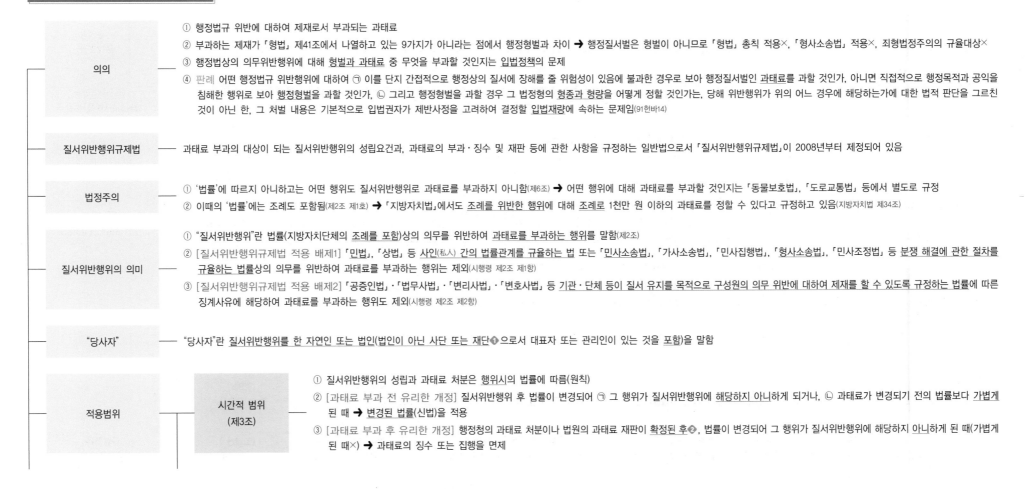

의의

① 행정법규 위반에 대하여 제재로서 부과되는 과태료

② 부과하는 제재가 「형법」 제41조에서 나열하고 있는 9가지가 아니라는 점에서 행정형벌과 차이 ➡ 행정질서벌은 형벌이 아니므로 「형법」 총칙 적용×, 「형사소송법」 적용×, 죄형법정주의의 규율대상×

③ 행정법상의 의무위반행위에 대해 형벌과 과태료 중 무엇을 부과할 것인지는 입법정책의 문제

④ 판례 어떤 행정법규 위반행위에 대하여 ⊙ 이를 단지 간접적으로 행정상의 질서에 장해를 줄 위험성이 있음에 불과한 경우로 보아 행정질서벌인 과태료를 과할 것인가, 아니면 직접적으로 행정목적과 공익을 침해한 행위로 보아 행정형벌을 과할 것인가, ⓛ 그리고 행정형벌을 과할 경우 그 법정형의 형종과 형량을 어떻게 정할 것인가는, 당해 위반행위가 위의 어느 경우에 해당하는가에 대한 법적 판단을 그르친 것이 아닌 한, 그 처벌 내용은 기본적으로 입법권자가 제반사정을 고려하여 결정할 입법재량에 속하는 문제임(91헌바14)

질서위반행위규제법 — 과태료 부과의 대상이 되는 질서위반행위의 성립요건과, 과태료의 부과·징수 및 재판 등에 관한 사항을 규정하는 일반법으로서 「질서위반행위규제법」이 2008년부터 제정되어 있음

법정주의

① '법률'에 따르지 아니하고는 어떤 행위도 질서위반행위로 과태료를 부과하지 아니함(제6조) ➡ 어떤 행위에 대해 과태료를 부과할 것인지는 「동물보호법」, 「도로교통법」 등에서 별도로 규정

② 이때의 '법률'에는 조례도 포함됨(제2조 제1호) ➡ 「지방자치법」에서도 조례를 위반한 행위에 대해 조례로 1천만 원 이하의 과태료를 정할 수 있다고 규정하고 있음(지방자치법 제34조)

질서위반행위의 의미

① "질서위반행위"란 법률(지방자치단체의 조례를 포함)상의 의무를 위반하여 과태료를 부과하는 행위를 말함(제2조)

② [질서위반행위규제법 적용 배제1] 「민법」, 「상법」 등 사인(私人) 간의 법률관계를 규율하는 법 또는 「민사소송법」, 「가사소송법」, 「민사집행법」, 「형사소송법」, 「민사조정법」 등 분쟁 해결에 관한 절차를 규율하는 법률상의 의무를 위반하여 과태료를 부과하는 행위는 제외(시행령 제2조 제1항)

③ [질서위반행위규제법 적용 배제2] '공증인법'·'법무사법'·'변리사법'·'변호사법' 등 기관·단체 등이 질서 유지를 목적으로 구성원의 의무 위반에 대하여 제재를 할 수 있도록 규정하는 법률에 따른 징계사유에 해당하여 과태료를 부과하는 행위도 제외(시행령 제2조 제2항)

"당사자" — "당사자"란 질서위반행위를 한 자연인 또는 법인(법인이 아닌 사단 또는 재단❶으로서 대표자 또는 관리인이 있는 것을 포함)을 말함

적용범위

시간적 범위 (제3조)

① 질서위반행위의 성립과 과태료 처분은 행위시의 법률에 따름(원칙)

② [과태료 부과 전 유리한 개정] 질서위반행위 후 법률이 변경되어 ⊙ 그 행위가 질서위반행위에 해당하지 아니하게 되거나, ⓛ 과태료가 변경되기 전의 법률보다 가볍게 된 때 ➡ 변경된 법률(신법)을 적용

③ [과태료 부과 후 유리한 개정] 행정청의 과태료 처분이나 법원의 과태료 재판이 확정된 후❷, 법률이 변경되어 그 행위가 질서위반행위에 해당하지 아니하게 된 때(가볍게 된 때×) ➡ 과태료의 징수 또는 집행을 면제

---

❶ [민법] 사람의 단체(사단)나 재산의 모음(재단)이 법인으로 인정되기 위해서는 법인으로서의 실체를 갖춘 후에, 법인 설립등기를 하여야 한다. 그런데 법인으로서의 실체는 갖추었으나, 법인 설립등기를 하지 않은 사단이나, 재단을 비법인 사단 또는 재단이나, 권리능력 없는 사단 또는 재단이라 부른다.

❷ 과태료 부과처분은 과태료 부과 통지를 받은 날부터 60일 이내에 해당 행정청에 서면으로 이의제기를 하지 않으면 확정되고, 법원의 과태료 재판은 그에 대한 즉시항고가 없으면 확정된다(뒤에서 다룬다).

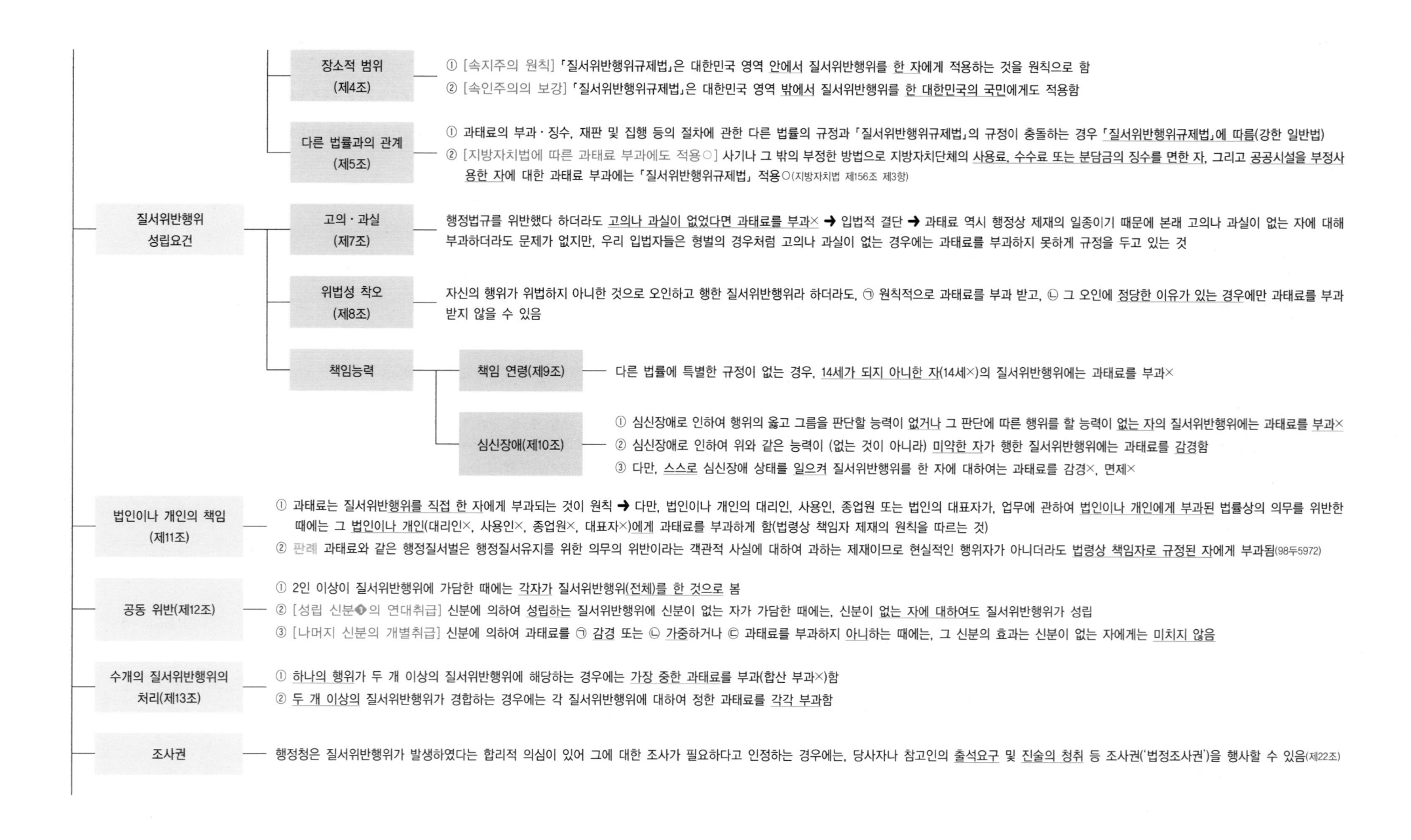

| 장소적 범위
(제4조) | ① [속지주의 원칙] 「질서위반행위규제법」은 대한민국 영역 안에서 질서위반행위를 한 자에게 적용하는 것을 원칙으로 함
② [속인주의의 보강] 「질서위반행위규제법」은 대한민국 영역 밖에서 질서위반행위를 한 대한민국의 국민에게도 적용함 |

질서위반행위 성립요건

- **장소적 범위 (제4조)**
  - ① [속지주의 원칙] 「질서위반행위규제법」은 대한민국 영역 안에서 질서위반행위를 한 자에게 적용하는 것을 원칙으로 함
  - ② [속인주의의 보강] 「질서위반행위규제법」은 대한민국 영역 밖에서 질서위반행위를 한 대한민국의 국민에게도 적용함

- **다른 법률과의 관계 (제5조)**
  - ① 과태료의 부과·징수, 재판 및 집행 등의 절차에 관한 다른 법률의 규정과 「질서위반행위규제법」의 규정이 충돌하는 경우 「질서위반행위규제법」에 따름(강한 일반법)
  - ② [지방자치법에 따른 과태료 부과에도 적용○] 사기나 그 밖의 부정한 방법으로 지방자치단체의 사용료, 수수료 또는 분담금의 징수를 면한 자, 그리고 공공시설을 부정사용한 자에 대한 과태료 부과에는 「질서위반행위규제법」 적용○(지방자치법 제156조 제3항)

- **고의·과실 (제7조)**
  - 행정법규를 위반했다 하더라도 고의나 과실이 없었다면 과태료를 부과× ➡ 입법적 결단 ➡ 과태료 역시 행정상 제재의 일종이기 때문에 본래 고의나 과실이 없는 자에 대해 부과하더라도 문제가 없지만, 우리 입법자들은 형벌의 경우처럼 고의나 과실이 없는 경우에는 과태료를 부과하지 못하게 규정을 두고 있는 것

- **위법성 착오 (제8조)**
  - 자신의 행위가 위법하지 아니한 것으로 오인하고 행한 질서위반행위라 하더라도, ⊙ 원칙적으로 과태료를 부과 받고, ⓒ 그 오인에 정당한 이유가 있는 경우에만 과태료를 부과 받지 않을 수 있음

- **책임능력**
  - **책임 연령(제9조)** — 다른 법률에 특별한 규정이 없는 경우, 14세가 되지 아니한 자(14세×)의 질서위반행위에는 과태료를 부과×
  - **심신장애(제10조)**
    - ① 심신장애로 인하여 행위의 옳고 그름을 판단할 능력이 없거나 그 판단에 따른 행위를 할 능력이 없는 자의 질서위반행위에는 과태료를 부과×
    - ② 심신장애로 인하여 위와 같은 능력이 (없는 것이 아니라) 미약한 자가 행한 질서위반행위에는 과태료를 감경함
    - ③ 다만, 스스로 심신장애 상태를 일으켜 질서위반행위를 한 자에 대하여는 과태료를 감경×, 면제×

법인이나 개인의 책임 (제11조)
- ① 과태료는 질서위반행위를 직접 한 자에게 부과되는 것이 원칙 ➡ 다만, 법인이나 개인의 대리인, 사용인, 종업원 또는 법인의 대표자가, 업무에 관하여 법인이나 개인에게 부과된 법률상의 의무를 위반한 때에는 그 법인이나 개인(대리인×, 사용인×, 종업원×, 대표자×)에게 과태료를 부과하게 함(법령상 책임자 제재의 원칙을 따르는 것)
- ② 판례 과태료와 같은 행정질서벌은 행정질서유지를 위한 의무의 위반이라는 객관적 사실에 대하여 과하는 제재이므로 현실적인 행위자가 아니더라도 법령상 책임자로 규정된 자에게 부과됨(98두5972)

공동 위반(제12조)
- ① 2인 이상이 질서위반행위에 가담한 때에는 각자가 질서위반행위(전체)를 한 것으로 봄
- ② [성립 신분❶의 연대취급] 신분에 의하여 성립하는 질서위반행위에 신분이 없는 자가 가담한 때에는, 신분이 없는 자에 대하여도 질서위반행위가 성립
- ③ [나머지 신분의 개별취급] 신분에 의하여 과태료를 ⊙ 감경 또는 ⓒ 가중하거나 ⓒ 과태료를 부과하지 아니하는 때에는, 그 신분의 효과는 신분이 없는 자에게는 미치지 않음

수개의 질서위반행위의 처리(제13조)
- ① 하나의 행위가 두 개 이상의 질서위반행위에 해당하는 경우에는 가장 중한 과태료를 부과(합산 부과×)함
- ② 두 개 이상의 질서위반행위가 경합하는 경우에는 각 질서위반행위에 대하여 정한 과태료를 각각 부과함

조사권
- 행정청은 질서위반행위가 발생하였다는 합리적 의심이 있어 그에 대한 조사가 필요하다고 인정하는 경우에는, 당사자나 참고인의 출석요구 및 진술의 청취 등 조사권('법정조사권')을 행사할 수 있음(제22조)

◆ [더 들어가기] 신분에는 ⊙ 과태료를 부과받게 만드는 성립신분, ⓒ 과태료를 가중 부과받게 만드는 가중신분, ⓒ 과태료를 감경 부과받게 만드는 감경신분, ⓔ 과태료를 부과받지 않게 만드는 소극신분이 있다.

과태료의 산정	행정청 및 법원은 과태료를 정함에 있어서 ⊙ 질서위반행위의 동기·목적·방법·결과, ⓒ 질서위반행위 이후의 당사자의 태도와 정황, ⓒ 질서위반행위자의 연령·재산상태·환경, ⓔ 그 밖에 과태료의 산정에 필요하다고 인정되는 사유를 고려하여야 함(제14조)
과태료 부과절차	① [사전통지 및 의견제출 기회부여] 행정청이 질서위반행위에 대하여 과태료를 부과하고자 하는 때에는 미리 당사자(고용주 등을 포함)에게 과태료 부과의 원인이 되는 사실, 과태료 금액 및 적용법령 등 대통령령으로 정하는 사항을 통지하고, 10일 이상의 기간을 정하여 의견을 제출할 기회를 주어야 함(제16조)
	② [서면 부과] 과태료의 부과는 서면(당사자가 동의하는 경우에는 전자문서도 포함)으로 하여야 함(제17조 제1항)
제척기간과 시효❶	① [부과의 제척기간] 행정청은 질서위반행위가 종료된 날(다수인이 질서위반행위에 가담한 경우에는 최종행위가 종료된 날)로부터 5년이 경과한 경우에는 해당 질서위반행위에 대하여 과태료 부과×(제19조) ➜ 과태료를 부과하기 전의 문제
	② [징수 또는 집행의 시효] 과태료는 행정청의 과태료 부과처분이나 법원의 과태료 재판이 확정된 후 5년간 징수하지 아니하거나 집행하지 아니하면 시효로 인하여 소멸(제15조) ➜ 과태료를 부과한 후의 문제
일사부재리 문제	① 하나의 행정의무 위반행위에 대해 행정형벌과 과태료를 둘 다 부과하는 것이 가능한지가 문제됨
	② [대법원] 일사부재리 위반× ➜ 가능○(96도158, 88도1983)
	③ [헌법재판소] 이중처벌은 아니지만, 과잉제재로서 이중처벌금지의 기본정신에 배치되어 국가 입법권의 남용으로 인정될 여지(餘地)가 있다고 판시(92헌바38)
	④ 판례 신규등록신청을 위한 임시운행허가를 받고 그 기간이 끝났음에도 자동차등록원부❷에 등록하지 않은 채 허가기간의 범위를 넘어 운행한 차량소유자가 관련 법조항에 의한 과태료를 부과받아 납부하였다 하더라도 그 차량 소유자에 대해 형사처벌을 하는 것은 일사부재리의 원칙에 위반하는 것이 아님(96도158) ➜ ※ 임시운행기간을 넘어서도 임시번호판을 달고 있는 것은 과태료의 부과 대상인 반면, 차량을 등록하지 않고 운행하는 것은 형벌부과의 대상임
자진납부 감경	행정청은 당사자가 의견 제출 기한 이내에 과태료를 자진하여 납부하고자 하는 경우에는 대통령령으로 정하는 바에 따라 과태료를 감경할 수 있음(제18조)
체납	① [가산금, 중가산금] 행정청은 당사자가 납부기한까지 과태료를 납부하지 아니한 때에는, 납부기한을 경과한 날부터 체납된 과태료에 대하여 100분의 3(3%)에 상당하는 가산금을 징수함(제24조 제1항) ➜ 또 납부기한이 경과한 날부터 매 1개월이 경과할 때마다 체납된 과태료의 1천분의 12(1.2%)에 상당하는 중가산금을 가산금에 가산하여 징수(다만, 중가산금은 60개월 초과 못함)(제24조 제2항)
	② [감치처분] 법원은 과태료의 고액상습체납자❸(법인의 경우에는 대표자)에 대해서는 과태료의 납부가 있을 때까지 결정으로써 30일의 범위에서 검사의 청구에 따라 감치(監置)처분도 할 수 있음(제54조) ➜ But 강제노역❹은×
	③ [강제징수] 과태료를 부과 받은 당사자가 이의제기도 안 하고 가산금도 납부하지 않고 있는 경우 ➜ 국세 또는 지방세 체납처분의 예에 따라 강제징수(제24조 제3항)
	④ [상속재산에 대한 집행] 과태료 부과처분에 대하여 이의를 제기하지 아니한 채 이의제기 기한이 종료한 후에 사망한 경우에는 상속인에게 집행 가능 ○(제24조의2)
	⑤ (변) [징수유예] 행정청은 당사자가 불의의 재난으로 피해를 당한 사람에 해당하는 등 과태료를 납부하기 곤란하다고 인정되면 1년의 범위에서 과태료의 분할납부나 납부기일의 연기를 결정할 수 있음 ➜ 다만, 이때 그 유예하는 금액에 상당하는 담보의 제공이나 제공된 담보의 변경을 요구할 수 있고, 그 밖에 담보보전에 필요한 명령을 할 수도 있음(제24조의3)

---

❶ [민법] 소멸시효란 권리를 행사할 수 있었음에도 불구하고 행사하지 않은 경우에 권리가 소멸되게 만드는 기간을 말하고, 제척기간이란 법률이 예정하고 있는 어떠한 권리의 존속기간을 말한다. 양자는 서로 다른 것이지만, 그 기간이 도과하게 된 후에는 권리를 행사할 수 없게 된다는 점에 있어서는 공통된다. 양자의 차이는 민법학의 영역으로서 공무원 수험의 범위를 넘어선다.

❷ [더 들어가기] 자동차등록원부는 부동산에 대한 등기부에 대응하는 기능을 하는 장부이다. 여기에 기재까지 되어야 자동차의 소유자로 인정된다.

❸ 과태료를 3회 이상 체납하고 있고, 체납발생일부터 각 1년이 경과하였으며, 체납금액의 합계가 1천만원 이상인 체납자 중, 과태료 납부능력이 있음에도 불구하고 정당한 사유 없이 체납한 경우를 말한다(질서위반행위규제법 제54조, 시행령 제13조).

❹ [형법] 강제노역이란 납부해야 하는 벌금의 액수에 비례하여 납부대신 노역장에서 복무하게 하는 제도를 말한다.

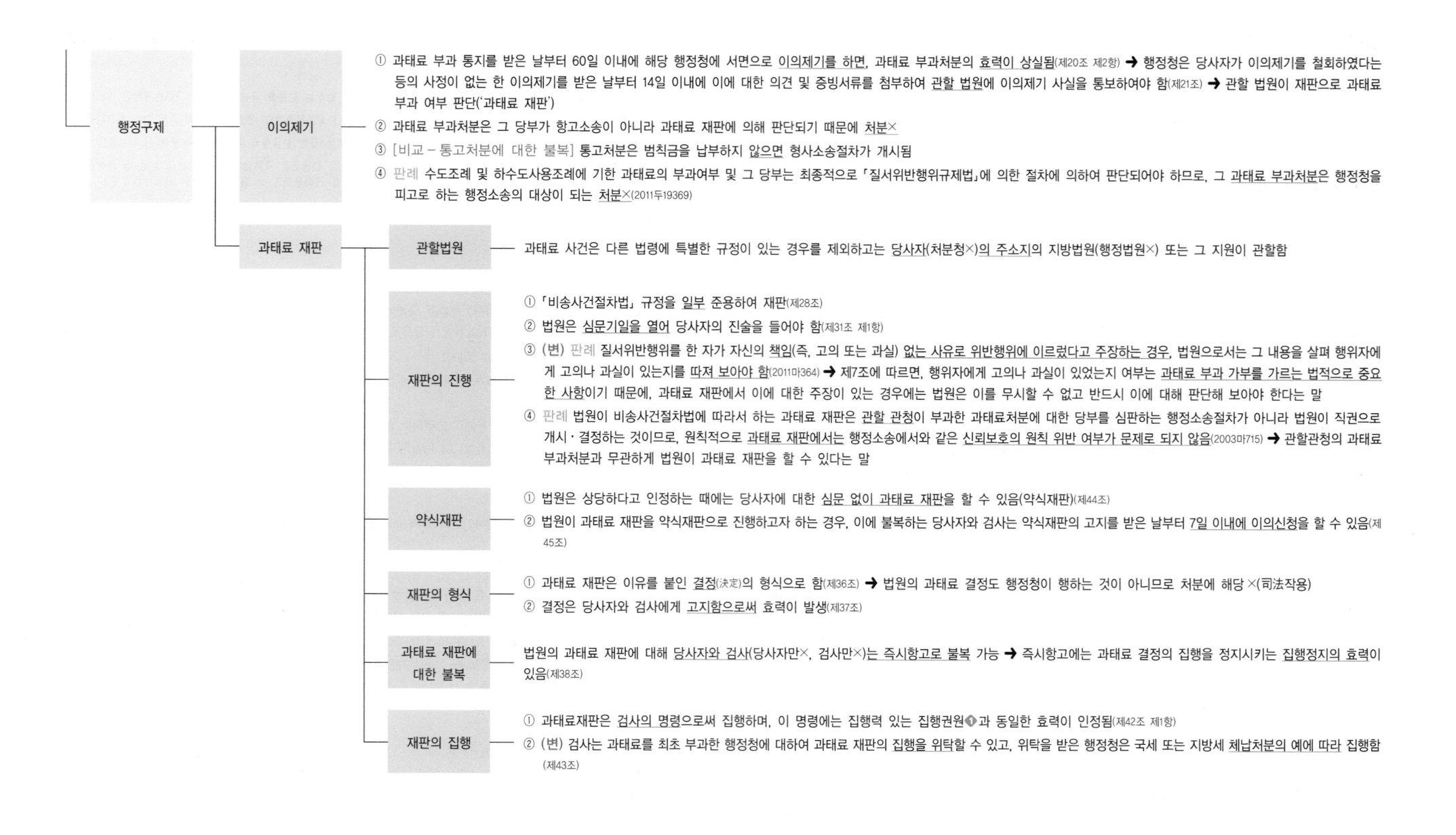

행정구제

이의제기

① 과태료 부과 통지를 받은 날부터 60일 이내에 해당 행정청에 서면으로 이의제기를 하면, 과태료 부과처분의 효력이 상실됨(제20조 제2항) ➔ 행정청은 당사자가 이의제기를 철회하였다는 등의 사정이 없는 한 이의제기를 받은 날부터 14일 이내에 이에 대한 의견 및 증빙서류를 첨부하여 관할 법원에 이의제기 사실을 통보하여야 함(제21조) ➔ 관할 법원이 재판으로 과태료 부과 여부 판단('과태료 재판')

② 과태료 부과처분은 그 당부가 항고소송이 아니라 과태료 재판에 의해 판단되기 때문에 처분×

③ [비교 – 통고처분에 대한 불복] 통고처분은 범칙금을 납부하지 않으면 형사소송절차가 개시됨

④ 판례 수도조례 및 하수도사용조례에 기한 과태료의 부과여부 및 그 당부는 최종적으로 「질서위반행위규제법」에 의한 절차에 의하여 판단되어야 하므로, 그 과태료 부과처분은 행정청을 피고로 하는 행정소송의 대상이 되는 처분×(2011두19369)

과태료 재판

관할법원 ─ 과태료 사건은 다른 법령에 특별한 규정이 있는 경우를 제외하고는 당사자(처분청×)의 주소지의 지방법원(행정법원×) 또는 그 지원이 관할함

재판의 진행

① 「비송사건절차법」 규정을 일부 준용하여 재판(제28조)

② 법원은 심문기일을 열어 당사자의 진술을 들어야 함(제31조 제1항)

③ (변) 판례 질서위반행위를 한 자가 자신의 책임(즉, 고의 또는 과실) 없는 사유로 위반행위에 이르렀다고 주장하는 경우, 법원으로서는 그 내용을 살펴 행위자에게 고의나 과실이 있는지를 따져 보아야 함(2011마364) ➔ 제7조에 따르면, 행위자에게 고의나 과실이 있었는지 여부는 과태료 부과 가부를 가르는 법적으로 중요한 사항이기 때문에, 과태료 재판에서 이에 대한 주장이 있는 경우에는 법원은 이를 무시할 수 없고 반드시 이에 대해 판단해 보아야 한다는 말

④ 판례 법원이 비송사건절차법에 따라서 하는 과태료 재판은 관할 관청이 부과한 과태료처분에 대한 당부를 심판하는 행정소송절차가 아니라 법원이 직권으로 개시·결정하는 것이므로, 원칙적으로 과태료 재판에서는 행정소송에서와 같은 신뢰보호의 원칙 위반 여부가 문제로 되지 않음(2003마715) ➔ 관할관청의 과태료 부과처분과 무관하게 법원이 과태료 재판을 할 수 있다는 말

약식재판

① 법원은 상당하다고 인정하는 때에는 당사자에 대한 심문 없이 과태료 재판을 할 수 있음(약식재판)(제44조)

② 법원이 과태료 재판을 약식재판으로 진행하고자 하는 경우, 이에 불복하는 당사자와 검사는 약식재판의 고지를 받은 날부터 7일 이내에 이의신청을 할 수 있음(제45조)

재판의 형식

① 과태료 재판은 이유를 붙인 결정(決定)의 형식으로 함(제36조) ➔ 법원의 과태료 결정도 행정청이 행하는 것이 아니므로 처분에 해당 ×(司法작용)

② 결정은 당사자와 검사에게 고지함으로써 효력이 발생(제37조)

과태료 재판에 대한 불복 ─ 법원의 과태료 재판에 대해 당사자와 검사(당사자만×, 검사만×)는 즉시항고로 불복 가능 ➔ 즉시항고에는 과태료 결정의 집행을 정지시키는 집행정지의 효력이 있음(제38조)

재판의 집행

① 과태료재판은 검사의 명령으로써 집행하며, 이 명령에는 집행력 있는 집행권원❶과 동일한 효력이 인정됨(제42조 제1항)

② (변) 검사는 과태료를 최초 부과한 행정청에 대하여 과태료 재판의 집행을 위탁할 수 있고, 위탁을 받은 행정청은 국세 또는 지방세 체납처분의 예에 따라 집행함(제43조)

---

❶ [민사집행법] 집행권원이란 그것을 보유하고 있을 경우, 법원의 추가적인 재판이 없이도 법원에 강제집행을 신청할 수 있게 만드는 문서를 말한다.

제1절　과징금

새로운 실효성 확보수단 - 과징금

의의		① 행정법상 의무를 위반한 자에 대하여 당해 위반행위로 얻게 된 경제적 이익을 박탈(disgorgement)하기 위해 부과하는 제재금 ➜ 다만, 단순히 이익박탈적 목적뿐만 아니라 제재적(punitive) 목적도 있기 때문에, 법위반행위로 인해 얻은 이익을 정확히 산정할 수 없는 경우라고 해서 부과되지 않는 것은 아님 ➜ [최근] 순수하게 제재의 목적으로만 과징금이 부과되는 경우도 있음 ② 판례 구 「독점규제 및 공정거래에 관한 법률」 제24조의2에 의한 부당내부거래행위에 대한 과징금은 ⊙ 부당내부거래억지라는 행정목적을 실현하기 위하여 그 위반행위에 대한 행정상의 제재금으로서의 기본적 성격에 ⓛ 부당이득환수적 요소도 부가되어 있음(2001헌가25, 2001두7220)
법적 근거		① 침익적 작용이므로 법적 근거 필요○ ② [일반법 無] 과징금에 대한 일반법은 따로 없음 ➜ 「부동산 실권리자명의 등기에 관한 법률」, 「개인정보 보호법」, 「독점규제 및 공정거래에 관한 법률」 등 개별법에 흩어져 있음 ③ [행정기본법 제28조 제1항] "행정청은 법령등에 따른 의무를 위반한 자에 대하여 (별도의) 법률로 정하는 바에 따라 그 위반행위에 대한 제재로서 과징금을 부과할 수 있다." ➜ 과징금 부과의 일반적 근거× ④ [명확성의 원칙] 과징금의 근거가 되는 법률에는 과징금 부과·징수 주체, 부과 사유, 상한액, 가산금을 징수하려는 경우 그 사항, 과징금 또는 가산금 체납 시 강제징수를 하려는 경우 그 사항을 명확하게 규정하여야 함 (행정기본법 제28조 제2항) ⑤ 「독점규제 및 공정거래에 관한 법률」에서 1980년에 처음 도입(새로운 실효성 확보수단)
위헌성		사법부가 아니라 행정권에 과징금 부과 권한을 부여한 것이 권력분립의 원칙이나 적법절차의 원칙에 반하는 것은 아닌지가 문제된 적이 있음 ➜ 위헌이 아니라는 것이 헌법재판소의 입장(2001헌가25)
성질	재량성	① 기본적으로는 재량행위로 보지만, 궁극적으로는 당해 법령에서 어떻게 규정하고 있는지에 따라 달라짐 ② 「공정거래법」상 과징금 부과여부 - 재량 공정거래위원회의 「독점규제 및 공정거래에 관한 법률」 위반행위자에 대한 과징금 부과처분은 재량행위(2010두7031) ③ 「부실법」상 과징금 부과여부 - 기속 「부동산 실권리자명의 등기에 관한 법률」상 명의신탁자에 대한 과징금 부과처분은 기속행위(2005두17287) ④ 「여객자동차 운수사업법(자동차운수사업법)」상 과징금 부과여부 및 부과금액 - 재량 자동차운수사업 면허조건 등에 위반한 사업자에 대하여 행정청이 과징금을 부과할 것인지, 과징금을 부과키로 하였다면 그 금액은 얼마로 할 것인지 등에 관하여 재량권이 부여되어 있음 ➜ 자동차운수사업면허조건 등을 위반한 사업자에 대한 과징금 부과처분이 법이 정한 한도액을 초과하여 일부가 위법한 경우 법원은 그 처분 전부를 취소하여야 함(93누1077) ⑤ 가맹사업거래의 공정화에 관한 법률에 따른 공정거래위원회의 과징금 부과처분 - 재량 공정거래위원회는 「가맹사업거래의 공정화에 관한 법률」 위반행위자에 대하여 과징금을 부과할 것인지, 부과할 경우 과징금 액수를 구체적으로 얼마로 정할 것인지를 재량으로 판단할 수 있음(2020두48857) ⑥ 「부실법」상 과징금 감경(감면×)여부 - 재량 「부동산 실권리자명의 등기에 관한 법률 시행령」 제3조의2 단서는 조세를 포탈하거나 법령에 의한 제한을 회피할 목적이 아닌 경우에 과징금의 100분의 50을 "감경할 수 있다"고 규정하고 있고, 이는 임의적 감경규정임이 명백하므로, 위와 같은 감경사유가 존재하더라도 과징금을 감경할 것인지 여부는 과징금 부과관청의 재량에 속함(2006두4554) ⑦ 판례 과징금 감경 여부는 과징금 부과 관청의 재량에 속하는 것이므로, 과징금 부과 관청이 이를 판단함에 있어서 재량권을 일탈·남용하여, 과징금 부과처분이 위법하다고 인정될 경우 법원으로서는 법원이 적정하다고 인정되는 부분을 초과한 부분만 취소할 수는 없음(2010두7031) ➜ 재량행위이기 때문에 일부취소판결이 허용되지 않는다는 말 ➜ 「부동산 실권리자명의 등기에 관한 법률 시행령」상 과징금에 대한 판시였지만, 그 부분을 생략한 채 이렇게 출제하였음

	처분성	① 과징금 부과처분은 처분○ → ⑦ 사전통지 및 의견청취 등 「행정절차법」 적용○, ⓒ 행정심판과 항고소송으로 불복
		② (변) 판례 공정거래위원회의 과징금 납부명령이 재량권 일탈·남용으로 위법한지는 다른 특별한 사정이 없는 한 과징금 납부명령이 행하여진 의결일 당시의 사실상 태를 기준으로 판단(2015두36256) → 의결일을 처분시로 보는 것
	과징금채무의 상속성	「부동산 실권리자명의 등기에 관한 법률」 제5조에 의하여 부과된 과징금 채무는 대체적 급부가 가능한 의무이므로 위 과징금을 부과받은 자가 사망한 경우 그 상속인에게 포괄승계됨(99두35) → 의무를 이행하게 만드는데 목적이 있는 제도가 아니기 때문

제재법리의 적용 — 제재의 일종이므로 행정법규 위반이라는 객관적 사실에 착안하여 부과됨 → ⑦ 현실적인 행위자가 아니라 하더라도 법령상 책임자로 규정된 자에게 부과○, ⓒ 법령상 책임자에게 고의나 과실이 있을 것을 요하지 않음(다만, 의무해태를 탓할 수 없는 정당한 사유가 있는 예외적인 경우에만 면제됨)

과징금 부과액수

	과징금액 변경 유보는 허용×	[별도의 규정이 없는 한 유보에 따른 추후 액수 변경 허용×] 과징금 부과관청이 과징금을 부과하면서 추후 부과금 산정 기준인 새로운 자료가 나올 경우 과징금액을 변경할 수 있다고 유보하였고, 그 후에 실제로 새로운 자료가 나왔다 하더라도 이를 이유로 새로운 부과처분을 할 수는 없음(2000두6121, 99두1571) → 상대방의 법적 안정성 때문에, 침익적 처분은 그 부과처분 당시까지 부과관청이 확인한 사실을 기초로 일의적으로 확정되어야 한다는 점을 논거로 들었음 → 과징금 부과의 제척기간이 다 도과하도록 증거확보가 잘 안 돼서 행정청이 다급했던 사건
	여러 가지 위반행위에 대하여 1회에 부과할 수 있는 과징금 총액의 한도가 정해져 있는 경우	관할 행정청이 여객자동차운송사업자의 여러 가지 위반행위를 인지하였다면 그 전부에 대하여 일괄하여 5,000만 원의 최고한도 내에서 하나의 과징금 부과처분을 하는 것이 원칙이고, 인지한 여러 가지 위반행위 중 일부에 대해서만 우선 과징금 부과처분을 하고 나머지에 대해서는 차후에 별도의 과징금 부과처분을 하는 것은 다른 특별한 사정이 없는 한 허용되지 않음 → 관할 행정청이 여객자동차운송사업자가 범한 여러 가지 위반행위 중 일부만 인지하여 과징금 부과처분을 하였는데 그 후 과징금 부과처분 시점 이전에 이루어진 다른 위반행위를 인지하여 이에 대하여 별도의 과징금 부과처분을 하게 되는 경우, 종전 과징금 부과처분의 대상이 된 위반행위와 추가 과징금 부과처분의 대상이 된 위반행위에 대하여 일괄하여 하나의 과징금 부과처분을 하는 경우와의 형평을 고려하여 추가 과징금 부과처분의 처분양정이 이루어져야 함 → 행정청이 전체 위반행위에 대하여 하나의 과징금 부과처분을 할 경우에 산정되었을 정당한 과징금액에서 이미 부과된 과징금액을 뺀 나머지 금액을 한도로 하여서만 추가 과징금 부과처분을 할 수 있음(2020두48390)

일사부재리 문제 — 과징금 부과는 헌법 제13조 제1항에서 금지하는 국가형벌권의 행사로서의 '처벌'에 해당×(2001헌가25, 2001두7220) → 형사처벌과 과징금을 모두 부과하더라도 이중처벌금지 원칙 위반×(2005두17287)

미납 과징금 — 과징금 납부의무를 불이행한 경우에는 국세 또는 지방세 체납처분절차에 따라 강제징수

납부기한연기 또는 분할납부
① [일시납의 원칙] 과징금은 한꺼번에 납부하는 것을 원칙으로 함(행정기본법 제29조 본문)
② [기한연기 또는 분할납부] 행정청은 과징금을 부과받은 자가 ⑦ 재해 등으로 재산에 현저한 손실을 입은 경우나, ⓒ 사업 여건의 악화로 사업이 중대한 위기에 처한 경우, ⓒ 과징금을 한꺼번에 내면 자금 사정에 현저한 어려움이 예상되는 경우, ② 그 밖에 이에 준하는 경우로서 대통령령으로 정하는 사유가 있는 경우로서 과징금 전액을 한꺼번에 내기 어렵다고 인정될 때에는 그 납부기한을 연기하거나 분할 납부하게 할 수 있음 → 이 경우 필요하다고 인정하면 담보를 제공하게 할 수 있음(행정기본법 제29조 단서) → 납부의무자가 과징금 납부기한을 연기하거나 과징금을 분할 납부하려는 경우에는 납부기한 10일(7일×) 전까지 과징금 납부기한의 연기나 과징금의 분할 납부를 신청하는 문서에 해당 사유를 증명하는 서류를 첨부하여 행정청에 신청해야 함(행정기본법 시행령 제7조)

변형된 과징금
① 영업정지나 영업취소를 하면 공익상 문제가 발생하는 경우에, 그 영업을 취소 또는 정지시키지 않고 영업의 계속을 허용하되, 대신 영업을 계속함으로써 얻게 되는 이익을 박탈하는 행정제재금 → 일반공중(사업자×)의 이용편의를 도모하기 위한 것
② ⓔ 버스운송사업 정지 또는 면허취소 대신에 부과되는 「여객자동차 운수사업법」 제88조상의 과징금
③ [법적 근거 필요○] 변형된 과징금의 부과 역시 침익적 작용이므로, 법적 근거가 필요함
④ [재량] 영업정지나 영업취소 대신 변형된 과징금을 부과할지 여부는 보통 행정청의 재량(98두2270) → 변형된 과징금에 대해서도 일부취소판결 불가
⑤ 판례 사업정지처분을 갈음하여 과징금을 부과할 수 있는 '위반행위의 종류'를 구체화하고 있는 구 「화물자동차 운수사업법 시행령」 제7조 제1항 [별표 2] '과징금을 부과하는 위반행위의 종류와 과징금의 금액'에 열거되지 않은 위반행위의 종류에 대해서 사업정지처분을 갈음하여 과징금을 부과하는 것은 허용되지 않음(2017두73693)

제2절 가산금 및 가산세

새로운 실효성 확보수단 - 가산금과 가산세

구분	가산금, 중가산금❶	가산세
의의	행정상 금전급부의무를 납부기한까지 이행하지 아니함에 대하여 제재로서 가해지는 지연이자❷	세법상 의무의 성실한 이행을 확보하기 위하여 세법에 의하여 산출된 세액에 가산하여 징수되는 세금❸
공통점	① 본래의 세금액에 추가하여 부과하는 세금 ② 고의나 과실을 불문하고 가산됨 ③ 판례 가산세는 형벌이 아니므로 행위자의 고의 또는 과실, 책임능력, 책임조건❹ 등을 고려하지 아니하며, 조세의 부과처분에 따라 과징할 수 있음(2004헌가13)	
취지	납부기한을 준수하게 만드는 데 초점 ➡ 적시의 금전채무 이행에 대한 간접강제의 효과를 가짐	세법상의 적정한 신고 또는 적정한 납부 의무를 준수하게 만드는 데 초점 ➡ 예 무신고가산세, 과소신고가산세, 초과환급신고가산세, 원천징수납부 불성실가산세 등
성질	① 지연이자의 부가(附加) + 제재 ② 판례 행정재산의 사용·수익 허가에 따른 사용료에 대하여는 국세징수법에 따라 가산금과 중가산금을 징수할 수 있고, 이는 미납분에 관한 지연이자의 의미로 부과되는 부대세의 일종(2004다31074)	제재
처분성	① [가산금 고지] 가산금 또는 중가산금은 국세를 납부기한까지 납부하지 아니하면 과세권자의 확정절차 없이 국세징수법 제21조에 의하여 당연히 발생하고 그 액수도 확정됨 ➡ 가산금 또는 중가산금의 고지는 처분×(2005다15482, 2000두2013) ② [가산금 독촉] 가산금 납부기한이 경과한 후에 독촉장을 발부하여 납부를 독촉하는 행위는 처분성이 인정됨(90누1168) ➡ 독촉은 가산금조차 납부하지 않고 있는 경우에 이루어지는 강제징수절차임	① 가산세 부과처분은 본세 부과처분과 별개의 과세처분○ ② [기재도 구분] 가산세 부과처분에 관하여 「국세기본법」 등에 납세고지의 방식에 관하여 따로 규정이 없더라도, 하나의 납세고지서로 본세와 가산세를 함께 부과할 때에는 납세고지서에 본세와 가산세 각각의 세액과 산출근거를 구분하여 기재하여야, 또 여러 종류의 가산세를 함께 부과하는 경우에는 그 가산세 상호간에도 종류별로 세액과 산출 근거 등을 구분하여 기재함으로써 납세의무자가 납세고지서 자체로 각 과세처분의 내용을 알 수 있도록 하는 것이 당연한 원칙임(2010두12347 전원합의체) ③ [감면도 구분] 국세기본법상 가산세는 세법에서 규정하는 의무의 성실한 이행을 확보하기 위하여 세법에 따라 산출한 본세액에 가산하여 징수하는 독립된 조세로서, 본세에 감면사유가 인정된다고 하여 가산세도 감면대상에 포함되는 것이 아니고, 반면에 그 의무를 이행하지 아니한 데 대한 정당한 사유가 있는 경우에는 본세 납세의무가 있더라도 가산세는 부과하지 않음(2015두52616) ④ (변) 판례 구 「부가가치세법」 상 명의위장등록가산세는 부가가치세 본세 납세의무와 무관하게 타인 명의로 사업자등록을 하고 실제 사업을 한 것에 대한 제재로서 부과되는 별도의 가산세이고, 그 부과제척기간은 5년으로 봄이 타당함(2016두62726)
정당화 사유	그 의무 위반을 정당화할 수 있는 사유가 있어도 가산됨 ➡ ∵ 지연이자로서의 성격이 있기 때문	① 그 의무 위반을 정당화할 수 있는 사유가 있으면 가산되지 않음(2003두13632) ② 판례 법령의 부지·착오 등은 그 의무위반을 탓할 수 없는 정당한 사유에 해당×(2000두5944)

❶ 가산금은 한 번만 부과되는 것인 반면, 중가산금은 이행할 때까지 거듭(重) 부과된다는 점에서 양자는 다르다. 이 외에는 기본적으로 동일한 법리에 따라 취급된다.

❷ [민법] 지연이자란 금전채무를 이행하지 않을 경우에 그 불이행 기간에 비례하여 배상해 주어야 하는 손해배상금을 말한다. 법에서는 금전채무불이행이 있으면 사정을 불문하고 최소한 지연이자는 언제나 당연히 따라 붙는 것으로 본다.

❸ ① 한편, 본래 「국세기본법」과 「국세징수법」은 가산금과 가산세를 구분하여 규정하고 있었는데, 납세자에게 혼란을 준다는 이유로 2018년에 가산금제도를 폐지하고 이를 가산세로 통합시켰다. 따라서 이제는 국세와 관련된 경우에는 납부기일을 준수하지 않은 경우에도 가산금이 부과되는 것이 아니라, '납부지연가산세'라는 가산세가 부과된다. ② 다만, 「대기환경보전법」, 「질서위반행위규제법」, 「지방세기본법」 등에는 여전히 가산금제도가 존재한다.

❹ [형법] 책임능력과 책임조건은 형법상의 개념이다. 형벌을 부과하기 위해 필요한 조건을 말하는데, 몰라도 된다. 표현이 등장했을 때 당황하지만 않으면 된다.

◆ 비금전적 실효성 확보수단 ◆

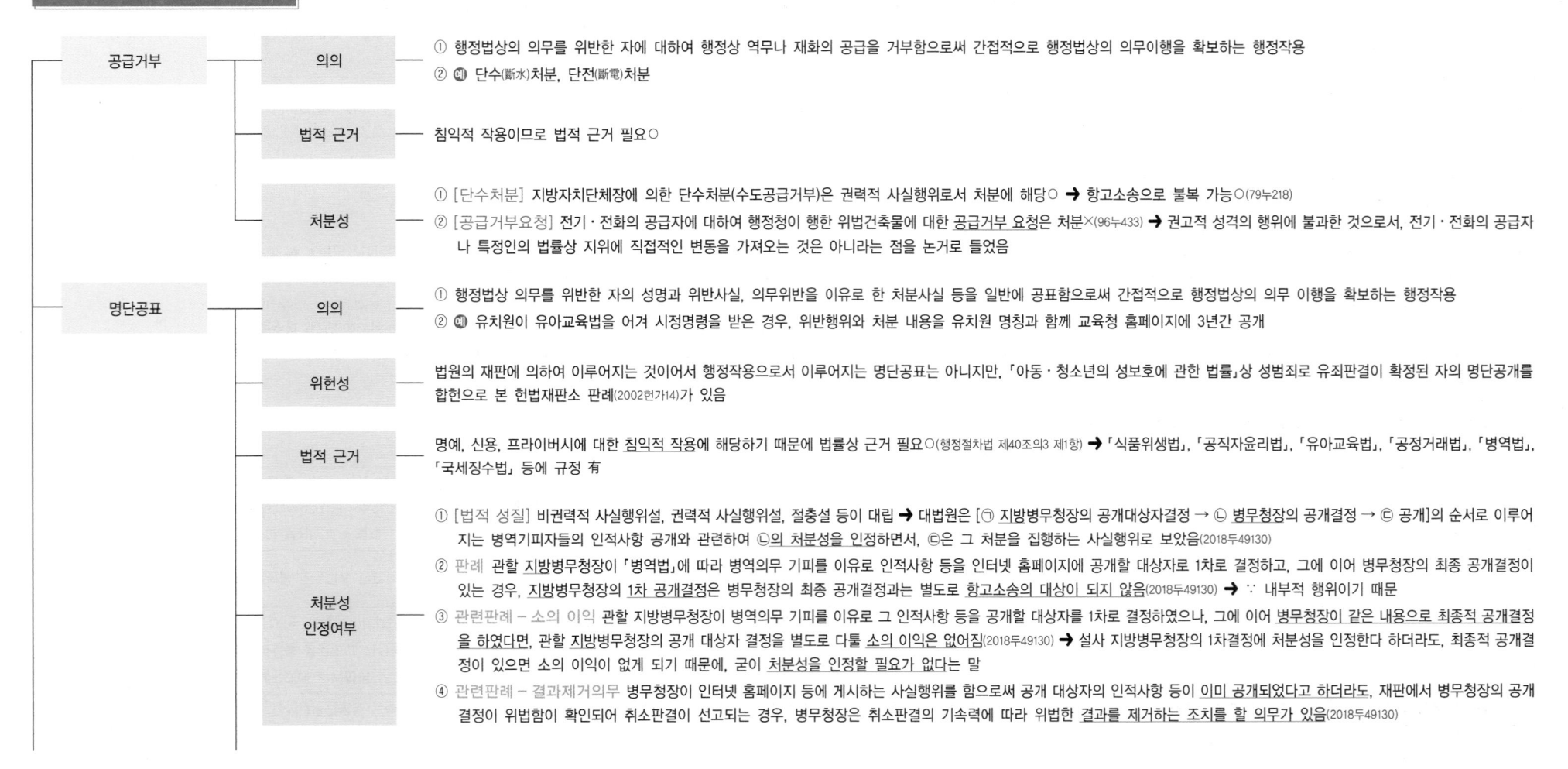

공급거부	의의	① 행정법상의 의무를 위반한 자에 대하여 행정상 역무나 재화의 공급을 거부함으로써 간접적으로 행정법상의 의무이행을 확보하는 행정작용 ② 예 단수(斷水)처분, 단전(斷電)처분
	법적 근거	침익적 작용이므로 법적 근거 필요○
	처분성	① [단수처분] 지방자치단체장에 의한 단수처분(수도공급거부)은 권력적 사실행위로서 처분에 해당○ ➔ 항고소송으로 불복 가능○(79누218) ② [공급거부요청] 전기·전화의 공급자에 대하여 행정청이 행한 위법건축물에 대한 공급거부 요청은 처분×(96누433) ➔ 권고적 성격의 행위에 불과한 것으로서, 전기·전화의 공급자나 특정인의 법률상 지위에 직접적인 변동을 가져오는 것은 아니라는 점을 논거로 들었음
명단공표	의의	① 행정법상 의무를 위반한 자의 성명과 위반사실, 의무위반을 이유로 한 처분사실 등을 일반에 공표함으로써 간접적으로 행정법상의 의무 이행을 확보하는 행정작용 ② 예 유치원이 유아교육법을 어겨 시정명령을 받은 경우, 위반행위와 처분 내용을 유치원 명칭과 함께 교육청 홈페이지에 3년간 공개
	위헌성	법원의 재판에 의하여 이루어지는 것이어서 행정작용으로서 이루어지는 명단공표는 아니지만, 「아동·청소년의 성보호에 관한 법률」상 성범죄로 유죄판결이 확정된 자의 명단공개를 합헌으로 본 헌법재판소 판례(2002헌가14)가 있음
	법적 근거	명예, 신용, 프라이버시에 대한 침익적 작용에 해당하기 때문에 법률상 근거 필요○(행정절차법 제40조의3 제1항) ➔ 「식품위생법」, 「공직자윤리법」, 「유아교육법」, 「공정거래법」, 「병역법」, 「국세징수법」 등에 규정 有
	처분성 인정여부	① [법적 성질] 비권력적 사실행위설, 권력적 사실행위설, 절충설 등이 대립 ➔ 대법원은 [㉠ 지방병무청장의 공개대상자결정 → ㉡ 병무청장의 공개결정 → ㉢ 공개]의 순서로 이루어지는 병역기피자들의 인적사항 공개와 관련하여 ㉡의 처분성을 인정하면서, ㉢은 그 처분을 집행하는 사실행위로 보았음(2018두49130) ② 판례 관할 지방병무청장이 「병역법」에 따라 병역의무 기피를 이유로 인적사항 등을 인터넷 홈페이지에 공개할 대상자로 1차로 결정하고, 그에 이어 병무청장의 최종 공개결정이 있는 경우, 지방병무청장의 1차 공개결정은 병무청장의 최종 공개결정과는 별도로 항고소송의 대상이 되지 않음(2018두49130) ➔ ∵ 내부적 행위이기 때문 ③ 관련판례 - 소의 이익 관할 지방병무청장이 병역의무 기피를 이유로 그 인적사항 등을 공개할 대상자를 1차로 결정하였으나, 그에 이어 병무청장이 같은 내용으로 최종적 공개결정을 하였다면, 관할 지방병무청장의 공개 대상자 결정을 별도로 다툴 소의 이익은 없어짐(2018두49130) ➔ 설사 지방병무청장의 1차결정에 처분성을 인정한다 하더라도, 최종적 공개결정이 있으면 소의 이익이 없게 되기 때문에, 굳이 처분성을 인정할 필요가 없다는 말 ④ 관련판례 - 결과제거의무 병무청장이 인터넷 홈페이지 등에 게시하는 사실행위를 함으로써 공개 대상자의 인적사항 등이 이미 공개되었다고 하더라도, 재판에서 병무청장의 공개결정이 위법함이 확인되어 취소판결이 선고되는 경우, 병무청장은 취소판결의 기속력에 따라 위법한 결과를 제거하는 조치를 할 의무가 있음(2018두49130)

	사전조사의무	행정청은 위반사실등의 공표를 하기 전에 사실과 다른 공표로 인하여 당사자의 명예·신용 등이 훼손되지 아니하도록 객관적이고 타당한 증거와 근거가 있는지를 확인하여야 함(제40조의3 제2항)
	사전통지 및 의견제출 기회부여	① 행정청은 위반사실등의 공표를 할 때에는 미리 당사자에게 그 사실을 통지하고 의견제출의 기회를 주어야 함 ➡ 다만, ㉠ 공공의 안전 또는 복리를 위하여 긴급히 공표를 할 필요가 있는 경우, ㉡ 해당 공표의 성질상 의견청취가 현저히 곤란하거나 명백히 불필요하다고 인정될 만한 타당한 이유가 있는 경우, ㉢ 당사자가 의견진술의 기회를 포기한다는 뜻을 명백히 밝힌 경우 중 하나에 해당하는 경우에는 그러하지 않음(제40조의3 제3항) ➡ 긴 곤 불 포 ② 의견제출의 기회를 받은 당사자는 공표 전에 관할 행정청에 서면이나 말 또는 정보통신망을 이용하여 의견을 제출할 수 있음(제40조의3 제4항)
	공표방법	위반사실등의 공표는 관보, 공보 또는 인터넷 홈페이지 등을 통하여 함(제40조의3 제6항)
	공표의 면제	행정청은 위반사실등의 공표를 하기 전에 당사자가 공표와 관련된 의무의 이행, 원상회복, 손해배상 등의 조치를 마친 경우에는 위반사실등의 공표를 하지 아니할 수 있음(임의적)(제40조의3 제7항)
	정정공표	행정청은 공표된 내용이 사실과 다른 것으로 밝혀지거나 공표에 포함된 처분이 취소된 경우에는 그 내용을 정정하여, 정정한 내용을 지체 없이 해당 공표와 같은 방법으로 공표된 기간 이상 공표하여야 함 ➡ 다만, 당사자가 원하지 아니하면 공표하지 아니할 수 있음(제40조의3 제8항)
	국가배상	① 명단공표가 위법한 경우(⑪ 잘못된 사실에 근거한 명단공표) 국가배상청구로 구제 가능○ ② [위법성 판단 - 이익형량] 이익형량의 결과 명단공표가 국민의 알 권리에 기여하는 측면보다 사생활의 비밀의 자유를 침해하는 측면이 더 큰 경우, 그 명단공표에는 위법성이 인정됨(96다17257) ③ [위법성 조각] 국가기관이 명단공표 당시 이를 진실이라고 믿었고 또 그렇게 믿을 만한 상당한 이유가 있었다면, 사인에 의한 명예훼손의 경우와 마찬가지로, 위법성이 조각되어 국가배상의무× ➡ 단, 사인의 행위에 의한 경우보다 훨씬 더 엄격한 기준이 요구되어, 그 사실이 의심의 여지 없이 확실히 진실이라고 믿을 만한 객관적이고도 타당한 확증과 근거가 있는 경우에만 상당한 이유가 인정됨(93다18389) ➡ 국세청장이 잘못된 부동산투기자의 명단을 언론사에 공표함으로써 명예를 훼손한 사건에서 손해배상의 책임을 인정하였음
관허사업 허가거부 (관허사업제한)	의의	행정법상 의무를 위반한 자에 대하여 인·허가를 거부함으로써 간접적으로 행정법상 의무를 준수하게 만드는 행정작용
	법적 근거 필요	[결격사유 법정주의] 자격이나 신분 등을 취득 또는 부여할 수 없거나 인가, 허가, 지정, 승인, 영업등록, 신고 수리 등을 필요로 하는 영업 또는 사업 등을 할 수 없는 사유는 법률로 정함(행정기본법 제16조)
	종류	① 위반한 의무와 관련된 인가나 허가를 거부할 수 있게 하는 경우(⑪ 건축법 제79조 제2항, 질서위반행위규제법 제52조)와, ㉡ 그와 무관한 인가나 허가도 거부할 수 있게 하는 경우(⑪ 구 「국세징수법」 제7조)가 있음 ② ㉡의 경우 부당결부금지원칙에 위배되는 것인지 여부에 대한 논란이 있었음(판례는 없음) ③ [개정 국세징수법 제112조 제1항(구 국세징수법 제7조)] "세무서장 등은 납세자가 허가·인가·면허 및 등록을 받은 사업과 관련된 소득세, 법인세 및 부가가치세를 재난, 질병 또는 사업의 현저한 손실, 그 밖에 대통령령으로 정하는 사유 없이 체납하였을 때에는 해당 사업의 주무관서에 그 납세자에 대하여 허가 등의 갱신과 그 허가 등의 근거 법률에 따른 신규 허가 등을 하지 아니할 것을 요구할 수 있다."

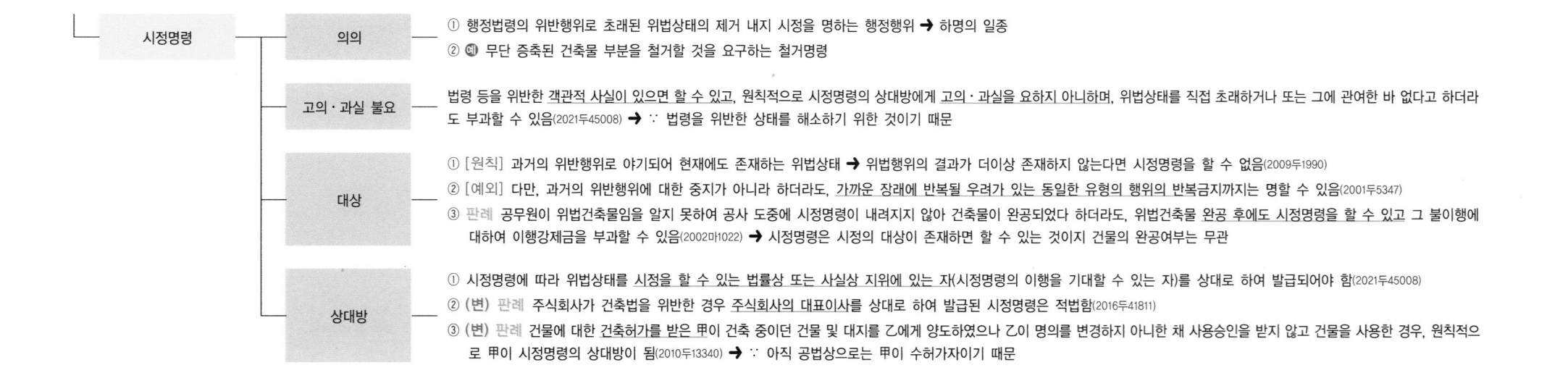

시정명령	의의	① 행정법령의 위반행위로 초래된 위법상태의 제거 내지 시정을 명하는 행정행위 ➜ 하명의 일종 ② 예 무단 증축된 건축물 부분을 철거할 것을 요구하는 철거명령
	고의·과실 불요	법령 등을 위반한 객관적 사실이 있으면 할 수 있고, 원칙적으로 시정명령의 상대방에게 고의·과실을 요하지 아니하며, 위법상태를 직접 초래하거나 또는 그에 관여한 바 없다고 하더라도 부과할 수 있음(2021두45008) ➜ ∵ 법령을 위반한 상태를 해소하기 위한 것이기 때문
	대상	① [원칙] 과거의 위반행위로 야기되어 현재에도 존재하는 위법상태 ➜ 위법행위의 결과가 더이상 존재하지 않는다면 시정명령을 할 수 없음(2009두1990) ② [예외] 다만, 과거의 위반행위에 대한 중지가 아니라 하더라도, 가까운 장래에 반복될 우려가 있는 동일한 유형의 행위의 반복금지까지는 명할 수 있음(2001두5347) ③ 판례 공무원이 위법건축물임을 알지 못하여 공사 도중에 시정명령이 내려지지 않아 건축물이 완공되었다 하더라도, 위법건축물 완공 후에도 시정명령을 할 수 있고 그 불이행에 대하여 이행강제금을 부과할 수 있음(2002마1022) ➜ 시정명령은 시정의 대상이 존재하면 할 수 있는 것이지 건물의 완공여부는 무관
	상대방	① 시정명령에 따라 위법상태를 시정을 할 수 있는 법률상 또는 사실상 지위에 있는 자(시정명령의 이행을 기대할 수 있는 자)를 상대로 하여 발급되어야 함(2021두45008) ② (변) 판례 주식회사가 건축법을 위반한 경우 주식회사의 대표이사를 상대로 하여 발급된 시정명령은 적법함(2016두41811) ③ (변) 판례 건물에 대한 건축허가를 받은 甲이 건축 중이던 건물 및 대지를 乙에게 양도하였으나 乙이 명의를 변경하지 아니한 채 사용승인을 받지 않고 건물을 사용한 경우, 원칙적으로 甲이 시정명령의 상대방이 됨(2010두13340) ➜ ∵ 아직 공법상으로는 甲이 수허가자이기 때문

▶ 돈 문제와 강제징수 [1]

과태료 부과에 대하여 이의제기를 하지도 않고[2], 가산금도 납부하지 않고 있는 경우	국세 또는 지방세 체납처분의 예에 따라 강제징수
행정대집행 비용을 자발적으로 납부하지 않고 있는 경우	「국세징수법」의 예에 따라 강제징수
이행강제금을 자발적으로 납부하지 않고 있는 경우	국세강제징수의 예 또는 「지방행정제재·부과금의 징수 등에 관한 법률」에 따라 강제징수
과징금을 자발적으로 납부하지 않고 있는 경우	국세 또는 지방세 체납처분 절차에 따라 강제징수

---

❶ 강제징수 자체도 하나의 실효성 확보수단이지만, 그 이외의 여러 실효성 확보수단들도 결국 돈을 걷는 것으로 귀결되는 경우에는, 마지막에는 강제징수 절차로 환원된다.

❷ 만약 과태료 부과에 대해 이의제기를 한 경우에는 질서위반행위규제법에 따른 재판을 받게 된다. 참고로, 범칙금의 경우는 납부하지 않으면, 강제징수가 이루어지는 것이 아니라, 형사소송절차가 개시된다.

행정조사

의의

① [개념] 행정기관이 정책을 결정하거나 직무를 수행하는 데 필요한 정보나 자료를 수집하기 위하여 현장조사·문서열람·시료채취 등을 하거나 조사대상자에게 보고요구·자료제출요구 및 출석요구·진술요구 등을 행하는 활동

② 역사적으로는 즉시강제의 일부로 파악되었으나 그 중 자료수집 활동이 따로 '행정조사'라는 항목으로 개념 분화된 것

③ **예** 세무조사, 식품위생법상 음식점의 위생상태 점검, 화재조사, 여론조사

성질

① 행정조사에는 행정기관의 일방적인 명령이나 강제(제재)를 수반하는 권력적 행정조사와, 명령이나 강제(제재)를 수반하지 않는 비권력적(임의적) 행정조사가 있음 ➔ 주된 논의의 대상이 되는 것은 권력적 행정조사

② 또 행정조사는 ㉠ 질문, 출입검사, 진찰, 문서열람, 시료채취와 같이 사실행위의 방법으로 이루어지기도 하지만, ㉡ 보고서나 장부 등 서류제출요구, 출석요구, 진술요구처럼 행정행위(하명)의 방법으로 이루어지기도 함 ➔ [비교] 행정지도는 언제나 사실행위

적법절차원칙 준수

적법절차의 원칙상 행정행위인 행정조사를 할 때에는 그에 대한 사전통지와 이유제시를 하여야 함 But 긴급한 경우 또는 사전통지나 이유제시를 하면 조사의 목적을 달성할 수 없는 경우에는 예외를 인정할 수 있음

영장주의 문제

① [논점] 압수나 수색을 수반하는 권력적 행정조사를 하기 위해서는 법관이 발부한 영장이 필요한지가 문제됨

② [대법원] 행정조사가 행정조사로서의 성격을 갖는 한 영장 필요× ➔ 행정조사의 정도를 넘어서서 범죄수사의 정도에 이르게 된 경우에는 영장 필요○

③ 영장 필요× 우편물 통관검사절차에서 이루어지는 우편물의 개봉·시료채취·성분분석 등의 검사는 수출입물품에 대한 적정한 통관 등을 목적으로 한 행정조사의 성격을 가지는 것으로서 수사기관의 강제처분이라고 할 수 없으므로, 압수·수색영장 없이 우편물의 개봉, 시료채취, 성분분석 등 검사가 진행되었다 하더라도 특별한 사정이 없는 한 위법하다고 볼 수 없음(2013도7718)

④ 영장 필요○ 세무공무원이「마약류 불법거래 방지에 관한 특례법」제4조 제1항에 따른 조치의 일환으로 특정한 수출입 물품을 개봉하여 검사하고 그 내용물의 점유를 취득한 행위는, 범죄수사인 압수 또는 수색에 해당하여 사전 또는 사후에 영장을 받아야 함(2014도8719)

위법조사에 따른 처분

① [논점] 행정조사가 위법한 경우에, 그것을 통해 수집한 자료에 기초하여 행해진 행정처분도 위법해지는지가 문제됨

② [대법원] 위법한 행정조사에 기초한 행정처분도 위법하다고 봄 ➔ 심지어 위법한 행정조사로 얻은 자료를 처분의 근거로 삼지 않았거나 그 자료를 배제하고서도 동일한 처분이 가능했다 하더라도 여전히 위법하다고 봄

③ 위법○ 세무조사가 과세자료의 수집 또는 신고내용의 정확성 검증이라는 본연의 목적이 아니라 부정한 목적을 위하여 행하여진 것이라면 세무조사에 중대한 위법사유가 있는 경우에 해당하고, 이러한 세무조사에 의하여 수집된 과세자료를 기초로 한 과세처분 역시 정당한 세액의 범위 내에 있다 하더라도 위법함(2016두47659, 2004두12070) ➔ 부정한 목적을 위하여 행해졌다는 것만으로도 세무조사는 위법하다고 보았다는 점도 특이

④ 위법○ 법령상 서면조사에 의하도록 한 것을 실지조사를 행하여 과세처분을 하였다면 그 과세처분은 위법함(94누11200)

⑤ 위법○ 부가가치세부과처분이 종전의 부가가치세 경정조사와 같은 세목 및 같은 과세기간에 대하여 중복하여 실시된 위법한 세무조사에 기초하여 이루어진 경우 위법함(2004두12070)

⑥ 위법○ 음주운전 여부에 대한 조사 과정에서 운전자 본인의 동의를 받지 아니하고 또한 법원의 영장도 없이 채혈조사를 한 결과를 근거로 한 운전면허 정지·취소 처분은 도로교통법 제44조 제3항을 위반한 것으로서 특별한 사정이 없는 한 위법한 처분으로 볼 수밖에 없음(2014두46850) ➔ 이 채혈조사는 음주운전이 이미 이루어졌음을 전제로 하는 조사이기 때문에 범죄수사에 해당하여 영장이 필요함

⑦ (변) 위법× 「토양환경보전법」상 토양오염실태조사를 실시할 권한이 시·도지사에게 있으나, 토양오염실태조사가 감사원 소속 감사관의 주도하에 실시되었다는 잘못만으로는 그에 기초하여 내려진 토양정밀조사명령이 위법하다고 할 수 없음(2006두9498) ➔ ∵ 주체와 관련하여 약간의 하자가 있기는 하지만, 감사원은 본래 모든 행정업무에 대하여 감사권한을 갖기 때문 ➔ 조사상 경미한 위법은 위법사유가 아니라고 본 것

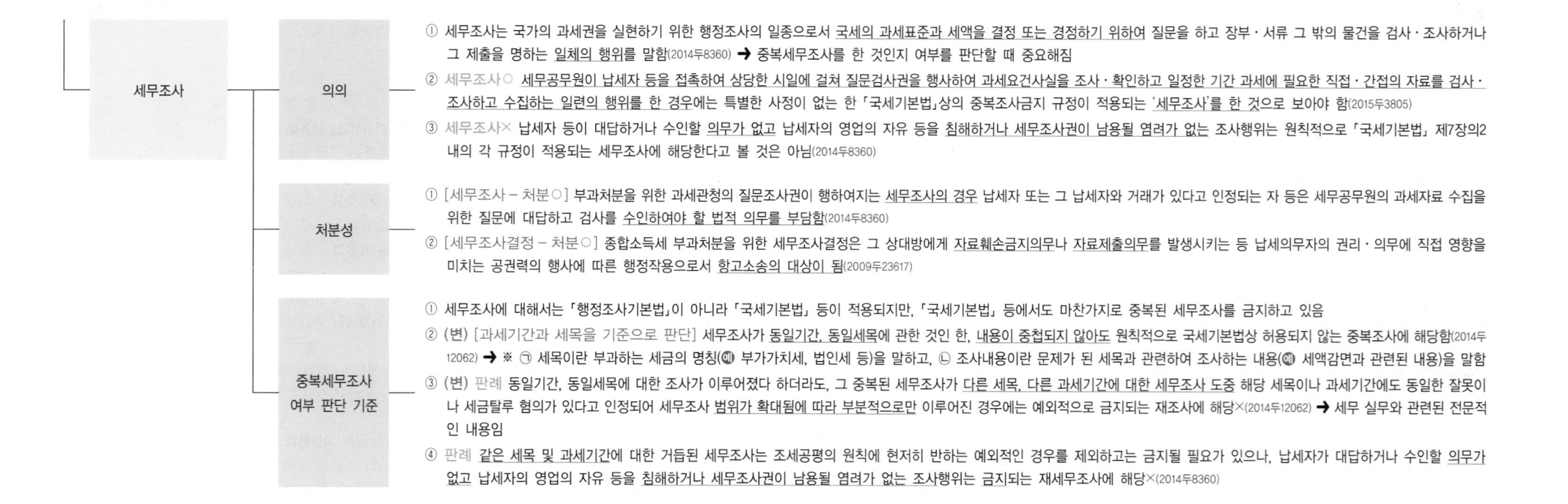

세무조사	의의	① 세무조사는 국가의 과세권을 실현하기 위한 행정조사의 일종으로서 국세의 과세표준과 세액을 결정 또는 경정하기 위하여 질문을 하고 장부·서류 그 밖의 물건을 검사·조사하거나 그 제출을 명하는 일체의 행위를 말함(2014두8360) ➔ 중복세무조사를 한 것인지 여부를 판단할 때 중요해짐 ② 세무조사○ 세무공무원이 납세자 등을 접촉하여 상당한 시일에 걸쳐 질문검사권을 행사하여 과세요건사실을 조사·확인하고 일정한 기간 과세에 필요한 직접·간접의 자료를 검사·조사하고 수집하는 일련의 행위를 한 경우에는 특별한 사정이 없는 한「국세기본법」상의 중복조사금지 규정이 적용되는 '세무조사'를 한 것으로 보아야 함(2015두3805) ③ 세무조사× 납세자 등이 대답하거나 수인할 의무가 없고 납세자의 영업의 자유 등을 침해하거나 세무조사권이 남용될 염려가 없는 조사행위는 원칙적으로「국세기본법」 제7장의2 내의 각 규정이 적용되는 세무조사에 해당한다고 볼 것은 아님(2014두8360)
	처분성	① [세무조사 – 처분○] 부과처분을 위한 과세관청의 질문조사권이 행하여지는 세무조사의 경우 납세자 또는 그 납세자와 거래가 있다고 인정되는 자 등은 세무공무원의 과세자료 수집을 위한 질문에 대답하고 검사를 수인하여야 할 법적 의무를 부담함(2014두8360) ② [세무조사결정 – 처분○] 종합소득세 부과처분을 위한 세무조사결정은 그 상대방에게 자료훼손금지의무나 자료제출의무를 발생시키는 등 납세의무자의 권리·의무에 직접 영향을 미치는 공권력의 행사에 따른 행정작용으로서 항고소송의 대상이 됨(2009두23617)
	중복세무조사 여부 판단 기준	① 세무조사에 대해서는「행정조사기본법」이 아니라「국세기본법」 등이 적용되지만,「국세기본법」 등에서도 마찬가지로 중복된 세무조사를 금지하고 있음 ② (변) [과세기간과 세목을 기준으로 판단] 세무조사가 동일기간, 동일세목에 관한 것인 한, 내용이 중첩되지 않아도 원칙적으로 국세기본법상 허용되지 않는 중복조사에 해당함(2014두12062) ➔ ※ ㉠ 세목이란 부과하는 세금의 명칭(예 부가가치세, 법인세 등)을 말하고, ㉡ 조사내용이란 문제가 된 세목과 관련하여 조사하는 내용(예 세액감면과 관련된 내용)을 말함 ③ (변) 판례 동일기간, 동일세목에 대한 조사가 이루어졌다 하더라도, 그 중복된 세무조사가 다른 세목, 다른 과세기간에 대한 세무조사 도중 해당 세목이나 과세기간에도 동일한 잘못이나 세금탈루 혐의가 있다고 인정되어 세무조사 범위가 확대됨에 따라 부분적으로만 이루어진 경우에는 예외적으로 금지되는 재조사에 해당×(2014두12062) ➔ 세무 실무와 관련된 전문적인 내용임 ④ 판례 같은 세목 및 과세기간에 대한 거듭된 세무조사는 조세공평의 원칙에 현저히 반하는 예외적인 경우를 제외하고는 금지될 필요가 있으나, 납세자가 대답하거나 수인할 의무가 없고 납세자의 영업의 자유 등을 침해하거나 세무조사권이 남용될 염려가 없는 조사행위는 금지되는 재세무조사에 해당×(2014두8360)

의의	① 행정조사에 관한 일반법으로 「행정조사기본법」이 2007년부터 제정되어 있음 ② 남용되기 쉬운 <u>행정조사 권한</u>을 통제하기 위해 제정된 법 ➡ 행정조사가 공정하고 투명하게 이루어지게 하고 있음
행정조사의 주체 – 행정기관	행정조사를 행하는 <u>행정기관</u>에는 법령 및 조례·규칙에 따라 행정권한이 있는 기관뿐만 아니라 그 <u>권한을 위임 또는 위탁받은 법인·단체 또는 그 기관이나 개인이 포함됨</u>(제2조 제2호)
법적 근거 요부	① [권력적 행정조사의 경우 별도의 근거 필요○] 조사대상자의 '자발적인 협조를 얻어 실시하는 행정조사'(비권력적 행정조사)가 아닌 한, 별도의 법령, 조례, 규칙에서 행정조사를 허용하고 있는 경우에만 행정조 사를 실시할 수 있음(제5조) ➡ 「행정조사기본법」만을 근거로 행정조사를 실시할 수는 없음(「행정조사기본법」은 행정조사에 대한 '<u>근거 규정</u>'×) ➡ 「도로교통법」, 「소방기본법」, 「식품위생법」 등에서 별도로 정하고 있음 ② [조사에 대한 응답 없는 경우 근거 필요○] 행정조사를 실시하기 전에 행정기관의 장이 먼저 조사대상자가 조사에 응할 것인지를 물어보는데(응하겠다고 답하는 경우에는 비권력적 행정조사가 되기 때문), 그에 대한 응답이 없는 경우에는 조사를 거부한 것으로 봄(제20조 제2항) ➡ 응답이 없었음에도 불구하고 행정조사를 실시하기 위해서는 별도의 법적 근거가 있어야 함(권력적 행정조사를 실시하는 것이 되기 때문) ③ [조사거부권] 행정기관의 장이 조사대상자의 자발적인 협조를 얻어 행정조사를 실시하고자 하는 경우 조사대상자는 <u>문서·전화·구두 등의 방법으로 당해 행정조사를 거부할 수 있음</u>(제20조 제1항)
「행정절차법」과 행정조사	「행정절차법」은 행정조사에 관한 명문의 규정을 두고 있지 않지만, 행정조사가 <u>처분에 해당하는 경우</u>에는 「행정절차법」상의 처분절차에 관한 규정도 적용됨

적용범위

행정조사의 절차와 원칙에 관한 일반법	① [행정조사 실시 가부] 개별법에서 규정 ② [행정조사의 절차와 원칙] 행정조사에 관하여 다른 법률에 특별한 규정이 있는 경우를 제외하고는 「행정조사기본법」이 정하는 바에 따름(제3조 제1항)
적용× (제3조 제2항)	① 행정조사를 한다는 사실이나 조사내용이 공개될 경우 국가의 존립을 위태롭게 하거나 국가의 중대한 이익을 현저히 해칠 우려가 있는 국가안전보장·통일 및 외교에 관한 사항 ② 군사시설·군사기밀보호 또는 방위사업에 관한 사항 등 군사시설에 관한 사항, 징집·소집·동원 및 훈련 등 국방 및 안전에 관한 일정사항 ③ 국가안전보장에 관련되는 정보 및 보안 업무를 관장하는 기관에서 국가안전보장과 관련된 정보의 분석을 목적으로 수집하거나 작성한 정보 ④ 근로감독관의 직무에 관한 사항 등 ➡ 별도로 더 자세한 규정을 두고 있기 때문 ⑤ <u>조세</u>(租稅)·<u>형사</u>(刑事)·<u>행형</u>(行刑) 및 <u>보안처분</u>에 관한 사항 ➡ 별도로 더 자세한 규정을 두고 있기 때문 ⑥ 금융감독기관의 감독·검사·조사 및 감리에 관한 사항 ➡ 별도로 더 자세한 규정을 두고 있기 때문 ⑦ 공정거래위원회의 법률위반행위 조사에 관한 사항 ➡ 별도로 더 자세한 규정을 두고 있기 때문
적용제외의 예외	<u>제3조 제2항에도 불구하고 행정조사의 기본원칙</u>(제4조), 행정조사의 근거(제5조) 및 정보통신수단을 통한 행정조사(제28조)에 관한 규정은 제2항 각 호의 사항에 대하여 적용○ ➡ 「행정조 사기본법」의 적용이 배제되는 사항들에 대해서도 「행정조사기본법」이 완전히 적용되지 않는 것은 아님

기본원칙	① [비례원칙 및 권한남용금지원칙] 행정조사는 조사의 목적을 달성하는 데 필요한 최소한의 범위 안에서 실시하여야 하며, 다른 목적 등을 위하여 조사권을 남용하여서는 안 됨(제4조 제1항) ② [법령준수 유도 원칙] 행정조사는 법령등의 위반에 대한 처벌보다는 <u>법령등을 준수하도록 유도</u>하는 데 중점을 두어야 함(제4조 제4항) ➡ 행정조사는 법령 위반사항을 발견하여 처벌하기 위해 이루어지는 것× ③ [공표·누설금지] 다른 법률에 따르지 않는 한, 행정조사의 대상자 또는 행정조사의 내용을 공표하거나 직무상 알게 된 비밀을 누설하여서는 안 됨(제4조 제5항) ④ [조사목적 이외 용도로의 이용금지 및 타인제공금지] 행정기관도 행정조사를 통하여 알게 된 정보를 다른 법률에 따라 내부에서 이용하거나 다른 기관에 제공하는 경우를 제외하고는, 원래의 조사목적 이외의 용도로 이용하거나 타인에게 제공하여서는 안 됨(제4조 제6항)

재(중복)조사 금지	① [공동조사 의무] 행정기관은 유사하거나 동일한 사안에 대하여는 공동조사 등을 실시하여 행정조사가 중복되지 않게 해야 함(제4조 제3항) ➜ ㉠ 당해 행정기관 내의 2 이상의 부서가 동일하거나 유사한 업무분야에 대하여 동일한 조사대상자에게 행정조사를 실시하는 경우나, ㉡ 서로 다른 행정기관이 대통령령으로 정하는❶ 분야에 대하여 동일한 조사대상자에게 행정조사를 실시하는 경우에는 행정기관의 장은 공동조사를 하여야 함(제14조 제1항) ② [재조사 금지] 정기조사 또는 수시조사를 실시한 행정기관의 장은 동일한 사안에 대하여 동일한 조사대상자를 재조사해서는 안 됨 ➜ 다만, 당해 행정기관이 이미 조사를 받은 조사대상자에 대하여 위법행위가 의심되는 새로운 증거를 확보한 경우에는 재조사 가능(제15조 제1항) ③ [기(旣)조사 확인권] 행정조사를 실시할 행정기관의 장은 행정조사를 실시하기 전에 다른 행정기관에서 동일한 조사대상자에게 동일하거나 유사한 사안에 대하여 행정조사를 실시하였는지 여부를 확인할 수 있음(제15조 제2항) ➜ 의무가 아닌 권한으로 규정되어 있어서 비판有
조사대상자의 선정	① [목적 적합성의 원칙] 행정기관은 조사목적에 적합하도록 조사대상자를 선정하여 행정조사를 실시하여야 함(제4조 제2항) ② [사전·객관적 기준에 따른 조사대상자 선정] 행정기관의 장은 행정조사의 목적, 법령준수의 실적, 자율적인 준수를 위한 노력, 규모와 업종 등을 고려하여 사전에 정해진 명백하고 객관적인 기준에 따라 행정조사의 대상을 선정하여야 함(제8조 제1항) ➜ 조사대상자는 조사대상 선정기준에 대한 열람을 행정기관의 장에게 신청할 수 있고, 행정기관의 장이 열람신청을 받은 때에는 ㉠ 행정기관이 당해 행정조사업무를 수행할 수 없을 정도로 조사활동에 지장을 초래하는 경우나 ㉡ 내부고발자 등 제3자에 대한 보호가 필요한 경우 외에는, 신청인이 조사대상 선정기준을 열람할 수 있도록 하여야 함(제8조 제2항, 제3항) ③ [제3자에 대한 보충조사] 행정기관의 장은 조사대상자에 대한 조사만으로는 당해 행정조사의 목적을 달성할 수 없거나 조사대상이 되는 행위에 대한 사실 여부 등을 입증하는 데 과도한 비용 등이 소요되는 경우로서, ㉠ 다른 법률에서 허용하고 있거나 ㉡ 제3자의 동의가 있는 경우 제3자에 대하여 보충조사를 할 수 있음(제19조)
정기조사의 원칙 (제7조)	① [원칙적 정기조사] 행정조사는 법령이나 행정조사운영계획으로 정하는 바에 따라 정기적으로 실시하는 것이 원칙 ② [예외적 수시조사] 수시조사는 ㉠ 법률에서 수시조사를 규정하고 있는 경우나, ㉡ 법령등의 위반에 대하여 혐의가 있는 경우, ㉢ 다른 행정기관으로부터 법령등의 위반에 관한 혐의를 통보 또는 이첩받은 경우, ㉣ 법령등의 위반에 대한 신고를 받거나 민원이 접수된 경우, ㉤ 그밖에 행정조사의 필요성이 인정되는 사항으로서 대통령령으로 정하는 경우 중 하나에 해당하는 경우에만 예외적으로 가능○ ➜ 법령통이신민대 ③ (변) [대통령령에 따른 사유] 행정기관은 조사대상자의 법령위반행위의 예방 또는 확인을 위하여 긴급하게 실시하는 것으로서, 일정한 주기 또는 시기를 정하여 정기적으로 실시하여서는 그 목적을 달성하기 어려운 경우에 수시조사를 할 수 있음(시행령 제3조)
조사방법	① 「행정조사기본법」은 다양한 행정조사 방법 中(中) 현장조사, 문서열람, 시료채취, 보고요구, 자료제출요구, 진술요구 및 출석요구에 대해서만 구체적으로 규율하고 있음 ② [현장조사 – 야간 조사금지의 원칙] 현장조사는 해가 뜨기 전이나 해가 진 뒤에는 가능× ➜ 다만, ㉠ 조사대상자(대리인 및 관리책임이 있는 자를 포함)가 동의한 경우나, ㉡ 사무실 또는 사업장 등의 업무시간에 행정조사를 실시하는 경우, ㉢ 주간조사를 해서는 조사목적의 달성이 불가능하거나 증거인멸로 인하여 조사대상자의 법령등의 위반 여부를 확인할 수 없는 경우에는 야간에도 가능○(제11조 제2항) ③ (변) [현장조사 – 자료 등 영치] 조사원이 현장조사 중에 자료·서류·물건 등을 영치하는 경우에 조사대상자의 생활이나 영업이 사실상 불가능하게 될 우려가 있는 때에는 조사원은 증거인멸의 우려가 있는 경우가 아니라면 사진촬영 등의 방법으로 영치에 갈음할 수 있음(제13조) ➜ 例 주유소 주유기는 영치하지 않고 사진촬영을 해갈 수 있음 ④ (변) [출석요구 – 출석일시 변경신청권] 조사대상자는 지정된 출석일시에 출석하는 경우 업무 또는 생활에 지장이 있는 때에는 행정기관의 장에게 출석일시를 변경하여 줄 것을 신청할 수 있으며, 변경신청을 받은 행정기관의 장은 행정조사의 목적을 달성할 수 있는 범위 안에서 출석일시를 변경할 수 있음(하여야 한다×)(제9조 제2항)
(변) 행정조사운영계획의 사전 수립	행정기관의 장은 매년 12월말까지 다음 연도의 행정조사운영계획을 수립하여 국무조정실장에게 제출하여야 함(제6조) ➜ ※ 국무조정실장은 차관 회의를 주재하여 국무회의 안건을 상정하는 실무 책임자
자율신고제도 (제25조)	① 행정기관의 장은 법령 등에서 규정하고 있는 조사사항을 조사대상자로 하여금 스스로 신고하도록 하는 자율신고제도를 운영할 수 있음 ② 행정기관의 장은, 조사대상자가 신고한 내용이 거짓의 신고라고 인정할 만한 근거가 있거나 신고 내용을 신뢰할 수 없는 경우를 제외하고는, 그 신고 내용을 행정조사에 갈음할 수 있음(의무×)

❶ 이에 따라 제정된 「행정조사기본법 시행령」은 건설사업장의 관리에 관한 행정조사, 유해·위험물질의 관리에 관한 행정조사, 식품안전에 관한 행정조사 등을 규정하고 있다.

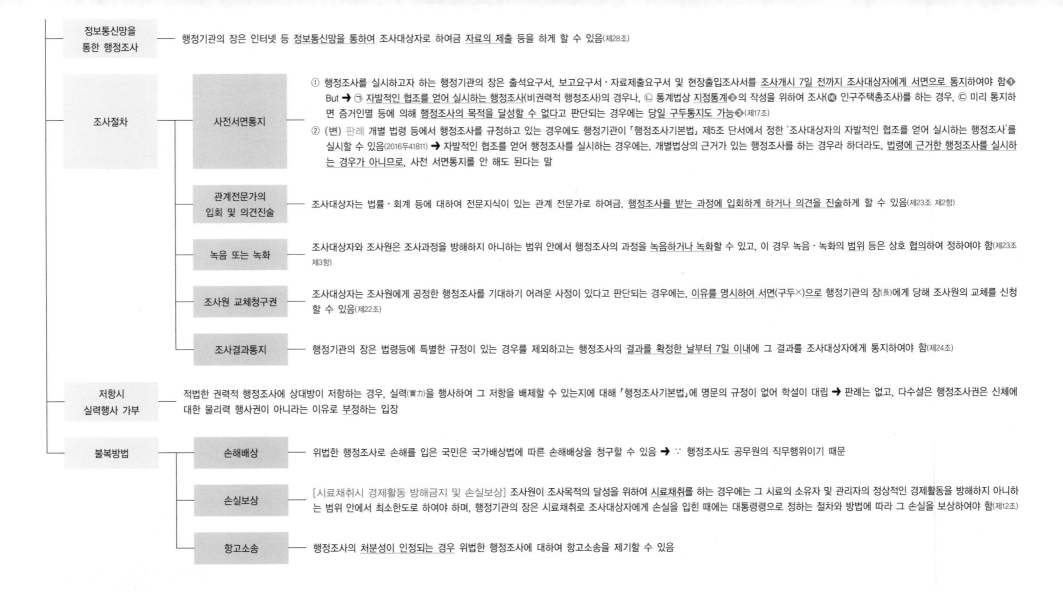

정보통신망을 통한 행정조사 — 행정기관의 장은 인터넷 등 정보통신망을 통하여 조사대상자로 하여금 자료의 제출 등을 하게 할 수 있음(제28조)

조사절차

사전서면통지

① 행정조사를 실시하고자 하는 행정기관의 장은 출석요구서, 보고요구서·자료제출요구서 및 현장출입조사서를 조사개시 7일 전까지 조사대상자에게 서면으로 통지하여야 함❶
But ➡ ㉠ 자발적인 협조를 얻어 실시하는 행정조사(비권력적 행정조사)의 경우나, ㉡ 통계법상 지정통계❷의 작성을 위하여 조사(⑩ 인구주택총조사)를 하는 경우, ㉢ 미리 통지하면 증거인멸 등에 의해 행정조사의 목적을 달성할 수 없다고 판단되는 경우에는 당일 구두통지도 가능❸(제17조)

② (변) 판례 개별 법령 등에서 행정조사를 규정하고 있는 경우에도 행정기관이「행정조사기본법」제5조 단서에서 정한 '조사대상자의 자발적인 협조를 얻어 실시하는 행정조사'를 실시할 수 있음(2016두41811) ➡ 자발적인 협조를 얻어 행정조사를 실시하는 경우에는, 개별법상의 근거가 있는 행정조사를 하는 경우라 하더라도, 법령에 근거한 행정조사를 실시하는 경우가 아니므로, 사전 서면통지를 안 해도 된다는 말

관계전문가의 입회 및 의견진술 — 조사대상자는 법률·회계 등에 대하여 전문지식이 있는 관계 전문가로 하여금, 행정조사를 받는 과정에 입회하게 하거나 의견을 진술하게 할 수 있음(제23조 제2항)

녹음 또는 녹화 — 조사대상자와 조사원은 조사과정을 방해하지 아니하는 범위 안에서 행정조사의 과정을 녹음하거나 녹화할 수 있고, 이 경우 녹음·녹화의 범위 등은 상호 협의하여 정하여야 함(제23조 제3항)

조사원 교체청구권 — 조사대상자는 조사원에게 공정한 행정조사를 기대하기 어려운 사정이 있다고 판단되는 경우에는, 이유를 명시하여 서면(구두×)으로 행정기관의 장(長)에게 당해 조사원의 교체를 신청할 수 있음(제22조)

조사결과통지 — 행정기관의 장은 법령등에 특별한 규정이 있는 경우를 제외하고는 행정조사의 결과를 확정한 날부터 7일 이내에 그 결과를 조사대상자에게 통지하여야 함(제24조)

저항시 실력행사 가부 — 적법한 권력적 행정조사에 상대방이 저항하는 경우, 실력(實力)을 행사하여 그 저항을 배제할 수 있는지에 대해「행정조사기본법」에 명문의 규정이 없어 학설이 대립 ➡ 판례는 없고, 다수설은 행정조사권은 신체에 대한 물리력 행사권이 아니라는 이유로 부정하는 입장

불복방법

손해배상 — 위법한 행정조사로 손해를 입은 국민은 국가배상법에 따른 손해배상을 청구할 수 있음 ➡ ∵ 행정조사도 공무원의 직무행위이기 때문

손실보상 — [시료채취시 경제활동 방해금지 및 손실보상] 조사원이 조사목적의 달성을 위하여 시료채취를 하는 경우에는 그 시료의 소유자 및 관리자의 정상적인 경제활동을 방해하지 아니하는 범위 안에서 최소한도로 하여야 하며, 행정기관의 장은 시료채취로 조사대상자에게 손실을 입힌 때에는 대통령령으로 정하는 절차와 방법에 따라 그 손실을 보상하여야 함(제12조)

항고소송 — 행정조사의 처분성이 인정되는 경우 위법한 행정조사에 대하여 항고소송을 제기할 수 있음

---

❶ [비교] 처분절차 중 하나인 ① 청문은 10일 전까지 그 당사자등에게 사전통지를 해야 하고, ② 공청회는 14일 전까지 당사자등에게 사전통지를 해야 한다.

❷ 각종 정책의 수립·평가 또는 다른 통계의 작성 등에 널리 활용되는 통계를 작성할 목적으로 통계청장이 지정하는 통계를 지정통계라 한다.

❸ [비교] ① 처분은 신속히 처리할 필요가 있거나 사안이 경미한 경우에만 말이나 그 밖의 방법으로 할 수 있다. ② 행정지도는 말로도 할 수 있다. 다만, 상대방이 그 내용에 대한 서면 교부를 요구하면 직무 수행에 지장이 없으면 교부하여야 한다.

✧ 해커정신 #2

유유북출판글

유대웅

PART

05

행정상 전보제도

제**1**장 서론

행정구제법 개관

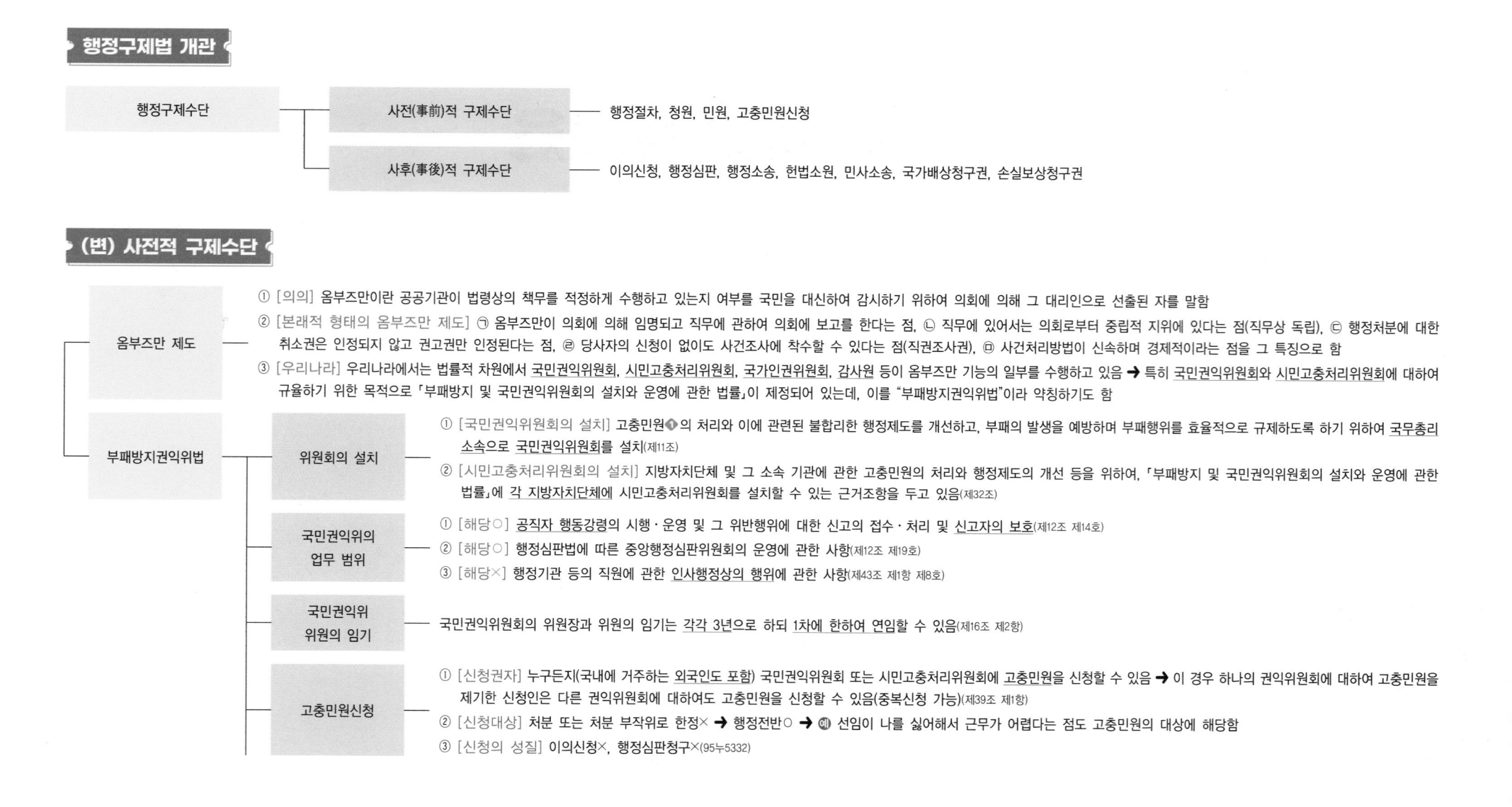

행정구제수단 ── 사전(事前)적 구제수단 ── 행정절차, 청원, 민원, 고충민원신청

행정구제수단 ── 사후(事後)적 구제수단 ── 이의신청, 행정심판, 행정소송, 헌법소원, 민사소송, 국가배상청구권, 손실보상청구권

(변) 사전적 구제수단

옴부즈만 제도

① [의의] 옴부즈만이란 공공기관이 법령상의 책무를 적정하게 수행하고 있는지 여부를 국민을 대신하여 감시하기 위하여 의회에 의해 그 대리인으로 선출된 자를 말함

② [본래적 형태의 옴부즈만 제도] ㉠ 옴부즈만이 의회에 의해 임명되고 직무에 관하여 의회에 보고를 한다는 점, ㉡ 직무에 있어서는 의회로부터 중립적 지위에 있다는 점(직무상 독립), ㉢ 행정처분에 대한 취소권은 인정되지 않고 권고권만 인정된다는 점, ㉣ 당사자의 신청이 없이도 사건조사에 착수할 수 있다는 점(직권조사권), ㉤ 사건처리방법이 신속하며 경제적이라는 점을 그 특징으로 함

③ [우리나라] 우리나라에서는 법률적 차원에서 국민권익위원회, 시민고충처리위원회, 국가인권위원회, 감사원 등이 옴부즈만 기능의 일부를 수행하고 있음 ➜ 특히 국민권익위원회와 시민고충처리위원회에 대하여 규율하기 위한 목적으로 「부패방지 및 국민권익위원회의 설치와 운영에 관한 법률」이 제정되어 있는데, 이를 "부패방지권익위법"이라 약칭하기도 함

부패방지권익위법

위원회의 설치

① [국민권익위원회의 설치] 고충민원❶의 처리와 이에 관련된 불합리한 행정제도를 개선하고, 부패의 발생을 예방하며 부패행위를 효율적으로 규제하도록 하기 위하여 국무총리 소속으로 국민권익위원회를 설치(제11조)

② [시민고충처리위원회의 설치] 지방자치단체 및 그 소속 기관에 관한 고충민원의 처리와 행정제도의 개선 등을 위하여, 「부패방지 및 국민권익위원회의 설치와 운영에 관한 법률」에 각 지방자치단체에 시민고충처리위원회를 설치할 수 있는 근거조항을 두고 있음(제32조)

국민권익위의 업무 범위

① [해당○] 공직자 행동강령의 시행·운영 및 그 위반행위에 대한 신고의 접수·처리 및 신고자의 보호(제12조 제14호)

② [해당○] 행정심판법에 따른 중앙행정심판위원회의 운영에 관한 사항(제12조 제19호)

③ [해당×] 행정기관 등의 직원에 관한 인사행정상의 행위에 관한 사항(제43조 제1항 제8호)

국민권익위 위원의 임기

국민권익위원회의 위원장과 위원의 임기는 각각 3년으로 하되 1차에 한하여 연임할 수 있음(제16조 제2항)

고충민원신청

① [신청권자] 누구든지(국내에 거주하는 외국인도 포함) 국민권익위원회 또는 시민고충처리위원회에 고충민원을 신청할 수 있음 ➜ 이 경우 하나의 권익위원회에 대하여 고충민원을 제기한 신청인은 다른 권익위원회에 대하여도 고충민원을 신청할 수 있음(중복신청 가능)(제39조 제1항)

② [신청대상] 처분 또는 처분 부작위로 한정× ➜ 행정전반○ ➜ 예 선임이 나를 싫어해서 근무가 어렵다는 점도 고충민원의 대상에 해당함

③ [신청의 성질] 이의신청×, 행정심판청구×(95누5332)

신고	누구든지 부패행위를 알게 된 때에는 이를 국민권익위원회에 신고할 수 있음(제55조)
실지조사	국민권익위원회는 조사를 함에 있어서 필요하다고 인정하는 경우에는 조사사항과 관계있다고 인정되는 장소·시설 등에 대한 실지조사를 할 수 있음(제42조 제1항 제3호)
시정권고	① 국민권익위원회는 고충민원에 대한 조사결과 처분 등이 위법·부당하다고 인정할 만한 상당한 이유가 있는 경우에는 관계 행정기관등의 장에게 적절한 시정을 권고할 수 있음(제46조 제1항) ➔ 이 권고에는 구속력이 없어 반드시 따라야 하는 것은 아님
	② [의견제출기회부여] 국민권익위원회는 관계 행정기관등의 장에게 권고 또는 의견표명을 하기 전에 그 행정기관등과 신청인 또는 이해관계인에게 미리 의견을 제출할 기회를 주어야 함(제48조 제1항)
	③ [결과통보] 시정권고를 받은 관계 행정기관등의 장은 이를 존중하여야 하며, 그 권고를 받은 날부터 30일 이내에 그 처리결과를 권익위원회에 통보하여야 함(제50조 제1항)
	④ [공표] 국민권익위원회는 처리결과를 일반에 공표할 수 있음 ➔ 다만, 다른 법률의 규정에 따라 공표가 제한되거나 개인의 사생활의 비밀이 침해될 우려가 있는 경우에는×(제53조 제2호)
부패방지 제도개선권고	국민권익위원회는 필요하다고 인정하는 경우 공공기관의 장에게 부패방지를 위한 제도 개선의 권고를 할 수 있고, 제도개선 권고를 받은 공공기관의 장은 이를 제도 개선에 반영하여 그 조치결과를 국민권익위원회에 통보하여야 함(제27조 제1항, 2항)
감사원 의뢰	국민권익위원회는 고충민원신청의 내용에 대하여 감사원에 감사를 의뢰할 수 있음(제51조)
국민감사청구	18세 이상의 국민은 공공기관의 사무처리가 법령위반 또는 부패행위로 인하여 공익을 현저히 해하는 경우 대통령령으로 정하는 일정한 수 이상의 국민의 연서로 감사원에 감사를 청구할 수 있음(제72조)

사후적 구제수단의 재구성

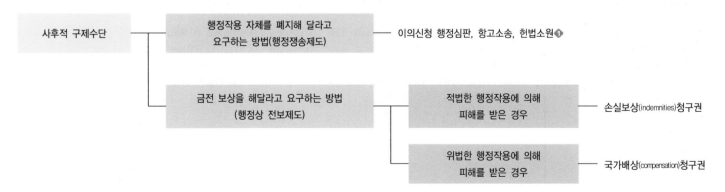

① "고충민원"이란, 행정기관 등의 위법·부당하거나, 소극적인 처분(사실행위나 부작위를 포함) 및 불합리한 행정제도로 인하여 국민의 권리를 침해하거나 국민에게 불편 또는 부담을 주는 사항에 관한 민원(현역장병 및 군(軍) 관련 의무복무자의 고충민원을 포함)을 말한다.

① [헌법] 이 셋 중에서 헌법소원은 보충적으로만 활용된다. 헌법재판소법 제68조 제1항 단서에서 그렇게만 활용하라고 규정하고 있기 때문이다. 따라서 행정작용 자체의 폐지를 구할 때는 1차적으로 행정심판이나 항고소송을 통해야 한다.

제 2 장

국가배상제도

서론

국가배상제도 개관

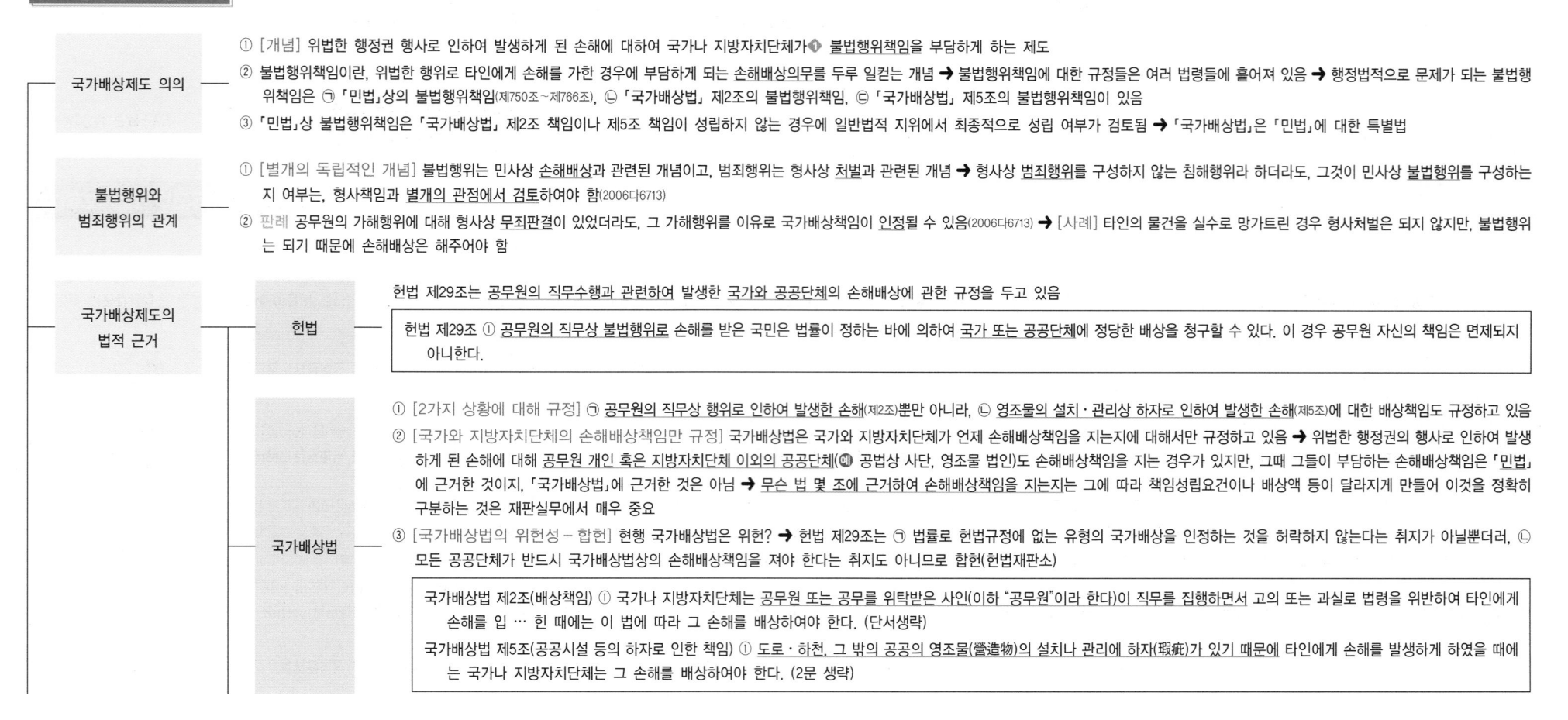

국가배상제도 의의

① [개념] 위법한 행정권 행사로 인하여 발생하게 된 손해에 대하여 국가나 지방자치단체가❶ 불법행위책임을 부담하게 하는 제도

② 불법행위책임이란, 위법한 행위로 타인에게 손해를 가한 경우에 부담하게 되는 손해배상의무를 두루 일컫는 개념 ➜ 불법행위책임에 대한 규정들은 여러 법령들에 흩어져 있음 ➜ 행정법적으로 문제가 되는 불법행위책임은 ㉠ 「민법」상의 불법행위책임(제750조~제766조), ㉡ 「국가배상법」 제2조의 불법행위책임, ㉢ 「국가배상법」 제5조의 불법행위책임이 있음

③ 「민법」상 불법행위책임은 「국가배상법」 제2조 책임이나 제5조 책임이 성립하지 않는 경우에 일반법적 지위에서 최종적으로 성립 여부가 검토됨 ➜ 「국가배상법」은 「민법」에 대한 특별법

불법행위와 범죄행위의 관계

① [별개의 독립적인 개념] 불법행위는 민사상 손해배상과 관련된 개념이고, 범죄행위는 형사상 처벌과 관련된 개념 ➜ 형사상 범죄행위를 구성하지 않는 침해행위라 하더라도, 그것이 민사상 불법행위를 구성하는지 여부는, 형사책임과 별개의 관점에서 검토하여야 함(2006다6713)

② 판례 공무원의 가해행위에 대해 형사상 무죄판결이 있었더라도, 그 가해행위를 이유로 국가배상책임이 인정될 수 있음(2006다6713) ➜ [사례] 타인의 물건을 실수로 망가트린 경우 형사처벌은 되지 않지만, 불법행위는 되기 때문에 손해배상은 해주어야 함

국가배상제도의 법적 근거

헌법

헌법 제29조는 공무원의 직무수행과 관련하여 발생한 국가와 공공단체의 손해배상에 관한 규정을 두고 있음

> 헌법 제29조 ① 공무원의 직무상 불법행위로 손해를 받은 국민은 법률이 정하는 바에 의하여 국가 또는 공공단체에 정당한 배상을 청구할 수 있다. 이 경우 공무원 자신의 책임은 면제되지 아니한다.

국가배상법

① [2가지 상황에 대해 규정] ㉠ 공무원의 직무상 행위로 인하여 발생한 손해(제2조)뿐만 아니라, ㉡ 영조물의 설치·관리상 하자로 인하여 발생한 손해(제5조)에 대한 배상책임도 규정하고 있음

② [국가와 지방자치단체의 손해배상책임만 규정] 국가배상법은 국가와 지방자치단체가 언제 손해배상책임을 지는지에 대해서만 규정하고 있음 ➜ 위법한 행정권의 행사로 인하여 발생하게 된 손해에 대해 공무원 개인 혹은 지방자치단체 이외의 공공단체(예 공법상 사단, 영조물 법인)도 손해배상책임을 지는 경우가 있지만, 그때 그들이 부담하는 손해배상책임은 「민법」에 근거한 것이지, 「국가배상법」에 근거한 것은 아님 ➜ 무슨 법 몇 조에 근거하여 손해배상책임을 지는지는 그에 따라 책임성립요건이나 배상액 등이 달라지게 만들어 이것을 정확히 구분하는 것은 재판실무에서 매우 중요

③ [국가배상법의 위헌성 – 합헌] 현행 국가배상법은 위헌? ➜ 헌법 제29조는 ㉠ 법률로 헌법규정에 없는 유형의 국가배상을 인정하는 것을 허락하지 않는다는 취지가 아닐뿐더러, ㉡ 모든 공공단체가 반드시 국가배상법상의 손해배상책임을 져야 한다는 취지도 아니므로 합헌(헌법재판소)

> 국가배상법 제2조(배상책임) ① 국가나 지방자치단체는 공무원 또는 공무를 위탁받은 사인(이하 "공무원"이라 한다)이 직무를 집행하면서 고의 또는 과실로 법령을 위반하여 타인에게 손해를 입 ⋯ 힌 때에는 이 법에 따라 그 손해를 배상하여야 한다. (단서생략)
>
> 국가배상법 제5조(공공시설 등의 하자로 인한 책임) ① 도로·하천, 그 밖의 공공의 영조물(營造物)의 설치나 관리에 하자(瑕疵)가 있기 때문에 타인에게 손해를 발생하게 하였을 때에는 국가나 지방자치단체는 그 손해를 배상하여야 한다. (2문 생략)

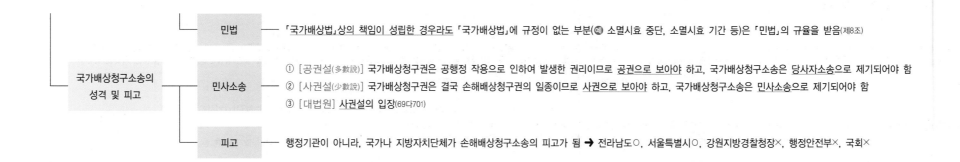

	민법	「국가배상법」상의 책임이 성립한 경우라도 「국가배상법」에 규정이 없는 부분(⑩ 소멸시효 중단, 소멸시효 기간 등)은 「민법」의 규율을 받음(제8조)
국가배상청구소송의 성격 및 피고	민사소송	① [공권설(多數說)] 국가배상청구권은 공행정 작용으로 인하여 발생한 권리이므로 공권으로 보아야 하고, 국가배상청구소송은 당사자소송으로 제기되어야 함 ② [사권설(少數說)] 국가배상청구권은 결국 손해배상청구권의 일종이므로 사권으로 보아야 하고, 국가배상청구소송은 민사소송으로 제기되어야 함 ③ [대법원] 사권설의 입장(69다701)
	피고	행정기관이 아니라, 국가나 지방자치단체가 손해배상청구소송의 피고가 됨 ➜ 전라남도○, 서울특별시○, 강원지방경찰청장×, 행정안전부×, 국회×

◆ 아래에서는 특별한 사정이 없는 한 국가와 지방자치단체를 묶어서 '국가'라고만 지칭하기로 한다.

제2조에 따른 국가배상책임

> 국가배상법 제2조(배상책임) ① 국가나 지방자치단체는 공무원 또는 공무를 위탁받은 사인(이하 "공무원"이라 한다)이 직무를 집행하면서 고의 또는 과실로 법령을 위반하여 타인에게 손해를 입히거나, 「자동차손해배상 보장법」에 따라 손해배상의 책임이 있을 때에는 이 법에 따라 그 손해를 배상하여야 한다. 다만, 군인·군무원·경찰공무원 또는 예비군대원이 전투·훈련 등 직무 집행과 관련하여 전사(戰死)·순직(殉職)하거나 공상(公傷)을 입은 경우에 본인이나 그 유족이 다른 법령에 따라 재해보상금·유족연금·상이연금 등의 보상을 지급받을 수 있을 때에는 이 법 및 「민법」에 따른 손해배상을 청구할 수 없다.
> ② 제1항 본문의 경우에 공무원에게 고의 또는 중대한 과실이 있으면 국가나 지방자치단체는 그 공무원에게 구상(求償)할 수 있다.

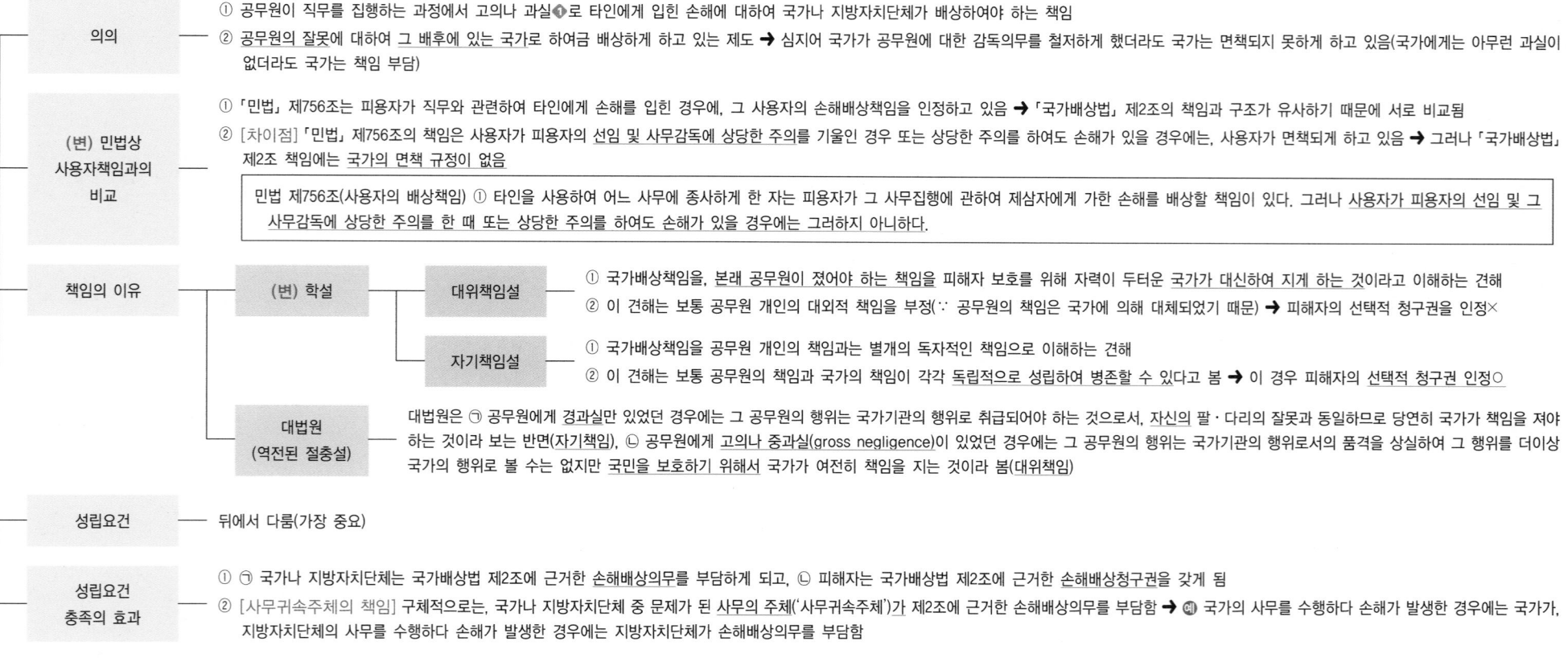

| 의의 | ① 공무원이 직무를 집행하는 과정에서 고의나 과실❶로 타인에게 입힌 손해에 대하여 국가나 지방자치단체가 배상하여야 하는 책임 |
| | ② 공무원의 잘못에 대하여 그 배후에 있는 국가로 하여금 배상하게 하고 있는 제도 ➜ 심지어 국가가 공무원에 대한 감독의무를 철저하게 했더라도 국가는 면책되지 못하게 하고 있음(국가에게는 아무런 과실이 없더라도 국가는 책임 부담) |

(변) 민법상 사용자책임과의 비교
① 「민법」 제756조는 피용자가 직무와 관련하여 타인에게 손해를 입힌 경우에, 그 사용자의 손해배상책임을 인정하고 있음 ➜ 「국가배상법」 제2조의 책임과 구조가 유사하기 때문에 서로 비교됨
② [차이점] 「민법」 제756조의 책임은 사용자가 피용자의 선임 및 사무감독에 상당한 주의를 기울인 경우 또는 상당한 주의를 하여도 손해가 있을 경우에는, 사용자가 면책되게 하고 있음 ➜ 그러나 「국가배상법」 제2조 책임에는 국가의 면책 규정이 없음

> 민법 제756조(사용자의 배상책임) ① 타인을 사용하여 어느 사무에 종사하게 한 자는 피용자가 그 사무집행에 관하여 제삼자에게 가한 손해를 배상할 책임이 있다. 그러나 사용자가 피용자의 선임 및 그 사무감독에 상당한 주의를 한 때 또는 상당한 주의를 하여도 손해가 있을 경우에는 그러하지 아니하다.

책임의 이유

(변) 학설
- 대위책임설
  ① 국가배상책임을, 본래 공무원이 졌어야 하는 책임을 피해자 보호를 위해 자력이 두터운 국가가 대신하여 지게 하는 것이라고 이해하는 견해
  ② 이 견해는 보통 공무원 개인의 대외적 책임을 부정(∵ 공무원의 책임은 국가에 의해 대체되었기 때문) ➜ 피해자의 선택적 청구권을 인정×
- 자기책임설
  ① 국가배상책임을 공무원 개인의 책임과는 별개의 독자적인 책임으로 이해하는 견해
  ② 이 견해는 보통 공무원의 책임과 국가의 책임이 각각 독립적으로 성립하여 병존할 수 있다고 봄 ➜ 이 경우 피해자의 선택적 청구권 인정○

대법원 (역전된 절충설)
대법원은 ㉠ 공무원에게 경과실만 있었던 경우에는 그 공무원의 행위는 국가기관의 행위로 취급되어야 하는 것으로서, 자신의 팔·다리의 잘못과 동일하므로 당연히 국가가 책임을 져야 하는 것이라 보는 반면(자기책임), ㉡ 공무원에게 고의나 중과실(gross negligence)이 있었던 경우에는 그 공무원의 행위는 국가기관의 행위로서의 품격을 상실하여 그 행위를 더이상 국가의 행위로 볼 수는 없지만 국민을 보호하기 위해서 국가가 여전히 책임을 지는 것이라 봄(대위책임)

| 성립요건 | 뒤에서 다룸(가장 중요) |

성립요건 충족의 효과
① ㉠ 국가나 지방자치단체는 국가배상법 제2조에 근거한 손해배상의무를 부담하게 되고, ㉡ 피해자는 국가배상법 제2조에 근거한 손해배상청구권을 갖게 됨
② [사무귀속주체의 책임] 구체적으로는, 국가나 지방자치단체 중 문제가 된 사무의 주체('사무귀속주체')가 제2조에 근거한 손해배상의무를 부담함 ➜ ⓔ 국가의 사무를 수행하다 손해가 발생한 경우에는 국가가, 지방자치단체의 사무를 수행하다 손해가 발생한 경우에는 지방자치단체가 손해배상의무를 부담함

---

❶ ① 여기서 말하는 '과실'은 경과실과 중과실을 모두 포함하는 개념이다. ② 국가배상법 제2조 책임은 공무원에게 경과실만 있었어도 성립하는 책임이다. 다만 경과실이라도 있었어야 성립하는 책임이기 때문에 공무원이 무과실이었던 경우에는 국가배상법 제2조 책임이 성립하지 않는다. 이러한 의미에서 국가배상법 제2조의 책임을 '과실책임'이라 부른다. ③ 한편, 「민법」상의 손해배상책임들도 특수한 경우를 제외하고는 기본적으로 경과실이 있으면 성립하고, 동시에 경과실이라도 있어야 성립하는 책임들이다.

공무원 개인의 배상책임

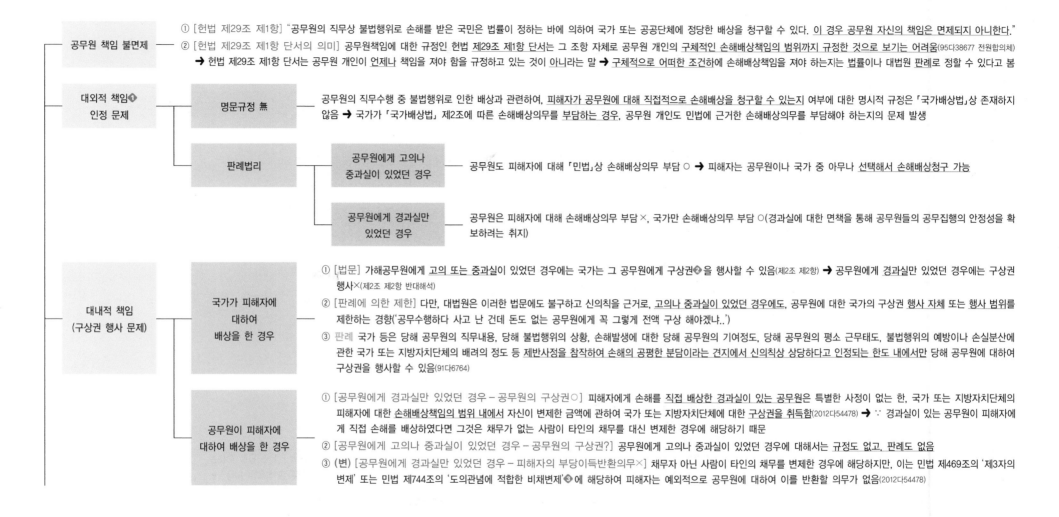

공무원 책임 불면제
① [헌법 제29조 제1항] "공무원의 직무상 불법행위로 손해를 받은 국민은 법률이 정하는 바에 의하여 국가 또는 공공단체에 정당한 배상을 청구할 수 있다. <u>이 경우 공무원 자신의 책임은 면제되지 아니한다.</u>"
② [헌법 제29조 제1항 단서의 의미] 공무원책임에 대한 규정인 헌법 제29조 제1항 단서는 그 조항 자체로 공무원 개인의 구체적인 손해배상책임의 범위까지 규정한 것으로 보기는 어려움(95다38677 전원합의체)
➡ 헌법 제29조 제1항 단서는 공무원 개인이 언제나 책임을 져야 함을 규정하고 있는 것이 아니라는 말 ➡ 구체적으로 어떠한 조건하에 손해배상책임을 져야 하는지는 법률이나 대법원 판례로 정할 수 있다고 봄

대외적 책임❶ 인정 문제

명문규정 無
공무원의 직무수행 중 불법행위로 인한 배상과 관련하여, 피해자가 공무원에 대해 직접적으로 손해배상을 청구할 수 있는지 여부에 대한 명시적 규정은 「국가배상법」상 존재하지 않음 ➡ 국가가 「국가배상법」 제2조에 따른 손해배상의무를 부담하는 경우, 공무원 개인도 민법에 근거한 손해배상의무를 부담해야 하는지의 문제 발생

판례법리

공무원에게 고의나 중과실이 있었던 경우
공무원도 피해자에 대해 「민법」상 손해배상의무 부담 ○ ➡ 피해자는 공무원이나 국가 중 아무나 선택해서 손해배상청구 가능

공무원에게 경과실만 있었던 경우
공무원은 피해자에 대해 손해배상의무 부담×, 국가만 손해배상의무 부담 ○(경과실에 대한 면책을 통해 공무원들의 공무집행의 안정성을 확보하려는 취지)

대내적 책임 (구상권 행사 문제)

국가가 피해자에 대하여 배상을 한 경우
① [법문] 가해공무원에게 고의 또는 중과실이 있었던 경우에는 국가는 그 공무원에게 구상권❷을 행사할 수 있음(제2조 제2항) ➡ 공무원에게 경과실만 있었던 경우에는 구상권 행사×(제2조 제2항 반대해석)
② [판례에 의한 제한] 다만, 대법원은 이러한 법문에도 불구하고 신의칙을 근거로, 고의나 중과실이 있었던 경우에도, 공무원에 대한 국가의 구상권 행사 자체 또는 행사 범위를 제한하는 경향('공무수행하다 사고 난 건데 돈도 없는 공무원에게 꼭 그렇게 전액 구상 해야겠냐..')
③ [판례] 국가 등은 당해 공무원의 직무내용, 당해 불법행위의 상황, 손해발생에 대한 당해 공무원의 기여정도, 당해 공무원의 평소 근무태도, 불법행위의 예방이나 손실분산에 관한 국가 또는 지방자치단체의 배려의 정도 등 제반사정을 참작하여 손해의 공평한 분담이라는 견지에서 신의칙상 상당하다고 인정되는 한도 내에서만 당해 공무원에 대하여 구상권을 행사할 수 있음(91다6764)

공무원이 피해자에 대하여 배상을 한 경우
① [공무원에게 경과실만 있었던 경우 – 공무원의 구상권○] 피해자에게 손해를 직접 배상한 경과실이 있는 공무원은 특별한 사정이 없는 한, 국가 또는 지방자치단체의 피해자에 대한 손해배상책임의 범위 내에서 자신이 변제한 금액에 관하여 국가 또는 지방자치단체에 대한 구상권을 취득함(2012다54478) ➡ ∵ 경과실이 있는 공무원이 피해자에게 직접 손해를 배상하였다면 그것은 채무가 없는 사람이 타인의 채무를 대신 변제한 경우에 해당하기 때문
② [공무원에게 고의나 중과실이 있었던 경우 – 공무원의 구상권?] 공무원에게 고의나 중과실이 있었던 경우에 대해서는 규정도 없고, 판례도 없음
③ (변) [공무원에게 경과실만 있었던 경우 – 피해자의 부당이득반환의무×] 채무자 아닌 사람이 타인의 채무를 변제한 경우에 해당하지만, 이는 민법 제469조의 '제3자의 변제' 또는 민법 제744조의 '도의관념에 적합한 비채변제'❸에 해당하여 피해자는 예외적으로 공무원에 대하여 이를 반환할 의무가 없음(2012다54478)

---

❶ ① 대외적(external) 책임이란 가해자 측이 피해자 측에 대하여 부담하는 책임을 말한다. ② 한편 대내적(internal) 책임이라는 개념도 있는데, 가해자들 사이에서 서로가 분담(分擔)하는 책임을 말한다(내부정산 문제).

❷ [민법] 구상권이란 의무가 없는 자가 다른 사람의 의무를 대신 이행한 경우에, 그 다른 사람에 대하여 갖게 되는 자신이 부담한 비용에 대한 청구권을 말한다.

❸ [민법] ① 민법 제469조에 따르면, 제3자가 한 변제라 하더라도 제3자가 자신이 제3자임을 알고서 변제를 한 경우에는 그 변제를 받은 자가 부당이득을 한 것이 되지 않고, ② 민법 제744조에 따르면, 설사 부당이득이 되는 경우라 하더라도, 이득자가 그 이득을 보유하는 것이 도의관념에 오히려 부합할 때에는 그 이득을 반환하지 않아도 된다.

구분	공무원에게 고의·중과실이 있었던 경우	공무원에게 경과실만 있었던 경우
국가가 부담하는 책임의 성질	대위책임	자기책임
대외적 책임	① 공무원과 국가 둘 다 피해자에 대하여 손해배상의무를 부담 ② ㉠ 공무원은 민법 제750조에 근거한 손해배상의무를 부담하고, ㉡ 국가는 국가배상법 제2조에 근거한 손해배상의무를 부담 ③ 피해를 입은 국민은 선택적으로 손해배상청구 가능○	국가만 국가배상법 제2조에 근거하여 피해자에 대해 손해배상의무를 부담
국가가 배상을 한 경우 공무원에 대한 구상권 행사	가능○(국가배상법 제2조 제2항) → 다만, 신의칙에 의한 제한 有	가능×(국가배상법 제2조 제2항 반대해석)
공무원이 배상을 한 경우 국가에 대한 구상권 행사	판례 없음	가능○(판례)

판례의 태도 정리
(역전된 절충설)

제2조에 따른 국가배상책임의 성립요건

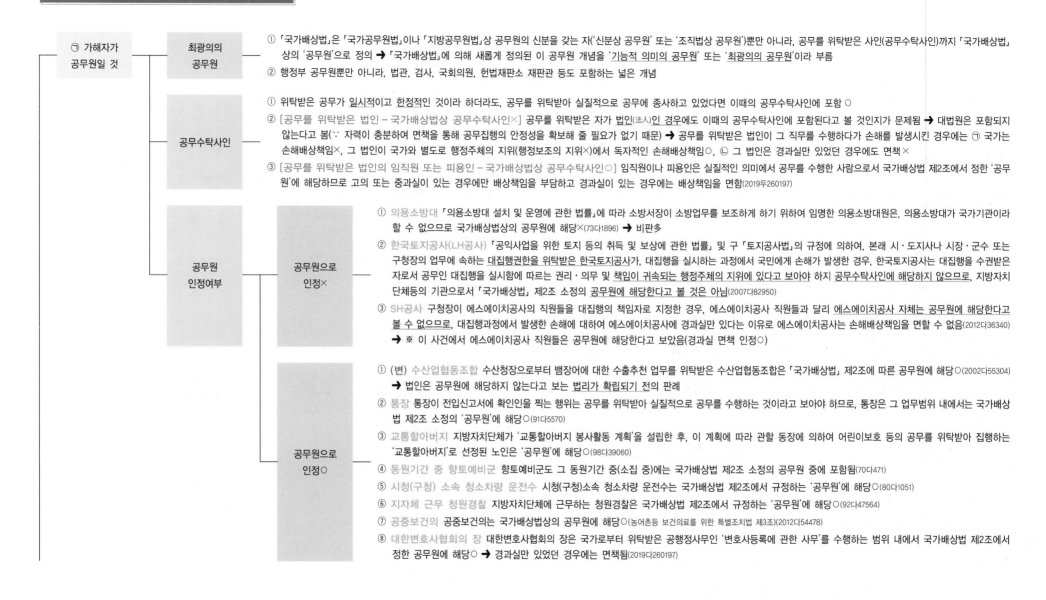

㉠ 가해자가 공무원일 것

최광의의 공무원

① 「국가배상법」은 「국가공무원법」이나 「지방공무원법」상 공무원의 신분을 갖는 자('신분상 공무원' 또는 '조직법상 공무원')뿐만 아니라, 공무를 위탁받은 사인(공무수탁사인)까지 「국가배상법」상의 '공무원'으로 정의 ➡ 「국가배상법」에 의해 새롭게 정의된 이 공무원 개념을 '기능적 의미의 공무원' 또는 '최광의의 공무원'이라 부름

② 행정부 공무원뿐만 아니라, 법관, 검사, 국회의원, 헌법재판소 재판관 등도 포함하는 넓은 개념

공무수탁사인

① 위탁받은 공무가 일시적이고 한정적인 것이라 하더라도, 공무를 위탁받아 실질적으로 공무에 종사하고 있었다면 이때의 공무수탁사인에 포함 ○

② [공무를 위탁받은 법인 – 국가배상법상 공무수탁사인×] 공무를 위탁받은 자가 법인(法人)인 경우에도 이때의 공무수탁사인에 포함된다고 볼 것인지가 문제됨 ➡ 대법원은 포함되지 않는다고 봄(∵ 자력이 충분하여 면책을 통해 공무집행의 안정성을 확보해 줄 필요가 없기 때문) ➡ 공무를 위탁받은 법인이 그 직무를 수행하다가 손해를 발생시킨 경우에는 ㉠ 국가는 손해배상책임×, 그 법인이 국가와 별도로 행정주체의 지위(행정보조의 지위×)에서 독자적인 손해배상책임○, ㉡ 그 법인은 경과실만 있었던 경우에도 면책×

③ [공무를 위탁받은 법인의 임직원 또는 피용인 – 국가배상법상 공무수탁사인○] 임직원이나 피용인은 실질적인 의미에서 공무를 수행한 사람으로서 국가배상법 제2조에서 정한 '공무원'에 해당하므로 고의 또는 중과실이 있는 경우에만 배상책임을 부담하고 경과실이 있는 경우에는 배상책임을 면함(2019두260197)

공무원 인정여부

공무원으로 인정×

① 의용소방대 「의용소방대 설치 및 운영에 관한 법률」에 따라 소방서장이 소방업무를 보조하게 하기 위하여 임명한 의용소방대원은, 의용소방대가 국가기관이라 할 수 없으므로 국가배상법상의 공무원에 해당×(73다1896) ➡ 비판多

② 한국토지공사(LH공사) 「공익사업을 위한 토지 등의 취득 및 보상에 관한 법률」 및 구 「토지공사법」의 규정에 의하여, 본래 시·도지사나 시장·군수 또는 구청장의 업무에 속하는 대집행권한을 위탁받은 한국토지공사가, 대집행을 실시하는 과정에서 국민에게 손해가 발생한 경우, 한국토지공사는 대집행을 수권받은 자로서 공무인 대집행을 실시함에 따르는 권리·의무 및 책임이 귀속되는 행정주체의 지위에 있다고 보아야 하지 공무수탁사인에 해당하지 않으므로, 지방자치단체등의 기관으로서 「국가배상법」 제2조 소정의 공무원에 해당한다고 볼 것은 아님(2007다82950)

③ SH공사 구청장이 에스에이치공사의 직원들을 대집행의 책임자로 지정한 경우, 에스에이치공사 직원들과 달리 에스에이치공사 자체는 공무원에 해당한다고 볼 수 없으므로, 대집행과정에서 발생한 손해에 대하여 에스에이치공사에 경과실만 있다는 이유로 에스에이치공사는 손해배상책임을 면할 수 없음(2012다36340) ➡ ※ 이 사건에서 에스에이치공사 직원들은 공무원에 해당한다고 보았음(경과실 면책 인정○)

공무원으로 인정○

① (변) 수산업협동조합 수산청장으로부터 뱀장어에 대한 수출추천 업무를 위탁받은 수산업협동조합은 「국가배상법」 제2조에 따른 공무원에 해당○(2002다55304) ➡ 법인은 공무원에 해당하지 않는다고 보는 법리가 확립되기 전의 판례

② 통장 통장이 전입신고서에 확인인을 찍는 행위는 공무를 위탁받아 실질적으로 공무를 수행하는 것이라고 보아야 하므로, 통장은 그 업무범위 내에서는 국가배상법 제2조 소정의 '공무원'에 해당○(91다5570)

③ 교통할아버지 지방자치단체가 '교통할아버지 봉사활동 계획'을 설립한 후, 이 계획에 따라 관할 동장에 의하여 어린이보호 등의 공무를 위탁받아 집행하는 '교통할아버지'로 선정된 노인은 '공무원'에 해당○(98다39060)

④ 동원기간 중 향토예비군 향토예비군도 그 동원기간 중(소집 중)에는 국가배상법 제2조 소정의 공무원 중에 포함됨(70다471)

⑤ 시청(구청) 소속 청소차량 운전수 시청(구청)소속 청소차량 운전수는 국가배상법 제2조에서 규정하는 '공무원'에 해당○(80다1051)

⑥ 지자체 근무 청원경찰 지방자치단체에 근무하는 청원경찰은 국가배상법 제2조에서 규정하는 '공무원'에 해당○(92다47564)

⑦ 공중보건의 공중보건의는 국가배상법상의 공무원에 해당○(농어촌등 보건의료를 위한 특별조치법 제3조)(2012다54478)

⑧ 대한변호사협회의 장 대한변호사협회의 장은 국가로부터 위탁받은 공행정사무인 '변호사등록에 관한 사무'를 수행하는 범위 내에서 국가배상법 제2조에서 정한 공무원에 해당○ ➡ 경과실만 있었던 경우에는 면책됨(2019다260197)

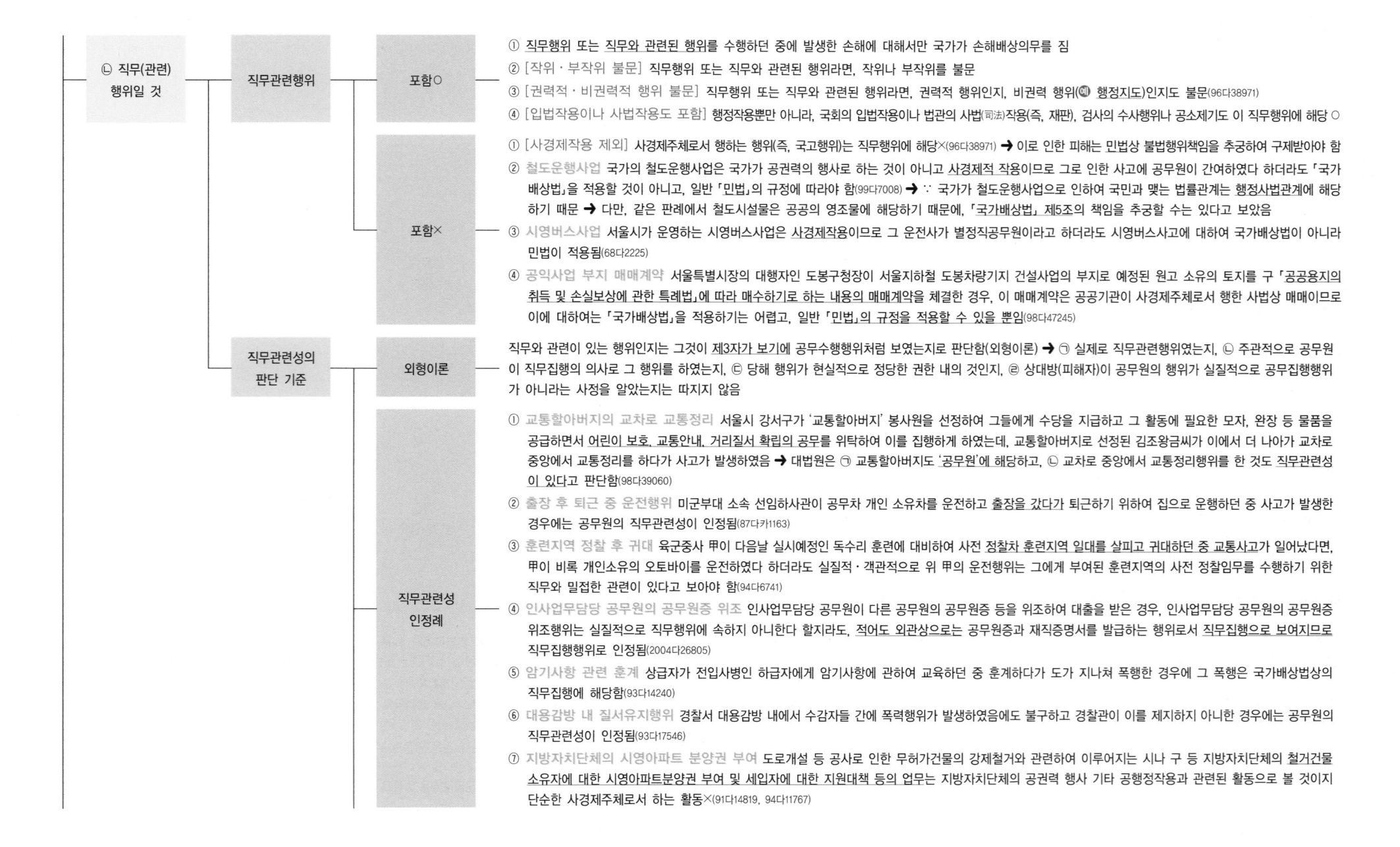

ⓒ 직무(관련) 행위일 것

직무관련행위

포함○

① 직무행위 또는 직무와 관련된 행위를 수행하던 중에 발생한 손해에 대해서만 국가가 손해배상의무를 짐
② [작위·부작위 불문] 직무행위 또는 직무와 관련된 행위라면, 작위나 부작위를 불문
③ [권력적·비권력적 행위 불문] 직무행위 또는 직무와 관련된 행위라면, 권력적 행위인지, 비권력 행위(예 행정지도)인지도 불문(96다38971)
④ [입법작용이나 사법작용도 포함] 행정작용뿐만 아니라, 국회의 입법작용이나 법관의 사법(司法)작용(즉, 재판), 검사의 수사행위나 공소제기도 이 직무행위에 해당 ○

포함×

① [사경제작용 제외] 사경제주체로서 행하는 행위(즉, 국고행위)는 직무행위에 해당×(96다38971) ➜ 이로 인한 피해는 민법상 불법행위책임을 추궁하여 구제받아야 함
② 철도운행사업 국가의 철도운행사업은 국가가 공권력의 행사로 하는 것이 아니라 사경제적 작용이므로 그로 인한 사고에 공무원이 간여하였다 하더라도「국가배상법」을 적용할 것이 아니고, 일반「민법」의 규정에 따라야 함(99다7008) ➜ ∵ 국가가 철도운행사업으로 인하여 국민과 맺는 법률관계는 행정사법관계에 해당하기 때문 ➜ 다만, 같은 판례에서 철도시설물은 공공의 영조물에 해당하기 때문에,「국가배상법」제5조의 책임을 추궁할 수는 있다고 보았음
③ 시영버스사업 서울시가 운영하는 시영버스사업은 사경제작용이므로 그 운전사가 별정직공무원이라고 하더라도 시영버스사고에 대하여 국가배상법이 아니라 민법이 적용됨(68다2225)
④ 공익사업 부지 매매계약 서울특별시장의 대행자인 도봉구청장이 서울지하철 도봉차량기지 건설사업의 부지로 예정된 원고 소유의 토지를 구「공공용지의 취득 및 손실보상에 관한 특례법」에 따라 매수하기로 하는 내용의 매매계약을 체결한 경우, 이 매매계약은 공공기관이 사경제주체로서 행한 사법상 매매이므로 이에 대하여는「국가배상법」을 적용하기는 어렵고, 일반「민법」의 규정을 적용할 수 있을 뿐이다(98다47245)

직무관련성의 판단 기준

외형이론

직무와 관련이 있는 행위인지는 그것이 제3자가 보기에 공무수행행위처럼 보였는지로 판단함(외형이론) ➜ ⓐ 실제로 직무관련행위였는지, ⓑ 주관적으로 공무원이 직무집행의 의사로 그 행위를 하였는지, ⓒ 당해 행위가 현실적으로 정당한 권한 내의 것인지, ⓓ 상대방(피해자)이 공무원의 행위가 실질적으로 공무집행행위가 아니라는 사정을 알았는지는 따지지 않음

직무관련성 인정례

① 교통할아버지의 교차로 교통정리 서울시 강서구가 '교통할아버지' 봉사원을 선정하여 그들에게 수당을 지급하고 그 활동에 필요한 모자, 완장 등 물품을 공급하면서 어린이 보호, 교통안내, 거리질서 확립의 공무를 위탁하여 이를 집행하게 하였는데, 교통할아버지로 선정된 김조왕금씨가 이에서 더 나아가 교차로 중앙에서 교통정리를 하다가 사고가 발생하였음 ➜ 대법원은 ⓐ 교통할아버지도 '공무원'에 해당하고, ⓑ 교차로 중앙에서 교통정리행위를 한 것도 직무관련성이 있다고 판단함(98다39060)
② 출장 후 퇴근 중 운전행위 미군부대 소속 선임하사관이 공무차 개인 소유차를 운전하고 출장을 갔다가 퇴근하기 위하여 집으로 운행하던 중 사고가 발생한 경우에는 공무원의 직무관련성이 인정됨(87다카1163)
③ 훈련지역 정찰 후 귀대 육군중사 甲이 다음날 실시예정인 독수리 훈련에 대비하여 사전 정찰차 훈련지역 일대를 살피고 귀대하던 중 교통사고가 일어났다면, 甲이 비록 개인소유의 오토바이를 운전하였다 하더라도 실질적·객관적으로 위 甲의 운전행위는 그에게 부여된 훈련지역의 사전 정찰임무를 수행하기 위한 직무와 밀접한 관련이 있다고 보아야 (94다6741)
④ 인사업무담당 공무원의 공무원증 위조 인사업무담당 공무원이 다른 공무원의 공무원증 등을 위조하여 대출을 받은 경우, 인사업무담당 공무원의 공무원증 위조행위는 실질적으로 직무행위에 속하지 아니한다 할지라도, 적어도 외관상으로는 공무원증과 재직증명서를 발급하는 행위로서 직무집행으로 보여지므로 직무집행행위로 인정됨(2004다26805)
⑤ 암기사항 관련 훈계 상급자가 전입사병인 하급자에게 암기사항에 관하여 교육하던 중 훈계하다가 도가 지나쳐 폭행한 경우에 그 폭행은 국가배상법상의 직무집행에 해당함(93다14240)
⑥ 대용감방 내 질서유지행위 경찰서 대용감방 내에서 수감자들 간에 폭력행위가 발생하였음에도 불구하고 경찰관이 이를 제지하지 아니한 경우에는 공무원의 직무관련성이 인정됨(93다17546)
⑦ 지방자치단체의 시영아파트 분양권 부여 도로개설 등 공사로 인한 무허가건물의 강제철거와 관련하여 이루어지는 시나 구 등 지방자치단체의 철거건물 소유자에 대한 시영아파트분양권 부여 및 세입자에 대한 지원대책 등의 업무는 지방자치단체의 공권력 행사 기타 공행정작용과 관련된 활동으로 볼 것이지 단순한 사경제주체로서 하는 활동×(91다14819, 94다11767)

	직무관련성 부정례	① 통상적 출근행위 공무원이 자기 소유 차량을 운전하여 통상의 근무지로 출근하던 중 교통사고를 일으킨 경우에는 공무원의 직무관련성이 인정되지 않는다 고 봄(94다15271) ② 세무과 공무원의 시영아파트 입주권 매매행위 구청 세무과 소속 공무원 甲이 乙에게 무허가 건물 세입자들에 대한 시영아파트 입주권 매매행위를 한 경우 외형상 직무범위 내의 행위라고 볼 수 없음(92다8514) ➡ ∵ 시영아파트 입주권 매매행위는 세무과 소속 공무원의 업무로 볼 수 없기 때문

**ⓒ 고의 또는
과실이 있었을 것**

개설

① 공무원에게 고의나 과실이 있는 경우에만 국가가 손해배상책임을 짐 ➡ 국가배상법은 제2조 책임이 과실책임임을 명시하고 있음
② [중과실의 개념] 공무원 개인이 지는 손해배상책임에서 중과실이란 공무원에게 통상 요구되는 정도의 상당한 주의를 하지 않더라도 약간의 주의를 한다면 손쉽게 위법·유해한 결과를
예견할 수 있는 경우임에도 만연히 이를 간과한 경우와 같이, 거의 고의에 가까운 현저한 주의를 결여한 상태를 의미함(2011다34521)
③ 판례 국·공립대학 교원에 대한 재임용거부처분이 재량권을 일탈·남용한 것으로 평가되어 그것이 불법행위가 됨을 이유로 국·공립대학 교원임용권자에게 손해배상책임을 묻기 위해
서는 당해 재임용거부가 국·공립대학 교원 임용권자의 고의 또는 과실로 인한 것이라는 점이 인정되어야 함(2009다30946)

**과실의 의미에
대한 견해대립**

객관설	'과실'의 일반적인 법적 의미와 달리, 과실을 '공무원의 위법행위로 인한 국가작용의 흠'으로 파악하여, 위법성이 인정되면 곧바로 과실도 인정되는 것으로 보자는 견해 ➡ 국가배상청구권의 성립을 용이하게 하려는 취지
주관설(判例)	과실의 일상적인 의미에 따라, 과실을 '통상적으로 갖추어야 할 주의의무를 위반한 것'으로 이해하는 견해 ➡ 위법성과 과실은 별개의 개념이므로, 위법성이 인정된다 고 해서 곧바로 과실도 인정되는 것으로 보지 않음 ➡ 과실의 존부를 판단할 때 공무원이 어떤 내용의 주의의무를 부담하는지가 중요해짐

**과실판단의
객관화 경향**

① 대법원은 주관설의 입장을 따르면서도, 국가배상을 용이하게 하려는 취지에서 고의나 과실의 존부를 판단함에 있어서 어느 정도 객관화 경향을 보이고 있음 ➡ ㉠ 추상적 과실❶이
있는지를 기준으로 과실의 존부를 판단하고, ㉡ 고의나 과실의 존재를 인정하기 위해 그 가해공무원이 누구였는지 특정될 필요도 없다('조직 과실을 기준으로 판단')고 봄
② [평균적 공무원의 능력기준] 해당 직무를 담당하는 보통 일반의 평균적인 공무원의 주의능력을 표준으로 하여 볼 때 객관적 주의의무(주관적 주의의무×)를 결하여 그 행정처분이
객관적 정당성(주관적 정당성×)을 상실하였다고 인정될 정도에 이른 경우에, 국가배상법 제2조 소정의 국가배상책임의 요건을 충족하였다고 봄이 상당함(2001다65236, 86다카1164) ➡
특별히 유능한 공무원×, 특별히 무능한 공무원×
③ [가해공무원 특정 필요×] 국가배상책임은 '공무원'에 의한 가해행위의 태양이 확정될 수 있으면 성립되고 구체적인 행위자가 반드시 특정될 것을 요하지 않음(2010다6680, 95다23897)
④ [입증책임의 전환까지는×] 국가배상책임에서 공무원의 고의·과실에 대한 입증책임은 여전히 원고인 피해자가 부담함 ➡ 피고인 국가 또는 지방자치단체에게 입증책임이 전환×
⑤ 판례 준공검사업무를 담당하는 공무원이 준공검사를 현저히 지연시켰고 그러한 지연이 직무에 충실한 보통 일반의 공무원을 표준으로 할 때 객관적 정당성을 상실하였다고 인정될
정도에 이른 경우에는 「국가배상법」 제2조의 위법성이 인정됨(98다30285)

---

❶ [민법] 추상적 과실이란 문제를 일으킨 당해 사건 당사자(예 이번에 경찰차로 어린이를 친 경찰 甲)의 능력이 아니라, 일반적인 평균인의 능력을 기준으로 하여 그 존부가 판단되는 과실을 말한다. 다만, 이 주제는 공무원의 직무상 행위로 인한 국가배상과 관련된
것이기 때문에, 여기서는 일반적인 공무원(예 일반적인 경찰)의 능력을 기준으로 하여, 사고 당시에 최선을 다했던 것으로 볼 수 있는지에 따라 그 존부가 판단되는 과실을 말한다.

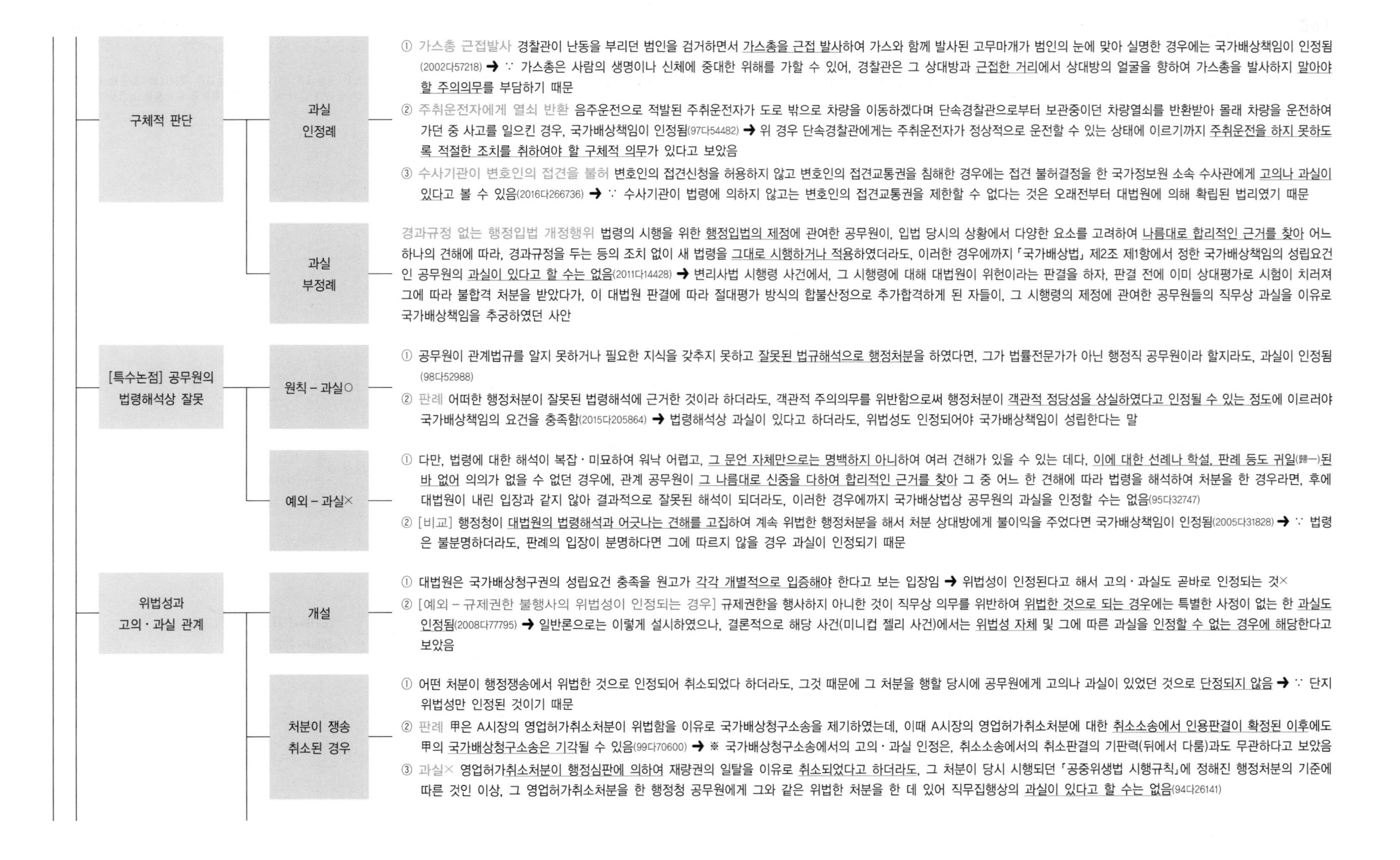

구체적 판단	과실 인정례	① **가스총 근접발사** 경찰관이 난동을 부리던 범인을 검거하면서 <u>가스총을 근접 발사</u>하여 가스와 함께 발사된 고무마개가 범인의 눈에 맞아 실명한 경우에는 국가배상책임이 인정됨 (2002다57218) ➔ ∵ 가스총은 사람의 생명이나 신체에 중대한 위해를 가할 수 있어, 경찰관은 그 상대방과 근접한 거리에서 상대방의 얼굴을 향하여 가스총을 발사하지 <u>말아야 할 주의의무</u>를 부담하기 때문 ② **주취운전자에게 열쇠 반환** 음주운전으로 적발된 주취운전자가 도로 밖으로 차량을 이동하겠다며 단속경찰관으로부터 보관중이던 차량열쇠를 반환받아 몰래 차량을 운전하여 가던 중 사고를 일으킨 경우, 국가배상책임이 인정됨(97다54482) ➔ 위 경우 단속경찰관에게는 주취운전자가 정상적으로 운전할 수 있는 상태에 이르기까지 <u>주취운전을 하지 못하도록 적절한 조치</u>를 취하여야 할 구체적 의무가 있다고 보았음 ③ **수사기관이 변호인의 접견을 불허** 변호인의 접견신청을 허용하지 않고 변호인의 접견교통권을 침해한 경우에는 접견 불허결정을 한 국가정보원 소속 수사관에게 고의나 과실이 있다고 볼 수 있음(2016다266736) ➔ ∵ 수사기관이 법령에 의하지 않고는 변호인의 접견교통권을 제한할 수 없다는 것은 오래전부터 대법원에 의해 확립된 법리였기 때문
	과실 부정례	**경과규정 없는 행정입법 개정행위** 법령의 시행을 위한 행정입법의 제정에 관여한 공무원이, 입법 당시의 상황에서 다양한 요소를 고려하여 나름대로 합리적인 근거를 찾아 어느 하나의 견해에 따라, 경과규정을 두는 등의 조치 없이 새 법령을 그대로 시행하거나 적용하였더라도, 이러한 경우에까지 「국가배상법」 제2조 제1항에서 정한 국가배상책임의 성립요건인 공무원의 과실이 있다고 할 수는 없음(2011다14428) ➔ 변리사법 시행령 사건에서, 그 시행령에 대해 대법원이 위헌이라는 판결을 하자, 판결 전에 이미 상대평가로 시험이 치러져 그에 따라 불합격 처분을 받았다가, 이 대법원 판결에 따라 절대평가 방식의 합불산정으로 추가합격하게 된 자들이, 그 시행령의 제정에 관여한 공무원들의 직무상 과실을 이유로 국가배상책임을 추궁하였던 사안
[특수논점] 공무원의 법령해석상 잘못	원칙 – 과실○	① 공무원이 관계법규를 알지 못하거나 필요한 지식을 갖추지 못하고 잘못된 법규해석으로 행정처분을 하였다면, 그가 법률전문가가 아닌 행정직 공무원이라 할지라도, 과실이 인정됨 (98다52988) ② **판례** 어떠한 행정처분이 잘못된 법령해석에 근거한 것이라 하더라도, 객관적 주의의무를 위반함으로써 행정처분이 객관적 정당성을 상실하였다고 인정될 수 있는 정도에 이르러야 국가배상책임의 요건을 충족함(2015다205864) ➔ 법령해석상 과실이 있다고 하더라도, 위법성도 인정되어야 국가배상책임이 성립한다는 말
	예외 – 과실×	① 다만, 법령에 대한 해석이 복잡·미묘하여 워낙 어렵고, 그 문언 자체만으로는 명백하지 아니하여 여러 견해가 있을 수 있는 데다, <u>이에 대한 선례나 학설, 판례 등도 귀일(歸一)된 바 없어 의의가 없을 수 없던 경우에</u>, 관계 공무원이 그 나름대로 신중을 다하여 합리적인 근거를 찾아 그 중 어느 한 견해에 따라 법령을 해석하여 처분을 한 경우라면, 후에 대법원이 내린 입장과 같지 않아 결과적으로 잘못된 해석이 되더라도, 이러한 경우에까지 국가배상법상 공무원의 과실을 인정할 수는 없음(95다32747) ② [비교] 행정청이 대법원의 법령해석과 어긋나는 견해를 고집하여 계속 위법한 행정처분을 해서 처분 상대방에게 불이익을 주었다면 국가배상책임이 인정됨(2005다31828) ➔ ∵ 법령은 불분명하더라도, 판례의 입장이 분명하다면 그에 따르지 않을 경우 과실이 인정되기 때문
위법성과 고의·과실 관계	개설	① 대법원은 국가배상청구권의 성립요건 충족을 원고가 각각 개별적으로 입증해야 한다고 보는 입장임 ➔ 위법성이 인정된다고 해서 고의·과실도 곧바로 인정되는 것× ② [예외 – 규제권한 불행사의 위법성이 인정되는 경우] 규제권한을 행사하지 아니한 것이 직무상 의무를 위반하여 위법한 것으로 되는 경우에는 특별한 사정이 없는 한 과실도 인정됨(2008다77795) ➔ 일반론으로는 이렇게 설시하였으나, 결론적으로 해당 사건(미니컵 젤리 사건)에서는 위법성 자체 및 그에 따른 과실을 인정할 수 없는 경우에 해당한다고 보았음
	처분이 쟁송 취소된 경우	① 어떤 처분이 행정쟁송에서 위법한 것으로 인정되어 취소되었다 하더라도, 그것 때문에 그 처분을 행할 당시에 공무원에게 고의나 과실이 있었던 것으로 단정되지 않음 ➔ ∵ 단지 위법성만 인정된 것이기 때문 ② **판례** 甲은 A시장의 영업허가취소처분이 위법함을 이유로 국가배상청구소송을 제기하였는데, 이때 A시장의 영업허가취소처분에 대한 취소소송에서 인용판결이 확정된 이후에도 甲의 국가배상청구소송은 기각될 수 있음(99다70600) ➔ ※ 국가배상청구소송에서의 고의·과실 인정은, 취소소송에서의 취소판결의 기판력(뒤에서 다룸)과도 무관하다고 보았음 ③ **과실×** 영업허가취소처분이 행정심판에 의하여 재량권의 일탈을 이유로 취소되었다고 하더라도, 그 처분이 당시 시행되던 「공중위생법 시행규칙」에 정해진 행정처분의 기준에 따른 것인 이상, 그 영업허가취소처분을 한 행정청 공무원에게 그와 같은 위법한 처분을 한 데 있어 직무집행상의 과실이 있다고 할 수는 없음(94다26141)

위헌인 법률에 따른 행위	① 행위 당시에 헌법재판소에 의해 법률의 위법성이 판명되어 있지 않았다면, 위법성은 인정될지라도, 고의·과실은 인정×(∵ 공무원에게는 법령준수의무가 있어서, 위헌임이 명백히 판명된 경우가 아닌 한 그에 따라야 할 의무가 있기 때문) ➜ 국가배상책임× ② 고의·과실× 법률이 헌법에 위반되는지 여부를 심사할 권한이 없는 공무원으로서는 행위 당시의 법률에 따를 수밖에 없으므로, 행위의 근거가 된 법률조항에 대하여 위헌결정이 선고되더라도 위 법률조항에 따라 행위 한 당해 공무원에게는 고의 또는 과실이 있다 할 수 없어 국가배상책임은 성립되지 아니함(2008헌바23)

위헌·위법인 행정입법에 따른 행위	① 행위 당시에 행정입법의 위헌·위법성이 법원이나 헌법재판소에 의해 판명되어 있지 않았다면, 위법성은 인정될지라도, 고의·과실은 인정×(∵ 공무원에게는 법령준수의무가 있어서, 위헌·위법임이 명백히 판명된 경우가 아닌 한 그에 따라야 할 의무가 있기 때문) ➜ 국가배상책임× ② [위법한 행정규칙에 따라 처분을 한 경우 – 과실×] 재량권의 행사에 관하여 행정청 내부에 일응의 기준을 정해 두어, 공무원이 그 기준에 따른 행정처분을 한 경우라면, 이에 관여한 공무원에게 그 직무상의 과실이 있다고 할 수 없음(84다카597) ➜ ∵ 공무원은 행정규칙을 준수할 의무를 부담하기 때문 ③ [비교 – 행정규칙에 따라 처분을 했다는 이유만으로 위법성 부정×] 상급행정기관이 소속 공무원이나 하급행정기관에 대하여 업무처리지침이나 법령의 해석·적용 기준을 정해 주는 행정규칙을 위반한 공무원의 조치가 있다고 해서 그러한 사정만으로 곧바로 그 조치의 위법성이 인정되는 것은 아님(2017다211559) ④ 고의·과실× 형벌에 관한 법령이 헌법재판소의 위헌결정으로 소급하여 효력을 상실한 경우, 위헌 선언 전 그 법령에 기초하여 수사가 개시되어 공소가 제기되고 유죄판결이 선고되었더라도, 그러한 사정만으로 국가의 손해배상책임이 발생한다고 볼 수 없음(2013다217962) ➜ ∵ 그에 관여한 검사나 법관의 고의 또는 과실을 인정할 수 없기 때문 ⑤ (변) [비교 – 처음부터 영장주의를 전면 배제하였기 때문에 위헌결정 이전부터 헌법질서에 어긋나는 것으로 볼 수 있었던 긴급조치에 따른 강제수사 및 공소제기, 유죄판결] 처음부터 영장주의를 전면배제하여 위헌·무효인 대통령의 긴급조치(1975. 5. 13. 긴급조치 제9호) 발령과 그에 따른 강제수사, 공소제기 및 유죄판결의 선고는 일련의 국가작용으로서, 전체적으로 보아 공무원이 직무를 집행하면서 객관적 주의의무를 소홀히 하여 그 직무행위가 객관적 정당성을 상실한 것으로서 위법하다고 평가되고, 긴급조치 제9호의 적용·집행으로 강제수사를 받거나 유죄판결을 선고받고 복역함으로써 개별 국민이 입은 손해에 대해서는 국가배상책임이 인정될 수 있음(긴급조치와는 별개로 수사기관과 법관의 행위는 고의 또는 과실에 의한 불법행위에 해당하지 않음×)(2018다212610)

ⓔ 위법성이 있을 것

개설	국가배상법 제2조 책임이 성립하기 위해서는 "법령 위반"이 있어야 함
'법령'의 의미	① '법령'이란 성문의 법령뿐 아니라, 인권존중이나, 신의성실, 권력남용금지, 공서양속 등 법의 일반원칙 및 이에 의하여 부과된 의무까지 포함 ② 평등원칙 위반 여부가 문제된 사건 교육부장관이 국·공립학교 기간제교원을 구 「공무원수당 등에 관한 규정」에 따른 성과상여금 지급대상에서 제외하는 내용의 지침을 발표한 행위에 대해 국가는 성과금 지급대상에서 제외된 기간제교원에 대한 국가배상책임을 지지 않음(2013다205778) ➜ 성과상여금 지급에 있어서 기간제교원과 교육공무원을 달리 취급했다 하더라도 평등의 원칙에 반하지 않아 위법하지 않다는 말
법령 '위반'의 의미	① 직무행위가 '법령'을 위반하여 객관적인 정당성을 상실하면 법령위반을 인정(2007다64365) ➜ 널리 상식적 관점에서 법질서에 어긋난 것으로 평가될 수 있으면 위법성을 인정('공무원이 이러면 안 되지!') ② 절차상의 위법도 국가배상법상 법령위반에 해당함 ➜ 물론 손해 발생 등 기타 요건도 구비하여야 국가배상권 인정됨 ③ 판례 '법령에 위반하여'라고 함은 엄격하게 형식적 의미의 법령에 명시적으로 공무원의 작위의무가 정하여져 있음에도 이를 위반하는 경우만을 의미하는 것은 아니고, 인권존중·권력남용금지·신의성실과 같이 공무원으로서 마땅히 지켜야 할 준칙이나 규범을 지키지 아니하고 위반한 경우를 포함하여 널리 그 행위가 객관적인 정당성을 결여하고 있는 경우도 포함함(2010다95666) ④ 여성 피의자로 하여금 팬티를 벗고 가운을 입도록 한 다음 손으로 그 위를 두드리는 방식으로 한 신체검사 수사과정에서 여자 경찰관이 실시한 여성 피의자에 대한 신체검사라 하더라도, 그 방식 등에 비추어 피의자에게 큰 수치심을 느끼게 했을 것으로 보였다면 피의자의 신체의 자유를 침해하였다고 봄이 상당함(2009다70180) ➜ 신체검사가 여자 경찰관에 의해 행해졌다고 해서 여성 피의자가 언제나 수치심을 느끼지 않는 것은 아니므로, 추가적인 사정이 있다면 위법한 것으로 될 수 있다는 말 ⑤ 권총사용의 경우 경찰관의 무기사용이 법률에 정한 요건을 충족하는지 여부를 판단함에 있어, 사람에게 위해를 가할 위험성이 큰 권총의 사용에 있어서는 그 요건을 더욱 엄격하게 판단하여야 함(98다63445)

| 취소소송의
위법성과의 관계 | 논점 | ① 취소소송에서의 위법성과 국가배상청구권의 성립요건인 위법성을 동일한 것으로 볼 것인지에 대해 견해가 대립하고 있음 ➡ 동일한 것으로 볼 경우, 어떤 처분에 대해 취소소송을 먼저 제기하였다가 패소(기각판결 확정)하였을 경우, 국가배상청구가 차단되기 때문에, 양자를 다른 것으로 봄으로써 국가배상을 통한 구제의 길을 확보해 보려는 시도들이 있음
② [논의의 전제] 취소소송에서 인용판결이 내려졌다는 것은, 처분이라는 국가의 어떤 행위에 대하여 위법하다는 판단이 내려진 것임 |

학설	내용
상대적 위법성설	① 국가배상에서의 위법성은 행위 자체의 법규 위반뿐만 아니라, 침해행위의 태양, 피침해법익의 성질 등 여러 요소를 종합적으로 고려하여 판단되는 것으로서, 양자를 서로 다른 것으로 보는 견해 ② 위법성의 존부에 대한 선행 취소소송 확정판결의 기판력이 국가배상청구소송에 미치지 않는다고 봄
결과위법설	① 가해행위로 인하여 손해라는 결과가 발생하게 되었다면 그 자체로 이미 국가배상에서의 위법성이 인정되는 것으로서, 양자를 서로 다른 것으로 보는 견해 ➡ 공무원의 직무상 행위가 법령이 정한 요건과 절차에 따라 이루어진 것이라 하더라도, 손해가 발생하였다면 그 결과를 정당화할만한 다른 사유가 없는 한 그 자체로 위법성이 인정된다고 봄 ② 위법성의 존부에 대한 선행 취소소송 확정판결의 기판력이 국가배상청구소송에 미치지 않는다고 봄
광의의 행위위법설 (일부기판력긍정설)	① 국가배상에서의 위법성도 공무원의 직무상 행위가 법질서를 위반한 것을 의미한다고 보기는 하지만, 공무원에게는 '직무상 일반적인 손해방지의무'라는 것이 부과되기 때문에, 취소소송에서 위법성이 인정되는 경우뿐만 아니라, '직무상 일반적인 손해방지의무'를 위반한 경우에도 위법성이 인정된다고 보는 견해 ➡ 국가배상에서의 위법성이 취소소송에서의 위법성보다 범위가 더 넓다고 봄 ② 선행하는 ⊙ 확정된 취소소송 인용판결(즉, 처분등이 위법하다는 판결)의 기판력은 국가배상청구소송에 미치지만, ⓒ 확정된 취소소송 기각판결(즉, 처분등이 적법하다는 판결)의 기판력은 국가배상청구소송에 미치지 않는다고 봄 ➡ ∵ 취소소송에서 처분등이 적법하다고 판단했다 하더라도, 국가배상청구소송에서는 위법성이 인정될 수 있기 때문
협의의 행위위법설 (전부기판력긍정설)	① 양자를 동일한 것으로 보는 견해 ② 위법성의 존부에 대한 선행 취소소송 확정판결의 기판력이 그대로 국가배상청구소송에 미친다고 봄

| | 판례 | ① 대법원이 어떤 입장인지에 대해서는 해석이 갈리지만, 손해가 발생하였다고 해서 곧바로 위법성이 인정되는 것은 아니라고 보고 있기 때문에, 결과위법설의 입장이 아닌 것만은 분명함
② 결과위법설 배척 공무원의 직무집행이 법령이 정한 요건과 절차에 따라 이루어진 것이라면 특별한 사정이 없는 한 공무원의 행위는 법령에 적합한 것이고, 그 과정에서 개인의 권리가 침해되는 일이 생긴다고 하여 그 법령적합성이 곧바로 부정되는 것은 아님(2013다202182, 94다2480)
③ 결과위법설 배척 경찰관이 교통법규 등을 위반하고 도주하는 차량을 순찰차로 추적하는 직무를 집행하는 중에, 그 도주차량의 주행에 의하여 제3자가 손해를 입었다고 하더라도, 그 추적이 당해 직무 목적을 수행하는 데에 불필요하다거나 추적의 개시·계속 혹은 추적의 방법이 상당하지 않다는 등의 특별한 사정이 없는 한, 그 추적행위를 위법하다고 할 수는 없음(2000다26807) |

| 위법성의 입증 | ① 시장을 신고한 공무원에 대한 전보인사 사건 시청 소속 공무원이 시장을 (구)부패방지위원회에 부패혐의자로 신고한 후 동사무소로 전보되었다고 해서, 그 인사전보조치가 사회통념상 용인될 수 없을 정도로 객관적 상당성을 결여한 것이라고 단정할 수는 없어 위법성 인정✕(2006다16215) ➡ ∵ 해당 공무원에 대한 다면평가의 결과, 원활한 업무 수행의 필요성 등을 고려하여 이루어진 것으로 볼 여지도 있기 때문 ➡ 위법성도 원고에 의해 입증되어야 하므로, 원고가 법관에게 위법성에 대한 확신을 주지 못한 경우에는, 위법성이 없는 것으로 봄
② 전보인사의 위법성이 인정되기 위한 조건 공무원에 대한 전보인사가 법령이 정한 기준과 원칙에 위배되거나 인사권을 다소 부적절하게 행사한 것으로 볼 여지가 있다 하더라도 그러한 사유만으로 그 전보인사가 당연히 불법행위를 구성한다고 볼 수는 없고, 인사권자가 당해 공무원에 대한 보복감정 등 다른 의도를 가지고 인사재량권을 일탈·남용하여 객관적 정당성을 상실하였음이 명백한 경우 등 전보인사가 우리의 건전한 사회통념이나 사회상규상 도저히 용인될 수 없음이 분명한 경우에 불법행위가 됨(2006다16215) |

| 수익적 처분의
위법성 | 수익적 행정처분이 신청인에 대한 관계에서 「국가배상법」상 위법성이 있는 것으로 평가되기 위하여는, 객관적으로 보아 그 행위로 인하여 신청인이 손해를 입게 될 것이 분명하다고 할 수 있어, 신청인을 위하여도 당해 행정처분을 거부할 것이 요구되는 경우이어야 함(99다37047) |

부작위의 위법성	**작위의무의 존재**	① 부작위의 위법성이 인정되려면, 먼저 작위의무가 존재했어야 함 ➡ 작위의무의 내용은 개별 공무원들마다 다름 ② 작위의무는 성문의 법령에 의해서뿐만 아니라, 일정한 경우에는 '조리'에 의해서도 인정될 수 있다고 봄 ➡ 대법원이 개별적으로 한계를 정하고 있음 ③ [조리에 근거한 작위의무의 인정] '법령에 위반하여'라고 하는 것은 엄격하게 형식적 의미의 법령에 명시적으로 공무원의 작위의무가 규정되어 있는데도 이를 위반하는 경우만을 의미하는 것은 아니고, 국민의 생명, 신체, 재산 등에 대하여 절박하고 중대한 위험상태가 발생하였거나 발생할 우려가 있어서 국민의 생명, 신체, 재산 등을 보호하는 것을 본래적 사명으로 하는 국가가 초법규적, 일차적으로 그 위험 배제에 나서지 아니하면 국민의 생명, 신체, 재산 등을 보호할 수 없는 경우에는 형식적 의미의 법령에 근거가 없더라도 국가나 관련 공무원에 대하여 그러한 위험을 배제할 작위의무를 인정할 수 있음(2003다69652) ④ [조리상 작위의무의 발생요건] 국민의 생명·신체·재산 등에 대하여 절박하고 중대한 위험상태가 발생하였거나 발생할 상당한 우려가 있는 경우가 아닌 한, 원칙적으로 공무원이 관련 법령대로만 직무를 수행하였다면 그와 같은 공무원의 부작위를 가지고 '고의 또는 과실로 법령에 위반'하였다고 할 수는 없음(2002다53995)
	재량권을 불행사한 경우	① [문제점] 재량권한이 부여된 행위를 행정기관이 하지 않은 경우에도 위법성이 인정될 수 있는가? ➡ 작위의무가 부과된 것은 아니기 때문 ② [예외적 인정 – 학설] 재량권이 0으로 수축하는 경우에는 조리상 작위의무도 부과되어, 특정한 방식으로 재량권을 행사하지 않은 것에 위법성이 인정될 수 있다고 봄 ③ [예외적 인정 – 대법원] 직무수행에 재량이 인정되는 경우라도, 그 권한을 부여한 취지와 목적에 비추어 볼 때 구체적 사정에 따라 그 권한을 행사하여 필요한 조치를 취하지 아니하는 것이 현저하게 불합리하다고 인정되는 때에는, 그러한 권한의 불행사는 직무상의 의무를 위반한 것이 되어 위법하게 됨(2013다20427) ④ 판례 소방공무원의 권한 행사가 관계 법률의 규정에 의하여 소방공무원의 재량에 맡겨져 있더라도, 구체적인 상황에서 소방공무원이 권한을 행사하지 아니한 것이 현저하게 합리성을 잃어 사회적 타당성이 없는 경우에는 직무상 의무를 위반하여 위법하게 됨(2014다225083) ⑤ 판례 경찰관이 구체적인 상황하에서 그 인적·물적 능력의 범위 내의 적절한 조치라는 판단에 따라 범죄수사 직무를 수행한 경우, 그것이 객관적 정당성을 상실하여 현저하게 불합리하다고 인정되지 않는다면 그와 다른 조치를 취하지 아니한 부작위는 국가배상책임의 요건인 법령 위반에 해당하지 않음(2005다23438)
	작위의무 인정례	① 인감증명사무 처리 공무원의 작위의무 인감증명사무를 처리하는 공무원은 인감증명이 타인과의 권리·의무에 관계되는 일에 사용되는 것을 예상하여 그 발급된 인감증명으로 인한 부정행위의 발생을 방지할 직무상의 의무가 있음(2003다54490) ➡ ※ 인감증명이란 그 신청인이 현재 인감대장상에 등록되어 있는 그 도장(이를 인감도장이라 한다)을 보유하고 있다는 것을 증명해 주는 행위를 말함(부동산이나 자동차 등을 양도할 때는 인감도장이 있어야 함) ② 주민등록사무 담당 공무원의 작위의무 주민등록사무를 담당하는 공무원은 개명과 같은 사유로 주민등록상의 성명을 정정한 경우에는 반드시 본적지 관할관청에 그 변경사항을 통보하여 본적지의 호적관서로 하여금 그 정정사항의 진위를 재확인할 수 있도록 할 직무상의 의무가 있음(2001다59842) ➡ 甲이 乙과 동일한 이름으로 개명허가를 받은 것처럼 호적등본을 위조하여 주민등록상 성명을 위법하게 정정하고, 乙 명의의 주민등록증을 발급받아 乙의 부동산에 관하여 근저당권설정등기를 마친 경우, 주민등록사무를 담당하는 공무원이 위와 같은 성명정정 사실을 甲의 본적지 관할관청에 통보하지 아니한 직무상 의무위배행위와 乙이 입은 손해 사이에 상당인과관계를 인정할 수 있음 ➡ 본적지 개념은 호주제의 폐지로 '등록기준지'로 대체되었는데, 등록기준지 역시 신분확인용으로 여전히 사용되고 있기 때문에 동일한 작위의무가 있는 것으로 보고 있음 ③ 검사의 증거 제출 의무 검사가 공판과정에서 피고인의 무죄를 입증할 수 있는 결정적인 증거를 입수하였으나 이를 법원에 제출하지 아니하여 유죄판결을 받았다면 국가배상책임이 인정됨(2001다23447) ➡ 강간 피해자가 증거로 제출한 팬티에 대한 국립과학수사연구소의 유전자검사 결과, 범인으로 지목되어 기소된 자(국가배상청구소송의 원고)와 다른 남자의 유전자형이 그 팬티에서 검출되었다는 감정결과를 검사가 공판과정에서 입수하였음에도 불구하고, 검사가 그 감정서를 법원에 제출하지 않고 은폐했던 사건 ④ 경매담당 공무원의 작위의무 경매담당 공무원이 매각물건명세서를 작성하면서 매각으로 소멸되지 않는 최선순위 전세권이 매수인에게 인수된다는 취지의 기재를 하지 아니한 경우, 국가배상책임이 인정됨(2009다40790) ➡ 매수인이 국가배상청구를 한 사건 ⑤ 시위진압 후 경찰관의 작위의무 경찰관이 농민들의 시위를 진압하고 나서, 시위과정에 도로상에 방치된 트랙터 1대에 대하여 이를 도로 밖으로 옮기거나 후방에 안전표지판을 설치하는 것과 같은 위험발생방지조치를 취하지 아니한 채 그대로 방치하고 철수하여 버린 결과, 야간에 그 도로를 진행하던 운전자가 위 방치된 트랙터를 피하려다가 다른 트랙터에 부딪혀 상해를 입은 사안에서, 대법원은 국가배상책임을 인정함(98다16890) ➡ 인명 또는 신체에 위해를 미치거나 재산에 중대한 손해를 끼칠 우려가 있는 위험한 상황이 발생한 경우 「경찰관직무집행법」은 경찰관이 각종 조치를 취할 수 있게 권한을 부여하고 있었는데(재량권의 부여), 위와 같은 경우라면 그 권한을 행사해야 할 조리상 작위의무가 인정된다고 본 사건

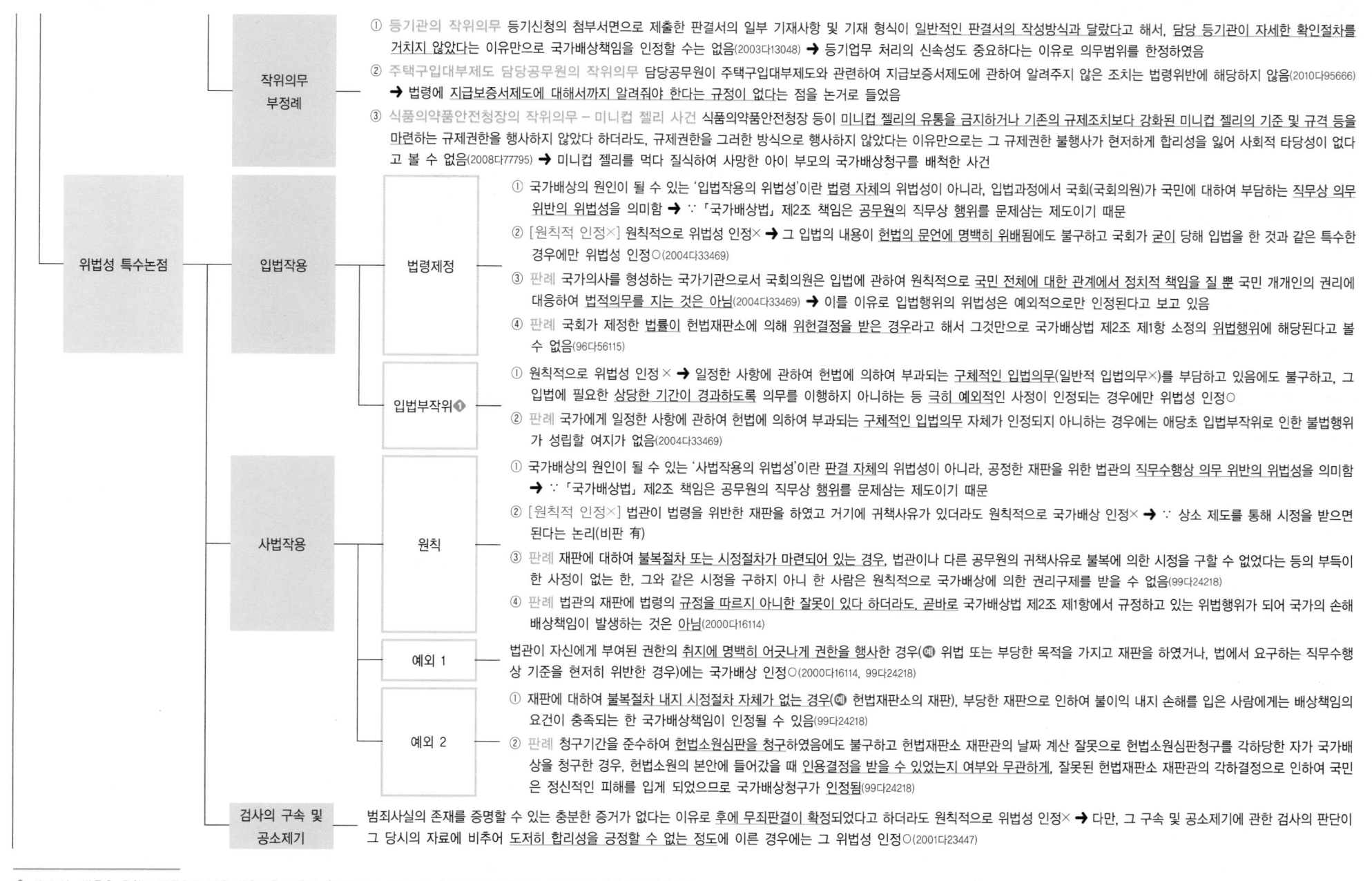

위법성 특수논점

작위의무 부정례

① 등기관의 작위의무 등기신청의 첨부서면으로 제출한 판결서의 일부 기재사항 및 기재 형식이 일반적인 판결서의 작성방식과 달랐다고 해서, 담당 등기관이 자세한 확인절차를 거치지 않았다는 이유만으로 국가배상책임을 인정할 수는 없음(2003다13048) ➔ 등기업무 처리의 신속성도 중요하다는 이유로 의무범위를 한정하였음

② 주택구입대부제도 담당공무원의 작위의무 담당공무원이 주택구입대부제도와 관련하여 지급보증서제도에 관하여 알려주지 않은 조치는 법령위반에 해당하지 않음(2010다95666) ➔ 법령에 지급보증서제도에 대해서까지 알려줘야 한다는 규정이 없다는 점을 논거로 들었음

③ 식품의약품안전청장의 작위의무 – 미니컵 젤리 사건 식품의약품안전청장 등이 미니컵 젤리의 유통을 금지하거나 기존의 규제조치보다 강화된 미니컵 젤리의 기준 및 규격 등을 마련하는 규제권한을 행사하지 않았다 하더라도, 규제권한을 그러한 방식으로 행사하지 않았다는 이유만으로는 그 규제권한 불행사가 현저하게 합리성을 잃어 사회적 타당성이 없다고 볼 수 없음(2008다77795) ➔ 미니컵 젤리를 먹다 질식하여 사망한 아이 부모의 국가배상청구를 배척한 사건

입법작용

법령제정

① 국가배상의 원인이 될 수 있는 '입법작용의 위법성'이란 법령 자체의 위법성이 아니라, 입법과정에서 국회(국회의원)가 국민에 대하여 부담하는 직무상 의무 위반의 위법성을 의미함 ➔ ∵「국가배상법」제2조 책임은 공무원의 직무상 행위를 문제삼는 제도이기 때문

② [원칙적 인정×] 원칙적으로 위법성 인정× ➔ 그 입법의 내용이 헌법의 문언에 명백히 위배됨에도 불구하고 국회가 굳이 당해 입법을 한 것과 같은 특수한 경우에만 위법성 인정○(2004다33469)

③ 판례 국가의사를 형성하는 국가기관으로서 국회의원은 입법에 관하여 원칙적으로 국민 전체에 대한 관계에서 정치적 책임을 질 뿐 국민 개개인의 권리에 대응하여 법적의무를 지는 것은 아님(2004다33469) ➔ 이를 이유로 입법행위의 위법성은 예외적으로만 인정된다고 보고 있음

④ 판례 국회가 제정한 법률이 헌법재판소에 의해 위헌결정을 받은 경우라고 해서 그것만으로 국가배상법 제2조 제1항 소정의 위법행위에 해당된다고 볼 수 없음(96다56115)

입법부작위❶

① 원칙적으로 위법성 인정× ➔ 일정한 사항에 관하여 헌법에 의하여 부과되는 구체적인 입법의무(일반적 입법의무×)를 부담하고 있음에도 불구하고, 그 입법에 필요한 상당한 기간이 경과하도록 의무를 이행하지 아니하는 등 극히 예외적인 사정이 인정되는 경우에만 위법성 인정○

② 판례 국가에게 일정한 사항에 관하여 헌법에 의하여 부과되는 구체적인 입법의무 자체가 인정되지 아니하는 경우에는 애당초 입법부작위로 인한 불법행위가 성립할 여지가 없음(2004다33469)

사법작용

원칙

① 국가배상의 원인이 될 수 있는 '사법작용의 위법성'이란 판결 자체의 위법성이 아니라, 공정한 재판을 위한 법관의 직무수행상 의무 위반의 위법성을 의미함 ➔ ∵「국가배상법」제2조 책임은 공무원의 직무상 행위를 문제삼는 제도이기 때문

② [원칙적 인정×] 법관이 법령을 위반한 재판을 하였고 거기에 귀책사유가 있더라도 원칙적으로 국가배상 인정× ➔ ∵ 상소 제도를 통해 시정을 받으면 된다는 논리(비판 有)

③ 판례 재판에 대하여 불복절차 또는 시정절차가 마련되어 있는 경우, 법관이나 다른 공무원의 귀책사유로 불복에 의한 시정을 구할 수 없었다는 등의 부득이한 사정이 없는 한, 그와 같은 시정을 구하지 아니 한 사람은 원칙적으로 국가배상에 의한 권리구제를 받을 수 없음(99다24218)

④ 판례 법관의 재판에 법령의 규정을 따르지 아니한 잘못이 있다 하더라도, 곧바로 국가배상법 제2조 제1항에서 규정하고 있는 위법행위가 되어 국가의 손해배상책임이 발생하는 것은 아님(2000다16114)

예외 1

법관이 자신에게 부여된 권한의 취지에 명백히 어긋나게 권한을 행사한 경우(ⓐ 위법 또는 부당한 목적을 가지고 재판을 하였거나, 법에서 요구하는 직무수행상 기준을 현저히 위반한 경우)에는 국가배상 인정○(2000다16114, 99다24218)

예외 2

① 재판에 대하여 불복절차 내지 시정절차 자체가 없는 경우(ⓐ 헌법재판소의 재판), 부당한 재판으로 인하여 불이익 내지 손해를 입은 사람에게는 배상책임의 요건이 충족되는 한 국가배상책임이 인정될 수 있음(99다24218)

② 판례 청구기간을 준수하여 헌법소원심판을 청구하였음에도 불구하고 헌법재판소 재판관의 날짜 계산 잘못으로 헌법소원심판청구를 각하당한 자가 국가배상을 청구한 경우, 헌법소원의 본안에 들어갔을 때 인용결정을 받을 수 있었는지 여부와 무관하게, 잘못된 헌법재판소 재판관의 각하결정으로 인하여 국민은 정신적인 피해를 입게 되었으므로 국가배상청구가 인정됨(99다24218)

검사의 구속 및 공소제기

범죄사실의 존재를 증명할 수 있는 충분한 증거가 없다는 이유로 후에 무죄판결이 확정되었다고 하더라도 원칙적으로 위법성 인정× ➔ 다만, 그 구속 및 공소제기에 관한 검사의 판단이 그 당시의 자료에 비추어 도저히 합리성을 긍정할 수 없는 정도에 이른 경우에는 그 위법성 인정○(2001다23447)

❶ 여기서는 법률을 국회가 제정하지 않은 경우만을 다룬다. 행정입법을 제정하지 않은 경우에 대해서는 행정입법 부분에서 다루었다.

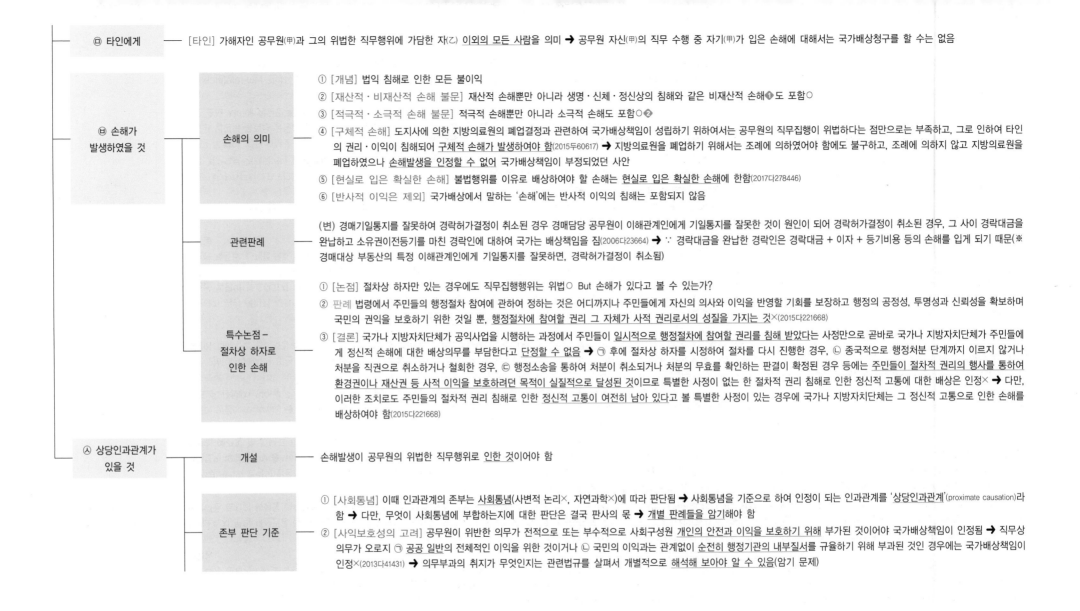

ⓓ 타인에게 ── [타인] 가해자인 공무원(甲)과 그의 위법한 직무행위에 가담한 자(乙) 이외의 모든 사람을 의미 ➜ 공무원 자신(甲)의 직무 수행 중 자기(甲)가 입은 손해에 대해서는 국가배상청구를 할 수는 없음

ⓔ 손해가 발생하였을 것

손해의 의미

① [개념] 법익 침해로 인한 모든 불이익

② [재산적·비재산적 손해 불문] 재산적 손해뿐만 아니라 생명·신체·정신상의 침해와 같은 비재산적 손해❶도 포함○

③ [적극적·소극적 손해 불문] 적극적 손해뿐만 아니라 소극적 손해도 포함○❷

④ [구체적 손해] 도지사에 의한 지방의료원의 폐업결정과 관련하여 국가배상책임이 성립하기 위하여서는 공무원의 직무집행이 위법하다는 점만으로는 부족하고, 그로 인하여 타인의 권리·이익이 침해되어 구체적 손해가 발생하여야 함(2015두60617) ➜ 지방의료원을 폐업하기 위해서는 조례에 의하였어야 함에도 불구하고, 조례에 의하지 않고 지방의료원을 폐업하였으나 손해발생을 인정할 수 없어 국가배상책임이 부정되었던 사안

⑤ [현실로 입은 확실한 손해] 불법행위를 이유로 배상하여야 할 손해는 현실로 입은 확실한 손해에 한함(2017다278446)

⑥ [반사적 이익은 제외] 국가배상에서 말하는 '손해'에는 반사적 이익의 침해는 포함되지 않음

관련판례

(변) 경매기일통지를 잘못하여 경락허가결정이 취소된 경우 경매담당 공무원이 이해관계인에게 기일통지를 잘못한 것이 원인이 되어 경락허가결정이 취소된 경우, 그 사이 경락대금을 완납하고 소유권이전등기를 마친 경락인에 대하여 국가는 배상책임을 짐(2006다23664) ➜ ∵ 경락대금을 완납한 경락인은 경락대금 + 이자 + 등기비용 등의 손해를 입게 되기 때문(※ 경매대상 부동산의 특정 이해관계인에게 기일통지를 잘못하면, 경락허가결정이 취소됨)

특수논점 – 절차상 하자로 인한 손해

① [논점] 절차상 하자만 있는 경우에도 직무집행행위는 위법○ But 손해가 있다고 볼 수 있는가?

② 판례 법령에서 주민들의 행정절차 참여에 관하여 정하는 것은 어디까지나 주민들에게 자신의 의사와 이익을 반영할 기회를 보장하고 행정의 공정성, 투명성과 신뢰성을 확보하며 국민의 권익을 보호하기 위한 것일 뿐, 행정절차에 참여할 권리 그 자체가 사적 권리로서의 성질을 가지는 것×(2015다221668)

③ [결론] 국가나 지방자치단체가 공익사업을 시행하는 과정에서 주민들이 일시적으로 행정절차에 참여할 권리를 침해 받았다는 사정만으로 곧바로 국가나 지방자치단체가 주민에게 정신적 손해에 대한 배상의무를 부담한다고 단정할 수 없음 ➜ ㉠ 후에 절차상 하자를 시정하여 절차를 다시 진행한 경우, ㉡ 종국적으로 행정처분 단계까지 이르지 않거나 처분을 직권으로 취소하거나 철회한 경우, ㉢ 행정소송을 통하여 처분이 취소되거나 처분의 무효를 확인하는 판결이 확정된 경우 등에는 주민들이 절차적 권리의 행사를 통하여 환경권이나 재산권 등 사적 이익을 보호하려던 목적이 실질적으로 달성된 것이므로 특별한 사정이 없는 한 절차적 권리 침해로 인한 정신적 고통에 대한 배상은 인정× ➜ 다만, 이러한 조치로도 주민들의 절차적 권리 침해로 인한 정신적 고통이 여전히 남아 있다고 볼 특별한 사정이 있는 경우에 국가나 지방자치단체는 그 정신적 고통으로 인한 손해를 배상하여야 함(2015다221668)

ⓕ 상당인과관계가 있을 것

개설 ── 손해발생이 공무원의 위법한 직무행위로 인한 것이어야 함

존부 판단 기준

① [사회통념] 이때 인과관계의 존부는 사회통념(사변적 논리×, 자연과학×)에 따라 판단됨 ➜ 사회통념을 기준으로 하여 인정이 되는 인과관계를 '상당인과관계'(proximate causation)라 함 ➜ 다만, 무엇이 사회통념에 부합하는지에 대한 판단은 결국 판사의 몫 ➜ 개별 판례들을 암기해야 함

② [사익보호성의 고려] 공무원이 위반한 의무가 전적으로 또는 부수적으로 사회구성원 개인의 안전과 이익을 보호하기 위해 부가된 것이어야 국가배상책임이 인정됨 ➜ 직무상 의무가 오로지 ㉠ 공공 일반의 전체적인 이익을 위한 것이거나 ㉡ 국민의 이익과는 관계없이 순전히 행정기관의 내부질서를 규율하기 위해 부과된 것인 경우에는 국가배상책임이 인정×(2013다41431) ➜ 의무부과의 취지가 무엇인지는 관련법규를 살펴서 개별적으로 해석해 보아야 알 수 있음(암기 문제)

───────────────

❶ 비재산적 손해에 대한 손해배상금을 특별히 '위자료'라 부른다.

❷ '적극적 손해'란 이미 가지고 있던 것을 잃는 손해를 말하고, '소극적 손해'란 장차 얻게 될 것을 얻게 되지 못하게 되는 손해를 말한다. 소극적 손해를 다른 말로 일실(逸失)이익(lost earnings)이라고도 부른다.

① 토석채취허가를 해주면서 안전조치를 하지 않은 사건 시장 등은 토지형질변경허가를 함에 있어, 허가지의 인근 지역에 토사붕괴나 낙석 등으로 인한 피해가 발생하지 않도록 허가를 받은 자에게 옹벽이나 방책을 설치하게 하거나 그가 이를 이행하지 아니할 때에는 스스로 필요한 조치를 취하는 직무상 의무를 지고, 이러한 의무는 단순히 공공 일반의 이익을 위한 것이 아니라 전적으로 또는 부수적으로 사회구성원 개인의 안전과 이익을 보호하기 위하여 설정된 것임(99다64278) ➔ 토석채취공사 도중 경사지를 굴러 내린 암석이 가스저장시설을 충격하여 화재가 발생하였는데, 국가배상을 인정한 사건

② 소방공무원들이 안전점검을 소홀히 한 사건 소방공무원들이 다중이용업소인 주점의 비상구와 피난시설 등에 대한 점검을 소홀히 함으로써 주점의 피난통로 등에 중대한 피난 장애요인이 있음을 발견하지 못하여 업주들에 대한 적절한 지도·감독을 하지 아니한 경우, 직무상 의무위반과 주점 손님들의 사망 사이에는 상당인과관계가 인정됨(2014다225083)

③ 검찰청 공무원이 공천후보자의 전과를 회보서에 기재하지 않은 사건 검찰청 담당 공무원이 내부전산망을 통해 공직선거후보자에 대한 범죄경력자료를 조회하여 공직선거법 위반죄로 실형을 선고받는 등 실효된 4건의 금고형 전과가 있음을 확인하고도, 후보자의 공직선거 후보자용 범죄경력조회 회보서에 이를 기재하지 않은 경우, 국가배상책임이 인정됨(2011다34521) ➔ 「공직선거법」이 후보자가 되고자 하는 자와 그 소속 정당에게 전과기록을 조회할 권리를 부여하고, 수사기관에 그에 대한 회보의무를 부과한 것은 공공의 이익만을 위한 것이 아니라, 후보자가 되고자 하는 자나 그 소속 정당의 개별적 이익까지 보호하기 위한 것이라 보았음

④ 개별공시지가를 현저히 불합리하게 산정하여 토지소유자의 재산권을 침해한 사건 개별공시지가 산정업무 담당공무원 등이 그 직무상 의무에 위반하여 현저하게 불합리한 개별공시지가가 결정되도록 함으로써 토지소유자 甲의 재산권을 침해한 경우 상당인과관계가 인정되는 범위에서 그 손해에 대하여 그 담당공무원 등이 속한 지방자치단체가 배상책임을 지게 됨(2010다13527) ➔ 개별공시지가 산정업무를 담당하는 공무원이 부담하는 토지의 특성을 정확하게 조사하여 적정한 개별공시지가가 결정·공시되도록 조치하여야 할 직무상 의무는 국민 개개인의 재산권을 전적으로 또는 부수적으로 보장하기 위한 목적으로 규정된 것이라 보았음

⑤ (변) 특별송달이 적법하게 이루어졌다고 허위보고서를 작성한 사건 우편집배원이 압류 및 전부명령 결정 정본을 특별송달함에 있어 부적법한 송달을 하고도 적법한 송달을 한 것처럼 보고서를 작성하여 압류 및 전부(轉付)의 효력이 발생하지 않아 집행채권자가 피압류 채권을 전부(轉付)받지 못한 경우 우편집배원의 직무상 의무위반과 집행채권자의 손해 사이에는 상당인과관계가 있음(2006다87798) ➔ 같은 사건에서 특별송달 우편물의 배달업무에 종사하는 우편집배원으로서는 압류 및 전부명령 결정 정본에 대하여 적법한 송달이 이루어지지 아니할 경우에는 국민의 권리 실현에 장애를 초래하여 당사자가 불측의 피해를 입게 될 수 있음을 충분히 예견할 수 있다고 하여, 과실도 인정하였음 ➔ ※ 전부(轉付)는 공무원 수험의 범위를 넘어서는 민법집행법상의 개념임

⑥ 관리소홀로 헌병대 영창에서 탈주한 군인들이 민가에 침입하여 강도와 강제추행을 한 사건 군교도소 수용자들이 탈주하여 일반 국민에게 손해를 입혔다면 국가는 그로 인하여 피해자들이 입은 손해를 배상할 책임이 있음(2002다62678) ➔ 군행형법과 군행형법시행령이 군교도소나 미결수용실에 대한 경계 감호를 위하여 관련 공무원에게 각종 직무상의 의무를 부과하고 있는 것은, 부수적으로는 그 수용자들이 탈주한 경우에 그 도주과정에서 일어날 수 있는 2차적 범죄행위로부터 일반 국민의 인명과 재화를 보호하고자 하는 목적도 있다고 보았음

⑦ 성폭력범죄 수사관이 피해자의 인적사항 등을 공개 또는 누설한 사건 성폭력범죄의 수사를 담당하거나 수사에 관여하는 경찰이 직무상 의무에 위반하여 피해자의 인적사항 등을 공개 또는 누설한 경우, 그로 인하여 피해자가 입은 손해에 대하여 국가는 배상책임을 짐(2007다64365) ➔ 「성폭력범죄의 처벌 및 피해자보호 등에 관한 법률」제21조는 성폭력범죄의 수사 또는 재판을 담당하거나 이에 관여하는 공무원에 대하여 피해자의 인적사항과 사생활의 비밀을 엄수할 직무상 의무를 부과하고 있는데, 이는 주로 성폭력범죄 피해자의 명예와 사생활의 평온을 보호하기 위한 것이라고 보았음

① (변) 지자체가 인증신제품을 구매하지 않은 사건 산업기술혁신 촉진법령에 따른 중앙행정기관과 지방자치단체 등의 인증신제품 구매의무는, 기업에 신기술개발제품의 판로를 확보해 줌으로써 산업기술개발을 촉진하기 위한 국가적 지원책의 하나로 인정된 것으로서, 오로지 국민경제의 지속적인 발전과 국민의 삶의 질 향상이라는 공공 일반의 이익을 도모하기 위한 것으로 봄이 타당하고, 신제품 인증을 받은 자의 재산상 이익은 법령이 보호하고자 하는 이익으로 보기는 어려우므로, 지방자치단체가 위 법령에서 정한 인증신제품 구매의무를 위반하였다고 하더라도, 이를 이유로 신제품 인증을 받은 자에 대하여 국가배상책임을 지는 것은 아님(2013다85448) ➔ ※ 산업기술혁신촉진법 시행령에서, 정부는 국내에서 최초로 개발된 기술 또는 이에 준하는 대체기술을 적용하여 실용화가 완료된 제품 중 경제적·기술적 파급효과가 크고 성능과 품질이 우수한 제품을 '신제품'으로 인증할 수 있고, 일부 공공기관은 구매하고자 하는 품목에 위 신제품 인증을 받은 제품이 있는 경우에는 당해 품목의 구매액 중 일정 비율 이상을 인증신제품으로 구매하여야 한다고 규정하고 있었음

② 식품위생법상 의무를 게을리하여 유흥주점 여종업원들이 사망한 사건 유흥주점의 화재로 여종업원들이 사망한 경우, 담당 공무원의 유흥주점의 용도변경, 무허가 영업 및 시설기준에 위배된 개축에 대하여 시정명령 등 식품위생법상 취하여야 할 조치를 게을리한 직무상 의무위반행위와 여종업원들의 사망 사이에는 상당인과관계가 존재하지 아니함(2005다48994)

③ 실제보다 높게 잘못 산정된 개별공시지가를 믿고 토지소유자에게 거래처가 물품을 추가로 공급한 사건 甲소유의 토지에 대해 담당공무원들이 잘못된 개별공시지가를 산정·공시한 행위와, 甲소유 토지의 담보가치가 충분하다고 믿고 그 토지에 관하여 근저당권설정등기를 경료한 후 물품을 추가로 공급한 乙의 손해 사이에는 상당인과관계가 있다고 볼 수 없음(2010다13527) ➔ 적정한 개별공시지가산정 의무에, 개별공시지가를 기준으로 거래하거나 담보제공을 받았다가 당해 토지의 실제 거래가액 또는 담보가치가 개별공시지가에 미치지 못함으로 인해 발생할 수 있는 손해까지 보호하려는 목적이 있는 것은 아니라고 보았음

④ 금융감독원의 감독부실로 부산2저축은행에 투자한 자들이 손해를 보게 된 사건 「금융위원회의 설치 등에 관한 법률」의 입법 취지 등에 비추어 볼 때, 피고 금융감독원에 금융기관에 대한 검사·감독의무를 부과한 법령의 목적은 금융상품에 투자한 투자자 개인의 이익을 직접 보호하기 위한 것이라고 할 수 없으므로, 피고 금융감독원 및 그 직원들의 위법한 직무집행과 부산2저축은행의 후순위사채에 투자한 원고들이 입은 손해 사이에 상당인과관계가 있다고 보기 어려움(2015다210194)

⑤ 법령이 정하는 고도의 정수처리방법이 아닌 일반적 정수처리방법으로 수돗물을 생산·공급한 사건 국가 또는 지방자치단체가 법령이 정하는 상수원수 수질기준 유지의무를 다하지 못하고, 법령이 정하는 고도의 정수처리방법이 아닌 일반적 정수처리방법으로 수돗물을 생산·공급하였다 하더라도, 그 수돗물을 마심으로써 건강상의 위해 발생에 대한 염려 등에 따른 정신적 고통에 대하여, 국민 개인에 대한 국가배상책임을 부담하지는 않음(99다36280) ➔ 상수원수 수질기준 유지의무를 부과하고 있는 법령 규정은 국민 일반의 건강보호라는 공익만을 도모하기 위한 것이고, 국민 개개인의 이익을 직접적으로 보호하기 위한 것이 아니라고 보았음

이중배상금지

배경지식 — 군인이나 경찰공무원 등이 직무를 집행하던 도중 사망하거나 부상을 당하게 된 경우에는, 본인이나 유가족에게 「국가유공자 등 예우 및 지원에 관한 법률」이나 「보훈보상대상자 지원에 관한 법률」 등에서 보훈급여금을 지급하는 제도가 마련되어 있음

금지의 취지 — 피해 군인등을 위한 국가의 재정지출이 중복되는 것을 막기 위한 것

법적 근거

　헌법 — [헌법 제29조 제2항] "군인·군무원·경찰공무원 기타 법률이 정하는 자가 전투·훈련등 직무집행과 관련하여 받은 손해에 대하여는 법률이 정하는 보상외에 국가 또는 공공단체에 공무원의 직무상 불법행위로 인한 배상은 청구할 수 없다."

　국가배상법 — [국가배상법 제2조 제1항 단서] "군인·군무원·경찰공무원 또는 예비군대원이 전투·훈련 등 직무 집행과 관련하여 전사(戰死)·순직(殉職)하거나 공상(公傷)을 입은 경우에 본인이나 그 유족이 다른 법령에 따라 재해보상금·유족연금·상이연금 등의 보상을 지급받을 수 있을 때에는 이 법 및 「민법」에 따른 손해배상을 청구할 수 없다."

　위헌성 시비 — ① [문제점] 이중배상금지 규정에 대해 위헌성 시비가 있었음 ➜ ∵ 입법자가 보상금의 액수를 손해액에 미치지 못하게 정한 경우 직무수행으로 인한 손해를 피해 군인등이 감수해야 하기 때문
② [헌법재판소 – 합헌] ㉠ 국가배상법 제2조 제1항 단서는 헌법 규정인 제29조 제2항에 근거하고 있으므로 헌법에 어긋나지 않는다고 보고 있고, ㉡ 헌법 제29조 제2항은 그 자체가 헌법 규정이므로 헌법에 어긋나지 않는다고 봄(2000헌바38)

배상금지요건

　피해자("군인등")

　　헌법 — "군인·군무원·경찰공무원 기타 법률이 정하는 자"

　　국가배상법 — "군인·군무원·경찰공무원 또는 예비군대원"

　　판례

　　　인정례 — [전투경찰순경] 전투경찰순경은 국가배상법 제2조 제1항 단서에 따라 손해배상청구가 제한되는 군인·군무원·경찰공무원 또는 향토예비군대원에 해당한다고 보아야 함(95헌바39) ➜ ※ 2016년 11월 이전에는 예비군의 이름이 '향토예비군'이었음

　　　부정례 — ① [사회복무요원(구 공익근무요원)] 주민자치센터에 근무하는 사회복무요원(구 공익근무요원)은 국가배상법상 손해배상청구가 제한되는 군인·군무원·경찰공무원·(향토)예비군대원 등에 해당하지 않으므로, 공무수행 중 차량전복사고로 상해를 입은 경우에도 이중배상청구가 제한되지 않음(97다4036)
② [경비교도] 현역병으로 입영하였으나 소정의 군사교육을 마치고 전임되어 법무부장관에 의하여 경비교도로 임용된 자는 국가배상법 제2조 제1항 단서에 따라 손해배상청구가 제한되는 군인, 군무원, 경찰공무원 또는 향토예비군대원에 해당한다고 할 수 없음(97다45914, 92다43395)

　피해의 종류 — 전사·순직하거나 공상을 입는 등 인신손해가 발생하여야 함

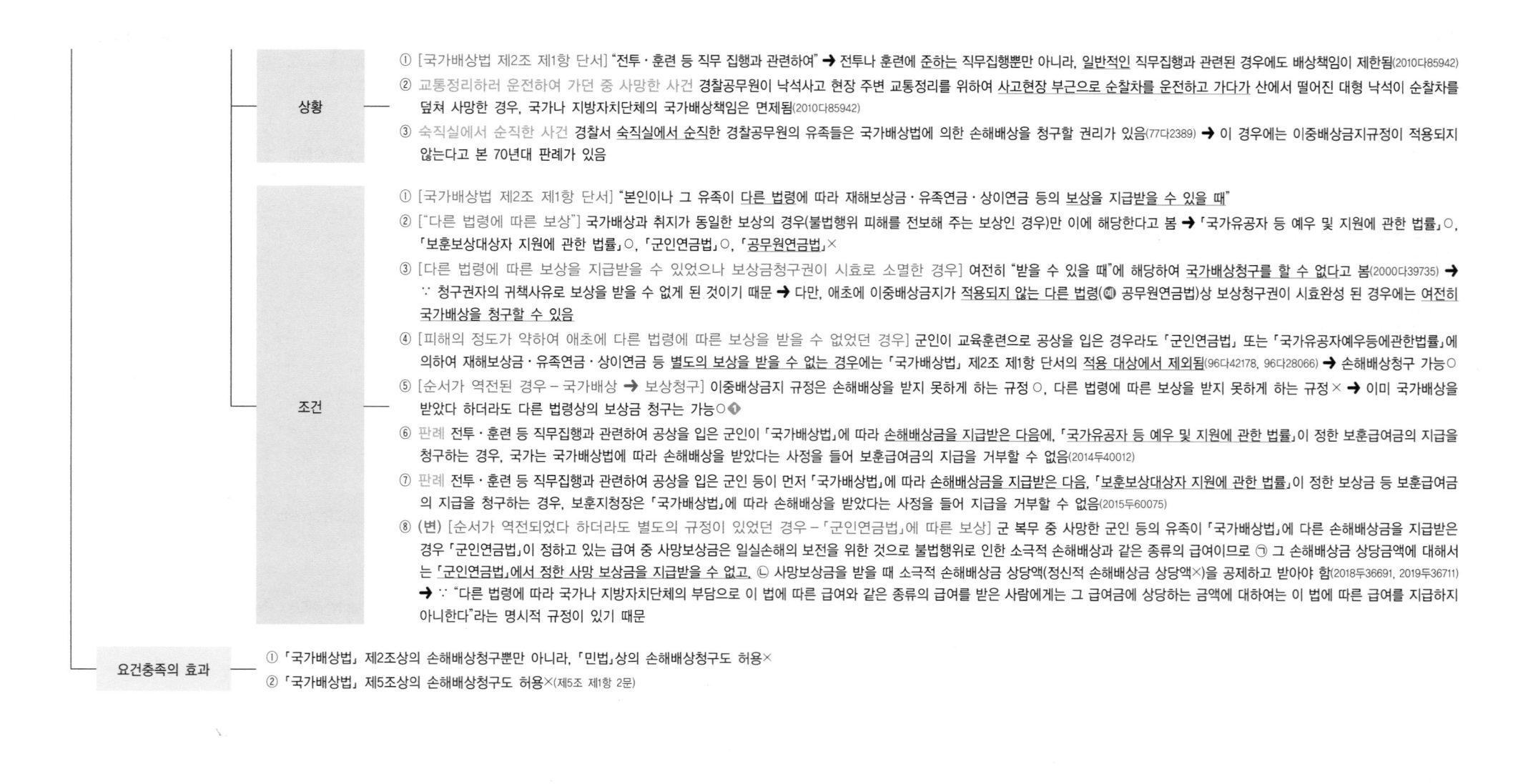

상황

① [국가배상법 제2조 제1항 단서] "전투·훈련 등 직무 집행과 관련하여" ➡ 전투나 훈련에 준하는 직무집행뿐만 아니라, 일반적인 직무집행과 관련된 경우에도 배상책임이 제한됨(2010다85942)

② 교통정리하러 운전하여 가던 중 사망한 사건 경찰공무원이 낙석사고 현장 주변 교통정리를 위하여 사고현장 부근으로 순찰차를 운전하고 가다가 산에서 떨어진 대형 낙석이 순찰차를 덮쳐 사망한 경우, 국가나 지방자치단체의 국가배상책임은 면제됨(2010다85942)

③ 숙직실에서 순직한 사건 경찰서 숙직실에서 순직한 경찰공무원의 유족들은 국가배상법에 의한 손해배상을 청구할 권리가 있음(77다2389) ➡ 이 경우에는 이중배상금지규정이 적용되지 않는다고 본 70년대 판례가 있음

조건

① [국가배상법 제2조 제1항 단서] "본인이나 그 유족이 다른 법령에 따라 재해보상금·유족연금·상이연금 등의 보상을 지급받을 수 있을 때"

② ["다른 법령에 따른 보상"] 국가배상과 취지가 동일한 보상의 경우(불법행위 피해를 전보해 주는 보상인 경우)만 이에 해당한다고 봄 ➡「국가유공자 등 예우 및 지원에 관한 법률」○,「보훈보상대상자 지원에 관한 법률」○,「군인연금법」○,「공무원연금법」×

③ [다른 법령에 따른 보상을 지급받을 수 있었으나 보상금청구권이 시효로 소멸한 경우] 여전히 "받을 수 있을 때"에 해당하여 국가배상청구를 할 수 없다고 봄(2000다39735) ➡ ∵ 청구권자의 귀책사유로 보상을 받을 수 없게 된 것이기 때문 ➡ 다만, 애초에 이중배상금지가 적용되지 않는 다른 법령(예 공무원연금법)상 보상청구권이 시효완성 된 경우에는 여전히 국가배상을 청구할 수 있음

④ [피해의 정도가 약하여 애초에 다른 법령에 따른 보상을 받을 수 없었던 경우] 군인이 교육훈련으로 공상을 입은 경우라도「군인연금법」또는「국가유공자예우등에관한법률」에 의하여 재해보상금·유족연금·상이연금 등 별도의 보상을 받을 수 없는 경우에는「국가배상법」제2조 제1항 단서의 적용 대상에서 제외됨(96다42178, 96다28066) ➡ 손해배상청구 가능○

⑤ [순서가 역전된 경우 – 국가배상 ➡ 보상청구] 이중배상금지 규정은 손해배상을 받지 못하게 하는 규정 ○, 다른 법령에 따른 보상을 받지 못하게 하는 규정 × ➡ 이미 국가배상을 받았다 하더라도 다른 법령상의 보상금 청구는 가능○❶

⑥ 판례 전투·훈련 등 직무집행과 관련하여 공상을 입은 군인이「국가배상법」에 따라 손해배상금을 지급받은 다음에,「국가유공자 등 예우 및 지원에 관한 법률」이 정한 보훈급여금의 지급을 청구하는 경우, 국가는 국가배상법에 따라 손해배상을 받았다는 사정을 들어 보훈급여금의 지급을 거부할 수 없음(2014두40012)

⑦ 판례 전투·훈련 등 직무집행과 관련하여 공상을 입은 군인 등이 먼저「국가배상법」에 따라 손해배상금을 지급받은 다음,「보훈보상대상자 지원에 관한 법률」이 정한 보상금 등 보훈급여금의 지급을 청구하는 경우, 보훈지청장은「국가배상법」에 따라 손해배상을 받았다는 사정을 들어 지급을 거부할 수 없음(2015두60075)

⑧ (변) [순서가 역전되었다 하더라도 별도의 규정이 있었던 경우 –「군인연금법」에 따른 보상] 군 복무 중 사망한 군인 등의 유족이「국가배상법」에 다른 손해배상금을 지급받은 경우「군인연금법」이 정하고 있는 급여 중 사망보상금은 일실손해의 전보를 위한 것으로 불법행위로 인한 소극적 손해배상과 같은 종류의 급여이므로 ㉠ 그 손해배상금 상당액에 대해서는「군인연금법」에서 정한 사망 보상금을 지급받을 수 없고, ㉡ 사망보상금을 받을 때 소극적 손해배상금 상당액(정신적 손해배상금 상당액×)을 공제하고 받아야 함(2018두36691, 2019두36711) ➡ ∵ "다른 법령에 따라 국가나 지방자치단체의 부담으로 이 법에 따른 급여와 같은 종류의 급여를 받은 사람에게는 그 급여금에 상당하는 금액에 대하여는 이 법에 따른 급여를 지급하지 아니한다"라는 명시적 규정이 있기 때문

요건충족의 효과

①「국가배상법」제2조상의 손해배상청구뿐만 아니라,「민법」상의 손해배상청구도 허용×

②「국가배상법」제5조상의 손해배상청구도 허용×(제5조 제1항 2문)

❶ 다른 법령상의 보상금을 청구할 수 있는지(예 정말로 전쟁 중에 다친 것인지) 여부가 불분명한 상황에서 국가배상청구가 이루어진 경우라면, 배상심의회나 법원이 그것을 받아줄 수도 있기 때문에 이런 상황이 발생 가능하다.

이중배상금지 특수논점 - 군인등과 공동불법행위를 한 민간인의 구상권 행사 가부

배경지식 민법(출제×)

① [공동불법행위자들의 책임의 관계] 여러 명이 (고의에 의해서든 과실에 의해서든) 공동으로 불법행위(joint tort)를 저지른 경우, 그들 각자가 부담하는 손해배상의무는 <u>부진정연대채무</u> 관계에 있다고 봄

② [부진정연대채무의 법리 - 대외관계와 대내관계의 분리] 부진정연대채무 관계가 성립하면 ⓐ 대내적으로는 가해자들이 자신들 각자의 기여도에 따라 그 손해배상책임을 분담(分擔)하지만, ⓑ 대외적으로는 가해자 각자가 피해자에게 전액에 대하여 배상의무를 부담함 ➜ 피해자는 가해자 중 아무나 선택하여 전액 배상청구를 할 수 있음

문제상황

① 직무수행 중이던 군인(甲)과 민간인(乙)이 경과실로 공동으로(기여도 25% : 75%), 직무수행 중이던 군인(丙)에게 피해를 입힘(이때 丙은 대한민국으로부터 재해보상금 등의 보상금을 지급받음) ➜ <u>대한민국과 민간인</u> <u>乙은 공동으로 불법행위책임을 지는 자들로서 부진정연대채무의 관계에 있게 됨</u>

② [가정 - 이중배상금지규정이 없었을 경우] 대한민국과 乙은 丙에 대해 각자가 전액에 대한 손해배상의무를 부담하고, 丙의 선택에 따라 배상을 한 자는 배상을 한 후, 내부적으로 丙의 피해에 대한 기여도에 따라 구상권을 행사(즉, 정산)할 수 있음

③ [현실 - 이중배상금지규정의 존재로 인한 변화] 이중배상금지 조항이 존재하기 때문에, 대한민국은 丙에 대하여 <u>손해배상의무를 부담하지 않음</u> ➜ 대외적으로는 乙만 丙에 대하여 손해배상의무를 부담함

쟁점

이 상황에서 민간인(乙)이 피해자인 군인(丙)에게 전액을 배상하고, 대한민국에 대하여 대한민국이 내부적으로 부담하는 만큼(25%)에 대한 구상권을 행사한 경우, 대한민국은 이중배상금지 규정에 의해 丙에 대한 손해배상의무는 지지 않는데도, <u>乙에 대한 구상의무는 진다고 볼 것인가?</u>

헌법재판소 입장

[한정위헌 결정] 만약 국가배상법 제2조 제1항 단서가, 이 경우 乙의 대한민국에 대한 구상권 행사가 허용되지 않음을 <u>의미한다면</u>, 제2조 제1항 단서는 위헌(93헌바21) ➜ <u>구상권행사가 허용된다고 봄</u>

대법원 입장

① [부진정연대채무법리에 대한 예외 인정] ⓐ 대한민국은 乙에 대하여 <u>구상의무를 부담하지 않는다</u>고 보면서(이중배상금지 조항의 취지를 고려), ⓑ 헌법재판소의 판례를 고려하여, 아예 구상의 문제가 발생하지 않도록, 이 경우에는 독특하게도 乙은 애초에 丙에 대한 관계에서도(즉, 대외관계에서도) 자신의 내부분담 비율(75%)만큼만 손해배상책임을 진다고 하였음

② 판례 민간인과 직무집행중인 군인의 공동불법행위로 인하여 직무집행 중인 다른 군인이 피해를 입은 경우, 민간인이 공동불법행위자로서 부담하는 책임은 공동불법행위의 일반적인 경우와는 달리 모든 손해에 대한 것이 아니라 <u>귀책비율에 따른 부분으로 한정됨</u>(96다42420 전원합의체)

③ 판례 민간인과 직무집행 중인 군인의 공동불법행위로 인하여 직무집행 중인 다른 군인이 피해를 입은 경우, 민간인이 피해 군인에게 자신의 과실비율에 따라 내부적으로 부담할 부분을 초과하여 피해금액 전부를 배상한 경우에, 민간인은 국가에 대해 가해 군인의 과실비율에 대한 <u>구상권을 행사할 수 없음</u>(96다42420 전원합의체)

배경지식 **(출제×)**	① 「자동차손해배상 보장법」(이하 자배법)에 따르면, 자동차의 운행자에게 고의나 과실이 없었다 하더라도❶, 운행자(운전자×)는 피해자의 인신(人身) 손해에 대해 배상을 하여야 함 ② [운행자] '운행이익'(그 자동차의 운행으로 인하여 누가 이익을 얻는가의 문제)과 '운행지배'(그 운행을 누가 통제하고 있었는가의 문제)를 둘 다 가진 자를 운행자라 함 ➡ 보통❷ 소유자를 운행자로 봄 ┌──────────────────────────────────────┐ 자동차손해배상 보장법 제3조(자동차손해배상책임) 자기를 위하여 자동차를 운행하는 자는 그 운행으로 다른 사람을 사망하게 하거나 부상하게 한 경우에는 (그에 대한 고의나 과실이 있는지 여부를 불문하고) 그 손해를 배상할 책임을 진다. (단서 생략) └──────────────────────────────────────┘
문제상황	만약 공무원이 관용차를 운전하여 직무를 수행하던 중, 국민에게 인신 손해를 입힌 경우, 공무원에게 고의나 적어도 경과실이 있었어야 국가가 배상책임을 지게 되는지가 문제됨 ➡ 「국가배상법」과 「자배법」의 적용상 우열이 문제됨
입법적 해결	① [국가배상법 제2조 제1항 본문 후단] "국가나 지방자치단체는 … 「자동차손해배상 보장법」에 따라 손해배상의 책임이 있을 때에는, 이 법에 따라 그 손해를 배상하여야 한다." ➡ 이 경우에는, 국가가 손해배상책임을 지는지 여부를 「자배법」에 따라 판단하라고 하고 있음 ➡ ∵ [입법취지] 「자배법」에 따라 책임 여부가 판단되는 것이 피해자에게 유리하기 때문 ② ["이 법에 따라 그 손해를 배상"] 「자배법」에 따라 판단할 때 손해배상책임이 있는 것으로 인정되면 「국가배상법」에 따라 손해를 배상하여야 함 ➡ ⊙ 배상심의회를 통해 간편하게 국가배상을 받을 수 있고, ⓒ 군인등이 피해자인 경우에는 이중배상금지 원칙이 적용되며 ⓒ 공무원 본인은 고의나 중과실이 있었던 경우에만 손해배상의무를 부담 ③ 판례 「자배법」은 배상책임의 성립요건에 관하여는 「민법」이나 「국가배상법」보다 우선하여 적용됨(94다23876)
제2조 제1항 본문 **후단의 구체적 적용**	① [국가] 공무원의 관용차 운행 중 인신사고가 발생한 경우이므로 국가가 「자배법」상 운행자가 되어, 공무원에게 아무런 과실이 없었다 하더라도, 국가는 손해배상의무를 부담함 ② [공무원] 공무원 본인은 고의 또는 중과실이 있었던 경우에 한해 손해배상의무를 부담함 ③ 판례 공무원이 그 직무를 집행하기 위하여 국가 또는 지방자치단체 소유의 공용차를 운행하는 경우, 그 자동차에 대한 운행지배나 운행이익은 그 공무원이 소속한 국가 또는 지방자치단체에 귀속된다고 할 것이므로, 그 공무원이 자기를 위하여 공용차를 운행하는 자로서 「자동차손해배상 보장법」 제3조 소정의 손해배상책임의 주체가 될 수는 없음(91다12356)
추가 사례 **자차를 통한** **직무집행**	① [자차 직무집행] 공무원이 자차를 운행하여 직무를 집행하던 중에 인신사고가 발생한 경우에는? ➡ 국가는 운행자가 되지 않으므로 「자배법」과 「국가배상법」의 적용상 우열의 문제가 발생× ➡ 국가배상법 제2조 제1항 본문 후단이 규정하고 있는 상황× ➡ 기본 법리대로 처리됨 ② [국가] 공무원의 직무수행 중 발생한 사고이므로, 공무원에게 경과실 이상이 있었던 경우라면 국가는 「국가배상법」 제2조 제1항 본문 전단에 의해 손해배상의무를 부담함 ③ [공무원] 공무원은 무과실이었다 하더라도 「자배법」에 의해 손해배상의무를 부담함 ④ 판례 공무원이 자기 소유의 자동차로 공무수행 중 사고를 일으킨 경우에는 그 손해배상책임은 자동차손해배상 보장법이 정한 바에 의하게 되어, 그 사고가 자동차를 운전한 공무원의 경과실에 의한 것인지 중과실 또는 고의에 의한 것인지를 가리지 않고 그 공무원이 「자동차손해배상 보장법」 제3조 소정의 '자기를 위하여 자동차를 운행하는 자'에 해당하는 한 손해배상책임을 부담함(94다15271)

---

❶ 자배법상의 손해배상책임(제3조)은 자동차라는 위험한 물건을 잘 간수하지 못함으로써 발생한 인신 손해에 대해 운행자에게 지우는 책임이기 때문에 무과실책임으로 규정되어 있다('책임지기 싫으면 자동차 운행하지 마라'). 법은 기본적으로 자동차를 '위험한 물건'으로 본다. 생활에 꼭 필요하긴 하지만 흉기가 될 수도 있는 것으로 본다.

❷ [더 들어가기] 자동차를 도난(盜難)당하였거나 도용(盜用)당한 경우에는 소유자에게 운행자성을 인정하지 않는데, 민법학의 영역이다.

제5조에 따른 국가배상책임

> 국가배상법 제5조(공공시설 등의 하자로 인한 책임) ① 도로·하천, 그 밖의 공공의 영조물(營造物)의 설치나 관리에 하자(瑕疵)가 있기 때문에 타인에게 손해를 발생하게 하였을 때에는 국가나 지방자치단체는 그 손해를 배상하여야 한다. 이 경우 제2조 제1항 단서, 제3조 및 제3조의2를 준용한다.
> ② 제1항을 적용할 때 손해의 원인에 대하여 책임을 질 자가 따로 있으면 국가나 지방자치단체는 그 자에게 구상할 수 있다.

의의

① 국가나 지방자치단체가 관리하는 공물의 설치나 관리상의 하자로 인하여 타인에게 손해를 입힌 경우에, 국가나 지방자치단체가 부담하는 손해배상책임 ➜ 공무원의 직무수행으로 인하여 발생한 피해에 대한 손해배상책임×

② [공물로 인하여 발생한 손해에 대한 책임] 규정상으로는 "영조물"로 표현되어 있으나 도로나 하천이 그 예시로 제시되고 있기 때문에, 이를 강학상 공물(公物)(뒤에서 다룸)을 뜻하는 것으로 해석 ➜ ∵ 강학상 영조물은 '인적·물적 결합체'를 가리키는 표현이기 때문 ➜ 다만, 판례는 제5조 규정상의 표현을 그대로 사용하기 때문에 도로나 하천과 같은 강학상의 공물을 "영조물"이라 부르더라도 틀린 지문×

③ [무과실책임] 국가배상법 제2조를 과실책임으로 보는 것과 달리, 제5조는 무과실책임으로 봄(94다32924) ➜ ∵ 국가배상법 제5조 규정에는 국가배상법 제2조와 달리 '고의 또는 과실'이라는 표현이 등장하지 않기 때문

④ [취지] 국가❶가 설치·관리하는 공공시설로 인하여 손해가 발생한 경우에, 그와 관련된 공무원의 고의나 과실에 대한 입증이 없이도 바로 국가를 상대로 국가배상을 청구할 수 있게 하기 위한 것

(변) 민법 제758조의 공작물책임과의 비교

① 「민법」 제758조는 공작물의 설치 또는 보존의 하자로 인하여 타인에게 손해를 입힌 경우에, 그 공작물의 점유자(설치·보존자)에게 손해배상책임을 인정하고 있음 ➜ 「국가배상법」 제5조의 책임과 구조가 유사하기 때문에 서로 비교됨

> 민법 제758조(공작물등의 점유자, 소유자의 책임) ① 공작물의 설치 또는 보존의 하자로 인하여 타인에게 손해를 가한 때에는 공작물점유자가 손해를 배상할 책임이 있다. 그러나 점유자가 손해의 방지에 필요한 주의를 해태하지 아니한 때에는 그 소유자가 손해를 배상할 책임이 있다.

구분	영조물책임	공작물책임
근거 규정	국가배상법 제5조	민법 제758조
면책규정	㉠ 규정 없음 ㉡ 다만, 설치·관리의 주체에게 손해발생에 대한 예견가능성과 회피가능성이 없었거나, 설치·관리주체가 방호조치의무를 다하였다면 면책된다는 판례법리는 있음 ➜ 입증책임은 설치·관리주체가 부담	점유자가 손해 방지에 필요한 주의의무를 해태하지 않았다면 면책된다는 규정 있음(제758조 제1항 단서) ➜ 입증책임은 점유·관리자가 부담
자연공물 포함 여부	하천이나 강과 같은 자연공물도 '영조물'에 포함됨 ➜ 국가배상법 제5조의 '영조물'이 민법 제758조의 '공작물'보다 넓은 개념	하천이나 강과 같은 자연공물은 '공작물'에 포함되지 않음
손해배상의 원인(동일)	"영조물의 설치 또는 관리상의 하자"	"공작물의 설치 또는 보존상의 하자" ➜ 관리와 보존은 동의어로 이해 됨(민법)
하자의 존부 판단방법(동일)	공물의 설치·관리자가 그 공물의 위험성에 비례하여 사회통념상 일반적으로 요구되는 정도의 방호조치의무를 다하였는지 여부를 기준으로 판단	공작물의 설치·보존자가 그 공작물의 위험성에 비례하여 사회통념상 일반적으로 요구되는 정도의 방호조치의무를 다하였는지 여부를 기준으로 판단

② 판례 영조물의 설치·관리상의 하자로 인한 배상책임은 무과실책임이고, 국가는 영조물의 설치·관리상의 하자로 인하여 타인에게 손해를 가한 경우에 그 손해방지에 필요한 주의를 해태하지 아니하였다 하더라도 면책을 주장할 수 없음(94다32924) ➜ ∵ '손해방지에 필요한 주의를 해태하지 아니하였다'는 사정은, 국가배상법 제5조 책임에서의 면책사유가 아니기 때문

③ 판례 고속도로의 관리상 하자가 인정되는 경우, 고속도로의 점유관리자는 그 하자가 불가항력에 의한 것이거나, 손해의 방지에 필요한 주의의무를 해태하지 아니하였다는 점을 주장·입증하여야 비로소 그 책임을 면할 수 있음(2007다29287) ➜ 고속도로의 관리상 하자가 인정되는 경우, 고속도로는 '공물'에도 해당하고 '공작물'에도 해당하기 때문에, 피해자는 국가를 상대로 국가배상법 제5조에 근거한 손해배상청구를 할 수도 있고, 한국도로공사를 상대로 민법 제758조에 근거한 손해배상청구를 할 수도 있는데, 피해자가 한국도로공사를 상대로 민법 제758조의 손해배상책임을 추궁했던 사안

---

❶ 특별한 언급이 없는 한, 여기서도 '국가'란 국가나 지방자치단체를 포괄하여 일컫는 표현이다.

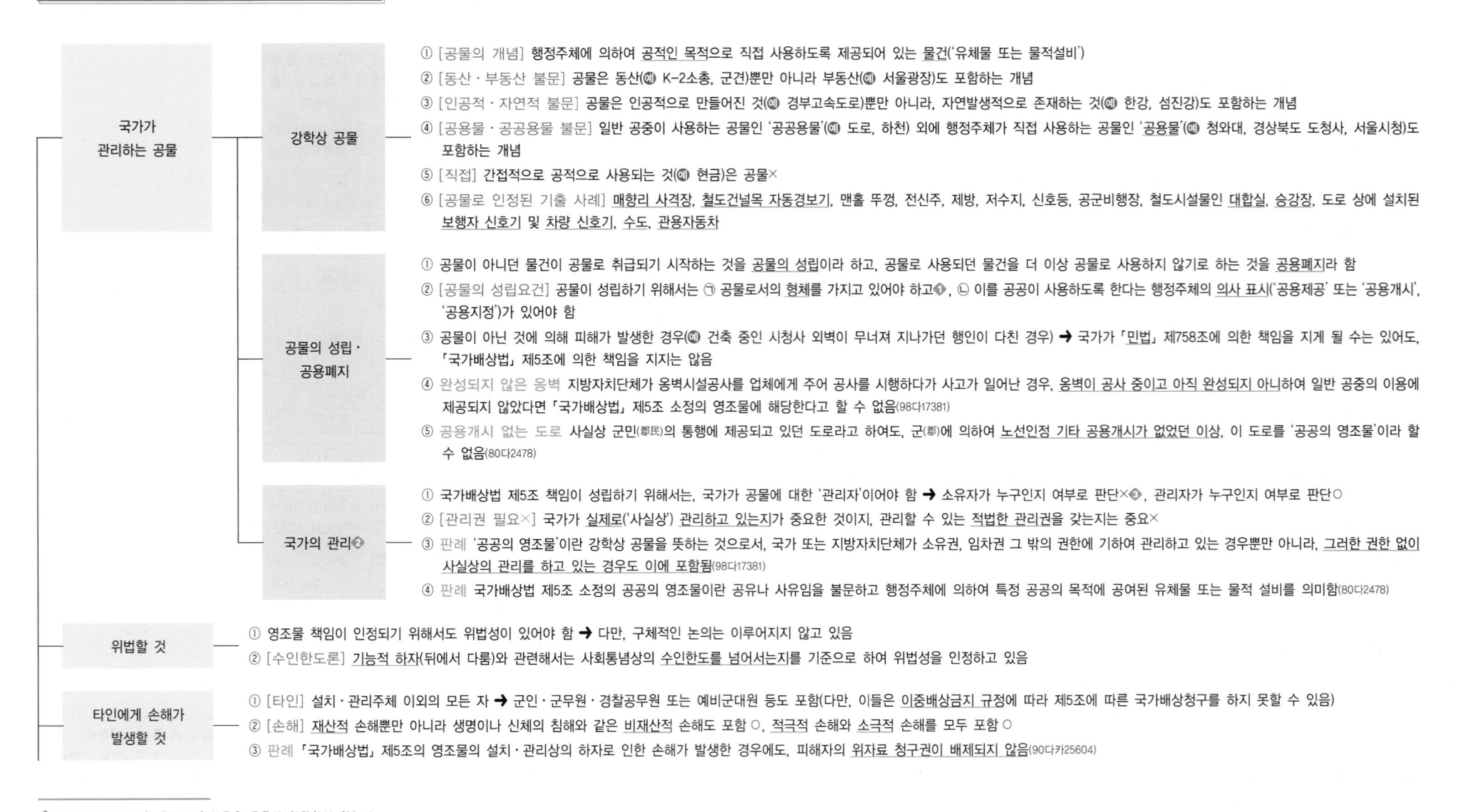

국가가 관리하는 공물

강학상 공물

① [공물의 개념] 행정주체에 의하여 공적인 목적으로 직접 사용하도록 제공되어 있는 물건('유체물 또는 물적설비')

② [동산·부동산 불문] 공물은 동산(⑩ K-2소총, 군견)뿐만 아니라 부동산(⑩ 서울광장)도 포함하는 개념

③ [인공적·자연적 불문] 공물은 인공적으로 만들어진 것(⑩ 경부고속도로)뿐만 아니라, 자연발생적으로 존재하는 것(⑩ 한강, 섬진강)도 포함하는 개념

④ [공용물·공공용물 불문] 일반 공중이 사용하는 공물인 '공공용물'(⑩ 도로, 하천) 외에 행정주체가 직접 사용하는 공물인 '공용물'(⑩ 청와대, 경상북도 도청사, 서울시청)도 포함하는 개념

⑤ [직접] 간접적으로 공적으로 사용되는 것(⑩ 현금)은 공물×

⑥ [공물로 인정된 기출 사례] 매향리 사격장, 철도건널목 자동경보기, 맨홀 뚜껑, 전신주, 제방, 저수지, 신호등, 공군비행장, 철도시설물인 대합실, 승강장, 도로 상에 설치된 보행자 신호기 및 차량 신호기, 수도, 관용자동차

공물의 성립·공용폐지

① 공물이 아니던 물건이 공물로 취급되기 시작하는 것을 공물의 성립이라 하고, 공물로 사용되던 물건을 더 이상 공물로 사용하지 않기로 하는 것을 공용폐지라 함

② [공물의 성립요건] 공물이 성립하기 위해서는 ㉠ 공물로서의 형체를 가지고 있어야 하고❶, ㉡ 이를 공공이 사용하도록 한다는 행정주체의 의사 표시('공용제공' 또는 '공용개시', '공용지정')가 있어야 함

③ 공물이 아닌 것에 의해 피해가 발생한 경우(⑩ 건축 중인 시청사 외벽이 무너져 지나가던 행인이 다친 경우) → 국가가 「민법」 제758조에 의한 책임을 지게 될 수는 있어도, 「국가배상법」 제5조에 의한 책임을 지지는 않음

④ 완성되지 않은 옹벽 지방자치단체가 옹벽시설공사를 업체에게 주어 공사를 시행하다가 사고가 일어난 경우, 옹벽이 공사 중이고 아직 완성되지 아니하여 일반 공중의 이용에 제공되지 않았다면 「국가배상법」 제5조 소정의 영조물에 해당한다고 할 수 없음(98다17381)

⑤ 공용개시 없는 도로 사실상 군민(郡民)의 통행에 제공되고 있던 도로라고 하여도, 군(郡)에 의하여 노선인정 기타 공용개시가 없었던 이상, 이 도로를 '공공의 영조물'이라 할 수 없음(80다2478)

국가의 관리❷

① 국가배상법 제5조 책임이 성립하기 위해서는, 국가가 공물에 대한 '관리자'이어야 함 → 소유자가 누구인지 여부로 판단×❸, 관리자가 누구인지 여부로 판단○

② [관리권 필요×] 국가가 실제로('사실상') 관리하고 있는지가 중요한 것이지, 관리할 수 있는 적법한 관리권을 갖는지는 중요×

③ 판례 '공공의 영조물'이란 강학상 공물을 뜻하는 것으로서, 국가 또는 지방자치단체가 소유권, 임차권 그 밖의 권한에 기하여 관리하고 있는 경우뿐만 아니라, 그러한 권한 없이 사실상의 관리를 하고 있는 경우도 이에 포함됨(98다17381)

④ 판례 국가배상법 제5조 소정의 공공의 영조물이란 공유나 사유임을 불문하고 행정주체에 의하여 특정 공공의 목적에 공여된 유체물 또는 물적 설비를 의미함(80다2478)

위법할 것

① 영조물 책임이 인정되기 위해서도 위법성이 있어야 함 → 다만, 구체적인 논의는 이루어지지 않고 있음

② [수인한도론] 기능적 하자(뒤에서 다룸)와 관련해서는 사회통념상의 수인한도를 넘어서는지를 기준으로 하여 위법성을 인정하고 있음

타인에게 손해가 발생할 것

① [타인] 설치·관리주체 이외의 모든 자 → 군인·군무원·경찰공무원 또는 예비군대원 등도 포함(다만, 이들은 이중배상금지 규정에 따라 제5조에 따른 국가배상청구를 하지 못할 수 있음)

② [손해] 재산적 손해뿐만 아니라 생명이나 신체의 침해와 같은 비재산적 손해도 포함 ○, 적극적 손해와 소극적 손해를 모두 포함 ○

③ 판례 「국가배상법」 제5조의 영조물의 설치·관리상의 하자로 인한 손해가 발생한 경우에도, 피해자의 위자료 청구권이 배제되지 않음(90다카25604)

---

❶ 예컨대, 아직 건축 중인 시청건물은 공물에 해당하지 않는다.

❷ 공물에 해당하기 위해서는 행정주체가 관리하는 것이면 충분하지만, 국가배상법 제5조에 따라 국가나 지방자치단체가 배상책임을 지게 하려면, 그 공물이 국가나 지방자치단체가 관리하는 것이어야 한다.

❸ [각론] 따라서 개인 소유의 물건도 공물일 수 있다. 다만, 공물이 국가나 지방자치단체 소유인 경우 이를 실정법상으로, "행정재산"이라 부른다.

상당인과관계가 있을 것	① 설치나 관리상의 하자와 손해발생 사이에 상당인과관계가 있을 것이 요구됨 ➔ 상당인과관계의 의미나 존부판단 방법은 제2조 책임의 경우와 동일
	② [여러 원인 중 하나인 경우] 영조물의 설치·관리상의 하자가 다른 자연적 사실이나 제3자의 행위(⑩ 짐을 싣고 가던 트럭이 도로위에 물건을 떨어뜨린 경우) 또는 피해자의 행위와 경합하여 손해를 발생시킨 경우 ➔ 이 경우에도 상당인과관계가 인정됨(94다32924) ➔ 국가배상의 인정 범위를 넓히려는 것
	③ 판례 도로관리상의 하자가 인정된다면, 비록 그 사고의 원인에 제3자의 행위가 개입되었다 하더라도 피해자는 국가에 대하여 손해배상책임을 물을 수 있음(2002다15917)
	④ 판례 공작물의 설치 또는 보존상의 하자로 인한 사고는 공작물의 설치 또는 보존상의 하자만이 손해발생의 원인이 되는 경우만을 말하는 것이 아니고, 공작물의 설치 또는 보존상의 하자가 사고의 공동원인의 하나가 되는 이상 사고로 인한 손해는 공작물의 설치 또는 보존상의 하자에 의하여 발생한 것이라고 보아야 함(2013다61602)

설치 또는 관리상의 하자 발생	하자의 의미		① '설치상'의 하자는 공물('영조물')을 설계할 당시에 발생한 하자를 말하고, '관리상'의 하자는 그 후에 발생한 하자를 말함
			② [하자의 의미 – 판례] 공물('영조물') 자체가 통상 갖추어야 할 안전성(완전무결한 상태의 고도의 안전성×)을 갖추지 못한 상태에 있는 것(2002다14242) ➔ 안전성의 구비 여부는 당해 영조물의 용도·구조, 본래의 용법, 그 설치장소의 현황, 상소적 환경 및 이용 상황 등 여러 사정을 종합적으로 구체적·개별적으로 판단(99다54004, 99다24201) ➔ 고의나 과실이 있는지 등 주관적 요소를 따지지 않는 객관적 개념('제5조 책임은 무과실책임으로 규정됨')
	하자의 존부판단	논점	판례가 하자를 객관적 개념으로 정의하고 있음에도 불구하고, 개별사건에서 하자의 존부를 판단할 때, 설치·관리자(국가 또는 지방자치단체)를 탓할 수 있겠는지 즉, 설치·관리자에 대한 주관적 비난요소를 고려할 것인지에 대해 학설이 대립 ➔ ∵ 순수하게 객관적 개념에 따라 하자의 존부를 판단하면 국가가 배상책임을 지는 범위가 너무 넓어지기 때문

		학설	주관설	① 하자의 존부판단에 주관적 비난요소를 고려해야 한다는 견해
				② 판례와 달리, 하자의 개념을 영조물을 안전하고 양호한 상태로 보전해야 할 안전관리의무 위반으로 이해함
			객관설 (다수설)	① 영조물 책임은 무과실책임으로 규정되었으므로, 하자의 존부판단에 주관적 비난요소를 고려해서는 안 된다는 견해 ➔ 주관설보다 피해자의 구제에는 유리
				② 영조물에 결함이 있다면, 그 결함이 객관적으로 보아 영조물의 설치·관리자의 관리행위가 미칠 수 없는 상황 아래에 있는 경우라도 영조물의 설치·관리상의 하자를 인정

		대법원의 입장 (절충설)	① 대법원도 하자 개념에 대한 자신의 정의와는 별개로, ㉠ 설치·관리자가 그 공물의 위험성에 비례하여 사회통념상 일반적으로 요구되는 정도의 방호조치의무를 다하였는지 여부(모든 가능한 경우를 예상하여 고도의 안전성을 갖추었는지 여부×)나 ㉡ 객관적으로 보아 시간적·장소적으로 영조물의 기능상 결함으로 인한 손해발생에 대한 예견가능성이나 회피가능성이 있었는지 여부를 기준으로 삼아 하자의 존부를 판단하고 있음 ➔ [사례] 도로에 홈이 깊게 파여 있는 경우, 그 자체로 하자의 존재를 인정하는 것이 아니라, 그것이 방치되어 있었던 경우에 하자의 존재를 인정함
			② 판례 안전성의 구비 여부는 영조물의 설치자 또는 관리자가 그 영조물의 위험성에 비례하여 사회통념상 일반적으로 요구되는 정도의 방호조치의무를 다하였는지를 기준으로 판단하여야 하고, 아울러 그 설치자 또는 관리자의 재정적·인적·물적 제약 등도 고려하여야 함(2022다225910)
			③ 판례 객관적으로 보아 시간적·장소적으로 영조물의 기능상 결함으로 인한 손해발생의 예견가능성과 회피가능성이 없는 경우 즉, 그 영조물의 결함이 영조물의 설치·관리자의 관리행위가 미칠 수 없는 상황 아래에 있는 경우에는 영조물의 설치관리상의 하자를 인정할 수 없음(2010다33354, 99다54004)
			④ 판례 영조물의 설치 및 관리에 있어서 항상 완전무결한 상태를 유지할 정도의 고도의 안전성을 갖추지 아니하였다고 하여 영조물의 설치 또는 관리에 하자가 있다고 단정할 수 없고, 영조물의 설치자 또는 관리자에게 부과되는 방호조치의무는 영조물의 위험성에 비례하여 사회통념상 일반적으로 요구되는 정도의 것을 의미(2002다9158, 99다24201)

<table>
<tr>
<td rowspan="2">구체적 기준
– 도로 관리</td>
<td>① [일반론] 영조물인 도로의 경우도 다른 생활필수시설과의 관계나 그것을 설치하고 관리하는 주체의 재정적, 인적, 물적 제약 등을 고려하여 그것을 이용하는 자의 상식적이고 질서 있는 이용방법을 기대한 상대적인 안전성을 갖추는 것으로 족함(2002다9158)</td>
</tr>
</table>

구체적 기준
– 도로 관리

① [일반론] 영조물인 도로의 경우도 다른 생활필수시설과의 관계나 그것을 설치하고 관리하는 주체의 재정적, 인적, 물적 제약 등을 고려하여 그것을 이용하는 자의 상식적이고 질서 있는 이용방법을 기대한 상대적인 안전성을 갖추는 것으로 족함(2002다9158)

② 강설시 고속도로 관리 강설에 대처하기 위하여 완벽한 방법으로 도로 자체에 융설설비를 갖추는 것은 현대의 과학기술 수준이나 재정사정에 비추어 사실상 불가능하다고 하더라도, 고속도로 도로관리자에게 도로의 구조, 기상예보 등을 고려하여 사전에 충분한 인적·물적 설비를 갖추어 강설시 신속한 제설작업을 하고, 나아가 필요한 경우 제때에 교통통제 조치를 취함으로써 고속도로로서의 기본적인 기능을 유지하거나 신속히 회복할 수 있도록 해야 하는 관리의무는 있음(2007다29287) ➔ 폭설로 차량 운전자 등이 경부고속도로 남이고개에서 장시간 고립되었던 것에 대하여 국가배상을 인정한 사건

③ 강설시 일반도로 관리 적설지대가 아닌 지역의 도로 또는 고속도로 등 특수 목적의 도로가 아닌 일반 도로의 경우, 강설로 인하여 발생한 도로통행상의 위험을 즉시 배제하여 그 안전성을 확보할 의무가 인정되지 않음(99다54998) ➔ 오히려 그러한 경우의 도로통행의 안전성은 그와 같은 위험에 대면하여 도로를 이용하는 통행자 개개인의 책임으로 확보하여야 한다고 보았음

④ 제3자의 행위로 결함이 발생한 경우 도로의 설치 후 제3자의 행위에 의하여 그 본래 목적인 통행상의 안전에 결함이 발생한 경우에는 도로에 그와 같은 결함이 있다는 것만으로 성급하게 도로의 보존상 하자를 인정하여서는 안 되고, 당해 도로의 구조, 장소적 환경과 이용 상황 등 제반 사정을 종합하여 그와 같은 결함을 제거하여 원상으로 복구할 수 있는데도 이를 방치한 것인지를 개별적, 구체적으로 심리하여 하자의 유무를 판단하여야 함(2002다15917)

구체적 기준
– 하천 관리

① 하천정비기본계획에서 정하는 계획홍수위를 기준으로 관리하고 있었던 경우 – 하자✕ 관리청이 하천법 등 관련규정에 의해 책정한 하천정비기본계획 등에 따라 개수를 완료한 하천 또는 아직 개수중이라 하더라도 개수를 완료한 부분에 있어서는, 위 하천정비기본계획 등에서 정한 계획홍수량 및 계획홍수위를 충족하여 하천이 관리되고 있다면, 당초부터 계획홍수량 및 계획홍수위를 잘못 책정하였다거나 그 후 이를 시급히 변경해야 할 사정이 생겼음에도 불구하고 이를 해태하였다는 등의 특별한 사정이 없는 한, 하천이 범람하거나 유량을 지탱하지 못해 제방이 무너졌다 하더라도, 그 하천은 용도에 따라 통상 갖추어야 할 안전성을 갖추고 있다고 보아야 함(2005다65678) ➔ 계획홍수위(하천홍수위)는 제방이 홍수시에 버틸 수 있는 최대수위를 말하는데, 제방은 계획홍수위에 여유고를 더한 높이로 설치됨 ※ 대법원은 계획홍수위가 지난 100년 정도의 강우량을 고려하여 산정된 것이라면 특별한 사정이 없는 한 하자가 없다고 보고 있음

② 계획홍수위는 넘었으나 새로운 하천시설기준상 여유고를 확보하지 않은 경우 – 하자✕ 계획홍수위를 변경시켜야 할 사정이 생기는 등 특별한 사정이 없는 한, 하천의 제방이 계획홍수위를 넘고 있다면, 후에 하천에 새로운 하천시설을 설치할 때 '하천시설기준'으로 정한 여유고(餘裕高)를 확보하지 못하고 있다는 사정만으로 안정성이 결여된 하자가 있다고 볼 수는 없음(2001다48057) ➔ 대법원은 계획홍수위가 문제 없이 산정된 것이라면, 계획홍수위를 기준으로 하자의 존부를 판단함

하자 인정례

① 방치되어 있던 신호기 밤중에 낙뢰로 신호기에 고장이 발생하여 보행자신호기와 차량신호기에 동시에 녹색등이 표시되게 되었는데, 이러한 고장 사실이 다음 날 3차례에 걸쳐 경찰청 교통정보센터에 신고되었고, 교통정보센터는 수리업체에 연락하여 수리하도록 하였으나 수리업체 직원이 고장 난 신호등을 찾지 못하여 위 신호기가 고장난 채 방치되어 있던 중 보행자신호기의 녹색등을 보고 횡단보도를 건너던 B가 차량신호기의 녹색등을 보고 도로를 주행하던 승용차에 치여 교통사고를 당한 경우(99다11120)

② 가변차로 신호기 C는 자동차를 운전하여 가던 중 가변차로에 설치된 두 개의 신호기에서 서로 모순되는 신호가 들어오는 바람에 반대방향에서 오던 승용차와 충돌하여 부상을 입은 경우에, 적정전압보다 낮은 저전압이 원인이 되어 위와 같은 오작동이 발생하였던 것이고, 그 고장은 현재의 기술수준상 예방할 방법이 없었던 것이었다면, 국가배상책임이 인정됨(2000다56822) ➔ 현재 기술수준상 예방할 방법이 없었던 것이라면 오히려 설치하지 말았어야 한다고 보았음

③ 적색등이 안 들어오는 보행자 신호기 보행자 신호기가 고장난 횡단보도 상에서 교통사고가 발생한 경우, 적색등의 전구가 단선되어 있었던 위 보행자 신호기는 그 용도에 따라 통상 갖추어야 할 안전성을 갖추지 못한 관리상의 하자가 있어 국가배상책임이 인정된다고 보아야 함(2005다51235) ➔ 이 상황에서 발생한 사고가 순전히 보행자나 운전자만을 탓할 수 있는 경우인지의 관점에서 하자의 존부가 논의가 되었음

하자 부정례

① 새벽에 고속도로 위에 떨어진 타이어 A가 운전하던 트럭의 앞바퀴가 고속도로 상에 떨어져 있는 타이어에 걸려, 03 : 25경 중앙분리대를 넘어가 맞은편에서 오던 트럭과 충돌하여 A가 사망하였는데, 위 타이어가 사고지점 고속도로상에 떨어진 것은 사고가 발생하기 10분 내지 15분 전이었던 경우라면 손해배상책임✕(92다3243)

② 소등된 정지신호 D는 자동차를 운전하고 가던 중 서울 시내 교차로의 진행방향 신호기의 정지신호가 단선으로 소등되어 있는 상태에서 그대로 진행하다가 좌우 다른 방향의 진행신호에 따라 교차로에 진입한 차량과 충돌하여 부상을 입었는데, 사고 당시 서울 전역에 약 13만여 개의 신호등 전구가 설치되어 있었고, 그 중 약 300여 개가 하루에 소등되는데 신호등 전구의 수명은 예측 곤란하였다는 사정이 있었다면, 이 경우 국가배상책임은 인정✕(99다54004)

③ 출입금지장치나 경고표지판을 설치하지 않은 화장실 창문 학생이 담배를 피우기 위하여 3층 건물 화장실 밖의 난간을 지나다가 실족하여 사망한 경우, 학교관리자에게 그와 같은 이례적인 사고가 있을 것을 예상하여 화장실 창문에 난간으로의 출입을 막기 위한 출입금지장치나 추락 위험을 알리는 경고표지판을 설치할 의무는 없으므로, 그러한 장치나 표지판을 설치하지 않았다 하더라도, 학교시설의 설치·관리상의 하자는 인정✕(96다54102)

④ 운전자가 무리하게 추월했기 때문에 사고가 난 경우 甲이 자동차로 좌로 굽은 내리막 국도 편도 1차로를 달리던 중 커브 길에서 앞선 차량을 무리하게 추월하기 위하여 중앙선을 침범하여 반대편 도로를 벗어나 도로 옆 계곡으로 떨어져 중상해를 입은 경우, 반대편 갓길에 차량용 방호울타리를 설치하지 않았다고 하더라도 도로에 통상 갖추어야 할 안전성이 결여된 설치·관리상의 하자가 있다고 보기 어려움(2013다208074) ➔ ∵ 방호울타리를 설치하지 않아 중상해를 입은 것이 아니기 때문 ➔ 인과관계 존부 판단과 하자 존부 판단을 연동시키고 있음

⑤ 눈이 내린 직후의 산간지역 국도에서 사고가 난 경우 乙이 자동차로 겨울철 눈이 내린 직후에 산간지역에 위치한 국도를 달리던 중 도로에 생긴 빙판길에 미끄러져 상해를 입은 경우, 강설로 생긴 빙판을 그대로 방치하고 도로상황에 대한 경고나 위험표지판을 설치하지 않았다는 사정만으로는 도로관리상의 하자가 있다고 볼 수 없음(99다54998) ➔ ∵ 경고나 위험표지판을 설치하지 않아 상해를 입은 것이 아니기 때문 ➔ 눈이 내린 직후의 산간도로라는 사정과 일반도로라는 사정을 고려한 것임

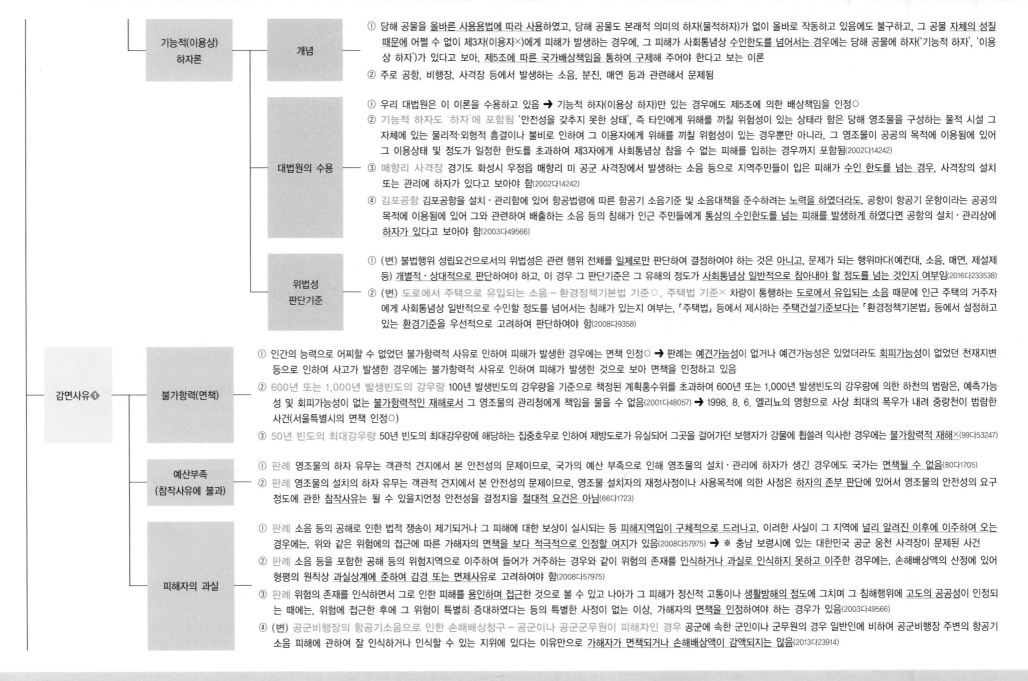

기능적(이용상) 하자론	개념	① 당해 공물을 올바른 사용용법에 따라 사용하였고, 당해 공물도 본래적 의미의 하자(물적하자)가 없이 올바로 작동하고 있음에도 불구하고, 그 공물 자체의 성질 때문에 어쩔 수 없이 제3자(이용자×)에게 피해가 발생하는 경우에, 그 피해가 사회통념상 수인한도를 넘어서는 경우에는 당해 공물에 하자('기능적 하자', '이용상 하자')가 있다고 보아, 제5조에 따른 국가배상책임을 통하여 구제해 주어야 한다고 보는 이론 ② 주로 공항, 비행장, 사격장 등에서 발생하는 소음, 분진, 매연 등과 관련해서 문제됨
	대법원의 수용	① 우리 대법원은 이 이론을 수용하고 있음 ➜ 기능적 하자(이용상 하자)만 있는 경우에도 제5조에 의한 배상책임을 인정○ ② 기능적 하자도 '하자'에 포함됨 '안전성을 갖추지 못한 상태', 즉 타인에게 위해를 끼칠 위험성이 있는 상태라 함은 당해 영조물을 구성하는 물적 시설 그 자체에 있는 물리적·외형적 흠결이나 불비로 인하여 그 이용자에게 위해를 끼칠 위험성이 있는 경우뿐만 아니라, 그 영조물이 공공의 목적에 이용됨에 있어 그 이용상태 및 정도가 일정한 한도를 초과하여 제3자에게 사회통념상 참을 수 없는 피해를 입히는 경우까지 포함됨(2002다14242) ③ 매향리 사격장 경기도 화성시 우정읍 매향리 미 공군 사격장에서 발생하는 소음 등으로 지역주민들이 입은 피해가 수인 한도를 넘는 경우, 사격장의 설치 또는 관리에 하자가 있다고 보아야 함(2002다14242) ④ 김포공항 김포공항을 설치·관리함에 있어 항공법령에 따른 항공기 소음기준 및 소음대책을 준수하려는 노력을 하였더라도, 공항이 항공기 운항이라는 공공의 목적에 이용됨에 있어 그와 관련하여 배출하는 소음 등의 침해가 인근 주민들에게 통상의 수인한도를 넘는 피해를 발생하게 하였다면 공항의 설치·관리상에 하자가 있다고 보아야 함(2003다49566)
	위법성 판단기준	① (변) 불법행위 성립요건으로서의 위법성은 관련 행위 전체를 일체로만 판단하여 결정하여야 하는 것은 아니고, 문제가 되는 행위마다(예컨대, 소음, 매연, 제설제 등) 개별적·상대적으로 판단하여야 하고, 이 경우 그 판단기준은 그 유해의 정도가 사회통념상 일반적으로 참아내야 할 정도를 넘는 것인지 여부임(2016다233538) ② (변) 도로에서 주택으로 유입되는 소음 – 환경정책기본법 기준○, 주택법 기준× 차량이 통행하는 도로에서 유입되는 소음 때문에 인근 주택의 거주자에게 사회통념상 일반적으로 수인할 정도를 넘어서는 침해가 있는지 여부는, 「주택법」 등에서 제시하는 주택건설기준보다는 「환경정책기본법」 등에서 설정하고 있는 환경기준을 우선적으로 고려하여 판단하여야 함(2008다9358)
감면사유①	불가항력(면책)	① 인간의 능력으로 어찌할 수 없었던 불가항력적 사유로 인하여 피해가 발생한 경우에는 면책 인정○ ➜ 판례는 예견가능성이 없거나 예견가능성은 있었더라도 회피가능성이 없었던 천재지변 등으로 인하여 사고가 발생한 경우에는 불가항력적 사유로 인하여 피해가 발생한 것으로 보아 면책을 인정하고 있음 ② 600년 또는 1,000년 발생빈도의 강우량 100년 발생빈도의 강우량을 기준으로 책정된 계획홍수위를 초과하여 600년 또는 1,000년 발생빈도의 강우량에 의한 하천의 범람은, 예측가능성 및 회피가능성이 없는 불가항력적인 재해로서 그 영조물의 관리청에게 책임을 물을 수 없음(2001다48057) ➜ 1998. 8. 6. 엘리뇨의 영향으로 사상 최대의 폭우가 내려 중랑천이 범람한 사건(서울특별시의 면책 인정○) ③ 50년 빈도의 최대강우량 50년 빈도의 최대강우량에 해당하는 집중호우로 인하여 제방도로가 유실되어 그곳을 걸어가던 보행자가 강물에 휩쓸려 익사한 경우에는 불가항력적 재해×(99다53247)
	예산부족 (참작사유에 불과)	① 판례 영조물의 하자 유무는 객관적 견지에서 본 안전성의 문제이므로, 국가의 예산 부족으로 인해 영조물의 설치·관리에 하자가 생긴 경우에도 국가는 면책될 수 없음(80다1705) ② 판례 영조물의 설치의 하자 유무는 객관적 견지에서 본 안전성의 문제이므로, 영조물 설치자의 재정사정이나 사용목적에 의한 사정은 하자의 존부 판단에 있어서 영조물의 안전성의 요구 정도에 관한 참작사유는 될 수 있을지언정 안전성을 결정지을 절대적 요건은 아님(66다1723)
	피해자의 과실	① 판례 소음 등의 공해로 인한 법적 쟁송이 제기되거나 그 피해에 대한 보상이 실시되는 등 피해지역임이 구체적으로 드러나고, 이러한 사실이 그 지역에 널리 알려진 이후에 이주하여 오는 경우에는, 위와 같은 위험에의 접근에 따른 가해자의 면책을 보다 적극적으로 인정할 여지가 있음(2008다57975) ➜ ※ 충남 보령시에 있는 대한민국 공군 웅천 사격장이 문제된 사건 ② 판례 소음 등을 포함한 공해 등의 위험지역으로 이주하여 들어가 거주하는 경우와 같이 위험의 존재를 인식하거나 과실로 인식하지 못하고 이주한 경우에는, 손해배상액의 산정에 있어 형평의 원칙상 과실상계에 준하여 감경 또는 면제사유로 고려하여야 함(2008다57975) ③ 판례 위험의 존재를 인식하면서 그로 인한 피해를 용인하며 접근한 것으로 볼 수 있고 나아가 그 피해가 정신적 고통이나 생활방해의 정도에 그치며 그 침해행위에 고도의 공공성이 인정되는 때에는, 위험에 접근한 후에 그 위험이 특별히 증대하였다는 등의 특별한 사정이 없는 이상, 가해자의 면책을 인정하여야 하는 경우가 있음(2003다49566) ④ (변) 공군비행장의 항공기소음으로 인한 손해배상청구 – 공군이나 공군군무원이 피해자인 경우 공군에 속한 군인이나 군무원의 경우 일반인에 비하여 공군비행장 주변의 항공기소음 피해에 관하여 잘 인식하거나 인식할 수 있는 지위에 있다는 이유만으로 가해자가 면책되거나 손해배상액이 감액되지는 않음(2013다23914)

입증책임	① [성립요건의 구비] 하자가 존재한다는 점에 대해서는 원고인 피해자가 입증책임을 부담 ➡ [면책사유의 존재] 원고가 하자가 존재한다는 점을 입증하면, 설치·관리자는 손해발생의 예견가능성과 회피가능성이 없었다는 점에 대한 입증책임을 짐
	② 판례 편도 2차선 도로의 1차선 상에 교통사고의 원인이 될 수 있는 크기의 돌멩이가 방치되어 있었고(원고가 입증함), 도로의 점유·관리자가 그것에 대한 관리가능성이 없다는 입증을 하지 못하고 있다면, 이는 도로 관리·보존상의 하자에 해당함(97다32536)

성립요건 충족의 효과

권리의무의 변동	① 국가배상법 제5조의 성립요건이 충족된 경우 ➡ ㉠ 국가나 지방자치단체는 국가배상법 제5조에 근거한 손해배상의무를 부담하게 되고, ㉡ 피해자는 국가배상법 제5조에 근거한 손해배상청구권을 갖게 됨
	② [사무귀속주체의 책임] 구체적으로는, 국가나 지방자치단체 중 문제가 된 공물의 설치나 관리사무를 맡은 자('사무귀속주체')('설치·관리주체')('설치·관리자')가 제5조에 근거한 손해배상의무를 부담함 ➡ ㉮ 국도의 관리상 하자로 인하여 손해가 발생한 경우에는 국가가, 지방도의 관리상 하자로 인하여 손해가 발생한 경우에는 지방자치단체가 손해배상의무를 부담함
원인자책임 (제5조 제2항)	국가나 지방자치단체가 영조물 책임을 부담하게 된 경우에, 손해의 원인에 대하여 책임을 질 자(㉮ 부실하게 도로 공사를 한 건설업체, 도로를 파손한 자)가 따로 있다면, 국가나 지방자치단체는 그 자에게 구상할 수 있음(대내적 책임에 관한 문제)
제2조와 제5조의 관계	① 영조물에 대한 설치 또는 관리행위가 공무원의 직무행위인 경우 ➡ 제2조 책임과 제5조 책임이 둘 다 성립하여 경합할 수 있음 ➡ 피해자는 선택적으로 청구 가능○
	② 양자의 충족 여부는 별개로 판단되는 것 ➡ 불가항력 등 영조물 책임의 면책사유가 있어도, 공무원의 과실로 피해가 확대된 경우(즉, 제2조 책임의 요건을 갖춘 경우)(㉮ 1,000년 빈도의 강수로 홍수가 났다 하더라도, 그러한 강수가 예상됨에도 불구하고 공무원이 사전에 하천통제를 하지 않아 피해가 발생한 경우)에는 그 한도 내에서 국가배상법 제2조의 배상책임은 인정됨
준용규정	국가배상법 제5조의 책임이 성립하는 경우에도 제2조 제1항 단서(이중배상금지), 제3조(손해배상의 범위), 제6조(비용부담자가 별도로 있는 경우의 손해배상), 제7조(외국인의 국가배상청구권) 규정이 그대로 적용됨

❶ [더 들어가기] 실제 국가배상청구소송 사건에서는 '하자의 존부'에 대한 판단과 '감면사유의 존부'에 대한 판단이, 하자의 존부판단 단계에서 한꺼번에 이루어 진다. 객관설은 하자의 존재를 널리 인정하는 대신, 감면사유라는 항목을 별도로 검토하여 결론적으로는 국가배상법 제5조 책임의 인정 범위를 좁히고 있는데, 객관설이 전통적 다수설의 입장이기 때문에, 그에 따라 학문적 논의가 이루어지고 있는 것뿐이다. 수험적으로는 국가배상책임이 인정되는지 여부만 기억하면 된다.

국가배상청구권의 행사(제2조 책임, 제5조 책임 공통)

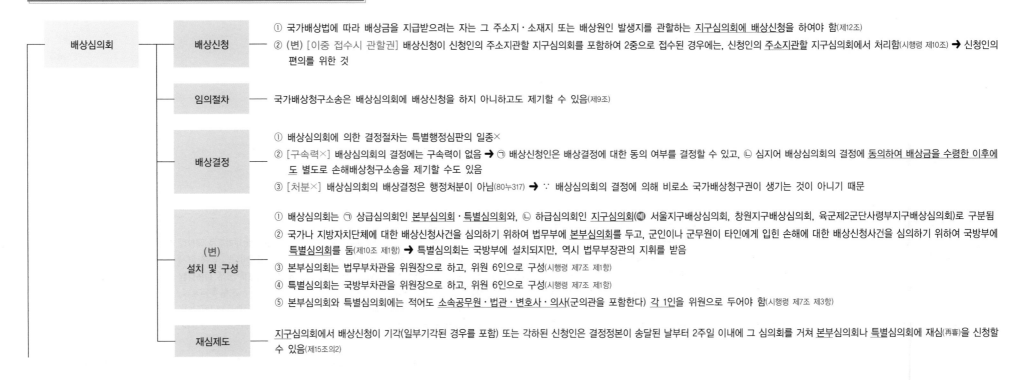

배상심의회

배상신청
① 국가배상법에 따라 배상금을 지급받으려는 자는 그 주소지·소재지 또는 배상원인 발생지를 관할하는 지구심의회에 배상신청을 하여야 함(제12조)
② (변) [이중 접수시 관할권] 배상신청이 신청인의 주소지관할 지구심의회를 포함하여 2중으로 접수된 경우에는, 신청인의 주소지관할 지구심의회에서 처리함(시행령 제10조) ➔ 신청인의 편의를 위한 것

임의절차
국가배상청구소송은 배상심의회에 배상신청을 하지 아니하고도 제기할 수 있음(제9조)

배상결정
① 배상심의회에 의한 결정절차는 특별행정심판의 일종×
② [구속력×] 배상심의회의 결정에는 구속력이 없음 ➔ ㉠ 배상신청인은 배상결정에 대한 동의 여부를 결정할 수 있고, ㉡ 심지어 배상심의회의 결정에 동의하여 배상금을 수령한 이후에도 별도로 손해배상청구소송을 제기할 수도 있음
③ [처분×] 배상심의회의 배상결정은 행정처분이 아님(80누317) ➔ ∵ 배상심의회의 결정에 의해 비로소 국가배상청구권이 생기는 것이 아니기 때문

**(변)
설치 및 구성**
① 배상심의회는 ㉠ 상급심의회인 본부심의회·특별심의회와, ㉡ 하급심의회인 지구심의회(예 서울지구배상심의회, 창원지구배상심의회, 육군제2군단사령부지구배상심의회)로 구분됨
② 국가나 지방자치단체에 대한 배상신청사건을 심의하기 위하여 법무부에 본부심의회를 두고, 군인이나 군무원이 타인에게 입힌 손해에 대한 배상신청사건을 심의하기 위하여 국방부에 특별심의회를 둠(제10조 제1항) ➔ 특별심의회는 국방부에 설치되지만, 역시 법무부장관의 지휘를 받음
③ 본부심의회는 법무부차관을 위원장으로 하고, 위원 6인으로 구성(시행령 제7조 제1항)
④ 특별심의회는 국방부차관을 위원장으로 하고, 위원 6인으로 구성(시행령 제7조 제1항)
⑤ 본부심의회와 특별심의회에는 적어도 소속공무원·법관·변호사·의사(군의관을 포함한다) 각 1인을 위원으로 두어야 함(시행령 제7조 제3항)

재심제도
지구심의회에서 배상신청이 기각(일부기각된 경우를 포함) 또는 각하된 신청인은 결정정본이 송달된 날부터 2주일 이내에 그 심의회를 거쳐 본부심의회나 특별심의회에 재심(再審)을 신청할 수 있음(제15조의2)

국가배상청구권의 소멸시효	① [기간] 국가배상청구권은 ⊙ 피해자나 그 법정대리인이 그 손해 및 가해자를 안 날로부터 3년 ⓒ 또는 불법행위가 종료한 날로부터 5년간 이를 행사하지 아니하면 시효로 인하여 소멸함(2004다33469, 2008다60223)(국가배상법 제8조, 민법 제766조, 국가재정법 제96조)

① [기간] 국가배상청구권은 ⊙ 피해자나 그 법정대리인이 그 손해 및 가해자를 안 날로부터 3년 ⓒ 또는 불법행위가 종료한 날로부터 5년간 이를 행사하지 아니하면 시효로 인하여 소멸함(2004다33469, 2008다60223)(국가배상법 제8조, 민법 제766조, 국가재정법 제96조)

② [주관적 소멸시효의 기산점] 국가배상법상 배상청구권의 시효와 관련하여 '가해자를 안다는 것'은 피해자나 그 법정대리인이 가해 공무원의 불법행위가 그 직무를 집행함에 있어서 행해진 것이라는 사실을 인식함까지 요구함(88다카32500) ➡ 기산점을 늦춤으로써 피해자를 보호하려는 것

③ 소멸시효 완성의 항변이 신의성실의 원칙에 반하는 경우, 소멸시효 항변은 허용×

④ 중대장이 사건을 은폐하였기 때문에 국가가 소멸시효완성 항변을 못했던 사건 – 가해자인 선임하사에게 원칙적으로 구상× 국가배상청구권의 소멸시효기간이 지났으나, 국가가 소멸시효완성을 주장하는 것이 신의성실의 원칙에 반하는 권리남용으로 허용될 수 없어 배상책임을 이행한 경우에는, 그 소멸시효 완성 주장이 권리남용에 해당하게 된 원인행위와 관련하여 가해 공무원이 그 원인이 되는 행위를 적극적으로 주도하였다는 등의 특별한 사정이 없는 한, 원칙적으로 국가의 해당 공무원에 대한 구상권 행사는 신의칙상 허용되지 않음(2015다217843, 2015다200258) ➡ 甲이 1965년에 선임하사 乙로부터 구타를 당하여 사망하였으나, 해당부대 중대장 丙의 지시에 따라 甲이 취침 중 심장마비로 사망한 것으로 사건이 은폐되었다가, 2009년에 가서야 군의문사진상규명위원회에 대한 진정과 관련자 조사를 거쳐 甲이 구타로 인해 사망하였다는 것이 밝혀진 사건 ➡ 유족들이 국가를 상대로 국가배상청구소송을 제기하였고, 그 소송에서 국가는 국가배상청구권이 소멸시효 완성(불법행위가 종료한 날로부터 5년)으로 소멸하였음을 주장하였으나, 대법원이 이를 신의칙을 이유로 배척하여 국가가 甲의 유족에 대하여 국가배상을 하였음 ➡ 그 후에 국가는 선임하사 乙을 상대로 구상권을 행사하였는데, 대법원은 소멸시효완성 항변 배척의 원인이 된 은폐는 乙이 아니라 해당부대 중대장 丙의 주도적인 지시에 따른 것이었다는 점을 들어 乙에 대한 국가의 구상권의 행사를 신의칙을 이유로 허용하지 않았음

양도·압류의 제한	생명 또는 신체(재산권×) 침해로 인한 국가배상을 받을 권리 ➡ 양도×, 압류×(제4조)

외국인의 국가배상청구	① [상호주의] 외국인이 피해자인 경우 해당 국가와 상호보증이 있을 때에만 국가배상법을 적용함(제7조) ➡ 외국인은 대한민국 구역 내에 있다는 이유만으로는 국가배상청구권이 인정되지 않고, 상호주의에 따라 외국인이 국가배상청구권을 갖는 경우도 있고, 갖지 못하는 경우도 있게 됨

① [상호주의] 외국인이 피해자인 경우 해당 국가와 상호보증이 있을 때에만 국가배상법을 적용함(제7조) ➡ 외국인은 대한민국 구역 내에 있다는 이유만으로는 국가배상청구권이 인정되지 않고, 상호주의에 따라 외국인이 국가배상청구권을 갖는 경우도 있고, 갖지 못하는 경우도 있게 됨

② [상호보증의 조건 – 조약체결×, 인정사례×, 인정기대○] 국가배상법 제7조가 정하는 상호보증은 외국의 법령, 판례 및 관례 등에 의하여 발생요건을 비교하여 인정되면 충분하고, 반드시 당사국과의 조약이 체결되어 있을 필요는 없으며, 당해 외국에서 구체적으로 우리나라 국민에게 국가배상청구를 인정한 사례가 없더라도 실제로 인정될 것이라고 기대할 수 있는 상태이면 충분함(2013다208388)

③ 판례 일본 「국가배상법」이 국가배상청구권의 발생요건 및 상호보증에 관하여 우리나라 「국가배상법」과 동일한 내용을 규정하고 있는 점 등에 비추어, 우리나라와 일본 사이에 우리나라 「국가배상법」 제7조가 정하는 상호보증이 있다고 보아야 함(2013다208388)

제3조의 의미

① 제3조는 국가배상책임으로 인한 구체적인 배상기준에 관하여 자세하게 규정하고 있음 ➔ [논점] 제3조가 배상액의 상한을 정한 것인지 여부에 대해 학설이 대립

② [대법원 – 기준액설] 국가배상법의 배상기준(제3조)은 배상심의회가 배상액을 결정함에 있어, 배상액의 상한을 정한 제한규정이 아니라, 하나의 기준이 되는 일응의 표준을 제시한 것에 불과하므로, 반드시 국가배상의 범위가 제3조에 따른 기준에 의해 제한되는 것은 아니어서, 법원이 국가배상법에 의한 손해배상액을 산정함에 있어서 그 기준에 구애되는 것은 아님(69다1772, 69다1203) ➔ 구체적인 사정을 따져 제3조에 제시된 기준에서 증감이 가능○

③ [상당인과관계가 인정되는 범위 내에서의 손해에 대한 배상] 공무원이 고의 또는 과실로 그에게 부과된 직무상 의무를 위반하였을 경우라고 하더라도 국가는 그러한 직무상의 의무위반과 피해자가 입은 손해 사이에 상당인과관계가 인정되는 범위 내에서만 배상책임을 짐(2008다77795) ➔ 제3조는 상당인과관계가 인정되는 범위 내의 손해에 대한 표준을 제시한 것에 불과

국가배상법 제3조(배상기준) ① 제2조 제1항을 적용할 때 타인을 사망하게 한 경우 피해자의 상속인(이하 "유족"이라 한다)에게 다음 각 호의 기준에 따라 배상한다.
1. 사망 당시의 월급액이나 월실수입액 또는 평균임금에 장래의 취업가능기간을 곱한 금액의 유족배상
2. 대통령령으로 정하는 장례비
② 제2조 제1항을 적용할 때 타인의 신체에 해를 입힌 경우에는 피해자에게 다음 각 호의 기준에 따라 배상한다.
1. 필요한 요양을 하거나 이를 대신할 요양비
2. 제1호의 요양으로 인하여 월급액이나 월실수입액 또는 평균임금의 수입에 손실이 있는 경우에는 요양기간 중 그 손실액의 휴업배상
③ 제2조 제1항을 적용할 때 타인의 물건을 멸실·훼손한 경우에는 피해자에게 다음 각 호의 기준에 따라 배상한다.
1. 피해를 입은 당시의 그 물건의 교환가액 또는 필요한 수리를 하거나 이를 대신할 수리비
2. 제1호의 수리로 인하여 수입에 손실이 있는 경우에는 수리기간 중 그 손실액의 휴업배상
⑤ 사망하거나 신체의 해를 입은 피해자의 직계존속·직계비속 및 배우자, 신체의 해나 그 밖의 해를 입은 피해자에게는 대통령령으로 정하는 기준 내에서 피해자의 사회적 지위, 과실의 정도, 생계 상태, 손해배상액 등을 고려하여 그 정신적 고통에 대한 위자료를 배상하여야 한다.

재산권 침해에 대한 위자료 청구

① [허용○] 국가배상법은 생명·신체의 침해에 대한 위자료의 지급만을 규정(제3조 제5항)하고 있지만, 재산권의 침해로 인한 위자료 청구가 허용되지 않는 것은 아님(90다6033)

② (변) [다만, 특별한 사정에 대한 별도 입증 필요] 재산상의 손해로 인하여 받은 정신적 고통은, 그로 인하여 재산상 손해의 배상만으로는 전보될 수 없을 정도의 심대한 것이라고 볼 만한 특별한 사정이 없는 한, 재산상 손해배상으로써 위자(慰藉)됨(96다38971)

손익상계

① 피해자가 손해를 입은 동시에 이익을 얻은 경우에는 손해배상액에서 그 이익에 상당하는 금액을 빼야 함(제3조의2) ➔ [사례] 교통사고로 인하여 5세 어린이 甲이 사망하자, 그의 아버지 乙이 가해자 丙을 상대로 손해배상을 청구한 경우, 甲이 살아있었더라면 乙이 장차 지출하였어야 했을 甲에 대한 부양비는 손해배상액에서 빼야함

② (변) [손익상계의 대상 – 필연적으로 발생하게 되는 이익만] 행정기관의 위법한 행정지도로 일정기간 어업권을 행사하지 못하는 손해를 입은 자가, 그 어업권을 타인에게 매도하여 매매대금 상당의 이득을 얻은 경우, 손해배상액의 산정에서 그 이득을 손익상계할 수 없음(2006다18228) ➔ 행정기관이 어업면허를 가지고 있던 甲에 대하여 간척사업의 진행을 위해 '해당 어업면허 구역에 장차 간척사업이 있을 것인데, 어업을 중단하지 않으면 보상협의시에 보상대상에서 제외될 수 있고, 어업면허를 철회할 수도 있다'고 위법한 행정지도(사실상 협박)를 하자, 甲이 아직 유효기간이 5년이나 남아 있던 어업면허를 타인에게 양도한 사안 ➔ 후에 甲이 그 위법한 행정지도로 인하여 입은 손해에 대하여 국가배상을 청구하였는데, 국가 측에서 甲이 어업면허를 팔아 취득한 매매대금 만큼은 손해배상액에서 감해야 한다고 주장하자, 대법원이 이 주장을 배척하였음(∵ 협박이 있었다고 해서 매도가 필연적으로 발생하는 것은 아니기 때문)

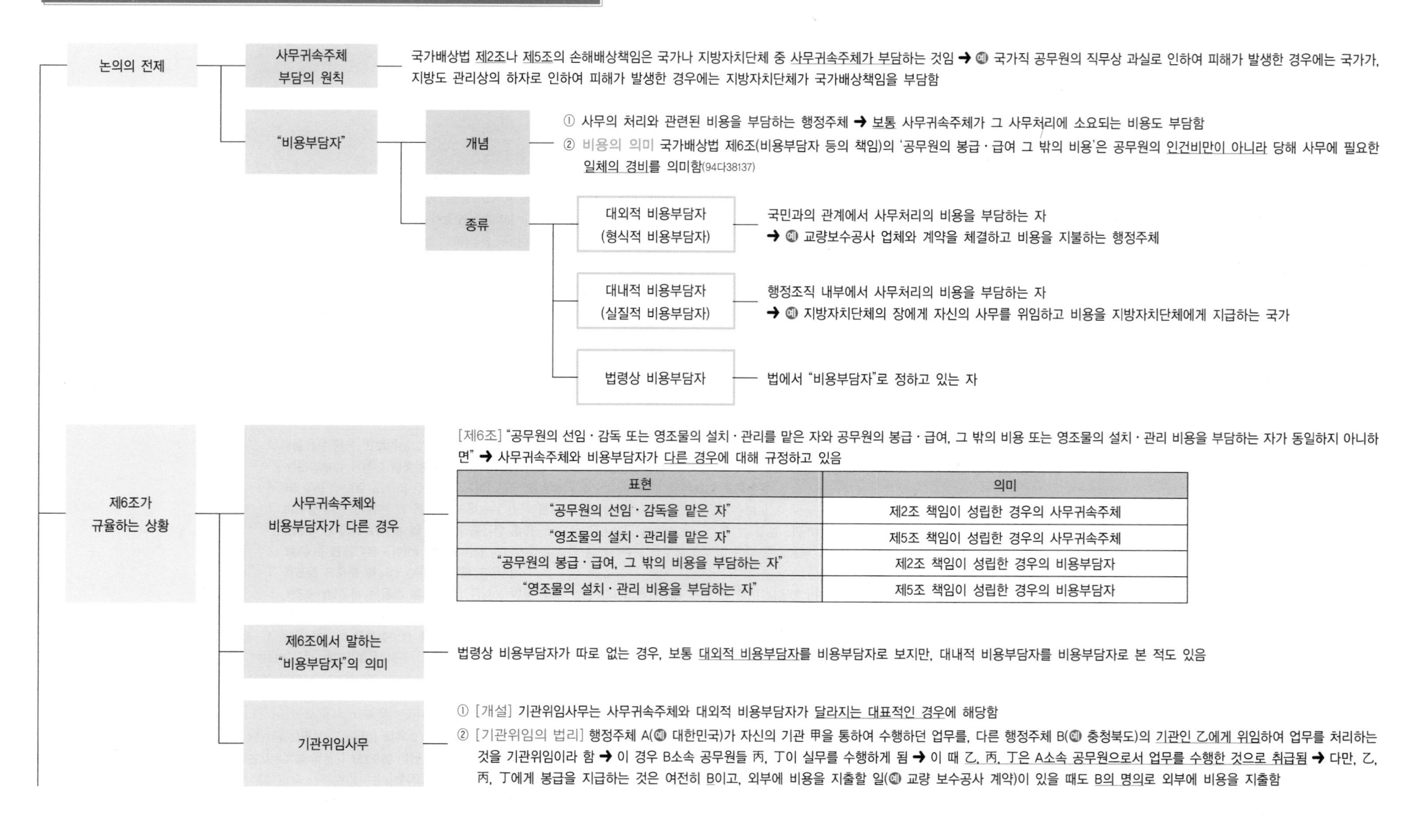

비용부담자가 별도로 존재하는 경우(제2조 책임, 제5조 책임 공통)

논의의 전제

- **사무귀속주체 부담의 원칙** — 국가배상법 제2조나 제5조의 손해배상책임은 국가나 지방자치단체 중 사무귀속주체가 부담하는 것임 ➡ 📧 국가직 공무원의 직무상 과실로 인하여 피해가 발생한 경우에는 국가가, 지방도 관리상의 하자로 인하여 피해가 발생한 경우에는 지방자치단체가 국가배상책임을 부담함

- **"비용부담자"**
  - **개념**
    - ① 사무의 처리와 관련된 비용을 부담하는 행정주체 ➡ 보통 사무귀속주체가 그 사무처리에 소요되는 비용도 부담함
    - ② 비용의 의미 국가배상법 제6조(비용부담자 등의 책임)의 '공무원의 봉급·급여 그 밖의 비용'은 공무원의 인건비만이 아니라 당해 사무에 필요한 일체의 경비를 의미함(94다38137)
  - **종류**
    - **대외적 비용부담자 (형식적 비용부담자)** — 국민과의 관계에서 사무처리의 비용을 부담하는 자 ➡ 📧 교량보수공사 업체와 계약을 체결하고 비용을 지불하는 행정주체
    - **대내적 비용부담자 (실질적 비용부담자)** — 행정조직 내부에서 사무처리의 비용을 부담하는 자 ➡ 📧 지방자치단체의 장에게 자신의 사무를 위임하고 비용을 지방자치단체에게 지급하는 국가
    - **법령상 비용부담자** — 법에서 "비용부담자"로 정하고 있는 자

제6조가 규율하는 상황

- **사무귀속주체와 비용부담자가 다른 경우**

  [제6조] "공무원의 선임·감독 또는 영조물의 설치·관리를 맡은 자와 공무원의 봉급·급여, 그 밖의 비용 또는 영조물의 설치·관리 비용을 부담하는 자가 동일하지 아니하면" ➡ 사무귀속주체와 비용부담자가 다른 경우에 대해 규정하고 있음

표현	의미
"공무원의 선임·감독을 맡은 자"	제2조 책임이 성립한 경우의 사무귀속주체
"영조물의 설치·관리를 맡은 자"	제5조 책임이 성립한 경우의 사무귀속주체
"공무원의 봉급·급여, 그 밖의 비용을 부담하는 자"	제2조 책임이 성립한 경우의 비용부담자
"영조물의 설치·관리 비용을 부담하는 자"	제5조 책임이 성립한 경우의 비용부담자

- **제6조에서 말하는 "비용부담자"의 의미** — 법령상 비용부담자가 따로 없는 경우, 보통 대외적 비용부담자를 비용부담자로 보지만, 대내적 비용부담자를 비용부담자로 본 적도 있음

- **기관위임사무**
  - ① [개설] 기관위임사무는 사무귀속주체와 대외적 비용부담자가 달라지는 대표적인 경우에 해당함
  - ② [기관위임의 법리] 행정주체 A(📧 대한민국)가 자신의 기관 甲을 통하여 수행하던 업무를, 다른 행정주체 B(📧 충청북도)의 기관인 乙에게 위임하여 업무를 처리하는 것을 기관위임이라 함 ➡ 이 경우 B소속 공무원들 丙, 丁이 실무를 수행하게 됨 ➡ 이 때 乙, 丙, 丁은 A소속 공무원으로서 업무를 수행한 것으로 취급됨 ➡ 다만, 乙, 丙, 丁에게 봉급을 지급하는 것은 여전히 B이고, 외부에 비용을 지출할 일(📧 교량 보수공사 계약)이 있을 때도 B의 명의로 외부에 비용을 지출함

| 제6조 제1항
(대외적 책임) | 선택적
청구권의 인정 | ① 사무귀속주체와 비용부담자가 다르면 사무귀속주체와 비용부담자 모두 손해배상의무를 부담 ➜ 사무귀속주체는 <u>제2조 또는 제5조</u>에 근거한 손해배상의무를 부담하고, 비용부담자는 <u>제6조 제1항</u>에 근거한 손해배상의무를 부담 함 ➜ 피해자는 둘 중 아무나 <u>선택해서</u> 국가배상청구 가능○
② [취지] 사무귀속주체와 비용부담자가 일치하지 않는 경우에, 손해배상청구의 상대방을 잘못 선택함으로 인한 불이익을 피해자가 부담하지 않도록 하기 위한 것
③ [국가사무의 기관위임] 지방자치단체의 장이 기관위임된 국가행정사무를 처리하는 경우, 국가로부터 내부적으로 교부된 금원으로 그 사무에 필요한 경비를 대외적으로 지출하는 지방자치단체는 국가배상법 제6조 제1항 소정의 비용부담자로서 손해를 배상할 책임이 있음(94다38137)
④ 판례 지방자치단체장 간의 기관위임이 있을 때 위임받은 하위 지방자치단체(용산구) 소속 공무원이 위임사무를 처리하면서 고의로 타인에게 손해를 가한 경우에는 <u>상위 지방자치단체(서울특별시)도 손해배상책임을 진다고 봄</u>(96다21331) ➜ ㉠ [사무귀속주체] 서울특별시, ㉡ [비용부담자] 용산구 |
| | 관련판례 | ① 판례 <u>서울특별시가 점유·관리하는 도로</u>에 대하여, 행정권한 위임조례에 따라 보도 관리 등을 <u>위임받은 관할 자치구청장 甲으로부터 도급받은 A주식회사가 공사를 진행하면서 남은 자갈더미를 그대로 방치</u>하여 오토바이를 타고 이곳을 지나가던 乙이 넘어져 상해를 입은 경우에도, <u>서울특별시는 「국가배상법」 제5조 제1항에서 정한 설치·관리상의 하자</u>로 인한 국가배상책임을 부담함(2017다223538) ➜ ㉠ [사무귀속주체] 서울특별시, ㉡ [비용부담자] 자치구
② 판례 지방자치단체의 장인 시장이 위임에 따라 국도의 관리청이 되었다 하더라도, 국가는 도로관리상 하자로 인한 손해배상책임을 면할 수 없음(92다2684) ➜ ㉠ [사무귀속주체] 국가, ㉡ [비용부담자] 지방자치단체
③ 판례 자동차운전면허시험 관리업무는 국가행정사무이고 지방자치단체의 장인 서울특별시장은 국가로부터 그 관리업무를 기관위임받아 국가행정기관의 지위에서 그 업무를 집행하므로, 국가는 면허시험장의 설치 및 보존의 하자로 인한 손해배상책임을 부담함(91다34097) ➜ ㉠ [사무귀속주체] 국가, ㉡ [비용부담자] 서울특별시
④ 판례 군수 또는 그 보조 공무원이 농수산부장관으로부터 도지사를 거쳐 군수에게 재위임된 국가사무(기관위임사무)인 개간허가 및 그 취소사무를 처리함에 있어 고의 또는 과실로 타인에게 손해를 가한 경우, 「국가배상법」 제6조에 의하여 지방자치단체인 군(郡)이 비용을 부담한다고 볼 수 있는 경우에 한하여 국가와 함께 손해배상책임을 부담함(99다70600) ➜ 비용부담자로서 손해배상책임을 지게 하려면, 비용을 실제로 부담하기는 하는 경우이어야 한다는 말 ➜ ㉠ [사무귀속주체] 국가, ㉡ [비용부담자] 군(郡)
⑤ 판례 광역시인 A시의 구역 내에 A시장이 교통신호기를 설치하였는데, 그 관리 권한은 「교통관리법」 관련규정에 의하여 <u>A시 관할 지방경찰청장에게 기관위임</u>되어 있었던 경우, A시 관할 지방경찰청 소속 공무원이 교통종합관제센터에서 그 관리업무를 담당하던 중 위 신호기가 고장난 채 방치되어 교통사고가 발생하였다면, 이 경우 A시는 사무귀속주체로서, 국가는 비용부담자로서 손해배상책임을 짐(99다11120) ➜ 지방자치단체의 사무가 국가기관에게 기관위임된 사건 ➜ ㉠ [사무귀속주체] A광역시, ㉡ [비용부담자] 국가
⑥ 판례 구 <u>국토해양부장관</u>(현 국토교통부장관)이 지방자치단체의 하천공사를 대행하던 중 지방하천의 관리상 하자로 인하여 손해가 발생하였다면 하천관리청이 속한 지방자치단체는 국가와 함께 「국가배상법」 제5조 제1항에 따라 지방하천의 관리자로서 손해배상책임을 부담함(2011다85413) ➜ 지방자치단체의 사무가 국가기관으로 기관위임되었던 사건 ➜ ㉠ [사무귀속주체] 지방자치단체, ㉡ [비용부담자] 국가 |

제6조 제2항 (대내적 책임)	궁극적 책임자에 대한 구상권의 인정	[제6조 제2항] "제1항의 경우에 손해를 배상한 자는 <u>내부관계에서 그 손해를 배상할 책임이 있는 자</u>에게 구상할 수 있다." ➔ 사무귀속주체와 비용부담자가 다른 경우에, 사무귀속주체와 비용부담자 중 피해자의 선택을 받아 배상을 한 자는 "내부관계에서 그 손해를 배상할 책임이 있는 자"(궁극적 책임자)에게 구상할 수 있다고 규정하고 있음
	궁극적 책임자의 의미	누가 "내부관계에서 그 손해를 배상할 책임이 있는 자?" ➔ 학설은 대립 ➔ [대법원] ⊙ 주류적 판례는 사무귀속주체라 보지만, ⓒ 사무귀속주체와 비용부담자 모두가 궁극적 책임자라고 보면서 기여도에 따라 분담한다고 본 경우도 있음
	관련 행정주체 모두가 궁극적 책임자라고 본 판례들	① [관련 행정주체 모두가 중첩적으로 지위를 갖는 경우] 광역시와 국가 모두가 도로의 점유자 및 관리자, 비용부담자로서의 책임을 중첩적으로 지는 경우에는, ⊙ 광역시와 국가 모두가 국가배상법 제6조 제2항 소정의 궁극적으로 손해를 배상할 책임이 있는 자라고 할 것이고, ⓒ 광역시와 국가의 내부적인 부담 부분은, 그 도로의 인계·인수 경위, 사고의 발생 경위, 광역시와 국가의 그 도로에 관한 분담비용 등 제반 사정을 종합하여 결정함(96다42819) ➔ 광역시가 점유·관리하는 일반국도의 일부에 대한 포장공사를 국가가 대행하여 일시적으로 관리하고 있던 중에 교통사고가 발생한 사건
		② (변) [국가하천 유지·보수사무의 경우] 국가하천의 유지·보수 사무가 지방자치단체의 장에게 위임된 경우와 같이, ⊙ 국가는 사무의 귀속주체 및 보조금 지급을 통한 실질적 비용부담자로서, ⓒ 그리고 해당 시·도는 구「하천법」제59조 단서에 따른 법령상 비용부담자(사무귀속주체×)로서 각각 책임을 중첩적으로 지는 경우에는, 국가와 해당 시·도 모두가 국가배상법 제6조 제2항 소정의 궁극적으로 손해를 배상할 책임이 있는 자에 해당함(2013다211834) ➔「하천법」에서 별도로 비용부담자를 시·도로 규정하고 있다는 특수성이 있기 때문에, 사무귀속주체인 국가가 홀로 궁극적 책임자가 되지 않게 한 것 ➔ 시·도가 '법령상 비용부담자'라는 표현을 주지 않을 수도 있으므로, 국가하천의 유지·보수사무 판례로 기억하고 있어야 함

(변) 국가나 지방자치단체 이외에도 공동불법행위자가 별도로 존재하는 경우	① [사건의 발단] 서귀포시(비용부담자)에 있는 국도의 관리사무가 대한민국(사무귀속주체)으로부터 서귀포시장에게 기관위임되어 있었는데, 국도를 확장하면서 전주를 이설하는 과정에서 한국전력공사가 측량을 잘못하여 콘크리트전주가 국도 가장자리에서 튀어 나오게 이설되었고, 甲이 승용차로 이 콘크리트전주를 들이받아 사망하였음 ➔ 甲의 유가족이 <u>한국전력공사를 상대로 배상청구</u>를 하였고, 이에 한국전력공사가 손해를 배상한 다음, 서귀포시를 상대로 <u>구상권</u>을 행사하자 서귀포시가 아래와 같이 항변한 사건
	② ["대한민국과 한국전력공사만 공동불법행위자로 보아야 한다!"는 항변 – 인정×] 지방자치단체가 국도의 관리상 비용부담자로서 책임을 지는 것은「국가배상법」이 정한 자신의 고유한 배상책임이므로, 도로의 하자로 인한 손해에 대하여 지방자치단체는 <u>부진정연대채무자인 공동불법행위자</u>(한국전력공사)와의 <u>내부관계에서 배상책임을 분담</u>하게 됨(92다2684) ➔ 서귀포시도 공동불법행위자로서 부진정연대채무를 부담하고, 따라서 한국전력공사에 대해 내부정산 의무도 부담한다는 말
	③ ["제6조 제2항에 따르면 궁극적 배상책임자가 구상의무를 지므로 나는 구상의무를 지지 않는다!"는 항변 – 인정×] 국가배상법 제6조 제2항의 규정은 도로의 관리주체(대한민국)와 그 비용을 부담하는 경제주체(지방자치단체) 상호간에 내부적으로 구상의 범위를 정하는데 적용될 뿐이므로, 이를 들어 구상권자인 <u>공동불법행위자(한국전력공사)에게 대항할 수 없음</u>(92다2684) ➔ 제6조 제2항은 국가와 지방자치단체 사이의 법률관계를 규율하는 일에만 적용되는 규정이므로, 한국전력공사의 구상권 행사에 대하여, 지방자치단체가 자신은 제6조 제2항에서 말하는 궁극적 배상책임자가 아니라는 이유로 구상의무가 없다는 항변을 할 수 없다는 말

제3장 | 손실보상제도

제1절 | 의의 및 근거

▶ 손실보상제도의 의의 및 근거

의의

① [연혁 – 단체주의적 책임] 공동체의 이익을 위하여(예 마을로 들어가는 진입로의 확장) 누군가(예 마을 주민 甲)가 재산상의 특별한 희생(예 토지소유권의 상실)을 당한 경우, 이를 공동체가 십시일반으로 보상해 주어야 한다는 독일의 관습법인 '희생보상의 법리'에서 비롯됨 ➜ 일정한 요건을 충족한 경우 甲은 공동체를 상대로 하여 손실보상청구권을 갖게 된다고 봄

② [오늘날 확장된 정의] 적법한 공행정작용으로 개인의 재산권에 특별한 희생이 발생한 경우에 행해지는 금전적 보상제도 ➜ 예 행정조사의 조사원이 조사목적의 달성을 위하여 시료채취를 하는 경우에, 그로 인하여 조사대상자에게 손실을 입힌 때에는 그 손실을 보상하여야 함(행정조사기본법 제12조)

③ [사례] 甲이 어업면허를 발급받아 전복양식을 하고 있던 도중, 그 공유수면에 대해 간척사업이 이루어지게 되는 경우, 甲은 잔존 어업면허 기간 동안 전복양식을 하지 못하게 된 재산상의 손실에 대해 손실보상을 청구할 수 있음

근거

이론적 근거

[특별희생설] 손실보상을 해주는 조리상 이유? ➜ 과거에는 기득권설이나 은혜설 등도 제시된 바 있으나, 오늘날에는 공공복지와 개인의 권리가 충돌하는 경우에는 공공복지를 우선하되, 재산권 보장 및 평등의 원칙으로부터 파생되는 공적 부담 앞의 평등('공익을 위해서는 다같이 희생해야 한다')에 따라 공공필요를 위해 개인의 재산권에 특별한 희생이 가해진 경우에는 그러한 손실은 보상되어야 함을 근거로 들고 있음

실정법적 근거

헌법적 근거

① 헌법 제23조 제3항에 공용침해에 따른 손실보상청구권에 대한 근거 규정이 존재함

② [헌법 제23조 제3항] "공공필요에 의한 재산권의 수용·사용 또는 제한 및 그에 대한 보상은 법률로써 하되, 정당한 보상을 지급하여야 한다." ➜ 법률이 허용한다면, 공동체의 이익을 위해 타인의 재산권을 강제로 침해할 수 있고, 대신 법률 규정을 통해 정당한 보상을 해줘야 한다는 말

법률적 근거

① 일반법無

② 「하천법」, 「도로법」, 「문화재보호법」, 「경찰관직무집행법」, 「행정조사기본법」, 「공익사업을 위한 토지 등의 취득 및 보상에 관한 법률」 등에 개별적 상황들에 대해 손실보상청구권을 인정하는 개별 규정들이 존재할 뿐임 ➜ 다만, 공동체의 이익을 위한 공사('공익사업')의 수행을 위하여 토지 등을 취득하는 경우에 이루어지는 보상에 관하여 규율하고 있는 「공익사업을 위한 토지 등의 취득 및 보상에 관한 법률」이 손실보상에 관한 사실상의 일반법으로서 기능하고 있음

국가배상청구권과의 법적 근거 비교		
국가배상청구권	헌법적 근거	헌법 제29조
	법률적 근거	일반법으로서 「국가배상법」이 존재
손실보상청구권	헌법적 근거	헌법 제23조 제3항
	법률적 근거	일반법이 존재× ➜ 법률적 근거들이 개별법에 흩어져 존재

<table>
<tr>
<td rowspan="5">손실보상청구권의
법적 성질</td>
<td>

① [공권설 vs 사권설] ㉠ 공행정 작용의 결과로 발생하는 권리이므로 공권이라고 보는 공권설 vs ㉡ 침해의 객체인 재산권이 공권인 경우에는 손실보상청구권도 공권이지만, 사권인 경우에는 손실보상청구권도 사권이라는 사권설이 대립하고 있음

② [대법원] 손실보상청구권에 대한 일반법이 없으므로 개별법상의 손실보상청구권의 법적 성질에 대해 개별적으로 판단한 판례들만이 존재 ➡ ㉠ 「공익사업을 위한 토지 등의 취득 및 보상에 관한 법률」과 「법률 제3782호 하천법 중 개정법률 부칙 제2조의 규정에 의한 보상청구권의 소멸시효가 만료된 하천구역 편입토지 보상에 관한 특별조치법」, 「하천법 부칙」상의 손실보상청구권은 공권(公權)으로 보고 있고(➡ 분쟁이 있을 경우 당사자소송), ㉡ 「수산업법」상의 손실보상청구권은 사권(私權)으로 보고 있음(➡ 분쟁이 있을 경우 민사소송)

③ 판례 「공익사업을 위한 토지 등의 취득 및 보상에 관한 법률」상 공익사업의 시행으로 인하여 건축허가 등 관계법령에 의한 절차를 진행 중이던 사업이 폐지되는 경우 그 사업 등에 소요된 비용 등에 대한 손실보상청구권은 공법상의 권리로서, 그에 대한 쟁송은 당사자소송(민사소송×, 항고소송×)에 의하여야 함(2010다23210)

④ 판례 「공익사업을 위한 토지 등의 취득 및 보상에 관한 법률」상 토지수용에 따른 권리구제에서 농업손실에 대한 보상청구는 행정소송법상 당사자소송(민사소송×, 항고소송×)에 의하여야 함(2009다43461)

⑤ 판례 (구) 「하천법」 부칙 제2조와 이에 따른 「하천구역 편입토지 보상에 관한 특별조치법」에 의한 손실보상청구권은 공법상의 권리이므로 그에 대한 쟁송은 당사자소송(민사소송×, 항고소송×) 절차에 의해야 함(2004다6207, 2006다23503)

</td>
</tr>
</table>

규정	대한민국헌법 제23조 ① 모든 국민의 재산권은 보장된다. 그 내용과 한계는 법률로 정한다.
	② 재산권의 행사는 공공복리에 적합하도록 하여야 한다.
	③ 공공필요에 의한 재산권의 수용·사용 또는 제한 및 그에 대한 보상은 법률로써 하되, 정당한 보상을 지급하여야 한다.

손실보상의 원인 – 공용침해

① 손실보상청구권은 공공필요에 의한 재산권의 수용·사용 또는 제한이 있는 경우에 발생하게 된다고 규정하고 있음

② [공공필요에 의한 – 공용] '공공의 이익을 위하여 필요한'이라는 의미 ➜ "공용"이라 약칭

③ [재산권의 수용·사용·제한 – 침해] ㉠ '수용'은 재산권의 강제적 박탈을, ㉡ '사용'은 재산권의 강제적 사용을, ㉢ '제한'은 재산권 행사에 대한 강제적 제한(예 개발제한구역 지정으로 인한 해당 토지에서의 건물 증축 금지)을 의미 ➜ "침해"라 약칭

존속보장의 원칙

① [헌법 – 존속보장] 현재 상태 그대로를 유지할 수 있게 하는 방식의 재산권 보호

② [헌법 – 가치보장] 재산권을 침해하되, 침해된 가치부분을 금전으로 보상해주는 방식의 재산권 보호

③ 헌법 제23조는 재산권은 원칙적으로 존속보장의 방법으로 보호할 것을 요구하면서(제1항 1문), 가치보장의 방식으로 보호하는 것은 공공필요의 요건을 갖춘 예외적인 경우에만 허용(제3항)됨을 선언하고 있는 규정임

④ 판례 헌법 제23조의 취지는 원칙적으로 모든 국민의 구체적 재산권의 자유로운 이용·수익·처분을 보장하면서, 공공필요에 의한 재산권의 수용·사용 또는 제한은 헌법이 규정하는 요건을 갖춘 경우에만 예외적으로 허용하려는 것(97헌마87)

⑤ 판례 공용수용은 헌법상의 재산권 보장의 요청상 불가피한 최소한에 그쳐야 함(2009두1051)

법률유보의 원칙

① [재산권의 수용·사용 또는 제한은 … 법률로써 하되] 법률에 근거를 둔 경우에만 수용·사용·제한('침해')을 할 수 있음 ➜ 이때의 '법률은 형식적 의미의 법률만을 의미○, 법률종속명령×, 조례×

② [그에 대한 보상은 법률로써 하되] 보상 역시 법률에 근거를 둘 것을 요구하고 있는데, 이는 보상청구권의 근거에 관하여서뿐만 아니라, 보상액의 산출 기준과 방법에 관하여서도 법률의 규정에 유보하고 있는 것임(93누2131)

정당한 보상의 원칙

[정당한 보상을 지급하여야 한다] 완전한 보상(상당한 보상×, 적당한 보상×)을 의미(2008헌바6) ➜ 공용침해 이전에 누리고 있던 온전한 경제적 가치를 보전해주어야 함

불가분조항인지 (결부조항인지)

제3항과 관련하여, ㉠ 보상에 대한 규정과 ㉡ 재산권의 수용·사용·제한('침해')에 대한 규정을 하나의 법률에 두어야 하는지가 이론상으로 문제됨 ➜ ∵ 우리 「헌법」상 재산권 조항(제23조)은 독일 「기본법」상 재산권 조항(제14조)을 본 떠 온 것인데, 독일 「기본법」은 이 둘을 하나의 법률에 두어야 한다고 규정하고 있지만, 우리 「헌법」은 그에 대한 명시적 언급이 없기 때문 ➜ 판례는 없음

독일연방공화국 기본법 제14조 ③ 공용수용은 공공복리를 위해서만 허용된다. 공용수용은 오직 보상의 종류와 정도를 규정하는 법률에 의하여 또는 그 법률에 근거하여 실행될 수 있다.

사회적 기속과 공용침해의 관계

① [논의의 전제] ㉠ 헌법 제23조 제1항 2문 및 제2항은 보상에 대한 언급 없이, 재산권의 내용에는 한계가 있고 그 행사는 공공복리에 적합해야 한다('사회적 기속')('내용 및 한계설정')고만 선언하고 있는 반면, ㉡ 제3항은 공공필요에 의한 침해('공용침해')를 할 때는 보상이 있어야 한다고 선언하고 있음

② [논점] 보상이 필요하지 않은 사회적 기속과, 보상이 필요한 공용침해는 어떻게 다른 것인가? ➜ 양자의 관계를 설명하는 것과 관련하여 경계이론과 분리이론의 대립

구분	경계이론		분리이론	
연혁	① 어떠한 경우에 손실보상청구권을 인정할 것인지에 관심을 두고 발달한 이론("보상의 유무를 결정하는 경계선을 찾는 이론") ② 독일 연방최고법원의 종전부터의 태도		① 재산권에 부담을 가하는 제도의 위헌성을 어떻게 심사해야 하는지에 관심을 두고 발달한 이론 ② 1981년 독일 연방헌법재판소가 자갈채취판결에서 제시	
양자의 차이	양자는 정도의 차이		양자는 질적으로 다른 제도	
	사회적 기속	공용침해	사회적 기속	공용침해
	① [의미] 특별한 희생의 정도에 이르지 않은('사회적 제약의 범주 내에 있는') 재산권에 대한 부담 ② [손실보상청구권의 성립 여부] 성립×	① [의미] 특별한 희생의 정도에 이른 재산권에 대한 부담 ② [손실보상청구권의 성립 여부] 성립○	① [의미] 일반적(불특정 다수인)·추상적(불특정 다수의 재산) 조치를 통해 재산권의 내용을 장래를 향하여 형성하는 제도 ② [위헌성 심사방법] 기본권 제한의 일반원칙인 비례의 원칙을 준수했는지 여부('사회적 제약의 범주 내에 있는지 여부')로 위헌성이 심사됨	① [의미] 개별적(특정인)·구체적(특정재산) 조치를 통해 이미 형성된 재산권적 지위를 박탈하는 제도 ② [위헌성 심사방법] 공용침해는 헌법 제23조 제3항의 요건('공공필요', '법률로써', '정당한 보상' 등)을 구비하였는지 여부로 위헌성이 심사됨
보상규정 없이 공용침해가 이루어진 경우에 대한 구제	[손실보상청구권 성립○] 보상규정이 없다 하더라도 일정한 요건을 갖춘 경우에는 손실보상청구권이 성립할 수 있다고 봄(∵ 재산상 가해지는 부담의 정도가 심한지가 중요한 것이라 보기 때문)		① [손실보상청구권 성립×] 보상규정이 없으면 헌법 제23조에서 말하는 공용침해에 해당하지 않아, 손실보상청구권이 성립할 수 없다고 봄("보상은 법률로써 하되") ➔ 제23조 제3항의 문언을 중시 ② 보상규정을 두지도 않고 이루어진 공용침해는 위헌적인 것이므로, 손실보상을 해주는 것으로 덮어서는 안 되고, 취소소송 및 위헌법률심판을 통한 공용침해 작용 자체의 폐지를 구하는 방식으로 다투어야 한다고 봄	
중점	가치보장		존속보장	
사회적 제약의 범위를 넘어서는 일반적·추상적 형태의 재산권에 대한 부담의 처리	공용침해가 되므로 손실보상을 해주면 됨		비례의 원칙에 반하는 사회적 기속이므로 그 부담의 정도를 줄이는 조치를 취해야 함 ➔ 그러지 않는 경우 위헌	
우리나라에의 수용	대한민국 대법원❶		대한민국 헌법재판소	

❶ 정확하게 말하면, 대법원이 경계이론을 표방하고 있는 것이 아니고 대법원의 입장이 결론적으로 경계이론과 동일한 것이다. 헌법재판소 역시 명시적으로 분리이론을 표방하고 있는 것은 아니고, 분리이론의 경우와 마찬가지로, 사회적 기속과 공용침해의 차이를 재산권에 가해지는 부담의 정도를 기준으로 가르지 않았다는 점에서 분리이론과 동일한 것이다.

(변)
경계이론과
분리이론

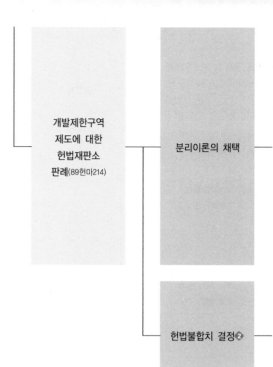

개발제한구역 제도에 대한 헌법재판소 판례(89헌마214)

분리이론의 채택

① 개발제한구역을 지정하여 그 안에서는 건축물의 건축 등을 할 수 없도록 하고 있는 도시계획법 제21조는 헌법 제23조 제1항, 제2항에 따라 토지재산권에 관한 권리와 의무를 일반·추상적으로 확정하는 제도(사회적 기속)에 해당한다고 봄 ➜ 비례의 원칙에 따른 위헌성 심사

② [예외사유로 인한 위헌] ㉠ 개발제한구역의 지정으로 인한 개발가능성의 소멸, 지가의 하락❶, 지가상승률의 상대적 감소는 토지소유자가 보상없이 감수해야 하는 사회적 제약의 범주에 속하는 것으로서 개발제한구역 제도에 그 자체는 원칙적으로 합헌이지만, ㉡ 개발제한구역 지정으로 인하여 토지를 종래의 목적으로도 사용할 수 없거나(㉢ 종래 농지 등으로 사용되었으나 개발제한구역의 지정이 있은 후에 주변지역의 도시과밀화로 인하여 농지가 오염되거나 수로가 차단된 경우) 또는 더이상 법적으로 허용된 토지이용의 방법이 없기 때문에 실질적으로 토지의 사용·수익의 길이 없는 경우(㉣ 나대지였던 상태에서 개발제한구역으로 지정된 경우)에 대해서도 아무런 추가적 조치를 취하지 않고 있기 때문에, 토지소유자가 수인해야 하는 사회적 제약의 한계를 넘는 것으로서 위헌(2002헌마84, 89헌마214) ➜ 이러한 부담은 손실을 완화하는 보상적 조치가 있어야 비로소 허용됨

③ (변) 관련판례 도시계획시설의 지정으로 말미암아 해당 토지의 이용가능성이 배제되거나 또는 토지소유자가 토지를 종래 허용된 용도대로도 사용할 수 없기 때문에 이로 인하여 현저한 재산적 손실이 발생하는 경우에는 원칙적으로 국가 등은 이에 대한 보상을 해야 함(97헌바26)

④ (변) 분리이론을 따른 또 다른 판례 신설될 정비기반시설과 그 부지의 소유·관리·유지관계를 정한 「도시 및 주거환경정비법」 제65조 제2항의 전단에 따른 정비기반시설의 소유권 귀속은 헌법 제23조 제3항의 수용이 아니라, 헌법 제1, 2항의 재산권의 내용과 한계를 정한 것임(2011헌바355)

⑤ (변) 분리이론을 따른 또 다른 판례 구제역과 같은 가축전염병의 발생과 확산을 막기 위한 도축장 사용정지·제한명령은 공익목적을 위하여 이미 형성된 구체적 재산권을 박탈하거나 제한하는 헌법 제23조 제3항의 수용·사용 또는 제한에 해당하는 것이 아니라, 도축장 소유자들이 수인하여야 할 사회적 제약으로서 헌법 제23조 제1항의 재산권의 내용과 한계에 해당함(2012헌바367) ➜ ∵ 구제역과 같은 가축전염병의 발생과 확산을 막기 위해 도축장 사용정지·제한명령이 내려지면 국가가 도축장 영업권을 강제로 취득하여 공익 목적으로 사용하는 것이 아니라, 불특정 다수의 소유자들이 일정기간 동안 도축장을 사용하지 못하게 되는 효과가 발생할 뿐이기 때문

헌법불합치 결정❷

① [헌법불합치 결정] 도시계획법 제21조의 위헌성은 개발제한구역의 지정으로 일부 토지소유자에게 사회적 제약의 범위를 넘는 가혹한 부담이 발생하는 예외적인 경우에 대하여서도 헌법 제21조 제1, 2항에 근거한 아무런 보상규정을 두지 않은 데 있는 것이고, 보상의 구체적 기준과 방법은 입법자가 입법정책적으로 정할 사항이라고 하며 헌법불합치 결정(89헌마214) ➜ 이 결정으로 입법자는 보상규정을 제정해야 할 의무를 부담하게 됨 ➜ 재산권을 침해받은 자는 보상규정이 제정되면 그에 따라 보상금청구를 하는 방식으로 구제받으라고 함

② (변) [헌법불합치 결정에 따라 개정된 법령 - 합헌] 「개발제한구역의 지정 및 관리에 관한 특별조치법」 제17조 제1항에서는, 개발제한구역의 지정으로 인하여 개발제한구역의 토지를 종래의 용도로 사용할 수 없어 그 효용이 현저히 감소된 토지나 그 토지의 사용 및 수익이 사실상 불가능하게 된 토지의 소유자에게, 국토교통부장관에 대한 토지의 매수청구권을 부여하고 있음 ➜ 후에 이 규정이 위헌인지 여부도 또 문제되었는데 헌법재판소는 합헌(위헌×)이라 보았음(2006헌바9)

---

❶ [더 들어가기] 지가하락의 정도를 구분하지 않고, 일률적으로 지가하락은 그저 감수해야 하는 사회적 제약의 범위에 속한다고 보았기 때문에 많은 비판이 있다.

❷ [헌법] 위헌결정은 그 대상이 된 법령규정을 곧바로 제거해 버리는 것인 반면, 헌법불합치결정은 그 대상이 된 법령규정이 위헌이라고 천명하면서 동시에, 입법자들에 대하여 그 영역에 대한 새로운 입법의무를 부과하는 것이라는 점에서 양자는 구분된다.

손실보상청구권의 성립요건(경계이론을 전제로 하는 논의)  공적공 의재특규

구분		내용
개설		① 일반법이 없기 때문에, 성립요건이 <u>이론과 판례</u>에 의해 정리되어 있음
		② 개별법에 근거하여 현실적으로 존재하는 손실보상청구권(⑩ 「공익사업을 위한 토지 등의 취득 및 보상에 관한 법률」에 근거한 손실보상청구권)들도, 별도의 규정이 없는 한, 이 법리의 지배를 받음
공공필요를 위한	**재산권 침해의 정당화 사유**	① [공공필요] 손실보상청구권은 국민의 재산권을 그 의사에 반하여서라도 강제적으로 취득해야 할 공익적 필요성이 인정되는 경우에만 성립함 → 공공필요는 공익성과 필요성으로 구체화됨
		② [공익성] 재산권에 대한 침해는 공동체 다수(특정한 소수×)의 이익을 위한 것이어야 함→ ⑩ 고급골프장, 고급리조트를 만들기 위한 공용침해는 허용×(2011헌바129)
		③ [필요성] 재산권을 침해하면서까지 달성해야 하는 중요한 공익이 있어야 함 → 개별 사건마다, 공용침해를 통해 달성하려는 공익과 그로 인하여 재산권을 침해 당하는 사인의 이익 중 공익이 더 무거운 경우에만 인정됨(비례의 원칙) → 입증책임은 사업시행자에게 있음(2003두7507)
		④ [순수 국고목적×] 순수 국고(확충, 증식)목적을 위한 작용에는 공공필요성 인정×
		⑤ 공공복리 〉 공익성 헌법 제23조 제3항의 '공익성'은 추상적인 공익 일반 또는 국가의 이익 이상의 중대한 공익을 요구하므로 <u>기본권 일반에 대한 제한사유인 헌법 제37조 제2항의 '공공복리'보다 좁은 개념</u>(2011헌바172)
		⑥ 판례 공익성의 정도를 판단함에 있어서 공익사업이 대중을 상대로 하는 영업인 경우에는 그 사업 시설에 대한 대중의 이용·접근가능성도 아울러 고려하여야 함(2011헌바129)
		⑦ 판례 헌법적 요청에 의한 수용이라 하더라도 국민의 재산을 그 의사에 반하여 강제적으로라도 취득하여야 할 정도의 필요성이 인정되어야 하고, 그 필요성이 인정되기 위하여서는 사인의 재산권 침해를 정당화할 정도의 공익의 우월성이 인정되어야 함(2011헌바129)
	사기업에 의한 공용침해 가부	① <u>사기업(사인)(⑩ 삼성전자, 현대건설, 한국남동발전, 한국중부발전 등)이 공용수용을 하는 것('사기업을 위한 공용수용')을 허락하는 법률 규정도 합헌인가?</u> → 그것이 공공필요에 의한 것이라면 합헌○(∵ 헌법에서 수용의 주체를 제한하고 있지 않기 때문)(2011헌바250, 2007헌바114)
		② 판례 민간기업을 산업단지개발사업에 필요한 토지 등을 수용할 수 있는 토지수용의 주체로 정한 「산업입지 및 개발에 관한 법률」 제22조 제1항도 헌법 제23조 제3항에서 정한 '공공필요'를 충족하면 헌법에 위반되지 않음(2007헌바114)
		③ 판례 국가 등의 공적 기관이 직접 수용의 주체가 되는 것이든, 그러한 공적 기관의 최종적인 허부판단과 승인결정하에 민간기업이 수용의 주체가 되는 것이든, 양자 사이에 공공필요에 대한 판단과 수용의 범위에 있어서 본질적인 차이가 있는 것은×(2007헌바114)
		④ (변) 판례 다만, 사업시행자가 사인(私人)인 경우에는 공익의 우월성이 인정되는 것 외에, 그 사업 시행으로 획득할 수 있는 공익이 현저히 해태되지 아니하도록 보장하는 제도적 규율이 갖추어져 있어야 함(2011헌바129) → 공용수용이 아니라 '사인만을 위한 수용'이 되지 않게 하려는 것
	(변) 도시계획시설 사업의 경우	도시계획시설사업은 명시적으로 도로 등 교통시설, 학교·운동장·문화시설 등 공공·문화체육시설과 같은 도시계획시설을 설치·정비 또는 개량하여 공공복리의 증진과 국민의 삶의 질을 향상하게 함을 목적(국토계획법 제1조, 제2조 제2호, 제6호, 제7호, 제10호)으로 하고 있으므로, <u>도시계획시설사업 자체로 공공필요성의 요건은 충족되는 것으로 봄</u>(2006헌바79)
	사업인정 절차	「공익사업을 위한 토지 등의 취득 및 보상에 관한 법률」은 어떤 사업이 공공필요를 갖춘 공익사업에 해당하는지 여부를 판단하기 위한 절차로서 '사업인정' 절차를 두고 있음 → ※ 동법은 공공필요를 위하여 이루어지는 사업인 '공익사업'을 수행하기 위한 절차 및 그에 따른 보상에 관하여 규정하고 있는 법률
적법한		① 손실보상의 원인이 되는 공용침해는 헌법과 법률에 따른 적법한 작용이어야 함 → <u>위법한 작용으로 인하여 발생한 재산권상의 손실에 대해서는 손해배상청구나 수용유사침해보상(뒤에서 다룸)으로 구제받아야 한다고 봄</u>
		② [공용침해가 위법해지는 경우 – 출제×] ㉠ 침해가 법률에 근거하지 않은 경우(법률유보원칙 위반)나, ㉡ 보상에 관한 법률규정이 제정되지 않은 경우, ㉢ 침해와 보상에 대한 규정은 존재하지만 법에서 정한 절차에 따르지 않은 경우 등에 침해작용이 위법해질 수 있음

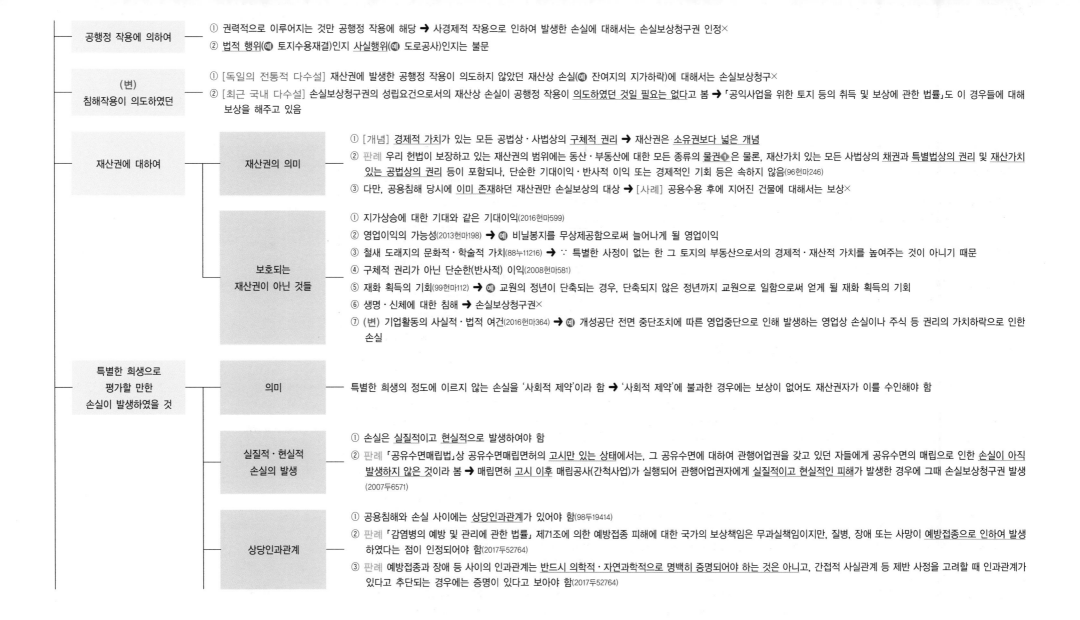

공행정 작용에 의하여		① 권력적으로 이루어지는 것만 공행정 작용에 해당 ➡ 사경제적 작용으로 인하여 발생한 손실에 대해서는 손실보상청구권 인정×
		② 법적 행위(◉ 토지수용재결)인지 사실행위(◉ 도로공사)인지는 불문

(변) 침해작용이 의도하였던		① [독일의 전통적 다수설] 재산권에 발생한 공행정 작용이 의도하지 않았던 재산상 손실(◉ 잔여지의 지가하락)에 대해서는 손실보상청구×
		② [최근 국내 다수설] 손실보상청구권의 성립요건으로서의 재산상 손실이 공행정 작용이 의도하였던 것일 필요는 없다고 봄 ➡ 「공익사업을 위한 토지 등의 취득 및 보상에 관한 법률」도 이 경우들에 대해 보상을 해주고 있음

재산권에 대하여

재산권의 의미
① [개념] 경제적 가치가 있는 모든 공법상·사법상의 구체적 권리 ➡ 재산권은 소유권보다 넓은 개념
② [판례] 우리 헌법이 보장하고 있는 재산권의 범위에는 동산·부동산에 대한 모든 종류의 물권❶은 물론, 재산가치 있는 모든 사법상의 채권과 특별법상의 권리 및 재산가치
있는 공법상의 권리 등이 포함되나, 단순한 기대이익·반사적 이익 또는 경제적인 기회 등은 속하지 않음(96헌마246)
③ 다만, 공용침해 당시에 이미 존재하던 재산권만 손실보상의 대상 ➡ [사례] 공용수용 후에 지어진 건물에 대해서는 보상×

**보호되는
재산권이 아닌 것들**
① 지가상승에 대한 기대와 같은 기대이익(2016헌마599)
② 영업이익의 가능성(2013헌마198) ➡ ◉ 비닐봉지를 무상제공함으로써 늘어나게 될 영업이익
③ 철새 도래지의 문화적·학술적 가치(88누11216) ➡ ∵ 특별한 사정이 없는 한 그 토지의 부동산으로서의 경제적·재산적 가치를 높여주는 것이 아니기 때문
④ 구체적 권리가 아닌 단순한(반사적) 이익(2008헌마581)
⑤ 재화 획득의 기회(99헌마112) ➡ ◉ 교원의 정년이 단축되는 경우, 단축되지 않은 정년까지 교원으로 일함으로써 얻게 될 재화 획득의 기회
⑥ 생명·신체에 대한 침해 ➡ 손실보상청구권×
⑦ (변) 기업활동의 사실적·법적 여건(2016헌마364) ➡ ◉ 개성공단 전면 중단조치에 따른 영업중단으로 인해 발생하는 영업상 손실이나 주식 등 권리의 가치하락으로 인한
손실

**특별한 희생으로
평가할 만한
손실이 발생하였을 것**

의미
특별한 희생의 정도에 이르지 않는 손실을 '사회적 제약'이라 함 ➡ '사회적 제약'에 불과한 경우에는 보상이 없어도 재산권자가 이를 수인해야 함

**실질적·현실적
손실의 발생**
① 손실은 실질적이고 현실적으로 발생하여야 함
② [판례] 「공유수면매립법」상 공유수면매립면허의 고시만 있는 상태에서는, 그 공유수면에 대하여 관행어업권을 갖고 있던 자들에게 공유수면의 매립으로 인한 손실이 아직
발생하지 않은 것이라 봄 ➡ 매립면허 고시 이후 매립공사(간척사업)가 실행되어 관행어업권자에게 실질적이고 현실적인 피해가 발생한 경우에 그때 손실보상청구권 발생
(2007두6571)

상당인과관계
① 공용침해와 손실 사이에는 상당인과관계가 있어야 함(98두19414)
② [판례] 「감염병의 예방 및 관리에 관한 법률」 제71조에 의한 예방접종 피해에 대한 국가의 보상책임은 무과실책임이지만, 질병, 장애 또는 사망이 예방접종으로 인하여 발생
하였다는 점이 인정되어야 함(2017두52764)
③ [판례] 예방접종과 장애 등 사이의 인과관계는 반드시 의학적·자연과학적으로 명백히 증명되어야 하는 것은 아니고, 간접적 사실관계 등 제반 사정을 고려할 때 인과관계가
있다고 추단되는 경우에는 증명이 있다고 보아야 함(2017두52764)

❶ [민법] 물권(property right)이란 물건을 사용·수익 또는 처분하여 이익을 얻을 수 있는 권리를 말한다. 사람의 행동을 지배할 수 있는 권리인 채권에 대비되는 개념이다.

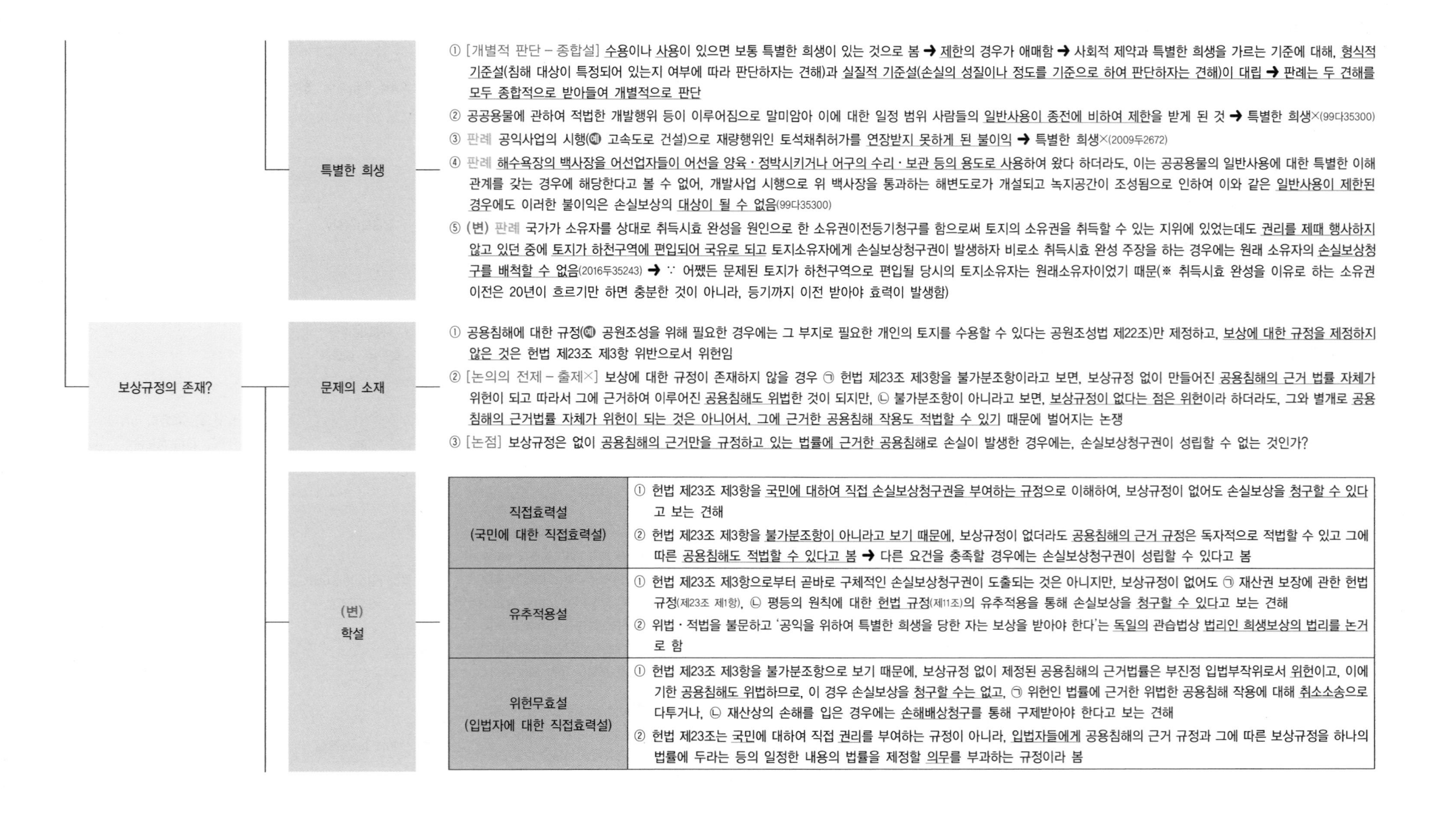

특별한 희생

① [개별적 판단 – 종합설] 수용이나 사용이 있으면 보통 특별한 희생이 있는 것으로 봄 ➜ 제한의 경우가 애매함 ➜ 사회적 제약과 특별한 희생을 가르는 기준에 대해, 형식적 기준설(침해 대상이 특정되어 있는지 여부에 따라 판단하자는 견해)과 실질적 기준설(손실의 성질이나 정도를 기준으로 하여 판단하자는 견해)이 대립 ➜ 판례는 두 견해를 모두 종합적으로 받아들여 개별적으로 판단

② 공공용물에 관하여 적법한 개발행위 등이 이루어짐으로 말미암아 이에 대한 일정 범위 사람들의 일반사용이 종전에 비하여 제한을 받게 된 것 ➜ 특별한 희생×(99다35300)

③ 판례 공익사업의 시행(에 고속도로 건설)으로 재량행위인 토석채취허가를 연장받지 못하게 된 불이익 ➜ 특별한 희생×(2009두2672)

④ 판례 해수욕장의 백사장을 어선업자들이 어선을 양육·정박시키거나 어구의 수리·보관 등의 용도로 사용하여 왔다 하더라도, 이는 공공용물의 일반사용에 대한 특별한 이해관계를 갖는 경우에 해당한다고 볼 수 없어, 개발사업 시행으로 위 백사장을 통과하는 해변도로가 개설되고 녹지공간이 조성됨으로 인하여 이와 같은 일반사용이 제한된 경우에도 이러한 불이익은 손실보상의 대상이 될 수 없음(99다35300)

⑤ (변) 판례 국가가 소유자를 상대로 취득시효 완성을 원인으로 한 소유권이전등기청구를 함으로써 토지의 소유권을 취득할 수 있는 지위에 있었는데도 권리를 제때 행사하지 않고 있던 중에 토지가 하천구역에 편입되어 국유로 되고 토지소유자에게 손실보상청구권이 발생하자 비로소 취득시효 완성 주장을 하는 경우에는 원래 소유자의 손실보상청구를 배척할 수 없음(2016두35243) ➜ ∵ 어쨌든 문제된 토지가 하천구역으로 편입될 당시의 토지소유자는 원래소유자이었기 때문(※ 취득시효 완성을 이유로 하는 소유권 이전은 20년이 흐르기만 하면 충분한 것이 아니라, 등기까지 이전 받아야 효력이 발생함)

보상규정의 존재?

문제의 소재

① 공용침해에 대한 규정(에 공원조성을 위해 필요한 경우에는 그 부지로 필요한 개인의 토지를 수용할 수 있다는 공원조성법 제22조)만 제정하고, 보상에 대한 규정을 제정하지 않은 것은 헌법 제23조 제3항 위반으로서 위헌임

② [논의의 전제 – 출제×] 보상에 대한 규정이 존재하지 않을 경우 ㉠ 헌법 제23조 제3항을 불가분조항이라고 보면, 보상규정 없이 만들어진 공용침해의 근거 법률 자체가 위헌이 되고 따라서 그에 근거하여 이루어진 공용침해도 위법한 것이 되지만, ㉡ 불가분조항이 아니라고 보면, 보상규정이 없다는 점은 위헌이라 하더라도, 그와 별개로 공용침해의 근거법률 자체가 위헌이 되는 것은 아니어서, 그에 근거한 공용침해 작용도 적법할 수 있기 때문에 벌어지는 논쟁

③ [논점] 보상규정은 없이 공용침해의 근거만을 규정하고 있는 법률에 근거한 공용침해로 손실이 발생한 경우에는, 손실보상청구권이 성립할 수 없는 것인가?

(변) 학설

직접효력설 (국민에 대한 직접효력설)	① 헌법 제23조 제3항을 국민에 대하여 직접 손실보상청구권을 부여하는 규정으로 이해하여, 보상규정이 없어도 손실보상을 청구할 수 있다고 보는 견해 ② 헌법 제23조 제3항을 불가분조항이 아니라고 보기 때문에, 보상규정이 없더라도 공용침해의 근거 규정은 독자적으로 적법할 수 있고 그에 따른 공용침해도 적법할 수 있다고 봄 ➜ 다른 요건을 충족할 경우에는 손실보상청구권이 성립할 수 있다고 봄
유추적용설	① 헌법 제23조 제3항으로부터 곧바로 구체적인 손실보상청구권이 도출되는 것은 아니지만, 보상규정이 없어도 ㉠ 재산권 보장에 관한 헌법 규정(제23조 제1항), ㉡ 평등의 원칙에 대한 헌법 규정(제11조)의 유추적용을 통해 손실보상을 청구할 수 있다고 보는 견해 ② 위법·적법을 불문하고 '공익을 위하여 특별한 희생을 당한 자는 보상을 받아야 한다'는 독일의 관습법상 법리인 희생보상의 법리를 논거로 함
위헌무효설 (입법자에 대한 직접효력설)	① 헌법 제23조 제3항을 불가분조항으로 보기 때문에, 보상규정 없이 제정된 공용침해의 근거법률은 부진정 입법부작위로서 위헌이고, 이에 기한 공용침해도 위법하므로, 이 경우 손실보상을 청구할 수는 없고, ㉠ 위헌인 법률에 근거한 위법한 공용침해 작용에 대해 취소소송으로 다투거나, ㉡ 재산상의 손해를 입은 경우에는 손해배상청구를 통해 구제받아야 한다고 보는 견해 ② 헌법 제23조는 국민에 대하여 직접 권리를 부여하는 규정이 아니라, 입법자들에게 공용침해의 근거 규정과 그에 따른 보상규정을 하나의 법률에 두라는 등의 일정한 내용의 법률을 제정할 의무를 부과하는 규정이라 봄

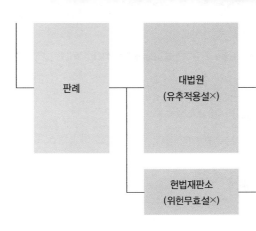

판례	대법원 (유추적용설×)	① 공용침해에 대한 다른 법령상의 보상규정이 있는 경우 그것을 <u>유추적용</u>하여 손실보상을 해주고 있음(헌법 규정 유추×) ➡ 위헌인지 여부에 대해서도 판시×

① 공용침해에 대한 다른 법령상의 보상규정이 있는 경우 그것을 <u>유추적용</u>하여 손실보상을 해주고 있음(헌법 규정 유추×) ➡ 위헌인지 여부에 대해서도 판시×

② [손해배상청구도 가능] 한편, 유추적용의 요건을 갖추었음에도 불구하고 보상을 해주지 않고 있는 경우, 그것은 불법행위가 되어 손해배상청구도 할 수 있다고 봄

③ 판례 「<u>도시 및 주거환경정비법</u>」에 따른 관리처분계획의 인가·고시를 통해 임차인이 임차물을 사용·수익할 권능을 제한받게 되는 손실을 입는 경우에는, 「<u>공익사업을 위한 토지 등의 취득 및 보상에 관한 법률</u>」을 유추적용하여 임차인에게 손실을 보상하여야 함(2009다28394)

④ 판례 하천관리청이 아닌 행정기관이 하천공사허가를 받아 시행한 하천공사로 인하여 손실을 받은 자는 「하천법」 상 보상규정을 유추적용하여 손실보상을 청구할 권리가 있음

⑤ (변) 판례 제방부지 및 제외지가 유수지와 더불어 하천구역이 되어 국유로 되는 이상, <u>유수지</u>에 대한 보상규정만 존재하고, 1971년 7월 20일부터 1984년 12월 31일 사이에 국유로 된 제방부지 및 제외지에 대해서는 <u>명시적인 보상규정이 없다</u> 하더라도, 그로 인하여 소유자가 입은 손실은 특별한 희생에 해당하고, 보상방법을 유수지에 대한 것과 달리할 아무런 합리적인 이유가 없으므로 소유자에게 손실을 보상하여야 함(2011두2743)

헌법재판소
(위헌무효설×)

① 손실보상에 관한 규정을 제정하지 않은 것은 <u>진정입법부작위로서 위헌</u>이라고 판시 ➡ "공권력의 불행사" 문제

② [헌법소원을 통한 구제] 이 경우 <u>손실보상을 통해 구제받을 것이 아니라,</u> 헌법소원심판(항고소송×)을 청구하여 보상에 관한 규정을 제정하지 않은 부분에 대한 위헌성을 해소하는 방법으로 구제받아야 한다고 봄

공익사업을 위한 토지등의 취득 및 보상에 관한 법률에 따른 공용침해 절차

의의
① 손실보상청구권에 대해 규정하고 있는 개별법률 ➡ 다만, 가장 포괄적이고 구체적으로 규정하고 있어, 다른 공용침해에 따른 손실보상을 규정하고 있는 법률들(예 「국토의 계획 및 이용에 관한 법률」, 「도시 및 주거환경정비법❶」, 「공유수면 관리 및 매립에 관한 법률」, 「전원개발촉진법」 등)에서도 이를 준용하는 경우가 많아 실질적으로는 일반법처럼 기능하고 있음

② [내용] 공익사업의 시행을 위하여 토지, 물건, 권리('토지등')에 손실을 가한 경우에 ⊙ 공용수용·공용사용을 하는 절차와 ⓒ 손실보상의 대상, ⓒ 어떠한 방법으로, 어떠한 원칙에 따라 손실보상이 이루어지는지, ⓔ 이에 따른 보상에 대하여 불복이 있는 경우 혹은 손실보상의 원인이 되는 공용침해 작용에 대하여 불복이 있는 경우 어떻게 불복해야 하는지에 대해 규정하고 있음

③ [연혁] 기존 「공공용지의취득및손실보상에관한특례법」과 「토지수용법」을 통·폐합하여 2003년 제정된 법률 ➡ '토지보상법'이라 약칭됨

공용수용·사용절차

사업인정 전 협의
① 공익사업의 시행을 위해 토지등에 대한 소유권이나 사용권이 필요한 경우 공익사업을 시행하려는 자('사업시행자')는 그 권리의 취득에 대하여 그 권리자와 협의를 시도할 수 있음(제16조) ➡ 필수절차는 아니지만, 협의가 되지 않은 토지등에 한하여 공용수용(사용)을 할 수 있음

② 협의가 성립되면 협의취득계약을 체결하여야 함(제17조) ➡ 이 협의취득계약은 사법상 계약(2016두64241, 2010다91206)

③ 협의가 성립된 경우 ⊙ 협의로 정한 날에 사업시행자는 보상을 해주고, ⓒ 피수용자는 그때까지 토지등의 소유권이나 사용권을 넘기면 됨

④ 판례 협의취득은 사법상의 법률행위이므로 당사자 사이의 자유로운 의사에 따라 채무불이행책임이나 매매대금 과부족금에 대한 지급의무를 약정할 수 있음(2010다91206)

사업인정
① [사업인정] ⊙ 어떤 사업을 '공익을 위하여 시행하는 사업'으로 인정하여, ⓒ 사업시행자에게 일정한 절차를 거칠 것을 조건으로 그 사업시행에 필요한 토지등을 강제로 수용 또는 사용할 수 있는 권리를 설정해 주는 형성행위(강학상 특허○)(확인행위×)(2017두71031) ➡ 처분○(93누19375)

② 사업시행자가 국토교통부장관에게 사업인정을 신청 ➡ 국토교통부장관이 재량으로 판단(사업인정시 중앙토지수용위원회와 협의) ➡ 공익사업이라고 해서 반드시 사업인정을 해주어야 하는 것×(제21조)(92누596)

③ [사업인정의 요건] ⊙ 실정법상 공익사업으로서 명확히 열거되어 있을 것(법률유보의 원칙)(∵ 침익적 작용이기 때문), ⓒ 공공필요성이 있을 것(비례의 원칙 준수), ⓒ 사업시행자에게 공익사업을 수행할 의사와 능력이 있을 것(2017두7103, 2009두1051) ➡ 사업인정 후에도 계속 유지되어야 함 ➡ 후에 요건이 결여되었음에도 사업인정이 있었음을 이유로 수용권을 행사하는 것은 수용권 남용으로서 허용×(2009두1051)

④ [사업인정의 고시] 사업인정은 고시를 한 날부터 효력이 발생(제22조) ➡ 고시가 있으면 ⊙ 수용할 목적물의 범위가 확정되고 보상액 고정, ⓒ 보상 받을 자의 범위도 확정(관계인의 범위도 제한), ⓒ 수용권자에게 그 목적물에 대한 현재 및 장래의 권리자에게 대항할 수 있는 공법상의 권리가 발생, ⓔ 고시된 토지등을 현상대로 유지해야 하는 보전의무 발생 ➡ (변) 사업인정의 고시는 단순한 사업인정의 효력발생요건인 통지×, 준법률행위적 행정행위인 통지에 해당○ ➡ 다만, 사업인정으로 곧바로 보상의무가 발생하는 것은×

⑤ [효력상실] 사업인정의 고시가 된 날부터 1년 이내 재결을 신청하지 않으면, 사업인정 고시가 된 날부터 1년이 되는 날의 다음 날에 사업인정은 효력을 상실(보상금은 지급받지 못한 채 피수용자가 소유권 행사의 제한만 받고 있는 상태가 장기간 지속되지 못하게 하려는 취지)(제23조 제1항) ➡ 실효가 된 경우 사업시행자는 사업인정이 실효됨으로 인하여 토지소유자나 관계인이 입은 손실을 보상하여야 함(제23조 제2항)

⑥ (변) [보상청구권 존부 판단의 기준점] 공익사업의 시행으로 손해를 입었다고 주장하는 자가 보상을 받을 권리를 가졌는지 여부는 해당 공익사업의 시행 당시를 기준으로 판단(2010다9658, 2004다65978, 2001다44352) ➡ 공익사업의 시행 당시? ➡ 사업인정 고시일을 기준으로 함

⑦ 판례 사업인정기관은 어떠한 사업이 외형상 토지등을 수용 또는 사용할 수 있는 사업에 해당한다 하더라도, 사업시행자에게 해당 공익사업을 수행할 의사와 능력이 없다면 사업인정을 거부할 수 있음(2017두7103)

⑧ 판례 공공의 이익에 도움이 되는 사업이라도 '공익사업'으로 실정법에 열거되어 있지 아니한 사업은 공용수용이 허용×(2011헌바129)

⑨ 판례 법이 '공익사업'으로 열거하고 있다 하더라도, 이는 공공성 유무를 판단하는 기준을 제시한 것에 불과하므로, 사업인정의 단계에서 개별적·구체적으로 공공성이 존재하는지에 대한 판단은 별도로 이루어져야 함(2011헌바129)

❶ [심화] 재건축·재개발 사업을 위한 토지 또는 건축물의 소유권과 그 밖의 권리에 대한 수용 또는 사용에 대해서도 「공익사업을 위한 토지 등의 취득 및 보상에 관한 법률」이 준용되기 때문에, 실무에서는 재건축·재개발과도 맞물리는 주제이다.

보상합의 (사업인정 후 협의)		① 사업인정을 받은 사업시행자는 보상에 관하여 토지소유자 및 관계인과 협의하여야 함(제26조 제1항) ➔ 이 보상합의는 사법상 법률행위 ② 「공익사업법」에 의한 보상합의는 공공기관이 사경제주체로서 행하는 사법상 계약의 실질을 가지는 것으로서, 당사자 간 합의로 토지보상법 소정의 보상기준에 의하지 않은 손실보상금을 정할 수 있음(2012다3517) ③ [협의의 효력] 손실보상금에 관한 당사자 간의 합의가 성립하면, 그 합의내용이 토지보상법에서 정하는 손실보상기준에 맞지 않는다고 하더라도, 합의가 착오 등을 이유로 적법하게 취소되는 등의 특별한 사정이 없는 한 그 합의는 유효하므로, 추가로 토지보상법상 기준에 따른 손실보상금을 청구×(2012다3517) ➔ ∵ 허용하면 협의의 의미가 없어지기 때문 ④ [재결 후 협의 – 가능○] 토지수용위원회의 수용재결이 있은 후라고 하더라도 토지소유자와 사업시행자가 다시 협의하여 토지 등의 취득·사용 및 그에 대한 보상에 관하여 임의로 계약을 체결할 수 있음(2016두64241) ➔ ∵ 어차피 수용개시일까지 보상금을 지급하지 아니하면 수용재결은 효력을 잃게 되기 때문	
수용·사용재결	**절차**	① [재결신청] 협의가 성립되지 않거나 협의를 할 수 없을 때에는 사업시행자(토지소유자×, 관계인×)는 사업인정고시가 된 날부터 1년 이내에 대통령령으로 정하는 바에 따라 관할 토지수용위원회에 재결을 신청(제28조) ➔ [재결] 관할 토지수용위원회는 해당 공익사업을 위한 토지등의 수용 또는 사용의 필요성을 판단하여 ㉠ 강제로 토지를 수용 또는 사용한다는 재결(인용재결) or ㉡ 이를 기각하는 재결 ② 판례 협의가 성립되지 아니한 때? ➔ ㉠ 사업시행자가 토지소유자 등과 사이에 공익사업법 제26조 소정의 협의절차는 거쳤으나 그 보상액 등에 관하여 협의가 성립하지 아니한 경우 or ㉡ 토지소유자 등이 손실보상대상에 해당한다고 주장하며 보상을 요구함에도 불구하고 사업시행자가 손실보상대상에 해당하지 아니한다고 보아 보상대상에서 이를 제외하고 협의를 거치지 않아 결국 협의가 성립하지 않은 경우(2011두2309)	
	토지등소유자의 재결신청청구권	① [재결신청청구권○, 재결신청권×] 사업인정고시가 된 후 협의가 성립되지 아니하였을 때에는 토지소유자와 관계인은 대통령령으로 정하는 바에 따라 서면으로 사업시행자(관할토지수용위원회×)에게 재결을 신청할 것을 청구할 수 있음(제30조) ➔ ㉠ 청구가 있을 경우 사업시행자는 청구를 받은 날로부터 60일 이내에 관할 토지수용위원회에 재결을 신청하여야 하고(제30조), ㉡ 재결신청 청구에도 불구하고 사업시행자가 재결신청을 거부하거나 하지 않고 있는 경우 토지소유자는 사업시행자를 상대로 거부처분 취소소송 또는 부작위 위법확인소송으로 다툴 수 있음(민사소송×)(2018두57865, 2011두2309, 97다13016) ② 판례 토지소유자 등이 손실보상대상에 해당한다고 주장하며 보상을 요구하는데도 사업시행자가 손실보상대상에 해당하지 아니한다며 보상대상에서 이를 제외한 채 협의를 하지 않아 결국 협의가 성립하지 않은 경우, 토지소유자 등에게는 재결신청청구권이 인정됨(2011두2309)	
	재결의 범위	① 인용재결을 하는 경우 관할 토지수용위원회는 재결의 형식으로, 수용하거나 사용할 토지의 구역 및 사용방법, 수용 또는 사용의 개시일과 기간, 보상금액 등을 정함 ➔ 토지수용위원회는 사업시행자, 토지소유자 또는 관계인이 신청한 범위 내에서만 재결하여야 함 ➔ 다만, 보상의 액수에 대해서는 예외가 인정되어 신청의 범위를 넘어서는 증액재결도 가능(제50조 제2항) ② 판례 관할 토지수용위원회가 토지에 관하여 사용재결을 하는 경우에는 재결서에 사용할 토지의 위치와 면적, 권리자, 손실보상액, 사용 개시일 외에도 사용방법, 사용기간을 구체적으로 특정하여야 함(2018두42641) ➔ 지방토지수용위원회가 甲 소유의 토지 중 일부는 '수용'하고 일부는 '사용'하는 재결을 하면서, 재결서에는 수용대상 토지 외에 사용대상 토지에 대해서도 그냥 '수용'한다고만 기재하여 사용재결을 위법하다고 본 사건	
	효력	① 수용재결이 내려지면, 사업시행자와 토지소유자 또는 관계인 사이에 강제로 매매계약이 체결된 것과 동일한 효과가 발생 ➔ 수용재결은 강학상 대리○, '위원회'가 내리는 결정이라는 의미에서 이름이 '재결'일 뿐 행정심판에서의 재결× ➔ 원처분○ ② [사업인정의 구속력] 사업인정 단계에서 이루어진 공공필요성 등에 대한 국토교통부장관의 판단은 관할 토지수용위원회의 재결시의 판단을 구속 ➔ 토지수용위원회는 공익사업 시행 자체를 불가능하게 하는 내용의 재결 가능×(93누19375) But 토지수용위원회는 사업인정 후 그 사업이 공익성을 결한다고 판단할 경우에 수용재결을 하지 않을 수 있음(∵ 공익성을 결하였음에도 불구하고 사업시행자가 여전히 수용재결을 신청하는 것은 수용권 남용에 해당하기 때문)(2009두1051) ③ [보상금 취득의 법률상 원인] 재결에 대하여 더이상 다툴 수 없게 된 경우, 기업자(현 사업시행자)는 그 재결이 당연무효이거나 취소되지 않는 한 이미 보상금을 지급받은 자에 대하여 그 보상금을 부당이득이라 하여 반환청구×(2000다50237) ④ [실효] 사업시행자가 수용 또는 사용의 개시일까지 관할 토지수용위원회가 재결한 보상금을 지급하거나 공탁하지 아니하였을 때에는 해당 토지수용위원회의 재결은 효력을 상실함(제42조 제1항)	

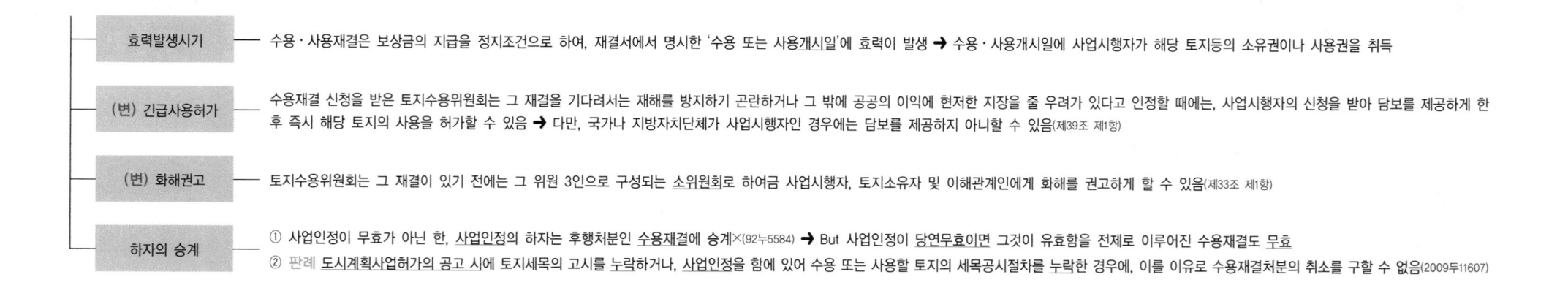

효력발생시기	수용·사용재결은 보상금의 지급을 정지조건으로 하여, 재결서에서 명시한 '수용 또는 사용개시일'에 효력이 발생 ➜ 수용·사용개시일에 사업시행자가 해당 토지등의 소유권이나 사용권을 취득
(변) 긴급사용허가	수용재결 신청을 받은 토지수용위원회는 그 재결을 기다려서는 재해를 방지하기 곤란하거나 그 밖에 공공의 이익에 현저한 지장을 줄 우려가 있다고 인정할 때에는, 사업시행자의 신청을 받아 담보를 제공하게 한 후 즉시 해당 토지의 사용을 허가할 수 있음 ➜ 다만, 국가나 지방자치단체가 사업시행자인 경우에는 담보를 제공하지 아니할 수 있음(제39조 제1항)
(변) 화해권고	토지수용위원회는 그 재결이 있기 전에는 그 위원 3인으로 구성되는 <u>소위원회</u>로 하여금 사업시행자, 토지소유자 및 이해관계인에게 화해를 권고하게 할 수 있음(제33조 제1항)
하자의 승계	① 사업인정이 무효가 아닌 한, <u>사업인정의 하자는 후행처분인 수용재결에 승계</u>×(92누5584) ➜ But 사업인정이 <u>당연무효</u>이면 그것이 유효함을 전제로 이루어진 수용재결도 무효 ② 판례 <u>도시계획사업허가의 공고 시에 토지세목의 고시</u>를 누락하거나, <u>사업인정</u>을 함에 있어 수용 또는 사용할 토지의 세목공시절차를 누락한 경우에, 이를 이유로 수용재결처분의 취소를 구할 수 없음(2009두11607)

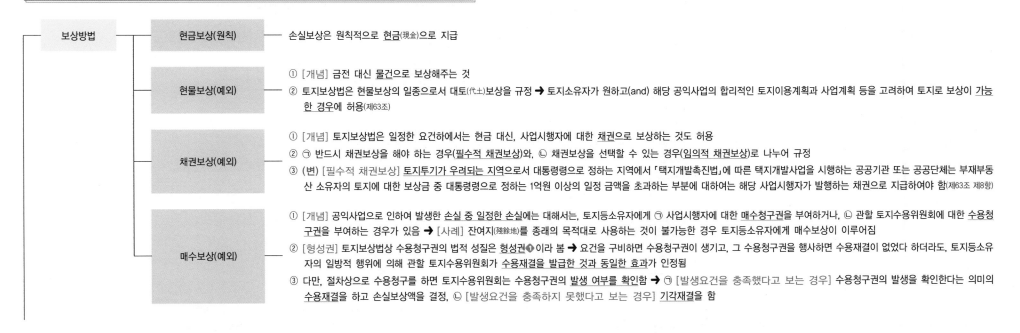

보상방법

현금보상(원칙) ── 손실보상은 원칙적으로 현금(現金)으로 지급

현물보상(예외) ──
① [개념] 금전 대신 물건으로 보상해주는 것
② 토지보상법은 현물보상의 일종으로서 대토(代土)보상을 규정 ➜ 토지소유자가 원하고(and) 해당 공익사업의 합리적인 토지이용계획과 사업계획 등을 고려하여 토지로 보상이 가능한 경우에 허용(제63조)

채권보상(예외) ──
① [개념] 토지보상법은 일정한 요건하에서는 현금 대신, 사업시행자에 대한 채권으로 보상하는 것도 허용
② ㉠ 반드시 채권보상을 해야 하는 경우(필수적 채권보상)와, ㉡ 채권보상을 선택할 수 있는 경우(임의적 채권보상)로 나누어 규정
③ (변) [필수적 채권보상] 토지투기가 우려되는 지역으로서 대통령령으로 정하는 지역에서 「택지개발촉진법」에 따른 택지개발사업을 시행하는 공공기관 또는 공공단체는 부재부동산 소유자의 토지에 대한 보상금 중 대통령령으로 정하는 1억원 이상의 일정 금액을 초과하는 부분에 대하여는 해당 사업시행자가 발행하는 채권으로 지급하여야 함(제63조 제8항)

매수보상(예외) ──
① [개념] 공익사업으로 인하여 발생한 손실 중 일정한 손실에는 대해서는, 토지등소유자에게 ㉠ 사업시행자에 대한 매수청구권을 부여하거나, ㉡ 관할 토지수용위원회에 대한 수용청구권을 부여하는 경우가 있음 ➜ [사례] 잔여지(殘餘地)를 종래의 목적대로 사용하는 것이 불가능한 경우 토지등소유자에게 매수보상이 이루어짐
② [형성권] 토지보상법상 수용청구권의 법적 성질은 형성권❶이라 봄 ➜ 요건을 구비하면 수용청구권이 생기고, 그 수용청구권을 행사하면 수용재결이 없었다 하더라도, 토지등소유자의 일방적 행위에 의해 관할 토지수용위원회가 수용재결을 발급한 것과 동일한 효과가 인정됨
③ 다만, 절차상으로 수용청구를 하면 토지수용위원회는 수용청구권의 발생 여부를 확인함 ➜ ㉠ [발생요건을 충족했다고 보는 경우] 수용청구권의 발생을 확인한다는 의미의 수용재결을 하고 손실보상액을 결정, ㉡ [발생요건을 충족하지 못했다고 보는 경우] 기각재결을 함

---

❶ [민법] ① 형성권은 그 상대방의 의사와 관계없이, 일방적인 권리행사로 그 상대방과의 법률관계를 변동시킬 수 있는 권리를 말한다. 법학에서 형성권과 청구권은 서로 대비되는 개념으로 쓰이는데, 청구권(예 친구에게 빌려 준 돈에 대한 금전지급청구권)은 그것을 행사하더라도 상대방이 자발적으로 이행하지 않는 한, 다시 법원의 힘을 빌려야만 실효성을 갖게 된다는 한계가 있다는 점에서 형성권과 다르다. ② 그런데 토지보상법상의 각종 수용청구권들은 이름이 '청구권'임에도 불구하고 그 법적 성질이 형성권에 해당한다고 보기 때문에 독특한 것이다.

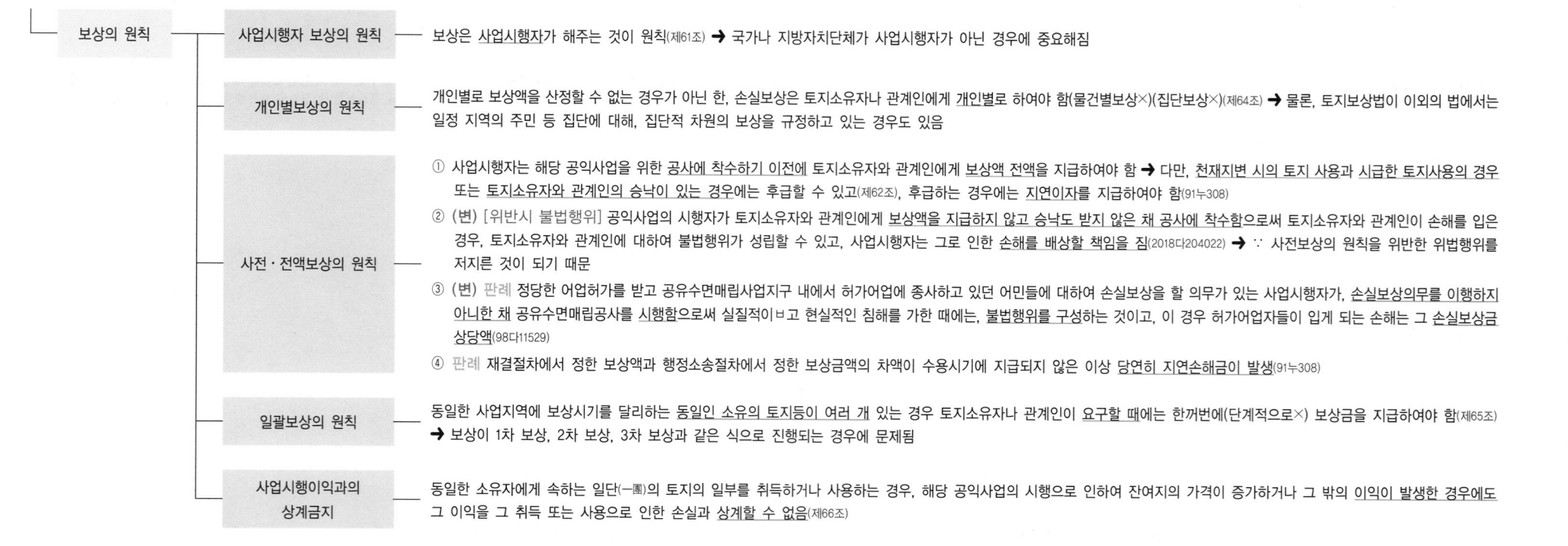

보상의 원칙

사업시행자 보상의 원칙 ─── 보상은 <u>사업시행자</u>가 해주는 것이 원칙(제61조) ➜ 국가나 지방자치단체가 사업시행자가 아닌 경우에 중요해짐

개인별보상의 원칙

개인별로 보상액을 산정할 수 없는 경우가 아닌 한, 손실보상은 토지소유자나 관계인에게 <u>개인별</u>로 하여야 함(<u>물건별보상</u>×)(<u>집단보상</u>×)(제64조) ➜ 물론, 토지보상법이 이외의 법에서는 일정 지역의 주민 등 집단에 대해, 집단적 차원의 보상을 규정하고 있는 경우도 있음

사전·전액보상의 원칙

① 사업시행자는 해당 공익사업을 위한 <u>공사에 착수하기 이전</u>에 토지소유자와 관계인에게 <u>보상액 전액</u>을 지급하여야 함 ➜ 다만, <u>천재지변 시의 토지 사용</u>과 <u>시급한 토지사용의 경우</u> 또는 <u>토지소유자와 관계인의 승낙</u>이 있는 경우에는 후급할 수 있고(제62조), 후급하는 경우에는 <u>지연이자</u>를 지급하여야 함(91누308)

② (변) [위반시 불법행위] 공익사업의 시행자가 토지소유자와 관계인에게 보상액을 지급하지 않고 승낙도 받지 않은 채 공사에 착수함으로써 토지소유자와 관계인이 손해를 입은 경우, 토지소유자와 관계인에 대하여 불법행위가 성립할 수 있고, 사업시행자는 그로 인한 <u>손해를 배상할 책임</u>을 짐(2018다204022) ➜ ∵ 사전보상의 원칙을 위반한 위법행위를 저지른 것이 되기 때문

③ (변) 판례 정당한 어업허가를 받고 공유수면매립사업지구 내에서 허가어업에 종사하고 있던 어민들에 대하여 손실보상을 할 의무가 있는 사업시행자가, <u>손실보상의무를 이행하지 아니한 채</u> 공유수면매립공사를 <u>시행함</u>으로써 실질적이ㅂ고 현실적인 침해를 가한 때에는, <u>불법행위를 구성</u>하는 것이고, 이 경우 허가어업자들이 입게 되는 손해는 그 <u>손실보상금 상당액</u>(98다11529)

④ 판례 재결절차에서 정한 보상액과 행정소송절차에서 정한 보상금액의 차액이 수용시기에 지급되지 않은 이상 당연히 지연손해금이 발생(91누308)

일괄보상의 원칙

동일한 사업지역에 보상시기를 달리하는 동일인 소유의 토지등이 여러 개 있는 경우 토지소유자나 관계인이 <u>요구할 때</u>에는 한꺼번에(<u>단계적으로</u>×) 보상금을 지급하여야 함(제65조) ➜ 보상이 1차 보상, 2차 보상, 3차 보상과 같은 식으로 진행되는 경우에 문제됨

사업시행이익과의 상계금지

동일한 소유자에게 속하는 일단(一團)의 토지의 일부를 취득하거나 사용하는 경우, 해당 공익사업의 시행으로 인하여 잔여지의 가격이 증가하거나 그 밖의 <u>이익이 발생</u>한 경우에도 그 이익을 그 취득 또는 사용으로 인한 손실과 <u>상계할 수 없음</u>(제66조)

사업시행지 내 손실	취득하는 토지	보상액

보상액

[가격시점] ㉠ 협의취득이 이뤄지는 경우에는 협의성립 당시의 객관적 가격으로 보상하고, ㉡ 재결수용이 이뤄지는 경우에는 재결 당시(재결에서 정한 수용시기×)의 객관적 가격으로 보상(제67조 제1항)

표준지 공시지가 기준

① 취득대상 토지의 경우 협의가 성립되거나 재결이 되었을 당시(토지의 인도와 보상금 지급시×)에 이미 공시가 되어 있는 표준지공시지가(개별공시지가×) 중, 당해 사업인정의 고시일과 가장 가까운 시점에 공시된 것을 기준으로 함(제70조 제1, 4항)

② 위 표준지공시지가에 ㉠ 그 공시기준일부터 가격시점까지의 관계 법령에 따른 그 토지의 이용계획, 해당 공익사업으로 인한 지가의 영향을 받지 아니하는 지역의 대통령령으로 정하는 지가변동률, 생산자물가상승률(「한국은행법」 제86조에 따라 한국은행이 조사·발표하는 생산자물가지수에 따라 산정된 비율)을 고려하고(시점보정1), ㉡ 그 밖에 그 토지의 위치·형상·환경·이용상황 등을 고려하여(상황보정) 평가한 적정가격으로 보상(제70조 제1항)

③ [위헌성 – 정당보상의 원칙 위배×] 토지수용으로 인한 손실보상액을 개별공시지가가 아닌 표준지공시지가를 기준으로 하는 것은 헌법 제23조 제3항이 규정한 정당보상의 원칙에 위배×(2000헌바31)

개발이익배제 원칙(시점보정2)

① [개발이익] 해당 공익사업(⑩ 법원 이전)으로 인한 수용대상 토지등의 지가 상승분

② 토지등을 수용한 원인이 된 공익사업('해당 공익사업')으로 인하여 발생한 개발이익은 보상금 산정시 고려× ➜ 개발이익은 정당한 보상의 범위에 포함×(제67조 제2항)

③ 다만, '해당 공익사업'과 관계없는 다른 공익사업(⑩ GTX 역사 유치)으로 인하여 발생한 개발이익은 그 토지등소유자의 것으로 보아 보상금 산정시 고려○(제67조 제2항 반대해석)(98두8896) ➜ ∵ 해당 공익사업과 관계없는 다른 사업의 시행으로 인한 개발이익까지 배제하게 되면, 손실보상을 할 때 당해 토지와 관련된 모든 과거의 공공사업들(⑩ 과거에 근처에 도로가 놓아졌던 일, 공원이 설치된 일 등)까지 다 거슬러 고려해야 하기 때문

④ [위헌성 – 정당보상의 원칙 위배×] 제67조 제2항에서 개발이익배제조항이 이러한 개발이익을 배제하고 손실보상액을 산정한다 하여 헌법 제23조 제3항이 규정한 정당보상의 원칙에 어긋나는 것× ➜ ∵ 공익사업의 시행으로 지가가 상승하여 발생하는 개발이익은, 사업시행자의 투자에 의한 것으로서, 피수용자인 토지소유자의 노력이나 자본에 의하여 발생하는 것이 아니기 때문 ➜ 개발이익은 피수용 토지가 수용 당시 갖는 객관적 가치에 포함×, 피수용자의 손실×(2008헌바57, 93누2131)

⑤ [위헌성 – 평등권 침해×] 개발이익에 대하여 손실보상을 하지 않는 것이, 당해 공익사업으로 수용당하지 않은 채 사실상 개발이익을 향유하는 인근 토지소유자와의 관계에서 평등권을 침해하는 것×(98헌바13)

개발손실배제 원칙(시점보정3)

① [개발손실] 해당 공익사업(⑩ 하수처리장 이전)으로 인한 수용대상 토지등의 지가 하락분

② 토지등에 대한 제한이 해당 공익사업(⑩ 공원조성사업)의 시행을 직접 목적으로 하여 가하여진 경우(⑩ 공원조성계획결정에 따른 증·개축 금지) 그 제한을 받지 아니하는 상태를 가정하여(즉, 지가하락이 없었을 상황을 가정하여) 보상을 해주어야 함(2003두14222)

③ 다만, 토지등에 대한 제한이 해당 공익사업(⑩ 공원조성사업)을 직접 목적으로 하여 가하여진 경우가 아닌 경우(⑩ 공원이 들어서기 전에 이미 존재하던 문화재보호구역지정에 따른 개발제한)에는 그 제한이 존재하는 상태대로(즉, 하락된 현재상태의 지가대로) 보상을 해주어야 함(2003두14222)

④ [공익사업의 시행 이후에 가해진 제한] 이 경우라도 여전히 동일하게 위 법리를 따름(2003두14222)

⑤ 판례 문화재보호구역의 확대지정이 공공사업인 택지개발사업의 시행을 직접 목적으로 하여 가하여진 것이 아님이 명백한 이상, 문화재보호구역의 확대지정이 당해 공공사업의 시행 이후에 행해진 경우라 하더라도, 공공사업지구에 포함된 토지에 대한 수용보상액은 문화재보호구역의 확대지정에 의한 공법상 제한을 받는 상태대로 평가하여야 함(2003두14222)

⑥ (변) [응용 – 용도지역 미지정의 경우] 어느 수용대상 토지에 관하여 특정 시점에서 용도지역 등의 지정 또는 변경을 하지 않은 것이 특정 공익사업의 시행을 위한 것일 경우, 용도지역 등의 지정 또는 변경이 이루어진 상태를 상정하여 토지가격을 평가하여야 함(2017두61799)

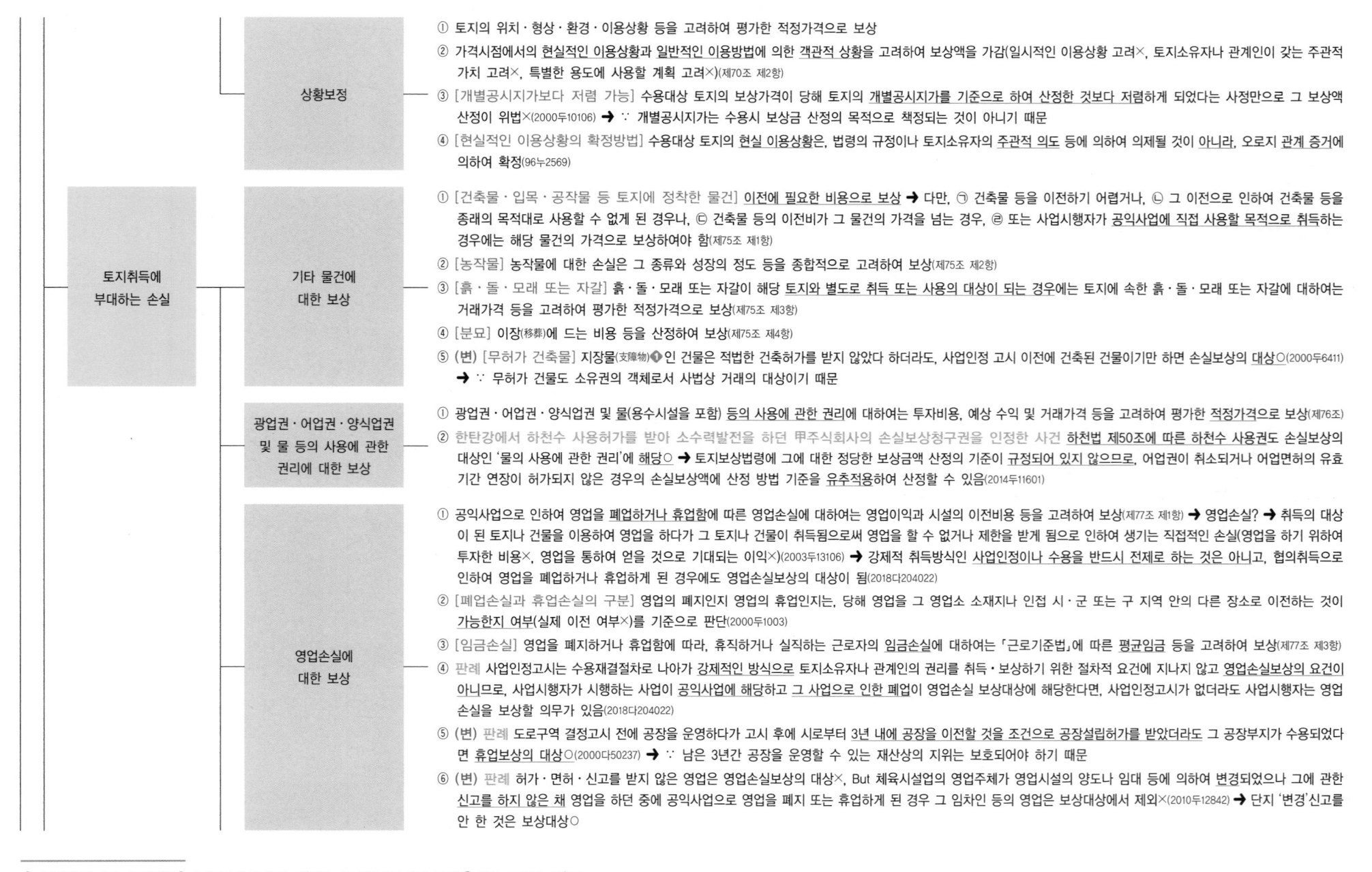

상황보정

① 토지의 위치·형상·환경·이용상황 등을 고려하여 평가한 적정가격으로 보상

② 가격시점에서의 현실적인 이용상황과 일반적인 이용방법에 의한 객관적 상황을 고려하여 보상액을 가감(일시적인 이용상황 고려×, 토지소유자나 관계인이 갖는 주관적 가치 고려×, 특별한 용도에 사용할 계획 고려×)(제70조 제2항)

③ [개별공시지가보다 저렴 가능] 수용대상 토지의 보상가격이 당해 토지의 개별공시지가를 기준으로 하여 산정한 것보다 저렴하게 되었다는 사정만으로 그 보상액 산정이 위법×(2000두10106) ➡ ∵ 개별공시지가는 수용시 보상금 산정의 목적으로 책정되는 것이 아니기 때문

④ [현실적인 이용상황의 확정방법] 수용대상 토지의 현실 이용상황은, 법령의 규정이나 토지소유자의 주관적 의도 등에 의하여 의제될 것이 아니라, 오로지 관계 증거에 의하여 확정(96누2569)

기타 물건에 대한 보상

① [건축물·입목·공작물 등 토지에 정착한 물건] 이전에 필요한 비용으로 보상 ➡ 다만, ㉠ 건축물 등을 이전하기 어렵거나, ㉡ 그 이전으로 인하여 건축물 등을 종래의 목적대로 사용할 수 없게 된 경우나, ㉢ 건축물 등의 이전비가 그 물건의 가격을 넘는 경우, ㉣ 또는 사업시행자가 공익사업에 직접 사용할 목적으로 취득하는 경우에는 해당 물건의 가격으로 보상하여야 함(제75조 제1항)

② [농작물] 농작물에 대한 손실은 그 종류와 성장의 정도 등을 종합적으로 고려하여 보상(제75조 제2항)

③ [흙·돌·모래 또는 자갈] 흙·돌·모래 또는 자갈이 해당 토지와 별도로 취득 또는 사용의 대상이 되는 경우에는 토지에 속한 흙·돌·모래 또는 자갈에 대하여는 거래가격 등을 고려하여 평가한 적정가격으로 보상(제75조 제3항)

④ [분묘] 이장(移葬)에 드는 비용 등을 산정하여 보상(제75조 제4항)

⑤ (변) [무허가 건축물] 지장물(支障物)➊인 건물은 적법한 건축허가를 받지 않았다 하더라도, 사업인정 고시 이전에 건축된 건물이기만 하면 손실보상의 대상○(2000두6411) ➡ ∵ 무허가 건물도 소유권의 객체로서 사법상 거래의 대상이기 때문

광업권·어업권·양식업권 및 물 등의 사용에 관한 권리에 대한 보상

① 광업권·어업권·양식업권 및 물(용수시설을 포함) 등의 사용에 관한 권리에 대하여는 투자비용, 예상 수익 및 거래가격 등을 고려하여 평가한 적정가격으로 보상(제76조)

② 한탄강에서 하천수 사용허가를 받아 소수력발전을 하던 甲주식회사의 손실보상청구권을 인정한 사건 하천법 제50조에 따른 하천수 사용권도 손실보상의 대상인 '물의 사용에 관한 권리'에 해당○ ➡ 토지보상법령에 그에 대한 정당한 보상금액 산정의 기준이 규정되어 있지 않으므로, 어업권이 취소되거나 어업면허의 유효기간 연장이 허가되지 않은 경우의 손실보상액의 산정 방법 기준을 유추적용하여 산정할 수 있음(2014두11601)

영업손실에 대한 보상

① 공익사업으로 인하여 영업을 폐업하거나 휴업함에 따른 영업손실에 대하여는 영업이익과 시설의 이전비용 등을 고려하여 보상(제77조 제1항) ➡ 영업손실? ➡ 취득의 대상이 된 토지나 건물을 이용하여 영업을 하다가 그 토지나 건물이 취득됨으로써 영업을 할 수 없거나 제한을 받게 됨으로 인하여 생기는 직접적인 손실(영업을 하기 위하여 투자한 비용×, 영업을 통하여 얻을 것으로 기대되는 이익×)(2003두13106) ➡ 강제적 취득방식인 사업인정이나 수용을 반드시 전제로 하는 것은 아니고, 협의취득으로 인하여 영업을 폐업하거나 휴업하게 된 경우에도 영업손실보상의 대상이 됨(2018다204022)

② [폐업손실과 휴업손실의 구분] 영업의 폐지인지 영업의 휴업인지는, 당해 영업을 그 영업소 소재지나 인접 시·군 또는 구 지역 안의 다른 장소로 이전하는 것이 가능한지 여부(실제 이전 여부×)를 기준으로 판단(2000두1003)

③ [임금손실] 영업을 폐지하거나 휴업함에 따라, 휴직하거나 실직하는 근로자의 임금손실에 대하여는 「근로기준법」에 따른 평균임금 등을 고려하여 보상(제77조 제3항)

④ 판례 사업인정고시는 수용재결절차로 나아가 강제적인 방식으로 토지소유자나 관계인의 권리를 취득·보상하기 위한 절차적 요건에 지나지 않고 영업손실보상의 요건이 아니므로, 사업시행자가 시행하는 사업이 공익사업에 해당하고 그 사업으로 인한 폐업이 영업손실 보상대상에 해당한다면, 사업인정고시가 없더라도 사업시행자는 영업손실을 보상할 의무가 있음(2018다204022)

⑤ (변) 판례 도로구역 결정고시 전에 공장을 운영하다가 고시 후에 시로부터 3년 내에 공장을 이전할 것을 조건으로 공장설립허가를 받았더라도 그 공장부지가 수용되었다면 휴업보상의 대상○(2000다50237) ➡ ∵ 남은 3년간 공장을 운영할 수 있는 재산상의 지위는 보호되어야 하기 때문

⑥ (변) 판례 허가·면허·신고를 받지 않은 영업은 영업손실보상의 대상×, But 체육시설업의 영업주체가 영업시설의 양도나 임대 등에 의하여 변경되었으나 그에 관한 신고를 하지 않은 채 영업을 하던 중에 공익사업으로 영업을 폐지 또는 휴업하게 된 경우 그 임차인 등의 영업은 보상대상에서 제외×(2010두12842) ➡ 단지 '변경'신고를 안 한 것은 보상대상○

토지취득에 부대하는 손실

➊ 지장물이란 해당 공익사업(예 공설운동장 건설)을 수행하는 데 필요하지 않은 물건(예 연못, 나무)을 말한다.

| 농업손실에 대한 보상 | 농업의 손실에 대하여는 농지의 단위면적당 소득 등을 고려하여 실제 경작자에게 보상 ➡ 다만, 농지소유자가 해당 지역에 거주하는 농민인 경우에는 농지소유자와 실제 경작자가 협의하는 바에 따라 보상할 수 있음(제77조 제2항) |

사용하는 토지

① [원칙 – 사용대가 보상] 협의 또는 재결에 의하여 사용하는 토지에 대하여는 그 토지와 인근 유사토지의 지료(地料), 임대료, 사용방법, 사용기간 및 그 토지의 가격 등을 고려하여 평가한 적정가격으로 보상하여야 함(제71조 제1항)

② [예외적 매수보상] 사업인정 고시가 된 후 ㉠ 사업시행자가 토지를 사용하는 기간이 3년 이상인 경우 ㉡ 또는 토지의 사용으로 인하여 토지의 형질이 변경되는 경우, ㉢ 사용하려는 토지에 그 토지소유자의 건축물이 있는 경우에는, 토지소유자는 사업시행자에게 해당 토지의 매수를 청구하거나 관할 토지수용위원회에 그 토지의 수용을 청구할 수 있음 ➡ 이 경우 관계인(㉣ 사용대상 토지의 임차인)은 사업시행자나 관할(중앙×) 토지수용위원회에 자기 권리의 존속을 청구할 수 있음(제72조)

③ [수용청구권의 성질] 형성권

④ [수용청구 기각에 대한 불복] 토지수용위원회가 이 수용청구를 받아들이지 않는 재결을 하는 경우, 토지소유자는 사업시행자를 피고로 보상금증감청구소송을 제기하여 다툴 수 있음 (관할 토지수용위원회를 피고로×, 항고소송×)(2014두46669) ➡ 보상금증감청구소송 관할의 확장

⑤ (변) 판례 농지개량사업 시행지역 내의 토지등소유자가 토지사용에 관한 승낙을 한 경우라고 해도, 그에 대한 정당한 보상을 받지 않은 경우라면, 농지개량사업 시행자에게 토지소유자 및 그 승계인에 대하여 보상할 의무○(2016다206369) ➡ ∵ 토지사용을 승낙하는 토지소유자의 의사는 '무상으로' 사용해도 좋다는 뜻이라기보다는 단순히 '빌려주겠다'는 뜻이라고 보는 것이 합리적이기 때문

잔여지에 대한 보상

잔여지 가격감소 등 손실 또는 공사비용(제73조)

① 동일한 소유자에게 속하는 일단의 토지의 일부가 취득되거나 사용됨으로 인하여, ㉠ 잔여지의 가격이 감소하거나 그 밖의 손실이 있을 때 or ㉡ 잔여지에 통로·도랑·담장 등의 신설이나 그 밖의 공사가 필요할 때 ➡ 사업시행자는 국토교통부령으로 정하는 바에 따라 그 손실이나 공사의 비용을 보상하여야 함 ➡ 이 손실 또는 비용의 보상은 관계 법률에 따라 사업이 완료된 날 또는 사업완료의 고시가 있는 날(이하 "사업완료일"이라 한다)부터 1년이 지난 후에는 청구×

② 다만, 잔여지의 가격 감소분과 잔여지에 대한 공사의 비용을 합한 금액이 잔여지의 가격보다 큰 경우에는 사업시행자는 그 잔여지를 매수할 수 있음

③ 판례 잔여지에 현실적 이용상황 변경 또는 사용가치 및 교환가치의 하락 등이 발생하였더라도 그 손실이 토지가 공익사업에 취득·사용됨으로써 발생한 것이 아닌 경우에는 손실보상의 대상×(2017두40860) ➡ 잔여지의 사용가치·교환가치 하락이, 공익사업인 고속도로 건설에 토지 일부가 취득·사용됨으로 인해 발생한 것이 아니라, 그와 별도로 잔여지 일부를 접도구역으로 지정·고시한 조치로 인하여 발생하였던 사건

④ 판례 보상하여야 할 손실에는 토지 일부의 취득 또는 사용으로 인하여 그 획지조건이나 접근조건 등의 가격형성요인이 변동됨에 따라 발생하는 손실뿐만 아니라, 그 취득 또는 사용 목적 사업의 시행으로 설치되는 시설의 형태·구조·사용 등에 기인하여 발생하는 손실과, 수용재결 당시의 현실적 이용상황의 변경 외 장래의 이용가능성이나 거래의 용이성 등에 의한 사용가치 및 교환가치상의 하락 모두가 포함됨(2010두23149)

⑤ [제74조 청구권과의 준별] 동일한 토지소유자에 속하는 일단의 토지의 일부가 취득됨으로써 잔여지의 가격이 감소한 때에는 잔여지를 종래의 목적으로 사용하는 것이 가능한 경우라도 그 잔여지는 손실보상의 대상○(2015두4044)

잔여지를 종래의 목적에 사용하는 것이 현저히 곤란한 경우에 대한 보상 (제74조)

① 동일한 소유자에게 속하는 일단의 토지의 일부가 협의에 의하여 매수되거나 수용됨으로 인하여, 잔여지를 종래의 목적에 사용하는 것이 현저히 곤란할 때 ➡ 해당 토지소유자(사업시행자×)는 ㉠ 사업인정 전에는 사업시행자에게 잔여지를 매수하여 줄 것을 청구할 수 있고, ㉡ 사업인정 이후에는 관할 토지수용위원회에 수용을 청구할 수 있음(제74조 제1항)

② 수용청구는 매수에 관한 협의가 성립되지 아니한 경우에만 할 수 있음

③ [제척기간] 수용청구는 그 사업완료일까지(사업완료일부터 1년까지×) 하여야 함 ➡ 이 기간 내에 잔여지 수용청구권을 행사하지 않으면 권리 소멸(2008두822)

④ ['현저한 곤란'] 잔여지가 절대적으로 이용 불가능한 경우만이 아니라, 이용은 가능하지만 그 이용에 많은 비용이 소요되는 경우에도 잔여지 수용청구 가능○(2002두4679)

⑤ [매수청구권과 수용청구권의 준별] 사업시행자에 대한 잔여지 매수청구의 의사표시를, 관할 토지수용위원회에 대한 잔여지 수용청구의 의사표시로 볼 수 없음(2008두822)

⑥ [권리존속 청구권] 매수 또는 수용의 청구가 있는 잔여지 및 잔여지에 있는 물건에 관하여 권리를 가진 자는 사업시행자나 관할 토지수용위원회에 그 권리의 존속을 청구할 수 있음

⑦ [수용청구권의 성질] 잔여지수용청구권은 그 요건을 구비한 때에는 토지수용위원회의 특별한 조치를 기다릴 것 없이 청구에 의하여 수용의 효과가 발생하는 형성권적 성질을 가짐(99두11080)

⑧ [수용청구 기각에 대한 불복] 잔여지 수용청구권을 행사하였으나, 관할 토지수용위원회가 이를 받아들이지 않는 기각재결을 한 경우 ➡ 대법원은 사업시행자를 피고로 하는 보상금증감청구소송을 제기하여 다투어야 한다고 봄(토지수용위원회를 피고로×, 항고소송×, 행정소송○)(2008두822)

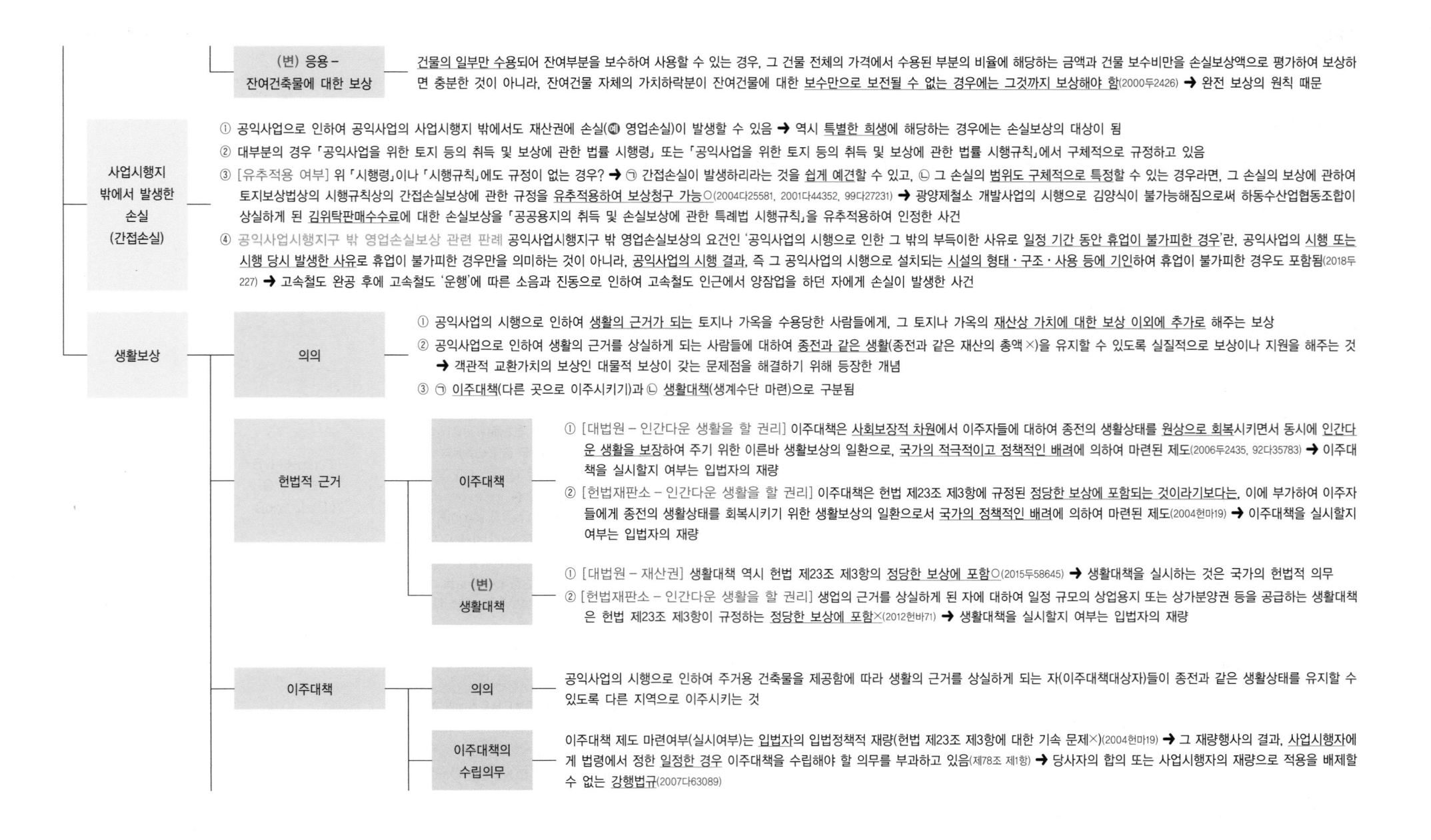

| | (변) 응용 – 잔여건축물에 대한 보상 | 건물의 일부만 수용되어 잔여부분을 보수하여 사용할 수 있는 경우, 그 건물 전체의 가격에서 수용된 부분의 비율에 해당하는 금액과 건물 보수비만을 손실보상액으로 평가하여 보상하면 충분한 것이 아니라, 잔여건물 자체의 가치하락분이 잔여건물에 대한 <u>보수만으로 보전될 수 없는 경우에는 그것까지 보상해야 함</u>(2000두2426) ➔ 완전 보상의 원칙 때문 |

사업시행지 밖에서 발생한 손실 (간접손실)

① 공익사업으로 인하여 공익사업의 사업시행지 밖에서도 재산권에 손실(ⓔ 영업손실)이 발생할 수 있음 ➔ 역시 <u>특별한 희생</u>에 해당하는 경우에는 손실보상의 대상이 됨

② 대부분의 경우 「공익사업을 위한 토지 등의 취득 및 보상에 관한 법률 시행령」 또는 「공익사업을 위한 토지 등의 취득 및 보상에 관한 법률 시행규칙」에서 구체적으로 규정하고 있음

③ [유추적용 여부] 위 「시행령」이나 「시행규칙」에도 규정이 없는 경우? ➔ ㉠ 간접손실이 발생하리라는 것을 쉽게 예견할 수 있고, ㉡ 그 손실의 범위도 구체적으로 특정할 수 있는 경우라면, 그 손실의 보상에 관하여 토지보상법상의 시행규칙상의 간접손실보상에 관한 규정을 <u>유추적용하여 보상청구 가능</u>○(2004다25581, 2001다44352, 99다27231) ➔ 광양제철소 개발사업의 시행으로 김양식이 불가능해짐으로써 하동수산업협동조합이 상실하게 된 <u>김위탁판매수수료</u>에 대한 손실보상을 「공공용지의 취득 및 손실보상에 관한 특례법 시행규칙」을 유추적용하여 인정한 사건

④ <u>공익사업시행지구 밖 영업손실보상 관련 판례</u> 공익사업시행지구 밖 영업손실보상의 요건인 '공익사업의 시행으로 인한 그 밖의 부득이한 사유로 일정 기간 동안 휴업이 불가피한 경우'란, 공익사업의 시행 또는 시행 당시 발생한 사유로 휴업이 불가피한 경우만을 의미하는 것이 아니라, 공익사업의 시행 결과, 즉 그 공익사업의 시행으로 설치되는 시설의 형태·구조·사용 등에 기인하여 휴업이 불가피한 경우도 포함됨(2018두227) ➔ 고속철도 완공 후에 고속철도 '운행'에 따른 소음과 진동으로 인하여 고속철도 인근에서 양잠업을 하던 자에게 손실이 발생한 사건

생활보상

의의

① 공익사업의 시행으로 인하여 <u>생활의 근거가 되는</u> 토지나 가옥을 수용당한 사람들에게, 그 토지나 가옥의 <u>재산상 가치에 대한 보상 이외에 추가로 해주는 보상</u>

② 공익사업으로 인하여 생활의 근거를 상실하게 되는 사람들에 대하여 종전과 같은 생활(종전과 같은 재산의 총액 ×)을 유지할 수 있도록 실질적으로 보상이나 지원을 해주는 것 ➔ 객관적 교환가치의 보상인 대물적 보상이 갖는 문제점을 해결하기 위해 등장한 개념

③ ㉠ <u>이주대책</u>(다른 곳으로 이주시키기)과 ㉡ <u>생활대책</u>(생계수단 마련)으로 구분됨

헌법적 근거

이주대책

① [대법원 – 인간다운 생활을 할 권리] 이주대책은 <u>사회보장적 차원</u>에서 이주자들에 대하여 종전의 생활상태를 <u>원상으로 회복</u>시키면서 동시에 <u>인간다운 생활을 보장</u>하여 주기 위한 이른바 생활보상의 일환으로, 국가의 적극적이고 정책적인 배려에 의하여 마련된 제도(2006두2435, 92다35783) ➔ 이주대책을 실시할지 여부는 입법자의 재량

② [헌법재판소 – 인간다운 생활을 할 권리] 이주대책은 헌법 제23조 제3항에 규정된 <u>정당한 보상에 포함되는 것이라기보다는</u>, 이에 부가하여 이주자들에게 종전의 생활상태를 회복시키기 위한 생활보상의 일환으로서 <u>국가의 정책적인 배려</u>에 의하여 마련된 제도(2004헌마19) ➔ 이주대책을 실시할지 여부는 입법자의 재량

(변) 생활대책

① [대법원 – 재산권] 생활대책 역시 헌법 제23조 제3항의 정당한 보상에 포함○(2015두58645) ➔ 생활대책을 실시하는 것은 국가의 헌법적 의무

② [헌법재판소 – 인간다운 생활을 할 권리] 생업의 근거를 상실하게 된 자에 대하여 일정 규모의 상업용지 또는 상가분양권 등을 공급하는 생활대책은 헌법 제23조 제3항이 규정하는 <u>정당한 보상에 포함</u>×(2012헌바71) ➔ 생활대책을 실시할지 여부는 입법자의 재량

이주대책

의의

공익사업의 시행으로 인하여 주거용 건축물을 제공함에 따라 생활의 근거를 상실하게 되는 자(이주대책대상자)들이 종전과 같은 생활상태를 유지할 수 있도록 다른 지역으로 이주시키는 것

이주대책의 수립의무

이주대책 제도 마련여부(실시여부)는 입법자의 입법정책적 재량(헌법 제23조 제3항에 대한 기속 문제×)(2004헌마19) ➔ 그 재량행사의 결과, 사업시행자에게 법령에서 정한 일정한 경우 이주대책을 수립해야 할 의무를 부과하고 있음(제78조 제1항) ➔ 당사자의 합의 또는 사업시행자의 재량으로 적용을 배제할 수 없는 <u>강행법규</u>(2007다63089)

이주대책의 내용	내용결정의 재량	① 구체적인 내용을 결정하는 일은 사업시행자의 재량 ② 판례 사업시행자는 이주대책기준을 정하여 이주대책대상자 중에서 이주대책을 수립·실시하여야 할 자를 선정하여 그들에게 공급할 택지 또는 주택의 내용이나 수량을 정할 수 있고, 이를 정하는 데 재량을 가짐 ➡ 사업시행자가 설정한 기준은 그것이 객관적으로 합리적이 아니라거나 타당하지 않다고 볼 만한 다른 특별한 사정이 없는 한 존중되어야 함(2009두23709, 2008두12610)
	이주정착지 조성·분양 (좁은 의미의 이주대책)	① 이주대책대상자 중 이주정착지에 이주를 희망하는 가구수가 10호 이상인 경우에 (좁은 의미의) 이주대책을 수립함(시행령 제40조 제2항) ② 이주정착지를 조성·분양, 아파트입주권·택지분양권 등의 수분양권 지급, 공영주택 알선 등의 방식으로 이루어짐 ③ 사업시행자가 이주대책을 수립하고자 하는 때에는 미리 관할 지방자치단체의 장과 협의해야 함(제78조 제2항) ④ 이주대책의 내용에는 이주정착지에 대한 도로·급수시설·배수시설 그 밖의 공공시설 등 통상적인 수준의 생활기본시설이 포함되어야 함(재량의 한계)(제78조 제4항) ➡ ㉠ 당사자의 합의 또는 사업시행자의 재량으로 적용을 배제할 수 없는 강행법규(2007다63089), ㉡ 법정 이주대책대상자에 대해서만 적용○, 시혜적 이주대책대상자에 대해서는 적용×, ㉢ 시설의 설치비용은 사업시행자가 부담(단, 행정청이 아닌 사업시행자가 이주대책을 수집·실시하는 경우 지방자치단체가 비용의 일부를 보조하는 것은 허용됨 But 보조가 의무인 것×) ⑤ [법정 이주대책대상자] 공익사업의 시행으로 인하여 주거용 건축물을 제공함에 따라 생활의 근거를 상실하게 되는 자(제78조 제1항) ➡ 단, 세입자는 제외(시행령 제40조 제5항) ⑥ [시혜적 이주대책대상자] 법에서는 좁은 의미의 이주대책의 대상자로 규정하고 있지 않지만, 사업시행자가 재량으로 좁은 의미의 이주대책 대상자로 선정한 자 ⑦ 판례 이주대책 실시여부는 입법자의 입법정책적 재량의 영역 ➡ 이주대책 대상자에서 세입자를 제외하더라도 세입자의 재산권을 침해하는 위헌적 법률규정×(2004헌마19) ⑧ 판례 해당 공익사업의 성격, 구체적인 경위나 내용, 원만한 시행을 위한 필요 등 제반 사정을 고려하여, 사업시행자는 법이 정한 이주대책대상자를 포함하여 그 밖의 이해관계인에게까지 넓혀 이주대책 수립 등을 시행할 수 있음(2012두22911) ⑨ 판례 공익사업을 위한 관계 법령에 의한 고시 등이 있은 날 당시 주거용 건물이 아니었던 건물이 그 이후에 주거용으로 불법용도변경된 경우에는 이주대책대상이 되는 주거용 건축물× (2007두13340) ➡ ∵ 토지보상법상 보상의 대상이 되는 재산권인지 여부는 고시일을 기준으로 확정되기 때문
	이주정착금 지급	㉠ 사업시행자는 (좁은 의미의) 이주대책을 수립·실시하지 아니하는 경우 ㉡ 또는 이주대책 대상자가 이주정착지가 아닌 다른 지역으로 이주하는 경우에는 이주대책 대상자에게 이주정착금을 지급하여야 함(시행령 제41조) ➡ '집 대신 주는 돈'
	주거이전비 ·이사비 지급	① 주거용 건물의 거주자에 대해서는 주거 이전에 필요한 비용(예 월세차임)과 가재도구 등 동산의 운반에 필요한 비용을 산정하여 보상하여야 함(제78조 제6항) ➡ 이 보상은 세입자에 대해서도 이루어짐 ② (변) [세입자에 대한 주거이전비 보상] 공익사업의 시행으로 인하여 이주하게 되는 주거용 건축물의 세입자(무상으로 사용하는 거주자를 포함하되, 법 제78조 제1항에 따른 이주대책대상자인 세입자는 제외)로서 사업인정고시일등 당시 또는 공익사업을 위한 관계 법령에 따른 고시 등이 있은 당시 해당 공익사업시행지구안에서 3개월 이상 거주한 자에 대해서는 가구원수에 따라 4개월분의 주거이전비를 보상해야 함(시행규칙 제54조 제2항)
권리취득시기		① [배경지식 - 이주대책상 권리취득 절차] 사업시행자가 이주대책에 관한 구체적인 계획을 수립 ➡ 해당자(이주자)에게 통지 내지 공고 ➡ 이주자가 수분양권을 취득하기를 희망하여 이주대책에 정한 절차에 따라 사업시행자에게 이주대책 대상자 선정신청 ➡ 사업시행자가 이를 받아들여 이주대책 대상자로 확인·결정 ② [이주대책에 따른 수분양권 취득시기] 이주대책의 내용으로 수분양권을 부여하기로 한 경우, 이주자는 먼저 이주대책에서 정한 절차에 따라 이주대책대상자 선정신청을 하고, 사업시행자가 이를 받아들여 이주대책대상자로 확인·결정을 한 경우에 비로소 이주대책상의 택지분양권 등의 구체적인 수분양권을 취득(2013두10885, 92누36783) ➡ 이주대책대상자 확인·결정은 처분○(절차상 필요에 따른 사실행위×) ③ (변) [이주대책에 따른 권리 전매금지] 이주대책의 실시에 따른 주택지 또는 주택을 공급받기로 결정된 권리는 소유권이전등기를 마칠 때까지 전매(매매, 증여, 그 밖에 권리의 변동을 수반하는 모든 행위를 포함○, 상속은 포함×)할 수 없으며, 이를 위반한 경우에는, 사업시행자는 이주대책의 실시가 아닌 이주정착금으로 지급하여야 함(제78조 제5항)

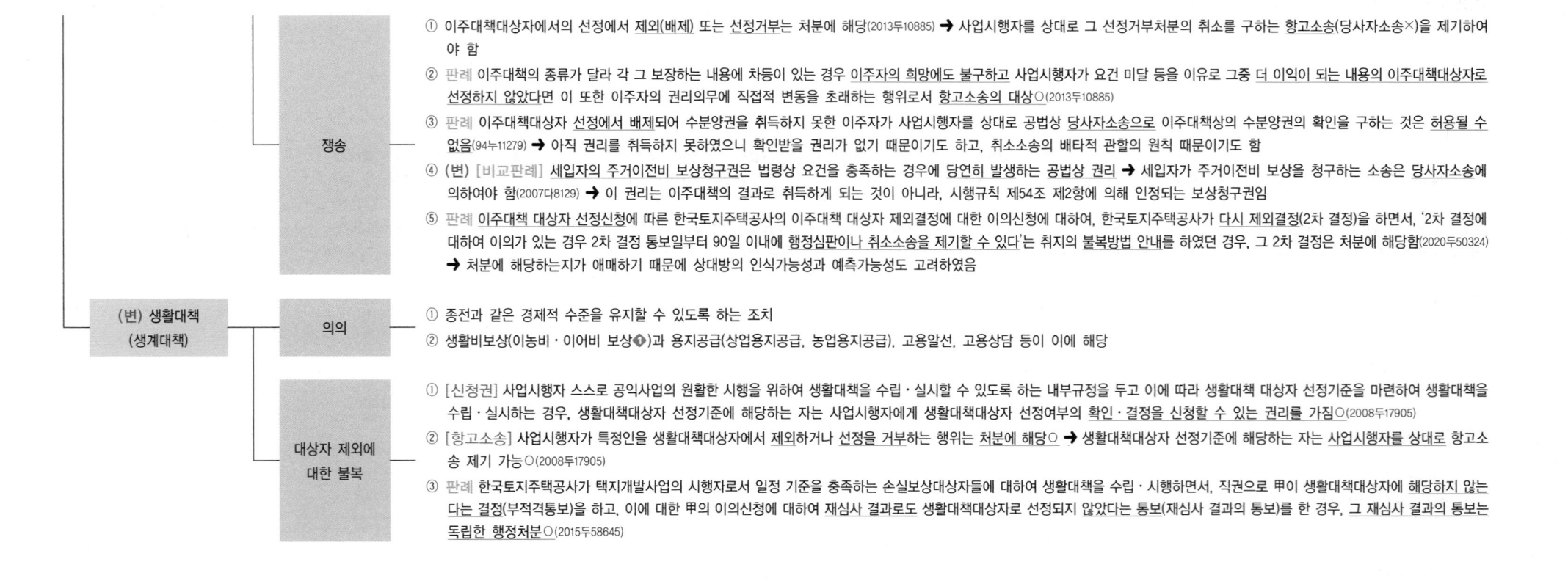

쟁송

① 이주대책대상자에서의 선정에서 제외(배제) 또는 선정거부는 처분에 해당(2013두10885) ➡ 사업시행자를 상대로 그 선정거부처분의 취소를 구하는 항고소송(당사자소송×)을 제기하여야 함

② [판례] 이주대책의 종류가 달라 각 그 보장하는 내용에 차등이 있는 경우 이주자의 희망에도 불구하고 사업시행자가 요건 미달 등을 이유로 그중 더 이익이 되는 내용의 이주대책대상자로 선정하지 않았다면 이 또한 이주자의 권리의무에 직접적 변동을 초래하는 행위로서 항고소송의 대상○(2013두10885)

③ [판례] 이주대책대상자 선정에서 배제되어 수분양권을 취득하지 못한 이주자가 사업시행자를 상대로 공법상 당사자소송으로 이주대책상의 수분양권의 확인을 구하는 것은 허용될 수 없음(94누11279) ➡ 아직 권리를 취득하지 못하였으니 확인받을 권리가 없기 때문이기도 하고, 취소소송의 배타적 관할의 원칙 때문이기도 함

④ (변) [비교판례] 세입자의 주거이전비 보상청구권은 법령상 요건을 충족하는 경우에 당연히 발생하는 공법상 권리 ➡ 세입자가 주거이전비 보상을 청구하는 소송은 당사자소송에 의하여야 함(2007다8129) ➡ 이 권리는 이주대책의 결과로 취득하게 되는 것이 아니라, 시행규칙 제54조 제2항에 의해 인정되는 보상청구권임

⑤ [판례] 이주대책 대상자 선정신청에 따른 한국토지주택공사의 이주대책 대상자 제외결정에 대한 이의신청에 대하여, 한국토지주택공사가 다시 제외결정(2차 결정)을 하면서, '2차 결정에 대하여 이의가 있는 경우 2차 결정 통보일부터 90일 이내에 행정심판이나 취소소송을 제기할 수 있다'는 취지의 불복방법 안내를 하였던 경우, 그 2차 결정은 처분에 해당함(2020두50324) ➡ 처분에 해당하는지가 애매하기 때문에 상대방의 인식가능성과 예측가능성도 고려하였음

**(변) 생활대책
(생계대책)**

의의

① 종전과 같은 경제적 수준을 유지할 수 있도록 하는 조치

② 생활비보상(이농비·이어비 보상❶)과 용지공급(상업용지공급, 농업용지공급), 고용알선, 고용상담 등이 이에 해당

대상자 제외에 대한 불복

① [신청권] 사업시행자 스스로 공익사업의 원활한 시행을 위하여 생활대책을 수립·실시할 수 있도록 하는 내부규정을 두고 이에 따라 생활대책 대상자 선정기준을 마련하여 생활대책을 수립·실시하는 경우, 생활대책대상자 선정기준에 해당하는 자는 사업시행자에게 생활대책대상자 선정여부의 확인·결정을 신청할 수 있는 권리를 가짐○(2008두17905)

② [항고소송] 사업시행자가 특정인을 생활대책대상자에서 제외하거나 선정을 거부하는 행위는 처분에 해당○ ➡ 생활대책대상자 선정기준에 해당하는 자는 사업시행자를 상대로 항고소송 제기 가능○(2008두17905)

③ [판례] 한국토지주택공사가 택지개발사업의 시행자로서 일정 기준을 충족하는 손실보상대상자들에 대하여 생활대책을 수립·시행하면서, 직권으로 甲이 생활대책대상자에 해당하지 않는다는 결정(부적격통보)을 하고, 이에 대한 甲의 이의신청에 대하여 재심사 결과로도 생활대책대상자로 선정되지 않았다는 통보(재심사 결과의 통보)를 한 경우, 그 재심사 결과의 통보는 독립한 행정처분○(2015두58645)

---

❶ 이농비·이어비란, 공익사업의 시행으로 인하여 영위하던 농업·어업을 계속할 수 없게 되어 다른 지역으로 이주하는 농민·어민이 받게 되는 1년분의 평균생계비에 대한 보상을 말한다(법 제78조 제6항, 제9항, 시행규칙 제56조)

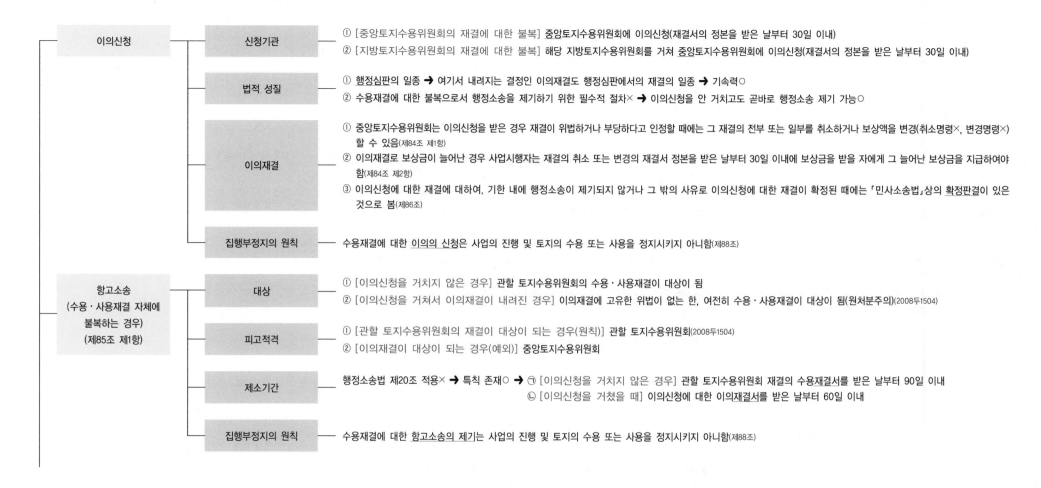

이의신청

신청기관
① [중앙토지수용위원회의 재결에 대한 불복] 중앙토지수용위원회에 이의신청(재결서의 정본을 받은 날부터 30일 이내)
② [지방토지수용위원회의 재결에 대한 불복] 해당 지방토지수용위원회를 거쳐 중앙토지수용위원회에 이의신청(재결서의 정본을 받은 날부터 30일 이내)

법적 성질
① 행정심판의 일종 ➜ 여기서 내려지는 결정인 이의재결도 행정심판에서의 재결의 일종 ➜ 기속력○
② 수용재결에 대한 불복으로서 행정소송을 제기하기 위한 필수적 절차× ➜ 이의신청을 안 거치고도 곧바로 행정소송 제기 가능○

이의재결
① 중앙토지수용위원회는 이의신청을 받은 경우 재결이 위법하거나 부당하다고 인정할 때에는 그 재결의 전부 또는 일부를 취소하거나 보상액을 변경(취소명령×, 변경명령×) 할 수 있음(제84조 제1항)
② 이의재결로 보상금이 늘어난 경우 사업시행자는 재결의 취소 또는 변경의 재결서 정본을 받은 날부터 30일 이내에 보상금을 받을 자에게 그 늘어난 보상금을 지급하여야 함(제84조 제2항)
③ 이의신청에 대한 재결에 대하여, 기한 내에 행정소송이 제기되지 않거나 그 밖의 사유로 이의신청에 대한 재결이 확정된 때에는 「민사소송법」상의 확정판결이 있은 것으로 봄(제86조)

집행부정지의 원칙
수용재결에 대한 이의의 신청은 사업의 진행 및 토지의 수용 또는 사용을 정지시키지 아니함(제88조)

항고소송
(수용ㆍ사용재결 자체에 불복하는 경우)
(제85조 제1항)

대상
① [이의신청을 거치지 않은 경우] 관할 토지수용위원회의 수용ㆍ사용재결이 대상이 됨
② [이의신청을 거쳐서 이의재결이 내려진 경우] 이의재결에 고유한 위법이 없는 한, 여전히 수용ㆍ사용재결이 대상이 됨(원처분주의)(2008두1504)

피고적격
① [관할 토지수용위원회의 재결이 대상이 되는 경우(원칙)] 관할 토지수용위원회(2008두1504)
② [이의재결이 대상이 되는 경우(예외)] 중앙토지수용위원회

제소기간
행정소송법 제20조 적용× ➜ 특칙 존재○ ➜ ㉠ [이의신청을 거치지 않은 경우] 관할 토지수용위원회 재결의 수용재결서를 받은 날부터 90일 이내
㉡ [이의신청을 거쳤을 때] 이의신청에 대한 이의재결서를 받은 날부터 60일 이내

집행부정지의 원칙
수용재결에 대한 항고소송의 제기는 사업의 진행 및 토지의 수용 또는 사용을 정지시키지 아니함(제88조)

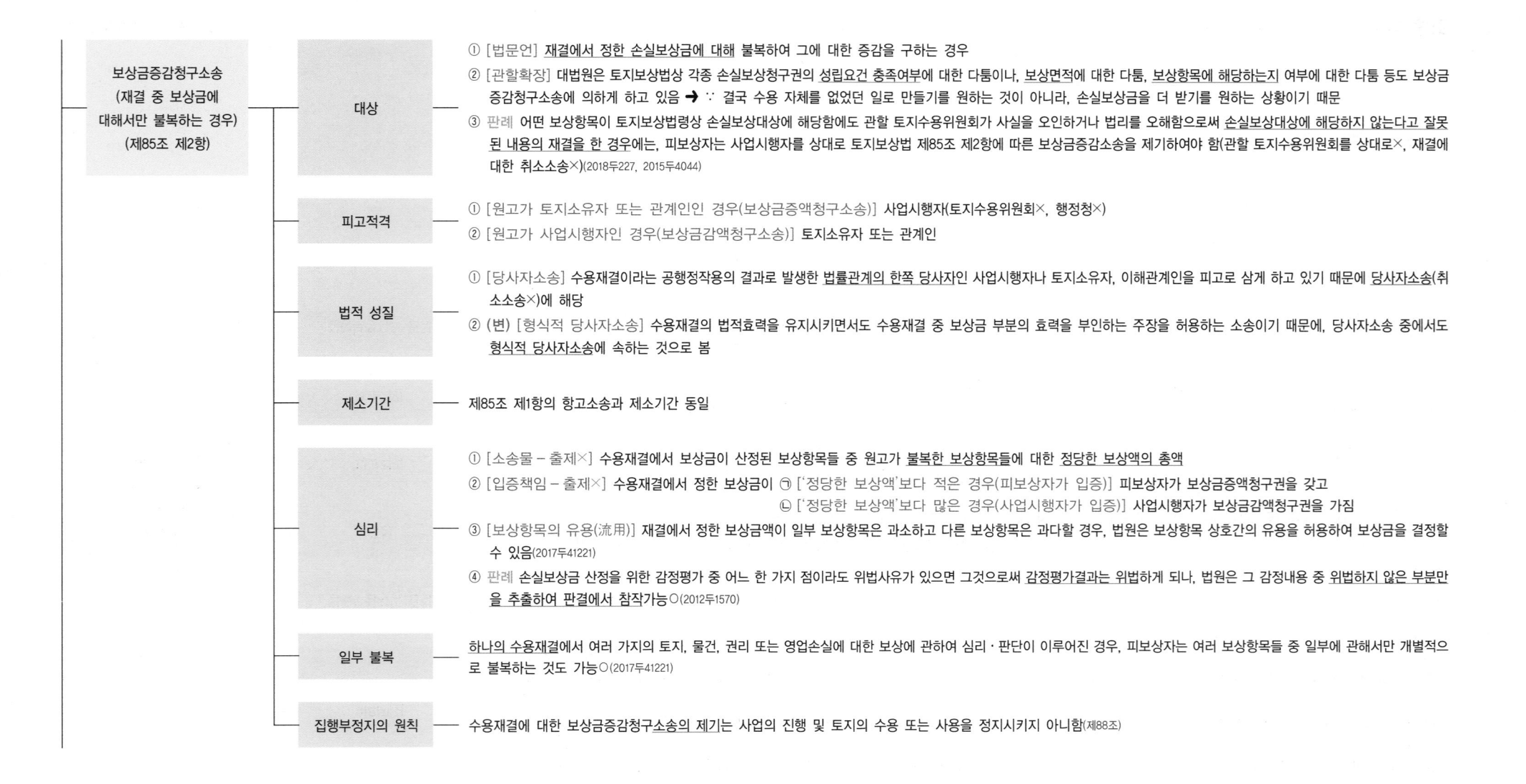

보상금증감청구소송
(재결 중 보상금에 대해서만 불복하는 경우)
(제85조 제2항)

대상

① [법문언] 재결에서 정한 손실보상금에 대해 불복하여 그에 대한 증감을 구하는 경우

② [관할확정] 대법원은 토지보상법상 각종 손실보상청구권의 성립요건 충족여부에 대한 다툼이나, 보상면적에 대한 다툼, 보상항목에 해당하는지 여부에 대한 다툼 등도 보상금 증감청구소송에 의하게 하고 있음 → ∵ 결국 수용 자체를 없었던 일로 만들기를 원하는 것이 아니라, 손실보상금을 더 받기를 원하는 상황이기 때문

③ 판례 어떤 보상항목이 토지보상법령상 손실보상대상에 해당함에도 관할 토지수용위원회가 사실을 오인하거나 법리를 오해함으로써 손실보상대상에 해당하지 않는다고 잘못된 내용의 재결을 한 경우에는, 피보상자는 사업시행자를 상대로 토지보상법 제85조 제2항에 따른 보상금증감소송을 제기하여야 함(관할 토지수용위원회를 상대로×, 재결에 대한 취소소송×)(2018두227, 2015두4044)

피고적격

① [원고가 토지소유자 또는 관계인인 경우(보상금증액청구소송)] 사업시행자(토지수용위원회×, 행정청×)

② [원고가 사업시행자인 경우(보상금감액청구소송)] 토지소유자 또는 관계인

법적 성질

① [당사자소송] 수용재결이라는 공행정작용의 결과로 발생한 법률관계의 한쪽 당사자인 사업시행자나 토지소유자, 이해관계인을 피고로 삼게 하고 있기 때문에 당사자소송(취소소송×)에 해당

② (변) [형식적 당사자소송] 수용재결의 법적효력을 유지시키면서도 수용재결 중 보상금 부분의 효력을 부인하는 주장을 허용하는 소송이기 때문에, 당사자소송 중에서도 형식적 당사자소송에 속하는 것으로 봄

제소기간

제85조 제1항의 항고소송과 제소기간 동일

심리

① [소송물 – 출제×] 수용재결에서 보상금이 산정된 보상항목들 중 원고가 불복한 보상항목들에 대한 정당한 보상액의 총액

② [입증책임 – 출제×] 수용재결에서 정한 보상금이 ㉠ ['정당한 보상액'보다 적은 경우(피보상자가 입증)] 피보상자가 보상금증액청구권을 갖고
㉡ ['정당한 보상액'보다 많은 경우(사업시행자가 입증)] 사업시행자가 보상금감액청구권을 가짐

③ [보상항목의 유용(流用)] 재결에서 정한 보상금액이 일부 보상항목은 과소하고 다른 보상항목은 과다할 경우, 법원은 보상항목 상호간의 유용을 허용하여 보상금을 결정할 수 있음(2017두41221)

④ 판례 손실보상금 산정을 위한 감정평가 중 어느 한 가지 점이라도 위법사유가 있으면 그것으로써 감정평가결과는 위법하게 되나, 법원은 그 감정내용 중 위법하지 않은 부분만을 추출하여 판결에서 참작가능○(2012두1570)

일부 불복

하나의 수용재결에서 여러 가지의 토지, 물건, 권리 또는 영업손실에 대한 보상에 관하여 심리·판단이 이루어진 경우, 피보상자는 여러 보상항목들 중 일부에 관해서만 개별적으로 불복하는 것도 가능○(2017두41221)

집행부정지의 원칙

수용재결에 대한 보상금증감청구소송의 제기는 사업의 진행 및 토지의 수용 또는 사용을 정지시키지 아니함(제88조)

재결전치주의

의의

① [개념] 손실보상청구권의 존부를 법원에 의해 판단받기 위해서는, 토지수용위원회에 의한 판단을 먼저 한 번은 거칠 것을 요구하는 대법원의 「토지보상법」 운용방식

② [근거] 토지보상법상 보상금증감청구소송은 "재결서를 받은 날부터 90일 이내에, 이의신청을 거쳤을 때에는 이의신청에 대한 재결서를 받은 날부터 60일 이내에" 제기하도록 하고 있어, 보상금증감청구소송을 제기하기 위해서는 토지수용위원회의 재결이 어쨌든 한 번은 있었을 것을 전제로 하고 있음

논의의 전제

① [논의의 전제1] 토지보상법상 손실보상청구권은 ㉠ 수용·사용재결의 대상에 대한 것(**예** 수용대상 토지에 대한 보상청구권)과 ㉡ 수용·사용재결에 따른 부수적 결과에 대한 것(**예** 잔여지 가격감소에 따른 보상청구권, 농업손실에 대한 보상청구권, 어업피해에 대한 보상청구권, 휴업·폐업 등 영업손실에 대한 보상청구권, 잔여 영업시설에 발생한 손실에 대한 보상청구권)이 있음

② [논의의 전제2] 토지에 대한 수용·사용재결 당시 ㉡에 대해서는 토지수용위원회의 판단이 이루어지지 않음

판례의 태도

① 대법원은 ㉡의 경우와 관련된 분쟁에 있어서도, 손실보상청구권의 발생여부에 대한 관할 토지수용위원회의 (확인)재결을 거친 다음에 사업시행자를 상대로 하여 보상금증감청구소송을 제기하는 방식으로 다툴 것을 요구하고 있음 ➜ 재결절차를 거치지 않은 채 곧바로 사업시행자를 상대로 손실보상을 청구하는 것은 허용×

② [비교] 수용재결에 대한 불복으로서 행정소송을 제기하는 경우에는 재결전치주의의 적용대상×(∵ 대상 토지등에 대해서는 이미 관할 토지수용위원회의 수용재결이 있었던 경우이기 때문) ➜ 수용재결의 대상이 된 토지의 소유자가 그 토지의 수용에 대한 손실보상금의 증액을 쟁송상 구하는 경우에는, 전심절차로서 이의신청에 대한 재결을 거치지 않고 곧바로 사업시행자를 피고로 하여 보상금증액청구소송을 제기할 수 있음

③ [손실보상청구권별 전치 여부 판단] 토지소유자가 잔여지 수용청구에 대한 재결절차를 거쳤다 하더라도, 잔여지 가격감소 등으로 인한 손실보상에 대해서는 재결절차를 거치지 않았다면 곧바로 사업시행자를 상대로 잔여지 가격감소 등으로 인한 손실보상을 청구×(2012두24092, 2011두22587)

④ 판례 토지소유자가 사업시행자로부터 잔여지 가격감소로 인한 손실보상을 받고자 하는 경우, 토지수용위원회의 재결절차를 거치지 않은 채 곧바로 사업시행자를 상대로 손실보상을 청구하는 것은 허용×(2011두22587)

⑤ 판례 공익사업으로 인하여 농업의 손실을 입게 된 자가 사업시행자로부터 농업손실에 대한 보상을 받기 위해서는 구 공익사업법 제34조, 제50조 등에 규정된 재결절차를 거친 다음 그 재결에 대하여 불복이 있는 때에 비로소 구 공익사업법 제83조 내지 제85조에 따라 권리구제를 받을 수 있음(2018두57865, 2009다43461)

⑥ 판례 구 「공익사업을 위한 토지 등의 취득 및 보상에 관한 법률」의 관련 규정에 의하여 취득하는 어업피해에 관한 손실보상청구권은 민사소송의 방법으로 행사할 수는 없고, 재결절차를 거치지 않은 채 곧바로 사업시행자를 상대로 손실보상을 청구하는 것도 허용×(2013두12478)

⑦ 판례 공익사업으로 인하여 영업을 폐지하거나 휴업하는 자는 구 「공익사업을 위한 토지 등의 취득 및 보상에 관한 법률」에 규정된 재결 절차를 거치지 않은 채 곧바로 사업시행자를 상대로 영업손실보상을 청구하는 것은 허용×(2009두10963)

⑧ 판례 공익사업에 영업시설 일부가 편입됨으로 인하여 잔여 영업시설에 손실을 입은 자가 사업시행자로부터 시행규칙 제47조 제3항에 따라 잔여 영업시설의 손실에 대한 보상을 받기 위해서는, 토지보상법 제34조, 제50조 등에 규정된 재결절차를 거친 다음 그 재결에 대하여 불복이 있는 때에 비로소 토지보상법 제83조 내지 제85조에 따라 권리구제를 받을 수 있을 뿐, 이러한 재결절차를 거치지 않은 채 곧바로 사업시행자를 상대로 손실보상을 청구하는 것은 허용×(2015두4044)

⑨ 판례 공익사업으로 인하여 공익사업시행지구 밖에서 영업을 휴업하는 자는 「공익사업을 위한 토지 등의 취득 및 보상에 관한 법률」 제34조, 제50조 등에 규정된 재결절차를 거치지 않은 채 곧바로 사업시행자를 상대로 시행규칙 제47조 제1항에 따른 영업손실에 대한 보상을 청구할 수는 없음(2018두227)

제 4 장

행정상 전보제도의 보완

(변) 행정상 전보제도의 보완

현행 전보제도의 특징

① 현행 행정상 전보제도는 국가배상청구권과 손실보상청구권의 양대축으로 구성되어 있음

② [국가배상청구권의 주요 특징] ㉠ 고의나 과실에 의한(유책한), ㉡ 위법한 작용에 대한 배상청구권

③ [손실보상청구권의 주요 특징] ㉠ 적법한 공행정 작용이 ㉡ 의도했던 바에 따라 발생한(독일의 경우) ㉢ 재산상의 손실에 대한 보상청구권

④ [관련판례 – 양자의 관계] 손실보상과 손해배상은 근거 규정 및 요건·효과를 달리하지만 손실보상청구권에 '손해 전보'라는 요소가 포함되어 있어, 실질적으로 같은 내용의 손해에 관하여 양자의 청구권이 동시에 성립한다면 청구권자는 어느 하나만을 선택적으로 행사할 수 있을 뿐임(2018두227)

문제의식

① 둘 중 어느 것의 요건도 충족시키지 못하는 영역에 대해서는 구제수단의 공백이 있게 됨 ➜ 이를 보완하기 위해 독일에서 ㉠ 수용유사침해(Enteignungsgleicher Eingriff)에 대한 보상청구권, ㉡ 수용적침해(Enteignender Eingriff)에 대한 보상청구권, ㉢ 희생보상청구권(Aufopferungsanspruch)에 대한 논의가 있었음 ➜ 우리 법제에서도 이를 수용할 것인지가 문제됨

② 한편, 행정작용 자체의 폐지가 아니라 그 결과물의 제거를 요구할 수 있는 권리가, 사법관계에서와 같이 공법관계에서도 인정될 수 있는지와 관련해서 결과제거청구권에 관한 논의가 독일에서 있었음 ➜ 마찬가지로 우리 법제에서 이를 수용할 것인지도 문제됨

수용유사(적)침해 보상청구권

① [개념] 공용침해로 재산권에 특별한 희생이 발생하였지만 보상규정이 없어 공용침해가 위법한 경우에는❶, 법령을 집행한 것에 불과한 공무원에게 고의 또는 과실이 있다고 할 수 없어('무책') 국가배상이 불가능하므로, 그 경우에 인정되어야 한다고 독일에서 주장되는 보상청구권 ➜ 이러한 보상청구권을 인정해야 한다는 주장을 '수용유사(적)침해이론'이라 함

② [근거] 독일의 관습법인 희생보상의 법리(최근) + 경계이론(연혁)을 배경으로 함 ➜ 정도가 심한 재산상 손실이 가해졌는지 여부가 중요한 것이지, 보상규정이 있는지 여부가 중요한 것이 아니므로, 이 경우도 적법하게 수용이 이루어진 경우와 유사하다('준공용개입', '수용유사침해')고 보아 손실보상청구권을 인정하자는 것

③ [개념의 확장] 본래는 보상규정이 없어 위법한 공용침해 작용에 대한 보상의 개념으로서 등장하였으나, 위법한 작용 전반에 대하여 인정되어야 하는 권리로서 개념의 외연이 확대되었음

④ [우리 법제에의 수용] 대법원은 국군보안사령부 정보처장이 언론통폐합조치의 일환으로 사인 소유의 방송사 주식을 강제로 국가에게 증여하게 한 사건에서, 수용유사침해 이론에 관하여 언급한 적은 있지만("수용유사적 침해의 이론은 … 라는 것인데")(93다6409), 당해 사건은 수용유사침해 이론이 적용될 사안이 아니라고 보아 수용유사침해 이론을 받아들일 것인지에 대해서는 판단×

수용적침해 보상청구권

① [개념] 공공필요를 위한 적법한 공행정 작용의 비정형적·이형적(異型的)·비의욕(도)적·부수적 결과(예 지하철 공사로 인근 건물에 생긴 균열, 도로건설공사로 인하여 통행이 불편해져 발생한 인근상가의 매출 감소)가, 특별한 희생으로 평가될 만한 것인 경우('결과적 공용개입'), 이에 대해 인정되어야 한다고 독일에서 주장되는 보상청구권 ➜ 법령상 규정이 없더라도 보상청구권을 인정해야 한다는 주장을 '수용적침해이론'이라 함

② [근거] 독일의 관습법인 희생보상의 법리(최근) + 경계이론(연혁)을 배경으로 함

③ [우리 법제에의 수용] 이에 대해 판단한 판례는 없음

희생보상청구권

① [개념] 공공필요를 위하여 사인의 생명이나 신체와 같은 비(非)재산적 법익에 특별한 희생을 초래한 경우에 인정되어야 한다고 독일에서 주장되는 보상청구권

② [우리 법제에의 수용] 이에 관한 일반법은 없으나, 「감염병의 예방 및 관리에 관한 법률」이나 「소방기본법」 등에서 개별적으로 이를 제도화하여 수용하고 있음 ➜ 법령 규정이 없는 경우에도 이를 인정할 것인지가 문제됨 ➜ 판례는 없음

---

❶ 특히 독일 기본법 제14조 제3항은 불가분조항이기 때문에, 보상에 대한 규정이 별개의 법률에 존재하는 경우에도 공용침해를 규정한 법률은 위헌이 된다.

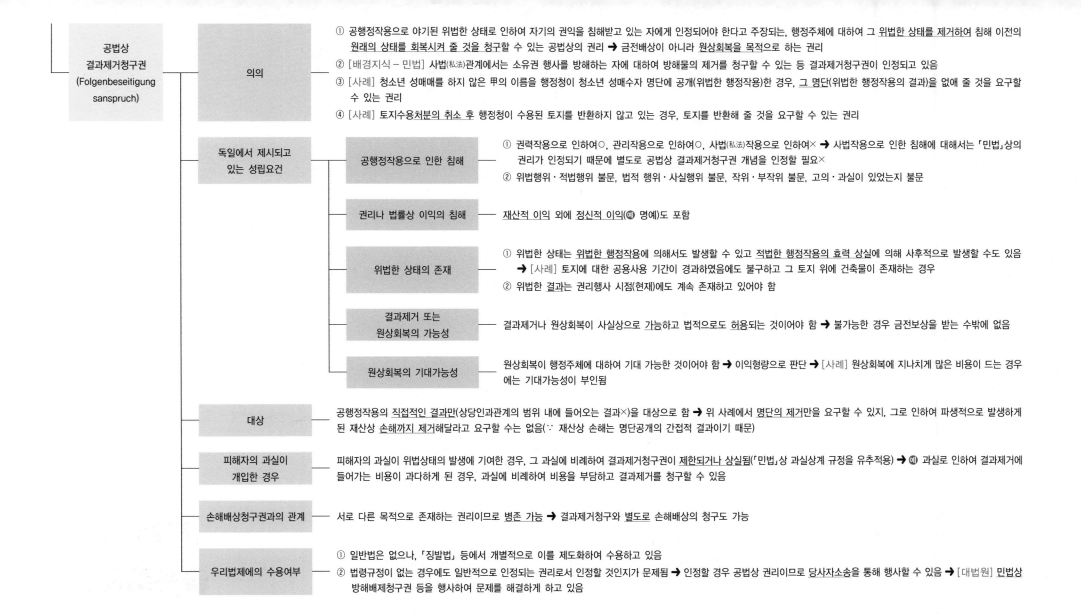

공법상 결과제거청구권 (Folgenbeseitigungsanspruch)

의의

① 공행정작용으로 야기된 위법한 상태로 인하여 자기의 권익을 침해받고 있는 자에게 인정되어야 한다고 주장되는, 행정주체에 대하여 그 <u>위법한 상태를 제거하여</u> 침해 이전의 <u>원래의 상태를 회복시켜 줄 것을 청구할 수 있는 공법상의 권리</u> ➜ 금전배상이 아니라 <u>원상회복</u>을 목적으로 하는 권리

② [배경지식 – 민법] 사법(私法)관계에서는 소유권 행사를 방해하는 자에 대하여 방해물의 제거를 청구할 수 있는 등 결과제거청구권이 인정되고 있음

③ [사례] 청소년 성매매를 하지 않은 甲의 이름을 행정청이 청소년 성매수자 명단에 공개(위법한 행정작용)한 경우, 그 명단(위법한 행정작용의 결과)을 없애 줄 것을 요구할 수 있는 권리

④ [사례] 토지수용처분의 <u>취소</u> 후 행정청이 수용된 토지를 반환하지 않고 있는 경우, 토지를 반환해 줄 것을 요구할 수 있는 권리

독일에서 제시되고 있는 성립요건

공행정작용으로 인한 침해

① 권력작용으로 인하여○, 관리작용으로 인하여○, 사법(私法)작용으로 인하여✕ ➜ 사법작용으로 인한 침해에 대해서는 「민법」상의 권리가 인정되기 때문에 별도로 공법상 결과제거청구권 개념을 인정할 필요✕

② 위법행위·적법행위 불문, 법적 행위·사실행위 불문, 작위·부작위 불문, 고의·과실이 있었는지 불문

권리나 법률상 이익의 침해

재산적 이익 외에 정신적 이익(예 명예)도 포함

위법한 상태의 존재

① 위법한 상태는 <u>위법한 행정작용</u>에 의해서도 발생할 수 있고 <u>적법한 행정작용의 효력 상실</u>에 의해 사후적으로 발생할 수도 있음 ➜ [사례] 토지에 대한 공용사용 기간이 경과하였음에도 불구하고 그 토지 위에 건축물이 존재하는 경우

② 위법한 결과는 권리행사 시점(현재)에도 계속 존재하고 있어야 함

결과제거 또는 원상회복의 가능성

결과제거나 원상회복이 사실상으로 <u>가능</u>하고 법적으로도 <u>허용</u>되는 것이어야 함 ➜ 불가능한 경우 금전보상을 받는 수밖에 없음

원상회복의 기대가능성

원상회복이 행정주체에 대하여 기대 가능한 것이어야 함 ➜ 이익형량으로 판단 ➜ [사례] 원상회복에 지나치게 많은 비용이 드는 경우에는 기대가능성이 부인됨

대상

공행정작용의 직접적인 결과만(상당인과관계의 범위 내에 들어오는 결과✕)을 대상으로 함 ➜ 위 사례에서 명단의 제거만을 요구할 수 있지, 그로 인하여 파생적으로 발생하게 된 재산상 손해까지 제거해달라고 요구할 수는 없음(∵ 재산상 손해는 명단공개의 간접적 결과이기 때문)

피해자의 과실이 개입한 경우

피해자의 과실이 위법상태의 발생에 기여한 경우, 그 과실에 비례하여 결과제거청구권이 <u>제한되거나 상실됨</u>(「민법」상 과실상계 규정을 유추적용) ➜ 예 과실로 인하여 결과제거에 들어가는 비용이 과다하게 된 경우, 과실에 비례하여 비용을 부담하고 결과제거를 청구할 수 있음

손해배상청구권과의 관계

서로 다른 목적으로 존재하는 권리이므로 <u>병존 가능</u> ➜ 결과제거청구와 별도로 손해배상의 청구도 가능

우리법제에의 수용여부

① 일반법은 없으나, 「징발법」 등에서 개별적으로 이를 제도화하여 수용하고 있음

② 법령규정이 없는 경우에도 일반적으로 인정되는 권리로서 인정할 것인지가 문제됨 ➜ 인정할 경우 공법상 권리이므로 <u>당사자소송</u>을 통해 행사할 수 있음 ➜ [대법원] 민법상 방해배제청구권 등을 행사하여 문제를 해결하게 하고 있음

유대웅
행정법총론

핵심정리 #2

제1절   서론

행정소송 개관

개념

① 행정청의 공권력 행사에 대한 불복과 기타 행정법상 법률관계에 대한 다툼을 해결하기 위하여 제기하는 소송 ➔ 행정법상 법률관계와 무관한 단순한 <u>사실관계의 존부</u>는 행정소송의 대상×

② 행정소송을 규율하기 위한 목적으로 「행정소송법」이 제정되어 있음

③ 판례 공법상의 구체적인 법률관계가 아닌 사실관계에 관한 확인을 구하는 것은 항고소송의 대상× ➔ 국가보훈처장 등이 발행한 책자 등에서 독립운동가 등의 활동상을 잘못 기술하였다는 등의 이유로 그 사실관계의 확인을 구하는 것은 <u>항고소송의 대상×</u>(90누3553)

④ 판례 국가보훈처장이 독립운동가들의 활동상황을 잘못 알고 국가보상의 서훈추천권을 행사함으로써 서훈추천권의 행사가 적정하지 아니하였다는 이유로, 국가보훈처장의 서훈추천 신청자에 대한 서훈추천을 거부한 것에 대해 항고소송을 제기하는 것은 허용되지 않음(90누3553) ➔ ∵ 공법상의 구체적인 법률관계가 아닌 사실관계에 관한 것들을 확인의 대상으로 하는 것이기 때문

⑤ (변) 관련판례 – 서훈추천 거부에 대한 헌법소원 허용× 독립유공자 인정의 전 단계로서 「상훈법」에 따른 국가보훈처장의 서훈추천은 해당 후보자에 대한 공적심사를 거쳐서 이루어지며, 그러한 공적심사의 통과 여부는 해당 후보자가 독립유공자로서 인정될만한 사정이 있는지에 달려 있어, 이에 관한 판단에 있어서 국가는 나름대로의 재량을 지님 ➔ 국가보훈처장이 서훈추천 신청자에 대한 서훈추천을 하여 주어야 할 헌법적 작위의무× ➔ 서훈추천을 거부한 것에 대하여 행정권력의 부작위에 대한 <u>헌법소원으로 다투는 것 허용×</u> ➔ 각하(2004헌마859)

현행 행정소송법의 특징

목적	행정소송법은, 행정소송절차를 통하여 행정청의 위법한 <u>처분</u> 그 밖에 공권력의 행사·불행사 등으로 인한 국민의 권리 또는 이익의 침해를 구제하고, 공법상의 권리관계 또는 법적용에 관한 다툼을 적정하게 해결함을 목적으로 함(제1조)
타법준용	① 행정소송 특유의 사항들에 대해서만 적은 수의 규정(총 46개의 조문)을 두고, 나머지 사항은 「법원조직법」이나 「민사소송법」, 「민사집행법」의 규정을 준용함(제8조 제2항) ② 준용? ➔ 행정소송의 본질에 반하지 않는 한도 내에서 끌어다 적용한다는 말 ➔ 행정소송의 본질에 반하는 경우에는 「민사소송법」 등이 <u>적용되지 않을 수도 있음</u>
개괄주의	개괄주의를 채택하고 있긴 하지만, <u>모든 위법한 행정작용</u>에 대하여 소송상 권리보호를 하고 있지는 않음
인정하고 있는 행정소송의 종류	① 제3조는 행정소송을 항고소송, 당사자소송, 민중소송, 기관소송으로 구분하고 있고, 제4조는 항고소송을 다시 취소소송, 무효등 확인소송, 부작위위법확인소송으로 구분하고 있음 ② [추상적 규범통제×] 현행 행정소송법은 구체적 사건과 무관하게 법령의 효력을 다투는, 추상적 규범통제를 법률상 쟁송의 하나로 규정하고 있지 않음
취소소송 중심주의	행정소송법은 취소소송에 관하여 자세한 규정(제9조~제34조)을 둔 후에, 그 규정들을 무효등 확인소송, 부작위위법확인소송, 당사자소송, 민중소송, 기관소송에 준용하는 방식으로 입법이 되어 있음
쟁송방법의 제한	민중소송과 기관소송을 제외하면, 현실적으로는 항고소송과 당사자소송의 방법으로만 행정소송의 제기를 허용하고 있는 것 ➔ 행정작용 자체의 폐지를 구하는 방법으로 다투거나, 공법상의 권리·의무를 확인받는 방법으로만 다툴 수 있게 하고 있음

현행법하에서의 행정소송의 운용

① [취소소송의 배타적 관할의 원칙] 어떠한 권리가 존재하거나 의무가 존재하지 않기 위해서는, 논리적 전제로 먼저 유효한 처분등의 효력이 부인(취소)되어야 한다면, 당사자소송이나 민사소송 등 다른 소송으로 다투기 전에, 먼저 <u>취소소송</u>을 제기하여 처분의 효력을 부인하여야 함 ➔ 처분등의 효력은 소송 중에서는 취소소송에 의해서만 배제될 수 있기 때문에 인정되는 원칙

② [사례] 甲에게 발급된 입영통지처분에 하자가 있는 경우에, ㉠ 그 처분에 중대명백한 하자가 있어 <u>무효</u>라면 곧바로 당사자소송으로 입영의무 부존재 확인을 구하는 소를 제기할 수 있지만, ㉡ 그 처분에 <u>취소사유</u>에 해당하는 하자만 있어 <u>유효</u>하다면, 입영을 하지 않기 위해서는 <u>먼저 취소소송을 제기하여</u> 입영통지처분을 취소해야만 하고, 곧바로 당사자소송으로 입영의무 부존재 확인을 구하는 소를 제기하는 것은 허용×

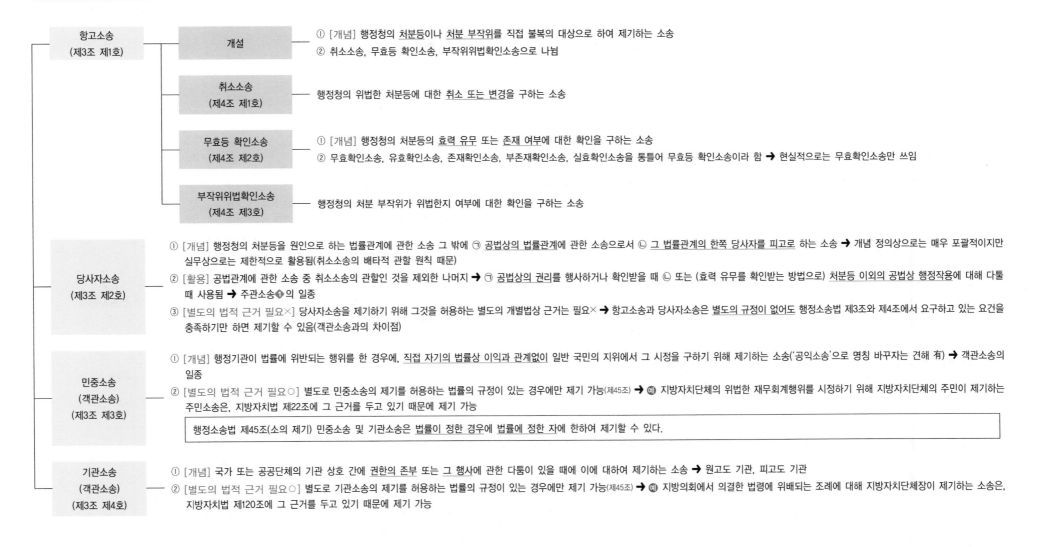

항고소송
(제3조 제1호)

개설
① [개념] 행정청의 처분등이나 처분 부작위를 직접 불복의 대상으로 하여 제기하는 소송
② 취소소송, 무효등 확인소송, 부작위위법확인소송으로 나뉨

취소소송
(제4조 제1호)
— 행정청의 위법한 처분등에 대한 취소 또는 변경을 구하는 소송

무효등 확인소송
(제4조 제2호)
① [개념] 행정청의 처분등의 효력 유무 또는 존재 여부에 대한 확인을 구하는 소송
② 무효확인소송, 유효확인소송, 존재확인소송, 부존재확인소송, 실효확인소송을 통틀어 무효등 확인소송이라 함 ➜ 현실적으로는 무효확인소송만 쓰임

부작위위법확인소송
(제4조 제3호)
— 행정청의 처분 부작위가 위법한지 여부에 대한 확인을 구하는 소송

당사자소송
(제3조 제2호)
① [개념] 행정청의 처분등을 원인으로 하는 법률관계에 관한 소송 그 밖에 ㉠ 공법상의 법률관계에 관한 소송으로서 ㉡ 그 법률관계의 한쪽 당사자를 피고로 하는 소송 ➜ 개념 정의상으로는 매우 포괄적이지만 실무상으로는 제한적으로 활용됨(취소소송의 배타적 관할 원칙 때문)
② [활용] 공법관계에 관한 소송 중 취소소송의 관할인 것을 제외한 나머지 ➜ ㉠ 공법상의 권리를 행사하거나 확인받을 때 ㉡ 또는 (효력 유무를 확인받는 방법으로) 처분등 이외의 공법상 행정작용에 대해 다툴 때 사용됨 ➜ 주관소송❶의 일종
③ [별도의 법적 근거 필요×] 당사자소송을 제기하기 위해 그것을 허용하는 별도의 개별법상 근거는 필요× ➜ 항고소송과 당사자소송은 별도의 규정이 없어도 행정소송법 제3조와 제4조에서 요구하고 있는 요건을 충족하기만 하면 제기할 수 있음(객관소송과의 차이점)

민중소송
(객관소송)
(제3조 제3호)
① [개념] 행정기관이 법률에 위반되는 행위를 한 경우에, 직접 자기의 법률상 이익과 관계없이 일반 국민의 지위에서 그 시정을 구하기 위해 제기하는 소송('공익소송'으로 명칭 바꾸자는 견해 有) ➜ 객관소송의 일종
② [별도의 법적 근거 필요○] 별도로 민중소송의 제기를 허용하는 법률의 규정이 있는 경우에만 제기 가능(제45조) ➜ ❸ 지방자치단체의 위법한 재무회계행위를 시정하기 위해 지방자치단체의 주민이 제기하는 주민소송은, 지방자치법 제22조에 그 근거를 두고 있기 때문에 제기 가능

> 행정소송법 제45조(소의 제기) 민중소송 및 기관소송은 법률이 정한 경우에 법률에 정한 자에 한하여 제기할 수 있다.

기관소송
(객관소송)
(제3조 제4호)
① [개념] 국가 또는 공공단체의 기관 상호 간에 권한의 존부 또는 그 행사에 관한 다툼이 있을 때에 이에 대하여 제기하는 소송 ➜ 원고도 기관, 피고도 기관
② [별도의 법적 근거 필요○] 별도로 기관소송의 제기를 허용하는 법률의 규정이 있는 경우에만 제기 가능(제45조) ➜ ❸ 지방의회에서 의결한 법령에 위배되는 조례에 대해 지방자치단체장이 제기하는 소송은, 지방자치법 제120조에 그 근거를 두고 있기 때문에 제기 가능

❶ [민사소송법] 행정소송은 그 1차적 목적에 따라, 원고 개인의 주관적 권리·이익의 보호를 1차적인 목적으로 하는 주관소송과, 행정작용의 적법성 확보를 1차적인 목적으로 하는 객관소송으로 구분된다. 본래 소송은 원고의 이익을 구제하기 위한 목적으로 존재하는 제도이기 때문에, 주관소송이 원칙적인 형태이고, 객관소송이 예외적인 형태이다. 객관소송은 별도로 그것을 허용하는 규정이 있는 경우에만 허용된다(객관소송 법정주의).

무명(無名)항고소송 인정문제

의의

① [개념] 「행정소송법」에 규정되어 있지 않은 종류의 항고소송 ➔ 취소소송, 무효등 확인소송, 부작위위법확인소송 이외의 항고소송을 말함

② 학자마다 조금씩 다르지만 대표적으로 논의되는 소송들로는 의무이행소송, 적극적 형성소송, 작위의무확인소송, 예방적 부작위소송 등이 있음

인정여부

① 현행 「행정소송법」하에서 무명항고소송을 허용할 것인지에 대해 견해 대립

② 대법원은 전부 다 허용되지 않는다는 입장(주된 논거는 권력분립의 원칙, 행정소송 법정주의) ➔ 제기시 소각하 판결

의무이행소송

① 행정청이 일정한 처분을 발급해야 할 의무가 있음에도 불구하고 이를 거부하거나 부작위에 머무르고 있는 경우, 그 처분을 발급하도록 명하는 이행판결을 내려줄 것을 구하는 소송

② 대법원은 허용×

③ 판례 검사에게 압수물의 환부를 이행할 것을 청구하는 소송은 현행 행정소송법상 허용되지 않음(94누14018) ➔ 압수물을 환부하기로 하는 결정은 처분이 아닐뿐더러, 설사 처분이라 하더라도, 그 이행을 구하는 것은 처분이행을 구하는 것으로서 현행법상 허용되지 않는다고 보았음

적극적 형성소송

① 행정청이 직접 처분을 발급한 것과 같은 효과가 있는 판결을 법원이 내려줄 것을 구하는 소송

② 대법원은 허용×

③ 판례 현행 행정소송법상 행정청으로 하여금 일정한 행정처분을 하도록 명하는 이행판결을 구하는 소송이나, 법원으로 하여금 행정청이 일정한 행정처분을 행한 것과 같은 효과가 있는 행정처분을 직접 행하도록 하는 형성판결을 구하는 소송은 허용되지 아니함(97누3200)

작위의무확인소송

① 행정청이 수익적 처분을 하여야 할 의무가 있음을 확인하는 판결을 내려줄 것을 구하는 소송

② 대법원은 허용×

③ 판례 국가보훈처장 발행 서적의 독립투쟁에 관한 내용을 시정하여 관보에 그 뜻을 표명해야 할 의무의 확인을 구하는 청구는 항고소송의 대상×(90누3553)

예방적 부작위소송
(금지청구소송)
(예방적 금지소송)

① 행정청이 장래에 어떤 침익적인 처분을 해서는 아니된다는 내용의 부작위를 명하는 판결을 내려줄 것을 구하는 소송

② 대법원은 허용×

③ 판례 신축건물의 준공처분을 하여서는 아니 된다는 내용의 부작위를 청구하는 소송은 허용×(86누182)

④ 판례 행정소송법상 행정청이 일정한 처분을 하지 못하도록 그 부작위를 구하는 청구는 허용되지 않는 부적법한 소송임(2003두11988)

⑤ 판례 총포·화약안전기술협회가 회비를 산정·고지하는 처분을 하기 전에 회비납부의무의 부존재확인을 구하는 것은, 실질적으로 협회로 하여금 특정 내용으로 처분을 하지 못하게 하는 것과 마찬가지이므로 현행법상 허용되지 않음(2018다241458)

제1항 서론

취소소송 개관

| 취소소송 개설 —— 의의, 성질, 소송물, 소송의 심리(審理)

| 소송요건 —— 대상적격, 원고적격, 소의 이익, 피고적격, 제소기간, 행정심판전치, 재판관할, 필수적 기재사항의 소장 기재

| 소송계속 중 발생하는 일들 —— 처분사유의 추가 또는 변경, 소의 변경, 피고의 경정, 소송참가

| 임시구제수단 —— 가처분 준용 가부(可否), 집행정지

| 취소소송의 종결 —— 판결의 종류, 판결의 효력, 소송비용, 취소소송에서의 불복

취소소송의 의의	① [개념] 행정청의 위법한 처분등에 대한 '취소' 또는 '변경'을 구하는 소송 ② ["취소"] 처분등의 효력의 전부를 없애버리는 것을 말함 ③ ["변경"] 처분등의 효력의 일부를 없애버리는 것을 말함!? ➜ 권력분립의 원칙 때문에 어쩔 수 없이 '변경'을 '무언가를 바꾸는 일'이 아니라 일부취소라는 소극적인 의미로 해석할 수밖에 없는 것(∵ 처분을 발급하는 것은 행정부의 일이기 때문)

취소소송의 성질	① [형성소송] 취소소송은 판결'로써' 직접 처분등의 효력을 없애버리는 소송임(通說, 判例)❶ ➜ 처분등으로 인하여 변동된 원고의 권리나 의무가 취소판결이 확정되면 원상회복(재변동)됨

민사소송법 배경지식

형성소송	⊙ [개념] 형성판결을 내려줄 것을 법원에 대하여 구하는 소송 ⓛ [형성판결?] 법률관계를 직접 변동시키는 판결
이행소송	⊙ [개념] 이행판결을 내려줄 것을 법원에 대하여 구하는 소송 ⓛ [이행판결?] 원고가 피고에 대해 청구권을 갖는다는 점을 확인하고, 피고에 대하여 그에 따른 의무를 이행하라는 명령을 내리는 판결 ⓒ 사법관계에 대한 이행소송은 민사소송의 형태로 제기되고, 공법관계에 대한 이행소송은 당사자소송의 형태로 제기됨 ⓔ ⑩ 부당이득반환청구소송, 국가배상청구소송 등
확인소송	⊙ [개념] 확인판결을 내려줄 것을 법원에 대하여 구하는 소송 ⓛ [확인판결?] 권리나 의무의 존부를 확인하는 판결 ⓒ 사법관계에 대한 확인소송은 민사소송의 형태로 제기되고, 공법관계에 대한 확인소송은 당사자소송의 형태로 제기됨 ⓔ [보충성] 확인소송의 경우에는 소송요건으로 보충성이 요구되어, 같은 사안에 대해 이행소송을 제기하는 것이 가능한 경우에는, 확인소송의 제기가 허용되지 않음

② [복심적 항고소송] 취소소송은 사후(事後)에 행정청의 과거의 행위가 제대로 된 것이었는지를 심사하는 소송임 ➜ 변론종결시까지 모은 자료를 토대로, 처분시로 돌아가 보았을 때 행정청의 처분이 적법한 행위였는지를 심사하는 소송임

③ [주관소송] 취소소송은 처분등으로 인하여 침해를 받은 원고의 법률상 이익을 구제받기 위해 제기하는 소송임

---

❶ 이와 달리 취소소송은 단지, 처분등의 위법여부를 확인하는 소송에 불과하다고 보는 견해도 존재한다.

취소소송의 소송물	소송물	① [개념] 소송물(matter of a lawsuit)이란 당해 소송에서 <u>법원이 결론적으로 판단해주어야 하는 논점(사항)</u>을 말함 ② [배경지식] 판결문은 판결주문과 판결이유로 구성되어 있는데, 소송물에 대한 법원의 판단은 판결주문에 나타남
	(변) 논쟁	① [학설] 취소소송의 소송물이 무엇인지에 대해 ㉠ 계쟁처분❶을 위법하게 만드는 <u>개개의 위법사유의 존부</u>(예 절차상 하자의 존부, 내용상 하자의 존부 등)라고 보는 견해, ㉡ <u>위법한 처분으로 인하여 자신의 권리가 침해되었다는 원고의 법적 주장</u>이라고 보는 견해❷, ㉢ <u>계쟁처분의 위법 여부</u>(계쟁처분의 위법성 일반)라고 보는 견해가 대립 ② [논쟁의 실익 – 기판력] 소송물이 무엇인지에 대한 논쟁은 기판력과 관련하여, 행정소송법 제4조에 규정되어 있는 <u>취소소송을 어떻게 운용할 것인지</u>에 대한 논쟁이기도 함 ➡ 기판력까지 공부한 다음에만 이해 가능❸
	대법원의 입장	① [계쟁처분의 위법성 일반(一般)] 대법원은 취소소송의 소송물을 계쟁처분의 <u>위법여부</u>로 보고 있음 ② [기각판결의 기판력] 취소판결의 기판력은 소송의 대상이 된 처분의 위법성 존부에 관한 판단에 미치기 때문에, 어떠한 처분에 대한 청구기각의 확정판결이 있는 경우, 처분이 적법하다는 점에 대해 기판력이 생겨, 기각판결의 원고는 당해 소송에서 주장하지 아니하였던 위법사유라 하더라도, 후에 제기되는 취소소송에서 처분의 위법이유로 주장하여 처분의 효력을 다툴 수 없게 됨
	비교사항	① [비교 1 – 무효확인소송의 소송물] 계쟁처분의 효력 유무(처분등에 중대 · 명백한 위법이 있는지 여부) ② [비교 2 – 민사소송의 소송물] 사법상 법률관계의 존부 ③ [비교 3 – 당사자소송의 소송물] 공법상 법률관계의 존부
	국가배상청구소송에서의 위법성과 취소소송에서의 위법성의 관계	① [논점] 취소소송에서 말하는 '위법성'이 국가배상청구소송에서의 '위법성'과 동일한 개념인지가 문제됨 ② [학설] 상대적 위법성설, 결과위법설, 광의의 행위위법설, 협의의 행위위법설 등이 대립 ➡ 국가배상법 부분에서 다루었음 ③ [대법원] 판례의 태도는 불분명

❶ 계쟁처분이란 현재 원고가 그 위법성을 문제삼아 취소소송으로 다투고 있는 처분등을 말한다.

❷ [더 들어가기] 취소소송의 소송물을 '위법한 처분으로 인하여 자신의 권리가 침해되었다는 원고의 주장'으로 보게 되면, 처분이 위법할 뿐만 아니라, 그것으로 인하여 원고의 권리가 침해되기까지 한 경우이어야 인용판결을 받을 수 있게 된다. 이 견해는 취소소송은 주관소송의 일종이라는 점을 강조한다.

❸ [더 들어가기] 무엇을 소송물로 보는지가 중요한 이유는, 기판력이 소송물에 대한 판단에서 발생하기 때문이다. ㉠ 예컨대, 만약 계쟁처분을 위법하게 만드는 개개의 위법사유의 존부가 취소소송의 소송물이라면, 甲에 대하여 발급된 A처분에 대해, 甲이 A처분에 내용상의 하자가 있음을 주장하며 취소소송을 제기하였는데, 법원이 기각판결을 한 경우, 법원의 기각판결은 'A처분에는 내용상의 하자가 없다'라는 점에 대해서만 기판력을 갖는다. 따라서 甲은 A처분에 주체상의 하자나 절차상의 하자가 있다며 다시 A처분에 대하여 취소소송을 제기하는 것이 가능해진다. ㉡ 그러나 만약 <u>계쟁처분의 위법여부</u>가 취소소송의 소송물이라면, 甲이 A처분에 내용상의 하자가 있음을 주장하며 취소소송을 제기하였는데, 법원이 A처분에 내용상의 하자가 없다며 기각판결을 한 경우, 그 기각판결은 'A처분에는 주체 · 내용 · 절차 · 형식상의 그 어떤 측면에도 하자가 없어 A처분이 적법하다'는 점에 대해 기판력을 갖는다. 따라서 甲은 이제 A처분에 주체상의 하자나 절차상의 하자가 있다는 이유로도 A처분이 위법하다는 취소소송을 제기할 수 없게 된다. 후자는 분쟁의 1회적 해결에는 좋지만, 원고가 소송미숙으로 또 다른 위법사유가 있음에도 불구하고 그것을 주장하지 못하여 패소한 경우에도 권리구제의 길을 차단하게 만든다는 문제가 있기는 하다.

취소소송의 심리

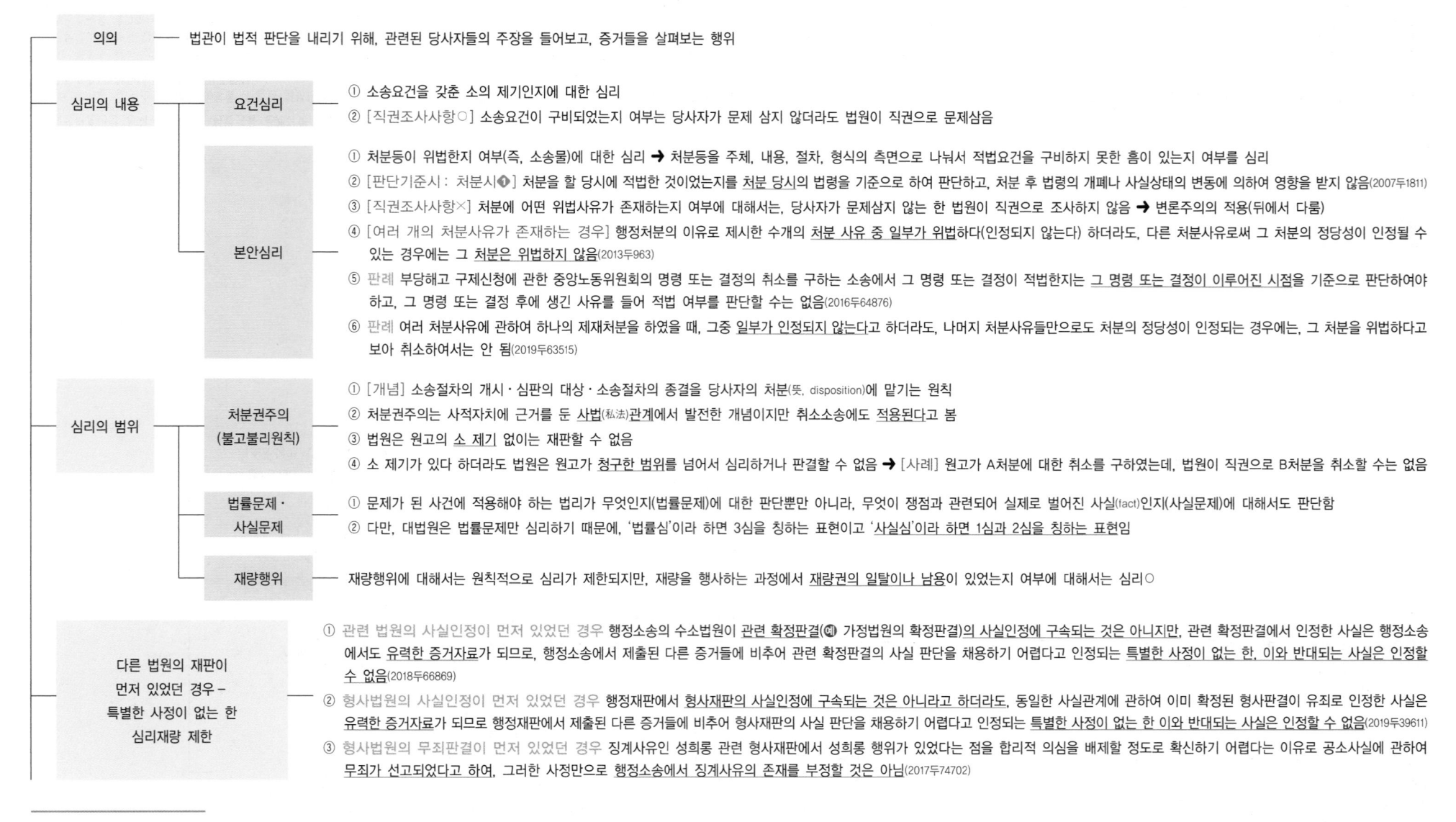

의의 — 법관이 법적 판단을 내리기 위해, 관련된 당사자들의 주장을 들어보고, 증거들을 살펴보는 행위

심리의 내용

요건심리
① 소송요건을 갖춘 소의 제기인지에 대한 심리
② [직권조사사항○] 소송요건이 구비되었는지 여부는 당사자가 문제 삼지 않더라도 법원이 직권으로 문제삼음

본안심리
① 처분등이 위법한지 여부(즉, 소송물)에 대한 심리 → 처분등을 주체, 내용, 절차, 형식의 측면으로 나눠서 적법요건을 구비하지 못한 흠이 있는지 여부를 심리
② [판단기준시 : 처분시❶] 처분을 할 당시에 적법한 것이었는지를 처분 당시의 법령을 기준으로 하여 판단하고, 처분 후 법령의 개폐나 사실상태의 변동에 의하여 영향을 받지 않음(2007두1811)
③ [직권조사사항×] 처분에 어떤 위법사유가 존재하는지 여부에 대해서는, 당사자가 문제삼지 않는 한 법원이 직권으로 조사하지 않음 → 변론주의의 적용(뒤에서 다룸)
④ [여러 개의 처분사유가 존재하는 경우] 행정처분의 이유로 제시한 수개의 처분 사유 중 일부가 위법하다(인정되지 않는다) 하더라도, 다른 처분사유로써 그 처분의 정당성이 인정될 수 있는 경우에는 그 처분은 위법하지 않음(2013두963)
⑤ 판례 부당해고 구제신청에 관한 중앙노동위원회의 명령 또는 결정의 취소를 구하는 소송에서 그 명령 또는 결정이 적법한지는 그 명령 또는 결정이 이루어진 시점을 기준으로 판단하여야 하고, 그 명령 또는 결정 후에 생긴 사유를 들어 적법 여부를 판단할 수는 없음(2016두64876)
⑥ 판례 여러 처분사유에 관하여 하나의 제재처분을 하였을 때, 그중 일부가 인정되지 않는다고 하더라도, 나머지 처분사유들만으로도 처분의 정당성이 인정되는 경우에는, 그 처분을 위법하다고 보아 취소하여서는 안 됨(2019두63515)

심리의 범위

처분권주의
(불고불리원칙)
① [개념] 소송절차의 개시·심판의 대상·소송절차의 종결을 당사자의 처분(뜻, disposition)에 맡기는 원칙
② 처분권주의는 사적자치에 근거를 둔 사법(私法)관계에서 발전한 개념이지만 취소소송에도 적용된다고 봄
③ 법원은 원고의 소 제기 없이는 재판할 수 없음
④ 소 제기가 있다 하더라도 법원은 원고가 청구한 범위를 넘어서 심리하거나 판결할 수 없음 → [사례] 원고가 A처분에 대한 취소를 구하였는데, 법원이 직권으로 B처분을 취소할 수는 없음

법률문제·
사실문제
① 문제가 된 사건에 적용해야 하는 법리가 무엇인지(법률문제)에 대한 판단뿐만 아니라, 무엇이 쟁점과 관련되어 실제로 벌어진 사실(fact)인지(사실문제)에 대해서도 판단함
② 다만, 대법원은 법률문제만 심리하기 때문에, '법률심'이라 하면 3심을 칭하는 표현이고 '사실심'이라 하면 1심과 2심을 칭하는 표현임

재량행위 — 재량행위에 대해서는 원칙적으로 심리가 제한되지만, 재량을 행사하는 과정에서 재량권의 일탈이나 남용이 있었는지 여부에 대해서는 심리○

다른 법원의 재판이
먼저 있었던 경우 –
특별한 사정이 없는 한
심리재량 제한
① 관련 법원의 사실인정이 먼저 있었던 경우 행정소송의 수소법원이 관련 확정판결(예 가정법원의 확정판결)의 사실인정에 구속되는 것은 아니지만, 관련 확정판결에서 인정한 사실은 행정소송에서도 유력한 증거자료가 되므로, 행정소송에서 제출된 다른 증거들에 비추어 관련 확정판결의 사실 판단을 채용하기 어렵다고 인정되는 특별한 사정이 없는 한, 이와 반대되는 사실은 인정할 수 없음(2018두66869)
② 형사법원의 사실인정이 먼저 있었던 경우 행정재판에서 형사재판의 사실인정에 구속되는 것은 아니라고 하더라도, 동일한 사실관계에 관하여 이미 확정된 형사판결이 유죄로 인정한 사실은 유력한 증거자료가 되므로 행정재판에서 제출된 다른 증거들에 비추어 형사재판의 사실 판단을 채용하기 어렵다고 인정되는 특별한 사정이 없는 한 이와 반대되는 사실은 인정할 수 없음(2019두39611)
③ 형사법원의 무죄판결이 먼저 있었던 경우 징계사유인 성희롱 관련 형사재판에서 성희롱 행위가 있었다는 점을 합리적 의심을 배제할 정도로 확신하기 어렵다는 이유로 공소사실에 관하여 무죄가 선고되었다고 하여, 그러한 사정만으로 행정소송에서 징계사유의 존재를 부정할 것은 아님(2017두74702)

---

❶ [더 들어가기] 처분의 위법여부 판단의 기준시점을 판결시(변론종결시)로 하여야 한다는 견해(판결시설)도 존재한다. 이 견해는, 처분시 이후에 변경된 사실상태나 법령의 개정·폐지가 있다면, 그것까지 반영해서 처분의 위법여부가 판단되어야 한다고 본다. 참고로, 법관은 변론종결시까지 수집된 자료만을 토대로 판결을 선고하기 때문에 변론종결시와 판결시는 보통 같은 것으로 취급된다.

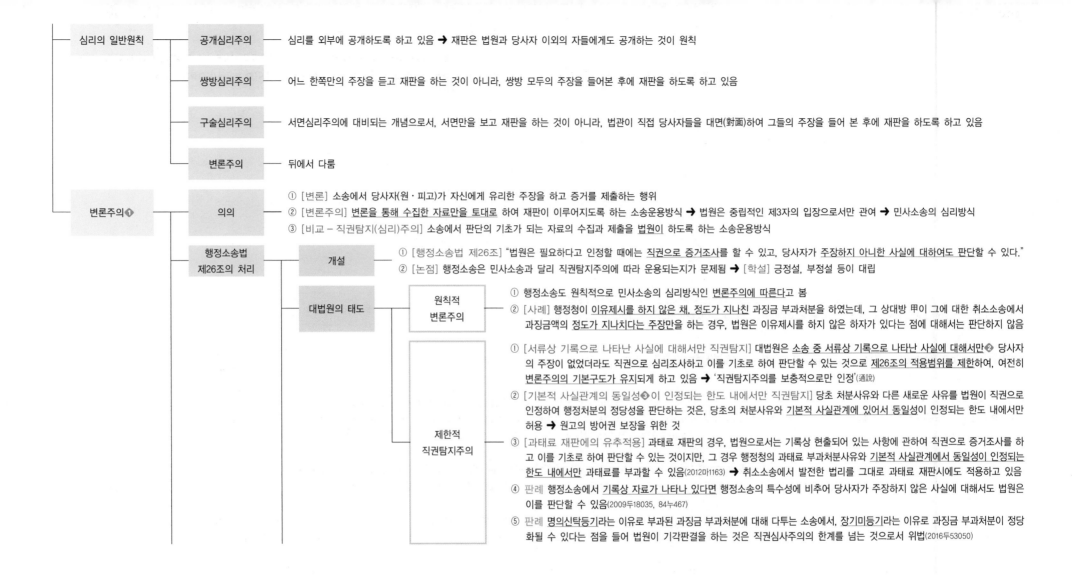

심리의 일반원칙 ─┬─ 공개심리주의 ─── 심리를 외부에 공개하도록 하고 있음 ➡ 재판은 법원과 당사자 이외의 자들에게도 공개하는 것이 원칙

├─ 쌍방심리주의 ─── 어느 한쪽만의 주장을 듣고 재판을 하는 것이 아니라, 쌍방 모두의 주장을 들어본 후에 재판을 하도록 하고 있음

├─ 구술심리주의 ─── 서면심리주의에 대비되는 개념으로서, 서면만을 보고 재판을 하는 것이 아니라, 법관이 직접 당사자들을 대면(對面)하여 그들의 주장을 들어 본 후에 재판을 하도록 하고 있음

└─ 변론주의 ─── 뒤에서 다룸

변론주의❶ ─┬─ 의의 ─── ① [변론] 소송에서 당사자(원·피고)가 자신에게 유리한 주장을 하고 증거를 제출하는 행위
② [변론주의] 변론을 통해 수집한 자료만을 토대로 하여 재판이 이루어지도록 하는 소송운용방식 ➡ 법원은 중립적인 제3자의 입장으로서만 관여 ➡ 민사소송의 심리방식
③ [비교 – 직권탐지(심리)주의] 소송에서 판단의 기초가 되는 자료의 수집과 제출을 법원이 하도록 하는 소송운용방식

└─ 행정소송법 ─┬─ 개설 ─── ① [행정소송법 제26조] "법원은 필요하다고 인정할 때에는 직권으로 증거조사를 할 수 있고, 당사자가 주장하지 아니한 사실에 대하여도 판단할 수 있다."
제26조의 처리   ② [논점] 행정소송은 민사소송과 달리 직권탐지주의에 따라 운용되는지가 문제됨 ➡ [학설] 긍정설, 부정설 등이 대립

└─ 대법원의 태도 ─┬─ 원칙적 ─── ① 행정소송도 원칙적으로 민사소송의 심리방식인 변론주의에 따른다고 봄
                    변론주의   ② [사례] 행정청이 이유제시를 하지 않은 채, 정도가 지나친 과징금 부과처분을 하였는데, 그 상대방 甲이 그에 대한 취소소송에서
                                  과징금액의 정도가 지나치다는 주장만을 하는 경우, 법원은 이유제시를 하지 않은 하자가 있다는 점에 대해서는 판단하지 않음

                  └─ 제한적 ─── ① [서류상 기록으로 나타난 사실에 대해서만 직권탐지] 대법원은 소송 중 서류상 기록으로 나타난 사실에 대해서만❷ 당사자
                      직권탐지주의   의 주장이 없었더라도 직권으로 심리조사하고 이를 기초로 하여 판단할 수 있는 것으로 제26조의 적용범위를 제한하여, 여전히
                                        변론주의의 기본구도가 유지되게 하고 있음 ➡ '직권탐지주의를 보충적으로만 인정'(通說)
                                  ② [기본적 사실관계의 동일성❸이 인정되는 한도 내에서만 직권탐지] 당초 처분사유와 다른 새로운 사유를 법원이 직권으로
                                        인정하여 행정처분의 정당성을 판단하는 것은, 당초의 처분사유와 기본적 사실관계에 있어서 동일성이 인정되는 한도 내에서만
                                        허용 ➡ 원고의 방어권 보장을 위한 것
                                  ③ [과태료 재판에의 유추적용] 과태료 재판의 경우, 법원으로서는 기록상 현출되어 있는 사항에 관하여 직권으로 증거조사를 하
                                        고 이를 기초로 하여 판단할 수 있는 것이지만, 그 경우 행정청의 과태료 부과처분사유와 기본적 사실관계에서 동일성이 인정되는
                                        한도 내에서만 과태료를 부과할 수 있음(2012마1163) ➡ 취소소송에서 발전한 법리를 그대로 과태료 재판시에도 적용하고 있음
                                  ④ 판례 행정소송에서 기록상 자료가 나타나 있다면 행정소송의 특수성에 비추어 당사자가 주장하지 않은 사실에 대해서도 법원은
                                        이를 판단할 수 있음(2009두18035, 84누467)
                                  ⑤ 판례 명의신탁등기라는 이유로 부과된 과징금 부과처분에 대해 다투는 소송에서, 장기미등기라는 이유로 과징금 부과처분이 정당
                                        화될 수 있다는 점을 들어 법원이 기각판결을 하는 것은 직권심사주의의 한계를 넘는 것으로서 위법(2016두53050)

---

❶ 우리 행정소송법은 처분권주의와 변론주의의 지배를 받아 이루어지는데, 이러한 제도설정방식을 당사자주의(adversary system)라 한다.

❷ 종이로 써서 제출한 서류에 쓰여 있는 내용까지는, 설사 당사자가 말로 얘기하지 않아도 법관이 알아서 인정해 주겠다는 의미이다.

❸ [형사소송법] '기본적 사실관계의 동일성'은 상식적 관점에서는 하나인데, 표현이 달라짐으로써 법적으로 별개로 취급되는 것을 방지하기 위해 고안된 개념이다. 표현은 다르다 하더라도 상식적으로 결국 같은 사실관계를 가리키고 있는 경우, '기본적 사실관계의
동일성이 있다'고 한다. 예컨대, '엊그제 학교 앞에서 甲이 주먹으로 내 턱을 때렸다'는 진술과 '엊그제 초등학교 앞에서 甲이 나를 폭행했다'는 진술은, 결국 같은 사실을 묘사하는 서로 다른 표현에 불과하므로 양자 사이에는 기본적 사실관계의 동일성이 인정되어
법적으로 같은 진술로 취급된다. 그러나 위 두 진술과 '엊그제 학교 앞에서 甲이 내 자전거를 훔쳤다'는 진술 사이에는 기본적 사실관계의 동일성이 인정되지 않는다. 서로 다른 이야기이기 때문이다.

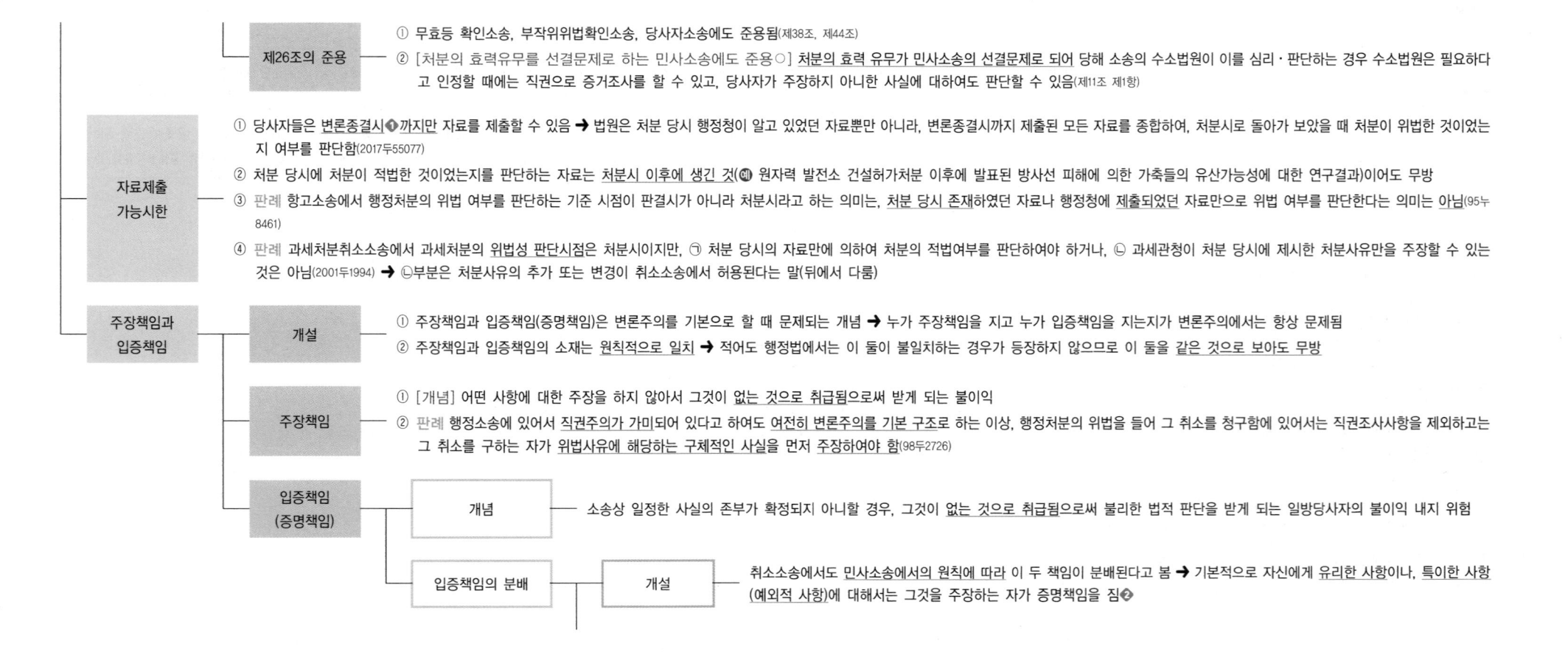

제26조의 준용

① 무효등 확인소송, 부작위위법확인소송, 당사자소송에도 준용됨(제38조, 제44조)

② [처분의 효력유무를 선결문제로 하는 민사소송에도 준용○] 처분의 효력 유무가 민사소송의 선결문제로 되어 당해 소송의 수소법원이 이를 심리·판단하는 경우 수소법원은 필요하다고 인정할 때에는 직권으로 증거조사를 할 수 있고, 당사자가 주장하지 아니한 사실에 대하여도 판단할 수 있음(제11조 제1항)

자료제출
가능시한

① 당사자들은 변론종결시❶까지만 자료를 제출할 수 있음 ➡ 법원은 처분 당시 행정청이 알고 있었던 자료뿐만 아니라, 변론종결시까지 제출된 모든 자료를 종합하여, 처분시로 돌아가 보았을 때 처분이 위법한 것이었는지 여부를 판단함(2017두55077)

② 처분 당시에 처분이 적법한 것이었는지를 판단하는 자료는 처분시 이후에 생긴 것(예 원자력 발전소 건설허가처분 이후에 발표된 방사선 피해에 의한 가축들의 유산가능성에 대한 연구결과)이어도 무방

③ 판례 항고소송에서 행정처분의 위법 여부를 판단하는 기준 시점이 판결시가 아니라 처분시라고 하는 의미는, 처분 당시 존재하였던 자료나 행정청에 제출되었던 자료만으로 위법 여부를 판단한다는 의미는 아님(95누8461)

④ 판례 과세처분취소소송에서 과세처분의 위법성 판단시점은 처분시이지만, ㉠ 처분 당시의 자료만에 의하여 처분의 적법여부를 판단하여야 하거나, ㉡ 과세관청이 처분 당시에 제시한 처분사유만을 주장할 수 있는 것은 아님(2001두1994) ➡ ㉡부분은 처분사유의 추가 또는 변경이 취소소송에서 허용된다는 말(뒤에서 다룸)

주장책임과
입증책임

개설

① 주장책임과 입증책임(증명책임)은 변론주의를 기본으로 할 때 문제되는 개념 ➡ 누가 주장책임을 지고 누가 입증책임을 지는지가 변론주의에서는 항상 문제됨

② 주장책임과 입증책임의 소재는 원칙적으로 일치 ➡ 적어도 행정법에서는 이 둘이 불일치하는 경우가 등장하지 않으므로 이 둘을 같은 것으로 보아도 무방

주장책임

① [개념] 어떤 사항에 대한 주장을 하지 않아서 그것이 없는 것으로 취급됨으로써 받게 되는 불이익

② 판례 행정소송에 있어서 직권주의가 가미되어 있다고 하여도 여전히 변론주의를 기본 구조로 하는 이상, 행정처분의 위법을 들어 그 취소를 청구함에 있어서는 직권조사사항을 제외하고는 그 취소를 구하는 자가 위법사유에 해당하는 구체적인 사실을 먼저 주장하여야 함(98두2726)

입증책임
(증명책임)

개념 — 소송상 일정한 사실의 존부가 확정되지 아니할 경우, 그것이 없는 것으로 취급됨으로써 불리한 법적 판단을 받게 되는 일방당사자의 불이익 내지 위험

입증책임의 분배 — 개설 — 취소소송에서도 민사소송에서의 원칙에 따라 이 두 책임이 분배된다고 봄 ➡ 기본적으로 자신에게 유리한 사항이나, 특이한 사항(예외적 사항)에 대해서는 그것을 주장하는 자가 증명책임을 짐❷

---

❶ 변론종결시란 법관이 소송을 진행하다가 판단의 대상에 대한 자료(증거, 원고의 주장 등)를 모으는 일을 끝내는 시점을 말한다. 적정하다고 생각하는 때를 법관이 재량으로 정한다.

❷ 실제로는 이것보다 더 복잡하게 분배의 원칙이 정립되는데, 공무원 수험에 필요한 정도로만 간추린 것이다.

피고가 입증책임을 지는 경우	① [처분사유 및 처분의 적법성] 민사소송법 규정이 준용되는 행정소송에서 증명책임은 원칙적으로 민사소송 일반원칙에 따라 당사자 사이에 분배되고, 항고소송의 경우에는 그 특성에 따라 <u>처분의 적법성을 주장하는 피고에게 그 적법사유에 대한 증명책임이 있음</u>(2015두2826)
	② 과세소득의 존재 및 당해 사업연도 귀속 과세처분의 적법성에 대한 입증책임은 과세관청에 있으므로 어느 사업연도의 소득에 대한 법인세 과세처분의 적법성이 다투어지는 경우 과세관청으로서는 <u>과세소득이 있다는 사실 및 그 소득이 당해 사업연도에 귀속되었다는 사실을 입증하여야 함</u>(98두1826)
	③ [처분절차의 적법성 · 송달] 처분절차의 적법성 및 송달에 관한 입증책임은 <u>행정청에 있음</u>(94누4134)
	④ [수익적 행정처분의 직권취소 사유] 일정한 행정처분으로 국민이 일정한 이익과 권리를 취득하였을 경우에, 종전 행정처분에 하자가 있음을 전제로 직권으로 이를 취소하는 행정처분은 이미 취득한 국민의 기존 이익과 권리를 박탈하는 별개의 행정처분으로, 취소될 행정처분의 하자나 취소해야 할 필요성에 관한 증명책임은 <u>기존 이익과 권리를 침해하는 처분을 한 행정청에 있음</u>(2011두23375)
	⑤ **(변)** [처분요건이 불확정개념인 처분을 하면서 취지를 간략하게만 기재하였던 경우] 행정청이 폐기물처리사업계획서 부적합 통보를 하면서 처분서에 불확정개념으로 규정된 법령상의 허가기준 등을 충족하지 못하였다는 취지만을 간략히 기재하였다면, 부적합 통보에 대한 <u>취소소송절차에서 행정청은 그 처분을 하게 된 판단 근거나 자료 등을 제시하여 구체적 불허가사유를 분명히 하여야 함</u>(2020두36007, 2019두45579) ➜ 입증책임의 균형을 위해 처분요건이 불확정개념인 경우 피고 행정청에게도 이 정도 의무가 있다고 보고 있음 ➜ 그래야 원고가 재량의 일탈이나 남용이 어떻게 있었는지를 입증할 수 있기 때문
	⑥ 결혼이민[F-6 (다)목] 체류자격 거부처분 사유 일반적으로 혼인파탄의 귀책사유에 관한 사정들은 혼인관계 당사자의 지배영역에 있는 것이어서 피고 행정청이 구체적으로 파악하기 곤란한 반면, 혼인관계의 당사자인 원고는 상대적으로 쉽게 증명할 수 있는 측면이 있음을 고려하더라도, <u>결혼이민[F-6 (다)목] 체류자격 거부처분 취소소송에서도 그 처분사유</u>('혼인파탄의 주된 귀책사유가 한국인 배우자에게 있는 것이 아니라는 점')에 관한 증명책임은 <u>피고 행정청에 있음</u>(2018두66869) ➜ 대한민국 국민(甲)과 결혼을 하여 결혼이민으로 체류자격[F-6 (가)목]을 부여받아 국내에 체류중이던 외국인(乙)은 甲과 이혼을 하더라도, 그 혼인파탄에 대한 주된 귀책사유가 甲에게 있는 경우에는 예외적으로 결혼이민[F-6 <u>(다)목</u>] 체류자격을 부여받을 수 있음 ➜ 乙이 다시 결혼이민[F-6 (다)목] 체류자격 신청을 하자, 행정청이 혼인파탄의 주된 귀책사유가 甲에게 있는 경우로 볼 수 없다며 체류자격 부여를 거부했던 사안
원고가 입증책임을 지는 경우	① [재량권 일탈 · 남용 여부] <u>재량권의 일탈 · 남용 여부에 대한 입증책임은 그 행정처분의 효력을 다투는 자(원고)에게 있음</u>(2015두41579, 87누861)
	② [적법성이 입증된 경우 위법성] 항고소송의 경우 <u>피고가 당해 처분의 적법성에 관하여 합리적으로 수긍할 수 있는 일응의 입증을 하였다면, 이와 상반되는 주장과 입증의 책임은 원고에게 돌아감</u>(2015두42817)
	③ [무효사유에 해당하는 하자] 행정처분의 당연무효를 주장하여 그 무효확인을 구하는 행정소송에 있어서는, <u>원고에게 그 행정처분이 무효인 사유를 주장 · 입증할 책임이 있음</u>(2009두3460, 82누154)
	④ **(변)** 국가유공자 인정 관련 상이(傷痍) 국가유공자 인정과 관련하여, ㉠ 공무수행으로 상이(傷痍)를 입었다는 점이나 그로 인한 신체장애의 정도가 법령에 정한 등급 이상에 해당한다는 점에 관한 증명책임은 <u>국가유공자 등록신청인에게 있지만</u>, ㉡ 그 상이가 '불가피한 사유 없이 본인의 과실이나 본인의 과실이 경합된 사유로 입은 것'이라는 사정에 관한 증명책임은 <u>피고인 처분청에게 있음</u>(2011두26589)
	⑤ 비과세 혹은 면제대상 과세처분취소소송에서 과세대상이 된 토지가 <u>비과세 혹은 면제대상이라는 점은 이를 주장하는 납세의무자에게 증명책임이 있음</u>(94누12708)

취소소송의 소송요건

소송요건

① [개념] 본안판단(즉, 원고가 법적 판단을 바라는 사항에 대한 판단)을 받기 위해 갖추어야 하는 조건 ➜ '적법요건'이라고도 표현

② [취소소송의 경우] 취소소송의 소송요건(적법요건)은 ㉠ 취소해 달라고 요청한 행정작용이 처분등에 속할 것(대상적격), ㉡ 처분등으로 인하여 법률상의 이익을 침해받은 자가 제소하였을 것(원고적격), ㉢ 취소판결이 내려질 경우 구제받게 되는 법률상의 이익이 있을 것(소의 이익), ㉣ 피고적격이 있는 자를 상대로 소를 제기하였을 것, ㉤ 제소기간 내에 소를 제기하였을 것, ㉥ 취소를 요구하는 처분에 대해 취소소송으로 다투기 위해서는 먼저 행정심판을 거쳐야 한다는 별도의 규정이 있는 경우에는 적법하게 행정심판을 거쳤을 것, ㉦ 취소소송을 관할하는 관할권이 있는 법원에 제소하였을 것, ㉧ 적어도 필수적 기재사항은 모두 적은 소장으로 취소소송을 제기하였을 것 ➜ 처원리피기전관장

③ [각하판결] 충족되지 못한 소송요건이 하나라도 있는 경우 법원은 소 각하 판결을 해야 함 ➜ 법원은 모든 소송요건이 충족된 것으로 인정하는 경우에만 본안판결을 할 수 있음

④ [기능] 소송요건은 불필요한 소송을 배제하여 법원의 부담을 경감하기 위하여 요구됨 ➜ 반대로 소송요건을 너무 엄격히 요구하면 국민의 재판받을 권리가 제약될 수 있음

직권조사사항

① [직권조사사항] 소송요건의 충족 여부는 피고의 항변을 기다릴 필요가 없는 법원의 직권조사사항

② [자백의 대상× - 민사소송법] 법원은 소송요건 구비여부에 대한 당사자의 주장에 구속되지 않음("자백❶의 대상이 되지 않음")

③ (변) [당사자들의 조사신청권× - 민사소송법] 직권조사사항에 대해서는 원고나 피고에게 그에 대하여 조사하여 줄 것을 법원에 요구할 수 있는 권리 인정× ➜ 피고의 소송요건 흠결 주장에도 불구하고 법원이 구비여부를 조사하지 않은 경우에도, 판결에 '판단유탈'❷(판단누락)의 잘못이 인정×

④ [적시제출주의 적용× - 민사소송법] 행정소송에서 쟁송의 대상이 되는 행정처분의 존부에 관한 사항은 직권조사사항에 해당하므로, 당사자가 사실심에서 변론종결시까지 주장하지 않다가 상고심에서 비로소 주장하는 경우에도, 상고심의 심판범위에 해당함(2003두15195)

⑤ [입증책임 - 원고] 충족 여부가 불분명한 경우 소송요건이 충족되었음은 원고가 입증해야 함 ➜ 입증 못하면 각하

⑥ (변) 판례 해당 처분을 다툴 법률상 이익이 있는지 여부는 직권조사사항으로 이에 관한 당사자의 주장은 직권발동을 촉구하는 의미밖에 없으므로, 원심법원이 이에 관하여 판단하지 않았다고 하여 판단유탈의 상고이유로 삼을 수 없음(2013두16852)

소송요건존부 판단시기

① [사실심 변론종결시까지] 소송요건은 본래 소 제기시에 다 구비하여야 하는 것이지만, 사실심 변론종결시까지 미비한 요건을 보완하면 하자의 치유를 인정하여 소를 각하하지 않고 있음 ➜ '소송요건의 존부는 사실심 변론종결시를 기준으로 판단한다.'

② [사실심 변론종결시 이후에는 계속 유지해야 함] 다만 충족된 소송요건을 사실심 변론종결시 이후(㉑ 상고심❸)에는 계속 유지하고 있어야 함 ➜ 소송요건의 구비여부는 상고심에서도 심판범위에 해당○

③ 판례 취소소송의 원고적격은 소송요건의 하나이므로 사실심 변론종결시는 물론 상고심에서도 존속하여야 하고 이를 흠결하면 부적법한 소로서 각하됨(2004두7924)

④ 판례 행정심판 전치주의의 요건을 충족하였는지의 여부는 사실심 변론종결시를 기준으로 함(86누29) ➜ 행정심판 전치주의가 적용되는 경우에 행정심판을 거치지 않고 소제기를 하였더라도 사실심 변론종결 전까지 행정심판을 거친 경우에는 각하×

⑤ 판례 행정심판 전치주의의 경우, 처분상대방이 해당 처분에 대한 취소심판과 취소소송을 동시에 제기한 경우라도, 사실심 변론종결 전까지 재결이 있게 되면, 관할 법원은 소송요건의 흠은 치유된 것으로 보아 본안판단을 하게 됨(87누176)

소송요건이 아닌 것들 (본안판단사항인 것○)

① [처분의 위법 여부] 처분이 위법인지 여부는 취소소송의 요건심리사항에 해당×

② [거부처분의 위법 여부] 관계 법령이나 행정청이 사전에 공표한 처분기준에 처분의 신청기간을 제한하는 특별한 규정이 있었던 경우, 신청인이 신청기간을 도과하였는지는 본안에서 신청에 대한 거부처분이 적법한가를 판단하는 단계에서 고려할 요소이지, 소송요건 심사단계에서 고려할 요소가 아님(2020두50324)

③ [처분청의 처분권한 유무] 행정소송의 제기요건은 법원의 직권조사사항이지만, 행정소송에 있어서 처분청의 처분권한 유무는 직권조사사항× ➜ 처분청의 권한유무에 대한 판단은 주체상 하자의 존부 판단과 관련된 것(피고적격과 관련된 것×)으로서 본안판단사항임

④ [처분절차 준수 여부] 행정절차법에서 정한 처분절차를 준수하였는지는 취소소송의 본안에서 처분이 적법한가를 판단하는 단계에서 고려할 요소이지, 소송요건 심사단계에서 고려할 요소가 아님(2018두49130)

---

❶ [민사소송법] 원고가 주장하는 사실이 피고에게 불리한데도, 피고가 이를 인정하는 것을 자백(confession)이라 한다.

❷ [민사소송법] '판단유탈'이란 원고나 피고가 적법한 권리에 근거하여 판단해줄 것을 요청하였음에도 불구하고 법원이 이에 대해 판단하지 않은 경우를 가리키는 표현이다. 상소이유가 된다.

❸ 상고심이란 3심을 의미한다. 대법원에 의해 이루어지고, 법률심만을 한다.

행정소송법 제13조(피고적격) ① 취소소송은 <u>다른 법률에 특별한 규정이 없는 한</u> 그 처분등을 행한 행정청을 피고로 한다. 다만, 처분등이 있은 뒤에 그 처분등에 관계되는 권한이 다른 행정청에 승계된 때에는 이를 승계한 행정청을 피고로 한다.
② 제1항의 규정에 의한 행정청이 없게 된 때에는 그 처분등에 관한 사무가 귀속되는 <u>국가 또는 공공단체</u>를 피고로 한다.

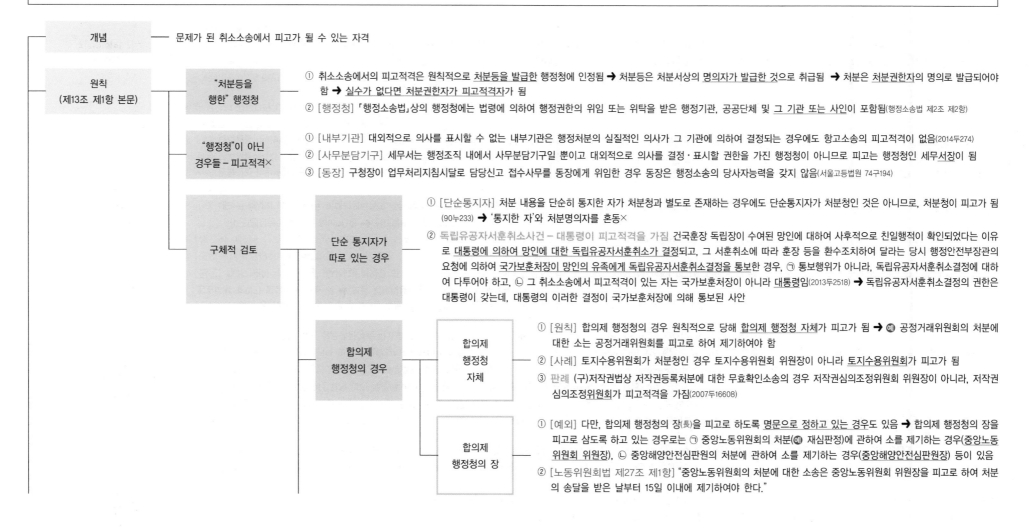

개념	— 문제가 된 취소소송에서 피고가 될 수 있는 자격		

원칙
(제13조 제1항 본문)

"처분등을 행한" 행정청
① 취소소송에서의 피고적격은 원칙적으로 <u>처분등을 발급한 행정청</u>에 인정됨 → 처분등은 처분서상의 <u>명의자가</u> 발급한 것으로 취급됨 → 처분은 <u>처분권한자의</u> 명의로 발급되어야 함 → 실수가 없다면 처분권한자가 피고적격자가 됨
② [행정청] 「행정소송법」상의 행정청에는 법령에 의하여 행정권한의 위임 또는 위탁을 받은 행정기관, 공공단체 및 <u>그 기관 또는 사인이</u> 포함됨(행정소송법 제2조 제2항)

"행정청"이 아닌 경우들 – 피고적격×
① [내부기관] 대외적으로 의사를 표시할 수 없는 내부기관은 행정처분의 실질적인 의사가 그 기관에 의하여 결정되는 경우에도 항고소송의 피고적격이 없음(2014두274)
② [사무분담기구] 세무서는 행정조직 내에서 사무분담기구일 뿐이고 대외적으로 의사를 결정·표시할 권한을 가진 행정청이 아니므로 피고는 행정청인 세무<u>서장</u>이 됨
③ [동장] 구청장이 업무처리지침시달로 담당신고 접수사무를 동장에게 위임한 경우 동장은 행정소송의 당사자능력을 갖지 않음(서울고등법원 74구194)

구체적 검토

단순 통지자가 따로 있는 경우
① [단순통지자] 처분 내용을 단순히 통지한 자가 처분청과 별도로 존재하는 경우에도 단순통지자가 처분청인 것은 아니므로, 처분청이 피고가 됨 (90누233) → '통지한 자'와 처분명의자를 혼동×
② 독립유공자서훈취소사건 – 대통령이 피고적격을 가짐 건국훈장 독립장이 수여된 망인에 대하여 사후적으로 친일행적이 확인되었다는 이유로 대통령에 의하여 망인에 대한 독립유공자서훈취소가 결정되고, 그 서훈취소에 따라 훈장 등을 환수조치하여 달라는 당시 행정안전부장관의 요청에 의하여 국가보훈처장이 망인의 유족에게 독립유공자서훈취소결정을 통보한 경우, ㉠ 통보행위가 아니라, 독립유공자서훈취소결정에 대하여 다투어야 하고, ㉡ 그 취소소송에서 피고적격이 있는 자는 국가보훈처장이 아니라 대통령임(2013두2518) → 독립유공자서훈취소결정의 권한은 대통령이 갖는데, 대통령의 이러한 결정이 국가보훈처장에 의해 통보된 사안

합의제 행정청의 경우

합의제 행정청 자체
① [원칙] 합의제 행정청의 경우 원칙적으로 당해 <u>합의제 행정청 자체</u>가 피고가 됨 → ⑩ 공정거래위원회의 처분에 대한 소는 공정거래위원회를 피고로 하여 제기하여야 함
② [사례] 토지수용위원회가 처분청인 경우 토지수용위원회 위원장이 아니라 <u>토지수용위원회</u>가 피고가 됨
③ 판례 (구)저작권법상 저작권등록처분에 대한 무효확인소송의 경우 저작권심의조정위원회 위원장이 아니라, 저작권심의조정<u>위원회</u>가 피고적격을 가짐(2007두16608)

합의제 행정청의 장
① [예외] 다만, 합의제 행정청의 장(長)을 피고로 하도록 <u>명문으로 정하고 있는 경우</u>도 있음 → 합의제 행정청의 장을 피고로 삼도록 하고 있는 경우로는 ㉠ 중앙노동위원회의 처분(⑩ 재심판정)에 관하여 소를 제기하는 경우(중앙노동위원회 위원장), ㉡ 중앙해양안전심판원의 처분에 관하여 소를 제기하는 경우(중앙해양안전심판원장) 등이 있음
② [노동위원회법 제27조 제1항] "중앙노동위원회의 처분에 대한 소송은 중앙노동위원회 위원장을 피고로 하여 처분의 송달을 받은 날부터 15일 이내에 제기하여야 한다."

처분권한의 위임·위탁이 있는 경우	① [권한의 위임 및 위탁] 행정청이 그의 권한의 일부를 대외적으로(즉, 국민과의 관계에서도) 다른 행정기관으로 이전하여 수임기관의 권한으로서 행사하게 하는 것 ➡ 처분권한은 위임의 범위 안에서 대외적으로도 수임기관의 권한이 되며, 수임기관은 그 권한을 자신의 명의와 책임하에 행사하게 됨 ② [위임과 위탁의 구분] '위임'은 하급기관에 대하여 권한을 이전하는 것을 말하고, '위탁'은 동급의 기관이나, 다른 행정주체에 속하는 기관에 권한을 이전하는 것을 말함 ➡ 구별의 실익× ③ [위임에 따른 처분권한행사가 있는 경우] 행정청의 권한이 위임된 경우에는 위임청은 그 사무를 처리할 권한을 잃고, 위임받은 수임청이 피고가 됨 ➡ ∵ 수임청이 처분권한자가 되기 때문 ④ [위탁에 따른 처분권한행사가 있는 경우] 행정권한을 위탁받은 공공단체 또는 사인이 자신의 이름으로 처분을 한 경우에는 그 공공단체 또는 사인이 항고소송의 피고가 됨 ➡ ∵ 그 공공단체 또는 사인이 처분권한자가 되기 때문 ⑤ 사례 환경부장관의 권한을 위임받은 서울특별시장이 내린 처분에 대한 취소소송에서의 피고적격은 서울특별시장이 가짐 ⑥ 판례 세무서장이 압류한 재산의 공매를 성업공사(현 한국자산관리공사)로 '대행'하게 한 경우 피고는 성업공사임(96누1757) ➡ 대법원은 이 '대행'의 의미를 위임으로 파악하고 있음
처분권한의 내부위임이 있는 경우	① [권한의 내부위임] 조직 내부에서 보조기관 또는 하급행정청으로 하여금 위임기관의 사무의 일부를 사실상 처리하게 하면서도 대외적으로는 위임기관의 명의로 권한을 행사하게 하는 것 ➡ 법적으로 권한을 이전시키는 것이 아니라 사실상 행사만 하게 하는 것임 ➡ 내부위임 받은 권한을 행사하는 것을 실무상 전결(專決) 또는 대결(代決)이라 표현함 ② [원칙] 권한이 수임기관에게 이전되지 않기 때문에 처분도 위임기관의 명의로 발급됨 ➡ 위임기관이 피고적격을 가짐 ③ [예외 – 명의표시에 실수가 있었던 경우] 내부위임을 받은 기관이 위임자의 명의가 아닌 자신의 이름으로 권한을 행사한 경우에는 수임기관이 피고적격을 가짐 ④ 판례 행정처분을 행할 적법한 권한 있는 상급행정청으로부터 내부위임을 받은데 불과한 하급행정청이 권한 없이 행정처분을 한 경우에도 실제로 그 처분을 행한 하급행정청을 피고로 하여야 할 것이지 그 처분을 행할 적법한 권한 있는 상급행정청을 피고로 할 것이 아님(90누5641) ➡ '권한 없이 행정처분을 했다'는 말은 수임기관이 자기의 명의로 처분을 했다는 말
처분권한이 대리행사 된 경우	① [권한의 대리] 행정청의 권한의 전부나 일부를 다른 행정기관이 피대리행정청을 위한 것임을 표시하여('현명') 자기의 이름으로 행하고(예 서울특별시장 직무대리 부시장○○○), 그 행위는 피대리행정청의 행위로서 효과가 발생하게 하는 것 ➡ 보통 피대리행정청의 유고(有故)시에 이루어짐 ② [원칙] 대리기관이 대리관계를 표시하고('현명을 하고') 피대리행정청을 대리하여 행정처분을 한 때에는 피대리행정청이 피고로 되어야 함 ➡ ∵ 피대리행정청이 권한자임을 명시한 것이기 때문 ③ [예외 – 대리기관이 실수로 현명을 하지 않은 경우] 대리기관이 피고로 되어야 함 ④ [예외의 예외 – 산하 행정기관인 대리기관이 실수로 현명을 하지 않고 처분을 했다 하더라도, 피대리행정청을 대리한다는 의사로 처분을 했고 그 상대방도 대리관계를 알고 받아들인 경우] 피대리행정청이 피고로 되어야 함 ➡ 상대방의 소송편의 고려 ⑤ 판례 대리권 행사의 법적 효과는 피대리행정청이 속한 행정주체에게 귀속되며, 대리행위에 대한 항고소송은 피대리행정청을 피고로 제기하여야 함(2005부4) ➡ 특별한 언급이 없으면 대리관계를 표시한 것으로 보면 됨 ⑥ 판례 관할청인 농림축산식품부장관으로부터 농지보전부담금 수납업무의 대행을 위탁받은 한국농어촌공사가 농지보전부담금 납부통지서에 관할청의 대행자임을 기재하고 납부통지서를 보낸 경우 농지보전부담금 부과처분에 대한 취소소송의 피고는 관할청이 됨(2018두43095) ⑦ 판례 대리권을 수여받은 데 불과하여 그 자신의 명의로는 행정처분을 할 권한이 없는 행정청의 경우, 대리관계를 밝힘이 없이 그 자신의 명의로 행정처분을 하였다면 그에 대하여는 처분명의자인 당해 행정청이 항고소송의 피고가 되어야 하는 것이 원칙임(2005부4) ⑧ 판례 도지사로부터 대리권을 수여받은 시장이 대리관계를 밝히지 않고 자신의 명의로 행정처분을 한 경우에는 항고소송의 피고는 시장이 되는 것이 원칙임(2005부4)
지자체장· 지방의회의 경우	① [계쟁처분이 조례인 경우] 일반적인 조례는 지방자치단체의 장, 교육이나 학예와 관련된 조례는 교육감이 피고가 됨 ② [계쟁처분이 의원에 대한 징계의결이나 의장선임의결, 불신임의결인 경우] 지방의회(의장×, 사무총장×)가 자신의 이름으로 그 의사를 표시하므로 행정청의 지위를 갖고 피고가 됨(2007두13487) ③ 판례 초등학교의 공용폐지를 내용으로 하는 조례를 대상으로 관할 법원에 취소소송을 제기하였다면, 피고는 조안을 의결한 지방의회가 아니라 교육감이 되어야 함(95누8003) ➡ 경기도 가평군 상색초등학교 두밀분교 폐지조례 사건

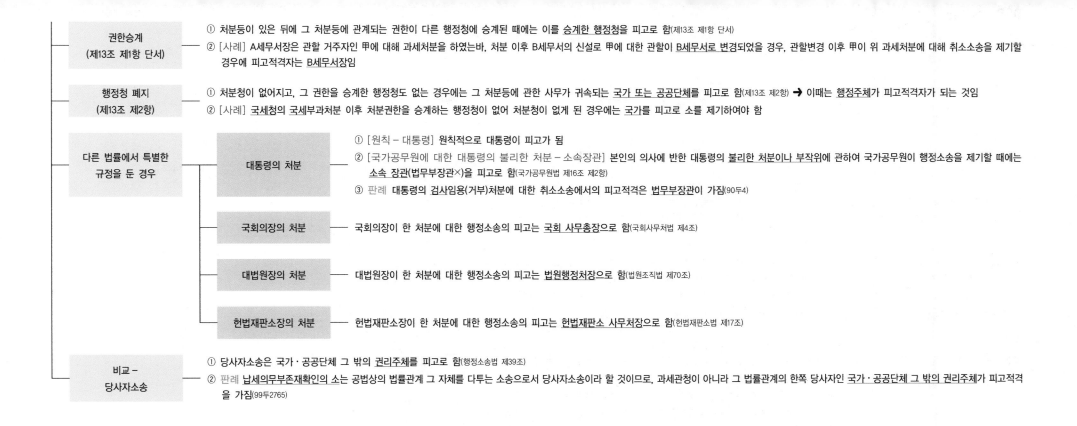

권한승계
(제13조 제1항 단서)

① 처분등이 있은 뒤에 그 처분등에 관계되는 권한이 다른 행정청에 승계된 때에는 이를 승계한 행정청을 피고로 함(제13조 제1항 단서)

② [사례] A세무서장은 관할 거주자인 甲에 대해 과세처분을 하였는바, 처분 이후 B세무서의 신설로 甲에 대한 관할이 B세무서로 변경되었을 경우, 관할변경 이후 甲이 위 과세처분에 대해 취소소송을 제기할 경우에 피고적격자는 B세무서장임

행정청 폐지
(제13조 제2항)

① 처분청이 없어지고, 그 권한을 승계한 행정청도 없는 경우에는 그 처분등에 관한 사무가 귀속되는 국가 또는 공공단체를 피고로 함(제13조 제2항) ➜ 이때는 행정주체가 피고적격자가 되는 것임

② [사례] 국세청의 국세부과처분 이후 처분권한을 승계하는 행정청이 없어 처분청이 없게 된 경우에는 국가를 피고로 소를 제기하여야 함

다른 법률에서 특별한 규정을 둔 경우

대통령의 처분

① [원칙 – 대통령] 원칙적으로 대통령이 피고가 됨

② [국가공무원에 대한 대통령의 불리한 처분 – 소속장관] 본인의 의사에 반한 대통령의 불리한 처분이나 부작위에 관하여 국가공무원이 행정소송을 제기할 때에는 소속 장관(법무부장관×)을 피고로 함(국가공무원법 제16조 제2항)

③ 판례 대통령의 검사임용(거부)처분에 대한 취소소송에서의 피고적격은 법무부장관이 가짐(90두4)

국회의장의 처분 ── 국회의장이 한 처분에 대한 행정소송의 피고는 국회 사무총장으로 함(국회사무처법 제4조)

대법원장의 처분 ── 대법원장이 한 처분에 대한 행정소송의 피고는 법원행정처장으로 함(법원조직법 제70조)

헌법재판소장의 처분 ── 헌법재판소장이 한 처분에 대한 행정소송의 피고는 헌법재판소 사무처장으로 함(헌법재판소법 제17조)

비교 – 당사자소송

① 당사자소송은 국가·공공단체 그 밖의 권리주체를 피고로 함(행정소송법 제39조)

② 판례 납세의무부존재확인의 소는 공법상의 법률관계 그 자체를 다투는 소송으로서 당사자소송이라 할 것이므로, 과세관청이 아니라 그 법률관계의 한쪽 당사자인 국가·공공단체 그 밖의 권리주체가 피고적격을 가짐(99두2765)

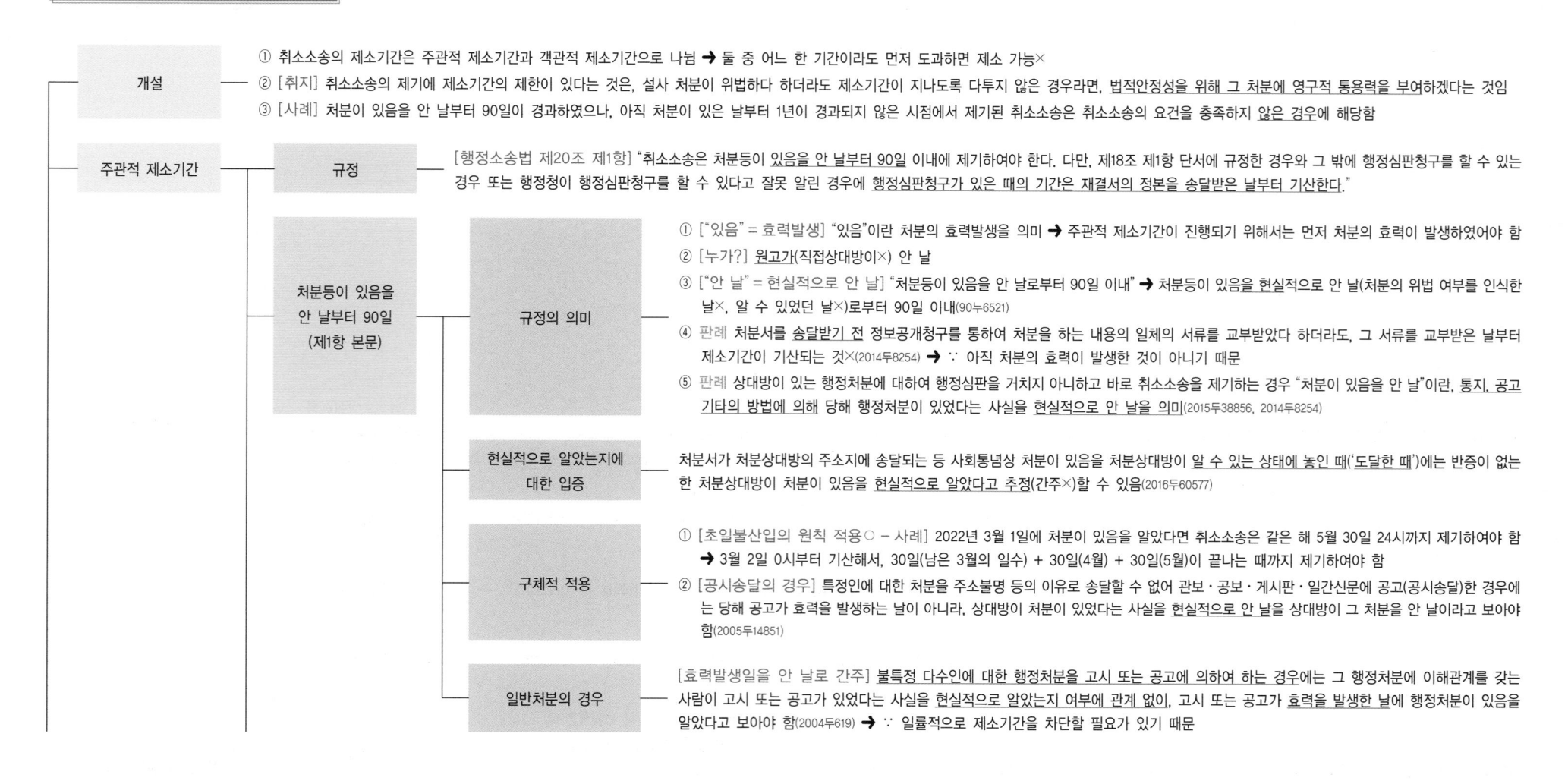

개설

① 취소소송의 제소기간은 주관적 제소기간과 객관적 제소기간으로 나뉨 ➜ 둘 중 어느 한 기간이라도 먼저 도과하면 제소 가능×

② [취지] 취소소송의 제기에 제소기간의 제한이 있다는 것은, 설사 처분이 위법하다 하더라도 제소기간이 지나도록 다투지 않은 경우라면, 법적안정성을 위해 그 처분에 영구적 통용력을 부여하겠다는 것임

③ [사례] 처분이 있음을 안 날부터 90일이 경과하였으나, 아직 처분이 있은 날부터 1년이 경과되지 않은 시점에서 제기된 취소소송은 취소소송의 요건을 충족하지 않은 경우에 해당함

주관적 제소기간

규정

[행정소송법 제20조 제1항] "취소소송은 처분등이 있음을 안 날부터 90일 이내에 제기하여야 한다. 다만, 제18조 제1항 단서에 규정한 경우와 그 밖에 행정심판청구를 할 수 있는 경우 또는 행정청이 행정심판청구를 할 수 있다고 잘못 알린 경우에 행정심판청구가 있은 때의 기간은 재결서의 정본을 송달받은 날부터 기산한다."

처분등이 있음을 안 날부터 90일 (제1항 본문)

규정의 의미

① ["있음" = 효력발생] "있음"이란 처분의 효력발생을 의미 ➜ 주관적 제소기간이 진행되기 위해서는 먼저 처분의 효력이 발생하였어야 함

② [누가?] 원고가(직접상대방이×) 안 날

③ ["안 날" = 현실적으로 안 날] "처분등이 있음을 안 날로부터 90일 이내" ➜ 처분등이 있음을 현실적으로 안 날(처분의 위법 여부를 인식한 날×, 알 수 있었던 날×)로부터 90일 이내(90누6521)

④ 판례 처분서를 송달받기 전 정보공개청구를 통하여 처분을 하는 내용의 일체의 서류를 교부받았다 하더라도, 그 서류를 교부받은 날부터 제소기간이 기산되는 것×(2014두8254) ➜ ∵ 아직 처분의 효력이 발생한 것이 아니기 때문

⑤ 판례 상대방이 있는 행정처분에 대하여 행정심판을 거치지 아니하고 바로 취소소송을 제기하는 경우 "처분이 있음을 안 날"이란, 통지, 공고 기타의 방법에 의해 당해 행정처분이 있었다는 사실을 현실적으로 안 날을 의미(2015두38856, 2014두8254)

현실적으로 알았는지에 대한 입증

처분서가 처분상대방의 주소지에 송달되는 등 사회통념상 처분이 있음을 처분상대방이 알 수 있는 상태에 놓인 때('도달한 때')에는 반증이 없는 한 처분상대방이 처분이 있음을 현실적으로 알았다고 추정(간주×)할 수 있음(2016두60577)

구체적 적용

① [초일불산입의 원칙 적용○ - 사례] 2022년 3월 1일에 처분이 있음을 알았다면 취소소송은 같은 해 5월 30일 24시까지 제기하여야 함 ➜ 3월 2일 0시부터 기산해서, 30일(남은 3월의 일수) + 30일(4월) + 30일(5월)이 끝나는 때까지 제기하여야 함

② [공시송달의 경우] 특정인에 대한 처분을 주소불명 등의 이유로 송달할 수 없어 관보·공보·게시판·일간신문에 공고(공시송달)한 경우에는 당해 공고가 효력을 발생하는 날이 아니라, 상대방이 처분이 있었다는 사실을 현실적으로 안 날을 상대방이 그 처분을 안 날이라고 보아야 함(2005두14851)

일반처분의 경우

[효력발생일을 안 날로 간주] 불특정 다수인에 대한 행정처분을 고시 또는 공고에 의하여 하는 경우에는 그 행정처분에 이해관계를 갖는 사람이 고시 또는 공고가 있었다는 사실을 현실적으로 알았는지 여부에 관계 없이, 고시 또는 공고가 효력을 발생한 날에 행정처분이 있음을 알았다고 보아야 함(2004두619) ➜ ∵ 일률적으로 제소기간을 차단할 필요가 있기 때문

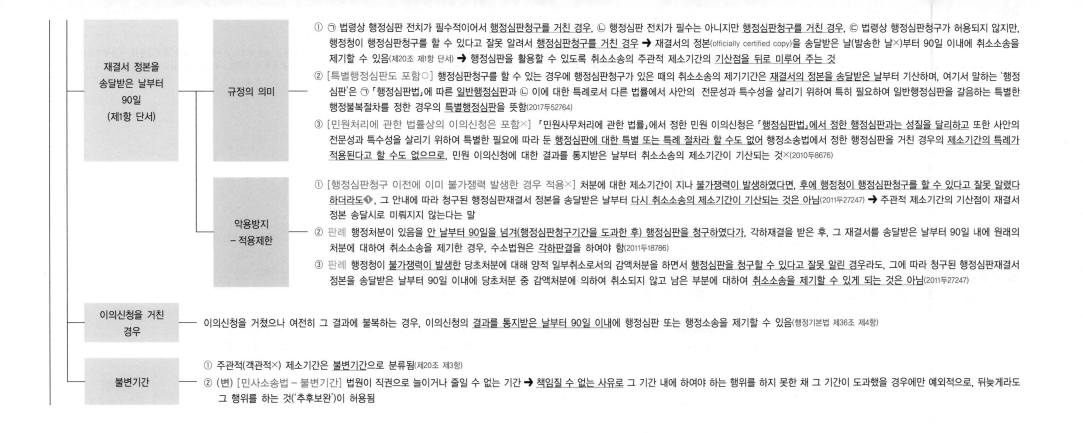

재결서 정본을 송달받은 날부터 90일 (제1항 단서)	**규정의 의미**	① ㉠ 법령상 행정심판 전치가 필수적이어서 행정심판청구를 거친 경우, ㉡ 행정심판 전치가 필수는 아니지만 행정심판청구를 거친 경우, ㉢ 법령상 행정심판청구가 허용되지 않지만, 행정청이 행정심판청구를 할 수 있다고 잘못 알려서 행정심판청구를 거친 경우 → 재결서의 정본(officially certified copy)을 송달받은 날(발송한 날×)부터 90일 이내에 취소소송을 제기할 수 있음(제20조 제1항 단서) → 행정심판을 활용할 수 있도록 취소소송의 주관적 제소기간의 <u>기산점을 뒤로 미루어 주는 것</u>
		② [특별행정심판도 포함○] 행정심판청구를 할 수 있는 경우에 행정심판청구가 있은 때의 취소소송의 제기기간은 재결서의 정본을 송달받은 날부터 기산하며, 여기서 말하는 '행정심판'은 ㉠ 「행정심판법」에 따른 <u>일반행정심판</u>과 ㉡ 이에 대한 특례로서 다른 법률에서 사안의 전문성과 특수성을 살리기 위하여 특히 필요하여 일반행정심판을 갈음하는 특별한 행정불복절차를 정한 경우의 특별행정심판을 뜻함(2017두52764)
		③ [민원처리에 관한 법률상의 이의신청은 포함×] 「민원사무처리에 관한 법률」에서 정한 민원 이의신청은 「행정심판법」에서 정한 행정심판과는 성질을 달리하고 또한 사안의 전문성과 특수성을 살리기 위하여 특별한 필요에 따라 둔 행정심판에 대한 특별 또는 특례 절차라 할 수도 없어 행정소송법에서 정한 행정심판을 거친 경우의 제소기간의 특례가 <u>적용된다고 할 수도 없으므로</u>, 민원 이의신청에 대한 결과를 통지받은 날부터 취소소송의 제소기간이 기산되는 것×(2010두8676)
	악용방지 – 적용제한	① [행정심판청구 이전에 이미 불가쟁력 발생한 경우 적용×] 처분에 대한 제소기간이 지나 불가쟁력이 발생하였다면, 후에 행정청이 행정심판청구를 할 수 있다고 잘못 알렸다 <u>하더라도❶</u>, 그 안내에 따라 청구된 행정심판재결서 정본을 송달받은 날부터 <u>다시 취소소송의 제소기간이 기산되는 것은 아님</u>(2011두27247) → 주관적 제소기간의 기산점이 재결서 정본 송달시로 미뤄지지 않는다는 말
		② 판례 행정처분이 있음을 안 날부터 90일을 넘겨(행정심판청구기간을 도과한 후) 행정심판을 청구하였다가, 각하재결을 받은 후, 그 재결서를 송달받은 날부터 90일 내에 원래의 처분에 대하여 취소소송을 제기한 경우, 수소법원은 각하판결을 하여야 함(2011두18786)
		③ 판례 행정청이 불가쟁력이 발생한 당초처분에 대해 양적 일부취소로서의 감액처분을 하면서 행정심판을 청구할 수 있다고 잘못 알린 경우라도, 그에 따라 청구된 행정심판재결서 정본을 송달받은 날부터 90일 이내에 당초처분 중 감액처분에 의하여 취소되지 않고 남은 부분에 대하여 취소소송을 제기할 수 있게 되는 것은 아님(2011두27247)
이의신청을 거친 경우		이의신청을 거쳤으나 여전히 그 결과에 불복하는 경우, 이의신청의 결과를 통지받은 날부터 90일 이내에 행정심판 또는 행정소송을 제기할 수 있음(행정기본법 제36조 제4항)
불변기간		① 주관적(객관적×) 제소기간은 불변기간으로 분류됨(제20조 제3항)
		② (변) [민사소송법 – 불변기간] 법원이 직권으로 늘이거나 줄일 수 없는 기간 → <u>책임질 수 없는 사유</u>로 그 기간 내에 하여야 하는 행위를 하지 못한 채 그 기간이 도과했을 경우에만 예외적으로, 뒤늦게라도 그 행위를 하는 것('추후보완')이 허용됨

❶ [비교] 처분을 행한 행정청이 행정심판을 <u>거칠 필요가 없다고</u> 잘못 알린 때에는 행정심판 전치주의의 적용을 받는 처분이라 하더라도, 행정심판을 제기하지 <u>않고도 곧바로</u> 취소소송을 제기할 수 있다(행정소송법 제18조 제3항 제4호)

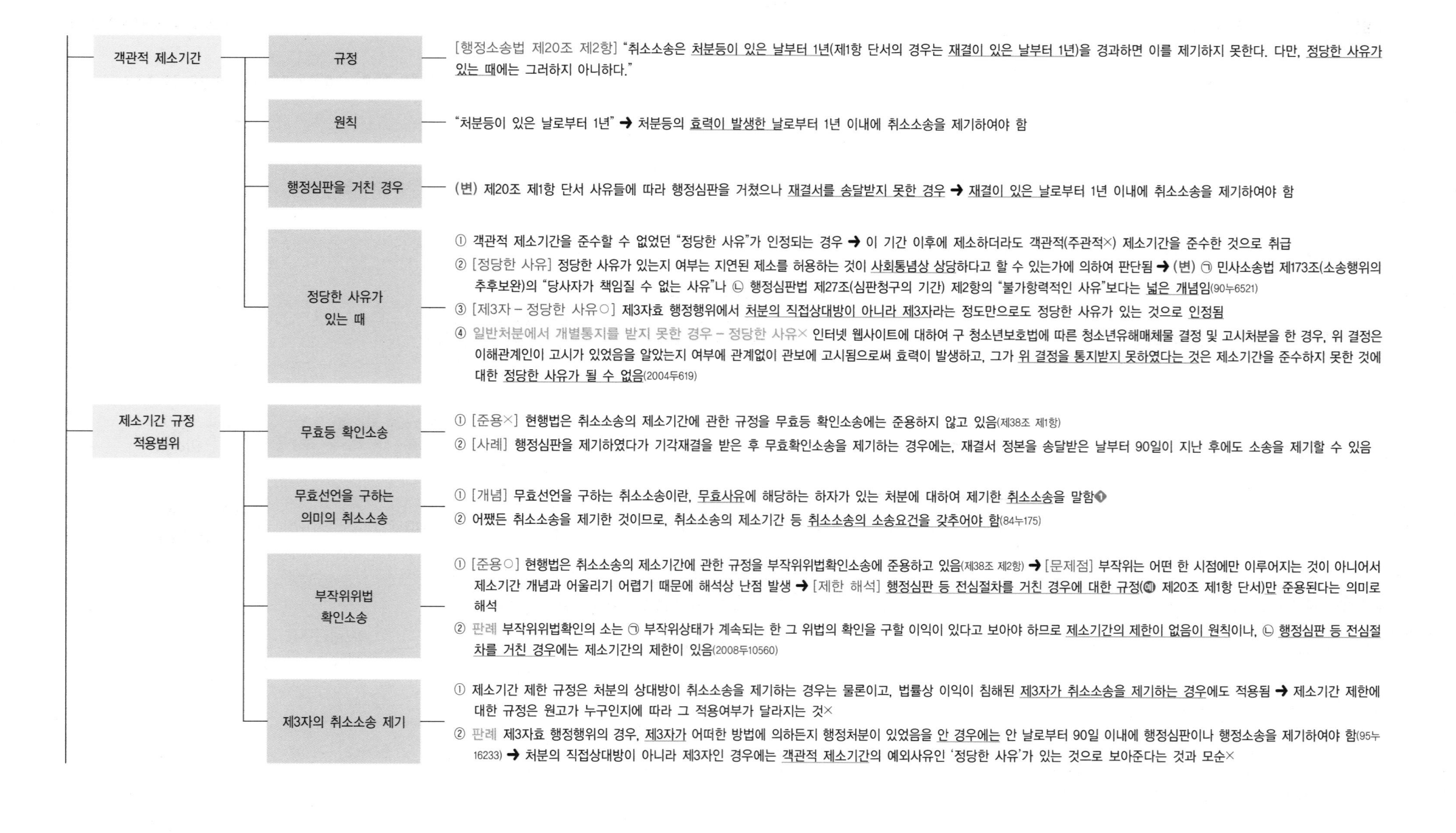

객관적 제소기간	규정	[행정소송법 제20조 제2항] "취소소송은 처분등이 있은 날부터 1년(제1항 단서의 경우는 재결이 있은 날부터 1년)을 경과하면 이를 제기하지 못한다. 다만, 정당한 사유가 있는 때에는 그러하지 아니하다."
	원칙	"처분등이 있은 날로부터 1년" ➜ 처분등의 효력이 발생한 날로부터 1년 이내에 취소소송을 제기하여야 함
	행정심판을 거친 경우	(변) 제20조 제1항 단서 사유들에 따라 행정심판을 거쳤으나 재결서를 송달받지 못한 경우 ➜ 재결이 있은 날로부터 1년 이내에 취소소송을 제기하여야 함

정당한 사유가 있는 때

① 객관적 제소기간을 준수할 수 없었던 "정당한 사유"가 인정되는 경우 ➜ 이 기간 이후에 제소하더라도 객관적(주관적×) 제소기간을 준수한 것으로 취급
② [정당한 사유] 정당한 사유가 있는지 여부는 지연된 제소를 허용하는 것이 사회통념상 상당하다고 할 수 있는가에 의하여 판단됨 ➜ (변) ㉠ 민사소송법 제173조(소송행위의 추후보완)의 "당사자가 책임질 수 없는 사유"나 ㉡ 행정심판법 제27조(심판청구의 기간) 제2항의 "불가항력적인 사유"보다는 넓은 개념임(90누6521)
③ [제3자 – 정당한 사유○] 제3자효 행정행위에서 처분의 직접상대방이 아니라 제3자라는 정도만으로도 정당한 사유가 있는 것으로 인정됨
④ 일반처분에서 개별통지를 받지 못한 경우 – 정당한 사유× 인터넷 웹사이트에 대하여 구 청소년보호법에 따른 청소년유해매체물 결정 및 고시처분을 한 경우, 위 결정은 이해관계인이 고시가 있었음을 알았는지 여부에 관계없이 관보에 고시됨으로써 효력이 발생하고, 그가 위 결정을 통지받지 못하였다는 것은 제소기간을 준수하지 못한 것에 대한 정당한 사유가 될 수 없음(2004두619)

제소기간 규정 적용범위

무효등 확인소송

① [준용×] 현행법은 취소소송의 제소기간에 관한 규정을 무효등 확인소송에는 준용하지 않고 있음(제38조 제1항)
② [사례] 행정심판을 제기하였다가 기각재결을 받은 후 무효확인소송을 제기하는 경우에는, 재결서 정본을 송달받은 날부터 90일이 지난 후에도 소송을 제기할 수 있음

무효선언을 구하는 의미의 취소소송

① [개념] 무효선언을 구하는 취소소송이란, 무효사유에 해당하는 하자가 있는 처분에 대하여 제기한 취소소송을 말함❶
② 어쨌든 취소소송을 제기한 것이므로, 취소소송의 제소기간 등 취소소송의 소송요건을 갖추어야 함(84누175)

부작위법 확인소송

① [준용○] 현행법은 취소소송의 제소기간에 관한 규정을 부작위법확인소송에 준용하고 있음(제38조 제2항) ➜ [문제점] 부작위는 어떤 한 시점에만 이루어지는 것이 아니어서 제소기간 개념과 어울리기 어렵기 때문에 해석상 난점 발생 ➜ [제한 해석] 행정심판 등 전심절차를 거친 경우에 대한 규정(⑳ 제20조 제1항 단서)만 준용된다는 의미로 해석
② 판례 부작위법확인의 소는 ㉠ 부작위상태가 계속되는 한 그 위법의 확인을 구할 이익이 있다고 보아야 하므로 제소기간의 제한이 없음이 원칙이나, ㉡ 행정심판 등 전심절차를 거친 경우에는 제소기간의 제한이 있음(2008두10560)

제3자의 취소소송 제기

① 제소기간 제한 규정은 처분의 상대방이 취소소송을 제기하는 경우는 물론이고, 법률상 이익이 침해된 제3자가 취소소송을 제기하는 경우에도 적용됨 ➜ 제소기간 제한에 대한 규정은 원고가 누구인지에 따라 그 적용여부가 달라지는 것×
② 판례 제3자효 행정행위의 경우, 제3자가 어떠한 방법에 의하든지 행정처분이 있었음을 안 경우에는 안 날로부터 90일 이내에 행정심판이나 행정소송을 제기하여야 함(95누16233) ➜ 처분의 직접상대방이 아니라 제3자인 경우에는 객관적 제소기간의 예외사유인 '정당한 사유'가 있는 것으로 보아준다는 것과 모순×

---

❶ [더 들어가기] 이 소송이 특이한 것인 이유는, 처분이 무효일 경우 이미 처분등에 효력이 없는 것임에도 불구하고, 그 효력을 제거하는 행위인 '취소'를 요구하는 소송이기 때문이다. 엄밀히 따지면, 무효인 처분등에 대해서는 취소가 이루어질 수 없다. 그럼에도 불구하고 무효확인소송에서 인용판결을 받는 것보다, 취소소송에서 인용판결을 받는 것이 더 쉽기 때문에, 취소소송의 제소기간이 지나지 않은 경우에 무효인 처분에 대해서도 보통 국민은 취소소송을 제기하게 된다.

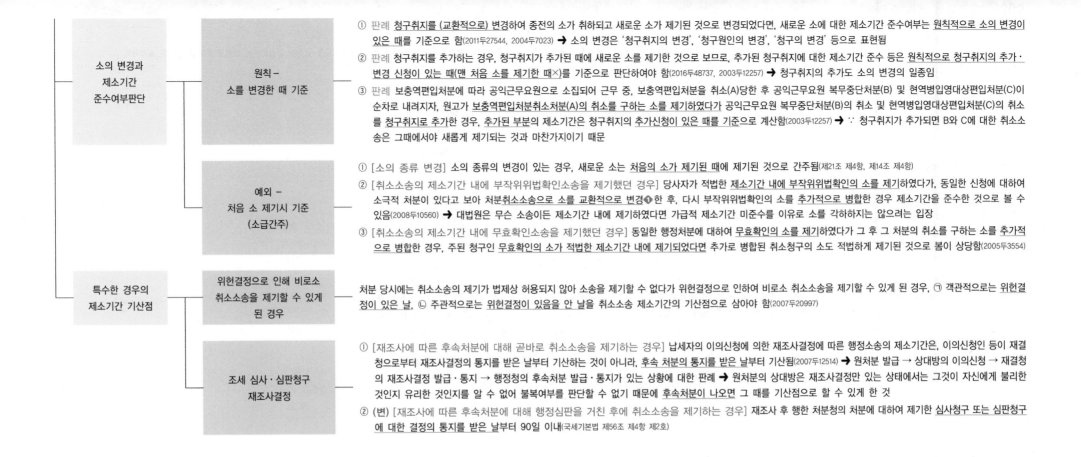

소의 변경과 제소기간 준수여부판단	원칙 – 소를 변경한 때 기준	① 판례 <u>청구취지를 (교환적으로) 변경</u>하여 종전의 소가 취하되고 새로운 소가 제기된 것으로 변경되었다면, 새로운 소에 대한 제소기간 준수여부는 원칙적으로 <u>소의 변경이 있은 때</u>를 기준으로 함(2011두27544, 2004두7023) ➔ 소의 변경은 '청구취지의 변경', '청구원인의 변경', '청구의 변경' 등으로 표현됨

① 판례 <u>청구취지를 (교환적으로) 변경</u>하여 종전의 소가 취하되고 새로운 소가 제기된 것으로 변경되었다면, 새로운 소에 대한 제소기간 준수여부는 원칙적으로 <u>소의 변경이 있은 때</u>를 기준으로 함(2011두27544, 2004두7023) ➔ 소의 변경은 '청구취지의 변경', '청구원인의 변경', '청구의 변경' 등으로 표현됨

② 판례 <u>청구취지를 추가</u>하는 경우, 청구취가 추가된 때에 새로운 소를 제기한 것으로 보므로, 추가된 청구취지에 대한 제소기간 준수 등은 원칙적으로 청구취지의 추가·변경 신청이 있는 때(맨 처음 소를 제기한 때×)를 기준으로 판단하여야 함(2016두48737, 2003두12257) ➔ 청구취지의 추가도 소의 변경의 일종임

③ 판례 보충역편입처분에 따라 공익근무요원으로 소집되어 근무 중, 보충역편입처분을 취소(A)당한 후 공익근무요원 복무중단처분(B) 및 현역병입영대상편입처분(C)이 순차로 내려지자, 원고가 보충역편입처분취소처분(A)의 취소를 구하는 소를 제기하였다가 공익근무요원 복무중단처분(B)의 취소 및 현역병입영대상편입처분(C)의 취소를 청구취지로 추가한 경우, 추가된 부분의 제소기간은 청구취지의 <u>추가신청이 있는 때</u>를 기준으로 계산함(2003두12257) ➔ ∵ 청구취지가 추가되면 B와 C에 대한 취소소송은 그때에서야 새롭게 제기되는 것과 마찬가지이기 때문

예외 – 처음 소 제기시 기준 (소급간주)

① [소의 종류 변경] 소의 종류의 변경이 있는 경우, 새로운 소는 <u>처음의 소가 제기된 때</u>에 제기된 것으로 간주됨(제21조 제4항, 제14조 제4항)

② [취소소송의 제소기간 내에 부작위위법확인소송을 제기했던 경우] 당사자가 적법한 제소기간 내에 부작위위법확인의 소를 제기하였다가, 동일한 신청에 대하여 소극적 처분이 있다고 보아 <u>처분취소소송으로 소를 교환적으로 변경</u>❶한 후, 다시 부작위위법확인의 소를 추가적으로 병합한 경우 제소기간을 준수한 것으로 볼 수 있음(2008두10560) ➔ 대법원은 무슨 소송이든 제소기간 내에 제기하였다면 가급적 제소기간 미준수를 이유로 소를 각하하지는 않으려는 입장

③ [취소소송의 제소기간 내에 무효확인소송을 제기했던 경우] 동일한 행정처분에 대하여 <u>무효확인의 소를 제기</u>하였다가 그 후 그 처분의 취소를 구하는 소를 추가적으로 병합한 경우, 주된 청구인 무효확인의 소가 적법한 제소기간 내에 제기되었다면 추가로 병합된 취소청구의 소도 적법하게 제기된 것으로 봄이 상당함(2005두3554)

특수한 경우의 제소기간 기산점	위헌결정으로 인해 비로소 취소소송을 제기할 수 있게 된 경우	처분 당시에는 취소소송의 제기가 법제상 허용되지 않아 소송을 제기할 수 없다가 위헌결정으로 인하여 비로소 취소소송을 제기할 수 있게 된 경우, ㉠ 객관적으로는 <u>위헌결정이 있은 날</u>, ㉡ 주관적으로는 <u>위헌결정이 있음을 안 날</u>을 취소소송 제소기간의 기산점으로 삼아야 함(2007두20997)

조세 심사·심판청구 재조사결정

① [재조사에 따른 후속처분에 대해 곧바로 취소소송을 제기하는 경우] 납세자의 이의신청에 의한 재조사결정에 따른 행정소송의 제소기간은, 이의신청인 등이 재결청으로부터 재조사결정의 통지를 받은 날부터 기산하는 것이 아니라, <u>후속 처분의 통지를 받은 날</u>부터 기산됨(2007두12514) ➔ 원처분 발급 → 상대방의 이의신청 → 재결청의 재조사결정 발급·통지 → 행정청의 후속처분 발급·통지가 있는 상황에 대한 판례 ➔ 원처분의 상대방은 재조사결정만 있는 상태에서는 그것이 자신에게 불리한 것인지 유리한 것인지를 알 수 없어 불복여부를 판단할 수 없기 때문에 후속처분이 나오면 그 때를 기산점으로 할 수 있게 한 것

② (변) [재조사에 따른 후속처분에 대해 행정심판을 거친 후에 취소소송을 제기하는 경우] 재조사 후 행한 처분청의 처분에 대하여 제기한 <u>심사청구 또는 심판청구</u>에 대한 결정의 통지를 받은 날부터 90일 이내(국세기본법 제56조 제4항 제2호)

---

❶ [민사소송법] 교환적 변경이란, 처음에 제기한 소 대신 다른 소로 청구의 취지나 원인을 변경하는 것을 말한다. 한편, '추가적 변경'이라는 것도 존재하는데, 기존에 제기한 소를 그대로 둔 채로, 거기에 추가로 다른 소까지 병합하는 것을 말한다. '추가적 병합'이라 표현하기도 한다. 둘 다 민사소송법상의 개념이다.

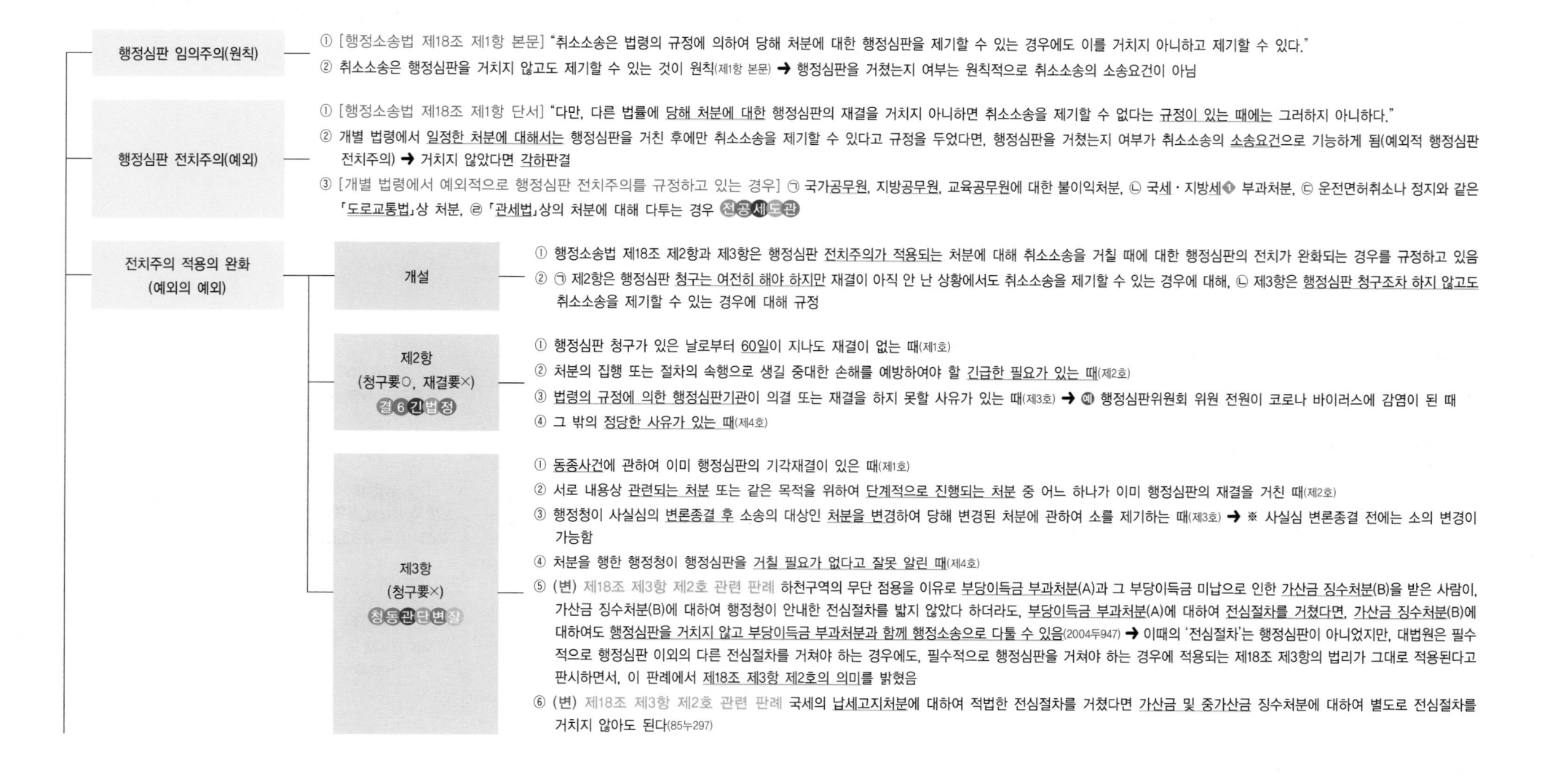

행정심판 임의주의(원칙)

① [행정소송법 제18조 제1항 본문] "취소소송은 법령의 규정에 의하여 당해 처분에 대한 행정심판을 제기할 수 있는 경우에도 이를 거치지 아니하고 제기할 수 있다."

② 취소소송은 행정심판을 거치지 않고도 제기할 수 있는 것이 원칙(제1항 본문) ➡ 행정심판을 거쳤는지 여부는 원칙적으로 취소소송의 소송요건이 아님

행정심판 전치주의(예외)

① [행정소송법 제18조 제1항 단서] "다만, 다른 법률에 당해 처분에 대한 행정심판의 재결을 거치지 아니하면 취소소송을 제기할 수 없다는 규정이 있는 때에는 그러하지 아니하다."

② 개별 법령에서 일정한 처분에 대해서는 행정심판을 거친 후에만 취소소송을 제기할 수 있다고 규정을 두었다면, 행정심판을 거쳤는지 여부가 취소소송의 소송요건으로 기능하게 됨(예외적 행정심판 전치주의) ➡ 거치지 않았다면 각하판결

③ [개별 법령에서 예외적으로 행정심판 전치주의를 규정하고 있는 경우] ㉠ 국가공무원, 지방공무원, 교육공무원에 대한 불이익처분, ㉡ 국세·지방세❶ 부과처분, ㉢ 운전면허취소나 정지와 같은 「도로교통법」상 처분, ㉣ 「관세법」상의 처분에 대해 다투는 경우 전공세도관

전치주의 적용의 완화 (예외의 예외)

개설

① 행정소송법 제18조 제2항과 제3항은 행정심판 전치주의가 적용되는 처분에 대해 취소소송을 거칠 때에 대한 행정심판의 전치가 완화되는 경우를 규정하고 있음

② ㉠ 제2항은 행정심판 청구는 여전히 해야 하지만 재결이 아직 안 난 상황에서도 취소소송을 제기할 수 있는 경우에 대해, ㉡ 제3항은 행정심판 청구조차 하지 않고도 취소소송을 제기할 수 있는 경우에 대해 규정

제2항 (청구要○, 재결要×) 결 6 긴 법 정

① 행정심판 청구가 있은 날로부터 60일이 지나도 재결이 없는 때(제1호)

② 처분의 집행 또는 절차의 속행으로 생길 중대한 손해를 예방하여야 할 긴급한 필요가 있는 때(제2호)

③ 법령의 규정에 의한 행정심판기관이 의결 또는 재결을 하지 못할 사유가 있는 때(제3호) ➡ 예 행정심판위원회 위원 전원이 코로나 바이러스에 감염이 된 때

④ 그 밖의 정당한 사유가 있는 때(제4호)

제3항 (청구要×) 청 동 관 단 변 잘

① 동종사건에 관하여 이미 행정심판의 기각재결이 있은 때(제1호)

② 서로 내용상 관련되는 처분 또는 같은 목적을 위하여 단계적으로 진행되는 처분 중 어느 하나가 이미 행정심판의 재결을 거친 때(제2호)

③ 행정청이 사실심의 변론종결 후 소송의 대상인 처분을 변경하여 당해 변경된 처분에 관하여 소를 제기하는 때(제3호) ➡ ※ 사실심 변론종결 전에는 소의 변경이 가능함

④ 처분을 행한 행정청이 행정심판을 거칠 필요가 없다고 잘못 알린 때(제4호)

⑤ (변) 제18조 제3항 제2호 관련 판례 하천구역의 무단 점용을 이유로 부당이득금 부과처분(A)과 그 부당이득금 미납으로 인한 가산금 징수처분(B)을 받은 사람이, 가산금 징수처분(B)에 대하여 행정청이 안내한 전심절차를 밟지 않았다 하더라도, 부당이득금 부과처분(A)에 대하여 전심절차를 거쳤다면, 가산금 징수처분(B)에 대하여도 행정심판을 거치지 않고 부당이득금 부과처분과 함께 행정소송으로 다툴 수 있음(2004두947) ➡ 이때의 '전심절차'는 행정심판이 아니었지만, 대법원은 필수적으로 행정심판 이외의 다른 전심절차를 거쳐야 하는 경우에도, 필수적으로 행정심판을 거쳐야 하는 경우에 적용되는 제18조 제3항의 법리가 그대로 적용된다고 판시하면서, 이 판례에서 제18조 제3항 제2호의 의미를 밝혔음

⑥ (변) 제18조 제3항 제2호 관련 판례 국세의 납세고지처분에 대하여 적법한 전심절차를 거쳤다면 가산금 및 중가산금 징수처분에 대하여 별도로 전심절차를 거치지 않아도 된다(85누297)

---

❶ [더 들어가기] 정확하게 말하면, 국세나 지방세 부과처분에 대하여 심판청구를 한 후에 나온 재조사 결정에 따른 처분청의 처분에 대한 행정소송의 경우에는 행정심판을 전치하지 않아도 된다.

행정심판 전치요건 충족여부 판단	적법한 심판청구	① 행정심판의 청구가 적법했던 경우에만 행정심판을 거친 것으로 인정됨 ➔ 부적법한 행정심판 청구를 거쳤다면 여전히 취소소송의 적법요건을 못 갖춘 경우로서 취소소송 각하판결 ② 적법한 행정심판의 청구였는지 여부는 행정심판기관의 판단에 따르지 않고, 독자적으로 취소소송의 수소법원이 판단함 ③ 판례 기간경과 등의 부적법한 심판제기가 있었다면, 행정심판위원회가 각하하지 않고 기각재결을 한 경우라도 심판전치의 요건이 구비된 것으로 볼 수 없음(90누2383)
	(변) 행정심판 청구인과 취소소송 원고의 동일성(필요×)	① 행정심판의 청구인과 행정소송의 원고는 반드시 동일인임을 요하지 않음 ➔ 청구취지나 청구이유가 기본적인 면에서 일치하는 동일한 처분이라면 행정심판의 청구인과 행정소송의 원고가 일치할 필요는 없음 ② 행정심판 전치가 요구되는 경우, 공동소송의 원고 중 1인이 행정심판을 거쳤다면 나머지 원고는 행정심판을 거치지 않고 행정소송을 제기할 수 있음 ③ 판례 동일한 행정처분에 의하여 여러 사람이 동일한 의무를 부담하는 경우 그 중 한 사람이 행정심판을 제기하여 기각재결을 받은 때 나머지 사람은 행정심판제기 없이 행정소송을 제기할 수 있음(87누704)
	행정심판 주장사유와 취소소송 주장사유의 동일성(필요×)	판례 행정소송이 전심절차를 거쳤는지 여부를 판단함에 있어서, 전심절차에서의 주장과 행정소송에서의 주장이 전혀 별개의 것이 아닌 한 그 주장이 반드시 일치하여야 하는 것은 아님(99두9407)
	(변) 여러 단계의 전심절차 존재하는 경우	행정심판 전치주의의 적용을 받는 어떤 처분에 대하여 2단계 이상의 행정심판절차가 마련되어 있다고 해서, 그것만으로 마련되어 있는 모든 행정심판 절차를 거쳐야 함을 의미하지는 않음
	감사원에 대한 심사청구를 거친 경우	행정심판 전치주의가 적용되는 경우에, 감사원의 심사청구를 거쳤다면 다른 행정심판절차를 거칠 필요없이 바로 행정소송을 제기할 수 있음(감사원법 제46조의2) ➔ 감사원의 심사는 행정심판이 아니지만, 감사원에 대한 심사청구를 거친 경우에는 행정심판을 거친 것으로 취급됨
	제3자가 취소소송을 제기하는 경우	행정심판 전치주의가 적용되는 경우에는, 제3자가 제기하는 행정소송의 경우에도 행정심판을 거쳐야 함(88누5150) ➔ 행정심판 전치주의의 적용을 받는지 여부는 원고가 누구인지가 아니라, 다투려고 하는 처분이 무엇인지에 따라 갈리는 것임
행정심판에서 주장하지 않았던 사유의 주장		① 판례 항고소송의 당사자는 항고소송에서 전심절차에서 미처 주장하지 아니한 사유를 공격·방어방법❶으로 제출할 수 있고, 법원은 이를 심리하여 행정처분의 적법여부를 판단할 수 있음(2017두65821, 84누211) ② 판례 원고가 전심절차에서 주장하지 아니한 처분의 위법사유라 하더라도, 그것을 소송절차에서 새로이 주장하기 위해 다시 그 처분에 대하여 별도의 전심절차를 거쳐야 하는 것은 아님(96누754) ③ 판례 소청심사결정의 취소를 구하는 소송에서 소청심사단계에서 이미 주장된 사유만을 행정소송에서 판단대상으로 삼을 것은 아니고, 소청심사결정 후에 생긴 사유가 아닌 이상 소청심사단계에서 주장하지 않은 사유도 행정소송에서 주장하는 것이 가능함(2017두65821)

---

❶ [민사소송법] 원고가 자기의 주장을 뒷받침하기 위하여 제출하는 일체의 자료를 공격방법이라 하고, 피고가 자기의 주장을 뒷받침하기 위하여 제출하는 일체의 자료를 방어방법이라 한다.

유대웅 행정법총론 핵심정리   제6편 행정쟁송 제1장 행정소송 **361**

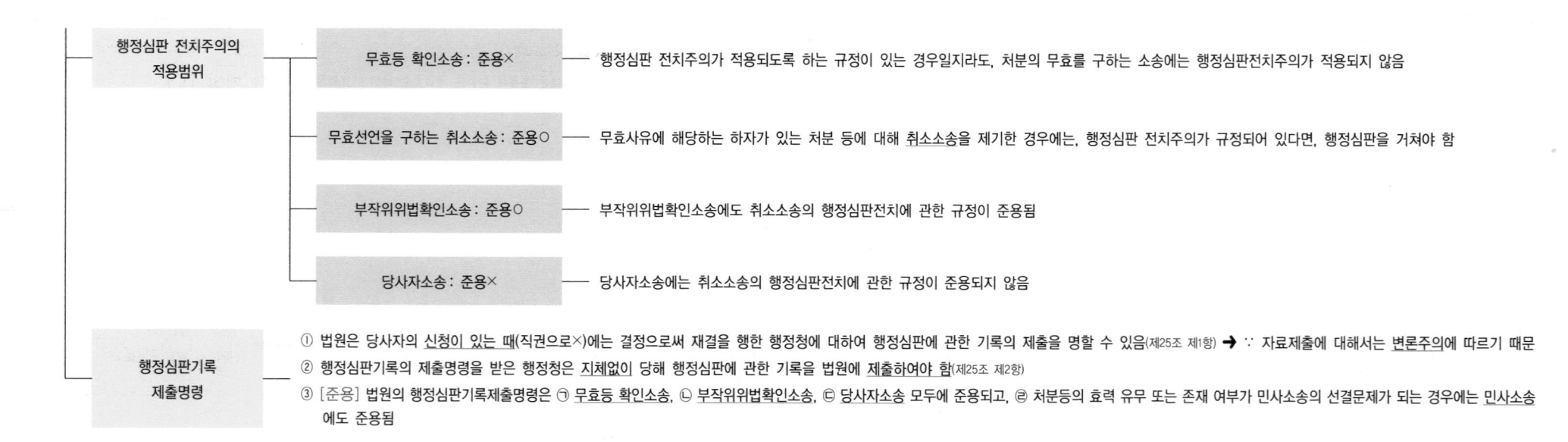

① 법원은 당사자의 <u>신청이 있는</u> 때(직권으로×)에는 결정으로써 재결을 행한 행정청에 대하여 행정심판에 관한 기록의 제출을 명할 수 있음(제25조 제1항) ➜ ∵ 자료제출에 대해서는 <u>변론주의</u>에 따르기 때문
② 행정심판기록의 제출명령을 받은 행정청은 지체없이 당해 행정심판에 관한 기록을 법원에 <u>제출하여야 함</u>(제25조 제2항)
③ [준용] 법원의 행정심판기록제출명령은 ㉠ 무효등 확인소송, ㉡ 부작위위법확인소송, ㉢ 당사자소송 모두에 준용되고, ㉣ 처분등의 효력 유무 또는 존재 여부가 민사소송의 선결문제가 되는 경우에는 민사소송에도 준용됨

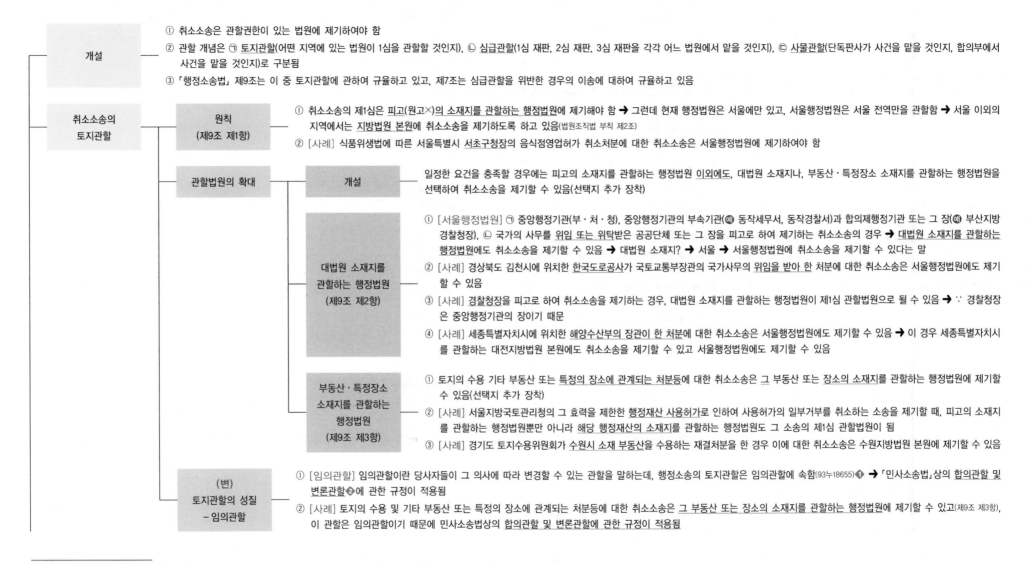

개설

① 취소소송은 관할권한이 있는 법원에 제기하여야 함
② 관할 개념은 ㉠ 토지관할(어떤 지역에 있는 법원이 1심을 관할할 것인지), ㉡ 심급관할(1심 재판, 2심 재판, 3심 재판을 각각 어느 법원에서 맡을 것인지), ㉢ 사물관할(단독판사가 사건을 맡을 것인지, 합의부에서 사건을 맡을 것인지)로 구분됨
③ 「행정소송법」 제9조는 이 중 토지관할에 관하여 규율하고 있고, 제7조는 심급관할을 위반한 경우의 이송에 대하여 규율하고 있음

취소소송의 토지관할

원칙 (제9조 제1항)

① 취소소송의 제1심은 피고(원고×)의 소재지를 관할하는 행정법원에 제기해야 함 ➔ 그런데 현재 행정법원은 서울에만 있고, 서울행정법원은 서울 전역만을 관할함 ➔ 서울 이외의 지역에서는 지방법원 본원에 취소소송을 제기하도록 하고 있음(법원조직법 부칙 제2조)
② [사례] 식품위생법에 따른 서울특별시 서초구청장의 음식점영업허가 취소처분에 대한 취소소송은 서울행정법원에 제기하여야 함

관할법원의 확대

개설

일정한 요건을 충족할 경우에는 피고의 소재지를 관할하는 행정법원 이외에도, 대법원 소재지나, 부동산·특정장소 소재지를 관할하는 행정법원을 선택하여 취소소송을 제기할 수 있음(선택지 추가 장착)

대법원 소재지를 관할하는 행정법원 (제9조 제2항)

① [서울행정법원] ㉠ 중앙행정기관(부·처·청), 중앙행정기관의 부속기관(예 동작세무서, 동작경찰서)과 합의제행정기관 또는 그 장(예 부산지방경찰청장), ㉡ 국가의 사무를 위임 또는 위탁받은 공공단체 또는 그 장을 피고로 하여 제기하는 취소소송의 경우 ➔ 대법원 소재지를 관할하는 행정법원에도 취소소송을 제기할 수 있음 ➔ 대법원 소재지? ➔ 서울 ➔ 서울행정법원에 취소소송을 제기할 수 있다는 말
② [사례] 경상북도 김천시에 위치한 한국도로공사가 국토교통부장관의 국가사무의 위임을 받아 한 처분에 대한 취소소송은 서울행정법원에도 제기할 수 있음
③ [사례] 경찰청장을 피고로 하여 취소소송을 제기하는 경우, 대법원 소재지를 관할하는 행정법원이 제1심 관할법원으로 될 수 있음 ➔ ∵ 경찰청장은 중앙행정기관의 장이기 때문
④ [사례] 세종특별자치시에 위치한 해양수산부의 장관이 한 처분에 대한 취소소송은 서울행정법원에도 제기할 수 있음 ➔ 이 경우 세종특별자치시를 관할하는 대전지방법원 본원에도 취소소송을 제기할 수 있고 서울행정법원에도 제기할 수 있음

부동산·특정장소 소재지를 관할하는 행정법원 (제9조 제3항)

① 토지의 수용 기타 부동산 또는 특정의 장소에 관계되는 처분등에 대한 취소소송은 그 부동산 또는 장소의 소재지를 관할하는 행정법원에 제기할 수 있음(선택지 추가 장착)
② [사례] 서울지방국토관리청의 그 효력을 제한한 행정재산 사용허가로 인하여 사용허가의 일부거부를 취소하는 소송을 제기할 때, 피고의 소재지를 관할하는 행정법원뿐만 아니라 해당 행정재산의 소재지를 관할하는 행정법원도 그 소송의 제1심 관할법원이 됨
③ [사례] 경기도 토지수용위원회가 수원시 소재 부동산을 수용하는 재결처분을 한 경우 이에 대한 취소소송은 수원지방법원 본원에 제기할 수 있음

(변) 토지관할의 성질 – 임의관할

① [임의관할] 임의관할이란 당사자들이 그 의사에 따라 변경할 수 있는 관할을 말하는데, 행정소송의 토지관할은 임의관할에 속함(93누18655)❶ ➔ 「민사소송법」상의 합의관할 및 변론관할❷에 관한 규정이 적용됨
② [사례] 토지의 수용 및 기타 부동산 또는 특정의 장소에 관계되는 처분등에 대한 취소소송은 그 부동산 또는 장소의 소재지를 관할하는 행정법원에 제기할 수 있고(제9조 제3항), 이 관할은 임의관할이기 때문에 민사소송법상의 합의관할 및 변론관할에 관한 규정이 적용됨

---

❶ [민사소송법] 한편, 당사자들의 의사에 따라 변경할 수 없는 관할을 '전속관할'이라 하는데, 법령에 '~사건은 전속관할로 한다'라는 별도의 규정을 두고 있지 않은 한 관할은 원칙적으로 임의관할인 것으로 해석한다. 그런데 「행정소송법」상 토지관할에 대해서는 이러한 규정이 없기 때문에 임의관할로 보는 것이다.

❷ [민사소송법] ① 합의관할이란 당사자가 합의로 정한 관할을 말하고, ② 변론관할이란 사전 합의 없이, 원고가 관할권이 없는 법원에 소를 제기하였음에도 불구하고, 피고가 이에 응하여 본안에 관하여 변론을 할 경우에 생기는 관할을 말한다.

관련청구소송의 이송과 병합 (제10조)	개설	① [이송] 진행 중인 소송(청구)사건을 다른 법원으로 보내는 것

관련청구소송의 이송과 병합 (제10조)

개설

① [이송] 진행 중인 소송(청구)사건을 다른 법원으로 보내는 것
② [병합] 여러 개의 사건을 묶어서 한 법원에 재판을 청구하는 것
③ [규정] 행정소송법은 제10조에 '관련청구소송'의 취소소송에의 이송과 병합에 관하여 규정을 두고 있음 ➡ 취소소송 관할 법원의 관할 사건의 범위를 넓히는 규정 ➡ 취소소송 관할 법원이 민사사건인 손해배상청구소송이나 부당이득반환청구소송도 관할할 수 있게 됨
④ [취지] 심리의 중복, 재판상의 모순의 방지 및 소송경제를 도모하기 위한 제도

관련청구소송

① 당해 처분등과 관련되는 손해배상·부당이득반환·원상회복 등 청구소송 ➡ [사례] 과세처분에 대한 취소소송과 그로 인한 손해에 대한 국가배상청구소송
② 당해 처분등과 관련되는 취소소송 ➡ [사례] 대집행 계고처분에 대한 취소소송과 대집행 통지에 대한 취소소송
③ 관련청구의 의미 손해배상청구 등의 민사소송이 행정소송에 '관련청구'로 병합되기 위해서는 그 청구의 내용 또는 발생원인이 행정소송의 대상인 처분등과 법률상 또는 사실상 공통되거나, 그 처분의 효력이나 존부 유무가 선결문제로 되는 등의 관계에 있어야 함이 원칙임(99두561)

적용범위

관련청구소송의 이송 및 병합에 관한 규정은 무효등 확인소송, 부작위위법확인소송, 당사자소송에 모두 준용됨

관련청구소송의 이송(제1항)

규정
취소소송과 관련청구소송이 각각 다른 법원에 계속되고 있는 경우에, 관련청구소송이 계속된 법원이 상당하다고 인정하는 때에는 당사자의 신청 또는 직권에 의하여 이를 취소소송이 계속된 법원으로 이송할 수 있음

요건
① 관련청구소송(취소소송×)이 계속된 법원이 상당성을 인정하여야 함
② [피고의 동일성 요구×] 관련청구소송의 피고와 취소소송의 피고가 동일할 것은 요구되지 않음
③ [신청 또는 직권] 당사자의 신청이 있는 경우뿐만 아니라, 법원의 직권으로도 이송가능

효과
① [취소소송이 계속된 법원으로의 이송] 관련청구소송이 취소소송이 계속된 법원으로 이송되는 것○, 취소소송이 관련청구소송이 계속된 법원으로 이송되는 것×
② [간주] 관련청구소송은 처음부터(이송결정이 확정된 때부터×) 이송받은 법원에 계속된 것으로 봄(민사소송법 제40조)
③ (변) [재이송 불가] 이송결정은 이송받은 법원을 기속하여, 이송받은 법원은 관련청구소송을 다른 법원으로 다시 이송하지 못함(민사소송법 제38조)

관련청구소송의 병합(제2항)

규정
취소소송에는 사실심의 변론종결시까지 관련청구소송을 병합하거나 피고외의 자를 상대로 한 관련청구소송을 취소소송이 계속된 법원에 병합하여 제기할 수 있음

요건
① [취소소송에 병합] 관련청구소송을 취소소송에 병합하는 것임
② [피고의 동일성 요구×] 관련청구소송의 피고와 취소소송의 피고가 동일할 것은 요구되지 않음
③ [사실심 변론종결시까지] 관련청구소송의 병합은 사실심 변론종결 전까지 하여야 함❶
④ [관련청구의 적법성] 관련청구소송도 그 자체로 소송요건을 구비하여야 함
⑤ [취소소송의 적법성] 관련청구소송의 병합은 본래의 항고소송이 적법할 것을 요건으로 하는 것이어서, 본래의 항고소송이 부적법하여 각하되면 그에 병합된 관련청구도 소송요건을 흠결한 부적합한 것으로 각하되어야 함(2000두697) ➡ ∵ 만약 관련청구소송은 각하되지 않는다면, 행정법원이 민사사건 만 담당하는 결과가 벌어질 수도 있기 때문

❶ [헌법] 헌법상의 기본권인 재판청구권은, 헌법과 법률에 따라 임명된 법관에 의하여, 사실의 측면과 법률의 측면에서 적어도 한 차례는 재판을 받아 볼 수 있는 권리를 핵심으로 한다. 그런데, 사실심에서 변론종결이 된 후에도 병합을 인정해버리면, 새롭게 병합된 사건에 대해서는 사실의 측면에 대해 법관에 의해 재판을 받아 볼 수 있는 기회가 없게 되기 때문에, 늦어도 사실심 변론종결 이전에는 병합할 것을 요구하고 있는 것이다.

	(변) 인정유형	① 요건을 충족한 경우 ㉠ 객관적 병합(사건만을 묶는 것)·주관적 병합(여러 명의 원고나 여러 명의 피고에 대한 사건을 묶는 것) 모두 인정되고, ㉡ 원시적 병합(처음부터 병합제기하는 것)·추가적 병합(먼저 취소소송을 제기 한 후에 관련청구소송을 나중에 제기하는 것) 모두 인정됨 ② [주관적 병합 허용 규정] 수인의 청구 또는 수인에 대한 청구가 처분등의 취소청구와 관련되는 청구인 경우에 한하여 그 수인은 공동소송인이 될 수 있음(제15조)
	관련청구소송이 부당이득반환청구인 경우 인용요건	[취소판결 선고로 충분○, 확정까지 요구×❶] 취소소송에 당해 처분과 관련되는 부당이득반환청구소송이 병합되어 제기된 경우, 부당이득반환청구가 인용되기 위해서는 그 취소소송절차에서 판결에 의해 당해 처분이 취소되면 충분하고 그 처분의 취소가 확정되어야 하는 것은 아님(2008두23153) ➜ 병합된 부당이득반환청구소송이 인용되려면, 처분이 주된 청구인 취소소송에서 인용 판결로 취소되기만 하면 충분하지 그 취소판결이 확정될 필요까지는 없다는 말 ➜ 원고가 취소소송에서는 취소하는 '인용'판결을 받아 승소하였는데, 아직 그 인용판결이 '확정'된 것은 아니라는 이유로 함께 다루어진 부당이득반환청구소송에서는 패소하게 되는 기이한 결과를 방지하기 위한 것

심급관할 위반을 이유로 한 이송

① 원고가 고의나 중대한 과실 없이 심급을 달리하는 법원에 행정소송을 잘못 제기한 경우, 법원은 이를 관할 법원으로 이송(각하×)해야 함(제7조)

② [유추적용 1 – 당사자소송으로 제기해야 할 사건을 항고소송으로 잘못 제기한 경우 : 소변경] 항고소송으로 잘못 제기한 데에 원고에게 고의 또는 중대한 과실이 없었다면, 당사자소송으로서의 소송요건을 결하고 있음이 명백하여 당사자소송으로 제기되었더라도 어차피 부적법하게 되는 경우가 아닌 이상, 각하할 것이 아니라, 당사자소송으로 소 변경을 하도록 하여 심리·판단해 주어야 한다고 봄(2013두14863)

③ [유추적용 2 – 행정소송으로 제기해야 할 사건을 민사소송으로 잘못 제기한 경우 : 이송 또는 재배당 또는 소변경] 민사소송으로 잘못 제기한 데에 원고에게 고의나 중대한 과실이 없었다면, 당해 소송이 이미 행정소송으로서의 전심절차 및 제소기간을 도과하였거나 행정소송의 대상이 되는 처분등이 존재하지도 아니한 상태에 있는 등 행정소송으로서의 소송요건을 결하고 있음이 명백하여 제기되었더라도 어차피 부적법하게 되는 경우가 아닌 이상(소송요건을 결하고 있음이 명백하더라도×), 각하할 것이 아니라, ㉠ 민사법원이 행정소송에 대한 관할을 가지고 있지 않은 경우❷에는 행정법원으로 이송해 주고, ㉡ 민사법원이 행정소송에 대한 관할도 동시에 가지고 있는 경우❸에는 당해 법원에서 사건을 재배당하거나, 석명권을 행사하여 원고로 하여금 소의 변경을 하게 하여 이를 행정사건으로(민사사건으로×) 처리하여 심리·판단해 주어야 한다고 봄(2015다215526, 2015다34444, 95다28960) ➜ (변) 이송결정이 확정된 후 원고가 항고소송으로 소 변경을 하였다면, 그 항고소송에 대한 제소기간의 준수여부는 원칙적으로 처음에 소를 제기한 때를 기준으로 판단함(2021두44425)

(변) 잘못된 법원이 판결을 해버린 경우

행정사건을 민사소송으로 처리한 경우	① [전속관할] 행정사건은 행정법원의 전속관할에 속함(2008다93001) ➜ 서울의 경우 서울행정법원만이, 서울 이외의 지역에서는 지방법원 본원(춘천지방법원 강릉지원 포함)만이 행정사건을 관할 할 수 있음 ② [판결 위법○] 행정소송으로 서울행정법원에 제기할 것을 민사소송으로 지방법원에 제기하여 판결이 내려진 경우, 그 판결은 관할위반에 해당함(2008다60568)
민사사건을 행정사건으로 처리한 경우	① [변론관할의 허용] 민사사건은 민사법원의 전속관할× ➜ 민사소송으로 제기할 것을 당사자소송으로 행정법원에 제기하고 피고가 관할위반이라고 항변하지 아니하고 본안에 대한 변론을 한 경우, 행정법원에 변론관할이 생김 ② [판결 위법×] 행정사건의 심리절차는 행정소송의 특수성을 감안하여 행정소송법이 정하고 있는 특칙이 적용될 수 있는 점을 제외하면 심리절차 면에서 민사소송 절차와 큰 차이가 없으므로, 특별한 사정이 없는 한 민사사건을 행정소송 절차로 진행한 것 자체가 위법하다고 볼 수 없음(2014두11328)

---

❶ [민사소송법] 판결의 확정은 1심 법원이나 2심 법원이 판결을 선고한 후 당사자들이 상소를 포기하거나, 선고 후 2주 내에 상소를 하지 않은 경우, 또는 대법원이 판결을 선고한 경우에 이루어진다.

❷ 서울의 경우에 이렇게 된다. 서울의 경우 민사사건은 지방법원에서 관할하지만, 행정사건은 별개의 기관인 행정법원에서 관할하기 때문이다.

❸ 서울 이외의 지역의 경우에 이렇게 된다. 서울 이외의 지역에서는 민사사건뿐만 아니라 행정사건도 지방법원본원에서 관할하기 때문이다.

소송요건 - 필수적 기재사항을 다 기재한 소장에 의한 취소소송의 제기 - 출제×

① 필수적(필요적) 기재사항을 다 적은 소장(訴狀)으로 취소소송를 제기해야 함
② [필수적 기재사항] 당사자, 법정대리인❶(있다면), 청구취지, 청구원인
③ 필수적 기재사항을 기재하지 않은 소장으로 소송을 제기한 경우, 재판장은 일단 기간을 정해서 소장의 보정을 명령 ➡ 그 기간 내에도 보정을 하지 않으면 소를 각하(정확히는 이 경우를 '소장을 각하한다'고 표현)

소송요건 - 소의 이익(권리보호의 필요성)

의의
① [협의의 소의 이익] "소송을 통하여 분쟁을 해결할 만한 현실적인 필요성 내지 이익" ➡ 취소(인용)판결을 받으면 얻게 되는 이익(변화, 차이)
② [광의의 소의 이익] 협의의 소의 이익 + 원고적격 + 대상적격
③ 보통 '소의 이익'이라고 하면 협의의 소의 이익을 뜻함

법적 근거
① [명문규정에 의해 요구×] 소송요건으로서 소의 이익을 요구한다는 명시적 규정은 존재× ➡ 소의 이익이 당연히 소송요건임을 전제로 하는 규정은 행정소송법 제12조 2문에 존재○
② [판례 법리] 사법작용의 본질을 근거로 판례에 의해 당연히 요구되고 있음

존부판단방법

취소판결 전후를 가정·비교
① 소의 이익이 존재하는지 여부는 취소판결(인용판결) 전후를 가정·비교하여 판단함
② 판례 행정처분의 취소를 구하는 소에서, 비록 행정처분의 위법을 이유로 취소 판결을 받더라도 그 처분에 의하여 발생한 위법상태를 원상으로 회복시키는 것이 불가능한 경우에는 원칙적으로 그 무효확인 또는 취소를 구할 소의 이익이 없음(2015두60617)
③ 소의 이익× 현역병입영대상자로 병역처분을 받은 자가 그 취소소송 중 모병에 의하여 현역병으로 자진입대한 경우, 그 처분의 위법을 다툴 실제적 효용 내지 이익이 없으므로 소의 이익이 없음(98두9165) ➡ ∵ 병역처분을 취소한다 하더라도 계속 현역병으로서 복무해야 하기 때문
④ 소의 이익× 주택건설사업계획 사전결정반려처분 취소청구소송의 계속 중 구 주택건설촉진법의 개정으로 주택건설사업계획 사전결정제도가 폐지된 경우 소의 이익이 인정되지 않음(97누379) ➡ ∵ 이제는 굳이 사전결정을 받지 않고도 곧바로 주택건설사업계획 신청을 할 수 있게 되었기 때문

법률상 이익만 보호
① 취소판결로 얻게 되는 이익이 법적으로 의미 있는 이익('법률상의 이익')인 경우에만 소의 이익이 인정됨
② 사례 인용판결을 받으면 기분이 통쾌해진다는 것만으로는 소의 이익 인정×
③ 판례 위법성을 인정받을 경우 손해배상청구소송에서 취소판결을 원용하여 그 소송에서 위법성을 쉽게 인정받을 수 있게 되는 이익은 법률상의 이익×(2000두2457)

취소판결을 받는 것보다 더 실효적인 구제수단의 존재
① 취소소송은 처분에 의하여 발생한 위법 상태를 배제하여 원래 상태로 회복시키고 처분으로 침해된 권리나 이익을 구제하고자 하는 것 ➡ 해당 처분등의 취소를 구하는 것보다 실효적이고 직접적인 구제수단이 있음에도 처분등의 취소를 구하는 것은 특별한 사정이 없는 한 분쟁해결의 유효적절한 수단이라고 할 수 없어 법률상 이익이 있다고 할 수 없음(2015두45045)
② 재결에 따른 후속처분이 예정되어 있는 경우 – 후속처분에 대해 다투어야 함 행정청이 행정심판의 재결에 따라 이전의 신청을 받아 들이는 후속처분을 하였더라도, 후속처분이 위법한 경우에는 그 재결에 대한 취소소송을 제기하지 않고도 곧바로 후속처분에 대한 항고소송을 제기하여 다툴 수 있음 ➡ 거부처분이 재결에서 취소된 경우 재결에 따른 후속처분이 아니라 그 재결의 취소를 구하는 것은 실효적이고 직접적인 권리구제수단이 될 수 없어 분쟁해결의 유효적절한 수단이라고 할 수 없으므로 소의 이익이 없음(2015두45045) ➡ 주택건설사업계획의 양수인이 행정청에 주택건설사업계획변경승인신청을 하였으나 이를 거부하였고 이에 행정심판을 청구하였는데, 행정심판위원회가 그 거부처분을 취소하는 재결을 하자 양도인이 재결에 대해 다툰 사건

---

❶ 법정대리인이란 법률상으로 누군가를 대리하여 법적인 행위를 할 수 있는 권한이 부여된 자를 말한다. 미성년자에 대해 친권을 갖는 부모가 대표적인 예이다.

원고의 의도까지 고려	① 취소판결로 인한 변화가 원고가 취소소송을 통해 그 이익이라도 얻으려 했던 것인 경우에만 소의 이익이 인정됨 ② [수익적 처분] 수익적 처분에 대해 직접상대방이 취소를 구하는 소송에는 원칙적으로 소의 이익이 인정되지 않음 → ∵ 본인에 대해 침익적 판결을 내려달라는 것이 되기 때문 → [사례] 최소생활비로 100만 원이 필요한 자에 대하여 이루어진 50만 원의 보조금 지급 결정에 대해 보조금 지급결정의 상대방은 취소소송으로 다툴 수 있는 소의 이익이 없음 ③ 조합설립추진위원회 구성승인처분에 대해 다투던 도중에 조합설립인가처분이 이루어진 경우 – 소의 이익× (구)도시 및 주거환경정비법상 조합설립추진위원회 구성승인처분을 다투는 소송 계속 중에 조합설립인가처분이 이루어졌다면 조합설립추진위원회 구성승인처분에 대한 취소를 구할 법률상 이익은 없음(2011두11112) → 추진위원회 구성승인처분과 조합설립인가는 독립적인 처분이어서, 추진위원회 구성승인처분을 취소한다 하더라도 이미 조합설립인가를 받은 조합의 정비사업진행을 저지할 수 없기 때문 → 조합설립인가가 있은 후에는 직접 조합설립인가처분에 대해 다투는 방법으로 정비사업의 진행을 저지하여야 한다고 봄 ④ 입주예정자가 건축물의 사용검사처분에 대해 다투는 경우 – 소의 이익× 건축물에 대한 사용검사처분이 취소되면, 그로 인하여 사용검사 전의 상태로 돌아가 건축물을 사용할 수 없게 되는 것에 불과하고 건축물의 하자 상태 등이 제거되거나 보완되는 것이 아니기 때문에, 구 「주택법」상 입주자나 입주예정자가 사용검사처분의 무효확인이나 취소를 구할 법률상의 이익은 존재하지 않는다고 보아야 함(2013두24976) → ※ 대법원은 이 경우에는 건설회사를 상대로 민사소송을 제기하여 건축물의 하자의 제거·보완 등에 관한 권리구제를 받을 수 있다고 보았음 ⑤ 소득처분 경정의 결과 소득처분금액이 감소된 경우 – 소의 이익× 법인세 과세표준과 관련하여, 과세관청이 직권으로 법인의 소득처분 상대방에 대한 소득처분❶을 경정하면서 일부 항목은 증액을 하고 동시에 다른 항목은 감액을 한 결과(증액과 감액을 동시에 한 결과), 전체로서 소득처분금액이 감소된 경우, 법인이 소득금액변동통지의 취소를 구할 소의 이익이 없음(2009두5510) → ※ 소득처분금액이 감소되었다는 말은, 소득으로 인정되는 금액이 감소되었다는 말인데, 소득처분금액이 감소하면 원천징수의무자의 의무의 액수도 줄어들게 됨 ⑥ 상등병 전역자에 대한 예비역편입처분에 대해 다투는 경우 – 소의 이익× 상등병에서 병장으로 진급요건을 갖춘 자에 대하여 그 진급처분을 행하지 아니한 상태에서 예비역으로 편입하는 처분을 한 경우, 진급처분 부작위위법을 이유로 예비역편입처분 취소를 구할 소의 이익이 있다고 할 수 없음(99두7111) → ∵ 예비역편입처분이 취소된다 하더라도 그로 인하여 신분이 예비역에서 현역으로 복귀함에 그칠뿐더러, 상등병에서 병장으로의 진급여부는 원칙적으로 진급권자의 합리적 판단에 의하여 결정되는 것이기 때문
직접성의 고려	① 취소판결을 받는 것이 원고가 원하는 법적 상태를 실현하는 데 도움이 된다하더라도, 그 인용판결로 인하여 곧바로 원고가 원하는 법적상태가 실현되는 것이 아니라면 소의 이익을 인정하지 않는 경향이 있음 → [주의] 절대적인 것×, 대법관들의 성향에 따라 다소 오락가락 하는 부분이 있음 ② 인접건물의 소유자가 건축이 완료된 건축물의 건축허가에 대해 다투는 경우 – 소의 이익× 건축허가가 건축법에 따른 이격거리를 두지 아니하고 건축물을 건축하도록 되어 있어 위법하다 하더라도, 건축이 완료되어 위법한 처분을 취소한다 하더라도 원상회복이 불가능한 경우에는 그 취소를 구할 법률상 이익이 없음(91누11131) → 건축허가를 취소한다 하더라도 당해 건물이 불법건축물이 될 뿐 취소판결로 인해 곧바로 사라져 버리는 것은 아니기 때문 ③ 인접건물의 소유자가 건축이 완료된 건축물의 준공처분에 대해 다투는 경우 – 소의 이익× 인접건물(A)의 건축공사가 완료된 후에는 인접건물(B)의 소유자에게 건물준공처분의 취소를 구할 협의의 소의 이익이 없음(93누13988) → ∵ 건물준공처분에 대해 취소판결이 내려진다 하더라도, 준공 이전의 상태로 돌아가 그 건물의 건축주가 그 건물을 사용할 수 없게 되는 것에 그칠 뿐, 그로 인해 건물이 철거되는 것은 아니기 때문 ④ [비교판례] 완공된 건축물의 소유자가 건축허가취소처분에 대해 다투는 경우 – 소의 이익○ 건축허가취소처분을 받은 건축물소유자는 그 건축물이 완공된 후에도 여전히 취소처분의 취소를 구할 법률상 이익을 가짐(2015두47195) → 건축허가가 취소된 상태에서는 그 건축물은 철거 등 시정명령의 대상이 되고 이를 이행하지 않은 건축주 등은 건축법에 따른 이행강제금 부과처분이나 행정대집행을 받게 된다는 점을 논거로 들었음 ⑤ 인접건물의 소유자가 건축이 완료된 건축물의 사용검사(사용승인)처분에 대해 다투는 경우 – 소의 이익× 건물의 신축과정에서 일조권 침해 등 피해를 입은 인접주택 소유자(甲)는 신축건물에 대한 사용검사(사용승인)처분의 취소를 구할 소의 이익이 없음(2006두18409) → ∵ 취소판결로 인해 인접건물의 입주예정자들이 건물에 들어가서 살지 못하게 될 뿐, 원고가 일조방해를 받지 않게 되는 것은 아니기 때문

---

❶ [세법] ① '소득처분'이란 법인의 법인세 과세표준을 경정함에 있어, 익금에 산입한 금액에 대해 그 귀속관계를 추적하여 상여, 배당, 기타 사외유출, 사내유보 등으로 귀속자와 귀속소득의 종류를 정하는 것을 말한다. 보통, 법인의 법인세 신고에 의심이 있을 때 이루어진다. ② 한편, 소득처분이 있으면, 과세관청은 그 변동사항을 그 결정일 또는 경정일부터 15일 이내에 당해 법인에게 통지하여야 하는데, 이를 '소득금액변동통지'라 한다. ③ 법인은 소득금액변동통지서를 받은 날에 그 통지서에 기재된 소득의 귀속자에게 당해 소득금액을 지급한 것으로 의제되어 그때 원천징수하는 소득세의 납세의무가 성립함과 동시에 확정되고, 원천징수의무자인 법인으로서는 소득금액변동통지서에 기재된 소득처분의 내용에 따라 원천징수세액을 그 다음달 10일까지 관할 세무서장 등에게 납부하여야 할 의무를 부담한다.

| | ① 다수의 이해관계인이 결부된 관계로 단체법적 안정성을 위해 취소소송을 허용하지 말아야 할 필요성이 있는 경우에도 소의 이익이 없음을 이유로 각하하고 있음(그 경우들이 왜 소의 이익이 없는 경우에 속하는 것인지에 대해서는 석연치 않은 부분이 있음)
② 소의 이익× 관리처분계획의 내용을 집행하는 이전고시의 효력 발생으로 이미 대다수 조합원 등에 대하여 획일적·일률적으로 처리된 권리귀속 관계를 모두 무효화하고 다시 처음부터 관리처분계획을 수립하여 이전고시 절차를 거치도록 하는 것은 정비사업의 공익적·단체법적 성격에 배치되므로, 이전고시가 효력을 발생한 후에는 조합원 등이 관리처분계획의 취소 또는 무효확인을 구할 법률상 이익이 없다고 보는 것이 타당하고, 이는 관리처분계획에 대한 인가처분의 취소 또는 무효확인을 구하는 경우에도 마찬가지임(2011두6400, 2009두22140) ➜ ※ 이전고시가 있게 되면 관리처분계획에 따라 조합원들에게 건축물과 토지의 소유권이 이전됨
③ 소의 이익× 사업시행이 완료되고 소유권 이전에 관한 고시의 효력이 발생한 이후에는 조합원 등은 해당 재개발사업을 위하여 이루어진 수용재결이나 이의재결의 취소를 구할 법률상 이익이 없음(2013두11536)
④ 소의 이익× 도시계획사업의 시행으로 토지를 수용당하여 토지에 대한 소유권을 상실한 사람은, 도시계획결정과 토지수용이 당연무효가 아닌 한, 그 토지에 대한 도시계획결정 자체의 취소를 청구할 법률상의 이익이 없음(2000헌바58) ➜ 도시계획시설결정은 광범위한 지역과 상당한 기간에 걸쳐 다수의 이해관계인에게 다양한 법률적·경제적 영향을 미치는 것이 되어, 일단 도시계획시설사업의 시행에 착수한 뒤에는 그에 대한 취소가 허용되지 않는다고 보았음 |
|---|---|
| **다수인의 법적안정성 고려** | |
| **강학상 인가 관련** | ① 인가처분에 하자가 없다면, 기본행위에 하자가 있다 하더라도 따로 그 기본행위의 하자를 다투는 것은 별론으로 하고, 기본행위의 무효를 내세워 바로 그에 대한 행정청의 인가처분의 취소 또는 무효확인을 소구할 법률상의 이익이 없음(95누4810)
② [비교판례] 사업양도·양수에 따른 허가관청의 지위승계신고의 수리대상인 사업양도·양수가 존재하지 아니하거나 무효인 때에는, 사업의 양도행위가 무효라고 주장하는 양도자는, 민사쟁송으로 양도·양수행위의 무효를 구함이 없이, 막바로 허가관청을 상대로 하여 행정소송으로 사업양도·양수에 따른 허가관청의 지위승계신고 수리처분의 무효확인을 구할 법률상 이익이 있음(2005두3554, 91누11544) |

침익적 처분이 유효하게 존속하는 경우

① [소의 이익 인정○] 계쟁처분이 유효하게 존속하는 경우에는, 특별한 사정이 없는 한 그 처분의 존재로 인하여 실제로 침해되고 있거나 침해될 수 있는 현실적인 위험을 제거하기 위해 취소소송을 제기할 권리보호의 필요성이 인정됨(2015두3485)

② 판례 도시개발사업의 공사(임산물종합유통센터를 건립) 등이 완료되고 원상회복이 사회통념상 불가능하게 되었더라도, 도시개발사업의 시행에 따른 도시계획변경결정처분과 도시개발구역지정처분 및 도시개발사업실시계획인가처분의 취소를 구할 법률상 이익은 소멸한다고 할 수 없음(2003두5402) ➔ ∵ 위 세 처분은 도시개발사업의 공사가 완료된 후에도 효력이 잔존하여 다른 공사를 가능하게 하기 때문

③ 판례 「산업집적활성화 및 공장설립에 관한 법률」에 따른 개발제한구역 안에서의 공장설립을 승인한 처분이 위법하다는 이유로 쟁송취소되었다고 하더라도, 그 승인처분에 기초한 공장건축허가처분이 잔존하는 이상, 인근 주민들에게는 공장건축허가처분의 취소를 구할 법률상 이익이 있다고 보아야 함(2015두3485)

④ (변) 판례 「도시 및 주거환경정비법」상 주택재건축사업조합이 새로이 조합설립인가처분을 받은 것과 동일한 요건과 절차를 거쳐 조합설립변경인가처분을 받았다 하더라도, 당초의 조합설립인가처분이 유효한 것을 전제로 당해 주택재건축사업조합이 시공사 선정, 사업시행계획의 수립, 관리처분 계획의 수립 등 후속행위를 하였다면, 특별한 사정이 없는 한 당초의 조합설립인가처분의 무효확인을 구할 소의 이익 있음(2011두27094) ➔ ∵ 당초 조합설립인가 처분이 무효로 확인되거나 취소될 경우, 그것이 유효하게 존재하는 것을 전제로 이루어진 시공사 선정 등의 후속행위 역시 소급하여 효력을 상실하게 되기 때문

취소판결로 부수적 이익만 회복되는 경우

① [부수적 이익만 있어도 법률상 이익이라면 소의 이익○] 처분을 취소함으로써 처분 발급 이전에 누리던 온전한 법적 상태를 회복하지 못한다 하더라도, 그로 인하여 파생적으로 얻게 되는 법률상의 이익, 즉 부수적 이익(변화, 차이)만 있는 경우에도 소의 이익이 있는 것으로 보고 있음 ➔ 원고적격에서의 '법률상 이익'보다 넓게 인정하고 있는 것(공무원 수험의 범위 밖)

② [행정소송법 제12조 2문 – 부수적 이익만 있는 경우에도 소의 이익이 있음을 인정하는 명문 규정] "취소소송은 처분등의 취소를 구할 법률상 이익이 있는 자가 제기할 수 있다. 처분등의 효과가 기간의 경과, 처분등의 집행 그 밖의 사유로 인하여 소멸된 뒤에도 그 처분등의 취소로 인하여 회복되는 법률상 이익이 있는 자의 경우에는 또한 같다."

③ [위법성 확인 내지 불분명한 법률문제 해명의 이익 – 소의 이익○] 처분청의 직권취소에도 불구하고 ㉠ 완전한 원상회복이 이루어지지 않아 무효확인 또는 취소로써 회복할 수 있는 다른 권리나 이익이 남아 있거나 ㉡ 또는 동일한 소송 당사자 사이에서 그 행정처분과 동일한 사유로 위법한 처분이 반복될 위험성이 있어 행정처분의 위법성 확인 내지 불분명한 법률문제에 대한 해명이 필요한 경우 행정의 적법성 확보와 그에 대한 사법통제, 국민의 권리구제의 확대 등의 측면에서 예외적으로 그 처분의 취소를 구할 소의 이익을 인정할 수 있음(2018두49130) ➔ 여기서 '행정처분과 동일한 사유로 위법한 처분이 반복될 위험성이 있는 경우'란 불분명한 법률문제에 대한 해명이 필요한 상황에 대한 대표적인 예시일뿐이며, 반드시 해당 사건의 동일한 소송 당사자 사이에서 반복될 위험이 있는 경우만을 의미하는 것은 아님(2020두30450)

④ 임기만료일까지의 월정수당 – 소의 이익○ 지방의회 의원이 제명의결 취소소송 계속 중 임기가 만료되어 제명의결의 취소로 의원 지위를 회복할 수 없다고 할지라도, 제명의결시부터 임기만료일까지의 기간에 대한 월정수당의 지급을 구할 수 있으므로 그 제명의결의 취소를 구할 법률상 이익이 인정됨(2007두13487) ➔ 소속 회계사의 잘못에 대해 회계법인을 상대로 업무정지처분을 할 수 있는지가, 이미 기간이 도과된 업무정지처분에 대한 취소소송에서 문제되었던 사건

⑤ 임기만료일까지의 보수 – 소의 이익○ 한국방송공사 사장에 대한 해임처분의 무효확인 또는 취소소송 계속 중 임기가 만료되어 그 해임처분의 무효확인 또는 취소로 그 지위를 회복할 수 없더라도, 해임처분일부터 임기만료일까지 기간에 대한 보수지급을 구할 수 있는 경우에는 해임처분의 무효확인 또는 취소를 구할 법률상의 이익이 있음(2011두5001)

⑥ 당연퇴직 전까지의 급여 – 소의 이익○ 파면처분 취소소송의 사실심 변론종결 전에 금고 이상의 형을 선고받아 당연퇴직된 경우에도 해당 공무원은 파면처분의 취소를 구할 이익이 있음(85누39) ➔ ∵ 파면처분 이후에 당연퇴직 사유가 발생한 경우이므로, 파면처분이 취소되면 파면처분 후 당연퇴직 전까지 받을 수 있었던 급여를 받을 수 있기 때문

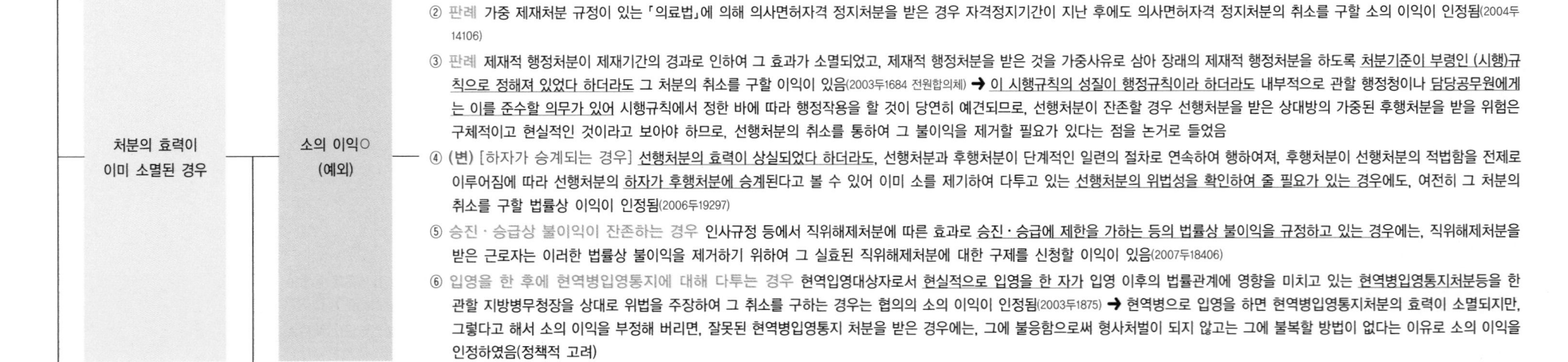

| 처분의 효력이
이미 소멸된 경우 | 소의 이익○
(예외) | ① [가중적 제재처분을 받을 가능성이 있는 경우] 행정처분의 효력기간이 경과하였다고 하더라도, 그 처분을 받은 전력이 장래에 불이익하게 취급되는 것으로 법정(법률)상 가중요건
으로 되어 있고, 법정가중요건에 따라 새로운 제재적인 행정처분이 가해지고 있는 경우에는 협의의 소의 이익이 인정됨(2014두35492) |

① [가중적 제재처분을 받을 가능성이 있는 경우] 행정처분의 효력기간이 경과하였다고 하더라도, 그 처분을 받은 전력이 장래에 불이익하게 취급되는 것으로 법정(법률)상 가중요건으로 되어 있고, 법정가중요건에 따라 새로운 제재적인 행정처분이 가해지고 있는 경우에는 협의의 소의 이익이 인정됨(2014두35492)

② 판례 가중 제재처분 규정이 있는 「의료법」에 의해 의사면허자격 정지처분을 받은 경우 자격정지기간이 지난 후에도 의사면허자격 정지처분의 취소를 구할 소의 이익이 인정됨(2004두14106)

③ 판례 제재적 행정처분이 제재기간의 경과로 인하여 그 효과가 소멸되었고, 제재적 행정처분을 받은 것을 가중사유로 삼아 장래의 제재적 행정처분을 하도록 처분기준이 부령인 (시행)규칙으로 정해져 있었다 하더라도 그 처분의 취소를 구할 이익이 있음(2003두1684 전원합의체) ➜ 이 시행규칙의 성질이 행정규칙이라 하더라도 내부적으로 관할 행정청이나 담당공무원에게는 이를 준수할 의무가 있어 시행규칙에서 정한 바에 따라 행정작용을 할 것이 당연히 예견되므로, 선행처분이 잔존할 경우 선행처분을 받은 상대방의 가중된 후행처분을 받을 위험은 구체적이고 현실적인 것이라고 보아야 하므로, 선행처분의 취소를 통하여 그 불이익을 제거할 필요가 있다는 점을 논거로 들었음

④ (변) [하자가 승계되는 경우] 선행처분의 효력이 상실되었다 하더라도, 선행처분과 후행처분이 단계적인 일련의 절차로 연속하여 행하여져, 후행처분이 선행처분의 적법함을 전제로 이루어짐에 따라 선행처분의 하자가 후행처분에 승계된다고 볼 수 있어 이미 소를 제기하여 다투고 있는 선행처분의 위법성을 확인하여 줄 필요가 있는 경우에도, 여전히 그 처분의 취소를 구할 법률상 이익이 인정됨(2006두19297)

⑤ 승진·승급상 불이익이 잔존하는 경우 인사규정 등에서 직위해제처분에 따른 효과로 승진·승급에 제한을 가하는 등의 법률상 불이익을 규정하고 있는 경우에는, 직위해제처분을 받은 근로자는 이러한 법률상 불이익을 제거하기 위하여 그 실효된 직위해제처분에 대한 구제를 신청할 이익이 있음(2007두18406)

⑥ 입영을 한 후에 현역병입영통지에 대해 다투는 경우 현역입영대상자로서 현실적으로 입영을 한 자가 입영 이후의 법률관계에 영향을 미치고 있는 현역병입영통지처분등을 한 관할 지방병무청장을 상대로 위법을 주장하여 그 취소를 구하는 경우는 협의의 소의 이익이 인정됨(2003두1875) ➜ 현역병으로 입영을 하면 현역병입영통지처분의 효력이 소멸되지만, 그렇다고 해서 소의 이익을 부정해 버리면, 잘못된 현역병입영통지 처분을 받은 경우에는, 그에 불응함으로써 형사처벌이 되지 않고는 그에 불복할 방법이 없다는 이유로 소의 이익을 인정하였음(정책적 고려)

소의 이익×
(원칙)

① 처분의 효력기간이 도과한 경우 행정처분에 그 효력기간이 부관으로 정하여져 있는 경우, 그 처분의 효력 또는 집행이 정지된 바 없다면 위 기간의 경과로 그 행정처분의 효력은 상실되므로, 그 기간 경과 후에는 그 처분이 외형상 잔존함으로 인하여 어떠한 법률상 이익이 침해되고 있다고 볼 만한 별다른 사정이 없는 한 그 처분의 취소를 구할 법률상의 이익이 없음(2000두7254, 94누14148)

② 계쟁처분을 행정청이 직권취소한 경우 행정처분의 무효확인 또는 취소를 구하는 소가 제소 당시에는 소의 이익이 있어 적법하였더라도, 소송 계속 중 처분청이 다툼의 대상이 되는 행정처분을 직권으로 취소하면 그 처분은 효력을 상실하여 더 이상 존재하지 않는 것이므로, 존재하지 않는 그 처분을 대상으로 한 항고소송은 원칙적으로 소의 이익이 소멸하여 부적법함(2018두49130)

③ 계쟁처분을 행정청이 직권취소한 경우 행정처분이 취소되면 그 처분은 효력을 상실하여 더이상 존재하지 않는 것이고, 존재하지 않는 행정처분을 대상으로 한 취소소송은 소의 이익이 없어 부적법함(2009두16879)

④ 계쟁처분을 행정청이 직권취소한 경우 행정청이 영업허가신청 반려처분(a)의 취소를 구하는 소의 계속 중, 사정변경을 이유로 위 반려처분(a)을 직권취소함과 동시에 위 신청을 재반려하는 내용의 재처분(b)을 한 경우, 당초의 반려처분(a)의 취소를 구하는 것은 협의의 소의 이익이 인정되지 않음(2004두5317)

⑤ 계쟁처분을 행정청이 철회한 경우 처분청이 당초의 운전면허 취소처분을 신뢰보호의 원칙과 형평의 원칙에 반하는 너무 무거운 처분으로 보아 이를 철회하고 새로이 265일간의 운전면허 정지처분을 하였다면, 당초의 처분인 운전면허 취소처분은 철회로 인하여 그 효력이 상실되어 더이상 존재하지 않는 것이고, 그 후의 운전면허 정지처분만이 남아 있는 것이라 할 것이며, 한편 존재하지 않는 행정처분을 대상으로 한 취소소송은 소의 이익이 없어 부적법함(96누1931)

⑥ 직위해제 상태에 있는 공무원에 대해 새로운 사유에 기해 새로운 직위해제처분을 한 경우 행정청이 직위해제처분을 한 후, 직위해제 상태에 있는 공무원에 대하여 다시 새로운 직위해제사유에 기한 직위해제처분을 한 경우, 그 이전에 한 직위해제처분의 취소를 구할 소의 이익이 없음(2003두5945) ➔ ∵ 종전 직위해제 처분은 묵시적으로 철회한 것으로 보기 때문

⑦ 잠정적 처분에 대해 다투던 중 종국처분이 발급된 경우 공정거래위원회가 부당한 공동행위를 한 사업자에게 과징금 부과처분(선행처분)을 한 뒤, 다시 자진신고나 조사협조 등을 이유로 과징금 감면처분(후행처분)을 한 경우, 선행처분의 취소를 구하는 소는 효력을 잃은 처분의 취소를 구하는 것으로서 소의 이익이 없어 부적법함(2013두987) ➔ 후행처분은 자진신고 감면까지 포함하여 처분 상대방이 실제로 납부하여야 할 최종적인 과징금액을 결정하는 종국적 처분이고, 선행처분은 이러한 종국적 처분을 예정하고 있는 일종의 잠정적 처분으로서 후행처분이 있을 경우 선행처분은 후행처분에 흡수되어 소멸한다는 점을 논거로 들었음

⑧ 중간결정에 대해 다투던 중 종국결정이 발급된 경우 원자로건설허가 처분이 있은 후에 원자로부지 사전승인처분의 취소를 구하는 경우에는 그 취소를 구할 법률상의 이익이 없음(97누19588) ➔ 원자로건설허가 처분이 있게 되면 원자로 부지사전승인처분은 그 건설허가처분에 흡수되어 독립된 존재가치를 상실함

⑨ 환지예정지처분에 대해 다투던 중 환지처분이 공고된 경우 환지처분이 일단 공고되어 효력을 발생하게 되면 환지예정지지정처분은 그 효력이 소멸되는 것이므로, 환지처분이 공고된 후에는 환지예정지지정처분에 대하여 그 취소를 구할 법률상 이익은 없음(99두6873)

⑩ 파면처분 취소결정에 대해 다투던 도중 파면처분이 해임처분으로 변경된 경우 교원소청심사위원회의 파면처분 취소결정에 대한 취소소송 계속 중 학교법인이 교원(창원대 호텔제과제빵과 교수)에 대한 징계처분을 파면에서 해임으로 변경한 경우, 종전의 파면처분은 소급하여 실효되고 해임만 효력을 발생하므로, 소급하여 효력을 잃은 파면처분을 취소한다는 내용의 교원소청심사결정의 취소를 구하는 것은 법률상 이익이 없음(2008두20765) ➔ 학교법인이 취소소송의 원고인 상황 ➔ 파면처분 취소결정은 파면처분에 효력이 있음을 전제로 하는 것이어서, 파면처분이 효력을 잃으면, 파면처분 취소결정도 형식적으로만 존재할뿐, 학교법인에 대하여 아무런 효력을 갖지 않기 때문 ➔ 아무런 기속력도 갖지 않는 취소결정에 대해 다투는 것은 허용되지 않는다는 말

⑪ 가중적 제재처분을 받을 가능성이 없는 경우 가중요건이 법령에 규정되어 있는 경우라도 건축사 업무정지처분을 받은 후 새로운 제재처분을 받음이 없이 법률이 정한 기간(1년)이 경과하여, 실제로 가중된 제재처분을 받을 우려가 없어졌다면, 특별한 사정이 없는 한 업무정지처분의 취소를 구할 법률상 이익이 인정되지 않음(98두10080)

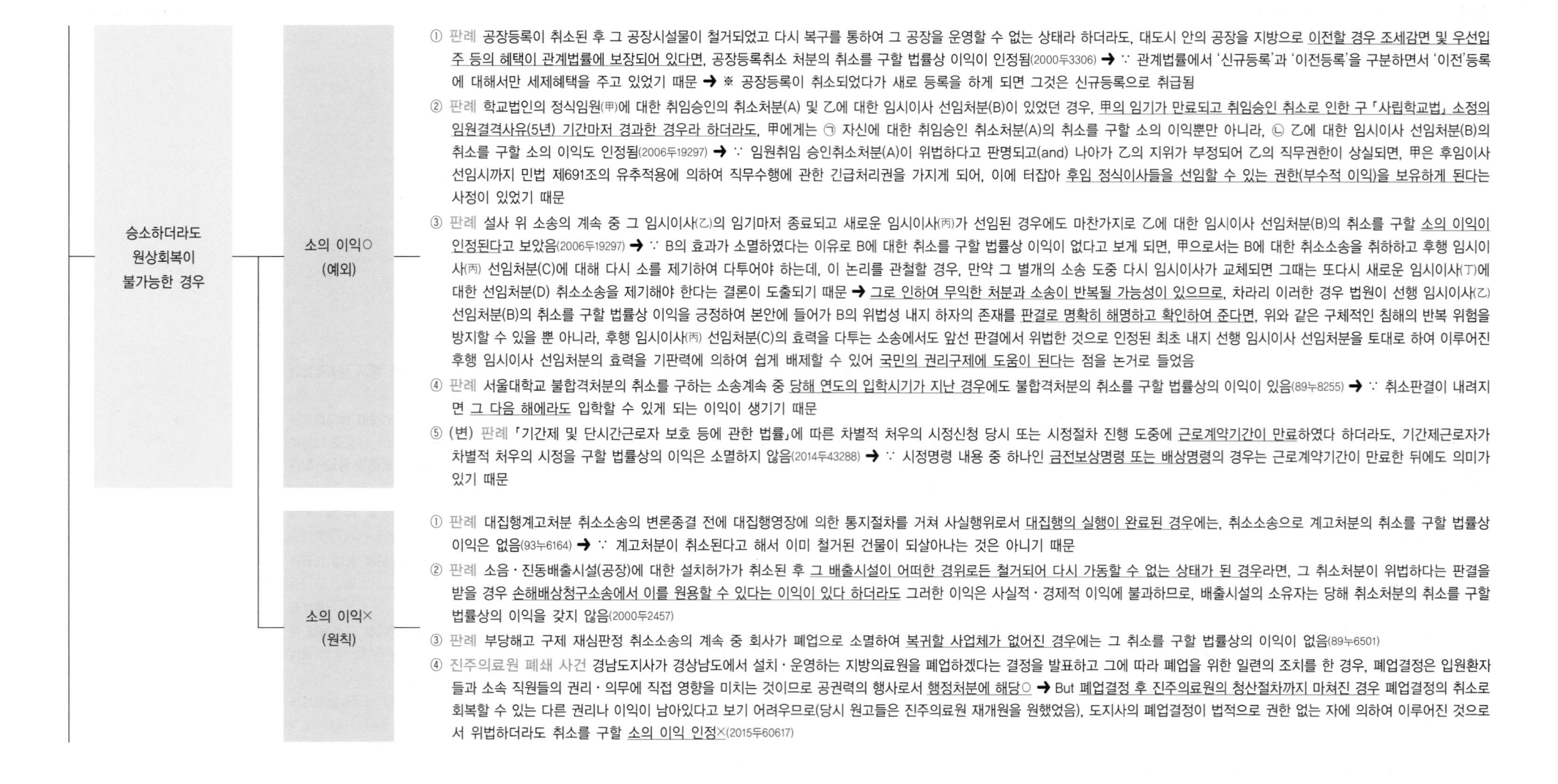

승소하더라도 원상회복이 불가능한 경우

소의 이익○ (예외)

① 판례 공장등록이 취소된 후 그 공장시설물이 철거되었고 다시 복구를 통하여 그 공장을 운영할 수 없는 상태라 하더라도, 대도시 안의 공장을 지방으로 <u>이전할 경우 조세감면 및 우선입주 등의 혜택이 관계법률에 보장되어 있다면</u>, 공장등록취소 처분의 취소를 구할 법률상 이익이 인정됨(2000두3306) ➔ ∵ 관계법률에서 '신규등록'과 '이전등록'을 구분하면서 '이전'등록에 대해서만 세제혜택을 주고 있었기 때문 ➔ ※ 공장등록이 취소되었다가 새로 등록을 하게 되면 그것은 신규등록으로 취급됨

② 판례 학교법인의 정식임원(甲)에 대한 취임승인의 취소처분(A) 및 乙에 대한 임시이사 선임처분(B)이 있었던 경우, 甲의 임기가 만료되고 취임승인 취소로 인한 구「사립학교법」소정의 <u>임원결격사유(5년) 기간마저 경과한 경우라 하더라도</u>, 甲에게는 ㉠ 자신에 대한 취임승인 취소처분(A)의 취소를 구할 소의 이익뿐만 아니라, ㉡ 乙에 대한 임시이사 선임처분(B)의 취소를 구할 소의 이익도 인정됨(2006두19297) ➔ ∵ 임원취임 승인취소처분(A)이 위법하다고 판명되고(and) 나아가 乙의 지위가 부정되어 乙의 직무권한이 상실되면, 甲은 후임이사 선임시까지 민법 제691조의 유추적용에 의하여 직무수행에 관한 긴급처리권을 가지게 되어, 이에 터잡아 후임 정식이사들을 선임할 수 있는 권한(부수적 이익)을 보유하게 된다는 사정이 있었기 때문

③ 판례 설사 위 소송의 계속 중 그 임시이사(乙)의 임기마저 종료되고 새로운 임시이사(丙)가 선임된 경우에도 마찬가지로 乙에 대한 임시이사 선임처분(B)의 취소를 구할 <u>소의 이익이 인정된다고 보았음</u>(2006두19297) ➔ ∵ B의 효과가 소멸하였다는 이유로 B에 대한 취소를 구할 법률상 이익이 없다고 보게 되면, 甲으로서는 B에 대한 취소소송을 취하하고 후행 임시이사(丙) 선임처분(C)에 대해 다시 소를 제기하여 다투어야 하는데, 이 논리를 관철할 경우, 만약 그 별개의 소송 도중 다시 임시이사가 교체되면 그때는 또다시 새로운 임시이사(丁)에 대한 선임처분(D) 취소소송을 제기해야 한다는 결론이 도출되기 때문 ➔ 그로 인하여 무익한 처분과 소송이 반복될 가능성이 있으므로, 차라리 이러한 경우 법원이 선행 임시이사(乙) 선임처분(B)의 취소를 구할 법률상 이익을 긍정하여 본안에 들어가 B의 위법성 내지 하자의 존재를 판결로 명확히 해명하고 확인하여 준다면, 위와 같은 구체적인 침해의 반복 위험을 방지할 수 있을 뿐 아니라, 후행 임시이사(丙) 선임처분(C)의 효력을 다투는 소송에서도 앞선 판결에서 위법한 것으로 인정된 최초 내지 선행 임시이사 선임처분을 토대로 하여 이루어진 후행 임시이사 선임처분의 효력을 기판력에 의하여 쉽게 배제할 수 있어 국민의 권리구제에 도움이 된다는 점을 논거로 들었음

④ 판례 서울대학교 불합격처분의 취소를 구하는 소송계속 중 <u>당해 연도의 입학시기가 지난 경우</u>에도 불합격처분의 취소를 구할 법률상의 이익이 있음(89누8255) ➔ ∵ 취소판결이 내려지면 그 다음 해에라도 입학할 수 있게 되는 이익이 생기기 때문

⑤ (변) 판례 「기간제 및 단시간근로자 보호 등에 관한 법률」에 따른 차별적 처우의 시정신청 당시 또는 시정절차 진행 도중에 <u>근로계약기간이 만료</u>하였다 하더라도, 기간제근로자가 차별적 처우의 시정을 구할 법률상의 이익은 소멸하지 않음(2014두43288) ➔ ∵ 시정명령 내용 중 하나인 <u>금전보상명령 또는 배상명령</u>의 경우는 근로계약기간이 만료한 뒤에도 의미가 있기 때문

소의 이익× (원칙)

① 판례 대집행계고처분 취소소송의 변론종결 전에 대집행영장에 의한 통지절차를 거쳐 사실행위로서 대집행의 실행이 완료된 경우에는, 취소소송으로 계고처분의 취소를 구할 법률상 이익은 없음(93누6164) ➔ ∵ 계고처분이 취소된다고 해서 이미 철거된 건물이 되살아나는 것은 아니기 때문

② 판례 소음·진동배출시설(공장)에 대한 설치허가가 취소된 후 그 배출시설이 어떠한 경위로든 철거되어 다시 가동할 수 없는 상태가 된 경우라면, 그 취소처분이 위법하다는 판결을 받을 경우 손해배상청구소송에서 이를 원용할 수 있다는 이익이 있다 하더라도 그러한 이익은 사실적·경제적 이익에 불과하므로, 배출시설의 소유자는 당해 취소처분의 취소를 구할 법률상의 이익을 갖지 않음(2000두2457)

③ 판례 부당해고 구제 재심판정 취소소송의 계속 중 회사가 폐업으로 소멸하여 복귀할 사업체가 없어진 경우에는 그 취소를 구할 법률상의 이익이 없음(89누6501)

④ 진주의료원 폐쇄 사건 경남도지사가 경상남도에서 설치·운영하는 지방의료원을 폐업하겠다는 결정을 발표하고 그에 따라 폐업을 위한 일련의 조치를 한 경우, 폐업결정은 입원환자들과 소속 직원들의 권리·의무에 직접 영향을 미치는 것이므로 공권력의 행사로서 행정처분에 해당○ ➔ But 폐업결정 후 진주의료원의 청산절차까지 마쳐진 경우 폐업결정의 취소로 회복할 수 있는 다른 권리나 이익이 남아있다고 보기 어려우므로(당시 원고들은 진주의료원 재개원을 원했었음), 도지사의 폐업결정이 법적으로 권한 없는 자에 의하여 이루어진 것으로서 위법하더라도 취소를 구할 <u>소의 이익 인정×</u>(2015두60617)

처분 후 사정변경으로 권익침해가 해소된 경우	소의 이익○ (예외)	① 판례 고등학교 졸업학력 검정고시에 합격하였다 하더라도, 고등학교졸업이 대학입학자격이나 학력인정으로서의 의미밖에 없다고 할 수는 없으므로, 고등학교에서 퇴학처분을 받은 자는 퇴학처분의 취소를 구할 협의의 소익이 있음(91누4737) ➡ 고등학생으로서의 신분과 명예를 법적인 이익으로 인정하였다는 점에서 특이한 판례 ② 판례 수형자의 영치품에 대한 사용신청 불허처분 후 수형자가 다른 교도소로 이송되었다 하더라도 원래 교도소로의 재이송 가능성이 남아 있으므로 그 불허처분의 취소를 구할 소의 이익이 있음(2007두13203) ➡ 당시 진주교도소는 질환이 있는 수형자들이 가는 전국에 몇 안 되는 곳이었는데, 수형자에게서 결핵이 발견되었던 사건
	소의 이익× (원칙)	① 판례 사법시험 제2차 시험 불합격처분 이후 새로 실시된 제2차 및 제3차 시험에 합격한 자는 불합격처분의 취소를 구할 협의의 소익이 없음(2007두12057) ② 판례 사법시험 제1차 시험 불합격 이후에 새로 실시된 제1차 시험에 합격한 경우 종전 불합격처분의 취소를 구할 법률상 이익이 없음(95누2685) ③ 판례 치과의사국가시험에 불합격한 후 새로 실시된 국가시험에 합격한 경우라면, 명예등의 인격적 이익이 침해되었음을 이유로 불합격처분의 취소를 구할 소의 이익이 인정되지 않음(93누6867) ④ 판례 공익근무요원(현 사회복무요원) 소집해제 거부처분의 취소를 구하던 중, 원고가 계속하여 공익근무요원으로 복무함에 따라 복무기간 만료를 이유로 소집해제 처분을 받은 경우에는, 원고가 입게 되는 권리와 이익의 침해는 소집해제처분으로 해소되었으므로 그 거부처분에 대한 취소를 구할 법률상의 이익이 있다고 볼 수 없음(2004두4369)

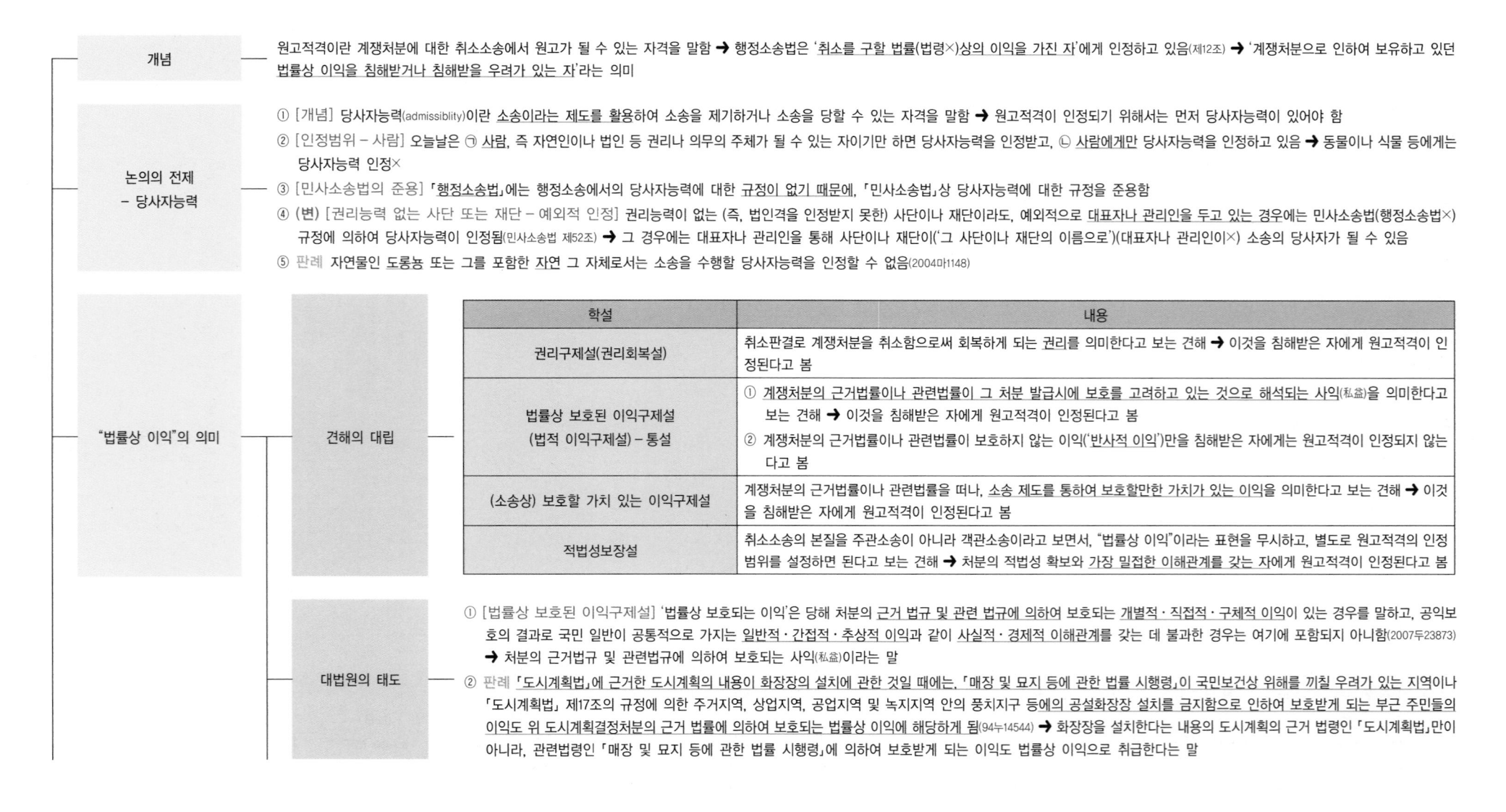

| 개념 | 원고적격이란 계쟁처분에 대한 취소소송에서 원고가 될 수 있는 자격을 말함 ➔ 행정소송법은 '취소를 구할 법률(법령×)상의 이익을 가진 자'에게 인정하고 있음(제12조) ➔ '계쟁처분으로 인하여 보유하고 있던 법률상 이익을 침해받거나 침해받을 우려가 있는 자'라는 의미 |

논의의 전제 – 당사자능력

① [개념] 당사자능력(admissiblity)이란 소송이라는 제도를 활용하여 소송을 제기하거나 소송을 당할 수 있는 자격을 말함 ➔ 원고적격이 인정되기 위해서는 먼저 당사자능력이 있어야 함

② [인정범위 – 사람] 오늘날은 ㉠ 사람, 즉 자연인이나 법인 등 권리나 의무의 주체가 될 수 있는 자이기만 하면 당사자능력을 인정받고, ㉡ 사람에게만 당사자능력을 인정하고 있음 ➔ 동물이나 식물 등에게는 당사자능력 인정×

③ [민사소송법의 준용] 「행정소송법」에는 행정소송에서의 당사자능력에 대한 규정이 없기 때문에, 「민사소송법」상 당사자능력에 대한 규정을 준용함

④ [변] [권리능력 없는 사단 또는 재단 – 예외적 인정] 권리능력이 없는 (즉, 법인격을 인정받지 못한) 사단이나 재단이라도, 예외적으로 대표자나 관리인을 두고 있는 경우에는 민사소송법(행정소송법×) 규정에 의하여 당사자능력이 인정됨(민사소송법 제52조) ➔ 그 경우에는 대표자나 관리인을 통해 사단이나 재단이('그 사단이나 재단의 이름으로')(대표자나 관리인이×) 소송의 당사자가 될 수 있음

⑤ 판례 자연물인 도롱뇽 또는 그를 포함한 자연 그 자체로서는 소송을 수행할 당사자능력을 인정할 수 없음(2004마1148)

"법률상 이익"의 의미

견해의 대립

학설	내용
권리구제설(권리회복설)	취소판결로 계쟁처분을 취소함으로써 회복하게 되는 권리를 의미한다고 보는 견해 ➔ 이것을 침해받은 자에게 원고적격이 인정된다고 봄
법률상 보호된 이익구제설 (법적 이익구제설) – 통설	① 계쟁처분의 근거법률이나 관련법률이 그 처분 발급시에 보호를 고려하고 있는 것으로 해석되는 사익(私益)을 의미한다고 보는 견해 ➔ 이것을 침해받은 자에게 원고적격이 인정된다고 봄 ② 계쟁처분의 근거법률이나 관련법률이 보호하지 않는 이익('반사적 이익')만을 침해받은 자에게는 원고적격이 인정되지 않는다고 봄
(소송상) 보호할 가치 있는 이익구제설	계쟁처분의 근거법률이나 관련법률을 떠나, 소송 제도를 통하여 보호할만한 가치가 있는 이익을 의미한다고 보는 견해 ➔ 이것을 침해받은 자에게 원고적격이 인정된다고 봄
적법성보장설	취소소송의 본질을 주관소송이 아니라 객관소송이라고 보면서, "법률상 이익"이라는 표현을 무시하고, 별도로 원고적격의 인정 범위를 설정하면 된다고 보는 견해 ➔ 처분의 적법성 확보와 가장 밀접한 이해관계를 갖는 자에게 원고적격이 인정된다고 봄

대법원의 태도

① [법률상 보호된 이익구제설] '법률상 보호되는 이익'은 당해 처분의 근거 법규 및 관련 법규에 의하여 보호되는 개별적·직접적·구체적 이익이 있는 경우를 말하고, 공익보호의 결과로 국민 일반이 공통적으로 가지는 일반적·간접적·추상적 이익과 같이 사실적·경제적 이해관계를 갖는 데 불과한 경우는 여기에 포함되지 아니함(2007두23873) ➔ 처분의 근거법규 및 관련법규에 의하여 보호되는 사익(私益)이라는 말

② 판례 「도시계획법」에 근거한 도시계획의 내용이 화장장의 설치에 관한 것일 때에는, 「매장 및 묘지 등에 관한 법률 시행령」이 국민보건상 위해를 끼칠 우려가 있는 지역이나 「도시계획법」 제17조의 규정에 의한 주거지역, 상업지역, 공업지역 및 녹지지역 안의 풍치지구 등에의 공설화장장 설치를 금지함으로 인하여 보호받게 되는 부근 주민들의 이익도 위 도시계획결정처분의 근거 법률에 의하여 보호되는 법률상 이익에 해당하게 됨(94누14544) ➔ 화장장을 설치한다는 내용의 도시계획의 근거 법령인 「도시계획법」만이 아니라, 관련법령인 「매장 및 묘지 등에 관한 법률 시행령」에 의하여 보호받게 되는 이익도 법률상 이익으로 취급한다는 말

<table>
<tr>
<td rowspan="6">상대방에 따른 구체적 운용</td>
<td>개인적 공권과 법률상 이익의 관계</td>
<td>① [상호근접] 엄밀히 말하면 '법률상 이익'이 '개인적 공권'보다 넓은 개념이지만, 오늘날은 개인적 공권의 외연 확대로 인해, '개인적 공권'과 '법률상 이익'을 동의어나 마찬가지로 봄

② 민법상 점유권 체납자는 자신이 점유하는 제3자 소유의 동산에 대한 압류처분의 취소나 무효확인을 구할 원고적격이 있음(2005두15151) ➔ 체납자는 그 동산의 소유자는 아니지만, 그에 대한 점유권을 침해받게 되는 자라는 점을 이유로 원고적격을 인정하고 있음</td>
</tr>
<tr>
<td>해석상 법이 보호하는 이익이 아니라고 본 경우들</td>
<td>① 상수원보호구역의 설정으로 상수원의 오염을 막아 양질의 급수를 받을 이익 상수원으로부터 급수를 받고 있는 지역주민들이 누리던, 상수원보호구역의 설정을 통해 상수원의 오염을 막아 양질의 급수를 받을 이익은, 상수원보호구역 설정의 근거가 되는 구 「수도법」 제5조 제1항 및 동 시행령 제7조 제1항이 보호하는 법률상 이익에 해당하지 않으므로, 위 지역주민들에게는 상수원보호구역 변경처분의 취소를 구할 원고적격이 인정되지 않음(94누14544) ➔ 「수도법」이 보호하고자 하는 것은 상수원의 확보와 수질보전이라는 공익뿐이라고 보았음

② 절대보전지역 유지로 지역주민회와 주민들이 누리는 주거 및 생활환경상 이익 절대보전지역 유지로 인하여 지역주민회 · 주민들이 가지는 주거 및 생활환경상 이익은 법률상의 이익으로 볼 수 없으므로, 절대보전지역 변경처분에 대해 지역주민회와 주민들은 그에 대한 항고소송의 원고적격×(2011두13187) ➔ 제주강정마을 일대가 절대보전지역에서 해제되자 지역주민회와 주민들이 다툰 사건 ➔ 절대보전지역의 유지로 인하여 지역주민회와 주민들이 가지는 주거 및 생활환경상 이익은 지역의 경관 등이 보호됨으로써 반사적으로 누리는 것일 뿐 근거 법규 또는 관련 법규에 의하여 보호되는 개별적 · 직접적 · 구체적 이익이라고 할 수 없다고 보았음

③ 1등급 권역 인근주민들이 누리는 생활상 이익 「자연환경보전법」상 생태 · 자연도 1등급으로 지정되었던 지역을 2등급 또는 3등급으로 변경하는 내용의 환경부장관의 결정에 대해 해당 1등급 권역의 인근 주민은 취소소송을 제기할 원고적격이 인정되지 않음(2011두29052) ➔ 충남 공주시 일부 지역에 대해 생태 · 자연도 등급을 낮추고 채석단지가 개발되려 하자 주민들이 다툰 사건 ➔ 생태 · 자연도는 토지이용 및 개발계획의 수립이나 시행에 활용하여 자연환경을 체계적으로 보전 · 관리하기 위한 것일 뿐, 1등급 권역의 인근 주민들이 가지는 생활상 이익을 직접적이고 구체적으로 보호하기 위한 것이 아니라고 봄</td>
</tr>
<tr>
<td>법리</td>
<td>[대법원의 운용] ㉠ 처분의 근거법규 또는 관련법규는 보통 침익적 처분의 직접상대방의 이익 보호만을 목적으로 하기 때문에, ㉡ 특별한 경우가 아닌 한 수익적 처분의 직접상대방이나, 처분에 대한 제3자는 처분에 대해 다툴 수 있는 원고적격이 없다고 봄</td>
</tr>
<tr>
<td>침익적 처분의 직접상대방이 다투는 경우</td>
<td>① [원고적격 인정○] 불이익처분의 상대방은 직접 개인적 이익의 침해를 받은 자로서 원고적격이 인정됨(2015두47492)

② 판례 문화재보호구역 내에 토지를 소유하고 있는 자는 문화재보호구역의 지정에 대해 항고소송을 통해 다툴 수 있음(2003두8821) ➔ ∵ 그 지정으로 인하여 소유권이라는 권리를 제한받게 되기 때문

③ 판례 과세관청의 소득처분에 따른 원천징수의무자에 대한 소득금액변동통지는 원천징수의무자의 납세의무에 직접 영향을 미치므로 원천징수의무자는 그것에 대해 취소소송을 제기할 수 있음(2012두27954) ➔ 소득금액변동통지가 있으면 원천징수의무자의 원천징수의무액이 변동하기 때문에 이는 원천징수의무자를 직접상대방으로 하는 처분임

④ 침익적 처분의 상대방이 위명을 사용한 경우 – 위명'사용자'에게 원고적격○ 미얀마 국적의 甲이 위명(僞名)인 허무인 乙 명의의 여권으로 대한민국에 입국한 뒤 乙 명의로 난민 신청을 하였으나, 법무부장관이 乙 명의를 사용한 甲을 직접 면담하여 조사한 후 甲에 대하여 난민불인정 처분을 한 경우, 甲에게는 처분의 취소를 구할 법률상 이익이 있음(2013두16852) ➔ ∵ 비록 乙이라는 명의를 사용하였지만, 처분을 받은 것은 실제로 존재하지도 않는 허무인 乙이 아니라 '乙'이라는 위명을 사용한 甲이기 때문 ➔ 카렌족으로서 미얀마 정부의 탄압을 받던 甲이 Min Min Thein이라는 가명으로 난민인정신청을 했던 사건</td>
</tr>
<tr>
<td>수익적 처분의 직접상대방이 다투는 경우</td>
<td>[특별한 사정이 없는 한 원고적격 인정×] 행정처분이 수익적인 처분이거나 신청에 의하여 신청 내용대로 이루어진 처분인 경우에는, 처분 상대방의 권리나 법률상 보호되는 이익이 침해되었다고 볼 수 없으므로, 달리 특별한 사정이 없는 한 처분의 상대방은 그 취소를 구할 이익이 없음(94누7324)</td>
</tr>
</table>

처분에 대한 제3자가 다투는 경우	일반론	① 계쟁처분의 직접상대방이 아닌 제3자의 경우에도 특별한 사정이 없는 한, 법률상 이익의 침해가 인정되지 않아 원고적격 인정되지 않는다고 봄 ② [특별한 사정이 있다면 원고적격○] 다만, 행정처분의 직접 상대방이 아닌 제3자라 하더라도 당해 행정처분으로 법률상 보호되는 이익을 침해당한 경우에는 취소소송을 제기하여 당부의 판단을 받을 자격이 있음(2012두19496)
	원칙적 부정	① 개발제한구역 해제 처분 – 누락된 토지의 소유자 개발제한구역 중 일부 취락을 개발제한구역에서 해제하는 내용의 도시관리계획변경결정에 대하여, 개발제한구역 해제대상에서 누락된 토지의 소유자가 도시관리계획변경결정의 취소를 구하는 것은 원고적격이 인정되지 않음(2007두10242) ➜ 타인에 대한 개발제한 구역 해제처분에 대해 제3자는 다툴 수 없다는 말 ② 부교수임용처분 – 기존 교수 부교수임용처분에 대하여 같은 학과의 기존교수에게는 취소소송으로 다툴 수 있는 원고적격이 부정됨(95누11856) ③ 건축물 용도변경 – 인근의 기존 병원경영자 당초 병원설치가 불가능한 용도에서 병원설치가 가능한 용도로 건축물 용도를 변경하여 준 처분에 대해, 인근의 기존 병원경영자에게는 처분의 취소를 구할 원고적격이 인정되지 않음(90누813) ④ 학교법인 이사선임 – 학교 노동조합 교육부장관이 사학분쟁조정위원회의 심의를 거쳐 A대학교를 설치·운영하는 B학교법인의 이사와 임시이사를 선임한 데 대하여, A학교 직원들로 구성된 전국대학노동조합 A대학교 지부는 그 선임처분의 취소를 구할 법률상 이익을 가지지 않음(2012두19496) ➜ 근거 법령인 사립학교법령은 교육받을 권리나 학문의 자유를 실현하기 위한 목적으로 제정된 것인데 '학생회'나 '교수회'는 이를 실현하기 위한 직접적인 수단인 반면, 학교의 직원으로 구성된 '노동조합'은 이를 실현하는 수단으로서 직접 기능한다고 볼 수는 없다는 점을 논거로 들었음 ➜ [비교] 같은 사건에서 총학생회와 교수협의회에 대해서는 원고적격을 인정하였음 ⑤ 최소기준을 넘긴 다른 업체들에 대한 선정 처분 및 선정제외 처분 – 최소기준도 넘기지 못한 업체 행정청(담양군수)이 농업에너지이용효율화사업에 관한 보조금 집행을 원활하게 하기 위해 보조사업자(농가)의 계약상대방이 될 수 있는 시공업체를 공모절차를 통해 선정한 경우, 최소기준 점수인 평가점수 70점도 받지 못해 시공업체로 선정되지 아니한 자들은 ㉠ 자신들에 대한 선정제외 처분에 대해서는 다툴 수 있는 법률상의 이익이 있지만, ㉡ 평가점수 70점을 넘었던 다른 업체들에 대한 선정 처분 및 선정제외 처분에 대해서는 다툴 수 있는 법률상의 이익이 없음(2020두48772) ➜ 최소기준도 넘기지 못한 업체는 최소기준을 넘긴 다른 업체들과 경원관계에도 있지 않다고 보았음 ⑥ 원천징수의무자에 대한 처분 – 원천납세의무자 원천납세의무자는 원천징수의무자에 대한 납세고지를 다툴 수 있는 원고적격이 없음(93누22234) ➜ 원천징수의무자에 대한 납세고지로 인하여 실질적·경제적으로 영향을 받는 자는 원천납세의무자이지만, 대법원이 형식적 기준을 중시하여 원천납세의무자는 이에 대하여 다툴 수 없다고 보고 있어 비판이 많은 판례임 ⑦ 원천징수의무자에 대한 처분 – 소득의 귀속자 원천징수의무자에 대한 소득금액변동통지는 원천납세의무자의 권리나 법률상 지위에 어떠한 영향을 준다고 할 수 없으므로, 소득처분에 따른 소득의 귀속자는 법인에 대한 소득금액변동통지의 취소를 구할 법률상 이익이 없음(2013두9267) ➜ ※ 소득귀속자의 의무는 법인에 대한 소득금액변동통지로는 변동되지 않고, 후에 이를 토대로 하여 이루어지는 과세처분까지 있어야 변동됨 ➜ 원천납세의무자와 소득의 귀속자는 같은 개념으로 이해해도 무방 ⑧ (변) 관리사무소에 대한 처분 – 아파트관리사무소 소장 아파트관리사무소 소장으로 근무하면서 관리사무소를 위하여 종합소득세의 신고·납부, 경정청구 등의 업무를 처리하였다는 것만으로는, 위 소장에게 경정청구를 거부한 과세관청의 처분에 대해 취소를 구할 법률상의 이익 없음(2002두1267) ⑨ 교수임용처분 – 학과재학생들 학과에 재학 중인 대학생들이 전공이 다른 교수의 임용으로 인해 학습권을 침해당하였다는 이유를 들어 교수 임용처분의 취소를 구하는 경우 원고적격이 인정되지 않음(93누8139) ➜ 계쟁처분이 수익적 처분일뿐더러, 학생들은 그 처분에 대한 제3자이므로 '조세정책 수업을 경제학 전공자로부터 수강할 수 있는 학습권'은 법률에 의해 보호되는 이익이 아니라고 보았음 ➜ 행정학을 전공한 교수가 조세정책 수업을 맡기로 하자, 서울시립대학교 세무학과 학생들이 서울시립대학교 총장의 전임강사임용처분에 대해 다툰 사건

예외적 인정

① 학교법인에 대한 임원취인승인신청 반려처분 – 학교법인에 의하여 임원으로 선임된 자 학교법인에 의하여 임원으로 선임된 B는 자신에 대한 관할청의 임원취임승인신청 반려처분 취소소송의 원고적격이 있음(2005두9651) ➜ ∵ B는 사실상 불이익처분의 직접 상대방이기 때문

② 조합설립추진위원회에 대한 설립승인처분 – 정비구역 내 토지소유자 주택재개발 정비사업조합 설립추진위원회 설립승인처분에 대한 그 구성에 동의하지 아니한 정비구역 내의 토지 등 소유자에게는 그 취소를 구할 원고적격이 인정됨(2006두12289) ➜ ∵ 자신이 동의하지 아니한 단체가 조합설립추진위원회 설립승인처분을 받으면 싫더라도 그에 따라 재건축·재개발 사업을 진행할 수밖에 없게 되기 때문

③ 제3자에 대한 접견허가신청 거부처분 – 구속된 피고인 제3자의 접견허가신청에 대한 교도소장의 거부처분에 대하여 접견권이 침해되었다고 주장하는 접견신청의 대상자였던 구속된 피고인(미결수)은 행정소송의 원고적격을 가지는 자에 해당함(91누7552) ➜ ∵ 구속된 피고인은 거부처분에 대한 제3자이지만 실질적으로 그로 인하여 심한 피해를 보는 자에 해당하기 때문

④ 양도인에 대한 허가취소 – 양수인 법령상 채석허가를 받은 자의 명의변경제도를 두고 있어, 수허가자로부터 영업을 양수하여 명의변경신고를 할 수 있는 지위에 있는 양수인은, 명의변경신고 이전에 양도인의 법위반 사유를 이유로 이루어진 양도인에 대한 채석허가취소처분의 취소를 구할 법률상 이익을 가짐(2001두6289) ➜ 채석허가가 유효하게 존속하고 있다는 것이 양수인의 명의변경신고의 전제가 되기 때문에, 양수인도 밀접한 이해관계를 가지고 있다고 본 것임(※ 명의변경제도가 있다는 것은 양도양수가 가능한 경우라는 말)

⑤ 요양기관, 국민건강보험공단, 국민건강보험가입자를 수범자로 하는 보건복지부 고시 – 제약회사 보건복지부 고시인 「약제급여·비급여목록 및 급여상한금액표」로 인하여 동 고시상 자신이 제조·공급하는 A약제의 상한금액이 인하되는 제약회사에게는 동 고시의 취소를 구할 법률상 이익이 인정됨(2005두2506) ➜ 甲제약회사가 공급하던 A약품이 고시에서 급여대상 약제에서 제외되자 甲제약회사가 그 고시에 대해 다툰 사건 ➜ 甲제약회사는 이 고시에 대한 제3자임에도 불구하고 A약품에 대한 판매 저하를 법률상 이익의 침해로 보아 원고적격을 인정하였음(※ 이 고시의 직접상대방은 요양기관, 국민건강보험공단, 국민건강보험가입자)

⑥ 골프장 운영자에 대한 회원모집계획서 검토결과통보 – 골프장 회원 예탁금회원제 골프장에 가입되어 있는 기존 회원 C는 그 골프장 운영자가 당초 승인을 받을 때 정한 예정인원을 초과하여 회원을 모집하는 내용의 회원모집계획서에 대한 시·도지사의 검토결과통보의 취소를 구할 법률상 이익이 있음(2006두16243) ➜ 처분의 직접상대방은 아니지만, 실질적으로 가장 크게 불이익을 받는 자라는 이유로 원고적격을 인정하였음

⑦ 법무사에 대한 사무원 채용승인 신청거부 또는 채용승인 취소 – 사무원이 될 수 없게 된 사람 지방법무사회가 법무사의 사무원 채용승인 신청 거부하거나 채용승인을 얻어 채용 중인 사람에 대한 채용승인을 취소하는 것은 처분에 해당하고, 이러한 처분에 대해서는 처분 상대방인 법무사뿐 아니라 그 때문에 사무원이 될 수 없게 된 사람도 지방법무사회를 상대로 이를 다툴 원고적격이 인정됨(2015다34444)

⑧ 임대사업자에 대한 분양전환승인 – 임차인 공공건설임대주택에 대한 분양전환가격 산정의 위법을 이유로 임대사업자에 대한 분양전환승인의 효력을 다투고자 하는 경우, 임차인에게는 원고적격이 인정됨(2015두48129) ➜ ∵ 승인된 분양전환가격이 곧바로 임대사업자와 임차인 사이에 체결되는 분양계약상 분양대금의 내용이 되는 것은 아니지만, 임대사업자는 승인된 분양전환가격을 상한으로 하여 분양대금을 정하여 임차인과 분양계약을 체결하여야 하므로, 분양전환승인 중 분양전환가격에 대한 부분은 임대사업자뿐만 아니라 임차인의 법률적 지위에도 구체적이고 직접적인 영향을 미치기 때문

⑨ 임대사업자에 대한 분양전환승인 – 임차인대표회의 임차인대표회의도 당해 주택에 거주하는 임차인과 마찬가지로 임대주택의 분양전환과 관련하여 그 승인의 근거 법률인 구 「임대주택법」에 의하여 보호되는 구체적이고 직접적인 이익이 있다고 봄이 상당함(2009두19168)

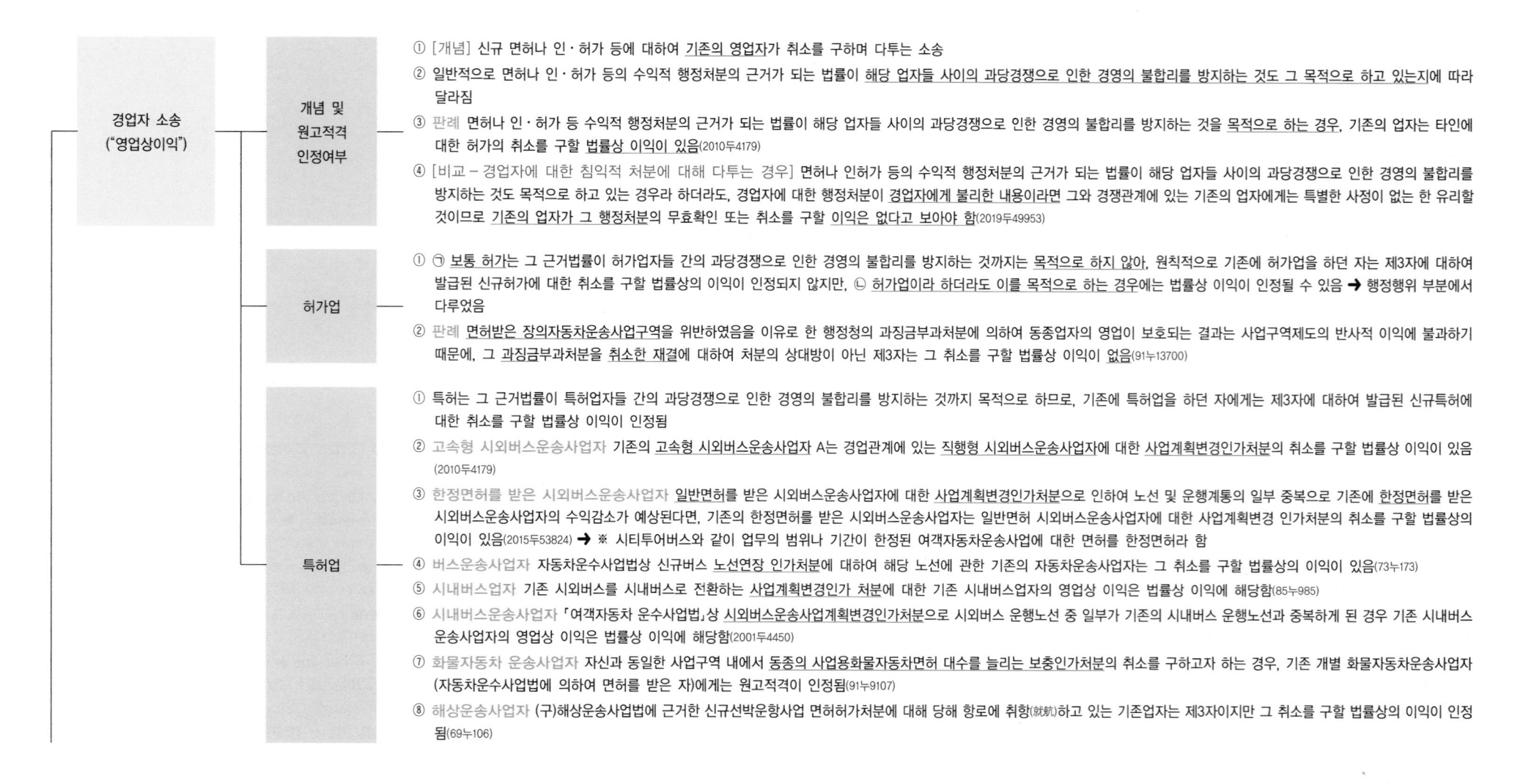

경업자 소송
("영업상이익")

개념 및 원고적격 인정여부

① [개념] 신규 면허나 인·허가 등에 대하여 기존의 영업자가 취소를 구하며 다투는 소송

② 일반적으로 면허나 인·허가 등의 수익적 행정처분의 근거가 되는 법률이 해당 업자들 사이의 과당경쟁으로 인한 경영의 불합리를 방지하는 것도 그 목적으로 하고 있는지에 따라 달라짐

③ 판례 면허나 인·허가 등 수익적 행정처분의 근거가 되는 법률이 해당 업자들 사이의 과당경쟁으로 인한 경영의 불합리를 방지하는 것을 목적으로 하는 경우, 기존의 업자는 타인에 대한 허가의 취소를 구할 법률상 이익이 있음(2010두4179)

④ [비교 – 경업자에 대한 침익적 처분에 대해 다투는 경우] 면허나 인허가 등의 수익적 행정처분의 근거가 되는 법률이 해당 업자들 사이의 과당경쟁으로 인한 경영의 불합리를 방지하는 것도 목적으로 하고 있는 경우라 하더라도, 경업자에 대한 행정처분이 경업자에게 불리한 내용이라면 그와 경쟁관계에 있는 기존의 업자에게는 특별한 사정이 없는 한 유리할 것이므로 기존의 업자가 그 행정처분의 무효확인 또는 취소를 구할 이익은 없다고 보아야 함(2019두49953)

허가업

① ㉠ 보통 허가는 그 근거법률이 허가업자들 간의 과당경쟁으로 인한 경영의 불합리를 방지하는 것까지 목적으로 하지 않아, 원칙적으로 기존에 허가업을 하던 자는 제3자에 대하여 발급된 신규허가에 대한 취소를 구할 법률상의 이익이 인정되지 않지만, ㉡ 허가업이라 하더라도 이를 목적으로 하는 경우에는 법률상 이익이 인정될 수 있음 ➜ 행정행위 부분에서 다루었음

② 판례 면허받은 장의자동차운송사업구역을 위반하였음을 이유로 한 행정청의 과징금부과처분에 의하여 동종업자의 영업이 보호되는 결과는 사업구역제도의 반사적 이익에 불과하기 때문에, 그 과징금부과처분을 취소한 재결에 대하여 처분의 상대방이 아닌 제3자는 그 취소를 구할 법률상 이익이 없음(91누13700)

특허업

① 특허는 그 근거법률이 특허업자들 간의 과당경쟁으로 인한 경영의 불합리를 방지하는 것까지 목적으로 하므로, 기존에 특허업을 하던 자에게는 제3자에 대하여 발급된 신규특허에 대한 취소를 구할 법률상 이익이 인정됨

② 고속형 시외버스운송사업자 기존의 고속형 시외버스운송사업자 A는 경업관계에 있는 직행형 시외버스운송사업자에 대한 사업계획변경인가처분의 취소를 구할 법률상 이익이 있음 (2010두4179)

③ 한정면허를 받은 시외버스운송사업자 일반면허를 받은 시외버스운송사업자에 대한 사업계획변경인가처분으로 인하여 노선 및 운행계통의 일부 중복으로 기존에 한정면허를 받은 시외버스운송사업자의 수익감소가 예상된다면, 기존의 한정면허를 받은 시외버스운송사업자는 일반면허 시외버스운송사업자에 대한 사업계획변경 인가처분의 취소를 구할 법률상의 이익이 있음(2015두53824) ➜ ※ 시티투어버스와 같이 업무의 범위나 기간이 한정된 여객자동차운송사업에 대한 면허를 한정면허라 함

④ 버스운송사업자 자동차운수사업법상 신규버스 노선연장 인가처분에 대하여 해당 노선에 관한 기존의 자동차운송사업자는 그 취소를 구할 법률상의 이익이 있음(73누173)

⑤ 시내버스업자 기존 시외버스를 시내버스로 전환하는 사업계획변경인가 처분에 대한 기존 시내버스업자의 영업상 이익은 법률상 이익에 해당함(85누985)

⑥ 시내버스운송사업자 「여객자동차 운수사업법」상 시외버스운송사업계획변경인가처분으로 시외버스 운행노선 중 일부가 기존의 시내버스 운행노선과 중복하게 된 경우 기존 시내버스운송사업자의 영업상 이익은 법률상 이익에 해당함(2001두4450)

⑦ 화물자동차 운송사업자 자신과 동일한 사업구역 내에서 동종의 사업용화물자동차면허 대수를 늘리는 보충인가처분의 취소를 구하고자 하는 경우, 기존 개별 화물자동차운송사업자(자동차운수사업법에 의하여 면허를 받은 자)에게는 원고적격이 인정됨(91누9107)

⑧ 해상운송사업자 (구)해상운송사업법에 근거한 신규선박운항사업 면허허가처분에 대해 당해 항로에 취항(就航)하고 있는 기존업자는 제3자이지만 그 취소를 구할 법률상의 이익이 인정됨(69누106)

경원자 소송

개념 및 특이점

① [개념] 여러 명(甲, 乙)의 신청을 받아 일부(甲)에 대하여만 인·허가 등의 수익적 처분을 하는 경우, 인·허가 등의 처분을 받지 못한 자(乙)가 다투는 소송

② 甲에 대하여 인·허가 등(A)이 발급된 경우, 동시에 乙에 대한 거부처분(B)이 함께 발급된 것으로 취급됨 ➔ 처분이 2개가 발급된 것으로 보는 것

③ 경원자관계가 아닌 경우 영어 과목의 2종 교과용 도서에 대하여 검정신청을 하였다가 불합격결정처분을 받은 자는 자신들이 검정신청한 교과서의 과목과 전혀 관계가 없는 수학 과목의 교과용도서에 대한 합격결정처분에 대하여 그 취소를 구할 법률상 이익이 없음(91누6634) ➔ ∵ 단순히 제3자가 다투는 경우에 불과하기 때문

자신에 대한 거부처분에 대해 다투는 경우

① [원고적격○] 자신에 대한 거부처분에 대해서는 직접상대방이기 때문에 원고적격○

② [소의 이익○] 경원관계에서 허가처분을 받지 못한 사람은 자신에 대한 거부처분이 취소되더라도, 그 판결의 직접적 효과로 경원자에 대한 허가처분이 취소되거나 효력이 소멸하는 것은 아니지만, 자신에 대한 거부처분의 취소를 구할 소의 이익이 있음(2013두27517) ➔ 거부처분에 대한 취소판결이 확정되는 경우, 판결의 직접적인 효과로 경원자에 대한 허가 등 처분이 취소되거나 효력이 소멸되는 것은 아니라 하더라도, 행정청은 취소판결의 기속력에 따라 판결에서 확인된 위법사유를 배제한 상태에서 취소판결의 원고와 경원자의 각 신청에 관하여 처분요건의 구비 여부와 우열을 다시 심사하여야 할 의무(경원자에 대한 수익적 처분을 취소하여야 할 의무×)를 부담하게 되므로, 그 재심사 결과 경원자에 대한 수익적 처분이 직권취소되고 취소판결의 원고에게 수익적 처분이 이루어질 '가능성'이 있다는 점을 이유로 소의 이익도 인정하고 있음

③ 판례 경원자소송에서는 법적 자격의 흠결로 신청이 인용될 가능성이 없는 경우를 제외하고는 경원관계의 존재만으로 거부된 처분의 취소를 구할 법률상 이익이 인정됨(2009두8359)

④ 판례 주유소 운영사업자 선정처분이 내려진 경우, 불선정된 사업자는 경원관계에 있는 사업자에 대한 선정처분의 취소를 구하지 않고, 자신에 대한 불선정처분의 취소를 구할 이익이 있음(2013두27517)

경원자에 대한 수익적 처분에 대해 다투는 경우

① 경원자 관계에서 처분발급을 받지 못한 자(乙)는 처분에 대한 제3자이지만, 경원자 관계에 있었다는 것 자체로 경원자(甲)에 대한 처분발급의 취소를 구할 원고적격이 인정됨

② [원고적격○, 소의 이익○] 인·허가 등의 수익적 행정처분을 신청한 수인이 서로 경쟁관계에 있어서 일방에 대한 허가 등의 처분이 타방에 대한 불허가 등으로 귀결될 수밖에 없는 때에는, 허가 등의 처분을 받지 못한 자는 비록 경원자에 대하여 이루어진 허가 등 처분의 상대방이 아니라 하더라도 ㉠ 당해 처분의 취소를 구할 원고적격이 있고 ㉡ 또 그에 대한 취소를 구할 소의 이익도 있음 ➔ 다만, 명백한 법적 장애로 인하여 원고 자신의 신청이 인용될 가능성이 처음부터 배제되어 있는 경우에는 (소송 경제 때문에) 법률상 보호되는 소의 이익이 인정되지 않음(2009두8359)

③ 판례 법학전문대학원 설치인가신청을 하였으나 인가 처분을 받지 못한 대학은, 처분의 상대방이 아니더라도 다른 대학에 대하여 이루어진 설치인가처분의 취소를 구할 법률상 이익이 있음(2009두8359)

구성원에 대한 불이익처분에 대해 단체가 다투는 경우	① 구성원에 대한 불이익처분이라 하더라도 단체는 여전히 그에 대한 제3자이므로, 원칙적으로 단체에게는 그 불이익처분에 대해 다툴 수 있는 원고적격×

구성원에 대한 불이익처분에 대해 단체가 다투는 경우

① 구성원에 대한 불이익처분이라 하더라도 단체는 여전히 그에 대한 제3자이므로, 원칙적으로 단체에게는 그 불이익처분에 대해 다툴 수 있는 원고적격×

② 수녀 – 수녀원 재단법인인 수녀원 D는 소속된 수녀 등이 쾌적한 환경에서 생활할 수 있는 환경상 이익을 침해받는다 하더라도, 매립목적을 택지조성에서 조선시설용지로 변경하는 내용의 공유수면매립목적 변경승인처분의 무효확인을 구할 원고적격이 없음(2010두2005) ➜ 수녀원은 제3자에 해당하기 때문(※ 수녀원 자체는 자연인이 아니어서 환경상 이익을 향유할 수도 없다고 보았음)

③ 의사 – 의사협회 대한의사협회는 「국민건강보험법」상 요양급여행위, 요양급여비용의 청구 및 지급과 관련하여 직접적인 법률관계를 갖지 않고 있으므로 보건복지부 고시인 '건강보험요양급여행위 및 그 상대가치점수' 개정으로 인하여 자신의 법률상 이익을 침해당하였다고 할 수 없어 위 고시의 취소를 구할 원고적격이 없음(2003두11988) ➜ ∵ 이 고시는 의사 개개인들을 직접상대방으로 하는 처분이기 때문

④ 고속버스운송사업자 – 전국고속버스운송사업조합 전국고속버스운송사업조합은 도지사의 시외버스운송사업자에 대한 사업계획변경인가 처분의 취소를 구할 원고적격이 없음(89누4420) ➜ 그 조합원인 고속버스운송사업자들의 이익이 침해된 것이므로, 그들이 직접 다투어야 한다고 보았음

단체에 대한 불이익 처분에 대해 구성원이 다투는 경우

원칙적 인정×

운수회사에 대한 처분 – 운전기사 택시운수회사에 대한 과징금부과처분에 대한 취소소송에서는, 그 부과처분이 자신의 잘못(승객 합승행위)으로 인한 것이어서 사후 사실상 변상하여 줄 관계에 있는 운전기사라 하더라도 원고적격이 인정되지 않음(93누24247)

예외적 인정○

① 법인에 대한 처분 – 주주 ㉠ 일반적으로 법인의 주주는 당해 법인에 대한 행정처분에 관하여 사실상이나 간접적인 이해관계를 가질 뿐이어서 스스로 그 처분의 취소를 구할 원고적격이 없는 것이 원칙이라고 할 것이지만, ㉡ 그 처분으로 인하여 궁극적으로 주식이 소각되거나 주주의 법인에 대한 권리가 소멸하는 등 주주의 지위에 중대한 영향을 초래하게 되는데도 그 처분의 성질상 당해 법인이 이를 다툴 것을 기대할 수 없고 달리 주주의 지위를 보전할 구제방법이 없는 경우에는, 주주도 그 처분에 관하여 직접적이고 구체적인 법률상 이해관계를 가진다고 보이므로 그 취소를 구할 원고적격이 있음(2000두2648)

② 법인에 대한 처분 – 주주 처분으로 인하여 법인이 더 이상 영업 전부를 행할 수 없게 되고, 영업에 대한 인·허가의 취소 등을 거쳐 해산·청산되는 절차 또한 처분 당시 이미 예정되어 있으며, 그 후속절차가 취소되더라도 그 처분의 효력이 유지되는 한 당해 법인이 종전에 행하던 영업을 다시 행할 수 없는 예외적인 경우에는 주주도 그 처분에 관하여 직접적·구체적인 법률상 이해관계를 가진다고 보아 그 효력을 다툴 원고적격이 있음(2002두5313) ➜ (변) 다만, 만일 그 법인의 주주가 법인에 대한 운송사업양도·양수신고 수리처분 이후의 주식 양수인인 경우에는 특별한 사정이 없는 한 그 수리처분에 대하여 간접적·경제적 이해관계를 가질 뿐 법률상 직접적·구체적 이익을 가지는 것은 아님(2010두2043)

③ 법인에 대한 처분 – 주주 법인에 대한 행정처분에 대하여 제3자인 주주는 행정처분이 당해 법인의 존속 자체를 직접 좌우하는 경우 처분의 취소를 구할 법률상 이익이 있음(96누4602)

이웃소송 (인인소송)

법률상 이익으로의 인정

① 대법원은 각종 개발허가(시설건설허가) 처분으로 인하여, 그 인근 주민들이 그 처분 전과 비교하여 수인한도를 넘는 재산상·환경상 이익의 침해를 받거나 받을 우려가 있는 경우에는, 그 인근 주민들이 기존에 누리던 재산상·환경상의 이익을 법률상의 이익으로 인정하여, 인근 주민들이 각종 개발허가 처분에 대해 다툴 수 있게 하고 있음 ➜ 침해나 침해우려 사실은 원고가 입증하여야 한다고 봄

② 판례 원자로 시설부지 인근 주민들에게는 방사성물질 등에 의한 생명·신체의 안전침해를 이유로 부지 사전승인처분의 취소를 구할 법률상 이익이 인정됨(97누19588) ➜ 원자로 시설부지 인근주민들은 원자력 발전소 건설허가 처분 전과 비교하여 수인한도를 넘는 재산상·환경상 이익의 침해를 받거나 받을 우려가 있다고 보았음

③ 판례 광업권설정허가처분과 그에 따른 광산 개발로 인하여 재산상·환경상 이익의 침해를 받거나 받을 우려가 있는 토지나 건축물의 소유자와 점유자 또는 이해관계인 및 주민들은 그 처분 전과 비교하여 수인한도를 넘는 재산상·환경상 이익의 침해를 받거나 받을 우려가 있다는 것을 증명함으로써 그 처분의 취소를 구할 원고적격을 인정받을 수 있음(2006두7577)

영향권 설정의 법리	① [영향권 내 주민들] 근거 법령이나 관련법령에 개발사업으로 인하여 환경상 영향을 받으리라고 예상되는 영향권(폐 환경영향평가 대상지역)이 설정되어 있는 경우 법령이 인근주민들이 개발 이전과 비교하여 수인한도를 넘는 환경침해를 받지 아니하고 쾌적한 환경에서 생활할 수 있는 개별적 이익('환경상 이익')도 보호하려는 것으로 보아(단순히 자연환경만 보전·관리하려는 것×), 그 영향권 내의 주민들은 처분에 대한 제3자라 하더라도 ㉠ 법률상 이익이 있고 ㉡ 그것을 침해받고 있는 것으로 사실상 추정함❶ → 영향권 내 주민들은 별도로 원고적격을 입증하지 않아도 됨
	② [영향권 밖 주민들] 영향권 밖의 주민들은 입증책임에 대한 원칙으로 돌아가서, 자신들이 가진 법률상의 이익이 침해받았음을 입증해야 원고적격을 인정받을 수 있음
	③ 주민에 해당하지 않는 자들 환경상 이익에 대한 침해 또는 침해 우려가 있는 것으로 사실상 추정되어 원고적격이 인정되는 사람에는, ㉠ 환경상 침해를 받으리라고 예상되는 영향권 내의 주민들을 비롯하여 ㉡ 그 영향권 내에서 농작물을 경작하는 등 현실적으로 환경상 이익을 향유하는 사람도 포함○ → But ㉢ 단지 그 영향권 내의 건물·토지를 소유하거나 ㉣ 환경상 이익을 일시적으로 향유하는 데 그치는 사람은 포함×(2009두2825) → 환경상 이익을 침해받았다는 점을 입증하면 원고적격을 인정받을 수 있게 되는데, 이 때 집단을 둘로 나누어 입증책임의 분배를 달리하고 있다.
	④ 주민에 해당하지 않는 자들 환경영향평가대상사업인 양수발전소건설에 대한 전원(電源)개발사업실시계획 승인처분이 있는 경우 ㉠ 환경영향평가대상지역 안의 주민에게는 이에 대하여 다툴 수 있는 원고적격 인정○ But ㉡ 환경보호단체, ㉢ 댐 건설로 수몰되는 산을 주로 등반하는 산악인, ㉣ 전원개발사업구역 내에서 야생조류의 생태를 연구하는 조류학자, ㉤ 댐 소재지의 하류에서 연어를 포획하여 재산적 이익을 얻는 발전소건설사업구역 밖의 주민에게는 이에 대하여 다툴 수 있는 원고적격 인정×(97누19571)
	⑤ 판례 환경영향평가 대상지역 밖의 주민이라 할지라도 처분 전과 비교하여 수인한도를 넘는 환경피해를 받거나 받을 우려가 있는 경우에는, 환경상 이익에 대한 침해나 우려를 입증함으로써 공유수면매립면허처분과 농지개량사업 시행인가 처분을 다툴 수 있음(2006두330) → 다만 입증을 할 때, 「헌법」상의 환경권이나 「환경정책기본법」상의 쾌적한 환경에서 생활할 권리가 있다는 것만을 입증하는 것으로는 처분에 대해 다툴 법률상 이익이 있음을 입증한 것으로 인정할 수 없다고 보았음 → ∵ 환경권은 추상적 기본권이기 때문이고, 「환경정책기본법」에는 환경상 이익을 보호하려는 취지가 없기 때문
	⑥ 판례 「공유수면 관리 및 매립에 관한 법률」상 공유수면매립면허처분과 관련한 환경영향평가대상지역 안의 주민의 이익은 법률상 이익에 해당함(2006두330)
	⑦ 판례 공장설립승인처분으로 환경상 이익에 대한 침해 또는 침해의 우려가 있는 것으로 사실상 추정되는 주민에게는 원고적격이 인정됨(2007두16127) → "사실상 추정되는 주민"이란 영향권 내에 거주하는 주민을 말함
원고적격○	① 주거지역 내에 법령상 제한면적을 초과한 연탄공장 건축허가처분 – 주거지역 내에 거주하는 거주자 (구)「도시계획법」상 주거지역 내에 거주하는 인근주민의 거주의 안녕과 건전한 생활환경상 이익은 연탄제조공장 건축허가의 취소를 구할 법률상 이익에 해당함(73누96) → 이웃소송에서 원고적격을 인정하기 시작한 최초의 판례
	② 공유수면 점용·사용허가처분 – 인접토지소유자 공유수면 점용·사용허가로 인하여 인접한 토지를 적정하게 이용할 수 없게 되는 등의 피해를 받을 우려가 있는 인접 토지 소유자 등은 공유수면 점용·사용허가처분의 취소 또는 무효확인을 구할 원고적격이 인정됨(2014두2164)
	③ 납골당설치신고수리처분 – 납골당 설치장소로부터 500m 내에 20호 이상의 인가가 밀집하는 지역에 거주하는 주민들 납골당 설치장소로부터 500m 내에 20호 이상의 인가가 밀집하는 지역에 거주하는 주민들의 경우, 납골당이 누구에 의하여 설치되는지와 관계없이, 납골당 설치에 대하여 환경 이익 침해 또는 침해우려가 있는 것으로 사실상 추정되어, 구 「장사 등에 관한 법률」상 납골당설치신고수리처분에 대한 취소를 구할 원고적격이 인정됨(2009두6766) → ∵ 관련 법령에 "20호 이상의 인가가 밀집한 지역으로부터 500m 이상 떨어진 곳"에만 납골당을 설치할 수 있다고 규정되어 있었기 때문
	④ 폐기물소각시설 입지지역 결정고시 – 소각시설의 부지경계선으로부터 300m내에 거주하는 주민들 1일 50t의 쓰레기를 소각하는 시설의 부지경계선으로부터 300m 안의 주민들에게는 폐기물 소각시설의 입지지역을 결정 고시한 처분의 무효확인을 구할 원고적격이 인정됨(2003두13489) → ∵ '폐기물 소각시설의 부지경계선으로부터 300m'가 관련법령상 영향권으로 규정되어 있었기 때문
	⑤ LPG충전소설치허가 – 인근주민 자동차 LPG충전소설치허가에 대한 인근 주민의 이익은 법률상 이익에 해당함(83누59)
	⑥ 공장설립승인처분 – 공장설립으로 수질오염이 발생할 우려가 있는 취수장에서 물을 공급받는 지역에 거주하는 주민들 김해시장이 낙동강에 합류하는 하천수 주변의 토지에 구 「산업집적활성화 및 공장설립에 관한 법률」 제13조에 따라 공장설립을 승인하는 처분을 한 경우, 공장설립으로 수질오염 등이 발생할 우려가 있는 취수장에서 물을 공급받는 부산광역시 또는 양산시에 거주하는 주민들은 위 처분의 근거 법규 및 관련 법규에 의하여 법률상 보호되는 이익이 침해되거나 침해될 우려가 있는 주민들로서 원고적격이 인정됨(2007두16127) → ∵ 관련법령에서 '상수원 등 용수이용에 현저한 영향을 미치는 지역의 상류를, 환경오염을 일으킬 수 있는 공장의 입지제한지역으로 정할 수 있다'고 규정하고 있었기 때문
원고적격×	(변) 공장입지지정승인처분 – 공장설립예정지에 인접한 토지를 소유하고 있거나 그 지상에 묘소를 두고 있는 자 콘크리트제조업종의 공장입지지정승인처분이 취소됨으로 인하여 다른 지역에 거주하면서 그 공장설립예정지에 인접한 토지를 소유하고 있거나 그 지상에 묘소를 두고 있는 자가 분진, 소음, 수질오염 등의 피해를 입을 우려에서 벗어나는 이익은 그 입지지정승인처분의 근거법률에 의하여 보호되는 직접적이고 구체적인 법률상 이익이라고 할 수 없음(94누3964) → 위 입지지정승인의 근거가 되는 법률인 「공업배치및공장설립에관한법률」 및 같은 법 제18조에 의하여 입지지정승인의 기준 등으로 적용되는 「산업입지및개발에관한법률」의 관계 규정들은 위와 같은 이익을 보호하려는 취지를 담고 있지 않는 것으로 보았음

❶ [민사소송법] '사실상 추정'은 '법률상 추정'에 대비되는 개념인데, 추정을 요구하는 법률규정이 있어 그에 따라 이루어지는 추정을 법률상 추정이라 하고, 법률에 규정은 없지만 법원이 사실을 인정해주는 추정을 사실상 추정이라 한다.

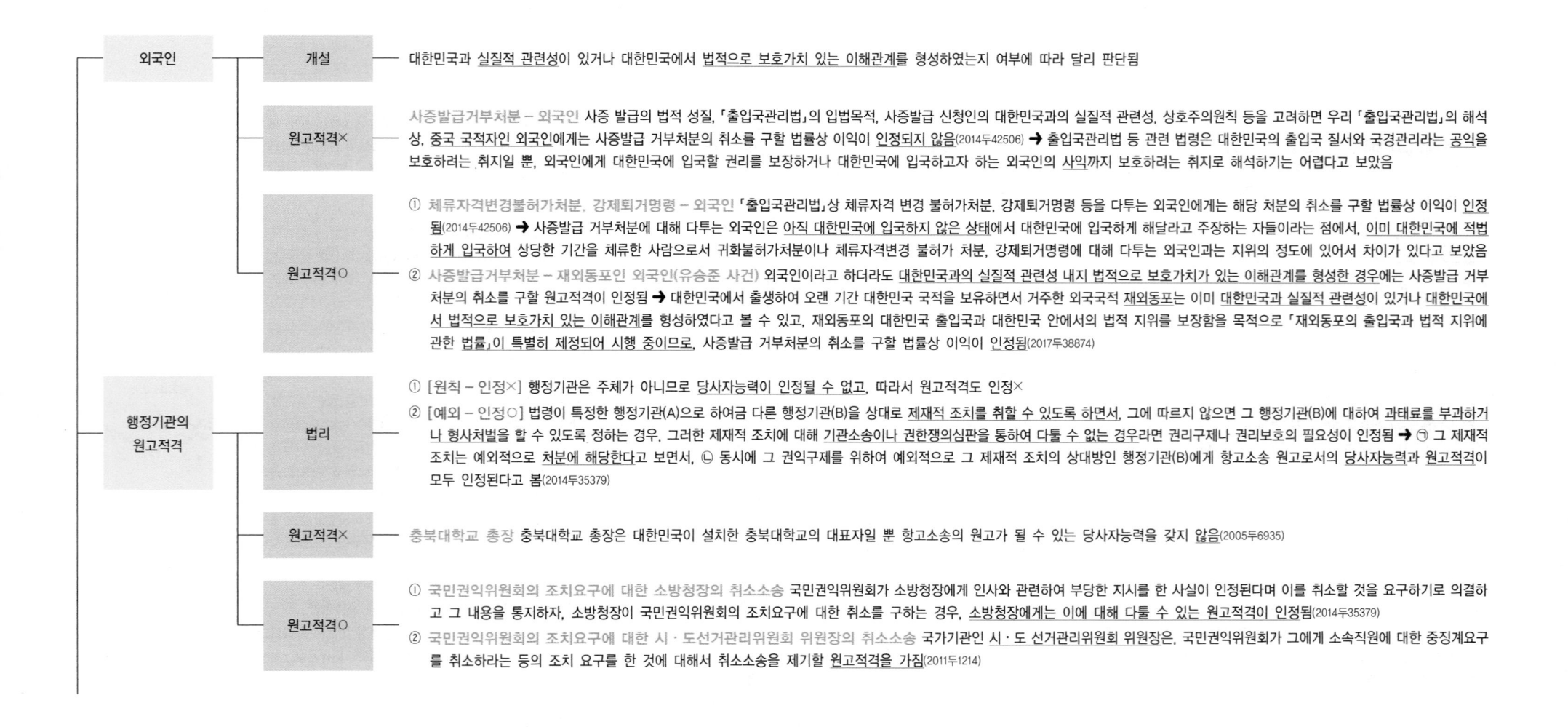

특수한 자들의 원고적격

외국인

개설 — 대한민국과 실질적 관련성이 있거나 대한민국에서 법적으로 보호가치 있는 이해관계를 형성하였는지 여부에 따라 달리 판단됨

원고적격× — 사증발급거부처분 – 외국인 사증 발급의 법적 성질, 「출입국관리법」의 입법목적, 사증발급 신청인의 대한민국과의 실질적 관련성, 상호주의원칙 등을 고려하면 우리 「출입국관리법」의 해석상, 중국 국적자인 외국인에게는 사증발급 거부처분의 취소를 구할 법률상 이익이 인정되지 않음(2014두42506) ➡ 출입국관리법 등 관련 법령은 대한민국의 출입국 질서와 국경관리라는 공익을 보호하려는 취지일 뿐, 외국인에게 대한민국에 입국할 권리를 보장하거나 대한민국에 입국하고자 하는 외국인의 사익까지 보호하려는 취지로 해석하기는 어렵다고 보았음

원고적격○

① 체류자격변경불허가처분, 강제퇴거명령 – 외국인 「출입국관리법」상 체류자격 변경 불허가처분, 강제퇴거명령 등을 다투는 외국인에게는 해당 처분의 취소를 구할 법률상 이익이 인정됨(2014두42506) ➡ 사증발급 거부처분에 대해 다투는 외국인은 아직 대한민국에 입국하지 않은 상태에서 대한민국에 입국하게 해달라고 주장하는 자들이라는 점에서, 이미 대한민국에 적법하게 입국하여 상당한 기간을 체류한 사람으로서 귀화불허가처분이나 체류자격변경 불허가 처분, 강제퇴거명령에 대해 다투는 외국인과는 지위의 정도에 있어서 차이가 있다고 보았음

② 사증발급거부처분 – 재외동포인 외국인(유승준 사건) 외국인이라고 하더라도 대한민국과의 실질적 관련성 내지 법적으로 보호가치가 있는 이해관계를 형성한 경우에는 사증발급 거부처분의 취소를 구할 원고적격이 인정됨 ➡ 대한민국에서 출생하여 오랜 기간 대한민국 국적을 보유하면서 거주한 외국국적 재외동포는 이미 대한민국과 실질적 관련성이 있거나 대한민국에서 법적으로 보호가치 있는 이해관계를 형성하였다고 볼 수 있고, 재외동포의 대한민국 출입국과 대한민국 안에서의 법적 지위를 보장함을 목적으로 「재외동포의 출입국과 법적 지위에 관한 법률」이 특별히 제정되어 시행 중이므로, 사증발급 거부처분의 취소를 구할 법률상 이익이 인정됨(2017두38874)

행정기관의 원고적격

법리

① [원칙 – 인정×] 행정기관은 주체가 아니므로 당사자능력이 인정될 수 없고, 따라서 원고적격도 인정×

② [예외 – 인정○] 법령이 특정한 행정기관(A)으로 하여금 다른 행정기관(B)을 상대로 제재적 조치를 취할 수 있도록 하면서, 그에 따르지 않으면 그 행정기관(B)에 대하여 과태료를 부과하거나 형사처벌을 할 수 있도록 정하는 경우, 그러한 제재적 조치에 대해 기관소송이나 권한쟁의심판을 통하여 다툴 수 없는 경우라면 권리구제나 권리보호의 필요성이 인정됨 ➡ ㉠ 그 제재적 조치는 예외적으로 처분에 해당한다고 보면서, ㉡ 동시에 그 권익구제를 위하여 예외적으로 그 제재적 조치의 상대방인 행정기관(B)에게 항고소송 원고로서의 당사자능력과 원고적격이 모두 인정된다고 봄(2014두35379)

원고적격× — 충북대학교 총장 충북대학교 총장은 대한민국이 설치한 충북대학교의 대표자일 뿐 항고소송의 원고가 될 수 있는 당사자능력을 갖지 않음(2005두6935)

원고적격○

① 국민권익위원회의 조치요구에 대한 소방청장의 취소소송 국민권익위원회가 소방청장에게 인사와 관련하여 부당한 지시를 한 사실이 인정된다며 이를 취소할 것을 요구하기로 의결하고 그 내용을 통지하자, 소방청장이 국민권익위원회의 조치요구에 대한 취소를 구하는 경우, 소방청장에게는 이에 대해 다툴 수 있는 원고적격이 인정됨(2014두35379)

② 국민권익위원회의 조치요구에 대한 시·도선거관리위원회 위원장의 취소소송 국가기관인 시·도 선거관리위원회 위원장은, 국민권익위원회가 그에게 소속직원에 대한 중징계요구를 취소하라는 등의 조치 요구를 한 것에 대해서 취소소송을 제기할 원고적격을 가짐(2011두1214)

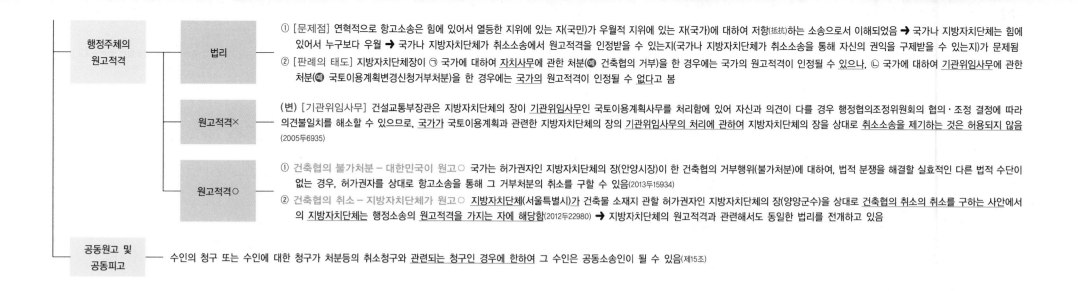

행정주체의 원고적격	법리	① [문제점] 연혁적으로 항고소송은 힘에 있어서 열등한 지위에 있는 자(국민)가 우월적 지위에 있는 자(국가)에 대하여 저항(抵抗)하는 소송으로서 이해되었음 ➜ 국가나 지방자치단체는 힘에 있어서 누구보다 우월 ➜ 국가나 지방자치단체가 취소소송에서 원고적격을 인정받을 수 있는지(국가나 지방자치단체가 취소소송을 통해 자신의 권익을 구제받을 수 있는지)가 문제됨 ② [판례의 태도] 지방자치단체장이 ㉠ 국가에 대하여 자치사무에 관한 처분(예 건축협의 거부)을 한 경우에는 국가의 원고적격이 인정될 수 있으나, ㉡ 국가에 대하여 기관위임사무에 관한 처분(예 국토이용계획변경신청거부처분)을 한 경우에는 국가의 원고적격이 인정될 수 없다고 봄
	원고적격×	(변) [기관위임사무] 건설교통부장관은 지방자치단체의 장이 기관위임사무인 국토이용계획사무를 처리함에 있어 자신과 의견이 다를 경우 행정협의조정위원회의 협의·조정 결정에 따라 의견불일치를 해소할 수 있으므로, 국가가 국토이용계획과 관련한 지방자치단체의 장의 기관위임사무의 처리에 관하여 지방자치단체의 장을 상대로 취소소송을 제기하는 것은 허용되지 않음 (2005두6935)
	원고적격○	① 건축협의 불가처분 – 대한민국이 원고○ 국가는 허가권자인 지방자치단체의 장(안양시장)이 한 건축협의 거부행위(불가처분)에 대하여, 법적 분쟁을 해결할 실효적인 다른 법적 수단이 없는 경우, 허가권자를 상대로 항고소송을 통해 그 거부처분의 취소를 구할 수 있음(2013두15934) ② 건축협의 취소 – 지방자치단체가 원고○ 지방자치단체(서울특별시)가 건축물 소재지 관할 허가권자인 지방자치단체의 장(양양군수)을 상대로 건축협의 취소의 취소를 구하는 사안에서의 지방자치단체는 행정소송의 원고적격을 가지는 자에 해당함(2012두22980) ➜ 지방자치단체의 원고적격과 관련해서도 동일한 법리를 전개하고 있음
공동원고 및 공동피고		수인의 청구 또는 수인에 대한 청구가 처분등의 취소청구와 관련되는 청구인 경우에 한하여 그 수인은 공동소송인이 될 수 있음(제15조)

대상적격 - 처분등

① [대상적격] 취소소송의 대상이 될 수 있는 자격 ➜ 행정작용 중 일부 행정작용에 대해서만 취소소송의 대상이 될 수 있는 자격을 부여함(소송경제 목적)

② [처분등] 행정소송법은 처분 + 재결을 '처분등'으로 정의하면서(제2조), 처분등에 해당하여야 취소소송의 대상이 될 수 있다고 봄(제19조)

> 행정소송법 제2조(정의) ① 이 법에서 사용하는 용어의 정의는 다음과 같다.
> 1. "처분등"이라 함은 행정청이 행하는 구체적 사실에 관한 법집행으로서의 공권력의 행사 또는 그 거부와 그 밖에 이에 준하는 행정작용(이하 "처분"이라 한다) 및 행정심판에 대한 재결을 말한다.

> 행정소송법 제19조(취소소송의 대상) 취소소송은 처분등을 대상으로 한다. (단서 생략)

처분성 판단기준 일반론

① 쟁점은 어떤 행정작용이 '처분'에 해당하는지로 귀결됨(∵ 재결이 무엇인지는 분명할 뿐더러 우리 행정소송법은 원처분주의❶를 취하고 있기 때문) ➜ 처분? ➜ 행정행위 + 기타 이에 준하는 작용 + 이들의 거부

② [대법원의 태도] 대법원은 어떤 행정작용이 처분에 해당하는지 여부를 ㉠ 먼저 개별법에서 해당 행정작용에 대한 구제수단을 무엇으로 규율하고 있는지, ㉡ 구제수단에 대한 별도의 규정을 두고 있지 않은 경우에는, 해당 행정작용이 행정행위에 해당하는지, ㉢ 해당하지 않는다면, 그럼에도 불구하고 현실적으로 해당 행정작용에 대해 취소소송으로 다툴 수 있게 할 필요가 있는지 여부("기타 이에 준하는 행정작용")(이 점은 정책적으로 판단됨)를 기준으로 하여 판단하고 있음

③ [암기] 개별 사건에서 대법원이 처분에 해당하는 것으로 인정한 행정작용과 인정하지 않은 행정작용을 암기할 것을 요구하는 방향으로 출제가 이루어지고 있음 ➜ ∵ 실무를 수행할 때는 이에 대한 암기된 지식이 중요하기 때문

④ 판례 항고소송의 대상적격 여부는 행위의 성질·효과 이외에 행정소송 제도의 목적이나 사법권에 의한 국민의 권익보호기능도 충분히 고려하여 합목적적으로 판단해야 함(2010두19720)

⑤ 판례 행정청의 행위가 '처분'에 해당하는지가 불분명한 경우에는 그에 대한 불복방법 선택에 중대한 이해관계를 가지는 상대방의 인식가능성과 예측가능성을 중요하게 고려하여 규범적으로 판단하여야 함(2019두61137)

⑥ 이의신청제도의 구제 기능이 미흡함을 이유로 처분성을 인정한 판례 「공무원범죄에 관한 몰수 특례법」 제9조의2에 따라 추징의 집행을 받는 제3자는 검사의 처분이 부당함을 이유로 「형사소송법」에 따라 재판을 선고한 법원에 재판의 집행에 관한 이의를 신청할 수 있고, 그와 별도로 「행정소송법」상 항고소송을 제기하여 처분의 위법성 여부를 다툴 수도 있음(2019두63447)

---

❶ 원처분주의에 대해서는 뒤에서 다룬다.

항고소송 이외의 불복절차가 불복절차로서 규정되어 있는 경우 – 처분성 부정

① 「행정소송법」 제2조 소정의 행정처분이라고 하더라도, 그 처분의 근거 법률에서 행정소송 이외의 다른 절차에 의하여 불복할 것을 예정하고 있는 처분은 항고소송의 대상이 될 수 없음(2017두47465)

② 불기소결정 – 처분× 검사의 불기소결정에 대해서는 「검찰청법」에 의한 항고와 재항고, 「형사소송법」에 의한 재정신청에 의해서만 불복할 수 있는 것이므로, 이에 대해서는 행정소송법상 항고소송을 제기할 수 없음(2017두47465)

③ 기소결정 – 처분× 검사의 공소(기소) 결정에 대하여는 형사소송절차에 의하여서만 다툴 수 있고 행정소송의 방법으로 공소의 취소를 구할 수는 없음(99두11264)

④ (변) 검사의 처분결과 통지·공소불제기이유고지 – 처분× 형사소송법 제258조 제1항의 고소나 고발이 있는 사건에 대한 검사의 처분결과 통지나, 동법 제259조의 공소불제기이유고지는 불기소결정이라는 검사의 처분이 있은 후 그에 대한 불복과 관련한 절차일 뿐 별도의 독립한 처분이 된다고는 볼 수 없음(2017두47465) ➜ ※ 처분결과 통지는 공소를 제기하지 않은 때뿐만 아니라 공소를 제기한 때에도 이루어지고, 이에 대해 불복할 때는 불기소결정에 대해 형사소송이나 (재)항고, 재정신청 등으로 다투면 됨

행정청의 행위이어야 함

① [공무수탁사인도 행정청에 포함○] 공무수탁사인이 공무를 수행하는 공권력 행사도 처분에 해당함

② 판례 어떤 행위가 상대방의 권리를 제한하는 행위라 하더라도, 행정청 또는 그 소속기관이나 권한을 위임받은 공공단체 등의 행위가 아닌 한 이를 행정처분이라고 할 수 없음(2010무137, 2005두8269)

③ 지방의회의 의장선임의결 – 처분○ 지방의회 의장선거는 지방의회의 처분에 해당함(94누2602)

④ 지방의회의 의장 불신임 의결 – 처분○ 지방의회 의장에 대한 불신임 의결은 의장으로서의 권한을 박탈하는 지방의회의 처분에 해당함(94두23)

⑤ 지방법무사회도 행정청에 포함○ 법무사가 사무원을 채용할 때 소속 지방법무사회로부터 승인을 받아야 할 의무는 공법상 의무 ➜ 법무사의 사무원 채용승인 신청에 대하여 소속 지방법무사회가 '채용승인을 거부'하는 조치 또는 일단 채용승인을 하였으나 '채용승인을 취소'하는 조치는, 공법인인 지방법무사회가 행하는 구체적 사실에 관한 법집행으로서 공권력의 행사 또는 그 거부에 해당하므로 항고소송의 대상인 '처분'이라고 보아야 함(2015다34444) ➜ 위 업무와 관련해서는 지방법무사회는 공무수탁사인으로서의 지위를 가짐

구체적 사실에 관한 행위이어야 함

처분×

① [법령 그 자체] 일반적·추상적인 법령 그 자체로서, 국민의 구체적인 권리·의무에 직접적인 변동을 초래하는 것이 아닌 것은 취소소송의 대상이 될 수 없음(91누12639)

② [일반적·추상적 규율] 취소소송의 대상인 처분은 행정청이 행하는 구체적 사실에 관한 법집행행위이므로, 불특정 다수인을 대상으로 하여 반복적으로 적용되는 일반적·추상적 규율은 원칙적으로 처분이 아님

처분○

① [처분적 조례] 추상적 법령인 조례라도 그 자체로서 국민의 권리·의무에 직접 영향을 미치는 경우에는 항고소송의 대상이 될 수 있음(95누8003)

② [처분적 행정규칙] 처분은 행정청이 행한 구체적 사실에 관한 법집행 행위이므로 일반적·추상적 행위는 처분이 아니나, 다른 집행행위의 매개 없이 그 자체로서 요양기관, 국민건강보험공단, 국민건강보험 가입자 등의 법률관계를 직접 규율하고 있는 보건복지부 고시인 「약제급여·비급여 목록 및 급여상한금액표」에는 처분성이 인정됨(2005두2506)

③ [일반처분] 지방경찰청장이 횡단보도를 설치하여 보행자의 통행방법 등을 규제하는 것은, 행정청이 특정사항에 대하여 의무의 부담을 명하는 행위이고, 이는 국민의 권리의무에 직접 관계가 있는 행위로서 행정처분임(98두8964)

④ [일반처분] 청소년보호법에 따른 청소년유해매체물 결정 및 고시처분은 일반 불특정 다수인을 상대방으로 하여 일률적으로 표시의무, 포장의무, 청소년에 대한 판매·대여 등의 금지의무를 발생시키는 행정처분임(2004두619)

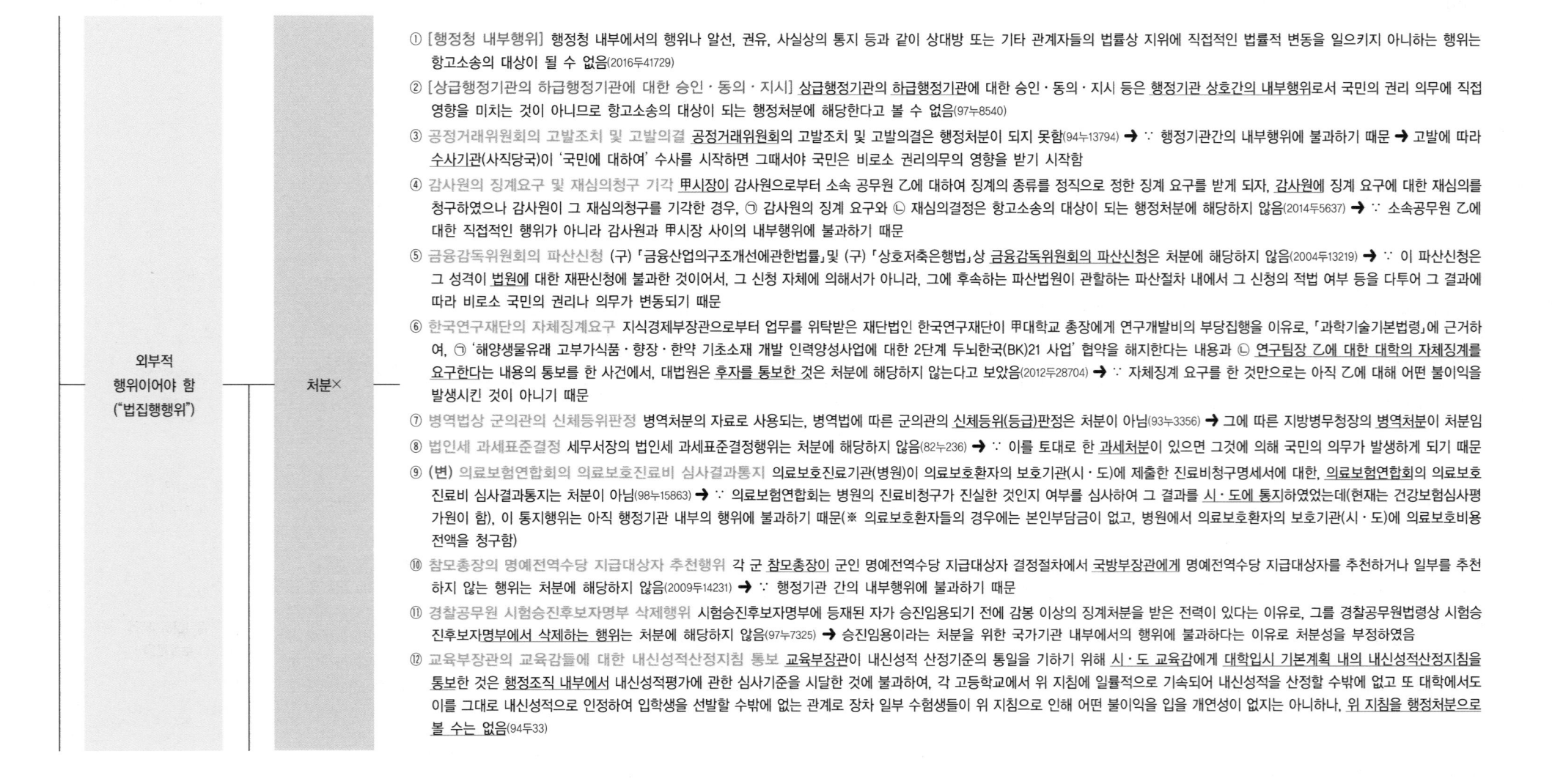

외부적 행위이어야 함 ("법집행행위")

처분×

① [행정청 내부행위] 행정청 내부에서의 행위나 알선, 권유, 사실상의 통지 등과 같이 상대방 또는 기타 관계자들의 법률상 지위에 직접적인 법률적 변동을 일으키지 아니하는 행위는 항고소송의 대상이 될 수 없음(2016두41729)

② [상급행정기관의 하급행정기관에 대한 승인·동의·지시] 상급행정기관의 하급행정기관에 대한 승인·동의·지시 등은 행정기관 상호간의 내부행위로서 국민의 권리 의무에 직접 영향을 미치는 것이 아니므로 항고소송의 대상이 되는 행정처분에 해당한다고 볼 수 없음(97누8540)

③ 공정거래위원회의 고발조치 및 고발의결 공정거래위원회의 고발조치 및 고발의결은 행정처분이 되지 못함(94누13794) ➔ ∵ 행정기관간의 내부행위에 불과하기 때문 ➔ 고발에 따라 수사기관(사직당국)이 '국민에 대하여' 수사를 시작하면 그때서야 국민은 비로소 권리의무의 영향을 받기 시작함

④ 감사원의 징계요구 및 재심의청구 기각 甲시장이 감사원으로부터 소속 공무원 乙에 대하여 징계의 종류를 정직으로 정한 징계 요구를 받게 되자, 감사원에 징계 요구에 대한 재심의를 청구하였으나 감사원이 그 재심의청구를 기각한 경우, ㉠ 감사원의 징계 요구와 ㉡ 재심의결정은 항고소송의 대상이 되는 행정처분에 해당하지 않음(2014두5637) ➔ ∵ 소속공무원 乙에 대한 직접적인 행위가 아니라 감사원과 甲시장 사이의 내부행위에 불과하기 때문

⑤ 금융감독위원회의 파산신청 (구)「금융산업의구조개선에관한법률」및 (구)「상호저축은행법」상 금융감독위원회의 파산신청은 처분에 해당하지 않음(2004두13219) ➔ ∵ 이 파산신청은 그 성격이 법원에 대한 재판신청에 불과한 것이어서, 그 신청 자체에 의해서가 아니라, 그에 후속하는 파산법원이 관할하는 파산절차 내에서 그 신청의 적법 여부 등을 다투어 그 결과에 따라 비로소 국민의 권리나 의무가 변동되기 때문

⑥ 한국연구재단의 자체징계요구 지식경제부장관으로부터 업무를 위탁받은 재단법인 한국연구재단이 甲대학교 총장에게 연구개발비의 부당집행을 이유로, 「과학기술기본법령」에 근거하여, ㉠ '해양생물유래 고부가식품·향장·한약 기초소재 개발 인력양성사업'에 대한 2단계 두뇌한국(BK)21 사업' 협약을 해지한다는 내용과 ㉡ 연구팀장 乙에 대한 대학의 자체징계를 요구한다는 내용의 통보를 한 사건에서, 대법원은 후자를 통보한 것은 처분에 해당하지 않는다고 보았음(2012두28704) ➔ ∵ 자체징계 요구를 한 것만으로는 아직 乙에 대해 어떤 불이익을 발생시킨 것이 아니기 때문

⑦ 병역법상 군의관의 신체등위판정 병역처분의 자료로 사용되는, 병역법에 따른 군의관의 신체등위(등급)판정은 처분이 아님(93누3356) ➔ 그에 따른 지방병무청장의 병역처분이 처분임

⑧ 법인세 과세표준결정 세무서장의 법인세 과세표준결정행위는 처분에 해당하지 않음(82누236) ➔ ∵ 이를 토대로 한 과세처분이 있으면 그것에 의해 국민의 의무가 발생하게 되기 때문

⑨ (변) 의료보험연합회의 의료보호진료비 심사결과통지 의료보호진료기관(병원)이 의료보호환자의 보호기관(시·도)에 제출한 진료비청구명세서에 대한, 의료보험연합회의 의료보호 진료비 심사결과통지는 처분이 아님(98누15863) ➔ ∵ 의료보험연합회는 병원의 진료비청구가 진실한 것인지 여부를 심사하여 그 결과를 시·도에 통지하였었는데(현재는 건강보험심사평가원이 함), 이 통지행위는 아직 행정기관 내부의 행위에 불과하기 때문(※ 의료보호환자들의 경우에는 본인부담금이 없고, 병원에서 의료보호환자의 보호기관(시·도)에 의료보호비용 전액을 청구함)

⑩ 참모총장의 명예전역수당 지급대상자 추천행위 각 군 참모총장이 군인 명예전역수당 지급대상자 결정절차에서 국방부장관에게 명예전역수당 지급대상자를 추천하거나 일부를 추천하지 않는 행위는 처분에 해당하지 않음(2009두14231) ➔ ∵ 행정기관 간의 내부행위에 불과하기 때문

⑪ 경찰공무원 시험승진후보자명부 삭제행위 시험승진후보자명부에 등재된 자가 승진임용되기 전에 감봉 이상의 징계처분을 받은 전력이 있다는 이유로, 그를 경찰공무원법령상 시험승진후보자명부에서 삭제하는 행위는 처분에 해당하지 않음(97누7325) ➔ 승진임용이라는 처분을 위한 국가기관 내부에서의 행위에 불과하다는 이유로 처분성을 부정하였음

⑫ 교육부장관의 교육감들에 대한 내신성적산정지침 통보 교육부장관이 내신성적 산정기준의 통일을 기하기 위해 시·도 교육감에게 대학입시 기본계획 내의 내신성적산정지침을 통보한 것은 행정조직 내부에서 내신성적평가에 관한 심사기준을 시달한 것에 불과하여, 각 고등학교에서 위 지침에 일률적으로 기속되어 내신성적을 산정할 수밖에 없고 또 대학에서도 이를 그대로 내신성적으로 인정하여 입학생을 선발할 수밖에 없는 관계로 장차 일부 수험생들이 위 지침으로 인해 어떤 불이익을 입을 개연성이 없지는 아니하나, 위 지침을 행정처분으로 볼 수는 없음(94두33)

| | 처분○ | ① [권리·의무 변동시키는 내부행위·중간처분] 내부행위나 중간처분이라도 그로써 실질적으로 국민의 권리가 제한되거나 의무가 부과되는 경우에는 처분으로서 항고소송의 대상이 됨 (2002두1878)
② 지자체장의 건축협의 취소 – 단순한 내부행위✕ 지방자치단체 등이 건축물을 건축하기 위해 건축물 소재지 관할 허가권자인 지방자치단체의 장과 건축협의를 하였는데 허가권자인 지방자치단체의 장이 그 협의를 취소한 경우, 건축협의 취소는 항고소송의 대상인 행정처분에 해당함(2012두22980) ➔ 건축법 규정에 의하면 건축협의의 실질은 지방자치단체 등에 대한 건축허가와 다르지 않으므로, 건축협의의 취소는 건축허가의 취소와 마찬가지일 뿐더러, 건축협의 취소에 관하여 다툼이 있는 경우에 법적 분쟁을 실효적으로 해결할 다른 구제수단을 찾기도 어렵다는 이유로 처분성을 인정하였음 ➔ 강원도 양양군수가 서울특별시와의 건축협의를 취소한 사건
③ 지자체장의 건축협의 거부 – 단순한 내부행위✕ 허가권자인 지방자치단체의 장이 한 건축협의 거부행위는 비록 그 상대방이 국가 등 행정주체라 하더라도, 행정청이 행하는 구체적 사실에 관한 법집행으로서의 공권력 행사의 거부 내지 이에 준하는 행정작용으로서 행정소송법 제2조 제1항 제1호에서 정한 처분에 해당함(2013두15934) ➔ 안양시장이 대한민국과의 건축협의를 거부한 사건
④ 산업재해보상보험법상 장해등급결정 산업재해보상보험법상 장해보상금결정의 기준이 되는 장해등급결정은 처분임(2001두8155) ➔ 장애등급결정에 따라 후에 장해보상금이 기계적으로 결정되기 때문에, 이미 장애등급결정 단계에서 불만이 있다면 굳이 기다리게 할 필요가 없다고 본 것(정책적 결단) |
| 권리의무의 직접적 변동을 일으키는 행위이어야 함 ("법집행행위") | 처분✕ | ① [단순 사실행위] 기존의 권리·의무관계를 단순히 확인·통지하는 단순한 사실행위는 처분에 해당하지 않음 ➔ ∵ 권리·의무의 변동을 일으키는 작용이 아니기 때문
② 직장가입자 자격상실 및 자격변동 안내 통보 국민건강보험공단이 행하는 '직장가입자 자격상실 및 자격변동 안내' 통보 및 '사업장 직권탈퇴에 따른 가입자 자격상실 안내' 통보는 가입자 자격의 변동 여부 및 시기를 확인하는 의미에서 행하는 사실상 통지행위에 불과할 뿐, 처분성이 인정되지 않음(2016두41729) ➔ ∵ 국민건강보험법상 국민건강보험 직장가입자 또는 지역가입자 자격 변동은 법령이 정하는 사유가 생기면 별도 처분등의 개입 없이 사유가 발생한 날부터 변동의 효력이 당연히 발생하는 것으로 규정되어 있었기 때문
③ 국세환급금결정·환급거부결정 국세환급금결정이나 이 결정을 구하는 국세환급금결정 신청에 대한 환급거부결정은 처분에 해당하지 않음(88누6436) ➔ ∵ 국세환급은 부당이득반환의 일종으로서 과오납이 있으면 곧바로 국가는 환급의무를 부담하는 것이지, 국세환급의무가 국가의 환급금결정에 의해 비로소 발생하는 것이 아니기 때문(국세환급금결정은 국세와 관련된 부당이득 반환의무가 국가에 있는지를 확인하여 이를 반환해 주는 절차에 불과)
④ 해양수산부장관의 항만명칭결정 해양수산부장관의 항만명칭결정은 처분에 해당하지 않음(2007두23873) ➔ ∵ 그로 인하여 국민의 권리나 의무가 변동되는 것은 아니기 때문
⑤ 공무원 고충심사의 결정 공무원 고충심사의 결정은 행정상 쟁송의 대상이 되는 행정처분에 해당한다고 볼 수 없음(97누657) ➔ ∵ 고충심사제도는 공무원으로서의 권익을 보장하고 적정한 근무환경을 조성하여 주기 위한 제도이기는 하나, 법적인 강제권한이나 형성권한은 없는 사실상의 구제절차에 불과하기 때문
⑥ 원천징수행위 법령에 의해서 자동적으로 확정되는 소득세에 있어서는 원천징수의무자가 비록 과세관청과 같은 행정청이더라도, 그의 원천징수행위는 법령에서 규정된 징수 및 납부의무를 이행하기 위한 것에 불과한 것이지, 추가로 어떤 권리의무를 변동시키는 것이 아니어서, 공권력의 행사로서의 행정처분을 한 경우에 해당되지 아니함(89누4789) ➔ 이미 변동된 법률관계에 따른 단순한 집행행위에 불과하다고 본 것임
⑦ 훈격재심사계획이 없다는 회신 훈격대상자를 결정할 권한이 없는 국가보훈처장이 기(旣)포상자에게 훈격재심사계획이 없다고 한 회신은 처분성이 없음(88누3116) ➔ 단순 사실행위에 불과하다고 보았음
⑧ 법률상 효과 없는 서면 경고 근무충실에 관한 권고행위 내지 지도행위에 불과할 뿐 공무원의 신분에 불이익을 초래하는 법률상 효과가 없는 서면에 의한 경고는 처분이라 할 수 없음(91누2700)
⑨ 판례 甲이 A시 소재 임야에 4층 이하의 공동주택을 건축하기 위하여 A시 시장 乙에게 「민원사무 처리에 관한 법률」상의 사전심사청구를 하였고, 乙이 이에 대해 사전심사결과(건축허가 내지 개발행위허가 불가) 통지를 한 경우, 이 사전심사결과 통보는 항고소송의 대상이 되는 행정처분에 해당✕(2013두7834) ➔ ∵ 사전심사결과통보는 신청에 대규모의 경제적 비용이 수반되는 민원사항에 대하여 민원인에게 사전에 그 심사결과를 알려주는 단순 편의 제공 절차인데, 사전심사 결과 민원사항의 인용이 가능하다는 통보를 한 때에도 반드시 민원사항을 인용하는 처분을 해야 하는 것은 아니고, 반대로 불가능하다고 통보하였더라도 사전심사결과에 구애되지 않고 민원사항을 처리할 수 있기 때문 |

처분○

① 친일반민족행위자 재산조사위원회의 재산조사개시결정 친일반민족행위자재산조사위원회의 재산조사개시결정이 있는 경우, 조사대상자는 위 위원회의 보전처분 신청을 통하여 재산권행사에 실질적인 제한을 받게 되고, 위 위원회의 자료제출요구나 출석요구 등의 조사행위에 응하여야 하는 법적 의무를 부담하게 되기 때문에, 친일반민족행위자 재산조사위원회의 재산조사개시결정은 처분성이 인정됨(2009두6513)

② 민주화운동관련자 보상금 지급대상자 결정 민주화운동관련자 명예회복 및 보상심의위원회의 보상금 등의 지급대상자에 관한 결정은 국민의 권리·의무에 직접 영향을 미치는 행정처분에 해당함(2005두16185) ➜ ∵ 관련법령에 따르면 당해결정이 있으면 비로소 그 상대방에게 권리가 인정되었기 때문

③ (변) 택지개발예정지구의 지정·고시 택지개발예정지구의 지정·고시는 처분에 해당함(91누11582) ➜ ∵ 관련법령에 따르면, 이것에 의하여 사업시행자에게 택지개발사업을 실시할 수 있는 권한이 설정되고, 나아가 일정한 절차를 거칠 것을 조건으로 하여 일정한 내용의 수용권이 주어졌기 때문

④ 국립대학교의 학칙개정행위 국립공주대학교 학칙의 별표 [2] '모집단위별 입학정원'을 개정한 학칙개정행위는 처분에 해당함(2008두19550) ➜ ∵ 별도의 추가적 조치가 없더라도 이 학칙개정으로 인하여 해당학과(외식품학과) 교수들의 소속이 자연과학대학에서 산업과학대학 소속 교수로 변경되고 근무지도 변경되었기 때문

⑤ 공정거래위원회의 경고의결 「표시·광고의 공정화에 관한 법률」위반을 이유로 한 공정거래위원회의 경고의결은 행정처분에 해당함(2011두4930) ➜ ∵ 공정거래위원회의 이 경고의결을 받은 사업자가 장래에 다시 표시·광고의 공정화에 관한 법률 위반행위를 할 경우, 과징금 부과 여부나 그 정도에 영향을 주는 고려사항이 된다고 규정이 되어 있어 사업자의 자유와 권리에 영향을 주기 때문

⑥ 금융감독원장의 문책경고 금융기관의 임원에 대한 금융감독원장의 문책경고는 항고소송의 대상이 되는 행정처분에 해당함(2003두14765) ➜ ∵ 문책경고를 받은 금융기관의 임원은 3년간 금융업종 임원선임의 자격제한을 받도록 관계법령에 규정되어 있었기 때문

⑦ 항공노선 운수권배분 항공노선에 대한 운수권배분은 항고소송의 대상이 되는 행정처분에 해당함(2003두10251) ➜ 운수권배분을 받으면 후속절차를 밟아 항공노선면허를 받을 수 있는 지정항공사로서의 지위를 취득하기 때문(※ 먼저 대한민국이 다른 나라와 어떤 항공 노선(예 인천 - 오키나와) 개설에 대한 합의를 한 후, 그 노선에 대한 운수권을 항공사에 분배하는 순서로 운수권배분이 이루어짐)

⑧ 소득금액변동통지 법인세법령에 따른 과세관청의 ㉠ 원천징수의무자인 법인에 대한 소득금액변동통지는 처분에 해당하지만, ㉡ 소득의 귀속자에 대한 소득금액변동통지는 항고소송의 대상이 되는 행정처분에 해당하지 않음(2013두9267) ➜ ∵ 원천징수의무자의 의무는 원천징수의무자에 대한 소득금액변동통지로 변동되지만, 소득의 귀속자의 의무는 그에 후속하는 과세처분에 의해 변동되기 때문(※ 원천징수의무자에 대한 소득금액변동통지를 할 때, 이는 소득귀속자와도 관련된 정보이기 때문에 소득귀속자에 대해서도 이 사실을 알려주곤 하는데 이를 '소득의 귀속자에 대한 소득금액변동통지'라 함)

⑨ 개별사업장의 사업종류 변경결정 근로복지공단이 사업주에 대하여 하는 '개별 사업장의 사업종류변경결정'은 사업종류 결정의 주체, 내용과 결정기준을 고려할 때 확인적 행정행위로서 처분에 해당함(2019두61137) ➜ 사업종류가 무엇인지에 따라 사업주가 납부해야 하는 산재보험료의 액수가 달라지기 때문 ➜ 변경신청에 따른 거부결정에도 처분성이 인정됨(2007두10488)

⑩ (변) 입원료가산 및 별도보상적용제외 통보 요양급여의 적정성 평가 결과 전체 하위 20% 이하에 해당하는 요양기관이 건강보험심사평가원으로부터 받은 입원료 가산 및 별도 보상 적용 제외 통보는 해당 요양기관의 권리 또는 법률상 이익에 직접적 영향을 미치는 공권력 행사에 해당하여 항고소송의 대상임(2013두13631) ➜ ∵ 이 통보를 받은 요양기관은 평가결과 발표 직후 2분기 동안 요양급여비용 청구 시 입원료 가산 및 별도 보상 규정을 적용받지 못하게 되기 때문

⑪ 개별공시지가결정 개별공시지가결정은 처분에 해당함(93누111, 92누12407, 92누16706) ➜ 토지초과이득세나 택지초과소유부담금 또는 개발부담금 산정의 기준이 되어 후에 국민의 권리나 의무 또는 법률상 이익에 직접적으로 관계되는 것이라는 이유로 처분성을 인정하였음

⑫ 표준지공시지가결정 표준지공시지가결정은 처분성을 가짐(93누10828, 2007두13845) ➜ 직접 국민의 권리·의무를 변동시키는 것은 아니지만, 권리·의무에 직접 영향을 준다는 이유로 처분성을 인정하였음

⑬ 주권상장법인에 한 단기매매차익 발생사실 통보 「자본시장과 금융투자업에 관한 법률」제172조제3항에 따라 관할 관청이 주권상장법인에 대하여 한 단기매매차익 발생사실 통보는 처분에 해당함 ➜ 단기매매차익 발생사실 통보를 받은 주권상장법인은 통보받은 내용을 일정한 방법에 따라 공시해야 하는 의무를 부담하기 때문(2020두44930)

법령에 근거한 행위이어야 함 ("법집행행위") (오늘날 다소 퇴색)	처분×	① 한국철도시설공단의 낙찰적격 심사기준점수 감점통보 한국철도시설공단(현 국가철도공단)이 甲주식회사에 대하여 시설공사 입찰참가 당시 허위 실적증명서를 제출하였다는 이유로, 행정규칙에 불과한 한국철도시설공단 「공사낙찰적격심사세부기준」에 따라 행한, 향후 2년간 공사낙찰적격심사시 종합취득점수의 10/100을 감점한다는 내용의 통보 ➔ 처분×, 사법상의 효력을 가지는 통지행위○(2010두6700)
		② **(변)** 「정부투자기관회계규정」에 근거한 입찰참가제한조치 한국전력공사가 「정부투자기관회계규정」에 근거하여 한 입찰참가제한조치는 행정처분×, 단지 상대방을 한국전력공사가 시행하는 입찰에 참가시키지 않겠다는 뜻의 사법상의 효력을 가지는 통지행위에 불과○(99부3) ➔ 한국전력공사의 입찰참가제한조치에 대해 법령상의 근거가 없던 시절의 판례
	처분○	① [상대방의 권리 의무에 직접 영향을 미치는 행위] 어떠한 처분의 근거나 법적인 효과가 행정규칙에 규정되어 있다고 하더라도, 그 처분이 행정규칙의 내부적 구속력에 의하여 상대방에게 권리의 설정 또는 의무의 부담을 명하거나 기타 법적인 효과를 발생하게 하는 등으로 그 상대방의 권리 의무에 직접 영향을 미치는 행위라면, 이 경우에도 항고소송의 대상이 되는 행정처분에 해당○(2020두47564)
		② [법적 효과에 직접적 영향을 미치는 행위] 행정청의 지침에 의해 내린 행위가 상대방에게 권리의 설정이나 의무의 부담을 명하거나 기타 법적 효과에 직접적 영향을 미치는 경우에는 처분성이 인정됨(2003두10251)
		③ 행정규칙에 근거한 불문경고 행정규칙인 공무원징계양정규칙 의한 '불문경고조치'라 하더라도, 그것이 차후 징계감경사유로 사용될 수 있는 표창공적의 사용가능성을 소멸시키는 법적 효과를 가진다면, 항고소송의 대상이 되는 행정처분에 해당함(2001두3532)
공권력의 행사이어야 함	처분×	① 사업시행자와 토지소유자 간 토지보상합의 사업시행자로서의 사인과 토지소유자 간의 토지에 관한 보상합의에 대해서는 항고소송으로 다툴 수 없음(2002다68713) ➔ ∵ 사법상 계약이기 때문
		② 한국마사회의 기수면허부여·취소 한국마사회가 징계처분으로서 조교사 또는 기수의 면허를 부여하거나 취소하는 행위는, 국가 기타 행정기관으로부터 위탁받은 행정권한의 행사가 아니라, 사법상 법률관계에서 이루어지는 단체 내부에서의 징계 내지 제재처분으로서 처분성이 인정되지 않음(2005두8269) ➔ 한국마사회가 조교사 또는 기수의 면허를 취소하는 것은 사적 단체 내부에서의 행위에 불과하다고 본 것
		③ 학교법인의 사립학교 교원 해임처분 사립학교 교원에 대한 학교법인의 해임처분은 행정소송의 대상이 되는 행정처분에 해당한다고 볼 수 없음(92누13707) ➔ ∵ 사법상의 행위이기 때문
		④ **(변)** 국세환급금 충당 국세환급금의 충당은 국가의 납세자에 대한 환급금 채무와 조세채권이 대등액에서 소멸되게 한다는 점에서 민법상의 상계와 비슷하므로, 납세의무자가 갖는 환급청구권의 존부나 범위 또는 소멸에 구체적이고 직접적인 영향을 미치는 처분으로 볼 수 없음(2016다239888) ➔ ※ 납세자에게 국세환급금을 환급하기 전에 다른 체납 국세가 있는지 조사해서, 체납 국세가 있으면 먼저 체납 국세에 충당한 다음 남은 것만을 환급해주는데, 이를 국세환급금충당이라 함
		⑤ 일반재산 사용허용 및 사용허가기간 연장신청거부 구 「지방재정법 시행령」 제71조의 규정에 따라 ㉠ 기부채납 받은 공유재산(일반재산)을, 무상으로 기부한 자에게 사용을 허용하는 행위는 사경제 주체로서 상대방과 대등한 입장에서 하는 사법상 행위이고, ㉡ 기부자가 기부채납한 부동산을 일정기간 무상사용한 후에 한 사용허가기간 연장신청을 거부한 행정청의 행위도 단순한 사법상의 행위일 뿐 행정처분 기타 공법상 법률관계에 있어서의 행위는 아님(93누7365)
	처분○	① 기부채납 받은 행정재산에 대한 사용·수익허가 기부채납 받은 행정재산에 대한 사용·수익허가는 사법상의 행위가 아니라, 관리청이 공권력을 가진 우월적 지위에서 행하는 행정처분○(99두509) ➔ 강학상 특허에 해당함
		② 사용·수익허가에 따른 사용료 부과 국유재산의 관리청이 행정재산의 목적 외 사용·수익을 허가한 다음 그 사용·수익하는 자에 대하여 하는 사용료 부과는 순전히 사경제주체로서 행하는 사법상의 이행청구라 할 수 없고, 이는 관리청이 공권력을 가진 우월적 지위에서 행한 것으로서 항고소송의 대상이 되는 행정처분에 해당함(95누11023)
		③ 국유재산의 무단점유자에 대한 변상금부과처분 국유재산의 관리청이 무단 점유자에 대하여 하는 변상금부과처분은 관리청이 공권력을 가진 우월적 지위에서 행한 것으로서 행정소송의 대상이 되는 행정처분(사경제주체로서 행하는 사법상의 행위×)이라고 보아야 함(87누1046) ➔ 변상금부과처분은 행정재산뿐만 아니라 일반재산을 무단점유한 경우에 대해 부과되는 경우에도 처분성이 인정됨 ➔ 변상금은 징벌적 의미에서 국가 측이 일방적으로 2할 상당액을 추가하여 징수하는 것일 뿐더러, 변상금 체납시 국세징수법에 의하여 강제징수토록 하고 있어 권력적이라는 것을 논거로 들었음

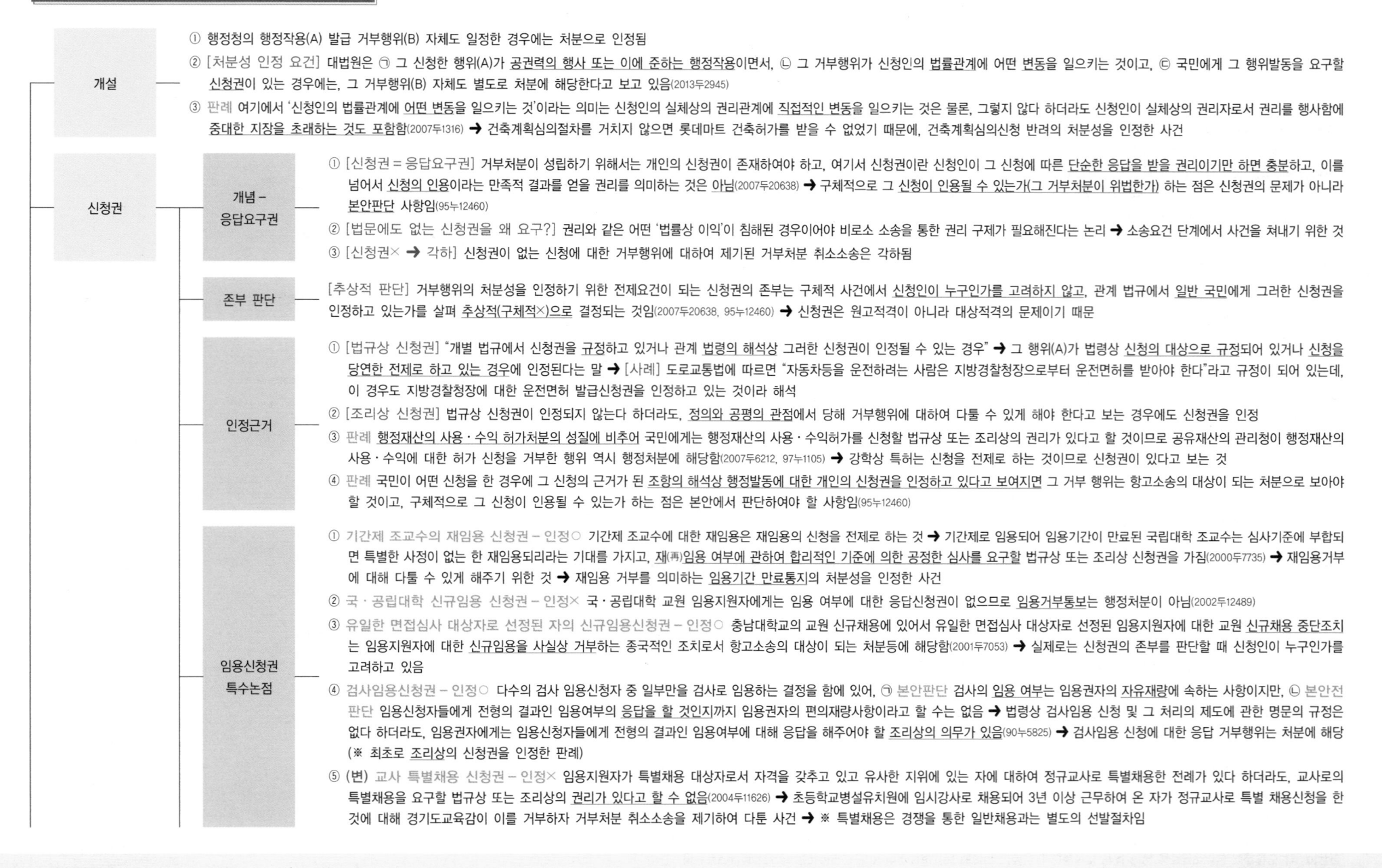

개설

① 행정청의 행정작용(A) 발급 거부행위(B) 자체도 일정한 경우에는 처분으로 인정됨

② [처분성 인정 요건] 대법원은 ⊙ 그 신청한 행위(A)가 공권력의 행사 또는 이에 준하는 행정작용이면서, ⓒ 그 거부행위가 신청인의 법률관계에 어떤 변동을 일으키는 것이고, ⓒ 국민에게 그 행위발동을 요구할 신청권이 있는 경우에는, 그 거부행위(B) 자체도 별도로 처분에 해당한다고 보고 있음(2013두2945)

③ 판례 여기에서 '신청인의 법률관계에 어떤 변동을 일으키는 것'이라는 의미는 신청인의 실체상의 권리관계에 직접적인 변동을 일으키는 것은 물론, 그렇지 않다 하더라도 신청인이 실체상의 권리자로서 권리를 행사함에 중대한 지장을 초래하는 것도 포함함(2007두1316) ➡ 건축계획심의절차를 거치지 않으면 롯데마트 건축허가를 받을 수 없었기 때문에, 건축계획심의신청 반려의 처분성을 인정한 사건

신청권

개념 – 응답요구권

① [신청권 = 응답요구권] 거부처분이 성립하기 위해서는 개인의 신청권이 존재하여야 하고, 여기서 신청권이란 신청인이 그 신청에 따른 단순한 응답을 받을 권리이기만 하면 충분하고, 이를 넘어서 신청의 인용이라는 만족적 결과를 얻을 권리를 의미하는 것은 아님(2007두20638) ➡ 구체적으로 그 신청이 인용될 수 있는가(그 거부처분이 위법한가) 하는 점은 신청권의 문제가 아니라 본안판단 사항임(95누12460)

② [법문에도 없는 신청권을 왜 요구?] 권리와 같은 어떤 '법률상 이익'이 침해된 경우이어야 비로소 소송을 통한 권리 구제가 필요해진다는 논리 ➡ 소송요건 단계에서 사건을 쳐내기 위한 것

③ [신청권× ➡ 각하] 신청권이 없는 신청에 대한 거부행위에 대하여 제기된 거부처분 취소소송은 각하됨

존부 판단

[추상적 판단] 거부행위의 처분성을 인정하기 위한 전제요건이 되는 신청권의 존부는 구체적 사건에서 신청인이 누구인가를 고려하지 않고, 관계 법규에서 일반 국민에게 그러한 신청권을 인정하고 있는가를 살펴 추상적(구체적×)으로 결정되는 것임(2007두20638, 95누12460) ➡ 신청권은 원고적격이 아니라 대상적격의 문제이기 때문

인정근거

① [법규상 신청권] "개별 법규에서 신청권을 규정하고 있거나 관계 법령의 해석상 그러한 신청권이 인정될 수 있는 경우" ➡ 그 행위(A)가 법령상 신청의 대상으로 규정되어 있거나 신청을 당연한 전제로 하고 있는 경우에 인정된다는 말 ➡ [사례] 도로교통법에 따르면 "자동차등을 운전하려는 사람은 지방경찰청장으로부터 운전면허를 받아야 한다"라고 규정이 되어 있는데, 이 경우도 지방경찰청장에 대한 운전면허 발급신청권을 인정하고 있는 것이라 해석

② [조리상 신청권] 법규상 신청권이 인정되지 않는다 하더라도, 정의와 공평의 관점에서 당해 거부행위에 대하여 다툴 수 있게 해야 한다고 보는 경우에도 신청권을 인정

③ 판례 행정재산의 사용·수익 허가처분의 성질에 비추어 국민에게는 행정재산의 사용·수익허가를 신청할 법규상 또는 조리상의 권리가 있다 할 것이므로 공유재산의 관리청이 행정재산의 사용·수익에 대한 허가 신청을 거부한 행위 역시 행정처분에 해당함(2007두6212, 97누1105) ➡ 강학상 특허는 신청을 전제로 하는 것이므로 신청권이 있다고 보는 것

④ 판례 국민이 어떤 신청을 한 경우에 그 신청의 근거가 된 조항의 해석상 행정발동에 대한 개인의 신청권을 인정하고 있다고 보여지면 그 거부 행위는 항고소송의 대상이 되는 처분으로 보아야 할 것이고, 구체적으로 그 신청이 인용될 수 있는가 하는 점은 본안에서 판단하여야 할 사항임(95누12460)

임용신청권 특수논점

① 기간제 조교수의 재임용 신청권 – 인정○ 기간제 조교수에 대한 재임용은 재임용의 신청을 전제로 하는 것 ➡ 기간제로 임용되어 임용기간이 만료된 국립대학 조교수는 심사기준에 부합되면 특별한 사정이 없는 한 재임용되리라는 기대를 가지고, 재(再)임용 여부에 관하여 합리적인 기준에 의한 공정한 심사를 요구할 법규상 또는 조리상 신청권을 가짐(2000두7735) ➡ 재임용거부에 대해 다툴 수 있게 해주기 위한 것 ➡ 재임용 거부를 의미하는 임용기간 만료통지의 처분성을 인정한 사건

② 국·공립대학 신규임용 신청권 – 인정× 국·공립대학 교원 임용지원자에게는 임용 여부에 대한 응답신청권이 없으므로 임용거부통보는 행정처분이 아님(2002두12489)

③ 유일한 면접심사 대상자로 선정된 자의 신규임용신청권 – 인정○ 충남대학교의 교원 신규채용에 있어서 유일한 면접심사 대상자로 선정된 임용지원자에 대한 교원 신규채용 중단조치는 임용지원자에 대한 신규임용을 사실상 거부하는 종국적인 조치로서 항고소송의 대상이 되는 처분등에 해당함(2001두7053) ➡ 실제로는 신청권의 존부를 판단할 때 신청인이 누구인가를 고려하고 있음

④ 검사임용신청권 – 인정○ 다수의 검사 임용신청자 중 일부만을 검사로 임용하는 결정을 함에 있어, ⊙ 본안판단 검사의 임용 여부는 임용권자의 자유재량에 속하는 사항이지만, ⓒ 본안전판단 임용신청자들에게 전형의 결과인 임용여부의 응답을 할 것인지까지 임용권자의 편의재량사항이라고 할 수는 없음 ➡ 법령상 검사임용 신청 및 그 처리의 제도에 관한 명문의 규정은 없다 하더라도, 임용권자에게는 임용신청자들에게 전형의 결과인 임용여부에 대해 응답을 해주어야 할 조리상의 의무가 있음(90누5825) ➡ 검사임용 신청에 대한 응답 거부행위는 처분에 해당 (※ 최초로 조리상의 신청권을 인정한 판례)

⑤ (변) 교사 특별채용 신청권 – 인정× 임용지원자가 특별채용 대상자로서 자격을 갖추고 있고 유사한 지위에 있는 자에 대하여 정규교사로 특별채용한 전례가 있다 하더라도, 교사로의 특별채용을 요구할 법규상 또는 조리상의 권리가 있다고 할 수 없음(2004두11626) ➡ 초등학교병설유치원에 임시강사로 채용되어 3년 이상 근무하여 온 자가 정규교사로 특별 채용신청을 한 것에 대해 경기도교육감이 이를 거부하자 거부처분 취소소송을 제기하여 다툰 사건 ➡ ※ 특별채용은 경쟁을 통한 일반채용과는 별도의 선발절차임

행정계획변경신청권 – 특수논점 (앞에서 다룸)	[법리] 행정계획 변경신청권은 원칙적으로 인정되지 않지만, 그 거부가 특별히 보호해야 할 법률상 이익의 침해를 가져오는 경우에는 예외적으로 인정됨
처분철회·변경신청권 특수논점 (앞에서 다룸)	[법리] 대법원은 원칙적으로 발급된 처분에 대하여 상대방에게 직권취소나 철회를 신청할 수 있는 권리를 인정하지 않음
승진임용 신청권의 우회 – 특수논점	① [법리] 대법원은 공무원의 승진임용신청권을 인정하지 않아 왔음 ➡ 대신 최근에는 거부행위로 볼 수 있는 행위들을 적극적인 행위로 해석함으로써 신청권의 문제를 회피 ② 승진임용인사발령에서 제외하는 행위 「교육공무원법」상 승진후보자 명부에 의한 승진심사 방식으로 행해지는 승진임용에서, 승진후보자 명부에 포함되어 있던 후보자를 승진임용인사발령에서 제외하는 행위는 불이익처분으로서 항고소송의 대상인 처분에 해당함(2015두47492) ➡ 하급심에서는 승진임용신청권이 없다는 이유로 각하하였는데, 대법원은 이 사건에서 임용제외는 거부처분이 아니라 적극적 처분인 불이익처분의 일종에 해당한다는 논리를 전개하여 처분성을 인정하였음(비판 有)(※ 교감에서 교장으로의 승진이 문제되었던 사안인데, 임용권자는 3배수의 범위 내에서 승진후보자 명부를 작성하고 이 후보자들에 대해 승진임용 심사를 하여 승진임용처분을 함) ③ 교육부장관의 국립대 총장 후보자를 임용제청에서 제외한 행위 교육부장관이 대통령에게 임용제청을 하면서 대학에서 추천한 복수의 국립대학교 총장 후보자들 전부 또는 일부를 임용제청에서 제외한 행위는 처분에 해당함(2016두57564) ➡ 승진임용에 대한 판례는 아니지만, 이 사건에서도 마찬가지로 제외행위를 적극적인 불이익처분이라는 관점에서 접근하여 처분성을 인정하였음
기타 거부행위 처분성 인정 사례	① 자진신고자 감면불인정 통지 부당한 공동행위의 자진신고자가 한 감면신청에 대해 공정거래위원회가 감면불인정 통지를 한 것은 처분에 해당함(2010두3541) ➡ 관련 법령에 따르면, 부당한 공동행위 자진신고자 등에 대한 시정조치 또는 과징금 감면 신청인이 자진신고자 등 지위확인을 받는 경우에는 시정조치 및 과징금 감경 또는 면제, 형사고발 면제 등의 법률상 이익을 누리게 되지만, 그 지위확인을 받지 못하고 감면불인정 통지를 받는 경우에는 위와 같은 법률상 이익을 누릴 수 없게 된다는 점을 논거로 들음 ② 건축계획심의 신청거부 건축계획심의신청에 대한 반려처분은 항고소송의 대상이 되는 행정처분임(2007두1316) ➡ 「건축법」에 따르면, 대형마트 건축허가를 받기 위해서는 사전에 건축위원회에 건축계획심의신청을 하여 건축계획심의를 받아야 하는데, 이를 반려하면 대형마트 건축허가를 받을 수 있는 기회가 사전에 차단된다는 점(조리상 이유)과 「건축법」 부칙이 건축허가를 신청하려는 사람이 직접 건축위원회에 심의를 신청할 수 있음을 전제로 규정이 되어 있다는 점(법규상 이유)을 이유로 신청권을 인정하였음 ③ 국가인권위원회법이 정하고 있는 구제조치 거부 국가인권위원회가 진정에 대하여 각하 및 기각결정을 할 경우 피해자인 진정인은 국가인권위원회법이 정하고 있는 구제조치를 신청할 법률상 신청권이 있는데, 인권침해 등에 대한 구제조치를 받을 권리를 박탈당하게 되므로 국가인권위원회의 진정에 대한 각하 및 기각결정은 처분에 해당함(2013헌마214) ④ 주민등록번호 변경요구 거부 인터넷 포털사이트의 개인정보 유출사고처럼 피해자의 의사와 무관하게 주민등록번호가 유출된 경우에는 조리상 주민등록번호의 변경을 요구할 신청권이 인정되므로, 구청장의 주민등록번호 변경신청 거부행위는 항고소송의 대상이 되는 행정처분에 해당함(2013두2945) ⑤ 토지소유자의 문화재보호구역 지정해제 거부 문화재보호구역 내에 토지를 소유하고 있는 자가 문화재보호 구역의 지정해제를 요구하였으나 거부된 경우, 그 거부행위는 행정처분에 해당함(2003두8821) ➡ 문화재보호구역 내에 있는 토지소유자 등에게는 위 보호구역의 지정해제를 요구할 수 있는 법규상 또는 조리상의 신청권이 있다고 보았음 ⑥ (변) 기반시설부담금 환급거부 기반시설부담금의 납부를 지체하여 발생한 지체가산금이 환급대상에서 제외된다는 취지의 환급거부결정은 원고의 환급신청 중 일부를 거부하는 처분으로서 항고소송의 대상이 됨(2016두50990) ➡ 기반시설부담금에 대해서는 「기반시설부담금에 관한 법률 시행령」에 환급신청권이 규정되어 있었기 때문(※ 기반시설부담금 제도는 건축물의 건축행위로 유발되는 도로, 공원, 녹지, 수도, 하수도, 학교, 폐기물처리시설 등 기반시설의 설치·정비 또는 개량을 위한 비용을 원인행위자로 하여금 부담하게 하는 제도)

기타 거부행위 처분성 부정 사례		① 당연퇴직된 공무원의 복직 또는 재임용 신청거부 법률에 의하여 당연퇴직된 공무원이, 자신의 임용결격사유가 해소되었음을 이유로 복직 또는 재임용신청을 한 것에 대해, 행정청이 행한 거부행위는 항고소송의 대상이 되는 행정처분에 해당X(2004두12421) ➜ 공무원에게 임용결격사유가 있어 일단 당연퇴직되었다면, 후에 그 임용결격사유가 해소되었다고 해서 복직 또는 재임용을 신청할 수 있는 권리가 생기는 것은 아니라고 보았음

② 중요무형문화재 보유자의 추가인정 신청거부 중요무형문화재 보유자의 추가인정에 관한 「문화재보호법」 및 「문화재보호법 시행령」의 규정 내용에 의하면, 중요무형문화재 보유자의 추가인정 여부는 문화재청장의 재량에 속하고, 특정 개인이 자신을 보유자로 인정해 달라고 신청할 수 있다는 근거 규정을 별도로 두고 있지 아니하므로, 법규상으로 개인에게 신청권이 있다고 할 수 없음(2013두20585) ➜ 이미 2명의 경기민요 보유자가 있어, 경기민요 보유자 추가지정이 필요하지 않다고 본 사건

③ (변) 개별공시지가 경정 신청거부 개별토지가격합동조사지침에 따른 개별공시지가 경정결정신청에 대한 행정청의 정정불가결정 통지는 처분에 해당하지 않음(2000두5043) ➜ ∵ 법령의 해석상 신청권을 인정하고 있지 않았기 때문

④ 국세환급거부결정 국세환급금결정 신청에 대한 국세청장의 환급거부결정은 처분이 아님(88누6436) ➜ 국세환급결정이 처분이 아니기 때문

⑤ 경정청구기간이 도과한 후의 경정청구거부 「국세기본법」에 정한 경정청구기간이 도과한 후 제기된 경정청구에 대하여는 과세관청이 과세표준 및 세액을 결정 또는 경정하거나 거부처분을 할 의무가 없으므로, 과세관청의 경정 거절에 대하여 항고소송을 제기할 수 없음(2017두38812)

반복된 거부처분	① 신청이 반복됨에 따라 거부처분이 반복된 경우, 각 거부처분 모두에 처분성이 인정됨

② [비교] 반복된 계고나 반복된 독촉의 경우, 최초의 계고나 최초의 독촉에만 처분성이 인정됨(94누5144, 97누119)

③ 판례 수익적 행정행위 신청에 대한 거부처분은 당사자의 신청에 대하여 관할 행정청이 거절하는 의사를 대외적으로 명백히 표시함으로써 성립되고, 거부처분이 있은 후, 당사자가 다시 신청을 한 경우에는 신청의 제목 여하에 불구하고 그 내용이 새로운 신청을 하는 취지라면 관할 행정청이 이를 다시 거절하는 것은 새로운 거부처분으로 봄이 원칙임(2017두52764) ➜ ※ 여기서 '새로운 거부처분'이란 단순한 종전 결정 유지행위가 아니라, 별도로 처분성이 인정되는 별도의 행위라는 의미임

④ 판례 거부처분은 관할 행정청이 국민의 처분신청에 대하여 거절의 의사표시를 함으로써 성립되고, 그 이후 동일한 내용의 새로운 신청에 대하여 다시 거절의 의사표시를 한 경우에는 새로운 거부처분이 있는 것으로 보아야 함(2000두6084)

제도설정방식

① 처분에 대하여 행정심판으로 다투어 본 후에 취소소송을 제기하려는 경우에 발생하는 문제 ➜ 재결도 행정행위 중 확인에 해당하기 때문에 특별한 제한이 없다면 본래 취소소송의 대상이 될 수 있음

제도설정방식	취소소송의 대상	요건	주장가능 위법사유	피고적격
원처분주의	원처분	없음	원처분의 위법사유만	원처분의 처분청
	재결	재결에 고유한 위법이 있을 것	재결의 위법사유만	행정심판위원회
재결주의	재결	없음	원처분의 위법사유 or 재결의 위법사유	행정심판위원회

② [우리나라] 원칙적으로 원처분주의를 따르고, 별도로 규정을 둔 경우에만 재결주의에 따르도록 하고 있음

> 행정소송법 제19조(취소소송의 대상) 취소소송은 처분등을 대상으로 한다. 다만, 재결취소소송의 경우에는 재결 자체에 고유한 위법이 있음을 이유로 하는 경우에 한한다.

원칙적 원처분주의

내용

행정심판을 거쳤다 하더라도 ㉠ 원칙적으로 다시 본래의 처분('원처분')을 대상으로 하여 취소소송을 제기하여야 하고, ㉡ 재결을 취소소송의 대상으로 삼는 것은 재결에 고유한 위법이 있는 경우에만 허용됨

"재결 자체에 고유한 위법"

의미

① 원처분의 위법 여부와 별개로 재결을 위법하게 만드는 사유 ➜ 재결에 대하여 취소소송을 제기하는 이유가 결국 원처분의 위법을 문제삼고 있는 것인 경우를 걸러내기 위한 장치(원처분주의 몰각방지)

② 판례 행정소송법 제19조에서 말하는 '재결 자체에 고유한 위법'이란 원처분에는 없고 재결에만 있는 행정심판위원회(재결청)의 권한 또는 구성의 위법, 재결의 절차나 형식의 위법, 내용의 위법 등을 뜻하고, 그 중 내용의 위법에는 위법·부당하게 인용재결을 한 경우가 해당함(96누14661) ➜ 학설 중에는 '내용의 위법'은 포함되지 않는다는 견해도 있기 때문에 중요

고유한 위법으로 인정되는 경우들

① 행정심판의 청구요건❶을 갖추지 못하여 각하재결을 하였어야 하는데도 본안재결을 한 경우 ➜ 내용상 위법의 일종

② 행정심판 청구요건을 갖추었음에도 불구하고 청구요건을 갖추지 못했다며 각하재결을 한 경우(99두2970) ➜ ∵ 각하재결로 인하여 비로소 심판청구인의 본안심리를 받을 권리가 박탈되기 때문

③ 인용재결을 하더라도 공공복리에 크게 위배되지 않는데도 사정재결을 한 경우(행정심판법 제44조 위반)

④ 심판청구의 대상이 되지도 않은 처분에 대하여 기각재결을 한 경우(불고불리원칙 위반)(행정심판법 제47조 제1항 위반)

⑤ 행정청이 행한 원처분보다 불리한 재결을 내린 경우(불이익변경금지원칙 위반)(행정심판법 제47조 제2항 위반)

⑥ 재결을 서면으로 하지 아니한 경우(행정심판법 제46조 제1항 위반) ➜ 형식상 위법

⑦ 결격사유가 있는 자가 행정심판위원이 되어 재결을 한 경우

⑧ 권한 없는 행정심판위원회에 의해 재결이 내려진 경우

⑨ 제3자에 대하여 침익적인 복효적 행정행위로 인하여 손해를 보던 제3자(A)가 청구한 취소심판에서 그 복효적 행정행위에 대하여 취소재결이 내려지자, 그 복효적 행정행위로 인하여 이익을 보던 직접상대방(B)이 취소재결에 대해 다투는 경우(99두10292) ➜ 재결로 인하여 비로소 침해되는 B의 이익을 구제받기 위한 것이므로, 원처분에는 없는 재결에 고유한 하자를 주장하는 것이 되어 허용○ ➜ 제3자(B)의 원고적격을 인정하는 것이기도 함

⑩ 행정심판 재결에 이유모순의 위법이 있는 경우(95누8027)

⑪ 판례 자기완결적 신고의 수리(골프장 사업시설 착공계획서 수리)에 대한 심판청구는, 행정심판의 대상이 되지 아니하므로 부적법 각하하여야 함에도 불구하고 이를 인용재결한 경우, 이는 재결 자체에 고유한 위법이 있는 경우에 해당함(99두10292)

⑫ 판례 제3자효를 수반하는 행정행위에 대한 행정심판청구에 있어서, 그 청구를 인용하는 내용의 재결로 인하여 비로소 권리이익을 침해받게 되는 자는 그 인용재결에 대하여 다툴 필요가 있고, 그 인용재결은 원처분과 내용을 달리하는 것이므로 그 인용재결의 취소를 구하는 것은 원처분에는 없는 재결에 고유한 하자를 주장하는 셈이어서 당연히 항고소송의 대상이 됨(99두10292)

⑬ 판례 제3자효 행정행위로 인하여 이익을 침해 받은 제3자가 제기한 행정심판에 대하여 재결청이 직접 당해 사업계획승인처분을 취소하는 형성적 재결을 한 경우에 그 원처분의 직접상대방이던 자가 다투려는 경우, 그 재결 외에 그에 따른 행정청의 별도의 처분이 있지 않기 때문에 재결 자체를 쟁송의 대상으로 할 수 밖에 없음(96누10911)

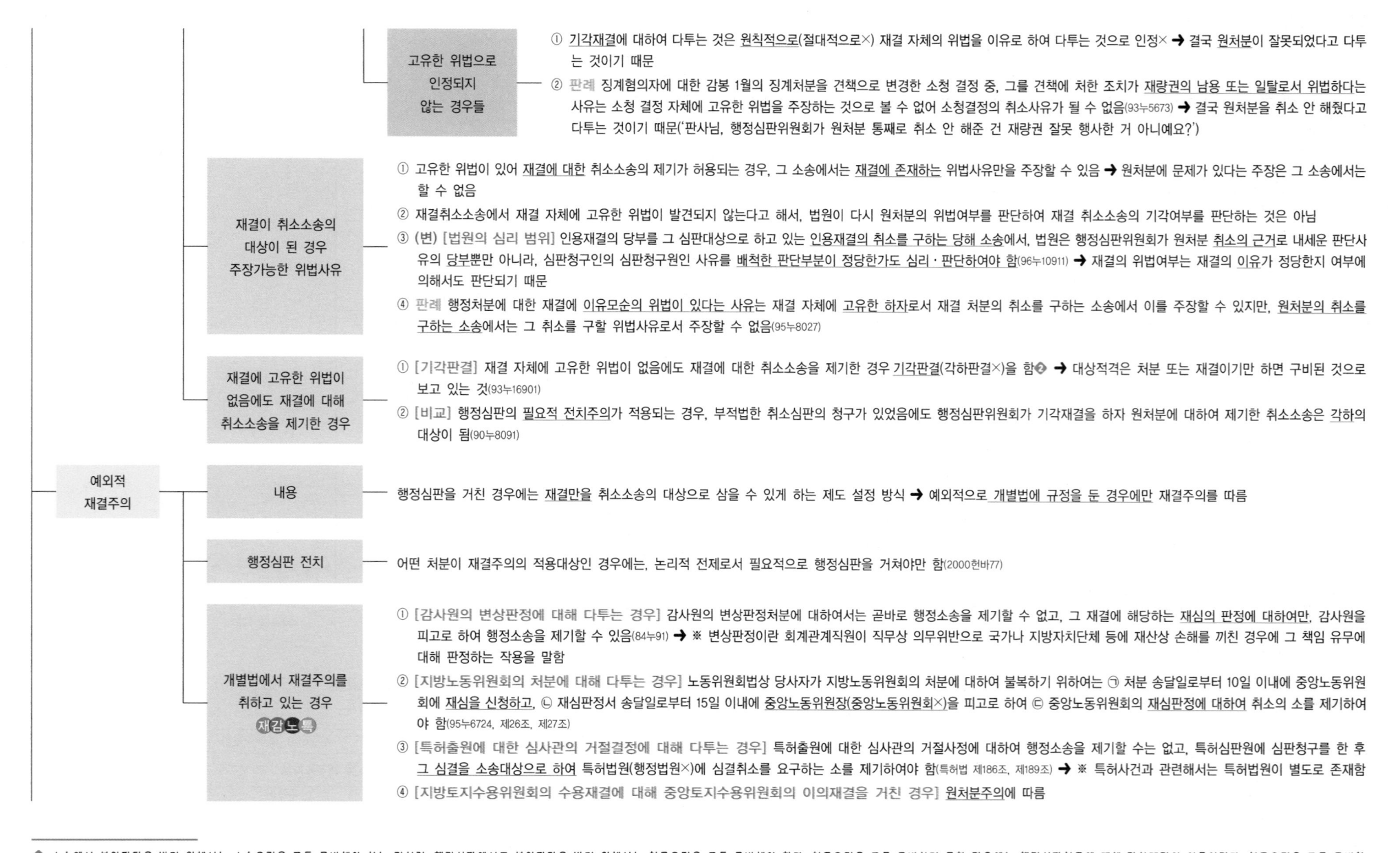

고유한 위법으로 인정되지 않는 경우들

① <u>기각재결에 대하여 다투는 것</u>은 원칙적으로(절대적으로×) 재결 자체의 위법을 이유로 하여 다투는 것으로 인정× ➡ 결국 <u>원처분이 잘못되었다고 다투</u>는 것이기 때문

② (판례) 징계혐의자에 대한 감봉 1월의 징계처분을 견책으로 변경한 소청 결정 중, 그를 견책에 처한 조치가 재량권의 남용 또는 일탈로서 위법하다는 사유는 소청 결정 자체에 고유한 위법을 주장하는 것으로 볼 수 없어 소청결정의 취소사유가 될 수 없음(93누5673) ➡ 결국 원처분을 취소 안 해줬다고 다투는 것이기 때문('판사님, 행정심판위원회가 원처분 통째로 취소 안 해준 건 재량권 잘못 행사한 거 아니예요?')

재결이 취소소송의 대상이 된 경우 주장가능한 위법사유

① 고유한 위법이 있어 <u>재결에 대한 취소소송의 제기가 허용</u>되는 경우, 그 소송에서는 재결에 존재하는 위법사유만을 주장할 수 있음 ➡ 원처분에 문제가 있다는 주장은 그 소송에서는 할 수 없음

② 재결취소소송에서 재결 자체에 고유한 위법이 발견되지 않는다고 해서, 법원이 다시 원처분의 위법여부를 판단하여 재결 취소소송의 기각여부를 판단하는 것은 아님

③ (변) [법원의 심리 범위] 인용재결의 당부를 그 심판대상으로 하고 있는 <u>인용재결의 취소를 구하는 당해 소송</u>에서, 법원은 행정심판위원회가 원처분 취소의 근거로 내세운 판단사유의 당부뿐만 아니라, 심판청구인의 심판청구원인 사유를 배척한 판단부분이 정당한가도 심리·판단하여야 함(96누10911) ➡ 재결의 위법여부는 재결의 이유가 정당한지 여부에 의해서도 판단되기 때문

④ (판례) 행정처분에 대한 재결에 <u>이유모순의 위법</u>이 있다는 사유는 재결 자체에 고유한 하자로서 재결 처분의 취소를 구하는 소송에서 이를 주장할 수 있지만, 원처분의 취소를 구하는 소송에서는 그 취소를 구할 위법사유로서 주장할 수 없음(95누8027)

재결에 고유한 위법이 없음에도 재결에 대해 취소소송을 제기한 경우

① [기각판결] 재결 자체에 고유한 위법이 없음에도 재결에 대한 취소소송을 제기한 경우 <u>기각판결</u>(각하판결×)을 함❷ ➡ 대상적격은 처분 또는 재결이기만 하면 구비된 것으로 보고 있는 것(93누16901)

② [비교] 행정심판의 필요적 전치주의가 적용되는 경우, 부적법한 취소심판의 청구가 있었음에도 행정심판위원회가 기각재결을 하자 원처분에 대하여 제기한 취소소송은 각하의 대상이 됨(90누8091)

예외적 재결주의

내용

행정심판을 거친 경우에는 <u>재결만</u>을 취소소송의 대상으로 삼을 수 있게 하는 제도 설정 방식 ➡ 예외적으로 개별법에 규정을 둔 경우에만 재결주의를 따름

행정심판 전치

어떤 처분이 재결주의의 적용대상인 경우에는, 논리적 전제로서 필요적으로 행정심판을 거쳐야만 함(2000헌바77)

개별법에서 재결주의를 취하고 있는 경우 (재감노특)

① [감사원의 변상판정에 대해 다투는 경우] 감사원의 변상판정처분에 대하여서는 곧바로 행정소송을 제기할 수 없고, 그 재결에 해당하는 재심의 판정에 대하여만, 감사원을 피고로 하여 행정소송을 제기할 수 있음(84누91) ➡ ※ 변상판정이란 회계관계직원이 직무상 의무위반으로 국가나 지방자치단체 등에 재산상 손해를 끼친 경우에 그 책임 유무에 대해 판정하는 작용을 말함

② [지방노동위원회의 처분에 대해 다투는 경우] 노동위원회법상 당사자가 지방노동위원회의 처분에 대하여 불복하기 위하여는 ㉠ 처분 송달일로부터 10일 이내에 중앙노동위원회에 재심을 신청하고, ㉡ 재심판정서 송달일로부터 15일 이내에 중앙노동위원장(중앙노동위원회×)을 피고로 하여 ㉢ 중앙노동위원회의 재심판정에 대하여 취소의 소를 제기하여야 함(95누6724, 제26조, 제27조)

③ [특허출원에 대한 심사관의 거절결정에 대해 다투는 경우] 특허출원에 대한 심사관의 거절사정에 대하여 행정소송을 제기할 수는 없고, 특허심판원에 심판청구를 한 후 그 심결을 소송대상으로 하여 특허법원(행정법원×)에 심결취소를 요구하는 소를 제기하여야 함(특허법 제186조, 제189조) ➡ ※ 특허사건과 관련해서는 특허법원이 별도로 존재함

④ [지방토지수용위원회의 수용재결에 대해 중앙토지수용위원회의 이의재결을 거친 경우] <u>원처분주의</u>에 따름

---

❶ 소송에서 본안판단을 받기 위해서는 <u>소송요건</u>을 모두 구비해야 하는 것처럼, 행정심판에서도 본안판단을 받기 위해서는 <u>청구요건</u>을 모두 구비해야 한다. 청구요건을 모두 구비하지 못한 경우에는 행정심판청구에 대해 <u>각하재결</u>이 이루어진다. 청구요건을 모두 구비한 것을 두고 '행정심판의 청구가 적법하다.'라고 표현한다.

❷ 대상적격의 문제로 보아 각하판결을 할 수 있음에도 불구하고, 대법원은 위법이 있는지 여부에 대한 판단이라는 이유로 이를 본안판단의 문제로 보아 기각판결을 하고 있다.

| | 불이익처분에 대한 교원의 불복절차 – 원처분주의 관련 논점 | 개설 | ① 교원의 지위를 보호하기 위한 목적으로, 「교원의 지위 향상 및 교육활동 보호를 위한 특별법」에 특별 행정심판절차인 '교원소청심사제도'를 두고 있음 ➜ ③ '교원소청심사위원회'가 심판을 하고, ⓒ 여기서의 재결은 '결정'이라 부름
② 교원소청심사위원회의 결정에 대해 항고소송으로 다투는 경우는 ③ 원처분주의의 적용을 받으면서도, ⓒ 공무원인 교원의 경우에는 행정심판(소청) 전치주의의 적용을 받음
③ 교원은 국·공립학교 교원과 사립학교 교원으로 나뉨 ➜ 전자의 근무관계는 공법관계, 후자의 근무관계는 사법관계(2012두12297) |

구분	공무원인 교원	사립학교 교원
공통점	① 징계처분이나 그 밖에 그 의사에 반하는 불리한 처분(이하 '불이익처분'이라 함)에 대해 교육부의 교원소청심사위원회에 소청을 신청할 수 있음 ② 교원소청심사위원회의 결정에도 여전히 불복하는 경우 항고소송으로 불복할 수 있음(이때 둘 다 원처분주의의 적용을 받음)	
교육감(법인)이 행한 불이익처분의 성질	처분○	① 처분×(2012두12297) ② 사법상 근로관계에서의 사법행위에 불과 ➜ 민사소송으로 구제받을 수 있음
교육감(법인)이 행한 불이익처분에 대한 쟁송	소청전치주의에 따름 ➜ 교원소청심사를 먼저 거친 다음에만 취소소송으로 다툴 수 있음	① 곧바로 민사소송으로 다툴 수도 있고, 교원소청심사위원회에 소청을 신청할 수도 있음 ② 처분이 아니어서 그에 대해 취소소송을 제기할 수는 없음
교원소청심사위원회 결정의 성질	행정심판에서의 재결	① 원처분(2012두12297) ➜ 행정심판에서의 재결× ② 행정심판의 재결은 아니지만, 기속력은 인정됨(제10조의2) ③ 판례 사립학교 교원 징계에 대한 교원소청심사위원회 결정의 기속력은 그 결정의 주문에 포함된 사항뿐 아니라 그 전제가 된 요건사실의 인정과 판단에까지 미침(2015다71726)
교원소청심사위원회의 결정에 대하여 항고소송으로 불복하는 경우 불복의 대상	① 원칙적으로 징계처분을 대상으로 삼아야 함 ② 교원소청심사위원회의 결정은 교원소청심사위원회의 결정에 고유한 위법이 있는 경우에만 예외적으로 대상이 될 수 있음	교원소청심사위원회의 결정만 원처분으로서 (고유한 위법이 없다 하더라도) 항고소송의 대상이 됨

사립학교장의 당사자능력 및 원고적격

(변) 교원소청심사위원회의 결정에 대하여 행정소송을 제기할 수 있는 자에는 「교원지위 향상을 위한 특별법」 제10조 제3항에서 명시하고 있는 교원, 사립학교법 제2조에 의한 학교법인, 사립학교 경영자뿐 아니라 소청심사의 피청구인이 된 학교의 장도 포함됨 ➜ 교수재임용거부처분을 취소한다는 교원소청심사위원회의 결정에 대해 사립대학교 총장은 그것의 취소를 구하는 행정소송을 제기할 당사자능력 및 당사자적격을 가짐(2008두9317)

기출지문

① 교원징계처분에 대해 취소소송을 제기하는 경우 사립학교 교원이나 국공립학교 교원 모두 원처분주의가 적용됨 ➜ 재결주의가 적용되는 경우는 없음

② 사립학교 교원에 대한 학교법인의 징계는 항고소송의 대상이 되는 처분이 아니므로, 이에 대한 소청심사위원회의 결정이 원처분이 됨(2012두12297)

③ 사립학교 교원과 학교법인의 관계를 공법상의 권력관계라고 볼 수 없으므로 사립학교 교원에 대한 학교법인의 해임처분을 취소소송의 대상이 되는 행정청의 처분으로 볼 수 없음(2012두12297)

④ 사립학교 교원의 경우 교원소청심사위원회의 결정에 불복하는 경우 교원소청심사위원회를 피고로 하여 항고소송을 제기할 수 있음(2012두12297)

⑤ 교육공무원의 경우 ③ 교원소청심사위원회의 소청결정을 거쳐 행정소송을 제기하여야 하며 ⓒ 항고소송의 대상은 일반공무원의 경우와 동일함(93누17874) ➜ 원처분주의에 따라 징계처분에 대해 항고소송을 제기하여야 함

⑥ 공립학교 교원에 대한 징계에 있어 교원소청심사위원회의 결정에 불복이 있는 경우에는 취소소송을 할 수 있고, 이때 ③ 원처분을 소송의 대상으로 ⓒ 원처분청을 상대로 하는 것이 원칙임(93누17874)

⑦ 국립대학교 교원의 징계처분에 대한 교원소청심사위원회의 결정은 그 결정에 고유한 위법이 있을 때에만 소송의 대상이 될 수 있음(2012두12297)

⑧ 사립학교교원에 대한 징계는 사법관계이지만, 그에 대해 교원소청심사가 제기되어 그에 대한 결정이 있으면 그 결정은 공법의 문제가 됨

(변) 적극적 변경처분을 한 경우	문제점	행정청이 당초처분을 통하여 규율했던 법률관계의 내용을 <u>다른 처분을 통하여 변경하는 새로운 처분</u>('변경처분')을 한 경우, 당초처분과 변경처분 중 무엇이 취소소송의 대상이 되는지가 문제됨

당초처분을 완전히 변경하거나 주요부분을 실질적으로 변경한 경우

① [대상적격] 당초처분은 그때부터(소급하여×) 효력을 상실 ➜ 새로운 처분을 대상으로 취소소송을 제기해야 함

② [제소기간] 변경처분시를 기준으로 함

③ 판례 당초 관리처분계획(A)의 경미한 사항을 변경하는 경우와 달리, 관리처분계획(A)의 <u>주요 부분을 실질적으로 변경하는</u> 내용으로 새로운 관리처분계획(B)을 수립하여 시장·군수의 인가를 받은 경우에는, 당초 관리처분계획(A)은 달리 특별한 사정이 없는 한 효력을 상실함(2011두6400)

④ 판례 집단에너지사업허가의 <u>주요 부분을 실질적으로 변경하는</u> 내용으로 사업변경허가를 한 경우에 본래의 집단에너지사업허가는 특별한 사정이 없는 한 <u>그 효력을 상실함</u> (2010두12224)

당초처분의 유효를 전제로 그 일부만을 변경하였고, 변경된 부분이 당초처분과 가분적인 경우

① [대상적격] 당초처분과 새로운 처분이 병존(당초처분은 효력을 상실×) ➜ <u>당초처분을 대상으로 취소소송을 제기할 수도 있고, 새로운 처분을 대상으로 취소소송을 제기할 수도 있음</u>

② [제소기간] 당초처분을 대상으로 한 경우에는 당초처분시를 기준으로 하고, 새로운 처분을 대상으로 한 경우에는 <u>새로운 처분시를 기준으로 함</u>

③ 판례 기존의 행정처분을 변경하는 내용의 행정처분이 뒤따르는 경우, ㉠ 후속처분이 종전 처분을 완전히 대체하는 것이거나 <u>주요 부분을 실질적으로 변경하는 내용</u>인 경우에는 특별한 사정이 없는 한 종전처분은 효력을 상실하고 후속처분만이 항고소송의 대상이 되지만, ㉡ 후속처분의 내용이 종전처분의 유효를 전제로 내용 중 일부만을 추가·철회·변경하는 것이고 추가·철회·변경된 부분이 내용과 성질상 나머지 부분과 <u>불가분적인 것이 아닌 경우</u>에는, 후속처분에도 불구하고 종전처분이 여전히 <u>항고소송의 대상이 됨</u>(2015두295) ➜ 서울특별시 乙구 구청장이 甲이 운영하는 서울특별시 乙구 내 대형마트 및 준대규모점포의 영업제한 시간을 오전 0시부터 오전 8시까지로 정하는 내용의 처분(1차 처분)을 하였다가, 영업제한 시간을 오전 0시부터 오전 10시까지로 변경하는 처분(2차 처분)을 한 경우, 위 2차 처분은 1차 처분 전체를 대체하거나 그 주요 부분을 실질적으로 변경하는 것이 아니므로, 2차 처분으로 1차 처분이 소멸하였다고 볼 수는 없고, <u>1차 처분이 유효함을 전제로 한 2차 처분이 병존하면서 甲에 대한 규제 내용을 형성한다</u>고 하였음

④ 판례 후행처분이 선행처분의 내용 중 일부만을 소폭 변경하는 정도에 불과한 경우에는 <u>선행처분은 소멸하는 것이 아니라 후행처분에 의하여 변경되지 아니한 범위 내에서는 그대로 존속함</u>(2019두49953) ➜ 대형선박인 A호에 대하여 정원을 504명으로 하는 도선사업면허가 발급(1차 처분)되었다가, 후에 같은 선박에 대하여 정원을 393명으로 감축하는 도선사업면허 변경처분(2차 처분)이 이루어진 사건에서, 이 변경처분(2차 처분)은 1차 처분과 불가분의 것이 아니고, 1차 처분을 완전히 대체하거나 그 주요부분을 실질적으로 변경하는 것도 <u>아니라고</u> 보았음

⑤ 판례 선행처분이 후행처분에 의하여 변경되지 아니한 범위 내에서 존속하고 후행처분은 선행처분의 내용 중 일부를 변경하는 범위 내에서 효력을 가지는 경우에, 선행처분의 취소를 구하는 소를 제기한 후 후행처분의 취소를 구하는 청구를 추가하여 청구를 변경하였다면 후행처분에 관한 제소기간 준수 여부는 청구변경 당시를 기준으로 판단하여야 하나, <u>선행처분에만 존재하는 취소사유를 이유로 후행처분의 취소를 청구할 수는 없음</u>(2010두12224)

⑥ [효력기간이 정해져 있는 제재처분의 시기와 종기를 다시 정하는 경우] 효력기간이 정해져 있는 제재적 행정처분의 효력이 발생한 이후에도 행정청은 특별한 사정이 없는 한 상대방에 대한 별도의 처분으로써 효력기간의 시기와 종기를 다시 정할 수 있고, 이는 <u>당초의 제재적 행정처분이 유효함을 전제로 그 구체적인 집행시기만을 변경하는 후속 변경처분임</u>(2021두40720) ➜ 당초의 제재처분은 실효×

| 단순히 금전부과처분의 금액만을 변경하거나, 제재처분의 양만을 변경하는 경우 | 증액경정 처분을 한 경우 | ① [대상적격] 당초처분은 증액경정처분에 흡수되어 소멸함 ➔ 증액경정처분만 취소소송의 대상이 됨
② [제소기간] 증액경정처분시를 기준으로 함
③ [하자승계×] 취소사유인 절차적 하자가 있는 당초 과세처분에 대하여 증액경정처분이 있었던 경우, 당초처분은 증액경정처분에 흡수되어 소멸하고, <u>소멸한 당초처분의 절차적 하자는 존속하는 증액경정처분에 승계되지 아니함</u>(2007두16493) ➔ 흡수되어 소멸하는 것과 하자가 승계되는 것은 별개의 개념 ➔ 하자 승계는 선행처분이 잔존하는 경우임
④ [증액경정처분에 대한 항고소송에서 당초 신고의 위법도 주장 가능○] 부가가치세 증액경정처분의 취소를 구하는 항고소송에서, 납세의무자는 과세관청의 증액경정 사유뿐만 아니라 당초 신고에 관한 과다신고사유도 함께 주장하여 다툴 수 있음(2010두11733) ➔ 세금이 신고납세방식으로 부과되는 경우에 대한 판례 ➔ 부가가치세 증액경정처분은, 부가가치세 부과의 기초였던 납세자의 부가가치세 신고액이 너무 적다며 행정청이 부과되는 조세의 액수를 늘리는 처분을 말함 ➔ 이 판례는, 당초처분에 대해 다툴 수 있다는 말이 아니라, 증액경정처분에 대해 다투면서 자신의 당초신고가 잘못된 것이었다면 당초신고가 위법함을 주장할 수 있다는 의미 ➔ 세금신고를 세무사에게 위임하였다가 문제가 발생했던 사안
⑤ 판례 과세표준과 세액을 증액하는 증액경정처분은 당초신고나 결정에서 확정된 과세표준과 세액을 포함하여 전체로서 하나의 과세표준과 세액을 다시 결정하는 것이므로, 당초신고나 결정에 대한 불복기간의 경과 여부 등에 관계없이, <u>오직 증액경정처분만이 항고소송의 심판대상이 됨</u>(2010두11733) |
| | 감액경정 처분을 한 경우 | ① [대상적격] 감액경정처분이 아니라, <u>감액되고 남은 당초처분이 취소소송의 대상이 됨</u>
② [제소기간] 당초처분시를 기준으로 함
③ [소의 이익] 행정청의 감액처분에 의하여 감액된 부분에 대한 부과처분 취소청구는 이미 소멸하고 없는 부분에 대한 것이므로, 소의 이익이 없음(2015두2352, 2006두4226)
④ 판례 당초의 과징금 부과처분을 한 후 그 과징금 액수를 감액하는 처분을 한 경우, 감액처분은 당초처분과 별개인 독립의 과징금 부과처분이 아니라 그 실질은 당초 과징금의 일부취소라는 유리한 결과를 가져오는 처분에 불과하므로 독립한 항고소송의 대상이 되지 않음(2006두4226)
⑤ 판례 행정청이 식품위생법령에 따라 영업자에게 행정제재처분을 한 후 당초처분을 영업자에게 유리하게 변경하는 처분을 한 경우, 취소소송의 대상 및 제소기간 판단기준은 변경처분이 아니라 <u>당초처분임</u>(2004두9302)
⑥ 판례 「산업재해보상보험법」상 보험급여의 부당이득 징수결정의 하자를 이유로 징수금을 감액하는 경우, 감액처분으로도 아직 취소되지 않고 남아 있는 부분이 위법하다 하여 다툴 때에는, 제소기간의 준수여부는 감액처분이 아닌 <u>당초처분을 기준으로 하여야 함</u>(2011두27247)
⑦ 판례 행정청이 과징금 부과처분을 하였다가 감액처분을 한 것에 대하여 그 감액처분으로도 아직 취소되지 않고 남아 있는 부분이 위법하다고 하여 다투는 경우, 항고소송의 대상은 처음의 부과처분 중 감액처분에 의하여 <u>취소되지 않고 남은 부분</u>이고, 감액처분이 독립적인 항고소송의 대상이 되는 것은 아님(2006두3957)
⑧ 판례 감액경정처분이 있는 경우 항고소송의 대상은 당초의 부과처분 중 경정처분에 의하여 <u>아직 취소되지 않고 남은 부분</u>이고, 따라서 적법한 전심절차를 거쳤는지 여부도 <u>당초 처분을 기준으로 판단하여야 함</u>(2006두16403, 85누599)
⑨ [비교판례] 공정거래법상 자진신고를 이유로 한 과징금 감면처분이 있은 경우 「독점규제 및 공정거래에 관한 법률」을 위반한 부당공동행위 사업자에 대한 과징금 부과처분 후에 다시 자진신고나 조사협조 등을 이유로 이에 대한 과징금 감면처분이 이루어진 경우 취소소송의 대상이 되는 것은 과징금 감면처분임(2013두987) ➔ 이 경우는 과징금 부과처분과 감면처분의 관계가 중간결정과 종국결정의 관계에 있는 경우에 해당하기 때문 |

| 행정심판을 거친 경우 | 개설 | 처분청이 곧바로 변경처분을 한 것이 아니라, 원처분에 대해 행정심판을 거친 후에 처분이 변경된 경우에는 아래와 같이 취급이 달라짐 |

변경재결이 내려진 경우

① [대상적격] 재결에 의해 변경된 원처분을 대상으로 취소소송을 제기해야 함
② [피고적격] 원처분청
③ [제소기간] 재결서의 정본을 송달받은 날로부터 90일 ➜ ∵ 제20조 제1항 단서 때문
④ 판례 감봉처분을 소청심사위원회가 견책처분으로 변경한 소청결정이 있는 경우 변경된 원처분을 다투어야 함(93누5673)
⑤ 판례 3월의 영업정지처분을 2월의 영업정지처분에 갈음하는 과징금부과처분으로 변경하는 재결을 한 경우 취소소송의 대상이 되는 것은 변경된 내용의 당초처분이지 변경처분은 아님(2004두9302)
⑥ 판례 행정심판위원회가 1,000만원의 과징금부과처분에 대한 취소심판에서 그 과징금부과처분을 500만원의 과징금부과처분으로 변경하는 내용의 재결을 하였고 청구인인 처분의 상대방이 관할 법원에 취소소송을 제기하였다면, 재결이 아니라, 500만원의 과징금부과처분을 항고소송의 대상으로 하여야 함(2006두2957)

변경명령재결이 내려지고 그에 따라 행정청이 변경처분을 한 경우

① [대상적격] 변경된 원처분을 대상으로 취소소송을 제기해야 함
② [피고적격] 원처분청
③ [제소기간] 재결서의 정본을 송달받은 날로부터 90일 ➜ ∵ 제20조 제1항 단서 때문
④ 판례 영업자에 대한 행정제재처분에 대하여 행정심판위원회가 영업자에게 유리한 적극적 변경명령재결을 하고 이에 따라 처분청이 변경처분을 한 경우, 그 변경처분에 의해 유리하게 변경된 행정제재가 위법하다는 이유로 그 취소를 구하려면 변경된 내용의 당초처분을 취소소송의 대상으로 하여야 함(2004두9302)

소송계속 중 발생하는 일들 1. 소의 변경

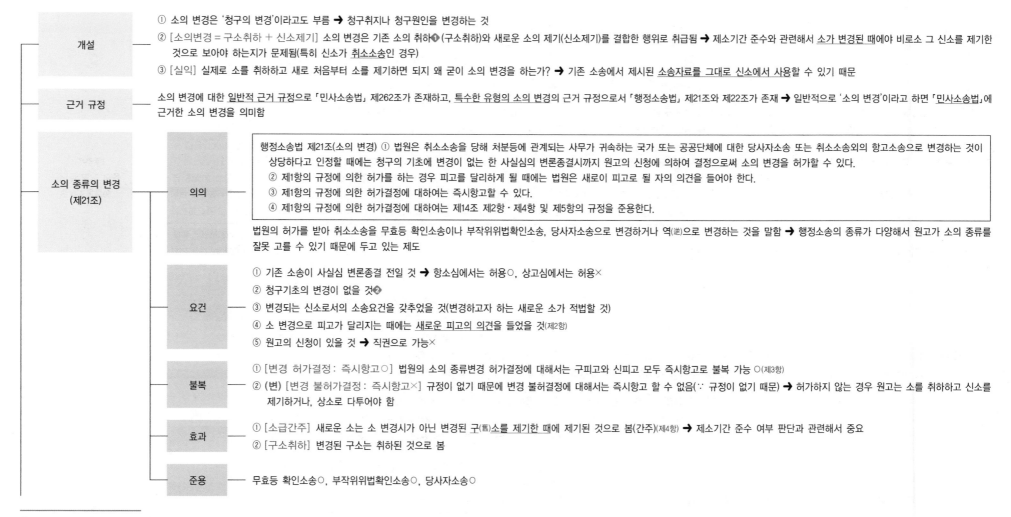

개설

① 소의 변경은 '청구의 변경'이라고도 부름 ➜ 청구취지나 청구원인을 변경하는 것

② [소의변경 = 구소취하 + 신소제기] 소의 변경은 기존 소의 취하❶(구소취하)와 새로운 소의 제기(신소제기)를 결합한 행위로 취급됨 ➜ 제소기간 준수와 관련해서 소가 변경된 때에야 비로소 그 신소를 제기한 것으로 보아야 하는지가 문제됨(특히 신소가 취소소송인 경우)

③ [실익] 실제로 소를 취하하고 새로 처음부터 소를 제기하면 되지 왜 굳이 소의 변경을 하는가? ➜ 기존 소송에서 제시된 소송자료를 그대로 신소에서 사용할 수 있기 때문

근거 규정

소의 변경에 대한 일반적 근거 규정으로 「민사소송법」 제262조가 존재하고, 특수한 유형의 소의 변경의 근거 규정으로서 「행정소송법」 제21조와 제22조가 존재 ➜ 일반적으로 '소의 변경'이라고 하면 「민사소송법」에 근거한 소의 변경을 의미함

소의 종류의 변경 (제21조)

의의

> 행정소송법 제21조(소의 변경) ① 법원은 취소소송을 당해 처분등에 관계되는 사무가 귀속하는 국가 또는 공공단체에 대한 당사자소송 또는 취소소송외의 항고소송으로 변경하는 것이 상당하다고 인정할 때에는 청구의 기초에 변경이 없는 한 사실심의 변론종결시까지 원고의 신청에 의하여 결정으로써 소의 변경을 허가할 수 있다.
> ② 제1항의 규정에 의한 허가를 하는 경우 피고를 달리하게 될 때에는 법원은 새로이 피고로 될 자의 의견을 들어야 한다.
> ③ 제1항의 규정에 의한 허가결정에 대하여는 즉시항고할 수 있다.
> ④ 제1항의 규정에 의한 허가결정에 대하여는 제14조 제2항·제4항 및 제5항의 규정을 준용한다.

법원의 허가를 받아 취소소송을 무효등 확인소송이나 부작위법확인소송, 당사자소송으로 변경하거나 역(逆)으로 변경하는 것을 말함 ➜ 행정소송의 종류가 다양해서 원고가 소의 종류를 잘못 고를 수 있기 때문에 두고 있는 제도

요건

① 기존 소송이 사실심 변론종결 전일 것 ➜ 항소심에서는 허용○, 상고심에서는 허용×

② 청구기초의 변경이 없을 것❷

③ 변경되는 신소로서의 소송요건을 갖추었을 것(변경하고자 하는 새로운 소가 적법할 것)

④ 소 변경으로 피고가 달리지는 때에는 새로운 피고의 의견을 들었을 것(제2항)

⑤ 원고의 신청이 있을 것 ➜ 직권으로 가능×

불복

① [변경 허가결정 : 즉시항고○] 법원의 소의 종류변경 허가결정에 대해서는 구피고와 신피고 모두 즉시항고로 불복 가능 ○(제3항)

② (변) [변경 불허가결정 : 즉시항고×] 규정이 없기 때문에 변경 불허결정에 대해서는 즉시항고 할 수 없음(∵ 규정이 없기 때문) ➜ 허가하지 않는 경우 원고는 소를 취하하고 신소를 제기하거나, 상소로 다투어야 함

효과

① [소급간주] 새로운 소는 소 변경시가 아닌 변경된 구(舊)소를 제기한 때에 제기된 것으로 봄(간주)(제4항) ➜ 제소기간 준수 여부 판단과 관련해서 중요

② [구소취하] 변경된 구소는 취하된 것으로 봄

준용

무효등 확인소송○, 부작위법확인소송○, 당사자소송○

---

❶ [민사소송법] 소의 취하(取下, withdrawl)란, 원고가 소의 제기를 취소하는 것을 말한다. 소의 취하가 있으면, 처음부터(소급하여) 소제기가 없었던 것으로 간주된다.

❷ [민사소송법] '청구의 기초'란 원고로 하여금 소를 제기하게 만든 사건(事件)을 말한다. 청구의 기초가 동일한지 여부도 대체로 기본적 사실관계의 동일성이 있는지 여부로 판단한다. 같은 의미인 것으로 보아도 무방하다. 양자를 정확하게 구분하는 것은 민사소송법학의 영역이다.

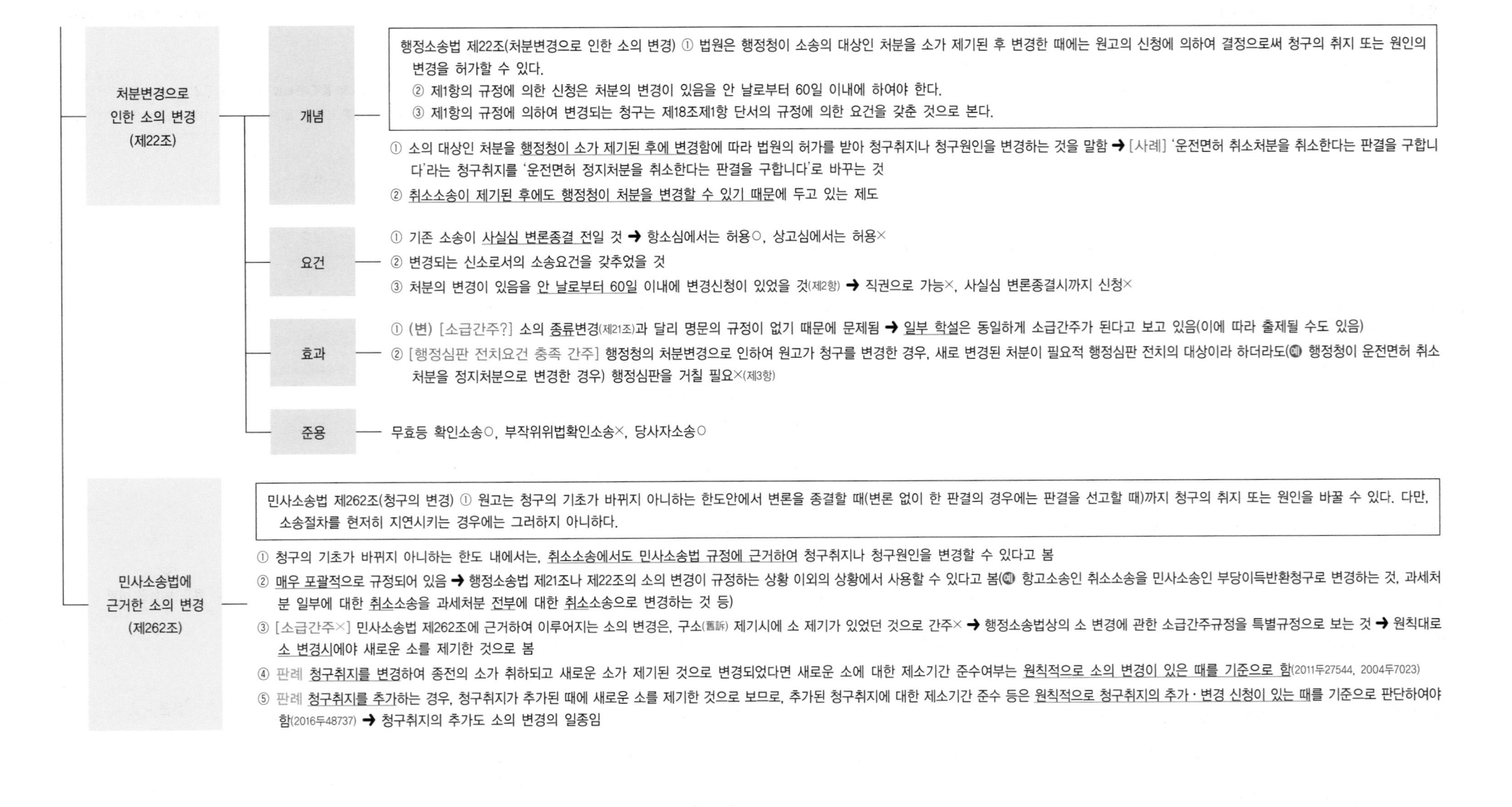

처분변경으로 인한 소의 변경 (제22조)

개념

행정소송법 제22조(처분변경으로 인한 소의 변경) ① 법원은 행정청이 소송의 대상인 처분을 소가 제기된 후 변경한 때에는 원고의 신청에 의하여 결정으로써 청구의 취지 또는 원인의 변경을 허가할 수 있다.
② 제1항의 규정에 의한 신청은 처분의 변경이 있음을 안 날로부터 60일 이내에 하여야 한다.
③ 제1항의 규정에 의하여 변경되는 청구는 제18조제1항 단서의 규정에 의한 요건을 갖춘 것으로 본다.

① 소의 대상인 처분을 행정청이 소가 제기된 후에 변경함에 따라 법원의 허가를 받아 청구취지나 청구원인을 변경하는 것을 말함 ➡ [사례] '운전면허 취소처분을 취소한다는 판결을 구합니다'라는 청구취지를 '운전면허 정지처분을 취소한다는 판결을 구합니다'로 바꾸는 것
② 취소소송이 제기된 후에도 행정청이 처분을 변경할 수 있기 때문에 두고 있는 제도

요건

① 기존 소송이 사실심 변론종결 전일 것 ➡ 항소심에서는 허용○, 상고심에서는 허용×
② 변경되는 신소로서의 소송요건을 갖추었을 것
③ 처분의 변경이 있음을 안 날로부터 60일 이내에 변경신청이 있었을 것(제2항) ➡ 직권으로 가능×, 사실심 변론종결시까지 신청×

효과

① (변) [소급간주?] 소의 종류변경(제21조)과 달리 명문의 규정이 없기 때문에 문제됨 ➡ 일부 학설은 동일하게 소급간주가 된다고 보고 있음(이에 따라 출제될 수도 있음)
② [행정심판 전치요건 충족 간주] 행정청의 처분변경으로 인하여 원고가 청구를 변경한 경우, 새로 변경된 처분이 필요적 행정심판 전치의 대상이라 하더라도(⑩ 행정청이 운전면허 취소처분을 정지처분으로 변경한 경우) 행정심판을 거칠 필요×(제3항)

준용

무효등 확인소송○, 부작위위법확인소송×, 당사자소송○

민사소송법에 근거한 소의 변경 (제262조)

민사소송법 제262조(청구의 변경) ① 원고는 청구의 기초가 바뀌지 아니하는 한도안에서 변론을 종결할 때(변론 없이 한 판결의 경우에는 판결을 선고할 때)까지 청구의 취지 또는 원인을 바꿀 수 있다. 다만, 소송절차를 현저히 지연시키는 경우에는 그러하지 아니하다.

① 청구의 기초가 바뀌지 아니하는 한도 내에서는, 취소소송에서도 민사소송법 규정에 근거하여 청구취지나 청구원인을 변경할 수 있다고 봄
② 매우 포괄적으로 규정되어 있음 ➡ 행정소송법 제21조나 제22조의 소의 변경이 규정하는 상황 이외의 상황에서 사용할 수 있다고 봄(⑩ 항고소송인 취소소송을 민사소송인 부당이득반환청구로 변경하는 것, 과세처분 일부에 대한 취소소송을 과세처분 전부에 대한 취소소송으로 변경하는 것 등)
③ [소급간주×] 민사소송법 제262조에 근거하여 이루어지는 소의 변경은, 구소(舊訴) 제기시에 소 제기가 있었던 것으로 간주× ➡ 행정소송법상의 소 변경에 관한 소급간주규정을 특별규정으로 보는 것 ➡ 원칙대로 소 변경시에야 새로운 소를 제기한 것으로 봄
④ 판례 청구취지를 변경하여 종전의 소가 취하되고 새로운 소가 제기된 것으로 변경되었다면 새로운 소에 대한 제소기간 준수여부는 원칙적으로 소의 변경이 있은 때를 기준으로 함(2011두27544, 2004두7023)
⑤ 판례 청구취지를 추가하는 경우, 청구취지가 추가된 때에 새로운 소를 제기한 것으로 보므로, 추가된 청구취지에 대한 제소기간 준수 등은 원칙적으로 청구취지의 추가·변경 신청이 있는 때를 기준으로 판단하여야 함(2016두48737) ➡ 청구취지의 추가도 소의 변경의 일종임

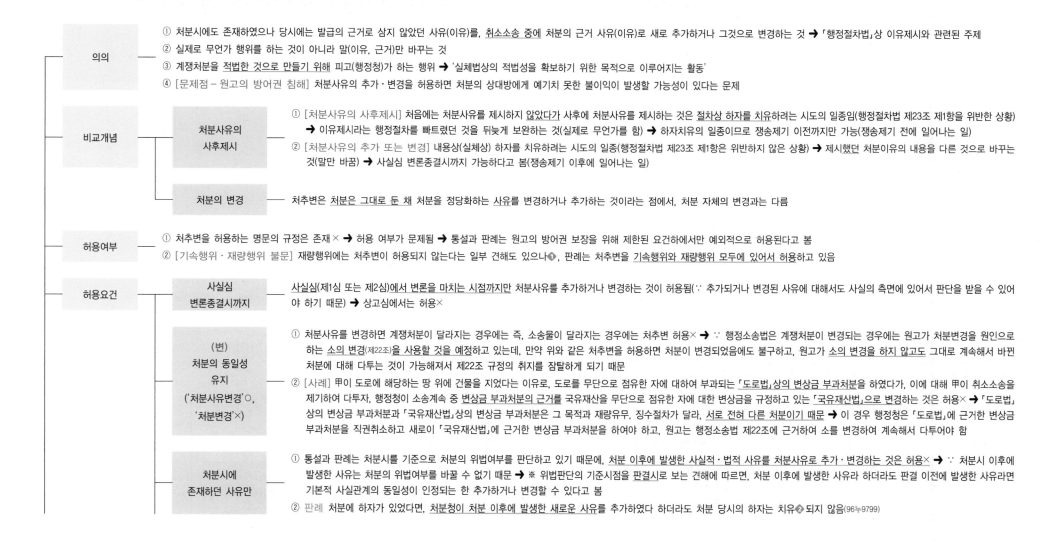

의의		① 처분시에도 존재하였으나 당시에는 발급의 근거로 삼지 않았던 사유(이유)를, <u>취소소송 중</u>에 처분의 근거 사유(이유)로 새로 추가하거나 그것으로 변경하는 것 ➡ 「행정절차법」상 이유제시와 관련된 주제

① 처분시에도 존재하였으나 당시에는 발급의 근거로 삼지 않았던 사유(이유)를, <u>취소소송 중</u>에 처분의 근거 사유(이유)로 새로 추가하거나 그것으로 변경하는 것 ➡ 「행정절차법」상 이유제시와 관련된 주제

의의
② 실제로 무언가 행위를 하는 것이 아니라 말(이유, 근거)만 바꾸는 것
③ 계쟁처분을 <u>적법한</u> 것으로 만들기 위해 피고(행정청)가 하는 행위 ➡ '실체법상의 적법성을 확보하기 위한 목적으로 이루어지는 활동'
④ [문제점 - 원고의 방어권 침해] 처분사유의 추가·변경을 허용하면 처분의 상대방에게 예기치 못한 불이익이 발생할 가능성이 있다는 문제

비교개념

처분사유의 사후제시
① [처분사유의 사후제시] 처음에는 처분사유를 제시하지 않았다가 사후에 처분사유를 제시하는 것은 <u>절차상 하자를 치유</u>하려는 시도의 일종임(행정절차법 제23조 제1항을 위반한 상황) ➡ 이유제시라는 행정절차를 빠뜨렸던 것을 뒤늦게 보완하는 것(실제로 무언가를 함) ➡ 하자치유의 일종이므로 쟁송제기 이전까지만 가능(쟁송제기 전에 일어나는 일)
② [처분사유의 추가 또는 변경] 내용상(실체상) 하자를 치유하려는 시도의 일종(행정절차법 제23조 제1항은 위반하지 않은 상황) ➡ 제시했던 처분이유의 내용을 다른 것으로 바꾸는 것(말만 바꿈) ➡ 사실심 변론종결시까지 가능하다고 봄(쟁송제기 이후에 일어나는 일)

처분의 변경
처추변은 <u>처분은 그대로 둔 채</u> 처분을 정당화하는 <u>사유</u>를 변경하거나 추가하는 것이라는 점에서, 처분 자체의 변경과는 다름

허용여부
① 처추변을 허용하는 명문의 규정은 존재× ➡ 허용 여부가 문제됨 ➡ 통설과 판례는 원고의 방어권 보장을 위해 제한된 요건하에서만 예외적으로 허용된다고 봄
② [기속행위·재량행위 불문] 재량행위에는 처추변이 허용되지 않는다는 일부 견해도 있으나❶, 판례는 처추변을 <u>기속행위와 재량행위 모두에 있어서 허용</u>하고 있음

허용요건

사실심 변론종결시까지
사실심(제1심 또는 제2심)에서 변론을 마치는 시점까지만 처분사유를 추가하거나 변경하는 것이 허용됨(∵ 추가되거나 변경된 사유에 대해서도 사실의 측면에 있어서 판단을 받을 수 있어야 하기 때문) ➡ 상고심에서는 허용×

(변) 처분의 동일성 유지 ('처분사유변경'○, '처분변경'×)
① 처분사유를 변경하면 계쟁처분이 달라지는 경우에는 즉, 소송물이 달라지는 경우에는 처추변 허용× ➡ ∵ 행정소송법은 계쟁처분이 변경되는 경우에는 원고가 처분변경을 원인으로 하는 <u>소의 변경(제22조)</u>을 사용할 것을 예정하고 있는데, 만약 위와 같은 처추변을 허용하면 처분이 변경되었음에도 불구하고, 원고가 <u>소의 변경을 하지 않고도</u> 그대로 계속해서 바뀐 처분에 대해 다투는 것이 가능해져서 제22조 규정의 취지를 잠탈하게 되기 때문
② [사례] 甲이 도로에 해당하는 땅 위에 건물을 지었다는 이유로, 도로를 무단으로 점유한 자에 대하여 부과되는 「도로법」상의 변상금 부과처분을 하였다가, 이에 대해 甲이 취소소송을 제기하여 다투자, 행정청이 소송계속 중 변상금 부과처분의 근거를 국유재산을 무단으로 점유한 자에 대한 변상금을 규정하고 있는 「국유재산법」으로 변경하는 것은 허용× ➡ 「도로법」상의 변상금 부과처분과 「국유재산법」상의 변상금 부과처분은 그 목적과 재량유무, 징수절차가 달라, <u>서로 전혀 다른 처분이기 때문</u> ➡ 이 경우 행정청은 「도로법」에 근거한 변상금 부과처분을 직권취소하고 새로이 「국유재산법」에 근거한 변상금 부과처분을 하여야 하고, 원고는 행정소송법 제22조에 근거하여 소를 변경하여 계속해서 다투어야 함

처분시에 존재하던 사유만
① 통설과 판례는 처분시를 기준으로 처분의 위법여부를 판단하고 있기 때문에, <u>처분 이후에 발생한 사실적·법적 사유를 처분사유로 추가·변경하는 것은 허용×</u> ➡ ∵ 처분시 이후에 발생한 사유는 처분의 위법여부를 바꿀 수 없기 때문 ➡ ※ 위법판단의 기준시점을 <u>판결시</u>로 보는 견해에 따르면, 처분 이후에 발생한 사유라 하더라도 판결 이전에 발생한 사유라면 기본적 사실관계의 동일성이 인정되는 한 추가하거나 변경할 수 있다고 봄
② 판례 처분에 하자가 있었다면, <u>처분청이 처분 이후에 발생한 새로운 사유를 추가하였다 하더라도 처분 당시의 하자는 치유❷되지 않음</u>(96누9799)

---

❶ 이해하려 들면 매우 복잡한 논의이므로, 대법원의 입장만 기억하면 된다.

❷ '하자의 치유'라는 표현을 쓰고 있지만, 여기서는 단순히 '위법했던 처분이 적법하게 된다'는 의미일 뿐이다.

기사동 인정되는 한도 내에서만	취지	① 추가 또는 변경 전의 사유(A)와 변경 후의 사유(B)가 '기본적 사실관계에 있어서 동일성'이 있어야 허용됨 ➜ 상식적 관점에서는 같은 사건에 대하여, 법적인 표현만을 변경하거나 추가하는 것인 경우에만 허용된다는 말 ② 원고의 방어권 보장을 위한 것 ➜ ∵ 기본적 사실관계의 동일성이 없는 사유의 추가 · 변경을 허용하면, 원고가 소를 제기할 때, 당초 피고가 이유제시시에 제시했던 사유를 논박하기 위해 모아 두었던 자료를 무력화시키기 때문 ③ 판례 처분사유의 추가 · 변경이 인정되기 위한 요건으로서의 기본적 사실관계의 동일성 유무는, 처분사유를 법률적으로 평가하기 이전의 구체적인 사실에 착안하여 그 기초적인 사회적 사실관계가 기본적인 점에서 동일한지 여부에 따라 결정됨(2007두9365)
	기사동 인정○	① 소송계속 중 ㉠ 처분의 사유인 사실관계는 그대로 둔 채 적용법령만을 변경❶하거나, ㉡ 당초에 두리뭉실하게 했던 표현을 좀 더 구체화하는 것인 경우에는, 대법원은 기본적 사실관계의 동일성이 있다고 보거나, 애초에 처분사유를 추가하거나 변경하는 것이 아니라는 이유로 처분사유의 추가 또는 변경을 허용하고 있음 ② 판례 처분청이 처분 당시 적시한 구체적 사실을 변경하지 아니하는 범위 내에서, 단지 처분의 근거 법령만을 추가 · 변경하는 것은 새로운 처분사유의 추가 자체가 아니므로, 법원은 처분청이 처분 당시 적시한 구체적 사실에 대하여 처분 후 추가 · 변경한 법령을 적용하여 처분의 적법여부를 판단할 수 있음(2006두4899)
	기사동 인정×	① [처분 당시에 이미 존재하고 있었고 당사자도 알고 있었던 사유] 처분 당시에 이미 존재하고 있었고 당사자가 알고 있었던 사유(A)라 하더라도, 그것만으로는 당초에 제시했던 사유(B)와 동일성 인정×(2001두8827) ➜ 원고가 알고 있었다고 해서, 소 제기시에 그에 대해 준비해 왔을 것이라 장담할 수 없기 때문 ② [당초사유가 실질적 내용이 없었던 경우] 당초 행정처분의 근거로 제시한 이유가 실질적인 내용이 없는 경우에는, 그와 기본적 사실관계의 동일성이 있는지를 따져볼 대상조차 없는 것이므로, 행정소송의 단계에서 다른 처분사유를 추가하거나 다른 처분사유로 변경할 수는 없음(2016두44186) ③ 판례 이동통신요금 원가 관련 정보공개청구에 대해 행정청이 별다른 이유를 제시하지 아니한 채 통신요금과 관련한 총괄원가액수만을 공개(일부공개)한 후, 정보공개거부처분 취소소송에서 원가 관련 정보가 법인의 영업상 비밀에 해당한다는 비공개사유를 주장하는 것은, 그 기본적 사실관계가 동일하다고 볼 수 없는 사유를 추가하는 것임(2014두5477)

---

❶ [더 들어가기] 처분의 근거 규정을 바꾸면, 문제삼는 사실관계도 바뀌는 경우와, 문제삼는 사실관계는 바뀌지 않는 경우가 있는데, 후자의 경우에는 근거 규정의 변경이 허용된다는 말이다.

① 판례 정기간행물 등록신청 거부에 있어서 정기간행물의등록에관한법률 및 그 시행령 소정의 첨부서류('단체로서의 등록서류')가 제출되지 아니하였다는 주장과 발행주체가 불법단체라는 당초의 처분사유 사이에는 기본적 사실관계에 있어서 동일성이 인정됨(96누13286) ➜ 당시에는 단체가 신문을 발행하려면 단체로서의 등록이 되었음을 증명하는 서류를 제출해야 했음 ➜ 여기서 '발행주체가 불법단체'라는 말은 '단체로서의 등록서류를 제출하지 않은 단체가 정기간행물을 발간했다'는 말

② 판례 토지형질변경 불허가처분의 당초의 처분사유인 '국립공원에 인접한 미개발지의 합리적인 이용대책 수립시까지 그 허가를 유보한다'는 사유와, 그 처분의 취소소송에서 추가하여 주장한 처분사유인 '국립공원 주변의 환경·풍치·미관 등을 크게 손상시킬 우려가 있으므로 공공목적상 원형유지의 필요가 있는 곳으로서 형질변경허가 금지대상'이라는 사유는 기본적 사실관계에 있어서 동일성이 인정됨(2000두8684) ➜ ∵ 결국 둘 다 형질변경허가 신청지가 (북한산)국립공원에 인접하여 있다는 것을 전제로, 도시환경의 보전 등 중대한 공익상의 필요가 있어 형질변경을 불허한다는 것이기 때문

③ 판례 주택신축을 위한 산림형질변경허가신청에 대한 거부처분의 근거로 제시된 준농림지역에서의 행위제한이라는 사유와, 나중에 거부처분의 근거로 추가한 자연경관 및 생태계의 교란, 국토 및 자연의 유지와 환경보전 등 중대한 공익상의 필요라는 사유는 기본적 사실관계의 동일성이 있음(2004두4482) ➜ 준농림지역에서 산림형질변경행위를 제한하는 이유는 자연경관 및 생태계의 교란, 국토 및 자연의 유지와 관경보전을 위한 것이기 때문

④ 판례 외국인 甲이 법무부장관에게 귀화신청을 하였으나 법무부장관이 '품행 미단정'을 이유로 「국적법」상의 요건을 갖추지 못하였다며 신청을 받아들이지 않는 처분을 하였는데, 법무부장관이 甲을 '품행 미단정'이라고 판단한 이유에 대하여 제1심 변론절차에서는 「자동차 관리법」 위반죄로 기소유예를 받은 전력 등을 고려하였다고 주장하였다 하더라도, 제2심 변론절차에서 불법 체류전력 등의 제반사정을 추가로 주장할 수 있음(2016두31616) ➜ 처분사유 자체('품행미단정')가 아니라 처분사유의 근거가 되는 기초사실 내지 평가요소('기소유예를 받은 전력'이나 '불법체류를 한 전력')를 추가하거나 변경하는 것은, 처분사유를 추가 또는 변경하는 것이 아니어서 허용된다는 말

⑤ 판례 석유판매업허가신청에 대하여, 주유소 건축예정 토지에 관하여 도시계획법령에 의거하여 행위제한을 추진하고 있다는 당초의 불허가 처분 사유와, 항고소송에서 주장한 위 신청이 토지형질변경허가의 요건 불비 및 도심의 환경 보전의 공익상 필요라는 사유는 기본적 사실관계의 동일성이 있음(97누14378)

① 판례 당초의 처분 사유인 중기취득세의 체납과, 그 후 추가된 처분사유인 자동차세 체납 사이에는 기본적 사실관계의 동일성이 인정되지 않음(88두6160) ➜ ※ 자동차세는 자동차를 '보유'하고 있는 것에 대하여 부과되는 세금임

② 판례 정보공개청구 대상 정보가 '내부적인 의사결정과정임'을 이유로 정보공개를 거부하였다가, 정보공개거부처분 취소소송의 계속 중에 '개인의 사생활침해 우려'를 공개거부사유로 추가하는 것은 허용되지 않음(2001두8827) ➜ 거부처분의 근거를 정보공개법 제9조 제5호 사유에서 제9조 제6호 사유로 변경하는 것은 허용되지 않는다는 말

③ 판례 주류면허 지정조건 중 제6호 무자료 주류판매 및 위장거래 항목을 근거로 한 면허취소처분에 대한 항고소송에서, 지정조건 제2호 무면허판매업자에 대한 주류판매를 새로이 그 취소사유로 주장하는 것은 기본적 사실관계의 동일성이 인정되지 않음(96누7427) ➜ ※ 주세(酒稅)부과를 원활하게 하기 위해, 판매목적으로 취득하는 주류는 주류도매상으로부터만 구매하는 것이 가능하고, 이때 주류도매상은 판매에 대한 자료(세금계산서)를 반드시 남기게 하고 있음 ➜ 위장거래란 실제 판매량보다 적게 판매한 것으로 자료를 남기는 것을 말함

④ 판례 군사시설보호구역 밖의 토지에 주유소를 설치·경영하도록 하기 위한 석유판매업 허가를 함에 있어서, 관할 부대장의 동의를 얻어야 할 법령상의 근거가 없음에도 그 동의가 없다는 이유로 행해진 불허가처분에 대한 소송에서, 당해 토지가 탄약창에 근접한 지점에 위치하고 있다는 사실을 불허가사유로 추가하는 것은 허용되지 않음(91누70)

⑤ 판례 행정청이 처분 시에 제시한 '甲의 건축물은 건축허가를 받지 않은 건축물'이라는 처분사유와 '甲의 건축물은 신고를 하지 않은 가설건축물'이라는 처분사유는 그 기초인 사회적 사실관계가 동일하다고 볼 수 없어 처분사유의 추가·변경이 허용되지 않음(2021두34756) ➜ ∵ 위반행위의 내용이 다르고 위법상태를 해소하기 위하여 거쳐야 하는 절차, 건축기준 및 허용가능성이 다르기 때문

⑥ 판례 온천으로서의 이용가치, 기존의 도시계획 및 공공사업에의 지장 여부 등을 고려하여 온천발견신고수리를 거부한 것은 적법하다는 사유와, 규정온도가 미달되어 온천에 해당 하지 않는다는 사유는 기본적 사실관계를 달리함(92누3052)

⑦ 판례 이주대책신청기간이나 소정의 이주대책실시(시행)기간을 모두 도과하여 이주대책을 신청할 권리가 없고, 사업시행자가 이를 받아들여 택지나 아파트공급을 해 줄 법률상 의무를 부담한다고 볼 수 없다는 사유와, 사업지구 내 가옥 소유자가 아니라는 사유는 기본적 사실관계의 동일성이 없음(98누17043)

의의		① 소송 계속 중에 피고를 피고적격자로 변경하는 것

의의
① 소송 계속 중에 피고를 피고적격자로 변경하는 것
② [실익] 피고경정을 사용하면, 피고적격자가 아닌 자를 상대로 제기되어 있는 소송을 실제로 취하하고 다시 소를 제기하는 경우와 달리, 기존 피고를 상대로 하여 제기된 소송에서 <u>사용하던 소송자료를 그대로 쓸 수 있음</u>
③ (변) [비교개념 – 명의정정] 피고경정은 당사자의 동일성을 바꾸는 것이라는 점에서, 당사자의 동일성을 유지한 채 잘못된 피고의 명의만 정정하는 '명의정정'(예 피고 국병부장관 ➔ 피고 국방부장관)과 다름

허용되는 경우

원고가 피고를 잘못 지정한 때 (제14조 제1항)
① [필요성] 항고소송은 다른 소송과 달리 권리주체가 아닌 행정청을 피고적격자로 하고 있어, 피고를 잘못 지정하는 경우가 발생할 가능성이 높아 두고 있는 제도 ➔ 행정청이 아니라 행정주체를 상대로 취소소송을 제기한 경우에 자주 이용됨
② 피고를 잘못 지정한 데에 원고에게 <u>고의나 과실이 있었는지를</u> 불문하고 피고경정이 가능
③ 원고의 신청(직권×)을 받아서만 가능 ➔ 다만, 대법원은 원고가 피고를 잘못 지정한 것으로 보이는 경우, 법원으로서는 마땅히 석명권(釋明權)을 행사❶하여 원고로 하여금 정당한 피고로 경정하게 하여 소송을 진행해야 할 <u>의무</u>가 있다고 봄(법원의 변형운용)
④ [사례] 세무서장의 <u>위임에 의하여</u> 한국자산관리공사가 한 공매처분에 대하여 <u>세무서장을 피고로 하여</u> 취소소송을 제기한 경우 법원은 석명권을 행사하여 피고를 한국자산관리공사로 경정하게 하여야 함

권한이 승계되거나 처분청이 없어진 때 (제14조 제6항)
① 취소소송이 제기된 후에 ㉠ 처분등에 관계되는 권한이 <u>다른 행정청으로 승계된</u> 경우나, ㉡ 처분등을 행한 <u>행정청이 없어진</u> 경우를 의미
② [필요성] 이 두 경우에는 피고적격자가 각각 ㉠ 권한을 승계한 행정청이나 ㉡ 사무가 귀속되는 국가 또는 공공단체로 바뀌기 때문에(제13조) 피고경정의 필요가 있는 것
③ 당사자의 신청에 의해서 뿐만 아니라 법원의 직권에 의해서도 가능

소의 종류 변경이 있는 때 (제21조 제4항)
① 항고소송을 당해 처분등에 관계되는 사무가 귀속하는 국가 또는 공공단체에 대한 <u>당사자소송으로</u> 변경하거나(제21조 제1항), 당사자소송을 처분청에 대한 <u>항고소송으로</u> 변경한 경우(제42조)에도 피고적격자가 변경되기 때문에 피고의 경정이 허용됨
② 당사자의 신청 또는 법원의 직권에 의해 가능(이견 有)(출제×)
③ (변) [교환적 변경만 가능○, 추가적 변경×] 소의 종류의 변경에 따른 피고의 변경은 <u>교환적 변경에 한함</u> ➔ 예비적 청구만이 있는 피고의 추가경정신청은 예외적 규정이 있는 경우를 제외하고는 원칙적으로 허용되지 않음(89두1) ➔ 소의 종류 변경에 수반하여 이루어지는 피고의 변경은 ㉠ 피고를 A → B로 바꾸는 형태로만 가능하고, ㉡ 피고를 A → A and B로 바꾸는 것은 허용되지 않는다는 말

가능시한
사실심 변론종결시까지만 가능(2005부4) ➔ 새로운 피고에게도 적어도 한 번은 사실심을 받을 기회를 보장해주기 위한 것

효과
① 피고의 경정이 있는 경우 이를, 종전 피고에 대한 소를 취하(기각×, 각하×)하고 <u>새로운 피고에 대해</u> 새로운 소를 제기한 것으로 취급
② [소급간주] 취소소송의 제소기간 준수가 문제됨 ➔ <u>처음에 소를 제기한 때에</u> 새로운 피고를 상대로 소를 제기한 것으로 간주함(제14조 제4·6항, 제21조 제4항)

불복방법
제14조 제1항의 피고경정 신청을 <u>각하하는</u> 결정에 대해서는 <u>즉시항고할</u> 수 있음(제14조 제3항) ➔ (변) 반면 원고의 신청에 따라 <u>피고경정 결정</u>을 한 경우에는, 원고도 종전 피고도 불복할 수 없음(제14조 제3항 반대해석)

준용
무효등 확인소송○, 부작위위법확인소송○, 당사자소송○

---

❶ [민사소송법] 소송상 당사자가 변론에서 무언가를 진술하였는데 그 진술에 모순·흠결이 있거나 애매하여 그 진술의 취지를 알 수 없을 때, 법관이 그 진술의 정확한 의미를 물어 이를 명료하게 하거나, 당사자가 어떤 사실에 대한 입증을 하기는 하였으나 그 입증에 미흡함이 있을 때 입증책임이 있는 당사자에게 추가적인 입증을 촉구하는 행위를 석명권(釋明權)의 행사라 한다.

임시구제수단 - 집행정지(제23조)

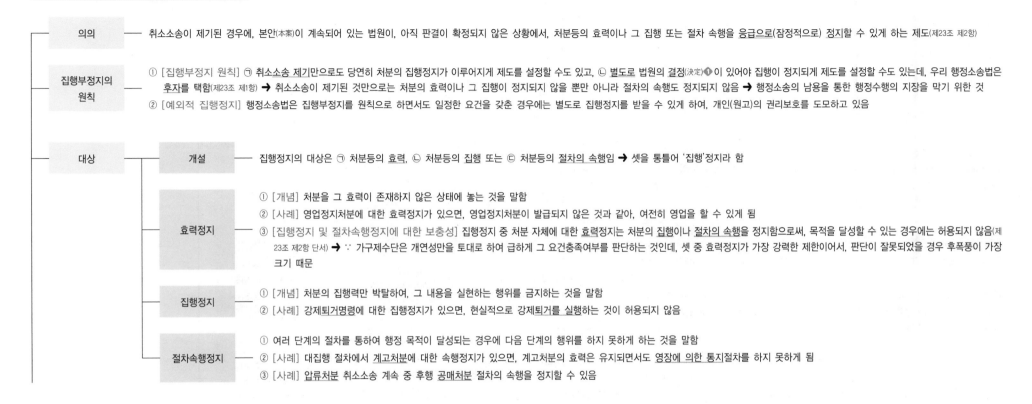

| 의의 | 취소소송이 제기된 경우에, 본안(本案)이 계속되어 있는 법원이, 아직 판결이 확정되지 않은 상황에서, 처분등의 효력이나 그 집행 또는 절차 속행을 응급으로(잠정적으로) 정지할 수 있게 하는 제도(제23조 제2항) |

집행부정지의 원칙

① [집행부정지 원칙] ㉠ 취소소송 제기만으로도 당연히 처분의 집행정지가 이루어지게 제도를 설정할 수도 있고, ㉡ 별도로 법원의 결정(決定)❶이 있어야 집행이 정지되게 제도를 설정할 수도 있는데, 우리 행정소송법은 후자를 택함(제23조 제1항) ➜ 취소소송이 제기된 것만으로는 처분의 효력이나 그 집행이 정지되지 않을 뿐만 아니라 절차의 속행도 정지되지 않음 ➜ 행정소송의 남용을 통한 행정수행의 지장을 막기 위한 것

② [예외적 집행정지] 행정소송법은 집행부정지를 원칙으로 하면서도 일정한 요건을 갖춘 경우에는 별도로 집행정지를 받을 수 있게 하여, 개인(원고)의 권리보호를 도모하고 있음

대상

개설
집행정지의 대상은 ㉠ 처분등의 효력, ㉡ 처분등의 집행 또는 ㉢ 처분등의 절차의 속행임 ➜ 셋을 통틀어 '집행'정지라 함

효력정지
① [개념] 처분을 그 효력이 존재하지 않은 상태에 놓는 것을 말함
② [사례] 영업정지처분에 대한 효력정지가 있으면, 영업정지처분이 발급되지 않은 것과 같아, 여전히 영업을 할 수 있게 됨
③ [집행정지 및 절차속행정지에 대한 보충성] 집행정지 중 처분 자체에 대한 효력정지는 처분의 집행이나 절차의 속행을 정지함으로써, 목적을 달성할 수 있는 경우에는 허용되지 않음(제23조 제2항 단서) ➜ ∵ 가구제수단은 개연성만을 토대로 하여 급하게 그 요건충족여부를 판단하는 것인데, 셋 중 효력정지가 가장 강력한 제한이어서, 판단이 잘못되었을 경우 후폭풍이 가장 크기 때문

집행정지
① [개념] 처분의 집행력만 박탈하여, 그 내용을 실현하는 행위를 금지하는 것을 말함
② [사례] 강제퇴거명령에 대한 집행정지가 있으면, 현실적으로 강제퇴거를 실행하는 것이 허용되지 않음

절차속행정지
① 여러 단계의 절차를 통하여 행정 목적이 달성되는 경우에 다음 단계의 행위를 하지 못하게 하는 것을 말함
② [사례] 대집행 절차에서 계고처분에 대한 속행정지가 있으면, 계고처분의 효력은 유지되면서도 영장에 의한 통지절차를 하지 못하게 됨
③ [사례] 압류처분 취소소송 계속 중 후행 공매처분 절차의 속행을 정지할 수 있음

---

❶ 재판은 그 형식에 따라 판결, 결정, 명령으로 구분되는데, 결정은 법에서 '결정'이라고 이름을 붙인 형식의 재판을 말한다. 뒤에서 다룬다.

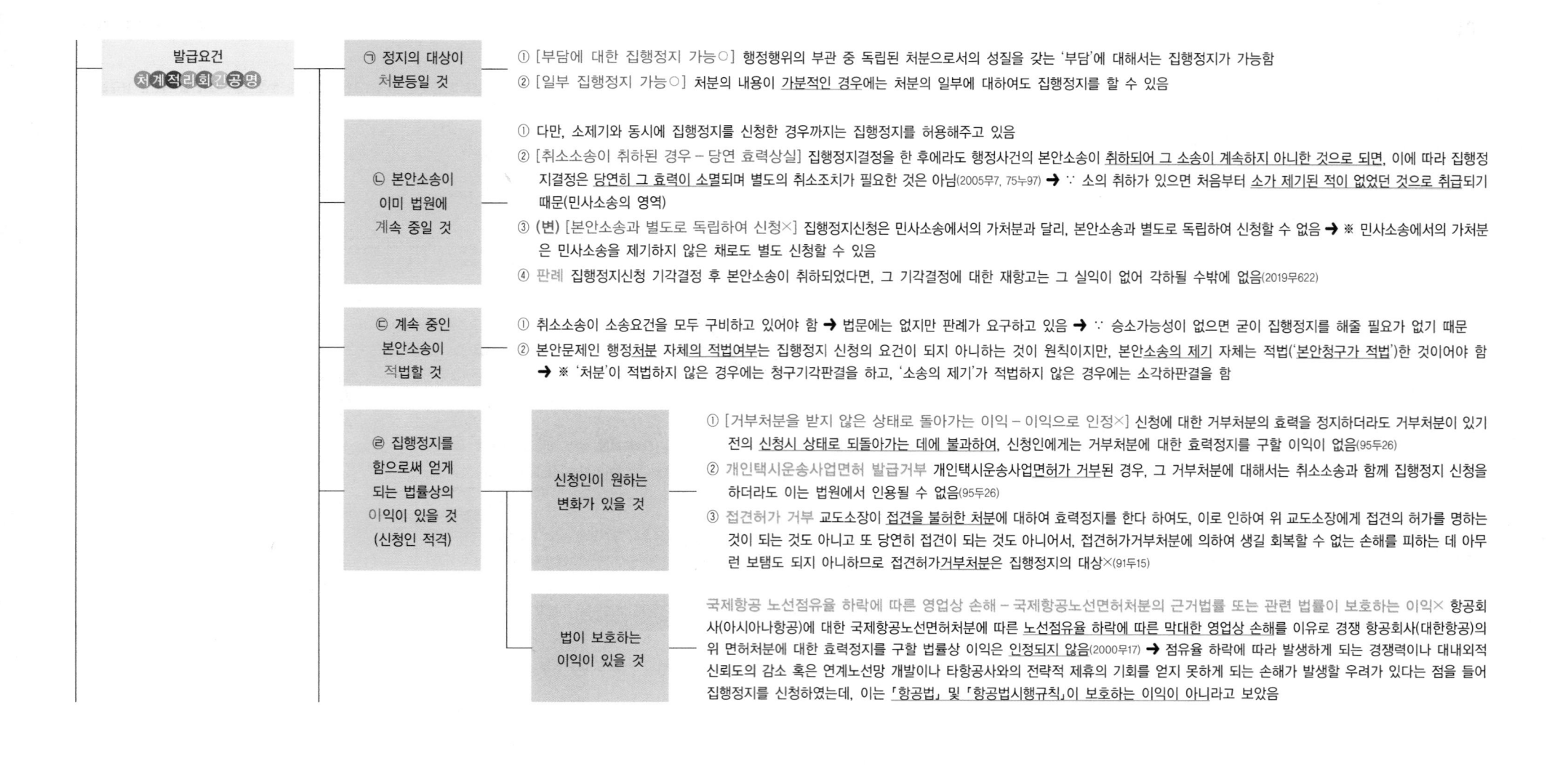

발급요건 처 계 적리 회긴 공명	⊙ 정지의 대상이 처분등일 것	① [부담에 대한 집행정지 가능○] 행정행위의 부관 중 독립된 처분으로서의 성질을 갖는 '부담'에 대해서는 집행정지가 가능함

⊙ 정지의 대상이 처분등일 것

① [부담에 대한 집행정지 가능○] 행정행위의 부관 중 독립된 처분으로서의 성질을 갖는 '부담'에 대해서는 집행정지가 가능함

② [일부 집행정지 가능○] 처분의 내용이 가분적인 경우에는 처분의 일부에 대하여도 집행정지를 할 수 있음

ⓛ 본안소송이 이미 법원에 계속 중일 것

① 다만, 소제기와 동시에 집행정지를 신청한 경우까지는 집행정지를 허용해주고 있음

② [취소소송이 취하된 경우 – 당연 효력상실] 집행정지결정을 한 후에라도 행정사건의 본안소송이 취하되어 그 소송이 계속하지 아니한 것으로 되면, 이에 따라 집행정지결정은 당연히 그 효력이 소멸되며 별도의 취소조치가 필요한 것은 아님(2005무7, 75누97) ➜ ∵ 소의 취하가 있으면 처음부터 소가 제기된 적이 없었던 것으로 취급되기 때문(민사소송의 영역)

③ (변) [본안소송과 별도로 독립하여 신청×] 집행정지신청은 민사소송에서의 가처분과 달리, 본안소송과 별도로 독립하여 신청할 수 없음 ➜ ※ 민사소송에서의 가처분은 민사소송을 제기하지 않은 채로도 별도 신청할 수 있음

④ 판례 집행정지신청 기각결정 후 본안소송이 취하되었다면, 그 기각결정에 대한 재항고는 그 실익이 없어 각하될 수밖에 없음(2019무622)

ⓒ 계속 중인 본안소송이 적법할 것

① 취소소송이 소송요건을 모두 구비하고 있어야 함 ➜ 법문에는 없지만 판례가 요구하고 있음 ➜ ∵ 승소가능성이 없으면 굳이 집행정지를 해줄 필요가 없기 때문

② 본안문제인 행정처분 자체의 적법여부는 집행정지 신청의 요건이 되지 아니하는 것이 원칙이지만, 본안소송의 제기 자체는 적법(본안청구가 적법)한 것이어야 함 ➜ ※ '처분'이 적법하지 않은 경우에는 청구기각판결을 하고, '소송의 제기'가 적법하지 않은 경우에는 소각하판결을 함

ⓐ 집행정지를 함으로써 얻게 되는 법률상의 이익이 있을 것 (신청인 적격)

신청인이 원하는 변화가 있을 것

① [거부처분을 받지 않은 상태로 돌아가는 이익 – 이익으로 인정×] 신청에 대한 거부처분의 효력을 정지하더라도 거부처분이 있기 전의 신청시 상태로 되돌아가는 데에 불과하여, 신청인에게는 거부처분에 대한 효력정지를 구할 이익이 없음(95두26)

② 개인택시운송사업면허 발급거부 개인택시운송사업면허가 거부된 경우, 그 거부처분에 대해서는 취소소송과 함께 집행정지 신청을 하더라도 이는 법원에서 인용될 수 없음(95두26)

③ 접견허가 거부 교도소장이 접견을 불허한 처분에 대하여 효력정지를 한다 하여도, 이로 인하여 위 교도소장에게 접견의 허가를 명하는 것이 되는 것도 아니고 또 당연히 접견이 되는 것도 아니어서, 접견허가거부처분에 의하여 생길 회복할 수 없는 손해를 피하는 데 아무런 보탬도 되지 아니하므로 접견허가거부처분은 집행정지의 대상×(91두15)

법이 보호하는 이익이 있을 것

국제항공 노선점유율 하락에 따른 영업상 손해 – 국제항공노선면허처분의 근거법률 또는 관련 법률이 보호하는 이익× 항공회사(아시아나항공)에 대한 국제항공노선면허처분에 따른 노선점유율 하락에 따른 막대한 영업상 손해를 이유로 경쟁 항공회사(대한항공)의 위 면허처분에 대한 효력정지를 구할 법률상 이익은 인정되지 않음(2000무17) ➜ 점유율 하락에 따라 발생하게 되는 경쟁력이나 대내외적 신뢰도의 감소 혹은 연계노선망 개발이나 타항공사와의 전략적 제휴의 기회를 얻지 못하게 되는 손해가 발생할 우려가 있다는 점을 들어 집행정지를 신청하였는데, 이는 「항공법」 및 「항공법시행규칙」이 보호하는 이익이 아니라고 보았음

⑩ 집행정지가 회복하기 어려운 손해를 예방하려는 목적일 것	① ['회복하기 어려운 손해'] ㉠ 금전보상이 불가능한 경우뿐만 아니라, ㉡ 가능하다 하더라도 금전보상으로는 사회관념상 행정처분을 받은 당사자가 참고 견딜 수 없거나 또는 참고 견디기가 현저히 곤란한 경우의 유형·무형의 손해를 말함(2012무2) ➜ ⑩ 잘못된 입영통지처분으로 인하여 군에 재입대를 하여 다시 군복무를 하게 되는 불이익
	② [금전적 손해의 경우] 금전적 손해(⑩ 과징금 부과처분을 받아 과징금을 납부하게 되는 손해)는 원칙적으로 취소판결을 받으면 나중에라도 회복할 수 있는 손해로 봄 ➜ ㉠ '금전적 손해의 액수가 과도'하다는 이유만으로는 회복하기 어려운 손해에 포함× ㉡ 다만, 금전적 손해로 인하여 중대한 경영상의 위기(⑩ 폐업)와 같은 회복하기 어려운 손해가 발생할 수도 있는데, 그 경우에는 집행정지가 발급됨
	③ [손해의 규모 불문] 집행정지요건인 '회복하기 어려운 손해'라 함은 손해의 규모가 현저하게 큰 것임을 요하지는 않음 ➜ ⑩ 단 3일을 재입대하게 되더라도 그로 인한 손해는 '회복하기 어려운 손해'에 해당함
	④ [공익상 손해×, 제3자의 손해×] 집행정지의 요건인 '회복하기 어려운 손해'는 신청인의 개인적 손해로 한정되고, 공익상 손해나 신청인 외에 제3자가 입은 손해는 포함×(서울행정법원 2009아3749)
	⑤ 시설비 회수를 하지 못하게 되는 손해 – 회복하기 어려운 손해× 유흥접객영업허가의 취소처분으로 5,000여만 원의 시설비를 회수하지 못하게 된다면 생계까지 위협받을 수 있다는 등의 사정은 집행정지를 인정하기 위한 회복하기 어려운 손해가 생길 우려가 있는 경우에 해당×(91두1)
	⑥ 중대한 경영상의 위기 – 회복하기 어려운 손해○ 외부자금의 신규차입이 사실상 중단된 상태에서, 고액의 과징금(285억)을 납부하기 위해 무리하게 외부자금을 신규 차입할 경우, 자금사정이 악화되어 회사의 존립 자체가 위태롭게 될 정도의 중대한 경영상 위기를 맞게 될 것으로 보이는 경우, 그 과징금납부명령으로 인한 손해는 '회복하기 어려운 손해'에 해당함(2001무29)
	⑦ 중대한 경영상의 위기 – 회복하기 어려운 손해○ 행정처분에 의한 경제적 손실이나 기업 이미지 및 신용의 훼손도, 사업자의 자금사정이나 경영 전반에 미치는 파급효과가 매우 중대하여 사업 자체를 계속할 수 없거나 중대한 경영상의 위기를 맞게 될 것으로 보이는 등의 사정이 존재하는 경우에는, '금전으로 보상할 수 없어 회복하기 어려운 손해'에 해당하게 됨(2003무23)
	⑧ 사업자의 자금사정이나 경영전반에 미치는 파급효과가 매우 중대 – 회복하기 어려운 손해○ 과징금납부명령의 처분이 사업자의 자금사정이나 경영전반에 미치는 파급효과가 매우 중대하다는 손해는 효력정지 내지 집행정지의 적극적 요건인 '회복하기 어려운 손해'에 해당함(2001무29)
	⑨ (변) 정비사업의 진행이 법적으로 불가능해지는 손해 – 회복하기 어려운 손해○ 도시환경정비사업조합의 귀책사유 없이 행정청이 조합설립인가를 취소함으로써 정비사업의 진행이 법적으로 불가능해지는 손해는 금전으로 보상할 수 없는 회복하기 어려운 손해에 해당함(2018무600) ➜ ∵ 단순히 금전의 문제가 아니라, 다수인의 주거생활과 관련된 문제이기 때문
㉫ 집행정지를 해야 할 긴급한 필요가 있을 것	실무상, ⑩ 회복하기 어려운 손해를 예방하려는 목적일 것과 연동되어 판단됨
㉧ 집행정지를 하더라도 공공복리에 중대한 영향을 미칠 우려가 없을 것	'공공복리에 중대한 영향을 미칠 우려'라 함은 일반적·추상적인 공익에 대한 침해의 가능성이 아니라, 당해 처분의 집행과 관련된 구체적·개별적인 공익에 중대한 해를 입힐 개연성을 말하는 것(2004무6, 2003무41)
㉨ 본안청구가 이유 없음이 명백하지 않을 것	① 본안에 관한 이유 유무(즉, 처분등이 위법한지 여부)(본안청구의 적법 여부×)는 원칙적으로 집행정지 결정단계에서 판단할 것은 아니지만, 집행정지사건 자체에 의하여 신청인의 본안청구가 이유 없음이 명백한 때에는 집행정지를 명할 수 없음(94두23) ➜ 어차피 본안소송에서 인용판결을 받지 못할 것이 분명하다면 집행정지를 해줄 필요가 없다고 보기 때문에, 법문상 언급이 없음에도 불구하고 판례가 요구하고 있는 요건
	② [사례] 원고가 소장에 적시한 계쟁처분의 위법 이유가, '계쟁처분이 발급 당시의 법령을 기준으로 했을 때는 적법한 것이었지만, 지금은 법이 변경되어 위법하게 되었다'는 것인 경우, (처분의 위법여부는 처분발급시의 법령을 기준으로 하는 것이므로) 원고가 본안소송에서 패소할 것이 명백하여, 이 경우에는 집행정지 신청이 받아들여지지 않음

절차	① [신청 or 직권] 당사자가 집행정지 신청을 해서 그에 대한 반응으로 법원이 정지결정을 할 수도 있고, 법원이 직권으로 정지결정을 할 수도 있음 ➜ ∵ 급한 상황이기 때문

① [신청 or 직권] 당사자가 집행정지 신청을 해서 그에 대한 반응으로 법원이 정지결정을 할 수도 있고, 법원이 직권으로 정지결정을 할 수도 있음 ➜ ∵ 급한 상황이기 때문

② [신청시에는 이유 소명 필요] 집행정지의 결정을 신청함에 있어서는 그 이유에 대한 소명❶이 반드시 있어야함(정당한 사유가 있으면 소명이 없이도×)(제23조 제4항) ➜ 적극적 요건(㉠, ㉡, ㉢, ㉣, ㉤, ㉥)은 원고가 주장·소명해야 하고, 소극적 요건(Ⓐ, ㉦)은 피고가 주장·소명해야 함

③ [원고적격을 갖춘 제3자도 집행정지 신청 가능○] 소송의 '당사자'라면 집행정지를 신청할 수 있으므로, 처분의 직접상대방이 아닌 제3자라 하더라도 법률상 이익을 침해받은 경우에는 취소소송을 제기하고 집행정지를 신청할 수 있음

④ (변) [각하결정] 형식적 요건(㉠, ㉡, ㉢, ㉣)을 갖추지 못한 경우 집행정지신청은 부적법하므로 법원은 각하결정을 함

⑤ (변) [기각결정] 실체적 요건(㉤, ㉥, Ⓐ, ㉦)을 갖추지 못한 경우 법원은 기각결정을 함

정지결정의 효력

형성력

효력정지 결정이 있으면, 곧바로(즉, 통지 등 별도의 후속행위 없이도) 처분의 효력의 전부 또는 일부가 존속하지 않는 것과 같은 법률 상태에 놓이게 됨 ➜ 이 형성력은 원고나 피고가 아니었던 제3자에 대해서도 인정됨(대세효)(제29조 제2항)

기속력 (뒤에서 다룸)

① 집행정지결정이 이루어지면 행정청은 집행정지결정의 취지에 따라야 할 의무를 부담함

② [반복금지의무] 집행정지 결정이 있으면, 행정청은 정지된 처분과 동일한 내용으로 새로운 처분을 하거나 이와 관련된 처분을 할 수 없음(제23조 제6항) But 재처분의무는 성질상 준용×

③ 집행정지결정이 있으면 당사자인 행정청과 그 밖의 관계행정청에 대하여 법적 구속력이 발생함(제23조 제6항, 제30조 제1항)

④ 판례 집행정지결정이 있게 되면 당해 처분이 효력 있음을 전제로 한 후속행위는 무효가 됨(4294행상3) ➜ 판결의 기속력에 반하는 처분이 무효가 되는 것처럼, 집행정지결정의 기속력에 위배되는 처분은 무효가 됨

⑤ 판례 처분의 효력을 정지하는 집행정지결정이 이루어지면 결정 주문에서 정한 정지기간 중에는 처분이 없었던 원래의 상태와 같은 상태가 되며, 처분청이 처분을 실현하기 위한 조치를 할 수 없음(2020두34070)

시간적 범위

① [장래효 한도 내 자유설정원칙] 집행정지기간은 정지결정 이전으로 소급하여 정지시키는 것만 아니면(소급효는 허용×), 원칙적으로 법원이 그 시기와 종기를 자유롭게 정할 수 있음 ➜ 결정 주문(主文)에서 특별히 정한 바가 없으면, 집행정지결정 시점부터 본안판결이 확정될 때까지 집행이 정지됨

② [종기도래의 효과 - 당연장래효] 집행정지기간의 종기가 되면 집행정지의 효력은 당연히(ipso iure) 장래를 향하여(소급하여×) 사라짐

③ [기간을 정한 제재처분에 대해 집행정지가 이루어졌던 경우] 효력기간이 정해져 있는 제재적 행정처분(예 3월의 영업정지처분)에 대한 취소소송에서, ㉠ 법원이 본안소송의 판결선고시까지 집행정지결정을 하면, 처분에서 정해 둔 효력기간은 판결선고시까지 진행하지 않다가, ㉡ 판결이 선고되면 그때 집행정지결정의 효력이 소멸함과 동시에, 처분의 효력이 당연히 부활하여 처분에서 정한 효력기간이 다시 진행함(2005두1190)

④ 판례 처분의 효력정지 결정이 내려졌다가 효력정지기간의 종기가 되면 정지되었던 처분의 효력이 당연히 부활함(2004무61)

⑤ 판례 보조금 교부결정의 일부에 대한 취소처분에 대하여 법원이 효력정지 결정을 하면서, 주문(主文)에서 그 법원에 계속 중인 본안소송의 판결 선고시까지 처분의 효력을 정지한다고 선언하였을 경우, 본안소송의 판결 선고에 의하여 정지결정의 효력은 소멸하고 이와 동시에 당초의 보조금 교부결정 취소처분의 효력이 당연히 되살아 남(2013두25498) ➜ 본안에서 기각판결이 내려진 상황

⑥ 판례 일정한 납부기한을 정한 과징금부과처분에 대하여 집행정지결정이 내려졌다면, 과징금부과처분에서 정한 과징금의 납부 기간은 더 이상 진행되지 아니하고, 집행정지결정의 주문에 표시된 종기의 도래로 인하여 집행정지가 실효된 때부터 다시 진행됨(2002무48023)

불복

① [즉시항고] 집행정지의 결정 또는 기각의 결정에 대하여는 즉시항고할 수 있음 ➜ 다만, 이 즉시항고에는 집행정지 결정의 집행을 정지하는 효력이 없음(뒤에서 다룸)(제23조 제5항)

② 판례 효력정지신청을 기각한 결정에 대하여 행정처분 자체의 적법여부를 불복사유로 삼을 수 없음(2010무111) ➜ ∵ 행정처분 자체의 적법여부는 원래 집행정지의 발급요건이 아니기 때문

집행정지 결정의 취소

① 집행정지 결정이 확정된 후 ㉠ 집행정지가 공공복리에 중대한 영향을 미치게 되거나 ㉡ 그 정지사유가 없어진 때에는, 당사자의 신청이나 직권으로 집행정지 결정을 취소할 수 있음(제24조) ➜ 집행정지결정의 취소사유는 특별한 사정이 없는 한 집행정지결정이 확정된 이후에 발생한 것이어야 함(2005무16)

② [대세효] 집행정지 취소결정에도 제3자에 대한 대세효가 인정됨(제29조 제2항)

③ [즉시항고] 집행정지 결정의 취소결정에 대해서도 즉시항고 할 수 있는데, 역시 이 즉시항고에는 결정의 집행을 정지하는 효력은 없음(제24조 제2항)

---

❶ [민사소송법] '소명'이란 증명보다 완화된 정도의 입증을 말한다. 증명은 어느 사실의 존부에 관하여 법관으로 하여금 확신을 얻게 하는 입증행위를 말하고, 소명은 증명에 비하여 한 단계 낮은 개연성, 즉 대개 그럴 것이라는 추측 정도의 심증을 얻게 하는 입증행위를 말한다.

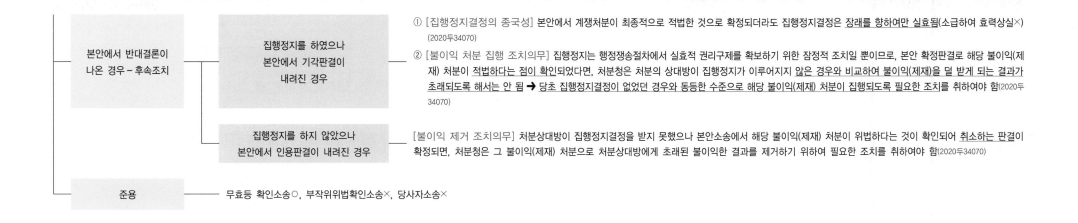

본안에서 반대결론이 나온 경우 – 후속조치	집행정지를 하였으나 본안에서 기각판결이 내려진 경우	① [집행정지결정의 종국성] 본안에서 계쟁처분이 최종적으로 적법한 것으로 확정되더라도 집행정지결정은 장래를 향하여만 실효됨(소급하여 효력상실×) (2020두34070) ② [불이익 처분 집행 조치의무] 집행정지는 행정쟁송절차에서 실효적 권리구제를 확보하기 위한 잠정적 조치일 뿐이므로, 본안 확정판결로 해당 불이익(제재) 처분이 적법하다는 점이 확인되었다면, 처분청은 처분의 상대방이 집행정지가 이루어지지 않은 경우와 비교하여 불이익(제재)을 덜 받게 되는 결과가 초래되도록 해서는 안 됨 ➜ 당초 집행정지결정이 없었던 경우와 동등한 수준으로 해당 불이익(제재) 처분이 집행되도록 필요한 조치를 취하여야 함(2020두34070)
	집행정지를 하지 않았으나 본안에서 인용판결이 내려진 경우	[불이익 제거 조치의무] 처분상대방이 집행정지결정을 받지 못했으나 본안소송에서 해당 불이익(제재) 처분이 위법하다는 것이 확인되어 취소하는 판결이 확정되면, 처분청은 그 불이익(제재) 처분으로 처분상대방에게 초래된 불이익한 결과를 제거하기 위하여 필요한 조치를 취하여야 함(2020두34070)
준용		무효등 확인소송○, 부작위위법확인소송×, 당사자소송×

임시구제수단 2 - 가처분

의의	① 다툼이 있는 권리관계에 관하여 잠정적으로 임시의 지위를 정하는 것을 목적으로 하는 임시구제수단 ② [집행정지와의 비교] 집행정지는 이미 발급된 처분을 정지시키는 소극적 효력만 있는 제도이지만, 가처분은 원고가 급하게 필요로 하는 법적 지위를 부여해 주는 적극적 효력이 있는 제도라는 점에서 차이 ③ [행정소송법상 규정無] 「행정소송법」에는 규정이 없고, 「민사집행법」 제300조 제2항에 규정이 있음 ④ [민사집행법 제300조 제2항] "가처분은 다툼이 있는 권리관계에 대하여 임시의 지위를 정하기 위하여도 할 수 있다. 이 경우 가처분은 특히 계속하는 권리관계에 끼칠 현저한 손해를 피하거나 급박한 위험을 막기 위하여, 또는 그 밖의 필요한 이유가 있을 경우에 하여야 한다."
준용 여부	① 이러한 「민사집행법」상의 가처분 규정을 취소소송에서도 준용하여, 취소소송에서도 가처분이 허용된다고 볼 것인지가 문제됨 ➜ 집행정지가 원고가 급하게 필요로 하는 처분의 발급 효과까지는 갖지 못하기 때문에 현실적으로 취소소송에도 인정할 필요 ○ ② [대법원] 대법원은 취소소송에는 이미 집행정지라는 임시구제수단이 존재한다는 이유로 가처분 규정은 준용되지 않는다고 봄(92마54) ➜ [학설] ?? ③ [비교 – 당사자소송에는 준용○] 대법원은 당사자소송에는 집행정지 제도가 인정되지 않기 때문에 가처분이 준용된다고 봄(2015무26)
집행정지와의 관계	항고소송의 대상이 되는 행정처분의 효력이나 집행 혹은 절차속행 등의 정지를 구하는 신청은 「행정소송법」상 집행정지신청의 방법으로서만 가능할 뿐이고 「민사소송법」상 가처분의 방법으로는 허용될 수 없음 (2009마596)
행정심판법상 임시처분제도	행정심판에는 「민사집행법」상의 가처분제도를 본 뜬 임시처분제도(행정심판법 제31조)가 도입되어 있음 ➜ 뒤에서 다룸

판결의 종류

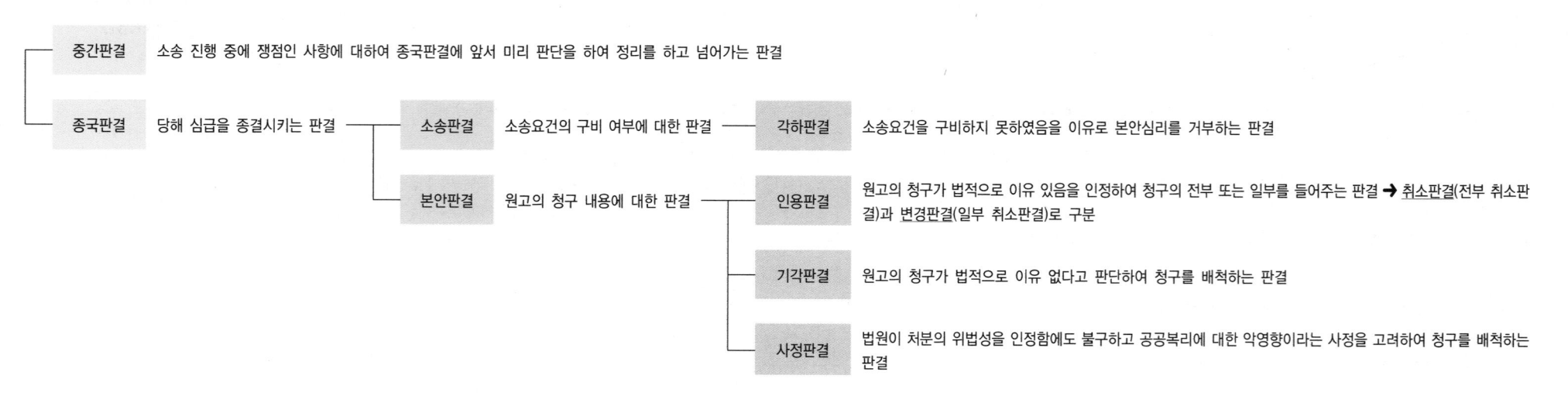

중간판결	소송 진행 중에 쟁점인 사항에 대하여 종국판결에 앞서 미리 판단을 하여 정리를 하고 넘어가는 판결	
종국판결	당해 심급을 종결시키는 판결	

소송판결 — 소송요건의 구비 여부에 대한 판결 — 각하판결 : 소송요건을 구비하지 못하였음을 이유로 본안심리를 거부하는 판결

본안판결 — 원고의 청구 내용에 대한 판결 ─ 인용판결 : 원고의 청구가 법적으로 이유 있음을 인정하여 청구의 전부 또는 일부를 들어주는 판결 ➜ 취소판결(전부 취소판결)과 변경판결(일부 취소판결)로 구분

기각판결 : 원고의 청구가 법적으로 이유 없다고 판단하여 청구를 배척하는 판결

사정판결 : 법원이 처분의 위법성을 인정함에도 불구하고 공공복리에 대한 악영향이라는 사정을 고려하여 청구를 배척하는 판결

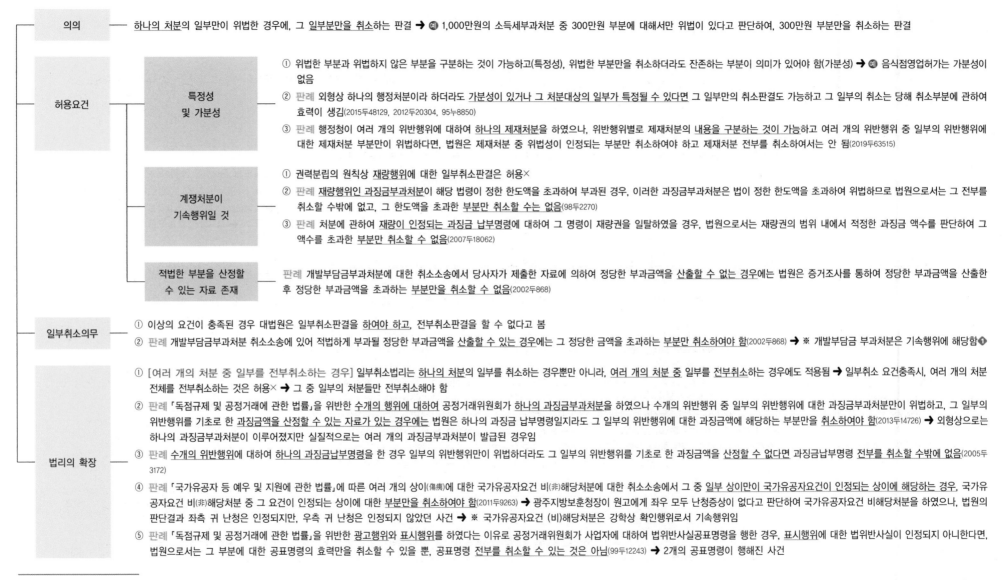

일부인용판결(일부취소판결)

의의 ─── 하나의 처분의 일부만이 위법한 경우에, 그 일부분만을 취소하는 판결 ➜ **예** 1,000만원의 소득세부과처분 중 300만원 부분에 대해서만 위법이 있다고 판단하여, 300만원 부분만을 취소하는 판결

허용요건

특정성 및 가분성

① 위법한 부분과 위법하지 않은 부분을 구분하는 것이 가능하고(특정성), 위법한 부분만을 취소하더라도 잔존하는 부분이 의미가 있어야 함(가분성) ➜ **예** 음식점영업허가는 가분성이 없음

② 판례 외형상 하나의 행정처분이라 하더라도 가분성이 있거나 그 처분대상의 일부가 특정될 수 있다면 그 일부만의 취소판결도 가능하고 그 일부의 취소는 당해 취소부분에 관하여 효력이 생김(2015두48129, 2012두20304, 95누8850)

③ 판례 행정청이 여러 개의 위반행위에 대하여 하나의 제재처분을 하였으나, 위반행위별로 제재처분의 내용을 구분하는 것이 가능하고 여러 개의 위반행위 중 일부의 위반행위에 대한 제재처분 부분만이 위법하다면, 법원은 제재처분 중 위법성이 인정되는 부분만 취소하여야 하고 제재처분 전부를 취소하여서는 안 됨(2019두63515)

계쟁처분이 기속행위일 것

① 권력분립의 원칙상 재량행위에 대한 일부취소판결은 허용×

② 판례 재량행위인 과징금부과처분이 해당 법령이 정한 한도액을 초과하여 부과된 경우, 이러한 과징금부과처분은 법이 정한 한도액을 초과하여 위법하므로 법원으로서는 그 전부를 취소할 수밖에 없고, 그 한도액을 초과한 부분만 취소할 수는 없음(98두2270)

③ 판례 처분에 관하여 재량이 인정되는 과징금 납부명령에 대하여 그 명령이 재량권을 일탈하였을 경우, 법원으로서는 재량권의 범위 내에서 적정한 과징금 액수를 판단하여 그 액수를 초과한 부분만 취소할 수 없음(2007두18062)

적법한 부분을 산정할 수 있는 자료 존재

판례 개발부담금부과처분에 대한 취소소송에서 당사자가 제출한 자료에 의하여 정당한 부과금액을 산출할 수 없는 경우에는 법원은 증거조사를 통하여 정당한 부과금액을 산출한 후 정당한 부과금액을 초과하는 부분만을 취소할 수 없음(2002두868)

일부취소의무

① 이상의 요건이 충족된 경우 대법원은 일부취소판결을 하여야 하고, 전부취소판결을 할 수 없다고 봄

② 판례 개발부담금부과처분 취소소송에 있어 적법하게 부과될 정당한 부과금액을 산출할 수 있는 경우에는 그 정당한 금액을 초과하는 부분만 취소하여야 함(2002두868) ➜ ※ 개발부담금 부과처분은 기속행위에 해당함❶

법리의 확장

① [여러 개의 처분 중 일부를 전부취소하는 경우] 일부취소법리는 하나의 처분의 일부를 취소하는 경우뿐만 아니라, 여러 개의 처분 중 일부를 전부취소하는 경우에도 적용됨 ➜ 일부취소 요건충족시, 여러 개의 처분 전체를 전부취소하는 것은 허용× ➜ 그 중 일부의 처분들만 전부취소해야 함

② 판례 「독점규제 및 공정거래에 관한 법률」을 위반한 수개의 행위에 대하여 공정거래위원회가 하나의 과징금부과처분을 하였으나 수개의 위반행위 중 일부의 위반행위에 대한 과징금부과처분만이 위법하고, 그 일부의 위반행위를 기초로 한 과징금액을 산정할 수 있는 자료가 있는 경우에는 법원은 하나의 과징금 납부명령일지라도 그 일부의 위반행위에 대한 과징금액에 해당하는 부분만을 취소하여야 함(2013두14726) ➜ 외형상으로는 하나의 과징금부과처분이 이루어졌지만 실질적으로는 여러 개의 과징금부과처분이 발급된 경우임

③ 판례 수개의 위반행위에 대하여 하나의 과징금납부명령을 한 경우 일부의 위반행위만이 위법하더라도 그 일부의 위반행위를 기초로 한 과징금액을 산정할 수 없다면 과징금납부명령 전부를 취소할 수밖에 없음(2005두3172)

④ 판례 「국가유공자 등 예우 및 지원에 관한 법률」에 따른 여러 개의 상이(傷痍)에 대한 국가유공자요건 비(非)해당처분에 대한 취소소송에서 그 중 일부 상이만이 국가유공자요건이 인정되는 상이에 해당하는 경우, 국가유공자요건 비(非)해당처분 중 그 요건이 인정되는 상이에 대한 부분만을 취소하여야 함(2011두9263) ➜ 광주지방보훈청장이 원고에게 좌우 모두 난청증상이 없다고 판단하여 국가유공자요건 비해당처분을 하였으나, 법원의 판단결과 좌측 귀 난청은 인정되지만, 우측 귀 난청은 인정되지 않았던 사건 ➜ ※ 국가유공자요건 (비)해당처분은 강학상 확인행위로서 기속행위임

⑤ 판례 「독점규제 및 공정거래에 관한 법률」을 위반한 광고행위와 표시행위를 하였다는 이유로 공정거래위원회가 사업자에 대하여 법위반사실공표명령을 행한 경우, 표시행위에 대한 법위반사실이 인정되지 아니한다면, 법원으로서는 그 부분에 대한 공표명령의 효력만을 취소할 수 있을 뿐, 공표명령 전부를 취소할 수 있는 것은 아님(99두12243) ➜ 2개의 공표명령이 행해진 사건

─────────────

❶ 아래 판례들 모두, 일부취소판결의 요건 중 하나만 충족되더라도 일부취소판결이 가능하다는 판시를 하고 있는 것이 아니라, 다른 요건들은 모두 충족되었음을 전제로, 일부취소판결의 요건이 충족되면 반드시 일부취소판결을 하여야 한다는 판시를 하고 있는 것이다.

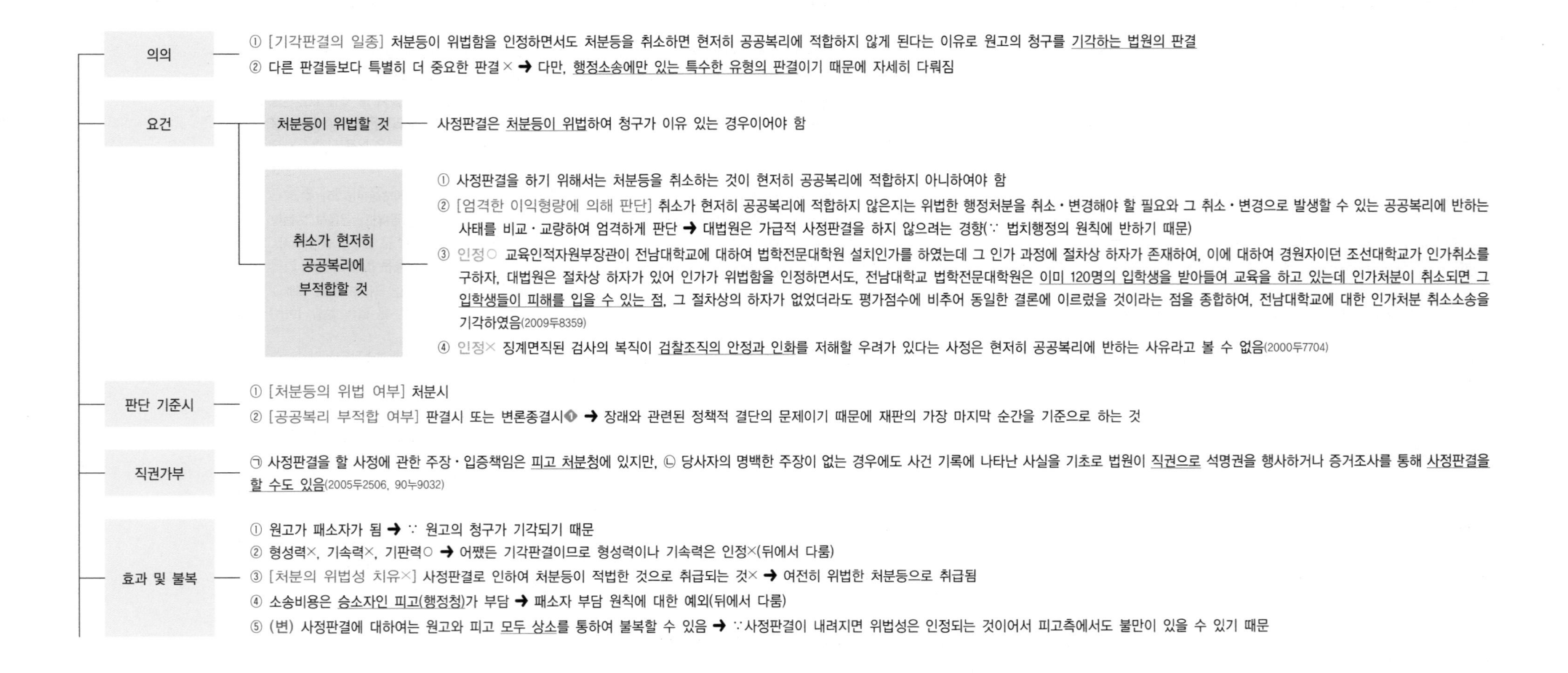

사정판결

의의
① [기각판결의 일종] 처분등이 위법함을 인정하면서도 처분등을 취소하면 현저히 공공복리에 적합하지 않게 된다는 이유로 원고의 청구를 기각하는 법원의 판결
② 다른 판결들보다 특별히 더 중요한 판결× ➜ 다만, 행정소송에만 있는 특수한 유형의 판결이기 때문에 자세히 다뤄짐

요건

처분등이 위법할 것 ─ 사정판결은 처분등이 위법하여 청구가 이유 있는 경우이어야 함

취소가 현저히 공공복리에 부적합할 것
① 사정판결을 하기 위해서는 처분등을 취소하는 것이 현저히 공공복리에 적합하지 아니하여야 함
② [엄격한 이익형량에 의해 판단] 취소가 현저히 공공복리에 적합하지 않은지는 위법한 행정처분을 취소·변경해야 할 필요와 그 취소·변경으로 발생할 수 있는 공공복리에 반하는 사태를 비교·교량하여 엄격하게 판단 ➜ 대법원은 가급적 사정판결을 하지 않으려는 경향(∵ 법치행정의 원칙에 반하기 때문)
③ 인정○ 교육인적자원부장관이 전남대학교에 대하여 법학전문대학원 설치인가를 하였는데 그 인가 과정에 절차상 하자가 존재하여, 이에 대하여 경원자이던 조선대학교가 인가취소를 구하자, 대법원은 절차상 하자가 있어 인가가 위법함을 인정하면서도, 전남대학교 법학전문대학원은 이미 120명의 입학생을 받아들여 교육을 하고 있는데 인가처분이 취소되면 그 입학생들이 피해를 입을 수 있는 점, 그 절차상의 하자가 없었더라도 평가점수에 비추어 동일한 결론에 이르렀을 것이라는 점을 종합하여, 전남대학교에 대한 인가처분 취소소송을 기각하였음(2009두8359)
④ 인정× 징계면직된 검사의 복직이 검찰조직의 안정과 인화를 저해할 우려가 있다는 사정은 현저히 공공복리에 반하는 사유라고 볼 수 없음(2000두7704)

판단 기준시
① [처분등의 위법 여부] 처분시
② [공공복리 부적합 여부] 판결시 또는 변론종결시❶ ➜ 장래와 관련된 정책적 결단의 문제이기 때문에 재판의 가장 마지막 순간을 기준으로 하는 것

직권가부 ─ ㉠ 사정판결을 할 사정에 관한 주장·입증책임은 피고 처분청에 있지만, ㉡ 당사자의 명백한 주장이 없는 경우에도 사건 기록에 나타난 사실을 기초로 법원이 직권으로 석명권을 행사하거나 증거조사를 통해 사정판결을 할 수도 있음(2005두2506, 90누9032)

효과 및 불복
① 원고가 패소자가 됨 ➜ ∵ 원고의 청구가 기각되기 때문
② 형성력×, 기속력×, 기판력○ ➜ 어쨌든 기각판결이므로 형성력이나 기속력은 인정×(뒤에서 다룸)
③ [처분의 위법성 치유×] 사정판결로 인하여 처분등이 적법한 것으로 취급되는 것× ➜ 여전히 위법한 처분등으로 취급됨
④ 소송비용은 승소자인 피고(행정청)가 부담 ➜ 패소자 부담 원칙에 대한 예외(뒤에서 다룸)
⑤ (변) 사정판결에 대하여는 원고와 피고 모두 상소를 통하여 불복할 수 있음 ➜ ∵ 사정판결이 내려지면 위법성은 인정되는 것이어서 피고측에서도 불만이 있을 수 있기 때문

---

❶ [민사소송법] 법관은 변론종결시까지 수집된 자료만을 토대로 판결을 선고하기 때문에 변론종결시와 판결시는 보통 같은 것으로 취급된다.

원고보호조치	① [위법성 주문 명시] 처분이 위법하다는 점을 주문(이유×)에 명시해야 함(제28조 제1항 단서) ➔ ㉠ 국가배상청구가 용이해지고(증명력), ㉡ 처분이 위법하다는 점(적법하다는 점×)에 대해 기판력(뒤에서 다룸)이 생김

사정판결 주문 예시

1. 원고의 청구를 기각한다.
2. 피고가 2024. 1. 5.자로 원고에 대하여 한○○처분은 위법하다.
3. 소송비용은 피고의 부담으로 한다.

② [손해배상·구제방법의 청구 병합제기] 원고는 피고인 행정청이 속하는 국가 또는 공공단체를 상대로 손해배상, 제해시설의 설치 등의 적당한 구제방법의 청구를 당해 취소소송등이 계속된 법원에 병합하여 제기할 수 있음(제3항) ➔ 국가 또는 공공단체를 피고로 해야 하는 이유는 손해배상의 청구, 제해시설 설치 등 구제방법의 청구는 취소소송이 아니라 민사소송의 일종이기 때문

③ [사정조사] 법원이 사정판결을 할 때는 미리 원고가 그로 인하여 입게 될 손해의 정도와 배상방법 그 밖의 사정을 조사해야 함(제2항) ➔ 조사내용을 원고에게 알려주어 원고가 제3항의 청구들을 병합하여 소 제기할 수 있게 하기 위한 것

④ [석명권 행사 의무] 원고는 행정소송법 제28조 제3항에 따라 손해배상, 제해시설의 설치 그 밖에 적당한 구제방법의 청구를 병합하여 제기할 수 있으므로, 당사자가 이를 간과하였음이 분명하다면 적절하게 석명권을 행사하여 그에 관한 의견을 진술할 수 있는 기회를 주어야 함(2015두4167)

준용	취소소송에서만 사정판결이 인정됨 ➔ 무효등 확인소송×, 부작위위법확인소송×, 당사자소송×

판결의 효력 - 불가변력, 불가쟁력

개설	① 판결이 확정되면 판결은 일정한 효력을 갖게 됨 ➔ 불가변력, 불가쟁력, 형성력, 기판력, 기속력 등 ② 판결의 확정? ➔ 더 이상 판결에 대해 다툴 수 없는 상태가 되는 것을 말함 ➔ 1심 판결과 2심 판결은 선고 후 14일(2주)이 되도록 상소를 하지 않거나 포기한 경우에 확정되고, 대법원 판결은 선고와 동시에 확정됨
불가변력(자박력) (출제×)	① 판결을 일단 선고하면, 선고법원도 그 판결의 내용을 취소하거나 변경하지 못하게 하는 힘 ➔ 예외적으로 선고만으로도 인정되는 효력 ② 선고법원 스스로에 대한 효력
불가쟁력(형식적 확정력) (출제×)	① 판결이 확정되면 원고나 피고가 더 이상 그 판결에 대해 상소(上訴)로 다투지 못하게 하는 힘 ② 원고나 피고(정확히는 소송당사자들)에 대한 효력

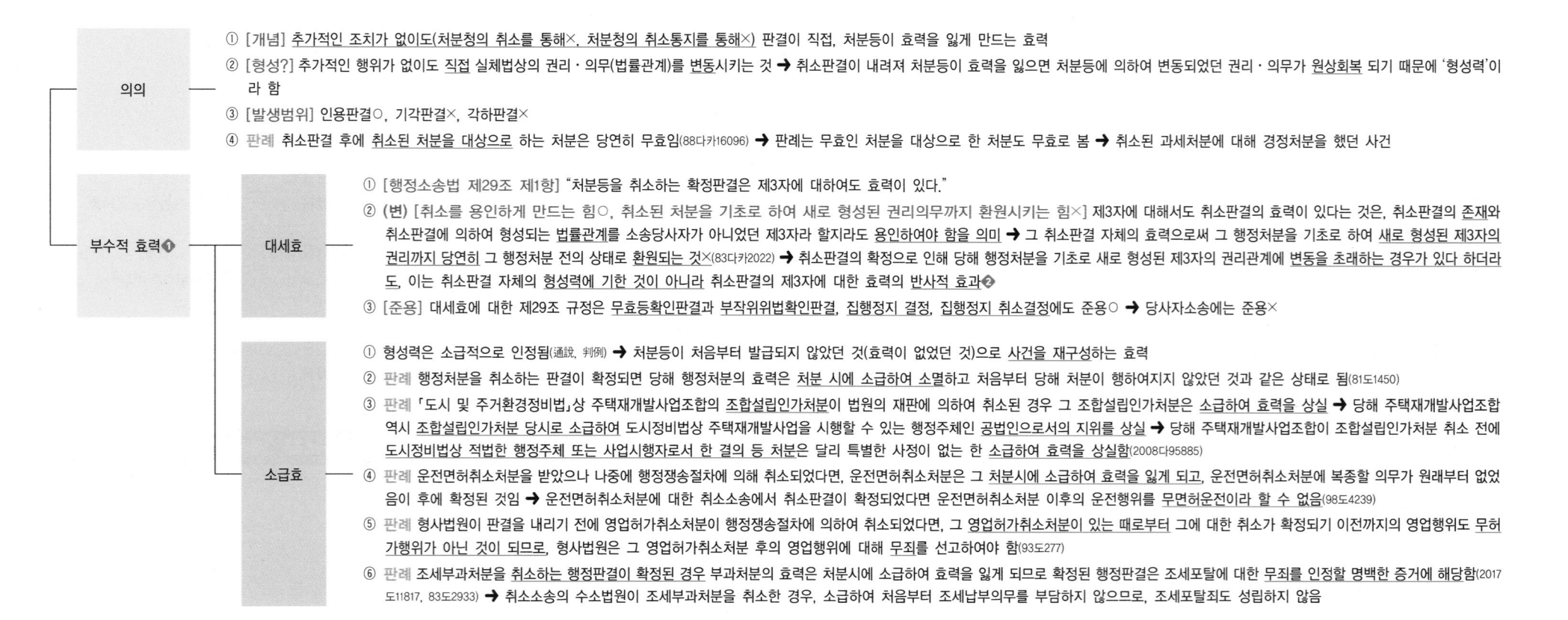

① [개념] 추가적인 조치가 없이도(처분청의 취소를 통해×, 처분청의 취소통지를 통해×) 판결이 직접, 처분등이 효력을 잃게 만드는 효력

② [형성?] 추가적인 행위가 없이도 직접 실체법상의 권리·의무(법률관계)를 변동시키는 것 ➡ 취소판결이 내려져 처분등이 효력을 잃으면 처분등에 의하여 변동되었던 권리·의무가 원상회복 되기 때문에 '형성력'이라 함

③ [발생범위] 인용판결○, 기각판결×, 각하판결×

④ 판례 취소판결 후에 취소된 처분을 대상으로 하는 처분은 당연히 무효임(88다카16096) ➡ 판례는 무효인 처분을 대상으로 한 처분도 무효로 봄 ➡ 취소된 과세처분에 대해 경정처분을 했던 사건

의의

부수적 효력❶

대세효

① [행정소송법 제29조 제1항] "처분등을 취소하는 확정판결은 제3자에 대하여도 효력이 있다."

② (변) [취소를 용인하게 만드는 힘○, 취소된 처분을 기초로 하여 새로 형성된 권리의무까지 환원시키는 힘×] 제3자에 대해서도 취소판결의 효력이 있다는 것은, 취소판결의 존재와 취소판결에 의하여 형성되는 법률관계를 소송당사자가 아니었던 제3자라 할지라도 용인하여야 함을 의미 ➡ 그 취소판결 자체의 효력으로써 그 행정처분을 기초로 하여 새로 형성된 제3자의 권리까지 당연히 그 행정처분 전의 상태로 환원되는 것×(83다카2022) ➡ 취소판결의 확정으로 인해 당해 행정처분을 기초로 새로 형성된 제3자의 권리관계에 변동을 초래하는 경우가 있다 하더라도, 이는 취소판결 자체의 형성력에 기한 것이 아니라 취소판결의 제3자에 대한 효력의 반사적 효과❷

③ [준용] 대세효에 대한 제29조 규정은 무효등확인판결과 부작위위법확인판결, 집행정지 결정, 집행정지 취소결정에도 준용○ ➡ 당사자소송에는 준용×

소급효

① 형성력은 소급적으로 인정됨(通說, 判例) ➡ 처분등이 처음부터 발급되지 않았던 것(효력이 없었던 것)으로 사건을 재구성하는 효력

② 판례 행정처분을 취소하는 판결이 확정되면 당해 행정처분의 효력은 처분 시에 소급하여 소멸하고 처음부터 당해 처분이 행하여지지 않았던 것과 같은 상태로 됨(81도1450)

③ 판례 「도시 및 주거환경정비법」상 주택재개발사업조합의 조합설립인가처분이 법원의 재판에 의하여 취소된 경우 그 조합설립인가처분은 소급하여 효력을 상실 ➡ 당해 주택재개발사업조합 역시 조합설립인가처분 당시로 소급하여 도시정비법상 주택재개발사업을 시행할 수 있는 행정주체인 공법인으로서의 지위를 상실 ➡ 당해 주택재개발사업조합이 조합설립인가처분 취소 전에 도시정비법상 적법한 행정주체 또는 사업시행자로서 한 결의 등 처분은 달리 특별한 사정이 없는 한 소급하여 효력을 상실함(2008다95885)

④ 판례 운전면허취소처분을 받았으나 나중에 행정쟁송절차에 의해 취소되었다면, 운전면허취소처분은 그 처분시에 소급하여 효력을 잃게 되고, 운전면허취소처분에 복종할 의무가 원래부터 없었음이 후에 확정된 것임 ➡ 운전면허취소처분에 대한 취소소송에서 취소판결이 확정되었다면 운전면허취소처분 이후의 운전행위를 무면허운전이라 할 수 없음(98도4239)

⑤ 판례 형사법원이 판결을 내리기 전에 영업허가취소처분이 행정쟁송절차에 의하여 취소되었다면, 그 영업허가취소처분이 있는 때로부터 그에 대한 취소가 확정되기 이전까지의 영업행위도 무허가행위가 아닌 것이 되므로, 형사법원은 그 영업허가취소처분 후의 영업행위에 대해 무죄를 선고하여야 함(93도277)

⑥ 판례 조세부과처분을 취소하는 행정판결이 확정된 경우 부과처분의 효력은 처분시에 소급하여 효력을 잃게 되므로 확정된 행정판결은 조세포탈에 대한 무죄를 인정할 명백한 증거에 해당함(2017도11817, 83도2933) ➡ 취소소송의 수소법원이 조세부과처분을 취소한 경우, 소급하여 처음부터 조세납부의무를 부담하지 않으므로, 조세포탈죄도 성립하지 않음

---

❶ 대세효와 소급효는 형성력에 개념필연적으로 수반되는 효력은 아니지만, 대세효는 제29조 제1항에 의해, 소급효는 통설과 판례에 의해 취소판결의 형성력에 수반되는 효력으로서 인정되고 있다.

❷ [민사소송법] 예컨대, 체납자(甲) 소유의 X부동산에 대하여 이루어진 공매처분에 근거하여 경락인 乙이 X부동산에 대한 소유권을 취득한 후에 이를 다시 丙에게 매도한 경우, 공매처분이 취소되더라도 丙은 곧바로 X부동산에 대한 소유권을 상실하게 되는 것이 아니라, 甲의 소유권이전등기청구가 있을 경우에 그것을 용인할 의무를 부담하게 되는 것에 그친다는 말이다. 참고로, 반사적 효과는 민사소송법상의 개념이다.

대세효에 따른 제3자 보호제도 - 소송참가와 재심

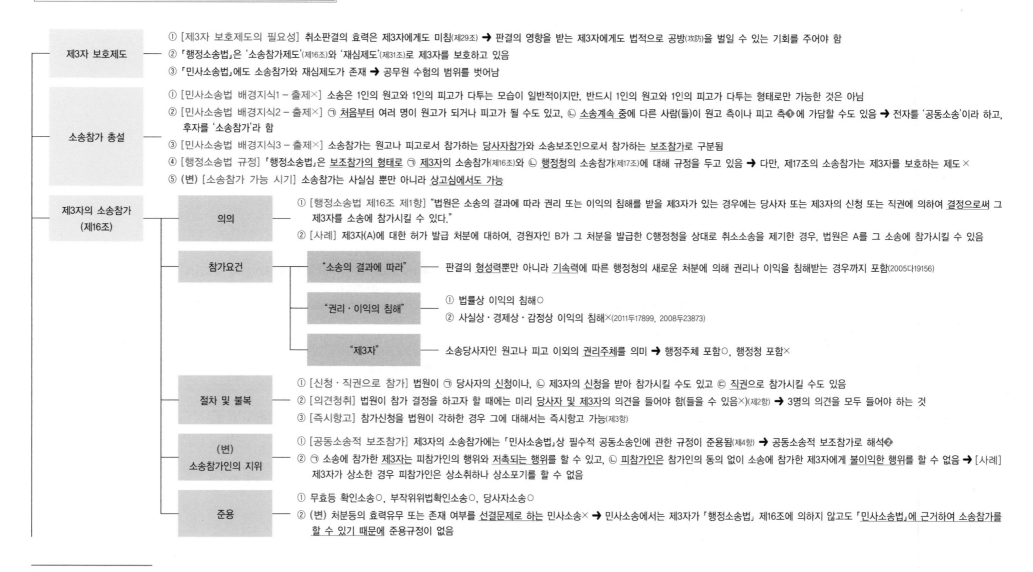

제3자 보호제도

① [제3자 보호제도의 필요성] 취소판결의 효력은 제3자에게도 미침(제29조) ➔ 판결의 영향을 받는 제3자에게도 법적으로 공방(攻防)을 벌일 수 있는 기회를 주어야 함

② 「행정소송법」은 '소송참가제도'(제16조)와 '재심제도'(제31조)로 제3자를 보호하고 있음

③ 「민사소송법」에도 소송참가와 재심제도가 존재 ➔ 공무원 수험의 범위를 벗어남

소송참가 총설

① [민사소송법 배경지식1 - 출제×] 소송은 1인의 원고와 1인의 피고가 다투는 모습이 일반적이지만, 반드시 1인의 원고와 1인의 피고가 다투는 형태로만 가능한 것은 아님

② [민사소송법 배경지식2 - 출제×] ㉠ 처음부터 여러 명이 원고가 되거나 피고가 될 수도 있고, ㉡ 소송계속 중에 다른 사람(들)이 원고 측이나 피고 측❶에 가담할 수도 있음 ➔ 전자를 '공동소송'이라 하고, 후자를 '소송참가'라 함

③ [민사소송법 배경지식3 - 출제×] 소송참가는 원고나 피고로서 참가하는 당사자참가와 소송보조인으로서 참가하는 보조참가로 구분됨

④ [행정소송법 규정] 「행정소송법」은 보조참가의 형태로 ㉠ 제3자의 소송참가(제16조)와 ㉡ 행정청의 소송참가(제17조)에 대해 규정을 두고 있음 ➔ 다만, 제17조의 소송참가는 제3자를 보호하는 제도×

⑤ (변) [소송참가 가능 시기] 소송참가는 사실심 뿐만 아니라 상고심에서도 가능

제3자의 소송참가
(제16조)

의의

① [행정소송법 제16조 제1항] "법원은 소송의 결과에 따라 권리 또는 이익의 침해를 받을 제3자가 있는 경우에는 당사자 또는 제3자의 신청 또는 직권에 의하여 결정으로써 그 제3자를 소송에 참가시킬 수 있다."

② [사례] 제3자(A)에 대한 허가 발급 처분에 대하여, 경원자인 B가 그 처분을 발급한 C행정청을 상대로 취소소송을 제기한 경우, 법원은 A를 그 소송에 참가시킬 수 있음

참가요건

"소송의 결과에 따라" — 판결의 형성력뿐만 아니라 기속력에 따른 행정청의 새로운 처분에 의해 권리나 이익을 침해받는 경우까지 포함(2005다19156)

"권리·이익의 침해" — ① 법률상 이익의 침해○
② 사실상·경제상·감정상 이익의 침해×(2011두17899, 2008두23873)

"제3자" — 소송당사자인 원고나 피고 이외의 권리주체를 의미 ➔ 행정주체 포함○, 행정청 포함×

절차 및 불복

① [신청·직권으로 참가] 법원이 ㉠ 당사자의 신청이나, ㉡ 제3자의 신청을 받아 참가시킬 수도 있고 ㉢ 직권으로 참가시킬 수도 있음

② [의견청취] 법원이 참가 결정을 하고자 할 때에는 미리 당사자 및 제3자의 의견을 들어야 함(들을 수 있음×)(제2항) ➔ 3명의 의견을 모두 들어야 하는 것

③ [즉시항고] 참가신청을 법원이 각하한 경우 그에 대해서는 즉시항고 가능(제3항)

(변)
소송참가인의 지위

① [공동소송적 보조참가] 제3자의 소송참가에는 「민사소송법」상 필수적 공동소송인에 관한 규정이 준용됨(제4항) ➔ 공동소송적 보조참가로 해석❷

② ㉠ 소송에 참가한 제3자는 피참가인의 행위와 저촉되는 행위를 할 수 있고, ㉡ 피참가인은 참가인의 동의 없이 소송에 참가한 제3자에게 불이익한 행위를 할 수 없음 ➔ [사례] 제3자가 상소한 경우 피참가인은 상소취하나 상소포기를 할 수 없음

준용

① 무효등 확인소송○, 부작위위법확인소송○, 당사자소송○

② (변) 처분등의 효력유무 또는 존재 여부를 선결문제로 하는 민사소송× ➔ 민사소송에서는 제3자가 「행정소송법」 제16조에 의하지 않고도 「민사소송법」에 근거하여 소송참가를 할 수 있기 때문에 준용규정이 없음

---

❶ 이때 참가의 대상이 되는 원고 측이나 피고 측 사람(들)을 '피참가인'이라 부른다.

❷ [민사소송법] 필수적 공동소송이란 반드시 여러 명의 원고나 피고의 형태로 제기해야 하는 소송을 말하고, 공동소송적 보조참가란 당사자적격은 없으나 판결의 효력을 받는 자가 소송에 참가하는 형식을 말한다. 필수적 공동소송이 무엇인지, 공동소송적 보조참가가 무엇인지는 민사소송법의 영역이기 때문에 몰라도 된다. 아무리 깊게 출제돼도 '공동소송적 보조참가', '필수적 공동소송'이라는 표현 자체 정도만 기억하면 충분하다.

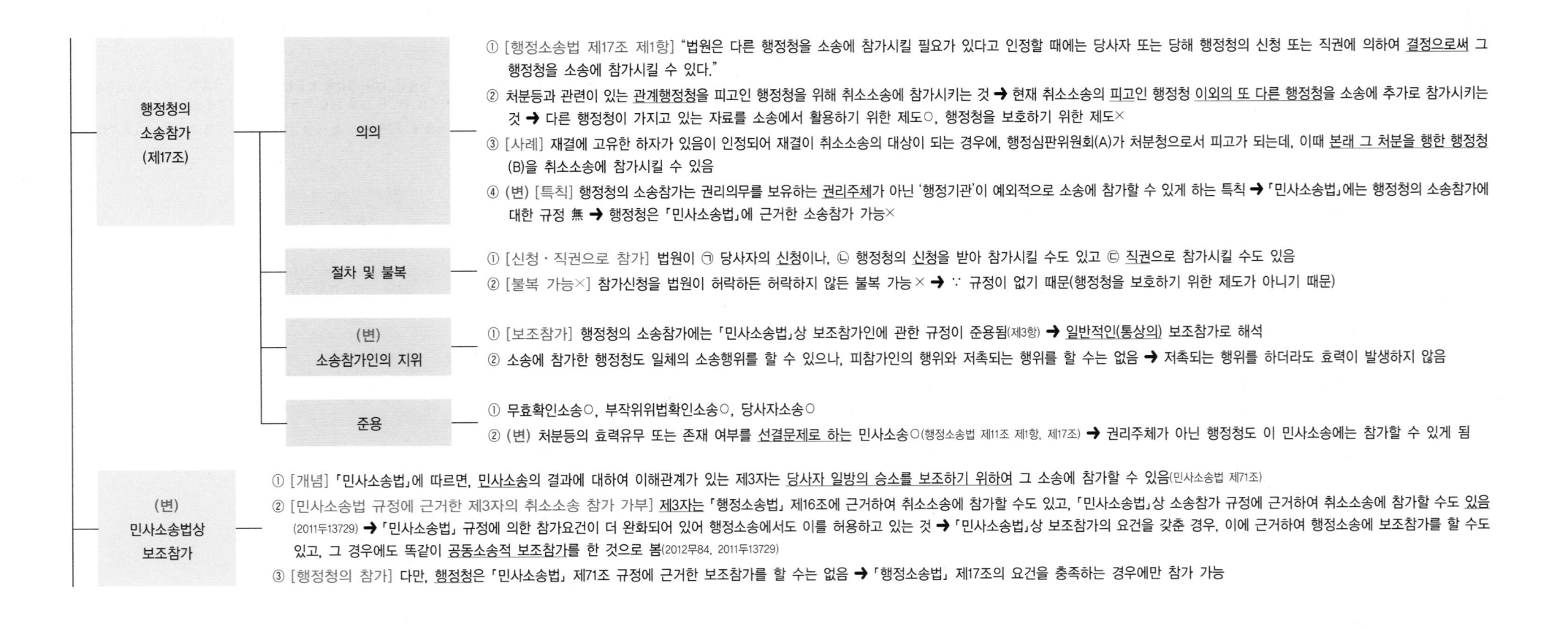

행정청의 소송참가 (제17조)	의의	① [행정소송법 제17조 제1항] "법원은 다른 행정청을 소송에 참가시킬 필요가 있다고 인정할 때에는 당사자 또는 당해 행정청의 신청 또는 직권에 의하여 <u>결정으로써</u> 그 행정청을 소송에 참가시킬 수 있다." ② 처분등과 관련이 있는 관계행정청을 피고인 행정청을 위해 취소소송에 참가시키는 것 ➔ 현재 취소소송의 피고인 행정청 <u>이외의</u> 또 다른 행정청을 소송에 추가로 참가시키는 것 ➔ 다른 행정청이 가지고 있는 자료를 소송에서 활용하기 위한 제도○, 행정청을 보호하기 위한 제도× ③ [사례] 재결에 고유한 하자가 있음이 인정되어 재결이 취소소송의 대상이 되는 경우에, 행정심판위원회(A)가 처분청으로서 피고가 되는데, 이때 본래 그 처분을 행한 행정청(B)을 취소소송에 참가시킬 수 있음 ④ (변) [특칙] 행정청의 소송참가는 권리의무를 보유하는 권리주체가 아닌 '행정기관'이 예외적으로 소송에 참가할 수 있게 하는 특칙 ➔ 「민사소송법」에는 행정청의 소송참가에 대한 규정 無 ➔ 행정청은 「민사소송법」에 근거한 소송참가 가능×
	절차 및 불복	① [신청·직권으로 참가] 법원이 ㉠ 당사자의 신청이나, ㉡ 행정청의 신청을 받아 참가시킬 수도 있고 ㉢ 직권으로 참가시킬 수도 있음 ② [불복 가능×] 참가신청을 법원이 허락하든 허락하지 않든 불복 가능× ➔ ∵ 규정이 없기 때문(행정청을 보호하기 위한 제도가 아니기 때문)
	(변) 소송참가인의 지위	① [보조참가] 행정청의 소송참가에는 「민사소송법」상 보조참가인에 관한 규정이 준용됨(제3항) ➔ 일반적인(통상의) 보조참가로 해석 ② 소송에 참가한 행정청도 일체의 소송행위를 할 수 있으나, 피참가인의 행위와 저촉되는 행위를 할 수는 없음 ➔ 저촉되는 행위를 하더라도 효력이 발생하지 않음
	준용	① 무효확인소송○, 부작위위법확인소송○, 당사자소송○ ② (변) 처분등의 효력유무 또는 존재 여부를 <u>선결문제로</u> 하는 민사소송○(행정소송법 제11조 제1항, 제17조) ➔ 권리주체가 아닌 행정청도 이 민사소송에는 참가할 수 있게 됨

| (변)
민사소송법상
보조참가 | ① [개념] 「민사소송법」에 따르면, 민사소송의 결과에 대하여 이해관계가 있는 제3자는 <u>당사자 일방의 승소를 보조하기 위하여</u> 그 소송에 참가할 수 있음(민사소송법 제71조)
② [민사소송법 규정에 근거한 제3자의 취소소송 참가 가부] 제3자는 「행정소송법」 제16조에 근거하여 취소소송에 참가할 수도 있고, 「민사소송법」상 소송참가 규정에 근거하여 취소소송에 참가할 수도 있음 (2011두13729) ➔ 「민사소송법」 규정에 의한 참가요건이 더 완화되어 있어 행정소송에서도 이를 허용하고 있는 것 ➔ 「민사소송법」상 보조참가의 요건을 갖춘 경우, 이에 근거하여 행정소송에 보조참가를 할 수도 있고, 그 경우에도 똑같이 <u>공동소송적 보조참가를</u> 한 것으로 봄(2012무84, 2011두13729)
③ [행정청의 참가] 다만, 행정청은 「민사소송법」 제71조 규정에 근거한 보조참가를 할 수는 없음 ➔ 「행정소송법」 제17조의 요건을 충족하는 경우에만 참가 가능 |

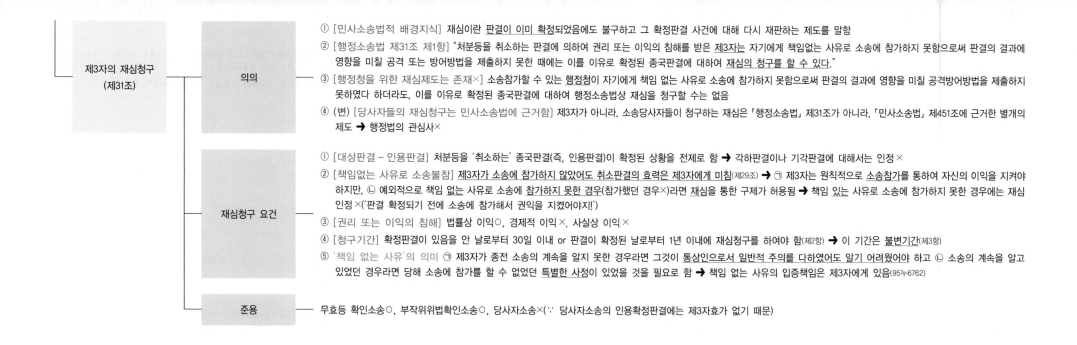

제3자의 재심청구
(제31조)

의의

① [민사소송법적 배경지식] 재심이란 판결이 이미 확정되었음에도 불구하고 그 확정판결 사건에 대해 다시 재판하는 제도를 말함
② [행정소송법 제31조 제1항] "처분등을 취소하는 판결에 의하여 권리 또는 이익의 침해를 받은 제3자는 자기에게 책임없는 사유로 소송에 참가하지 못함으로써 판결의 결과에 영향을 미칠 공격 또는 방어방법을 제출하지 못한 때에는 이를 이유로 확정된 종국판결에 대하여 재심의 청구를 할 수 있다."
③ [행정청을 위한 재심제도는 존재×] 소송참가할 수 있는 행정청이 자기에게 책임 없는 사유로 소송에 참가하지 못함으로써 판결의 결과에 영향을 미칠 공격방어방법을 제출하지 못하였다 하더라도, 이를 이유로 확정된 종국판결에 대하여 행정소송법상 재심을 청구할 수는 없음
④ (변) [당사자들의 재심청구는 민사소송법에 근거함] 제3자가 아니라, 소송당사자들이 청구하는 재심은 「행정소송법」 제31조가 아니라, 「민사소송법」 제451조에 근거한 별개의 제도 ➜ 행정법의 관심사×

재심청구 요건

① [대상판결 – 인용판결] 처분등을 '취소하는' 종국판결(즉, 인용판결)이 확정된 상황을 전제로 함 ➜ 각하판결이나 기각판결에 대해서는 인정×
② [책임없는 사유로 소송불참] 제3자가 소송에 참가하지 않았어도 취소판결의 효력은 제3자에게 미침(제29조) ➜ ㉠ 제3자는 원칙적으로 소송참가를 통하여 자신의 이익을 지켜야 하지만, ㉡ 예외적으로 책임 없는 사유로 소송에 참가하지 못한 경우(참가했던 경우×)라면 재심을 통한 구제가 허용됨 ➜ 책임 있는 사유로 소송에 참가하지 못한 경우에는 재심 인정×('판결 확정되기 전에 소송에 참가해서 권익을 지켰어야지!')
③ [권리 또는 이익의 침해] 법률상 이익○, 경제적 이익×, 사실상 이익×
④ [청구기간] 확정판결이 있음을 안 날로부터 30일 이내 or 판결이 확정된 날로부터 1년 이내에 재심청구를 하여야 함(제2항) ➜ 이 기간은 불변기간(제3항)
⑤ '책임 없는 사유'의 의미 ㉠ 제3자가 종전 소송의 계속을 알지 못한 경우라면 그것이 통상인으로서 일반적 주의를 다하였어도 알기 어려웠어야 하고 ㉡ 소송의 계속을 알고 있었던 경우라면 당해 소송에 참가를 할 수 없었던 특별한 사정이 있었을 것을 필요로 함 ➜ 책임 없는 사유의 입증책임은 제3자에게 있음(95누6762)

준용

무효등 확인소송○, 부작위위법확인소송○, 당사자소송×(∵ 당사자소송의 인용확정판결에는 제3자효가 없기 때문)

의의

① [개념] 판결(A)이 확정된 경우 ㉠ 당사자들이 동일한 사항에 대하여 다시 후소를 제기하거나, 후소에서 A판결의 주문과 모순되는 주장을 하는 것을 금지시키고, ㉡ 후소 법원이 A판결의 주문과 모순된 판단(B)을 하지 못하게 하는 판결(A)의 효력 ➡ '후소에 대한 전소판결의 효력'

② 소송이 여러 개 벌어지는 상황을 전제로, 먼저 확정된 전소(前訴)의 판결주문에 언급된 것에서 발생하는 효력

③ [취지] 이미 확정된 판결과 내용상으로 모순되는 새로운 판결이 생겨나는 것을 막기 위해 인정되는 효력(사회적 분쟁이 법원의 판결을 통하여 종결되게 하기 위해 인정되는 효력)

배경지식

① [민사소송법적 배경지식1] 판결문은 판결의 결론인 판결주문(主文)과 그러한 주문을 낸 이유를 논증한 판결이유로 구성

② [민사소송법적 배경지식2] 소송물은 재판의 결론적 논점이므로, 주문에는 소송물에 대한 법원의 판단이 나타남 ➡ 취소소송은 계쟁처분의 위법여부가 소송물이므로, 취소소송에서 ㉠ 인용판결이 내려졌다는 것은 법원이 계쟁처분을 위법하다고 판단했다는 것이고, ㉡ 기각판결이 내려졌다는 것은 법원이 결론적으로 계쟁처분을 적법하다고 판단했다는 것

③ [민사소송법적 배경지식3] 이행소송은 청구권의 존재 여부를 소송물로 하고, 보통 '~청구소송'의 형태로 제기됨 ➡ ⑳ 부당이득반환청구소송, 국가배상청구소송

법적 근거

「행정소송법」에는 기판력에 관한 명문의 규정이 없고, 「민사소송법」상 기판력에 대한 규정들(제216조~제218조)이 준용됨

발생범위

① [판결의 종류] 인용판결○, 기각판결○, 각하판결○

② [행정행위×, 행정심판의 재결×] 행정행위나 행정심판에서의 재결에는 인정되지 않는 효력('행정부 따위의 판단이 감히 법원의 소송을 얽어 맬 수는 없지...')

③ [판결의 주문] 기판력은 전소 판결의 주문에 언급된 사항(소송물에 대한 판단)에서만 발생(민사소송법 제216조) ➡ 판결이유 부분에 언급된 사항에서는 발생×❶ ➡ 취소소송에서의 기판력은 계쟁처분이 위법한지 여부에 대한 전소의 판단이 후소를 얽어매는 효력임

④ [전소판결의 계쟁처분에 대해서만 발생] 취소판결의 기판력은 판결의 대상이 된 처분에 한하여 미치고 새로운 처분에 대해서는 미치지 아니함 ➡ 통설과 판례는 기판력이 '발생'하는 것을 두고 '미친다'고 표현하는 경향(개념의 불명확)

⑤ (변) 판례 기판력의 객관적 범위는 소송물로 주장된 법률관계의 존부❷에 관한 판단의 결론 그 자체에만 미치는 것임(96다31406)

객관적 구속범위

일반론

① [논점] 어떤 후소에서의 어떤 행동을 얽어 매는가?

② [전소와 소송물이 동일하거나 전소의 소송물이 후소의 선결문제가 되는 후소를 구속] 전소와 후소의 소송물이 동일하지 않다고 하더라도(소송물이 동일한 경우에만×), 전소의 기판력 있는 법률관계가 후소의 선결적 법률관계가 되는 때에는 전소의 판결의 기판력이 후소에 미쳐 후소의 법원은 전에 한 판단과 모순되는 판단을 할 수 없음(2015두48235)

③ [모순되는 주장 및 모순되는 판단 금지] 후소에서, 전소의 주문(후소의 주문×)과, 모순되는 주장을 하거나 모순되는 판단을 하지 못하게 함

---

❶ [더 들어가기] 판결 이유 부분에서도 기판력이 발생하는 것으로 제도를 설정할 수도 있지만, 그렇게 하면 후소 법원 법관의 판단을 너무 제약하기 때문에 주문에서만 발생하는 것으로 제한한 것이다.

❷ 민사소송에서의 기판력에 대한 판시이다. 민사소송의 경우 소송물이 사법상 법률관계의 존부, 즉 사법상의 권리·의무의 존부이기 때문에, 그에 대해 기판력이 발생한다. 다만, 시험에서는 민사소송에서의 기판력에 대한 판시라는 언급 없이 판결 원문을 그대로 출제하여 정선지로 처리하는 경향이 있다. 기판력은 민사소송에서 발전한 개념이기 때문이다.

기각판결이 내려진 경우	① [적법성에 기판력 발생] 계쟁처분이 적법하다("계쟁처분이 그 어떤 이유로도 위법하지 않다")는 점에 대해 기판력이 발생 ➜ 후소에서 그와 모순되는 주장을 하거나 모순되는 판단을 할 수 없음 ② [사례] 취소판결의 기판력은 소송의 대상이 된 처분의 위법성 존부에 관한 판단에 미치기 때문에, 기각판결의 원고는 당해 소송에서 주장하지 아니한 다른 위법사유를 들어 다시 처분의 효력을 다툴 수 없음 ③ 판례 세무서장을 피고로 하는 과세처분 취소소송에서 패소하여 그 판결이 확정된 자가, 국가를 피고로 하여 과세처분의 무효를 주장하여 과오납금반환청구소송을 제기하는 경우 이는 취소소송의 기판력에 반함(98다10854) ④ 판례 과세처분의 취소소송에서 처분이 적법하다는 기각판결이 확정되었다면, 그 기판력은 그 과세처분의 무효확인을 구하는 소송에도 미치므로 동일한 처분에 대해 무효확인소송을 제기하는 것은 앞선 취소소송의 판결의 기판력에 반함(98다10854) ⑤ 판례 행정청이 관련 법령에 근거하여 행한 공사중지명령의 상대방이 명령의 취소를 구한 소송에서 패소함으로써 그 명령이 적법한 것으로 이미 확정되었다면(기각판결이 확정되었다면), 이후 이러한 공사중지명령의 상대방은 그 명령의 해제신청을 거부한 처분의 취소를 구하는 소송에서 그 명령의 적법성을 다툴 수 없음(2014두37665)
인용판결이 내려진 경우	[위법성에 기판력 발생] 계쟁처분이 위법하다는 점에 대해 기판력이 발생 ➜ 후소에서 그와 모순되는 주장을 하거나 모순되는 판단을 할 수 없음

주관적 구속범위	① [논점] 누구를 얽어 매는가? ② [제3자효×] 기판력은 당해 소송의 당사자 및 당사자와 동일시할 수 있는 자('승계인')(웹 상속인)에게만 미치고, 제3자에게는 미치지 않음 ➜ 기속력이나 형성력과의 차이점 ③ [계쟁처분의 효과가 귀속되는 국가와 공공단체, 관계행정기관까지는 포함] 기판력은 본래 소송의 당사자 및 그 승계인에게만 미치는 것이지만, 항고소송의 경우에는 기판력은 계쟁처분으로 인한 효과가 귀속되는 국가 또는 공공단체나 관계행정기관에도 미침(98다10854, 92누6891) ➜ [사례] 계쟁처분의 효과가 귀속되는 국가 또는 공공단체가, 취소소송의 원고였던 자를 상대로 민사소송을 제기하는 경우에도 기판력에 의한 구속을 받게 됨
시간적 구속범위	① [논점] 처분의 위법여부 판단과 관련하여, 전소에서 언제까지 제출할 수 있었던 사유들을, 후소에서 주장하는 것이 금지되는가? ② [전소의 사실심 변론종결시] 판결이 확정되었다는 것은, 그 소송의 사실심 변론종결시까지 제출된 자료들을 토대로 소송물에 대한 판단을 법원이 확정지었다는 의미 ➜ 법적 안정성을 위해, 아무리 실체판단에 관한 결정적인 자료나 증거가 있다 하더라도, 판결이 확정된 이후에는, 전소의 사실심 변론종결시까지 (제출할 수 있었음에도) 제출하지 않은 공격·방어방법을 후소에서 제출하는 것은 허용×(91누6108) ➜ '기판력의 차단효' ③ 전소의 사실심 변론종결 이후에 발생한 사유는 후소에서 제출 가능
(변) 기판력 있는 판결이 이미 존재한다는 주장	① [직권조사사항] 기판력에 반하는 판결은 위법한 판결이 됨(민사소송법의 영역) ➜ 분쟁사항과 관련한 확정판결 있었는지 여부는 직권조사사항(2004두10227) ➜ 확정판결이 있었다는 주장은 상고심에서도 가능 ② 판례 당사자가 확정된 취소판결의 존재를 사실심 변론종결시까지 주장하지 아니하였다고 하더라도 상고심에서 새로이 이를 주장·입증할 수 있음(89누1308)
취소소송과 국가배상청구소송의 관계	① (변) [취소확정판결의 기판력 ➜ 국가배상청구소송○ or ×] 원고에게 국가배상청구권이 존재하는지 여부(후소의 소송물)를 판단할 때는 계쟁처분의 위법 여부(전소의 소송물)를 고려해야 함 ➜ 국가배상청구소송에서의 위법성을 취소소송에서의 위법성보다 넓은 것으로 보게 되면(광의의 행위위법설), 취소소송의 인용판결의 기판력은 국가배상청구소송에 미치지만, 기각판결의 기판력은 국가배상청구소송에 미치지 않음 ② [국가배상청구소송의 기판력 ➜ 취소소송×] 계쟁처분이 위법한지 여부(후소의 소송물)를 판단할 때는 원고에게 국가배상청구권이 있는지 여부(전소의 소송물)는 고려대상이 아님 ➜ 국가배상청구소송의 기판력은 취소소송에는 미치지 않음(∵ 국가배상청구소송에서 위법여부는 판결의 이유 부분에 등장하는데, 기판력은 이유에서는 발생하지 않고, 주문에서만 발생하기 때문)

행정소송법 제30조(취소판결등의 기속력) ① 처분등을 취소하는 확정판결은 그 사건에 관하여 당사자인 행정청과 그 밖의 관계행정청을 기속한다.

② 판결에 의하여 취소되는 처분이 당사자의 신청을 거부하는 것을 내용으로 하는 경우에는 그 처분을 행한 행정청은 판결의 취지에 따라 다시 이전의 신청에 대한 처분을 하여야 한다.

③ 제2항의 규정은 신청에 따른 처분이 절차의 위법을 이유로 취소되는 경우에 준용한다.

의의

① 소송당사자인 피고행정청과 관계행정청에게 확정판결의 취지에 따라 행동해야 할 의무를 부과시키는 인용판결의 효력

② [사례1] 행정청이 甲에 대하여 영업정지처분을 하였으나, 이 때 이유를 제시하지 아니함 ➜ 甲이 취소소송을 제기하였고, 법원은 이유를 제시하지 않았다는 이유로 영업정지처분을 취소하는 판결을 내림 ➜ ㉠ [행정청이 할 수 있는 것] 행정청은 甲에 대해 이유를 제시하면 다시 영업정지처분을 할 수 있고, ㉡ [행정청이 하지 말아야 하는 것] 이유를 제시하지 않은 채 다시 영업정지처분을 하면 안 됨

③ [사례2] 甲이 행정청에 재량행위인 총포소지 허가를 신청하였으나, 행정청은 甲에게 전과가 있어 위험하다는 이유로 이를 거부(그러나 실제로는 甲에게는 전과가 없었음) ➜ 甲이 거부처분에 대해 취소소송을 제기하였고, 법원은 甲에게 전과가 없다는 이유로 총포소지 허가 거부처분을 취소하는 판결을 내림 ➜ ㉠ [행정청이 할 수 있는 것] 행정청은 甲에게 전과가 없음을 전제로 다시 재량권을 행사할 수 있고, ㉡ [행정청이 하지 말아야 하는 것] 甲에게 전과가 있음을 전제로 다시 재량권을 행사해서는 안 됨

④ [사례3] 초등학생에게 500원짜리 불량식품을 판매하였다는 이유로 문구점을 운영하는 甲에게 행정청이 3개월의 영업정지 처분을 함 ➜ 甲이 취소소송을 제기하였고, 법원은 비례의 원칙에 반한다는 이유로 영업정지처분을 취소 ➜ ㉠ [행정청이 할 수 있는 것] 행정청은 甲을 상대로 다시 3개월의 영업정지처분보다 가벼운 처분은 할 수 있고(이 처분도 비례의 원칙에 반하는지는 다시 소송을 제기해서 판단을 받아 보아야 하는 문제임), ㉡ [행정청이 하지 말아야 하는 것] 3개월이나 그 이상의 영업정지 처분을 하는 것은 허용되지 않음

⑤ 법원과 행정청 사이에서 발생하는 효력

⑥ [취지] 행정청들이 판결의 취지에 따르지 않거나 그와 상충되는 행동을 함으로써 인용판결이 무의미해지는 것을 방지하기 위해 인정되는 효력

발생범위

① [판결의 종류] 인용판결○, 기각판결×, 사정판결×, 각하판결× ➜ [빈출 지문] 취소소송이 기각되어 처분의 적법성이 확정된 이후에도 처분청은 당해 처분이 위법함을 이유로 직권취소할 수 있다. (○)

② [판결주문 + 판결이유 중 위법사유] 법원이 처분을 '왜 위법하다고 보았는지'에서 발생 ➜ 판결이유도 보아야 알 수 있음 ➜ "처분등이 위법하다는 판결주문에서의 판단뿐만 아니라, 판결이유 중에 설시된 개개의 위법사유에서도" 기속력이 발생한다고 표현

③ [모든 판결이유에서 발생×] 기속력은 취소판결 등의 실효성을 도모하기 위하여 인정된 효력이므로, 판결주문 및 그 전제가 된 요건사실의 인정과 효력의 판단에서만 발생 ➜ 방론×, 간접사실×

기판력과 구분

① 통설은 기판력과 기속력을 엄격히 구분하지만(특수효력설), 대법원 판례 중 양자를 정확히 구분하지 못한 경우도 자주 있음 ➜ ㉠ 사실심변론종결시를 기속력의 기준시로 삼기도 하고, ㉡ 기판력의 차단효 개념을 행정청이 어떤 후속처분을 할 수 있는지에 적용시키기도 함 ➜ ∵ 둘 다 판결이 확정되고 나면 원고나 피고가 무언가를 못하게 하는 효력이기 때문에 엄밀하게 구분하지 못하는 것

② 교과서 서술은 통설(通說)에 따라 이루어져 있음

주관적 범위

누구의 행동을 얽어매는가? ➜ 소송의 당사자인 피고 행정청과 관계행정청의 행동을 구속함 ➜ 서울시장의 처분이 취소된 경우, 영등포구청장이라 하더라도 동일한 처분을 해서는 안 됨

시간적 범위	① [처분시 기준] 통설과 판례의 태도인 처분시설에 따르면, 처분의 위법 여부는 <u>처분시</u>를 기준으로 하여 판단됨 ➔ <u>취소판결</u>은 처분을 하였을 당시까지의 법적 사정을 기준으로 할 경우, 행정청이 당시에 그 처분을 발급한 것은 잘못된 행동이었음을 지적하는 의미를 가짐 ➔ 취소판결은 처분 당시까지 존재하던 사정들과 관련해서만 행정청을 구속 ➔ 판결에서 검토된 <u>처분시 이전의 사유</u>를 내세워 다시 처분을 하는 것은 허용×
	② [처분시 이후 생긴 사유를 토대로 한 처분 – 구속×] 처분시 이후에 생긴 사유(예 법령개정이나 사실변동)를 근거로 한 새로운 행동은 기속력에 얽매이지 않음 ➔ 처분시 이후에 생긴 사유를 근거로 하는 경우, 확정판결로 취소된 처분과 동일한 처분을 다시 하더라도 기속력에 반하지 않음
	③ [사실심 변론종결시와의 혼선] 다만, 기속력과 기판력을 엄밀하게 구분하지 못한 대법원 판례는 <u>사실심 변론종결시</u>를 기속력의 기준시로 삼기도 함❶ ➔ 예 "거부처분을 취소하는 판결이 확정된 경우에 행정청은 <u>사실심 변론종결 이후</u> 발생한 새로운 사유를 내세워 다시 이전의 신청에 대한 거부처분을 할 수 있다."
	④ 판례 행정처분의 위법 여부는 행정처분이 행하여진 때의 법령과 사실을 기준으로 판단하므로, 확정판결의 당사자인 처분 행정청은 종전 처분 후에 발생한 새로운 사유를 내세워 다시 처분을 할 수도 있음(2015두48235)
	⑤ 판례 거부처분 후에 법령이 개정·시행된 경우, 거부처분 취소의 확정판결을 받은 행정청이 개정된 법령을 새로운 사유로 들어 다시 거부처분을 한 경우도 "재처분"에 해당함(97두22) ➔ '재처분'이라는 말은 판결의 취지에 부합하는 처분이라는 의미
	⑥ (변) 혼란스러운 판례 행정처분 취소판결이 확정된 경우, 처분행정청이 그 행정소송의 사실심변론종결 이전의 이유를 내세워 다시 확정판결에 저촉되는 행정처분을 하는 것은 확정판결의 기판력에 저촉되어 허용될 수 없음(80누104)
	⑦ (변) 기속력을 잠탈하기 위해 인위적으로 만들어 낸 사실심 변론종결 후의 사유를 토대로 한 경우 거부처분을 취소하는 판결이 확정된 경우에 행정청은 사실심변론종결 이후 발생한 새로운 사유를 내세워 다시 이전의 신청에 대한 거부처분을 할 수 있지만, 재처분을 부당하게 지연하면서 확정판결의 기속력을 잠탈하기 위하여 인위적으로 새 거부처분사유를 만들어 낸 것이라면 (여전히 기속력에 반하는 것으로서) 유효한 재처분이 아님(2002무30)
객관적 범위	**개설** ① 어떠한 행동을 하도록 얽어매는가? ➔ 행정청은 "판결의 취지에 따라 행동해야 할 의무"를 부담하게 됨 ➔ 이 의무가 반복금지의무, 재처분의무, 결과제거의무로 구체화됨
	② 기속력은 처분등이 <u>위법</u>하다고 본 이유를 문제 삼는 판결의 효력임을 기억!
	반복금지의무 부과 ('다시는 그런 짓 하지 마') **법리** ① 취소판결이 확정되면, 행정청은 판결에서 처분의 위법이유로 지적한 사항을 유지하고 있는 처분("동일한 처분")을 또 해서는 안 됨 ➔ 반복금지의무 위배 여부는, 판결에서 처분의 위법의 이유로 지적한 사항과 <u>기본적 사실관계에 있어서 동일한 사항</u>을 토대로 하여 발급된 처분인지 여부로 판단됨
	② [사례] 청소년을 유흥접객원으로 고용하여 유흥행위를 하게 하였다는 이유로 발급된 영업허가 취소처분에 대해, 그러한 사실이 없다는 이유로 취소판결이 내려진 경우 ➔ ㉠ [행정청이 해서는 안 되는 것] 청소년에게 돈을 주고 고객 앞에서 춤을 추게 했다는 이유로는 다시 영업허가 취소처분 가능× ㉡ [행정청이 할 수 있는 것] 청소년을 유흥주점에 출입시켰다는 이유로는 다시 영업허가 취소처분 가능○(물론, 유흥주점에 출입시킨 사실도 없었다면 그것은 다시 처분에 대하여 취소소송을 제기하여 다투어야 하는 별개의 문제)
	③ 판례 징계처분의 취소를 구하는 소에서 징계사유가 될 수 없다고 취소확정판결을 한 사유와 동일한 사유를 내세워 다시 징계처분을 하는 것은 확정판결에 저촉되는 행정처분으로 허용될 수 없음(92누2912)
	④ (변) 판례 취소판결의 당사자인 행정청이 행정소송의 <u>사실심 변론종결 이전(에 존재하던 동일한)</u> 사유를 내세워 다시 확정판결과 저촉되는 행정처분을 하는 경우, 이러한 행정처분은 그 하자가 중대하고도 명백한 것이어서 당연무효임(90누3560)
	⑤ (변) [처추변과 반복금지의무의 관계] ㉠ 소송에서 처분사유와 기본적 사실관계가 '동일하여' 추가·변경할 수 있는 다른 사유가 있었음에도, 처분청이 이를 적절하게 주장·증명하지 못하여 법원이 그 처분을 위법하다고 판단하여 취소하는 판결이 확정되면, 처분청이 그 다른 사유를 근거로 다시 종전과 같은 내용의 처분을 하는 것은 허용되지 않음 ➔ But ㉡ 어떤 처분의 당초 처분사유와 기본적 사실관계의 동일성이 인정되지 '않는' 다른 사유가 있다면, 그 처분에 대한 취소소송에서 처분사유 추가·변경은 허용되지 않지만, 처분청이 그 처분에 대한 취소판결 확정 후 그 다른 사유를 근거로 별도의 처분을 하는 것은 허용됨(2019두55675)

---

❶ 따라서 기속력 발생의 기준시점이 처분시인지 사실심변론종결시인지는 출제되지 않는다. 어쨌든 행정청이 어떤 사정을 토대로 하여 어떤 행동을 할 수 있는가 없는가만 신경쓰면 된다.

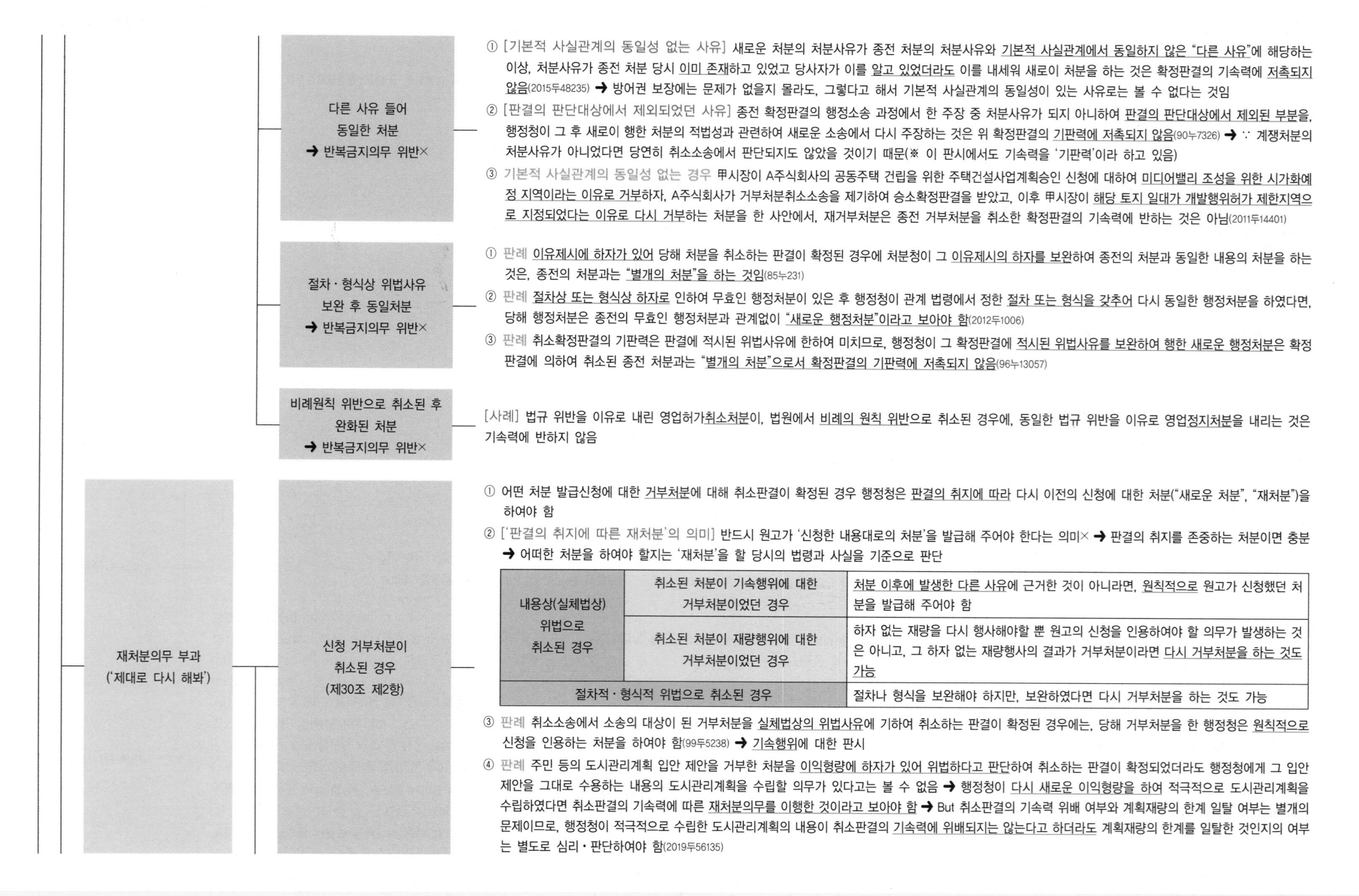

다른 사유 들어 동일한 처분 → 반복금지의무 위반×	① [기본적 사실관계의 동일성 없는 사유] 새로운 처분의 처분사유가 종전 처분의 처분사유와 기본적 사실관계에서 동일하지 않은 "다른 사유"에 해당하는 이상, 처분사유가 종전 처분 당시 이미 존재하고 있었고 당사자가 이를 알고 있었더라도 이를 내세워 새로이 처분을 하는 것은 확정판결의 기속력에 저촉되지 않음(2015두48235) → 방어권 보장에는 문제가 없을지 몰라도, 그렇다고 해서 기본적 사실관계의 동일성이 있는 사유로는 볼 수 없다는 것임 ② [판결의 판단대상에서 제외되었던 사유] 종전 확정판결의 행정소송 과정에서 한 주장 중 처분사유가 되지 아니하여 판결의 판단대상에서 제외된 부분을, 행정청이 그 후 새로이 행한 처분의 적법성과 관련하여 새로운 소송에서 다시 주장하는 것은 위 확정판결의 기판력에 저촉되지 않음(90누7326) → ∵ 계쟁처분의 처분사유가 아니었다면 당연히 취소소송에서 판단되지도 않았을 것이기 때문(※ 이 판시에서도 기속력을 '기판력'이라 하고 있음) ③ 기본적 사실관계의 동일성 없는 경우 甲시장이 A주식회사의 공동주택 건립을 위한 주택건설사업계획승인 신청에 대하여 미디어밸리 조성을 위한 시가화예 정 지역이라는 이유로 거부하자, A주식회사가 거부처분취소소송을 제기하여 승소확정판결을 받았고, 이후 甲시장이 해당 토지 일대가 개발행위허가 제한지역으 로 지정되었다는 이유로 다시 거부하는 처분을 한 사안에서, 재거부처분은 종전 거부처분을 취소한 확정판결의 기속력에 반하는 것은 아님(2011두14401)
절차·형식상 위법사유 보완 후 동일처분 → 반복금지의무 위반×	① 판례 이유제시에 하자가 있어 당해 처분을 취소하는 판결이 확정된 경우에 처분청이 그 이유제시의 하자를 보완하여 종전의 처분과 동일한 내용의 처분을 하는 것은, 종전의 처분과는 "별개의 처분"을 하는 것임(85누231) ② 판례 절차상 또는 형식상 하자로 인하여 무효인 행정처분이 있은 후 행정청이 관계 법령에서 정한 절차 또는 형식을 갖추어 다시 동일한 행정처분을 하였다면, 당해 행정처분은 종전의 무효인 행정처분과 관계없이 "새로운 행정처분"이라고 보아야 함(2012두1006) ③ 판례 취소확정판결의 기판력은 판결에 적시된 위법사유에 한하여 미치므로, 행정청이 그 확정판결에 적시된 위법사유를 보완하여 행한 새로운 행정처분은 확정 판결에 의하여 취소된 종전 처분과는 "별개의 처분"으로서 확정판결의 기판력에 저촉되지 않음(96누13057)
비례원칙 위반으로 취소된 후 완화된 처분 → 반복금지의무 위반×	[사례] 법규 위반을 이유로 내린 영업허가취소처분이, 법원에서 비례의 원칙 위반으로 취소된 경우에, 동일한 법규 위반을 이유로 영업정지처분을 내리는 것은 기속력에 반하지 않음

재처분의무 부과 ('제대로 다시 해봐')	신청 거부처분이 취소된 경우 (제30조 제2항)	① 어떤 처분 발급신청에 대한 거부처분에 대해 취소판결이 확정된 경우 행정청은 판결의 취지에 따라 다시 이전의 신청에 대한 처분("새로운 처분", "재처분")을 하여야 함 ② ['판결의 취지에 따른 재처분'의 의미] 반드시 원고가 '신청한 내용대로의 처분'을 발급해 주어야 한다는 의미× → 판결의 취지를 존중하는 처분이면 충분 → 어떠한 처분을 하여야 할지는 '재처분'을 할 당시의 법령과 사실을 기준으로 판단

	취소된 처분이 기속행위에 대한 거부처분이었던 경우	처분 이후에 발생한 다른 사유에 근거한 것이 아니라면, 원칙적으로 원고가 신청했던 처 분을 발급해 주어야 함
내용상(실체법상) 위법으로 취소된 경우	취소된 처분이 재량행위에 대한 거부처분이었던 경우	하자 없는 재량을 다시 행사해야할 뿐 원고의 신청을 인용하여야 할 의무가 발생하는 것 은 아니고, 그 하자 없는 재량행사의 결과가 거부처분이라면 다시 거부처분을 하는 것도 가능
절차적·형식적 위법으로 취소된 경우		절차나 형식을 보완해야 하지만, 보완하였다면 다시 거부처분을 하는 것도 가능

③ 판례 취소소송에서 소송의 대상이 된 거부처분을 실체법상의 위법사유에 기하여 취소하는 판결이 확정된 경우에는, 당해 거부처분을 한 행정청은 원칙적으로
신청을 인용하는 처분을 하여야 함(99두5238) → 기속행위에 대한 판시

④ 판례 주민 등의 도시관리계획 입안 제안을 거부한 처분을 이익형량에 하자가 있어 위법하다고 판단하여 취소하는 판결이 확정되었더라도 행정청에게 그 입안
제안을 그대로 수용하는 내용의 도시관리계획을 수립할 의무가 있다고는 볼 수 없음 → 행정청이 다시 새로운 이익형량을 하여 적극적으로 도시관리계획을
수립하였다면 취소판결의 기속력에 따른 재처분의무를 이행한 것이라고 보아야 함 → But 취소판결의 기속력 위배 여부와 계획재량의 한계 일탈 여부는 별개의
문제이므로, 행정청이 적극적으로 수립한 도시관리계획의 내용이 취소판결의 기속력에 위배되지는 않는다고 하더라도 계획재량의 한계를 일탈한 것인지의 여부
는 별도로 심리·판단하여야 함(2019두56135)

| | 신청에 따른 처분이
절차상 위법을
이유로 취소된 경우
(제30조 제3항) | ① 신청에 따라 발급된 처분이 제3자가 제기한 취소소송에서 절차상 위법을 이유로 취소된 경우, 행정청은 그 절차상 위법을 보완하여 다시 처분("새로운 처분", "재처분")을 해야 할 의무를 부담
② [사례] A에 대한 산업시설 건설허가에 대해 인근주민 B가 제기한 취소소송에서, 동 건설허가가 인근주민들의 의견수렴 절차를 거치지 않았다는 이유로 취소된 경우, 행정청은 인근주민들의 의견수렴 절차를 거친 후에 다시 처분을 해야 할 의무를 부담함 |

| | 결과제거(원상회복)
의무 부과 | ① 취소판결이 확정되면 행정청은 위법한 처분으로 인하여 발생하게 된 위법한 결과물이 있는 경우 그것을 제거하는 조치를 할 의무를 부담함
② 사례 자동차 압류처분이 취소되면 행정청은 그 압류처분에 기해 압류해 두었던 자동차를 반환하여야 함
③ 사례 파면처분에 대한 취소판결이 확정되면 파면되었던 원고를 복직시켜야 함
④ 판례 어떤 행정처분을 위법하다고 판단하여 취소하는 판결이 확정되면, 행정청은 취소판결의 기속력에 따라, 그 판결에서 확인된 위법사유를 배제한 상태에서 다시 처분을 하거나 그 밖에 위법한 결과를 제거하는 조치를 할 의무가 있음(2018두104) |

기속력에 반하는 처분의 효력

① [당연무효] 법질서 유지의 보루(堡壘)인 법원의 명령을 어기는 것은 중대한 위법 and 이미 종전 처분 상태는 위법하다는 점이 판결로 확정되었음(명백) → 기속력에 반하는 처분은 당연무효
② [위법사유를 다 반영하지 않은 처분 – 판결의 취지에 따른 재처분×] 여러 법규위반(A, B)을 이유로 한 영업허가취소처분이, ㉠ 처분의 이유로 된 법규위반 중 일부(A)는 인정 자체가 되지 않고, ㉡ 나머지 법규위반(B)만으로는 영업허가취소처분이 비례의 원칙에 위반된다는 이유로 취소된 경우에, 판결에서 인정되지 않은 법규위반사실(A)을 포함하여 다시 영업정지처분을 내리는 것은 동일한 행위의 반복은 아니지만 판결의 취지에 반하여 무효 → 판결에서 2가지의 위법 사유를 지적하였음에도 불구하고, 행정청이 그중 1개만 반영하여 재처분을 하였으므로, 그 재처분은 판결의 취지에 따른 처분이 아니기 때문

준용

무효등 확인소송○, 부작위위법확인소송○, 당사자소송○(단, 재처분의무는 준용×), 집행정지 결정○(단, 재처분의무는 준용×)

기속력과 기판력 비교

구분	기속력(羈束力)	기판력(既判力)
공통점	둘 다 판결의 효력임 → 둘 다 취소소송에서 판결이 내려졌고, 그 판결이 확정됨에 따라 발생하게 되는 효력	
누구에 대한 효력?	행정청들에 대한 효력(피고 + 관계행정청)	소송 당사자(원고 + 피고❶)와 다른 법원
발생하는 판결	인용판결에서만 발생	인용, 기각, 각하 판결 모두에서 발생
어디에서 발생?	판결주문뿐만 아니라 그러한 주문을 내게 된 개개의 위법사유(이유)에서도 발생 → 계쟁처분이 왜 위법하다고 보았는가에서 발생	판결주문에서만 발생 → 계쟁처분이 위법한가 적법한가에서만 발생
내용	판결의 취지에 따라 행동해야 할 의무를 행정청에 부과하는 효력 → 반복금지의무, 재처분의무, 결과제거의무의 부과로 구체화됨	① 소송 당사자들이 전소의 소송물과 동일한 사항에 대하여 후소를 제기하거나, 후소에서 전소판결의 주문과 모순되는 내용을 주장하지 못하게 하고, ② 후소 법원이 전소판결의 주문과 모순되는 내용의 판단을 하지 못하게 하는 효력 ③ [후소?] ㉠ 전소의 소송물과 동일한 사항이나, ㉡ 전소의 소송물과 모순되는 사항, ㉢ 전소의 소송물을 선결문제로 하는 사항을 소송물로 하는 소송❷
기준시점	① [통설] 처분시 ② [대법원] 처분시나 사실심 변론종결시(혼선)	사실심 변론종결시

---

❶ 다만, 기판력의 실질적인 보장을 위해, 피고인 행정청(A)의 배후에 있는 계쟁처분이 귀속되는 국가나 공공단체(B)나 관계행정기관에도 기판력이 미친다고 본다.

❷ 자세한 내용은 민사소송법의 영역으로서, 공무원 수험의 범위를 벗어난다.

판결의 효력 - 간접강제(기속력 확보수단)

> 행정소송법 제34조(거부처분취소판결의 간접강제) ① 행정청이 제30조 제2항의 규정에 의한 처분을 하지 아니하는 때에는 제1심 수소법원은 당사자의 신청에 의하여 결정으로써 상당한 기간을 정하고 행정청이 그 기간내에 이행하지 아니하는 때에는 그 지연기간에 따라 일정한 배상을 할 것을 명하거나 즉시 손해배상을 할 것을 명할 수 있다.
> ② 제33조와 민사집행법 제262조의 규정은 제1항의 경우에 준용한다.

의의

① 행정청이 거부처분❶ 취소판결의 기속력에 따라 부담하게 된 재처분의무(제30조 제2항)를 자발적으로 이행하지 않을 경우에 대비해 마련해 둔 제도

② 상당한 기간을 정하여 재처분의무를 이행할 것을 명하고, 그 명령에도 따르지 않는 경우 확정판결 사건의 원고에게 ㉠ 그 지연기간에 따라 일정한 배상을 할 것을 명하거나 ㉡ 즉시 손해배상을 할 것을 명하는 제도

간접강제결정 주문 예시
피신청인은 이 사건 결정의 고지를 받은 날로부터 60일 이내에 신청인들에 대하여 이 법원 2022구합1234 영업불허가처분 취소청구사건의 확정판결의 취지에 따른 처분을 하지 않을 때에는, 신청인들에게 위 기간이 만료된 다음 날부터 이행완료시까지 1일 금 2,000,000원의 비율에 의한 금원을 지급하라.

요건 – 재처분의무의 불이행

① 처분청이 거부처분의 취소판결의 취지에 따른 재처분을 하지 않았어야 함 ➡ ㉠ 행정청이 아무런 재처분도 하지 않은 경우뿐만 아니라, ㉡ 재처분을 하였으나 그 재처분이 판결의 취지에 따른 것이 아니어서 기속력에 반하여 당연무효가 되는 경우도 재처분의무 불이행에 포함(2002무22)

② 판례 주택건설사업 승인신청 거부처분의 취소를 명하는 판결이 확정되었음에도, 행정청이 그에 따른 재처분을 하지 않은 채, 위 취소소송 계속 중에 도시계획법령이 개정되었다는 이유를 들어 다시 거부처분을 하였는데, 개정된 법령에 종전 규정에 따른 다는 경과규정이 있었다면, 개정된 법령을 적용하여 다시 거부처분을 한 것은 종전 거부처분 취소판결의 기속력에 저촉되어 당연 무효이고, 「행정소송법」상 간접강제신청에 필요한 요건을 갖춘 것으로 보아야 함(2002무22) ➡ 구법에 따르면 주택건설 사업승인을 해줘야 하고, 개정된 신법에 따르면 다시 거부를 할 수 있었던 사건

절차 및 결정

① [신청○, 직권×] 간접강제는 당사자의 신청에 의해서만 가능 ○, 직권으로는 가능 ×

② [1심 수소법원] 신청은 당사자가 1심 수소법원(확정된 취소판결을 선고한 법원×)에 함

③ [지연기간배상 or 즉시배상] 법원이 결정의 형식으로, 일단 상당한 기간을 정해서 재처분 의무를 이행할 것을 명(命)해보고, 그래도 이행을 안 하면, ㉠ 그 지연기간에 따라 일정한 배상을 할 것을 명하거나, ㉡ 즉시 손해배상을 할 것을 명함

(변) 효력범위

간접강제결정은 피고 또는 참가인이었던 행정청이 소속하는 국가 또는 공공단체에 효력이 미침(제34조 제2항, 제33조) ➡ 간접강제결정은 이행의무 또는 손해배상의무를 부담시키는 결정이기 때문에, 권리와 의무를 보유할 수 있는 단위인 행정주체에 대하여 효력이 미치게 하고 있는 것

배상금의 성질

① [지연제재×, 손해배상×, 강제수단○] 간접강제결정에 기한 배상금은 확정판결에 따른 재처분의 지연에 대한 제재 또는 손해배상이 아니라, 재처분의 이행에 관한 심리적 강제수단에 불과함(2009다37725, 2002두2444)

② [재처분의무 이행시 배상금 추심 가능×] 간접강제 결정에서 정한 의무이행 기간이 경과한 후에라도 재처분 의무를 이행한 경우에는 이 배상금을 추심할 수 없다고 봄(2009다37725, 2002두2444) ➡ 행정강제의 일종으로 보기 때문

준용범위

무효등 확인소송×, 부작위위법확인소송○, 당사자소송×

---

❶ [거부처분 법리 모음] ㉠ 거부처분을 할 때는 「행정절차법」상 사전통지를 할 필요가 없다. ㉡ 거부행위가 반복된 경우 각각의 거부행위 모두에 처분성이 인정된다. ㉢ 거부처분에 대하여는 「행정소송법」상 집행정지가 허용되지 않는다.

기타 취소소송의 종결 사유

개설 —— 취소소송은 판결이 내려져 확정되는 경우 이외에도, ⊙ 원고가 소멸하거나 ⓒ 원고가 소를 취하한 경우에도 종결됨

원고의 소멸
① (변) [원고가 사망한 경우] 취소소송은 원고가 사망하고 소송물인 권리관계의 성질상 이를 승계할 자가 없을 때에는 종료됨
② [비교 – 피고 행정청이 없게 된 경우] 피고인 행정청이 없게 된 때에는 제13조 제2항에 의하여 처분등에 관한 사무가 귀속되는 국가 또는 공공단체가 피고가 되므로 종료되지 않음

소의 취하 (withdrawal)
① [개념] 법원에 대한 심판요구를 취소하는 원고의 행위
② [효과] 소 제기의 효과가 소급적으로 소멸하고 소송이 종료됨(민사소송법 제267조)

소송비용의 부담

의의 (출제×)
① [개념] 소송을 수행하는 데 소요된 비용
② 소송비용은 소송을 수행하는 과정에서 법원의 활동에 대하여 국가에 납부한 비용(⑩ 인지 비용)이나, 국가 이외의 자에게 지출한 비용(⑩ 변호사 수임료, 법원에 오가는 동안 지출된 버스비) 등이 있음
③ 우리 법은 소송을 수행하기 위해 당사자가 실제로 지출하는 이러한 모든 비용 중 일정한 범위의 비용만을 '소송비용'으로 정의하고 이를 당사자에게 부담시키고 있음(여기에 포함되지 않는 것은 지출한 자가 스스로 부담해야 함) ➔ 그 구체적인 산정방식은 「민사소송비용법」, 「민사소송비용규칙」, 「변호사보수의 소송비용 산입에 관한 규칙」❶ 등에서 별도로 정하고 있음 ➔ 몰라도 됨

패소자부담의 원칙
① 이 일정 범위의 '소송비용'은 잘못된 법적 주장을 일관함으로써 소송이 벌어지게 하여 비용을 발생케 한 자에게 부담시키는 것이 원칙 ➔ 패소자가 부담하는 것이 원칙(민사소송법 제98조)
② [일부패소의 경우] 각 당사자가 분담 ➔ 당사자들이 분담할 소송비용은 법원이 재량으로 정함(민사소송법 제101조)

예외(제32조)
① [원고가 사정판결 때문에 패소한 경우] 승소자인 피고(행정청)가 부담
② [행정청이 처분등을 취소 또는 변경하는 바람에 원고의 청구가 각하 또는 기각된 경우] 승소자인 피고(행정청)가 부담

(변) 소송비용에 관한 재판의 효력 —— 소송비용에 관한 재판이 확정된 때에는 피고 또는 참가인이었던 행정청이 소속하는 국가 또는 공공단체에 그 효력을 미침(제33조)

---

❶ 예를 들어 소가(訴價)에 따라 변호사 선임비용의 10%, 8%, 6%, 4%, 2%, 1%, 0.5%를 소송비용으로 산입하게 하고 있다.

재판(裁判)의 구분	판결(判決)	결정(決定)	명령(命令)
주체	법원		법관
불복방법	항소, 상고	항고, 재항고	
이유기재	생략 불가	생략 가능	
심리방식	반드시 변론	변론으로 하지 않아도 됨	

① 재판은 그 형식에 따라 판결(judgment), 결정(ruling), 명령(order)으로 구분됨

② 어느 경우에 각각 판결, 결정, 명령으로 재판하는지는 법률에서 개별적으로 정함

▸ 상소(上訴)[1] 제도 용어정리 ◂

항소(抗訴)	1심 판결에 대한 불복
상고(上告)	2심 판결에 대한 불복
(통상) 항고(抗告)	1심의 결정이나 명령에 대한 불복
(통상) 재(再)항고	2심 또는 항고심의 결정이나 명령에 대한 불복
즉시항고	① 제기기간의 제한이 달려 있는 항고 ➜ 기간제한? ➜ 결정이나 명령이 고지된 날로부터 1주 이내(민사소송법 제444조) ② "즉시항고"할 수 있다는 규정이 있는 경우에만 할 수 있음 ③ 특별한 규정이 없는 한 원칙적으로 즉시항고에는 결정이나 명령의 집행을 정지시키는 효력이 있음(민사소송법 제447조) ➜ 단, 집행정지 결정❷에 대한 즉시항고에는 집행정지❸의 효력이 없다는 명문의 규정有(제23조 제5항) 행정소송법 제23조(집행정지) ② 취소소송이 제기된 경우에 처분등이나 그 집행 또는 절차의 속행으로 인하여 생길 회복하기 어려운 손해를 예방하기 위하여 긴급한 필요가 있다고 인정할 때에는 본안이 계속되고 있는 법원은 당사자의 신청 또는 직권에 의하여 처분등의 효력이나 그 집행 또는 절차의 속행의 전부 또는 일부의 정지(이하 "집행정지"라 한다)를 결정할 수 있다. 다만, 처분의 효력정지는 처분등의 집행 또는 절차의 속행을 정지함으로써 목적을 달성할 수 있는 경우에는 허용되지 아니한다. ⑤ 제2항의 규정에 의한 집행정지의 결정 또는 기각의 결정에 대하여는 즉시항고할 수 있다. 이 경우 집행정지의 결정에 대한 즉시항고에는 결정의 집행을 정지하는 효력이 없다.

---

❶ 상소(上訴)란 하급심 판결에 대해 불복하여 상급심에 그 시정을 구하는 절차를 말한다.

❷ 이 집행정지 결정에 의해 정지되는 것은 행정청이 발급한 처분등이다.

❸ 이 집행정지에 의해 정지되는 것은 법원의 재판이다.

무효등 확인소송 특수논점

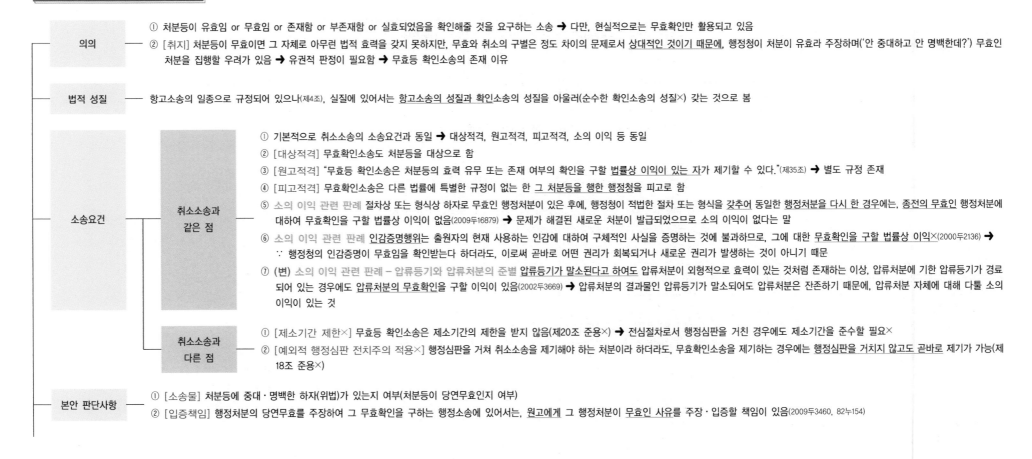

의의	① 처분등이 유효임 or 무효임 or 존재함 or 부존재함 or 실효되었음을 확인해줄 것을 요구하는 소송 ➜ 다만, 현실적으로는 무효확인만 활용되고 있음 ② [취지] 처분등이 무효이면 그 자체로 아무런 법적 효력을 갖지 못하지만, 무효와 취소의 구별은 정도 차이의 문제로서 상대적인 것이기 때문에, 행정청이 처분이 유효라 주장하며('안 중대하고 안 명백한데?') 무효인 처분을 집행할 우려가 있음 ➜ 유권적 판정이 필요함 ➜ 무효등 확인소송의 존재 이유

법적 성질	항고소송의 일종으로 규정되어 있으나(제4조), 실질에 있어서는 항고소송의 성질과 확인소송의 성질을 아울러(순수한 확인소송의 성질×) 갖는 것으로 봄

소송요건	취소소송과 같은 점	① 기본적으로 취소소송의 소송요건과 동일 ➜ 대상적격, 원고적격, 피고적격, 소의 이익 등 동일 ② [대상적격] 무효확인소송도 처분등을 대상으로 함 ③ [원고적격] "무효등 확인소송은 처분등의 효력 유무 또는 존재 여부의 확인을 구할 법률상 이익이 있는 자가 제기할 수 있다."(제35조) ➜ 별도 규정 존재 ④ [피고적격] 무효확인소송은 다른 법률에 특별한 규정이 없는 한 그 처분등을 행한 행정청을 피고로 함 ⑤ 소의 이익 관련 판례 절차상 또는 형식상 하자로 무효인 행정처분이 있은 후에, 행정청이 적법한 절차 또는 형식을 갖추어 동일한 행정처분을 다시 한 경우에는, 종전의 무효인 행정처분에 대하여 무효확인을 구할 법률상 이익이 없음(2009두16879) ➜ 문제가 해결된 새로운 처분이 발급되었으므로 소의 이익이 없다는 말 ⑥ 소의 이익 관련 판례 인감증명행위는 출원자의 현재 사용하는 인감에 대하여 구체적인 사실을 증명하는 것에 불과하므로, 그에 대한 무효확인을 구할 법률상 이익×(2000두2136) ➜ ∵ 행정청의 인감증명이 무효임을 확인받는다 하더라도, 이로써 곧바로 어떤 권리가 회복되거나 새로운 권리가 발생하는 것이 아니기 때문 ⑦ (변) 소의 이익 관련 판례 – 압류등기와 압류처분의 준별 압류등기가 말소된다고 하여도 압류처분이 외형적으로 효력이 있는 것처럼 존재하는 이상, 압류처분에 기한 압류등기가 경료되어 있는 경우에도 압류처분의 무효확인을 구할 이익이 있음(2002두3669) ➜ 압류처분의 결과물인 압류등기가 말소되어도 압류처분은 잔존하기 때문에, 압류처분 자체에 대해 다툴 소의 이익이 있는 것
	취소소송과 다른 점	① [제소기간 제한×] 무효등 확인소송은 제소기간의 제한을 받지 않음(제20조 준용×) ➜ 전심절차로서 행정심판을 거친 경우에도 제소기간을 준수할 필요× ② [예외적 행정심판 전치주의 적용×] 행정심판을 거쳐 취소소송을 제기해야 하는 처분이라 하더라도, 무효확인소송을 제기하는 경우에는 행정심판을 거치지 않고도 곧바로 제기가 가능(제18조 준용×)

본안 판단사항	① [소송물] 처분등에 중대·명백한 하자(위법)가 있는지 여부(처분등이 당연무효인지 여부) ② [입증책임] 행정처분의 당연무효를 주장하여 그 무효확인을 구하는 행정소송에 있어서는, 원고에게 그 행정처분이 무효인 사유를 주장·입증할 책임이 있음(2009두3460, 82누154)

① [선택적 청구 가능] 원고는 무효확인소송과 취소소송 중 더 효과적인 구제수단이라고 생각하는 것을 <u>선택하여 제기 가능</u> → 아래 표는 그로 인하여 발생할 수 있는 문제 상황

② [논의의 전제1] 무효확인소송은 제소기간의 제한 없이 제기할 수 있다는 장점이 있지만, 처분이 중대·명백하게 위법한 경우이어야 인용판결을 받을 수 있다는 어려움이 있음

③ [논의의 전제2] 무효인 처분에는 이미 효력이 없는 것이므로, 효력을 없애는 행위인 '취소'와는 양립할 수 없음

구분	경우	처리
취소사유에 해당하는 하자를 이유로 무효확인소송을 제기한 경우	취소소송의 소송요건을 모두 갖춘 경우	[곧바로 취소판결] 원고가 처분의 <u>취소는 구하지 않는다고 특별히 밝히지 않은 한</u>, 무효확인을 구하는 취지에는 처분의 <u>취소를 구하는 취지도 포함되어 있다</u>고 보아 소 변경이 없었어도 취소판결을 하고 있음(소 변경을 하지 않았음에도 취소소송을 제기한 것으로 취급하는 것)(94누477, 85누838)
	제소기간(불복기간)이나, 행정심판 전치주의 요건을 못 갖춘 경우 (가장 빈번하게 문제되는 유형)	① 기각판결 ② 판례 발급당시에 그 근거법령이 <u>위헌인지</u> 여부에 대해 헌법재판소의 결정이 없었던 행정처분에 대하여, 취소소송의 불복기간이 지난 후 그 행정처분의 근거가 된 <u>법률이 위헌</u>이라는 이유로 무효확인청구의 소가 제기된 경우, 다른 특별한 사정이 없는 한 법원으로서는 그 법률이 위헌인지 여부에 대하여는 판단할 필요 없이 그 무효확인청구를 기각하여야 함(법률조항이 위헌인지 여부를 심리하여 위헌이라고 판단되는 때에는 헌법재판소에 위헌법률심판을 제청하여야 함×)(92누9463) → ∵ 근거법률이 위헌이라 하더라도 <u>취소사유</u>에 불과하기 때문
	나머지 취소소송의 소송요건을 못 갖춘 경우	각하판결
무효사유에 해당하는 하자를 이유로 취소소송을 제기한 경우 ('무효선언을 구하는 의미의 취소소송')	취소소송의 소송요건 중 갖추지 못한 것이 있는 경우	각하판결
	취소소송의 소송요건을 모두 갖춘 경우	취소판결('무효를 선언하는 의미의 취소판결')(무효확인판결×)

① [민사소송법적 배경지식 – 소의 병합의 종류] 청구(소, 소송)의 관계에 따라 청구(소, 소송)를 병합하는 방법은 ㉠ 단순 병합, ㉡ 선택적 병합, ㉢ (주위적·)예비적 병합이 있음 → (주위적·)예비적 병합은 청구들 간에 양립이 불가능한 경우에 사용하는 병합방법임

② [주위적·예비적 병합○, 선택적 병합×, 단순 병합×] 취소소송과 무효확인소송은 서로 <u>양립불가능한 판결</u>을 법원에 내려줄 것을 요구하는 것임 → '처분에 중대명백한 하자가 있어 <u>효력이 없으니</u> 그것을 확인해 주세요' / '처분이 위법하지만 아직 <u>유효하니</u> 취소해 주세요' → 무효확인소송과 취소소송을 병합하여 제기하는 경우에는 <u>무효확인 청구를(취소청구를×) 주위적 청구</u>로 하고, <u>취소청구를(무효확인청구를×) 예비적 청구</u>로 하여 병합하는 방법만 가능

③ (변) 판례 국가유공자법과 보훈보상대상자 지원에 관한 법률은 사망 또는 상이의 원인이 된 직무수행 또는 교육훈련이 국가의 수호 등과 '직접적인 관련'이 있는지에 따라 국가유공자와 보훈보상대상자를 구분하고 있으므로, 국가유공자 비해당결정처분 취소와 보훈보상대상자 비해당결정처분의 취소는 동시에 인정될 수 없는 양립불가능한 관계에 있으므로, 두 처분의 취소 청구는 국가유공자 비해당결정처분 취소청구를 주위적 청구로 하는 주위적·예비적 관계에 있음(2015두56397, 2015두48570) → ※ 직접적인 관련이 있으면 국가유공자로, 상당한 인과관계만 있으면 보훈보상대상자로 구분됨

(왼쪽 도표)
무효확인소송과 취소소송의 관계
├─ 둘 중 하나의 소송만 제기하는 경우
└─ 병합 청구하는 경우

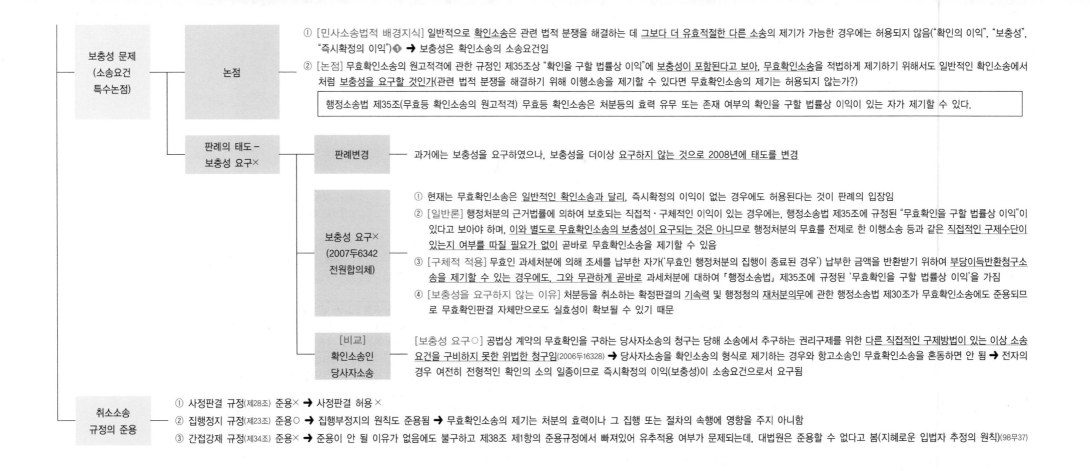

보충성 문제
(소송요건
특수논점)

논점

① [민사소송법적 배경지식] 일반적으로 확인소송은 관련 법적 분쟁을 해결하는 데 그보다 더 유효적절한 다른 소송의 제기가 가능한 경우에는 허용되지 않음("확인의 이익", "보충성", "즉시확정의 이익")❶ → 보충성은 확인소송의 소송요건임

② [논점] 무효확인소송의 원고적격에 관한 규정인 제35조상 "확인을 구할 법률상 이익"에 보충성이 포함된다고 보아, 무효확인소송을 적법하게 제기하기 위해서도 일반적인 확인소송에서처럼 보충성을 요구할 것인가(관련 법적 분쟁을 해결하기 위해 이행소송을 제기할 수 있다면 무효확인소송의 제기는 허용되지 않는가?)

> 행정소송법 제35조(무효등 확인소송의 원고적격) 무효등 확인소송은 처분등의 효력 유무 또는 존재 여부의 확인을 구할 법률상 이익이 있는 자가 제기할 수 있다.

판례의 태도 – 보충성 요구×

판례변경

과거에는 보충성을 요구하였으나, 보충성을 더이상 요구하지 않는 것으로 2008년에 태도를 변경

**보충성 요구×
(2007두6342
전원합의체)**

① 현재는 무효확인소송은 일반적인 확인소송과 달리, 즉시확정의 이익이 없는 경우에도 허용된다는 것이 판례의 입장임

② [일반론] 행정처분의 근거법률에 의하여 보호되는 직접적·구체적인 이익이 있는 경우에는, 행정소송법 제35조에 규정된 "무효확인을 구할 법률상 이익"이 있다고 보아야 하며, 이와 별도로 무효확인소송의 보충성이 요구되는 것은 아니므로 행정처분의 무효를 전제로 한 이행소송 등과 같은 직접적인 구제수단이 있는지 여부를 따질 필요가 없이 곧바로 무효확인소송을 제기할 수 있음

③ [구체적 적용] 무효인 과세처분에 의해 조세를 납부한 자가('무효인 행정처분의 집행이 종료된 경우') 납부한 금액을 반환받기 위하여 부당이득반환청구소송을 제기할 수 있는 경우에도, 그와 무관하게 곧바로 과세처분에 대하여 「행정소송법」 제35조에 규정된 '무효확인을 구할 법률상 이익'을 가짐

④ [보충성을 요구하지 않는 이유] 처분등을 취소하는 확정판결의 기속력 및 행정청의 재처분의무에 관한 행정소송법 제30조가 무효확인소송에도 준용되므로 무효확인판결 자체만으로도 실효성이 확보될 수 있기 때문

**[비교]
확인소송인
당사자소송**

[보충성 요구○] 공법상 계약의 무효확인을 구하는 당사자소송의 청구는 당해 소송에서 추구하는 권리구제를 위한 다른 직접적인 구제방법이 있는 이상 소송요건을 구비하지 못한 위법한 청구임(2006두16328) → 당사자소송을 확인소송의 형식으로 제기하는 경우와 항고소송인 무효확인소송을 혼동하면 안 됨 → 전자의 경우 여전히 전형적인 확인의 소의 일종이므로 즉시확정의 이익(보충성)이 소송요건으로서 요구됨

취소소송
규정의 준용

① 사정판결 규정(제28조) 준용× → 사정판결 허용 ×

② 집행정지 규정(제23조) 준용○ → 집행부정지의 원칙도 준용됨 → 무효확인소송의 제기는 처분의 효력이나 그 집행 또는 절차의 속행에 영향을 주지 아니함

③ 간접강제 규정(제34조) 준용× → 준용이 안 될 이유가 없음에도 불구하고 제38조 제1항의 준용규정에서 빠져있어 유추적용 여부가 문제되는데, 대법원은 준용할 수 없다고 봄(지혜로운 입법자 추정의 원칙)(98무37)

---

❶ [민사소송법] 예컨대, 甲이 乙에게 500만 원을 빌려줬는데, 乙이 갚을 때가 되었는데도 갚지 않고 있는 경우, 甲은 법원에 자신에게 乙로부터 500만 원을 받을 권리가 있는지 여부에 대한 확인만을 구하는 확인소송을 제기하는 것보다, 곧바로, 자신에게 乙로부터 500만 원을 받을 권리가 있다는 점에 대한 확인을 구하는 동시에 乙에 대하여 甲에게 500만 원을 지급하라는 명령을 내려달라는 이행소송을 제기하는 것이, 甲과 乙간의 분쟁상황을 해결하는 데 더 유효적절한 수단이 된다. 따라서 이 경우 甲의 乙에 대한 500만 원 지급청구권 존재확인소송은 허용되지 않는다.

▶ 부작위위법확인소송 특수논점 ◀

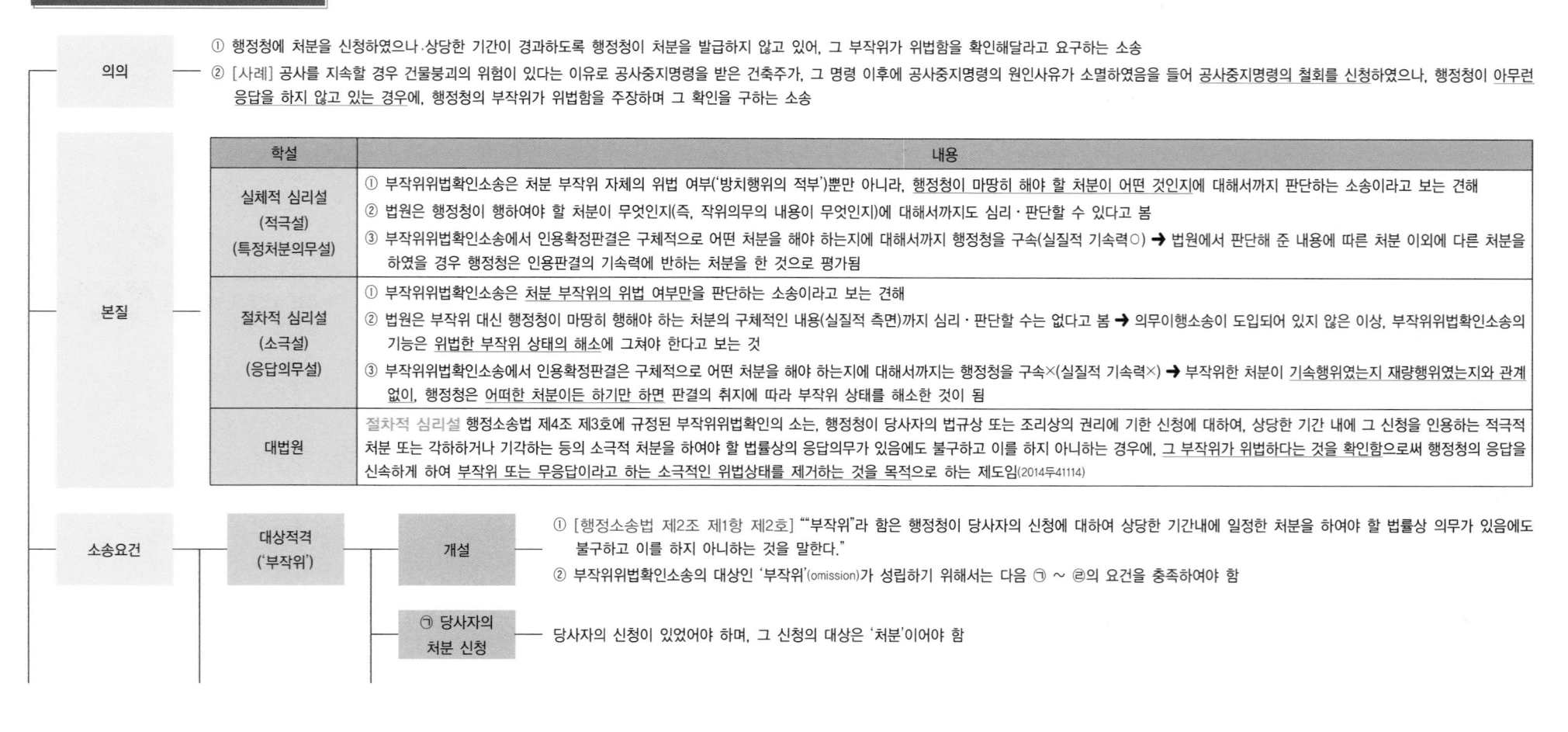

의의

① 행정청에 처분을 신청하였으나·상당한 기간이 경과하도록 행정청이 처분을 발급하지 않고 있어, 그 부작위가 위법함을 확인해달라고 요구하는 소송

② [사례] 공사를 지속할 경우 건물붕괴의 위험이 있다는 이유로 공사중지명령을 받은 건축주가, 그 명령 이후에 공사중지명령의 원인사유가 소멸하였음을 들어 공사중지명령의 철회를 신청하였으나, 행정청이 아무런 응답을 하지 않고 있는 경우에, 행정청의 부작위가 위법함을 주장하며 그 확인을 구하는 소송

본질

학설	내용
실체적 심리설 (적극설) (특정처분의무설)	① 부작위위법확인소송은 처분 부작위 자체의 위법 여부('방치행위의 적부')뿐만 아니라, 행정청이 마땅히 해야 할 처분이 어떤 것인지에 대해서까지 판단하는 소송이라고 보는 견해 ② 법원은 행정청이 행하여야 할 처분이 무엇인지(즉, 작위의무의 내용이 무엇인지)에 대해서까지도 심리·판단할 수 있다고 봄 ③ 부작위위법확인소송에서 인용확정판결은 구체적으로 어떤 처분을 해야 하는지에 대해서까지 행정청을 구속(실질적 기속력○) ➜ 법원에서 판단해 준 내용에 따른 처분 이외에 다른 처분을 하였을 경우 행정청은 인용판결의 기속력에 반하는 처분을 한 것으로 평가됨
절차적 심리설 (소극설) (응답의무설)	① 부작위위법확인소송은 처분 부작위의 위법 여부만을 판단하는 소송이라고 보는 견해 ② 법원은 부작위 대신 행정청이 마땅히 행해야 하는 처분의 구체적인 내용(실질적 측면)까지 심리·판단할 수는 없다고 봄 ➜ 의무이행소송이 도입되어 있지 않은 이상, 부작위위법확인소송의 기능은 위법한 부작위 상태의 해소에 그쳐야 한다고 보는 것 ③ 부작위위법확인소송에서 인용확정판결은 구체적으로 어떤 처분을 해야 하는지에 대해서까지는 행정청을 구속×(실질적 기속력×) ➜ 부작위한 처분이 기속행위였는지 재량행위였는지와 관계없이, 행정청은 어떠한 처분이든 하기만 하면 판결의 취지에 따라 부작위 상태를 해소한 것이 됨
대법원	절차적 심리설 행정소송법 제4조 제3호에 규정된 부작위위법확인의 소는, 행정청이 당사자의 법규상 또는 조리상의 권리에 기한 신청에 대하여, 상당한 기간 내에 그 신청을 인용하는 적극적 처분 또는 각하하거나 기각하는 등의 소극적 처분을 하여야 할 법률상의 응답의무가 있음에도 불구하고 이를 하지 아니하는 경우에, 그 부작위가 위법하다는 것을 확인함으로써 행정청의 응답을 신속하게 하여 부작위 또는 무응답이라고 하는 소극적인 위법상태를 제거하는 것을 목적으로 하는 제도임(2014두41114)

소송요건

대상적격 ('부작위')

개설

① [행정소송법 제2조 제1항 제2호] "'부작위'라 함은 행정청이 당사자의 신청에 대하여 상당한 기간내에 일정한 처분을 하여야 할 법률상 의무가 있음에도 불구하고 이를 하지 아니하는 것을 말한다."

② 부작위위법확인소송의 대상인 '부작위'(omission)가 성립하기 위해서는 다음 ㉠ ~ ㉣의 요건을 충족하여야 함

㉠ 당사자의 처분 신청 — 당사자의 신청이 있었어야 하며, 그 신청의 대상은 '처분'이어야 함

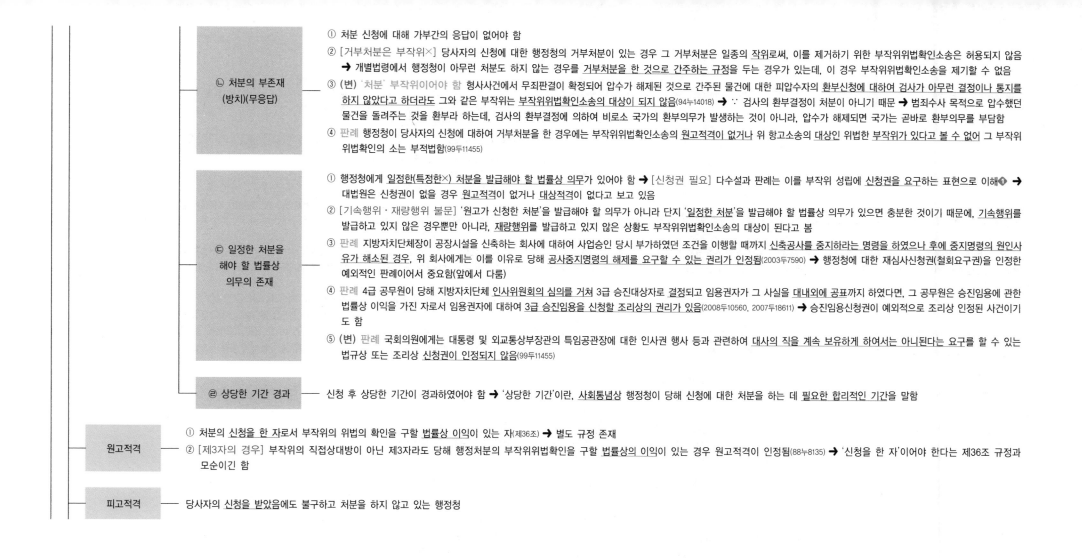

ⓛ 처분의 부존재
(방치)(무응답)

① 처분 신청에 대해 가부간의 응답이 없어야 함

② [거부처분은 부작위×] 당사자의 신청에 대한 행정청의 거부처분이 있는 경우 그 거부처분은 일종의 <u>작위</u>로써, 이를 제거하기 위한 부작위위법확인소송은 허용되지 않음
→ 개별법령에서 행정청이 아무런 처분도 하지 않는 경우를 거부처분을 한 것으로 간주하는 규정을 두는 경우가 있는데, 이 경우 부작위위법확인소송을 제기할 수 없음

③ **(변)** '<u>처분</u>' 부작위이어야 함 형사사건에서 무죄판결이 확정되어 압수가 해제된 것으로 간주된 물건에 대한 피압수자의 <u>환부신청에 대하여 검사가 아무런 결정이나 통지를 하지 않았다고 하더라도 그와 같은 부작위는 부작위위법확인소송의 대상이 되지 않음</u>(94누14018) → ∵ 검사의 환부결정이 처분이 아니기 때문 → 범죄수사 목적으로 압수했던 물건을 돌려주는 것을 환부라 하는데, 검사의 환부결정에 의하여 비로소 국가의 환부의무가 발생하는 것이 아니라, 압수가 해제되면 국가는 곧바로 환부의무를 부담함

④ 판례 행정청이 당사자의 신청에 대하여 거부처분을 한 경우에는 부작위위법확인소송의 <u>원고적격이 없거나</u> 위 항고소송의 대상인 위법한 <u>부작위가 있다고 볼 수 없어</u> 그 부작위위법확인의 소는 부적법함(99두11455)

ⓒ 일정한 처분을
해야 할 법률상
의무의 존재

① 행정청에게 일정한(특정한×) 처분을 발급해야 할 법률상 의무가 있어야 함 → [신청권 필요] 다수설과 판례는 이를 부작위 성립에 신청권을 요구하는 표현으로 이해❶ → 대법원은 신청권이 없을 경우 원고적격이 없거나 대상적격이 없다고 보고 있음

② [기속행위·재량행위 불문] '원고가 신청한 처분'을 발급해야 할 의무가 아니라 단지 '일정한 처분'을 발급해야 할 법률상 의무가 있으면 충분한 것이기 때문에, <u>기속행위</u>를 발급하고 있지 않은 경우뿐만 아니라, <u>재량행위</u>를 발급하고 있지 않은 상황도 부작위위법확인소송의 대상이 된다고 봄

③ 판례 지방자치단체장이 공장시설을 신축하는 회사에 대하여 사업승인 당시 부가하였던 조건을 이행할 때까지 <u>신축공사를 중지하라는 명령을 하였으나</u> 후에 중지명령의 원인사유가 해소된 경우, 위 회사에게는 이를 이유로 당해 <u>공사중지명령의 해제를 요구할 수 있는 권리가 인정됨</u>(2003두7590) → 행정청에 대한 재심사신청권(철회요구권)을 인정한 예외적인 판례이어서 중요함(앞에서 다룸)

④ 판례 4급 공무원이 당해 지방자치단체 <u>인사위원회의 심의</u>를 거쳐 3급 승진대상자로 결정되고 임용권자가 그 사실을 대내외에 공표까지 하였다면, 그 공무원은 승진임용에 관한 법률상 이익을 가진 자로서 임용권자에 대하여 <u>3급 승진임용을 신청할 조리상의 권리가 있음</u>(2008두10560, 2007두18611) → 승진임용신청권이 예외적으로 조리상 인정된 사건이기도 함

⑤ **(변)** 판례 국회의원에게는 대통령 및 외교통상부장관의 특임공관장에 대한 인사권 행사 등과 관련하여 <u>대사의 직을 계속 보유하게 하여서는 아니된다는 요구</u>를 할 수 있는 법규상 또는 조리상 <u>신청권이 인정되지 않음</u>(99두11455)

ⓓ 상당한 기간 경과 — 신청 후 상당한 기간이 경과하였어야 함 → '상당한 기간'이란, <u>사회통념상</u> 행정청이 당해 신청에 대한 처분을 하는 데 필요한 합리적인 기간을 말함

원고적격

① 처분의 신청을 한 자로서 부작위의 위법의 확인을 구할 <u>법률상 이익이 있는 자</u>(제36조) → 별도 규정 존재

② [제3자의 경우] 부작위의 직접상대방이 아닌 제3자라도 당해 행정처분의 부작위위법확인을 구할 <u>법률상의 이익</u>이 있는 경우 원고적격이 인정됨(88누8135) → '신청을 한 자'이어야 한다는 제36조 규정과 모순이긴 함

피고적격

당사자의 신청을 받았음에도 불구하고 처분을 하지 않고 있는 행정청

---

❶ [더 들어가기] 부작위위법확인소송의 대상인 '부작위'가 성립하기 위해서는 신청권이 있을 것이 요구되는지 여부에 대해 견해대립이 있다. ⊙ 필요하다고 보는 견해(판례의 입장)는 행정소송법 제2조 제1항 제2호의 '일정한 처분을 하여야 할 법률상 의무가 있을 것'부분이 신청권을 요구하는 것이라 보고, ⓛ 필요하지 않다고 보는 견해는 '일정한 처분을 하여야 할 의무가 있을 것'은 신청권을 요구하는 것이 아니라, <u>본안에서 인용되기 위한 요건</u>을 말하고 있는 것이라 본다. ⓒ 한편, 부작위위법확인소송의 본안판단을 받기 위해서는 신청권이 필요하긴 하지만, 그것은 원고적격이 인정되기 위해 필요한 요소라 보는 견해도 있다.

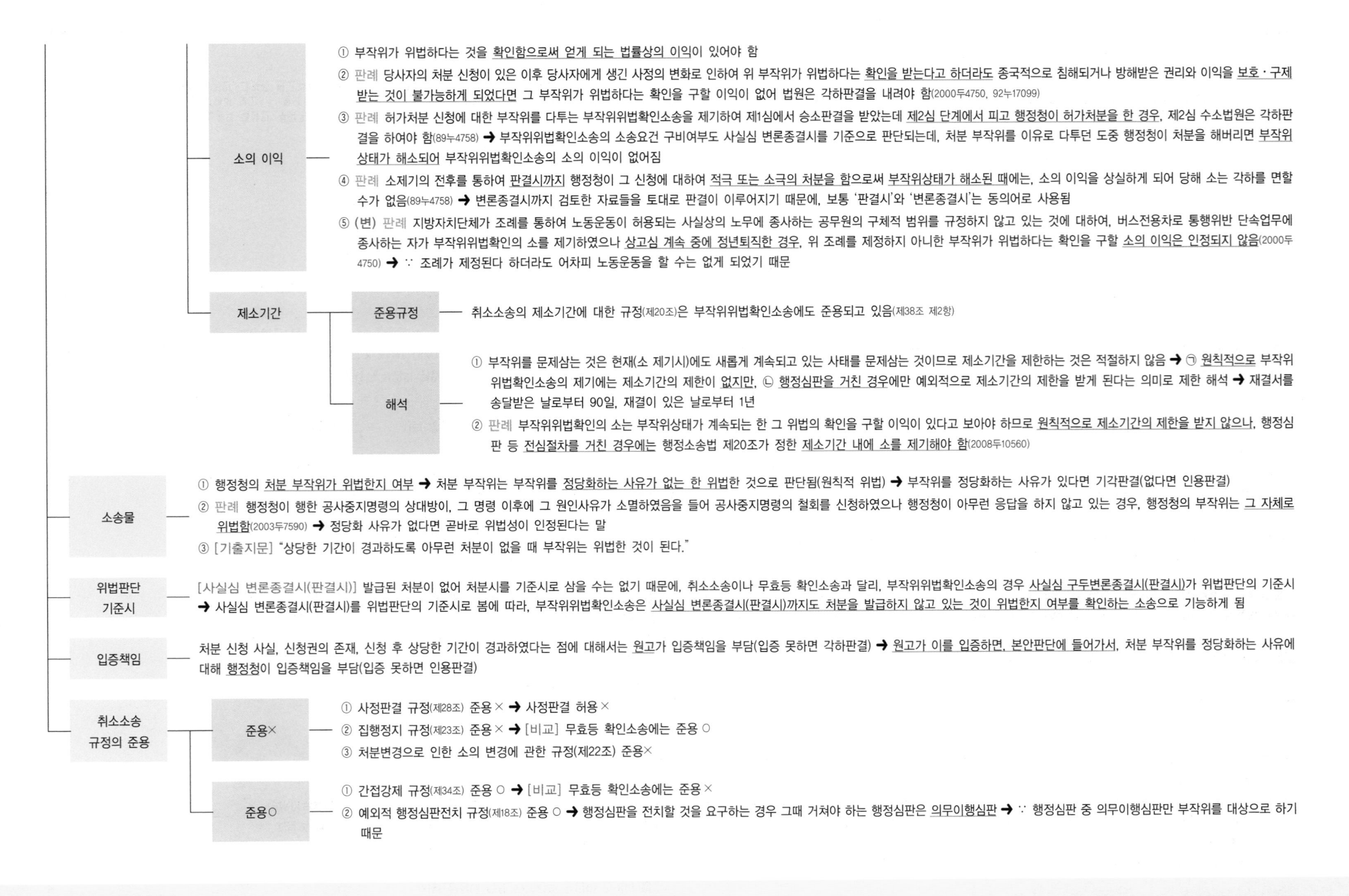

소의 이익

① 부작위가 위법하다는 것을 확인함으로써 얻게 되는 법률상의 이익이 있어야 함

② 판례 당사자의 처분 신청이 있은 이후 당사자에게 생긴 사정의 변화로 인하여 위 부작위가 위법하다는 확인을 받는다고 하더라도 종국적으로 침해되거나 방해받은 권리와 이익을 보호·구제 받는 것이 불가능하게 되었다면 그 부작위가 위법하다는 확인을 구할 이익이 없어 법원은 각하판결을 내려야 함(2000두4750, 92누17099)

③ 판례 허가처분 신청에 대한 부작위를 다투는 부작위위법확인소송을 제기하여 제1심에서 승소판결을 받았는데 제2심 단계에서 피고 행정청이 허가처분을 한 경우, 제2심 수소법원은 각하판결을 하여야 함(89누4758) ➡ 부작위위법확인소송의 소송요건 구비여부도 사실심 변론종결시를 기준으로 판단되는데, 처분 부작위를 이유로 다투던 도중 행정청이 처분을 해버리면 부작위 상태가 해소되어 부작위위법확인소송의 소의 이익이 없어짐

④ 판례 소제기의 전후를 통하여 판결시까지 행정청이 그 신청에 대하여 적극 또는 소극의 처분을 함으로써 부작위상태가 해소된 때에는, 소의 이익을 상실하게 되어 당해 소는 각하를 면할 수가 없음(89누4758) ➡ 변론종결시까지 검토한 자료들을 토대로 판결이 이루어지기 때문에, 보통 '판결시'와 '변론종결시'는 동의어로 사용됨

⑤ (변) 판례 지방자치단체가 조례를 통하여 노동운동이 허용되는 사실상의 노무에 종사하는 공무원의 구체적 범위를 규정하지 않고 있는 것에 대하여, 버스전용차로 통행위반 단속업무에 종사하는 자가 부작위위법확인의 소를 제기하였으나 상고심 계속 중에 정년퇴직한 경우, 위 조례를 제정하지 아니한 부작위가 위법하다는 확인을 구할 소의 이익은 인정되지 않음(2000두4750) ➡ ∵ 조례가 제정된다 하더라도 어차피 노동운동을 할 수는 없게 되었기 때문

제소기간

준용규정 — 취소소송의 제소기간에 대한 규정(제20조)은 부작위위법확인소송에도 준용되고 있음(제38조 제2항)

해석

① 부작위를 문제삼는 것은 현재(소 제기시)에도 새롭게 계속되고 있는 사태를 문제삼는 것이므로 제소기간을 제한하는 것은 적절하지 않음 ➡ ㉠ 원칙적으로 부작위 위법확인소송의 제기에는 제소기간의 제한이 없지만, ㉡ 행정심판을 거친 경우에만 예외적으로 제소기간의 제한을 받게 된다는 의미로 제한 해석 ➡ 재결서를 송달받은 날로부터 90일, 재결이 있은 날로부터 1년

② 판례 부작위위법확인의 소는 부작위상태가 계속되는 한 그 위법의 확인을 구할 이익이 있다고 보아야 하므로 원칙적으로 제소기간의 제한을 받지 않으나, 행정심 판 등 전심절차를 거친 경우에는 행정소송법 제20조가 정한 제소기간 내에 소를 제기해야 함(2008두10560)

소송물

① 행정청의 처분 부작위가 위법한지 여부 ➡ 처분 부작위는 부작위를 정당화하는 사유가 없는 한 위법한 것으로 판단됨(원칙적 위법) ➡ 부작위를 정당화하는 사유가 있다면 기각판결(없다면 인용판결)

② 판례 행정청이 행한 공사중지명령의 상대방이, 그 명령 이후에 그 원인사유가 소멸하였음을 들어 공사중지명령의 철회를 신청하였으나 행정청이 아무런 응답을 하지 않고 있는 경우, 행정청의 부작위는 그 자체로 위법함(2003두7590) ➡ 정당화 사유가 없다면 곧바로 위법성이 인정된다는 말

③ [기출지문] "상당한 기간이 경과하도록 아무런 처분이 없을 때 부작위는 위법한 것이 된다."

위법판단 기준시

[사실심 변론종결시(판결시)] 발급된 처분이 없어 처분시를 기준시로 삼을 수는 없기 때문에, 취소소송이나 무효등 확인소송과 달리, 부작위위법확인소송의 경우 사실심 구두변론종결시(판결시)가 위법판단의 기준시 ➡ 사실심 변론종결시(판결시)를 위법판단의 기준시로 봄에 따라, 부작위위법확인소송은 사실심 변론종결시(판결시)까지도 처분을 발급하지 않고 있는 것이 위법한지 여부를 확인하는 소송으로 기능하게 됨

입증책임

처분 신청 사실, 신청권의 존재, 신청 후 상당한 기간이 경과하였다는 점에 대해서는 원고가 입증책임을 부담(입증 못하면 각하판결) ➡ 원고가 이를 입증하면, 본안판단에 들어가서, 처분 부작위를 정당화하는 사유에 대해 행정청이 입증책임을 부담(입증 못하면 인용판결)

취소소송 규정의 준용

준용×

① 사정판결 규정(제28조) 준용× ➡ 사정판결 허용×

② 집행정지 규정(제23조) 준용× ➡ [비교] 무효등 확인소송에는 준용 ○

③ 처분변경으로 인한 소의 변경에 관한 규정(제22조) 준용×

준용○

① 간접강제 규정(제34조) 준용 ○ ➡ [비교] 무효등 확인소송에는 준용×

② 예외적 행정심판전치 규정(제18조) 준용 ○ ➡ 행정심판을 전치할 것을 요구하는 경우 그때 거쳐야 하는 행정심판은 의무이행심판 ➡ ∵ 행정심판 중 의무이행심판만 부작위를 대상으로 하기 때문

당사자소송 특수논점

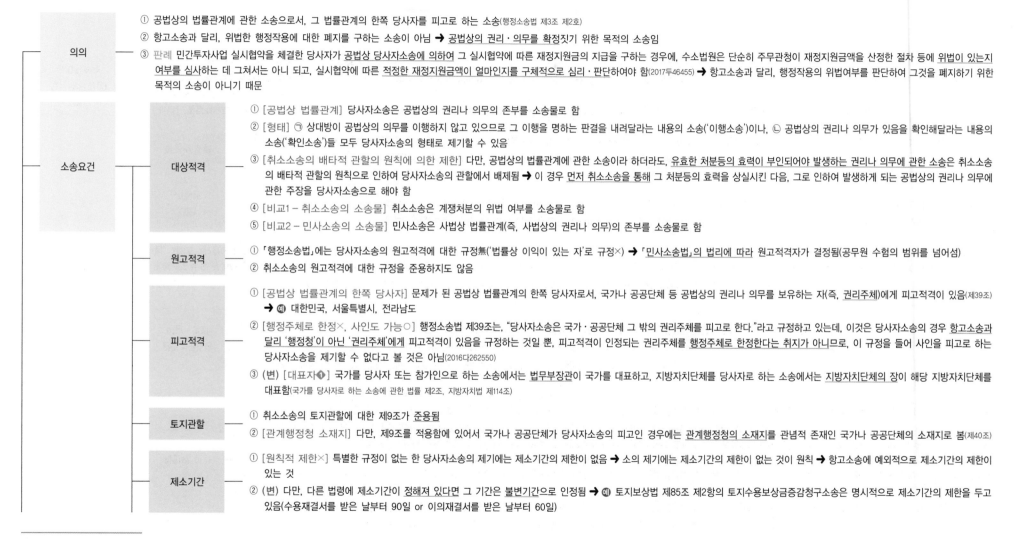

의의

① 공법상의 법률관계에 관한 소송으로서, 그 법률관계의 한쪽 당사자를 피고로 하는 소송(행정소송법 제3조 제2호)

② 항고소송과 달리, 위법한 행정작용에 대한 폐지를 구하는 소송이 아님 ➔ 공법상의 권리·의무를 확정짓기 위한 목적의 소송임

③ 판례 민간투자사업 실시협약을 체결한 당사자가 공법상 당사자소송에 의하여 그 실시협약에 따른 재정지원금의 지급을 구하는 경우에, 수소법원은 단순히 주무관청이 재정지원금액을 산정한 절차 등에 위법이 있는지 여부를 심사하는 데 그쳐서는 아니 되고, 실시협약에 따른 적정한 재정지원금액이 얼마인지를 구체적으로 심리·판단하여야 함(2017두46455) ➔ 항고소송과 달리, 행정작용의 위법여부를 판단하여 그것을 폐지하기 위한 목적의 소송이 아니기 때문

소송요건

대상적격

① [공법상 법률관계] 당사자소송은 공법상의 권리나 의무의 존부를 소송물로 함

② [형태] ㉠ 상대방이 공법상의 의무를 이행하지 않고 있으므로 그 이행을 명하는 판결을 내려달라는 내용의 소송('이행소송')이나, ㉡ 공법상의 권리나 의무가 있음을 확인해달라는 내용의 소송('확인소송')들 모두 당사자소송의 형태로 제기할 수 있음

③ [취소소송의 배타적 관할의 원칙에 의한 제한] 다만, 공법상의 법률관계에 관한 소송이라 하더라도, 유효한 처분등의 효력이 부인되어야 발생하는 권리나 의무에 관한 소송은 취소소송의 배타적 관할의 원칙으로 인하여 당사자소송의 관할에서 배제됨 ➔ 이 경우 먼저 취소소송을 통해 그 처분등의 효력을 상실시킨 다음, 그로 인하여 발생하게 되는 공법상의 권리나 의무에 관한 주장을 당사자소송으로 해야 함

④ [비교1 – 취소소송의 소송물] 취소소송은 계쟁처분의 위법 여부를 소송물로 함

⑤ [비교2 – 민사소송의 소송물] 민사소송은 사법상 법률관계(즉, 사법상의 권리나 의무)의 존부를 소송물로 함

원고적격

① 「행정소송법」에는 당사자소송의 원고적격에 대한 규정無('법률상 이익이 있는 자'로 규정×) ➔ 「민사소송법」의 법리에 따라 원고적격자가 결정됨(공무원 수험의 범위를 넘어섬)

② 취소소송의 원고적격에 대한 규정을 준용하지도 않음

피고적격

① [공법상 법률관계의 한쪽 당사자] 문제가 된 공법상 법률관계의 한쪽 당사자로서, 국가나 공공단체 등 공법상의 권리나 의무를 보유하는 자(즉, 권리주체)에게 피고적격이 있음(제39조) ➔ 예 대한민국, 서울특별시, 전라남도

② [행정주체로 한정×, 사인도 가능○] 행정소송법 제39조는, "당사자소송은 국가·공공단체 그 밖의 권리주체를 피고로 한다."라고 규정하고 있는데, 이것은 당사자소송의 경우 항고소송과 달리 '행정청'이 아닌 '권리주체'에게 피고적격이 있음을 규정하는 것일 뿐, 피고적격이 인정되는 권리주체를 행정주체로 한정한다는 취지가 아니므로, 이 규정을 들어 사인을 피고로 하는 당사자소송을 제기할 수 없다고 볼 것은 아님(2016다262550)

③ (변) [대표자❶] 국가를 당사자 또는 참가인으로 하는 소송에서는 법무부장관이 국가를 대표하고, 지방자치단체를 당사자로 하는 소송에서는 지방자치단체의 장이 해당 지방자치단체를 대표함(국가를 당사자로 하는 소송에 관한 법률 제2조, 지방자치법 제114조)

토지관할

① 취소소송의 토지관할에 대한 제9조가 준용됨

② [관계행정청 소재지] 다만, 제9조를 적용함에 있어서 국가나 공공단체가 당사자소송의 피고인 경우에는 관계행정청의 소재지를 관념적 존재인 국가나 공공단체의 소재지로 봄(제40조)

제소기간

① [원칙적 제한×] 특별한 규정이 없는 한 당사자소송의 제기에는 제소기간의 제한이 없음 ➔ 소의 제기에는 제소기간의 제한이 없는 것이 원칙 ➔ 항고소송에 예외적으로 제소기간의 제한이 있는 것

② (변) 다만, 다른 법령에 제소기간이 정해져 있다면 그 기간은 불변기간으로 인정됨 ➔ 예 토지보상법 제85조 제2항의 토지수용보상금증감청구소송은 명시적으로 제소기간의 제한을 두고 있음(수용재결서를 받은 날부터 90일 or 이의재결서를 받은 날부터 60일)

---

❶ 대표자란 관념적 존재인 법인을 위해 소송에서 실제로 소송행위(예 기일출석, 증거제출 등)를 하는 자를 말한다. 대표자가 행한 소송행위는 법인의 행위로 취급된다.

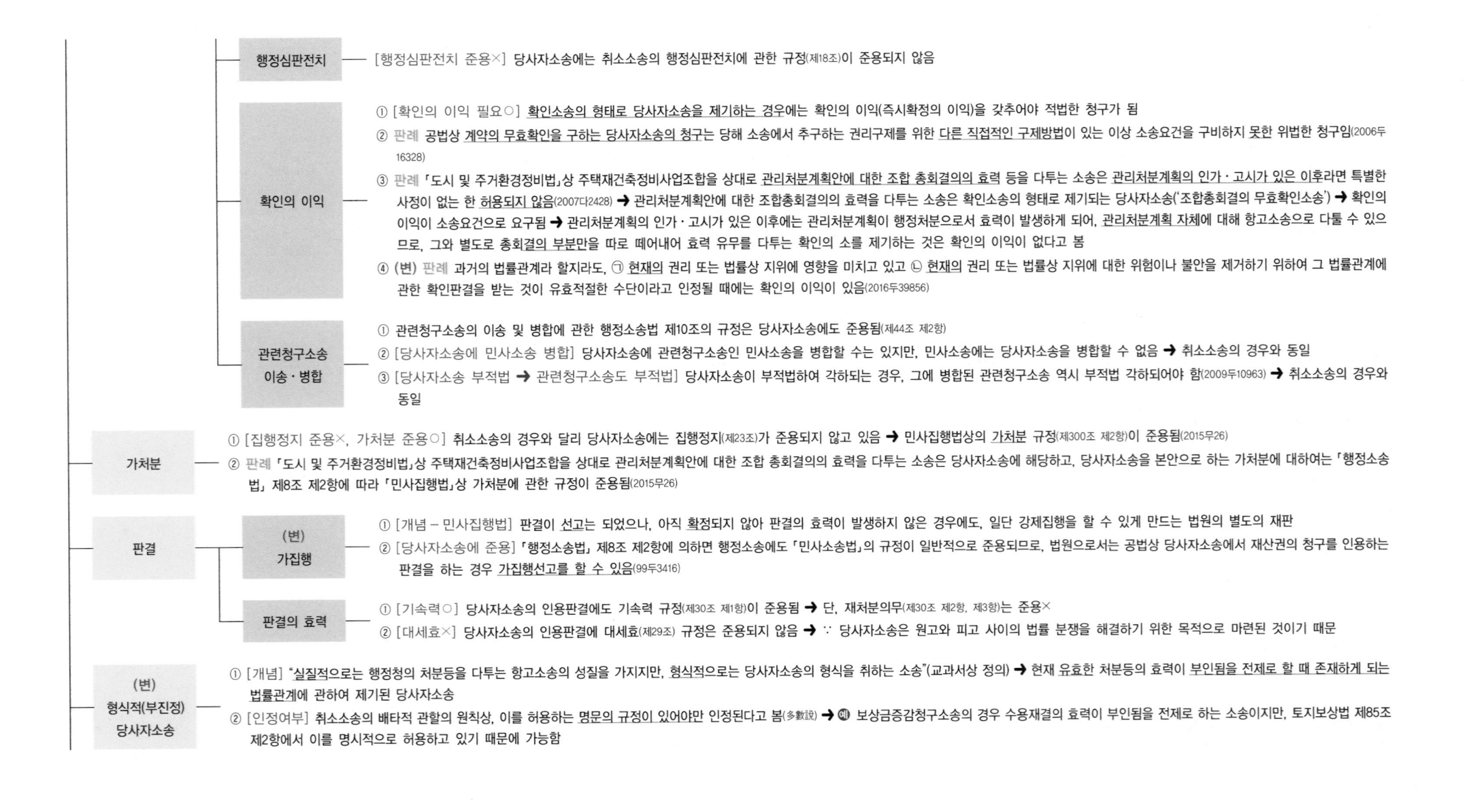

행정심판전치 ── [행정심판전치 준용×] 당사자소송에는 취소소송의 행정심판전치에 관한 규정(제18조)이 준용되지 않음

확인의 이익

① [확인의 이익 필요○] 확인소송의 형태로 당사자소송을 제기하는 경우에는 확인의 이익(즉시확정의 이익)을 갖추어야 적법한 청구가 됨

② 판례 공법상 계약의 무효확인을 구하는 당사자소송의 청구는 당해 소송에서 추구하는 권리구제를 위한 다른 직접적인 구제방법이 있는 이상 소송요건을 구비하지 못한 위법한 청구임(2006두16328)

③ 판례 「도시 및 주거환경정비법」상 주택재건축정비사업조합을 상대로 관리처분계획안에 대한 조합 총회결의의 효력 등을 다투는 소송은 관리처분계획의 인가·고시가 있은 이후라면 특별한 사정이 없는 한 허용되지 않음(2007다2428) ➔ 관리처분계획안에 대한 조합총회결의의 효력을 다투는 소송은 확인소송의 형태로 제기되는 당사자소송('조합총회결의 무효확인소송') ➔ 확인의 이익이 소송요건으로 요구됨 ➔ 관리처분계획의 인가·고시가 있은 이후에는 관리처분계획이 행정처분으로서 효력이 발생하게 되어, 관리처분계획 자체에 대해 항고소송으로 다툴 수 있으므로, 그와 별도로 총회결의 부분만을 따로 떼어내어 효력 유무를 다투는 확인의 소를 제기하는 것은 확인의 이익이 없다고 봄

④ (변) 판례 과거의 법률관계라 할지라도, ㉠ 현재의 권리 또는 법률상 지위에 영향을 미치고 있고 ㉡ 현재의 권리 또는 법률상 지위에 대한 위험이나 불안을 제거하기 위하여 그 법률관계에 관한 확인판결을 받는 것이 유효적절한 수단이라고 인정될 때에는 확인의 이익이 있음(2016두39856)

관련청구소송 이송·병합

① 관련청구소송의 이송 및 병합에 관한 행정소송법 제10조의 규정은 당사자소송에도 준용됨(제44조 제2항)

② [당사자소송에 민사소송 병합] 당사자소송에 관련청구소송인 민사소송을 병합할 수는 있지만, 민사소송에는 당사자소송을 병합할 수 없음 ➔ 취소소송의 경우와 동일

③ [당사자소송 부적법 ➔ 관련청구소송도 부적법] 당사자소송이 부적법하여 각하되는 경우, 그에 병합된 관련청구소송 역시 부적법 각하되어야 함(2009두10963) ➔ 취소소송의 경우와 동일

가처분

① [집행정지 준용×, 가처분 준용○] 취소소송의 경우와 달리 당사자소송에는 집행정지(제23조)가 준용되지 않고 있음 ➔ 민사집행법상의 가처분 규정(제300조 제2항)이 준용됨(2015무26)

② 판례 「도시 및 주거환경정비법」상 주택재건축정비사업조합을 상대로 관리처분계획안에 대한 조합 총회결의의 효력을 다투는 소송은 당사자소송에 해당하고, 당사자소송을 본안으로 하는 가처분에 대하여는 「행정소송법」 제8조 제2항에 따라 「민사집행법」상 가처분에 관한 규정이 준용됨(2015무26)

판결

(변) 가집행

① [개념 - 민사집행법] 판결이 선고는 되었으나, 아직 확정되지 않아 판결의 효력이 발생하지 않은 경우에도, 일단 강제집행을 할 수 있게 만드는 법원의 별도의 재판

② [당사자소송에 준용] 「행정소송법」 제8조 제2항에 의하면 행정소송에도 「민사소송법」의 규정이 일반적으로 준용되므로, 법원으로서는 공법상 당사자소송에서 재산권의 청구를 인용하는 판결을 하는 경우 가집행선고를 할 수 있음(99두3416)

판결의 효력

① [기속력○] 당사자소송의 인용판결에도 기속력 규정(제30조 제1항)이 준용됨 ➔ 단, 재처분의무(제30조 제2항, 제3항)는 준용×

② [대세효×] 당사자소송의 인용판결에 대세효(제29조) 규정은 준용되지 않음 ➔ ∵ 당사자소송은 원고와 피고 사이의 법률 분쟁을 해결하기 위한 목적으로 마련된 것이기 때문

(변) 형식적(부진정) 당사자소송

① [개념] "실질적으로는 행정청의 처분등을 다투는 항고소송의 성질을 가지지만, 형식적으로는 당사자소송의 형식을 취하는 소송"(교과서상 정의) ➔ 현재 유효한 처분등의 효력이 부인됨을 전제로 할 때 존재하게 되는 법률관계에 관하여 제기된 당사자소송

② [인정여부] 취소소송의 배타적 관할의 원칙상, 이를 허용하는 명문의 규정이 있어야만 인정된다고 봄(多數說) ➔ 예 보상금증감청구소송의 경우 수용재결의 효력이 부인됨을 전제로 하는 소송이지만, 토지보상법 제85조 제2항에서 이를 명시적으로 허용하고 있기 때문에 가능함

| 당사자소송으로 다투어지는 구체적 사례들 | 공법상 계약 | ① [법리] 공법상 계약의 효력 유무, 공법상 계약 해지 의사표시의 효력 유무에 관한 확인소송 등은 당사자소송에 의함 ➜ 처분등이 개입되지 않고 발생하는 대표적인 공법상의 법률관계 |

① [법리] 공법상 계약의 효력 유무, 공법상 계약 해지 의사표시의 효력 유무에 관한 확인소송 등은 당사자소송에 의함 ➜ 처분등이 개입되지 않고 발생하는 대표적인 공법상의 법률관계

공법상 계약

② 판례 경기도가 설립·운영하는 고등학교에 영상음악 과목을 가르치는 산학겸임교사를 채용하는 계약은 공법상 계약에 해당하므로, 계약 기간 중 경기도지사가 일방적으로 행한 계약해지 의사표시가 무효임은 당사자소송을 통해 다투어야 함(2013두11499) ➜ 피고적격은 경기도에 있음

③ 판례 시립무용단원의 해촉에 대해서는 당사자소송으로 다투어야 함(95누4636)

④ 판례 국책사업인 '한국형 헬기 개발사업'(Korean Helicopter Program)에 개발주관사업자 중 하나로 참여하여 국가 산하 중앙행정기관인 방위사업청과 '한국형헬기 민군겸용 핵심구성품 개발협약'을 체결한 甲 주식회사가 협약을 이행하는 과정에서 환율변동 및 물가상승 등 외부적 요인으로 발생한 초과 비용에 대한 지급을 구하는 것은 행정소송(민사소송×)에 의하여야 함(2015다215526) ➜ 위 협약은 국방물자 개발에 관한 것으로서, 「과학기술기본법」 및 그 위임에 따라 제정된 대통령령인 「국가 연구개발사업의 관리 등에 관한 규정」에 따라 체결된 것임을 이유로 공법상 계약으로 보았음

공법상 합동행위❶

판례 「도시 및 주거환경정비법」상의 주택재건축정비사업조합을 상대로 관리처분계획안에 대한 조합총회 결의의 효력을 다투는 소송은 당사자소송에 의하여야 함(2015무26, 2007다2428)

처분등에 따라 생긴 권리행사

① [법리] 처분등으로 인하여 생긴 법률관계에 관한 소송 중에서도 처분등에 따라 생긴 권리를 행사하는 경우 당사자소송으로 다툼

② 사례 보조금지급결정에 따라 발생한 금전지급청구권을 소송상 행사하는 경우 당사자소송에 의함

공법상 지위 확인소송

① [법리] 공법상 지위 확인소송은 당사자소송에 의함(예 공무원지위 확인소송, 국립대학교 학생신분 확인소송) ➜ 다만, 공법상 지위에 대한 확인을 구하는 소송이라 하더라도, 유효한 처분의 효력이 부인되었을 때 존재하게 되는 공법상의 지위에 대한 확인을 당사자소송으로 구하는 것은 허용되지 않음(취소소송의 배타적 관할의 원칙)

② 사례 단순 위법의 하자 있는 파면처분을 받은 공무원은 파면처분취소소송을 제기하여야 하고, 곧바로 당사자소송으로 공무원지위확인소송을 제기할 수는 없음 ➜ 공무원지위확인소송은 확인소송의 형태로 제기되는 당사자소송의 일종임

③ 사례 공무원 파면처분이 무효인 경우 파면처분 무효확인소송과 함께 그 파면처분이 무효임을 전제로 한 공무원지위확인소송을 제기할 수 있음

④ 판례 (구)도시재개발법상 재개발조합의 조합원 자격 확인은 당사자소송의 대상임(94다31235)

⑤ 판례 한국전력공사가 한국방송공사로부터 수신료의 징수업무를 위탁받아 자신의 고유업무와 관련된 고지행위와 결합하여 TV 수신료를 징수할 권한이 있는지 여부를 다투는 경우, 이는 공법상의 법률관계를 대상으로 하는 것으로서 당사자소송에 의하여야 함(2007다25261)

⑥ (변) 판례 국가의 훈기부상 화랑무공훈장을 수여받은 것으로 기재되어 있는 원고가 태극무공훈장을 수여받은 자임을 확인하라는 청구는, 이러한 확인을 구하는 취지가 국가유공자로서의 보상 등 예우를 받는 데에 필요한 훈격을 확인받기 위한 것이더라도, 항고소송이 아니라 공법상의 법률관계에 관한 당사자소송에 속하는 것이므로 행정소송법 제30조의 규정에 의하여 국가를 피고로 하여야 할 것임(90누4440)

법령에 의해 발생하는 공법상 법률관계의 확인소송

① 판례 납세의무부존재확인의 소는 공법상의 법률관계 그 자체를 다투는 소송으로서 당사자소송이라 할 것이므로 과세관청이 아니라 그 법률관계의 한쪽 당사자인 국가·공공단체 그 밖의 권리주체가 피고적격을 가짐(99두2765) ➜ 부당이득반환청구소송과 혼동하면 안 됨(납세의무는 공법상의 의무임)

② 판례 조세채무는 법률의 규정에 의하여 정해지는 법정채무로서 당사자가 그 내용 등을 임의로 정할 수 없는 점, 조세채무관계는 공법상의 법률관계이며 그에 관한 쟁송은 원칙적으로 행정사건으로서 행정소송법의 적용을 받음(2011두20321)

③ 판례 국가 등 과세주체가 당해 확정된 조세채권의 소멸시효 중단을 위하여 납세의무자를 상대로 제기한 조세채권존재확인의 소는 공법상 당사자소송에 해당함(2017두41771)

④ 판례 「고용보험 및 산업재해보상보험의 보험료징수 등에 관한 법률」에 의하면, 사업주가 당연가입자가 되는 고용보험 및 산재보험에서 보험료 납부의무 부존재확인의 소는 공법상의 법률관계 자체를 다투는 소송으로서 공법상 당사자소송임(2016다221658) ➜ [비교] 근로복지공단이 사업주에 대하여 하는 '개별 사업장의 사업종류변경결정'은 처분에 해당(2019두61137)

---

❶ [복습] 합동행위란 복수의 사람이 대립하지 않는 이해관계에서 행하는 의사표시들의 결합으로 이루어지는 법적 행위를 말한다.

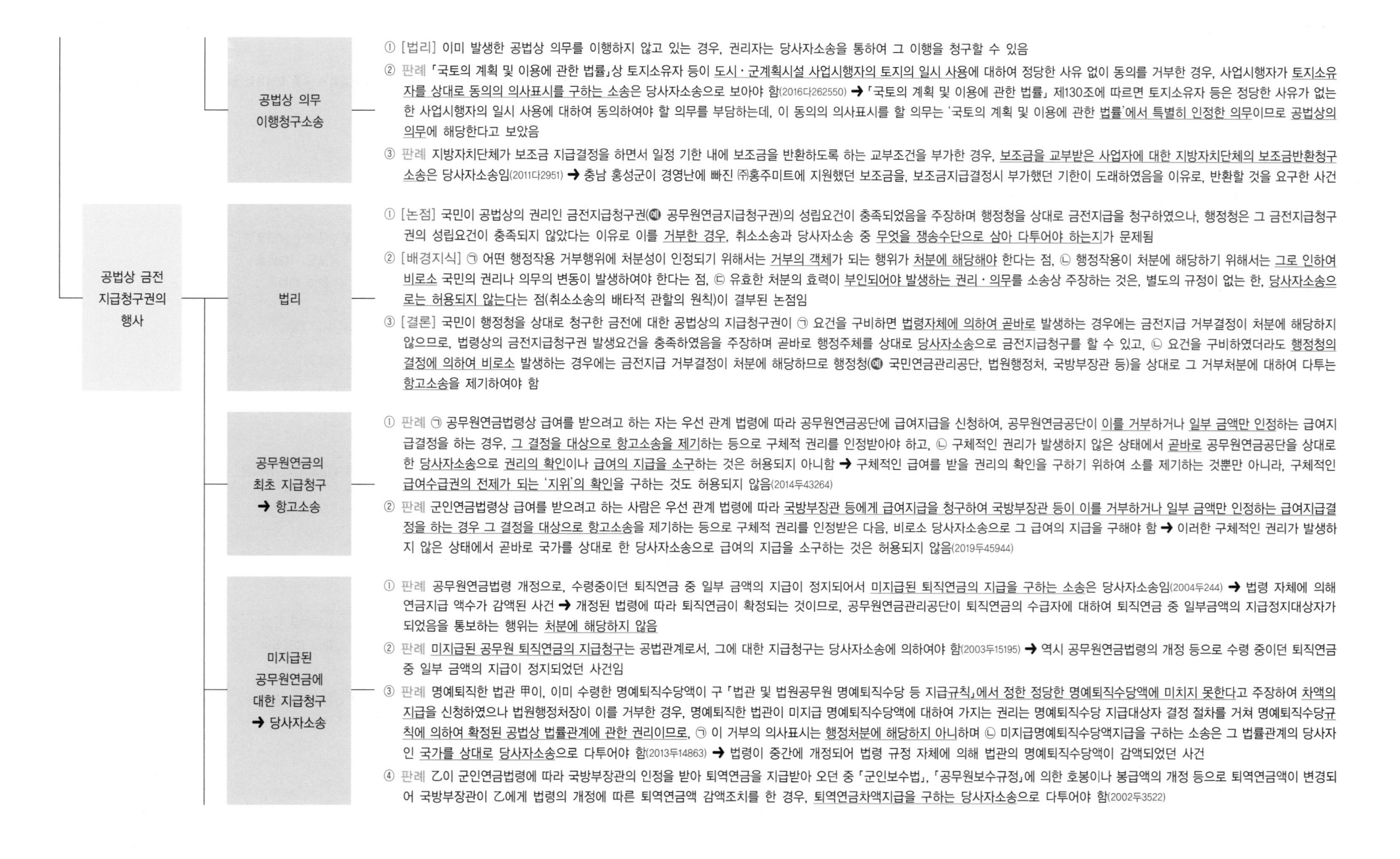

공법상 금전 지급청구권의 행사

공법상 의무 이행청구소송

① [법리] 이미 발생한 공법상 의무를 이행하지 않고 있는 경우, 권리자는 당사자소송을 통하여 그 이행을 청구할 수 있음

② 판례 「국토의 계획 및 이용에 관한 법률」상 토지소유자 등이 도시·군계획시설 사업시행자의 토지의 일시 사용에 대하여 정당한 사유 없이 동의를 거부한 경우, 사업시행자가 토지소유자를 상대로 동의의 의사표시를 구하는 소송은 당사자소송으로 보아야 함(2016다262550) ➔ 「국토의 계획 및 이용에 관한 법률」 제130조에 따르면 토지소유자 등은 정당한 사유가 없는 한 사업시행자의 일시 사용에 대하여 동의하여야 할 의무를 부담하는데, 이 동의의 의사표시를 할 의무는 '국토의 계획 및 이용에 관한 법률'에서 특별히 인정된 의무이므로 공법상의 의무에 해당한다고 보았음

③ 판례 지방자치단체가 보조금 지급결정을 하면서 일정 기한 내에 보조금을 반환하도록 하는 교부조건을 부가한 경우, 보조금을 교부받은 사업자에 대한 지방자치단체의 보조금반환청구소송은 당사자소송임(2011다2951) ➔ 충남 홍성군이 경영난에 빠진 ㈜홍주미트에 지원했던 보조금을, 보조금지급결정시 부가했던 기한이 도래하였음을 이유로, 반환할 것을 요구한 사건

법리

① [논점] 국민이 공법상의 권리인 금전지급청구권(예 공무원연금지급청구권)의 성립요건이 충족되었음을 주장하며 행정청을 상대로 금전지급을 청구하였으나, 행정청은 그 금전지급청구권의 성립요건이 충족되지 않았다는 이유로 이를 거부한 경우, 취소소송과 당사자소송 중 무엇을 쟁송수단으로 삼아 다투어야 하는지가 문제됨

② [배경지식] ㉠ 어떤 행정작용 거부행위에 처분성이 인정되기 위해서는 거부의 객체가 되는 행위가 처분에 해당해야 한다는 점, ㉡ 행정작용이 처분에 해당하기 위해서는 그로 인하여 비로소 국민의 권리나 의무의 변동이 발생하여야 한다는 점, ㉢ 유효한 처분의 효력이 부인되어야 발생하는 권리·의무를 소송상 주장하는 것은, 별도의 규정이 없는 한, 당사자소송으로는 허용되지 않는다는 점(취소소송의 배타적 관할의 원칙)이 결부된 논점임

③ [결론] 국민이 행정청을 상대로 청구한 금전에 대한 공법상의 지급청구권이 ㉠ 요건을 구비하면 법령자체에 의하여 곧바로 발생하는 경우에는 금전지급 거부결정이 처분에 해당하지 않으므로, 법령상의 금전지급청구권 발생요건을 충족하였음을 주장하며 곧바로 행정주체를 상대로 당사자소송으로 금전지급청구를 할 수 있고, ㉡ 요건을 구비하였더라도 행정청의 결정에 의하여 비로소 발생하는 경우에는 금전지급 거부결정이 처분에 해당하므로 행정청(예 국민연금관리공단, 법원행정처, 국방부장관 등)을 상대로 그 거부처분에 대하여 다투는 항고소송을 제기하여야 함

공무원연금의 최초 지급청구
➔ 항고소송

① 판례 ㉠ 공무원연금법령상 급여를 받으려고 하는 자는 우선 관계 법령에 따라 공무원연금공단에 급여지급을 신청하여, 공무원연금공단이 이를 거부하거나 일부 금액만 인정하는 급여지급결정을 하는 경우, 그 결정을 대상으로 항고소송을 제기하는 등으로 구체적 권리를 인정받아야 하고, ㉡ 구체적인 권리가 발생하지 않은 상태에서 곧바로 공무원연금공단을 상대로 한 당사자소송으로 권리의 확인이나 급여의 지급을 소구하는 것은 허용되지 아니함 ➔ 구체적인 급여를 받을 권리의 확인을 구하기 위하여 소를 제기하는 것뿐만 아니라, 구체적인 급여수급권의 전제가 되는 '지위'의 확인을 구하는 것도 허용되지 않음(2014두43264)

② 판례 군인연금법령상 급여를 받으려고 하는 사람은 우선 관계 법령에 따라 국방부장관 등에게 급여지급을 청구하여 국방부장관 등이 이를 거부하거나 일부 금액만 인정하는 급여지급결정을 하는 경우 그 결정을 대상으로 항고소송을 제기하는 등으로 구체적 권리를 인정받은 다음, 비로소 당사자소송으로 그 급여의 지급을 구해야 함 ➔ 이러한 구체적인 권리가 발생하지 않은 상태에서 곧바로 국가를 상대로 한 당사자소송으로 급여의 지급을 소구하는 것은 허용되지 않음(2019두45944)

미지급된 공무원연금에 대한 지급청구
➔ 당사자소송

① 판례 공무원연금법령 개정으로, 수령중이던 퇴직연금 중 일부 금액의 지급이 정지되어서 미지급된 퇴직연금의 지급을 구하는 소송은 당사자소송임(2004두244) ➔ 법령 자체에 의해 연금지급 액수가 감액된 사건 ➔ 개정된 법령에 따라 퇴직연금이 확정되는 것이므로, 공무원연금관리공단이 퇴직연금의 수급자에 대하여 퇴직연금 중 일부금액의 지급정지대상자가 되었음을 통보하는 행위는 처분에 해당하지 않음

② 판례 미지급된 공무원 퇴직연금의 지급청구는 공법관계로서, 그에 대한 지급청구는 당사자소송에 의하여야 함(2003두15195) ➔ 역시 공무원연금법령의 개정 등으로 수령 중이던 퇴직연금 중 일부 금액의 지급이 정지되었던 사건임

③ 판례 명예퇴직한 법관 甲이, 이미 수령한 명예퇴직수당액이 구 「법관 및 법원공무원 명예퇴직수당 등 지급규칙」에서 정한 정당한 명예퇴직수당액에 미치지 못한다고 주장하여 차액의 지급을 신청하였으나 법원행정처장이 이를 거부한 경우, 명예퇴직한 법관이 미지급 명예퇴직수당액에 대하여 가지는 권리는 명예퇴직수당 지급대상자 결정 절차를 거쳐 명예퇴직수당규칙에 의하여 확정된 공법상 법률관계에 관한 권리이므로, ㉠ 이 거부의 의사표시는 행정처분에 해당하지 아니하며 ㉡ 미지급명예퇴직수당액지급을 구하는 소송은 그 법률관계의 당사자인 국가를 상대로 당사자소송으로 다투어야 함(2013두14863) ➔ 법령이 중간에 개정되어 법령 규정 자체에 의해 법관의 명예퇴직수당액이 감액되었던 사건

④ 판례 乙이 군인연금법령에 따라 국방부장관의 인정을 받아 퇴직연금을 지급받아 오던 중 「군인보수법」, 「공무원보수규정」에 의한 호봉이나 봉급액의 개정 등으로 퇴역연금액이 변경되어 국방부장관이 乙에게 법령의 개정에 따른 퇴역연금액 감액조치를 한 경우, 퇴역연금차액지급을 구하는 당사자소송으로 다투어야 함(2002두3522)

기타 법령상 확정되는 금전에 대한 급부청구 → 당사자소송	① 석탄가격안정지원금 석탄가격안정지원금 지급청구권은 석탄산업법령에 의하여 정책적으로 당연히 부여되는 공법상 권리이므로, 지원금의 지급을 구하는 소송은 공법상 당사자소송의 대상이 됨(95다28960) ② 폐광산에서 업무상 재해를 입은 근로자의 재해위로금 폐광된 광산에서 업무상 재해를 입은 근로자(피재근로자)의 「석탄산업법」에 따른 재해위로금 지급청구를 석탄산업합리화사업단이 거부한 경우, 그 의사표시에 대해 불복하기 위해서는 공법상 당사자소송을 제기하여야 함(98두12598) → ∵ 「석탄산업법시행령」에 의해 곧바로 발생하는 권리였기 때문 ③ 하천구역편입에 따른 손실보상금 「하천법」상 하천구역에의 편입에 따른 손실보상청구권은 공법상 권리임(2004다6207 전원합의체) → 당사자소송으로 다투어야 한다고 보았음 ④ 연가보상비 행정청이 공무원에게 국가공무원법령상 연가보상비를 지급하지 아니한 행위는 항고소송의 대상이 되는 처분이라고 볼 수 없음(97누10857) → ∵ 국가공무원법령상 공무원의 연가보상비청구권은 공무원이 연가를 실시하지 아니하는 등 법령상 정해진 요건이 충족되면 그 자체만으로 지급기준일 또는 보수지급기관의 장이 정한 지급일에 구체적으로 발생하고, 행정청의 지급결정에 의하여 비로소 발생하는 것은 아닌 것으로 규정되어 있었기 때문 ⑤ 초과근무수당 지방소방공무원이 자신이 소속된 지방자치단체를 상대로 초과근무수당의 지급을 구하는 청구에 관한 소송은 당사자소송의 절차에 따라야 함(2012다102629) → 초과근무수당도 법령에 따라 정해지기 때문 ⑥ 광주민주화운동 관련 보상금 광주민주화운동 관련 보상금 지급에 관한 소송은 당사자소송임(92누3335) → ∵ 이 보상금지급청구권의 근거법률인 「광주민주화운동관련자보상등에관한법률」에 따르면, 이 보상금지급청구권은 요건을 구비하면 곧바로 발생하는 것으로 규정되어 있었기 때문 ⑦ [비교판례] 민주화운동 관련자 명예회복 및 보상에 관한 법률에 따른 보상금 「민주화운동 관련자 명예회복 및 보상 등에 관한 법률」에 따라 보상금 등의 지급신청을 한 자가, '민주화운동 관련자 명예회복 및 보상심의위원회'의 보상금지급신청의 기각결정에 대해 다투고자 하는 경우에는, 곧바로 보상금 등의 지급을 구하는 소송을 당사자소송의 형식으로 제기할 수 없음(2005두16185) → ∵ 동 법률상 보상금 지급청구권은 위원회의 결정에 의해 발생하는 것으로 규정되어 있었기 때문
기타 행정청의 결정에 의해 확정되는 금전에 대한 급부청구 → 항고소송	(변) 특수임무수행자들에 대한 보상금 「특수임무수행자 보상에 관한 법률」 및 동법 시행령의 규정들만으로 바로 특수임무수행자 중에서 보상금 등 지급대상자가 확정된다고 볼 수 없고, '특수임무수행자보상심의위원회'의 심의·의결을 거쳐 특수임무수행자로 인정되어야만 비로소 보상금 등 지급대상자로 확정될 수 있음 → 특수임무수행자 및 그 유족으로서 보상금 등을 지급받고자 하는 자의 신청에 대하여 위원회가 특수임무수행자에 해당하지 않는다는 이유로 이를 기각하는 결정을 한 경우, 신청인은 위원회를 상대로 그 결정의 취소를 구하는 소송을 제기하여 보상금 등의 지급대상자가 될 수 있음(2008두6554)

취소소송 규정의 준용

내용	무효등 확인소송	부작위위법확인소송	당사자소송
관련청구소송의 이송 및 병합(제10조)	○	○	○
피고적격(제13조)	○	○	×(중요)
피고경정(제14조)	○	○	○
제3자의 소송참가(제16조)	○	○	○
행정청의 소송참가(제17조)	○	○	○
행정심판과의 관계(제18조)	×(중요)	○	×
취소소송의 대상(제19조)	○	○	×
제소기간(제20조)	×(중요)	○(중요)	×(중요)
소의 종류 변경(제21조)	○(중요)	○(중요)	○(중요)
처분변경으로 인한 소의 변경(제22조)	○	×(중요)	○
집행정지(제23조)	○(중요)	×(중요)	×(중요)
사정판결(제28조)	×(중요)	×(중요)	×(중요)
취소판결 등의 효력(제3자효, 제29조)	○	○	×
취소판결 등의 기속력(제30조)	○	○	제30조 제1항만 준용❶
제3자에 의한 재심청구(제31조)	○	○	×(중요)
거부처분취소판결의 간접강제(제34조)	×(중요)	○(중요)	×(중요)

---

❶ 기속력 중 재처분의무 부과에 관한 규정은 당사자소송에는 준용되지 않는다. 재처분의무는 이미 행한 위법한 처분 대신 새로운 처분을 다시 하라는 의무인데, 당사자소송은 처분의 위법을 문제삼는 소송이 아니기 때문이다.

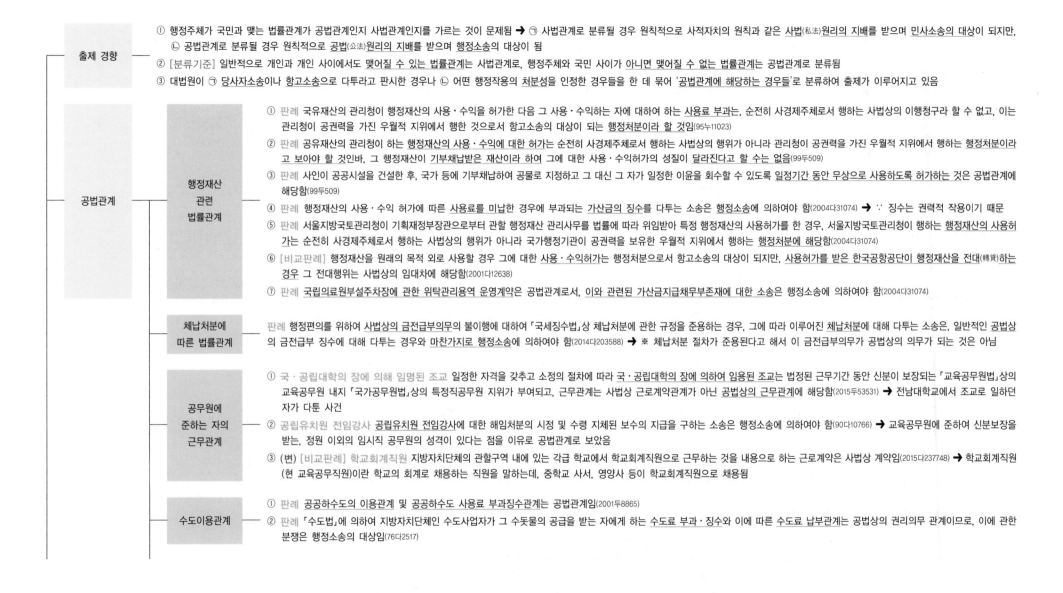

공법관계와 사법관계의 구별

출제 경향

① 행정주체가 국민과 맺는 법률관계가 공법관계인지 사법관계인지를 가르는 것이 문제됨 ➜ ㉠ 사법관계로 분류될 경우 원칙적으로 사적자치의 원칙과 같은 사법(私法)원리의 지배를 받으며 민사소송의 대상이 되지만, ㉡ 공법관계로 분류될 경우 원칙적으로 공법(公法)원리의 지배를 받으며 행정소송의 대상이 됨

② [분류기준] 일반적으로 개인과 개인 사이에서도 맺어질 수 있는 법률관계는 사법관계로, 행정주체와 국민 사이가 아니면 맺어질 수 없는 법률관계는 공법관계로 분류됨

③ 대법원이 ㉠ 당사자소송이나 항고소송으로 다투라고 판시한 경우나 ㉡ 어떤 행정작용의 처분성을 인정한 경우들을 한 데 묶어 '공법관계에 해당하는 경우들'로 분류하여 출제가 이루어지고 있음

공법관계

행정재산 관련 법률관계

① 판례 국유재산의 관리청이 행정재산의 사용·수익을 허가한 다음 그 사용·수익하는 자에 대하여 하는 사용료 부과는, 순전히 사경제주체로서 행하는 사법상의 이행청구라 할 수 없고, 이는 관리청이 공권력을 가진 우월적 지위에서 행한 것으로서 항고소송의 대상이 되는 행정처분이라 할 것임(95누11023)

② 판례 공유재산의 관리청이 하는 행정재산의 사용·수익에 대한 허가는 순전히 사경제주체로서 행하는 사법상의 행위가 아니라 관리청이 공권력을 가진 우월적 지위에서 행하는 행정처분이라고 보아야 할 것인바, 그 행정재산이 기부채납받은 재산이라 하여 그에 대한 사용·수익허가의 성질이 달라진다고 할 수는 없음(99두509)

③ 판례 사인이 공공시설을 건설한 후, 국가 등에 기부채납하여 공물로 지정하고 그 대신 그 자가 일정한 이윤을 회수할 수 있도록 일정기간 동안 무상으로 사용하도록 허가하는 것은 공법관계에 해당함(99두509)

④ 판례 행정재산의 사용·수익 허가에 따른 사용료를 미납한 경우에 부과되는 가산금의 징수를 다투는 소송은 행정소송에 의하여야 함(2004다31074) ➜ ∵ 징수는 권력적 작용이기 때문

⑤ 판례 서울지방국토관리청이 기획재정부장관으로부터 관할 행정재산 관리사무를 법률에 따라 위임받아 특정 행정재산의 사용허가를 한 경우, 서울지방국토관리청이 행하는 행정재산의 사용허가는 순전히 사경제주체로서 행하는 사법상의 행위가 아니라 국가행정기관이 공권력을 보유한 우월적 지위에서 행하는 행정처분에 해당함(2004다31074)

⑥ [비교판례] 행정재산을 원래의 목적 외로 사용할 경우 그에 대한 사용·수익허가는 행정처분으로서 항고소송의 대상이 되지만, 사용허가를 받은 한국공항공단이 행정재산을 전대(轉貸)하는 경우 그 전대행위는 사법상의 임대차에 해당함(2001다12638)

⑦ 판례 국립의료원부설주차장에 관한 위탁관리용역 운영계약은 공법관계로서, 이와 관련된 가산금지급채무부존재에 대한 소송은 행정소송에 의하여야 함(2004다31074)

체납처분에 따른 법률관계

판례 행정편의를 위하여 사법상의 금전급부의무의 불이행에 대하여 「국세징수법」상 체납처분에 관한 규정을 준용하는 경우, 그에 따라 이루어진 체납처분에 대해 다투는 소송은, 일반적인 공법상의 금전급부 징수에 대해 다투는 경우와 마찬가지로 행정소송에 의하여야 함(2014다203588) ➜ ※ 체납처분 절차가 준용된다고 해서 이 금전급부의무가 공법상의 의무가 되는 것은 아님

공무원에 준하는 자의 근무관계

① 국·공립대학의 장에 의해 임명된 조교 일정한 자격을 갖추고 소정의 절차에 따라 국·공립대학의 장에 의하여 임용된 조교는 법정된 근무기간 동안 신분이 보장되는 「교육공무원법」상의 교육공무원 내지 「국가공무원법」상의 특정직공무원 지위가 부여되고, 근무관계는 사법상 근로계약관계가 아닌 공법상의 근무관계에 해당함(2015두53531) ➜ 전남대학교에서 조교로 일하던 자가 다툰 사건

② 공립유치원 전임강사 공립유치원 전임강사에 대한 해임처분의 시정 및 수령 지체된 보수의 지급을 구하는 소송은 행정소송에 의하여야 함(90다10766) ➜ 교육공무원에 준하여 신분보장을 받는, 정원 이외의 임시직 공무원의 성격이 있다는 점을 이유로 공법관계로 보았음

③ (변) [비교판례] 학교회계직원 지방자치단체의 관할구역 내에 있는 각급 학교에서 학교회계직원으로 근무하는 것을 내용으로 하는 근로계약은 사법상 계약임(2015다237748) ➜ 학교회계직원(현 교육공무직원)이란 학교의 회계로 채용하는 직원을 말하는데, 중학교 사서, 영양사 등이 학교회계직원으로 채용됨

수도이용관계

① 판례 공공하수도의 이용관계 및 공공하수도 사용료 부과징수관계는 공법관계임(2001두8865)

② 판례 「수도법」에 의하여 지방자치단체인 수도사업자가 그 수돗물의 공급을 받는 자에게 하는 수도료 부과·징수와 이에 따른 수도료 납부관계는 공법상의 권리의무 관계이므로, 이에 관한 분쟁은 행정소송의 대상임(76다2517)

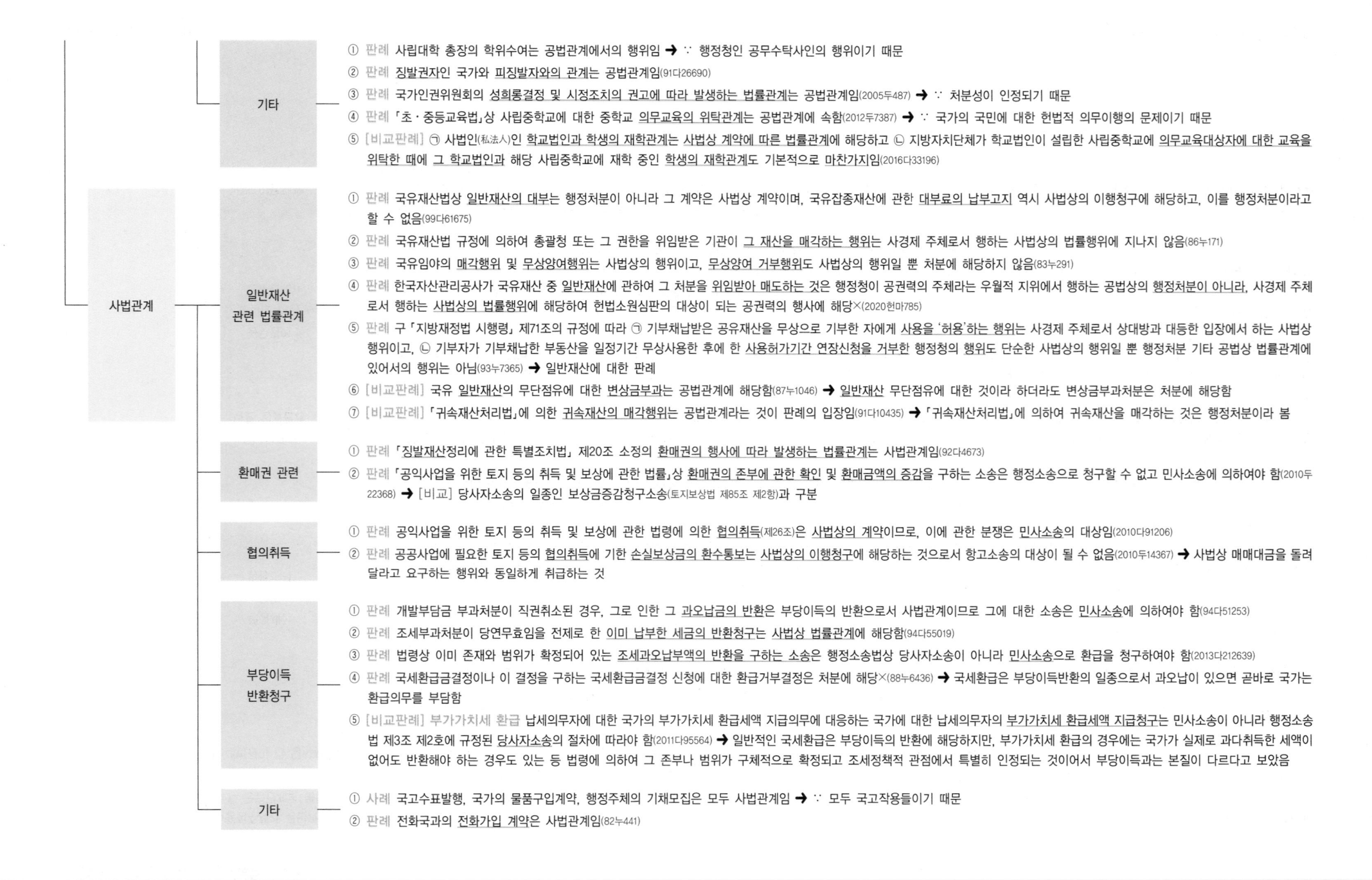

기타

① 판례 사립대학 총장의 학위수여는 공법관계에서의 행위임 ➔ ∵ 행정청인 공무수탁사인의 행위이기 때문

② 판례 징발권자인 국가와 피징발자와의 관계는 공법관계임(91다26690)

③ 판례 국가인권위원회의 성희롱결정 및 시정조치의 권고에 따라 발생하는 법률관계는 공법관계임(2005두487) ➔ ∵ 처분성이 인정되기 때문

④ 판례 「초·중등교육법」상 사립중학교에 대한 중학교 의무교육의 위탁관계는 공법관계에 속함(2012두7387) ➔ ∵ 국가의 국민에 대한 헌법적 의무이행의 문제이기 때문

⑤ [비교판례] ㉠ 사법인(私法人)인 학교법인과 학생의 재학관계는 사법상 계약에 따른 법률관계에 해당하고 ㉡ 지방자치단체가 학교법인이 설립한 사립중학교에 의무교육대상자에 대한 교육을 위탁한 때에 그 학교법인과 해당 사립중학교에 재학 중인 학생의 재학관계도 기본적으로 마찬가지임(2016다33196)

사법관계

일반재산 관련 법률관계

① 판례 국유재산법상 일반재산의 대부는 행정처분이 아니라 그 계약은 사법상 계약이며, 국유잡종재산에 관한 대부료의 납부고지 역시 사법상의 이행청구에 해당하고, 이를 행정처분이라고 할 수 없음(99다61675)

② 판례 국유재산법 규정에 의하여 총괄청 또는 그 권한을 위임받은 기관이 그 재산을 매각하는 행위는 사경제 주체로서 행하는 사법상의 법률행위에 지나지 않음(86누171)

③ 판례 국유임야의 매각행위 및 무상양여행위는 사법상의 행위이고, 무상양여 거부행위도 사법상의 행위일 뿐 처분에 해당하지 않음(83누291)

④ 판례 한국자산관리공사가 국유재산 중 일반재산에 관하여 그 처분을 위임받아 매도하는 것은 행정청이 공권력의 주체라는 우월적 지위에서 행하는 공법상의 행정처분이 아니라, 사경제 주체로서 행하는 사법상의 법률행위에 해당하여 헌법소원심판의 대상이 되는 공권력의 행사에 해당×(2020헌마785)

⑤ 판례 구 「지방재정법 시행령」 제71조의 규정에 따라 ㉠ 기부채납받은 공유재산을 무상으로 기부한 자에게 사용을 '허용'하는 행위는 사경제 주체로서 상대방과 대등한 입장에서 하는 사법상 행위이고, ㉡ 기부자가 기부채납한 부동산을 일정기간 무상사용한 후에 한 사용허가기간 연장신청을 거부한 행정청의 행위도 단순한 사법상의 행위일 뿐 행정처분 기타 공법상 법률관계에 있어서의 행위는 아님(93누7365) ➔ 일반재산에 대한 판례

⑥ [비교판례] 국유 일반재산의 무단점유에 대한 변상금부과는 공법관계에 해당함(87누1046) ➔ 일반재산 무단점유에 대한 것이라 하더라도 변상금부과처분은 처분에 해당함

⑦ [비교판례] 「귀속재산처리법」에 의한 귀속재산의 매각행위는 공법관계라는 것이 판례의 입장임(91다10435) ➔ 「귀속재산처리법」에 의하여 귀속재산을 매각하는 것은 행정처분이라 봄

환매권 관련

① 판례 「징발재산정리에 관한 특별조치법」 제20조 소정의 환매권의 행사에 따라 발생하는 법률관계는 사법관계임(92다4673)

② 판례 「공익사업을 위한 토지 등의 취득 및 보상에 관한 법률」상 환매권의 존부에 관한 확인 및 환매금액의 증감을 구하는 소송은 행정소송으로 청구할 수 없고 민사소송에 의하여야 함(2010두22368) ➔ [비교] 당사자소송의 일종인 보상금증감청구소송(토지보상법 제85조 제2항)과 구분

협의취득

① 판례 공익사업을 위한 토지 등의 취득 및 보상에 관한 법령에 의한 협의취득(제26조)은 사법상의 계약이므로, 이에 관한 분쟁은 민사소송의 대상임(2010다91206)

② 판례 공공사업에 필요한 토지 등의 협의취득에 기한 손실보상금의 환수통보는 사법상의 이행청구에 해당하는 것으로서 항고소송의 대상이 될 수 없음(2010두14367) ➔ 사법상 매매대금을 돌려 달라고 요구하는 행위와 동일하게 취급하는 것

부당이득 반환청구

① 판례 개발부담금 부과처분이 직권취소된 경우, 그로 인한 그 과오납금의 반환은 부당이득의 반환으로서 사법관계이므로 그에 대한 소송은 민사소송에 의하여야 함(94다51253)

② 판례 조세부과처분이 당연무효임을 전제로 한 이미 납부한 세금의 반환청구는 사법상 법률관계에 해당함(94다55019)

③ 판례 법령상 이미 존재와 범위가 확정되어 있는 조세과오납부액의 반환을 구하는 소송은 행정소송법상 당사자소송이 아니라 민사소송으로 환급을 청구하여야 함(2013다212639)

④ 판례 국세환급금결정이나 이 결정을 구하는 국세환급금결정 신청에 대한 환급거부결정은 처분에 해당×(88누6436) ➔ 국세환급은 부당이득반환의 일종으로서 과오납이 있으면 곧바로 국가는 환급의무를 부담함

⑤ [비교판례] 부가가치세 환급 납세의무자에 대한 국가의 부가가치세 환급세액 지급의무에 대응하는 국가에 대한 납세의무자의 부가가치세 환급세액 지급청구는 민사소송이 아니라 행정소송법 제3조 제2호에 규정된 당사자소송의 절차에 따라야 함(2011다95564) ➔ 일반적인 국세환급은 부당이득의 반환에 해당하지만, 부가가치세 환급의 경우에는 국가가 실제로 과다취득한 세액이 없어도 반환해야 하는 경우도 있는 등 법령에 의하여 그 존부나 범위가 구체적으로 확정되고 조세정책적 관점에서 특별히 인정되는 것이어서 부당이득과는 본질이 다르다고 보았음

기타

① 사례 국고수표발행, 국가의 물품구입계약, 행정주체의 기채모집은 모두 사법관계임 ➔ ∵ 모두 국고작용들이기 때문

② 판례 전화국과의 전화가입 계약은 사법관계임(82누441)

객관소송 - 민중소송 및 기관소송

개설

① [객관소송의 개념] 원고 개인의 이익을 구제하기 위해 존재하는 소송×, 행정에 대한 통제를 목적으로 하는 소송○ → "객관소송은 당사자의 구체적인 권리·의무에 관한 분쟁해결이 아니라, 행정감독적 견지에서 행정법규의 정당한 적용을 확보하거나 선거 등의 공정 확보를 목적으로 하는 소송"

② 「행정소송법」 제3조는 객관소송의 일종인 "민중소송"과 "기관소송"의 개념을 정의하고 있음

민중소송

① [의의] 국가 또는 공공단체의 기관이 법률에 위반되는 행위를 한 때에, 자기의 법률상 이익과 관계없이 일반 국민의 지위에서 그 시정을 구하기 위해 제기하는 소송(행정소송법 제3조 제3호)

② ◐ 주민소송❶(지방자치법 제22조), 선거소송❷(공직선거법 제222조), 국민투표무효소송❸(국민투표법 제92조) 등

기관소송

① [의의] 국가나 공공단체의 기관❹ 상호 간에 있어서 권한의 존부 또는 그 행사에 관하여 다툼이 있을 때, 이에 대하여 제기하는 소송(행정소송법 제3조 제4호) → 기관소송은 원고와 피고가 둘 다 기관(행정주체×)임

② ◐ 지방의회의 위법한 재의결에 대해 지방자치단체장이 대법원에 제소하는 소송(지방자치법 제120조), 시·도의회의 재의결에 대해 교육감이 제기하는 소송(지방교육자치에 관한 법률 제28조)

③ (변) [권한쟁의심판 제외] 국가기관과 국가기관 사이의 권한의 존부나 그 행사에 관한 다툼의 경우(◐ 국회의원과 국회의장 사이의 다툼)에는 헌법재판소의 권한쟁의심판과 관할이 중첩됨❺ → 이 경우에는 기관소송에서 제외되어 헌법재판소가 권한쟁의심판으로 관할함(행정소송법 제3조 제4호 단서)

규정준용

① 민중소송과 기관소송 모두 구체적인 소송의 유형이 아님 → 민중소송과 기관소송의 개념 정의에 포괄되면 그것들을 민중소송과 기관소송으로서 취급하겠다는 것 → 다양한 유형의 소송을 내포 → 소송의 성질에 따라 취소소송, 무효등 확인소송, 부작위법확인소송, 당사자소송에 관한 규정들이 준용됨

② [취소소송 규정] 민중소송 또는 기관소송으로써 처분등의 취소를 구하는 소송에는 그 성질에 반하지 아니하는 한 취소소송에 관한 규정을 준용함(제46조 제1항)

③ [무효등 확인소송 또는 부작위법확인소송 규정] 민중소송 또는 기관소송으로써 처분등의 효력 유무 또는 존재 여부나 부작위의 위법의 확인을 구하는 소송에는 그 성질에 반하지 아니하는 한 각각 무효등 확인소송 또는 부작위법확인소송에 관한 규정을 준용함(제46조 제2항)

④ [당사자소송 규정] 민중소송 또는 기관소송으로서 위 두 소송외의 소송에는 그 성질에 반하지 아니하는 한 당사자소송에 관한 규정을 준용함(제46조 제3항)

법정주의 및 열기주의

「행정소송법」 이외의 법률에서 별도로 법률로 정하는 경우에만, 법률이 정하는 자(법률상 이익이 있는 자×) 한하여 제기 가능(제45조) → 구체적으로 어떤 경우에 누가 제기할 수 있는지는 다른 법률에 의해 개별적으로 정해짐 → 「행정소송법」은 행정소송사항에 관하여 개괄주의를 채택하였지만, 객관소송에 대해서는 예외적으로 열기주의를 채택함

❶ [각론] 이 소송은 주민이 지방자치단체의 위법한 재무·회계행위(◐ 위법하게 공금을 지출한 경우)를 시정하기 위하여 법원에 제기하는 소송을 말한다.

❷ [헌법] 대통령선거나 국회의원선거 등 공직선거에 있어서 선거의 효력에 관하여 이의가 있는 선거인이나 정당, 후보자가 제기하는 소송을 말한다.

❸ [헌법] 국민투표의 효력에 관하여 이의가 있는 투표인이 제기하는 소송이다.

❹ [복습] 관념적 주체인 법인의 실제 행동을 위하여, 법인 내에 존재하면서 각종 기능을 수행하는 자연인 또는 자연인들을 기관이라 한다.

❺ [헌법] 헌법재판소는 ㉠ 국가기관 상호 간, ㉡ 국가기관과 지방자치단체 간, ㉢ 지방자치단체 상호 간의 권한분쟁을 '권한쟁의심판'으로서 관할한다.

행정구제수단으로서의 헌법소원

의의		① 「헌법재판소법」상 헌법소원은 제68조 제1항의 헌법소원과 제2항의 헌법소원으로 나뉘어 규정되어 있음 ➜ 행정법의 관심사는 제68조 제1항의 헌법소원
		② [제68조 제1항의 헌법소원] 공권력의 행사나 불행사(부작위)로 인하여 헌법상 기본권을 침해받은 자가, 그 공권력의 행사나 불행사가 위헌임을 확인하고 그것의 무효화를 구하는 심판청구

헌법소원과 항고소송의 관할 중첩 문제

개설 (출제×)

① [항고소송의 대상] 처분등 또는 처분 부작위 ➜ 행정청이 행하는 구체적 사실에 관한 법집행으로서의 공권력의 행사 또는 그 부작위

② [헌법소원의 대상] 공권력의 행사 또는 불행사(부작위) ➜ 공권력의 행사는 법집행작용뿐만 아니라 입법(立法)작용과 사법(司法)작용도 포함하는 개념 ➜ 개념 정의상 헌법소원의 대상은 항고소송의 대상을 완전히 포괄함

③ [관할의 양분] 그러나 헌법소원은 일반법원에 대한 소송으로 권리구제를 할 수 없는 경우에만 허용됨❶ ➜ 공권력의 행사 또는 불행사는 헌법소원의 대상과 항고소송의 대상으로 양분(兩分)됨

④ 공권력의 행사 중 처분등에 해당하는 것은 항고소송으로 다투어야 하고, 나머지 공권력의 행사에 대해서만 헌법소원으로 다투어야 함 ➜ 처분성이 애매한 경우는? ➜ 헌법재판소는 법원에 의한 권리구제가 불확실하다는 이유로 ㉠ 행정입법과 ㉡ 권력적 사실행위에 대한 헌법소원을 받아주는 경향(헌법학의 영역)

헌법소원의 보충성

① 판례 개발제한구역의 지정·고시에 대한 헌법소원 심판청구는 행정쟁송절차를 모두 거친 후가 아니면 부적법함(90헌마105)

② 판례 진정에 대한 국가인권위원회의 각하 및 기각결정은 항고소송의 대상이 되는 행정처분에 해당하므로 헌법소원의 보충성에 따라 원칙적으로 헌법소원의 대상이 되지 못함(2013헌마214)

헌법소원 인정 판례

① [명령·규칙] 헌법 제107조 제2항이 규정한 명령·규칙에 대한 최종심사권은 대법원에 있지만, 명령·규칙 그 자체에 의하여 직접 기본권이 침해된 경우에는 그에 대하여 헌법소원심판을 청구하는 것이 가능하다는 것이 헌법재판소의 입장임(89헌마178)

② [긴급재정·경제명령] 헌법재판소에 따르면 긴급재정·경제명령도 국민의 기본권 침해와 직접 관련되는 경우에는 당연히 헌법소원의 대상이 됨(93마186) ➜ 통치행위와 관련된 판례

③ [행정입법·부작위] 헌법재판소는 적극적 행정입법은 물론 행정입법의 부작위에 대하여서도 헌법소원심판의 대상성을 인정함(2002헌마378) ➜ ∵ 헌법소원은 '처분'부작위만이 아니라 널리 '공권력'의 불행사를 그 대상으로 삼기 때문

④ [법령보충적 행정규칙] '청소년유해매체물의 표시방법'에 관한 정보통신부고시는 청소년유해매체물을 제공하려는 자가 하여야 할 전자적 표시의 내용을 정하고 있는데, 이는 정보통신망이용촉진및정보보호등에관한법률 및 동법시행령의 위임규정에 의하여 제정된 것으로서, 국민의 기본권을 제한하는 것인바 상위법령과 결합하여 대외적 구속력을 갖는 법규명령으로 기능하고 있는 것이므로 헌법소원의 대상이 됨(2001헌마894)

⑤ [자기구속의 원칙의 적용을 받게 된 행정규칙] 재량준칙인 행정규칙도 행정의 자기구속의 법리에 의거하여 헌법소원심판의 대상이 될 수 있음(2005헌바59)

⑥ (변) [공고] 공고는 입법행위와 유사한 측면이 없지 않으나 침해의 직접성이 인정되는 경우 헌법소원의 대상이 될 수 있음(99헌마123) ➜ But 이미 법령에 규정된 내용을 그대로 공고한 경우 공고보다는 법령을 다툼의 대상으로 하여야 함(2018헌마1208) ➜ 헌법학의 영역에 속하는 판례

부진정 입법부작위에 대한 헌법소원

[적극적 헌법소원○, 소극적 헌법소원×] 입법의 내용·범위·절차 등의 결함을 이유로 헌법소원을 제기하려면 결함이 있는 당해 입법규정 그 자체를 대상으로 하여 그것이 평등의 원칙에 위배된다는 등 헌법 위반을 내세워 적극적인 헌법소원을 제기하여야 하지, 입법부작위를 문제삼아 소극적 헌법소원을 제기할 것은 아니며, 이 경우에는 헌법재판소법 소정의 청구기간을 준수하여야 함(94헌마204)

---

❶ [헌법] 관할의 양분은 보충성의 원칙, 재판소원금지의 원칙, 원처분소원금지 원칙의 결합에 의해 발생한다. ① 보충성의 원칙이란 헌법소원 이외의 다른 권리구제 절차가 존재하는 경우 먼저 그것부터 거친 후에, 그래도 불복할 경우에만 헌법소원을 제기하여야 한다는 원칙을 말한다. ② 법원의 재판도 공권력의 행사에 해당한다. 그런데 헌법재판소법상 재판소원금지의 원칙이 규정되어 있어서, 재판을 대상으로 헌법소원을 제기하는 것은 허용되지 않는다. 따라서 어떤 처분에 대하여 보충성 원칙에 따라 헌법소원을 제기하기 전에 먼저 법원에 항고소송을 제기하였다 하더라도, 그 재판에 대한 불복으로 그에 대하여 헌법소원을 제기하는 것이 허용되지 않는다. ③ 또 먼저 법원에 항고소송을 제기해 본 다음에 그 판결이 아니라, 원처분을 대상으로 하여 헌법소원을 제기하는 것도 재판소원금지 원칙의 취지를 관철하기 위해 허용되지 않는다고 본다(判例). 재판에 대한 헌법소원을 통한 불복을 금지하면서 처분에 대한 불복을 허용한다면 규정의 취지가 무색해지기 때문이다.

행정심판 개설

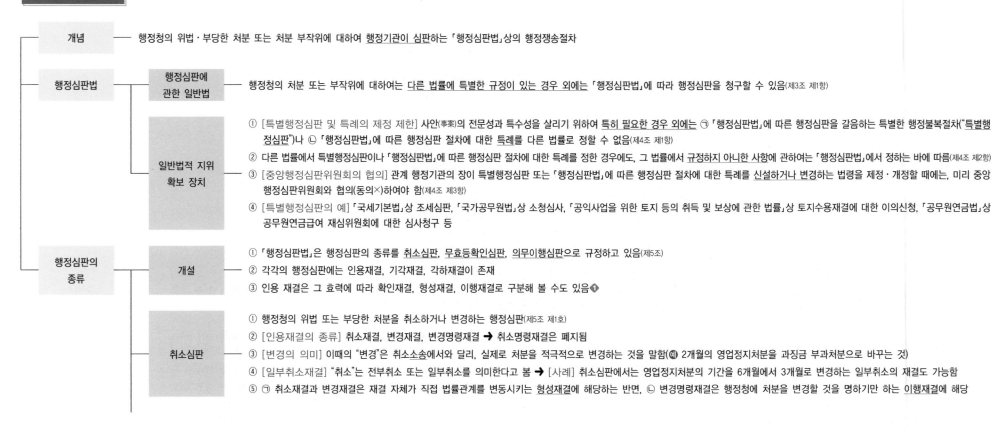

| 개념 | | 행정청의 위법·부당한 처분 또는 처분 부작위에 대하여 행정기관이 심판하는 「행정심판법」상의 행정쟁송절차 |

행정심판법

행정심판에 관한 일반법

행정청의 처분 또는 부작위에 대하여는 다른 법률에 특별한 규정이 있는 경우 외에는 「행정심판법」에 따라 행정심판을 청구할 수 있음(제3조 제1항)

일반법적 지위 확보 장치

① [특별행정심판 및 특례의 제정 제한] 사안(事案)의 전문성과 특수성을 살리기 위하여 특히 필요한 경우 외에는 ㉠ 「행정심판법」에 따른 행정심판을 갈음하는 특별한 행정불복절차("특별행정심판")나 ㉡ 「행정심판법」에 따른 행정심판 절차에 대한 특례를 다른 법률로 정할 수 없음(제4조 제1항)

② 다른 법률에서 특별행정심판이나 「행정심판법」에 따른 행정심판 절차에 대한 특례를 정한 경우에도, 그 법률에서 규정하지 아니한 사항에 관하여는 「행정심판법」에서 정하는 바에 따름(제4조 제2항)

③ [중앙행정심판위원회의 협의] 관계 행정기관의 장이 특별행정심판 또는 「행정심판법」에 따른 행정심판 절차에 대한 특례를 신설하거나 변경하는 법령을 제정·개정할 때에는, 미리 중앙행정심판위원회와 협의(동의×)하여야 함(제4조 제3항)

④ [특별행정심판의 예] 「국세기본법」상 조세심판, 「국가공무원법」상 소청심사, 「공익사업을 위한 토지 등의 취득 및 보상에 관한 법률」상 토지수용재결에 대한 이의신청, 「공무원연금법」상 공무원연금급여 재심위원회에 대한 심사청구 등

행정심판의 종류

개설

① 「행정심판법」은 행정심판의 종류를 취소심판, 무효등확인심판, 의무이행심판으로 규정하고 있음(제5조)

② 각각의 행정심판에는 인용재결, 기각재결, 각하재결이 존재

③ 인용 재결은 그 효력에 따라 확인재결, 형성재결, 이행재결로 구분해 볼 수도 있음❶

취소심판

① 행정청의 위법 또는 부당한 처분을 취소하거나 변경하는 행정심판(제5조 제1호)

② [인용재결의 종류] 취소재결, 변경재결, 변경명령재결 ➡ 취소명령재결은 폐지됨

③ [변경의 의미] 이때의 "변경"은 취소소송에서와 달리, 실제로 처분을 적극적으로 변경하는 것을 말함(예 2개월의 영업정지처분을 과징금 부과처분으로 바꾸는 것)

④ [일부취소재결] "취소"는 전부취소 또는 일부취소를 의미한다고 봄 ➡ [사례] 취소심판에서는 영업정지처분의 기간을 6개월에서 3개월로 변경하는 일부취소의 재결도 가능함

⑤ ㉠ 취소재결과 변경재결은 재결 자체가 직접 법률관계를 변동시키는 형성재결에 해당하는 반면, ㉡ 변경명령재결은 행정청에 처분을 변경할 것을 명하기만 하는 이행재결에 해당

---

❶ 행정심판에는 소송(訴訟)에서 그대로 가져다 쓰는 개념들이 매우 많다. 소송의 종류를 확인소송, 형성소송, 이행소송으로 구분하고, 각각에서의 인용판결을 확인판결, 형성판결, 이행판결로 구분하였듯이, 행정심판에서도 행정심판을 그 청구내용에 따라 확인심판, 형성심판, 이행심판으로 구분하고 그 각각에서의 인용재결을 확인재결, 형성재결, 이행재결로 구분한다.

무효등 확인심판	① 행정청의 처분의 효력 유무 또는 존재 여부를 확인하는 행정심판(제5조 제2호)
	② [인용재결의 종류] 무효확인재결, 유효확인재결, 존재확인재결, 부존재확인재결, 실효확인재결
	③ 인용재결들은 모두 확인재결에 해당❶ ➔ 당해 재결로 인하여 직접 어떤 권리·의무가 변동되는 것은 아니라는 말
의무이행심판	① 당사자의 신청에 대한 행정청의 위법 또는 부당한 거부처분이나 부작위에 대하여 일정한 처분을 하도록 하는 행정심판(제5조 제3호) ➔ [비교] 부작위위법확인소송은 부작위만을 대상으로 함
	② 의무이행심판은 행정청의 소극적인 행위❷로 인한 침해로부터 권익을 보호하는 기능을 함
	③ [인용재결의 종류] 처분재결, 처분명령재결(의무이행재결, 처분이행명령재결)
	④ ㉠ 처분재결은 재결 자체가 직접 법률관계를 변동시키는 형성재결에 해당하는 반면, ㉡ 처분명령재결은 행정청에 처분을 발급할 것을 명하기만 하는 이행재결에 해당
	⑤ [거부처분 – 취소심판 가능○, 의무이행심판 가능○] 거부처분에 대해 의무이행심판의 청구가 가능하기 때문에, 거부처분이 취소심판의 대상이 되는지가 문제되는데, 대법원은 가능하다고 봄(88누7880) ➔ 다만, 거부처분에 대해서는 취소심판보다는 의무이행심판으로 불복하는 것이 권리구제에 더 효과적이긴 함
기타심판	① [당사자심판] 「행정심판법」에는 당사자심판에 관한 규정은 두지 않고 있으며, 개별법에만 행정상 법률관계의 형성 또는 존부에 관하여 다툼이 있는 경우에 대해서 재정 등 분쟁해결절차를 두는 경우가 있을 뿐임 ➔ 예 「환경분쟁조정법」상 재정(裁定)
	② [부작위위법확인심판] 당사자의 신청에 대한 행정청의 위법한 부작위에 대하여 행정청의 부작위가 위법하다는 것을 확인하는 행정심판은 현행법상 허용되지 않음

❶ [더 들어가기] 엄밀히 따지면, 무효등 확인소송의 성질에 대한 논의가 있었던 것처럼, 무효등확인심판도 그저 확인적 성격만을 갖는 행정심판으로 볼 것인지에 대해서는 의문의 여지가 있다. 다만, 특별히 논의가 되지 않고 있을 뿐이다.

❷ 여기서 '소극적 행위'는 부작위와 거부처분을 통틀어 일컫는 표현이다. 참고로, 소극적 '처분'은 '거부처분'만을 뜻한다. 엄밀하게 정의되어 사용되는 표현은 아니다.

개설		행정심판제도는 실정법상 "이의신청"이라는 명칭으로 설계되는 경우도 많기 때문에, "이의신청"이라는 명칭을 가진 어떤 제도가 강학상의 이의신청으로서 단순한 의견개진 절차인지, 아니면 행정심판인지 분간해야 하는 문제가 발생함
개념	**강학상 이의신청**	행정기관의 결정에 대하여 해당 행정기관에 제기하는 불복절차
	행정심판	위법·부당한 처분 또는 처분 부작위에 대하여 행정기관이 심판하는 「행정심판법」상의 불복절차
구별실익	**강학상 이의신청**	① "이의신청"이 강학상 이의신청인 경우에는 이의신청절차를 거친 후에도 별도로 행정심판을 청구할 수 있음 ② 이의신청의 결론인 "결정"이 ㉠ 이의신청을 받아들이는 인용결정인 경우에 그것은 직권취소 또는 변경처분이지만, ㉡ 이의신청을 받아들이지 않는 기각결정인 경우에는 이의신청인의 권리·의무에 새로운 변동을 가져오지 않는 단순한 기존결정의 유지결정에 불과하여 처분×(2015두45954) ➔ 다만, 단순히 기존결정을 유지하는 결정을 하는 것이 아니라, 새로운 신청에 대한 기각결정이거나, 별도의 의사결정절차를 거쳐 이루어진 기각결정의 경우에는 처분에 해당한다고 봄
	행정심판	① "이의신청"이 행정심판인 경우에는 다시 행정심판을 청구할 수 없음(재심판청구의 금지)(행정심판법 제51조) ② 이의신청의 결론인 "결정"이 재결에 해당하여 처분성이 인정됨
구별기준		① 명칭이 아니라 실질에 따라 판단 ② [사법(司法)절차❶ 준용 여부] 행정심판에는 사법절차가 준용되어야 하므로(헌법 제107조 제3항), 이의신청은 그것이 준사법적 절차의 성격을 띠어 실질적으로 행정심판의 성질을 가지는 경우에는, 이를 행정심판으로 볼 수 있음(92누565) ③ [행정심판 절차의 별도 존재 여부] 행정심판을 거친 뒤에는 다시 행정심판의 청구가 허용되지 않으므로(행정심판법 제51조), 「민원처리에 관한 법률」상 민원 이의신청과 같이, 행정심판절차가 그와 별도로 존재하는 경우에는 그 "이의신청"은 행정심판과는 다른 것으로 봄(2010두8676)
해당 사례	**강학상 이의신청**	① 「공공기관의 정보공개에 관한 법률」상 이의신청 ② 「민원처리에 관한 법률」상 법정민원에 대한 행정기관의 장의 거부처분에 대한 이의신청 ③ 「국가유공자 등 예우 및 지원에 관한 법률」상 이의신청
	행정심판	① 「공익사업을 위한 토지 등의 취득 및 보상에 관한 법률」상 이의신청 ② 「난민법」상 난민불인정결정에 대한 법무부장관에의 이의신청 ③ 판례 「공익사업을 위한 토지 등의 취득 및 보상에 관한 법률」상 토지수용위원회의 수용재결에 대한 이의절차는 실질적으로 행정심판의 성질을 갖는 것이므로 동법에 특별한 규정이 있는 것을 제외하고는 행정심판법의 규정이 적용됨(92누565)

---

❶ [헌법] 사법절차란 ㉠ 판단기관의 독립성과 공정성, ㉡ 대심적(對審的) 심리구조, ㉢ 당사자의 절차적 권리보장이 갖추어진 절차를 말한다(2000헌바30).

이의신청 관련 특수 법리

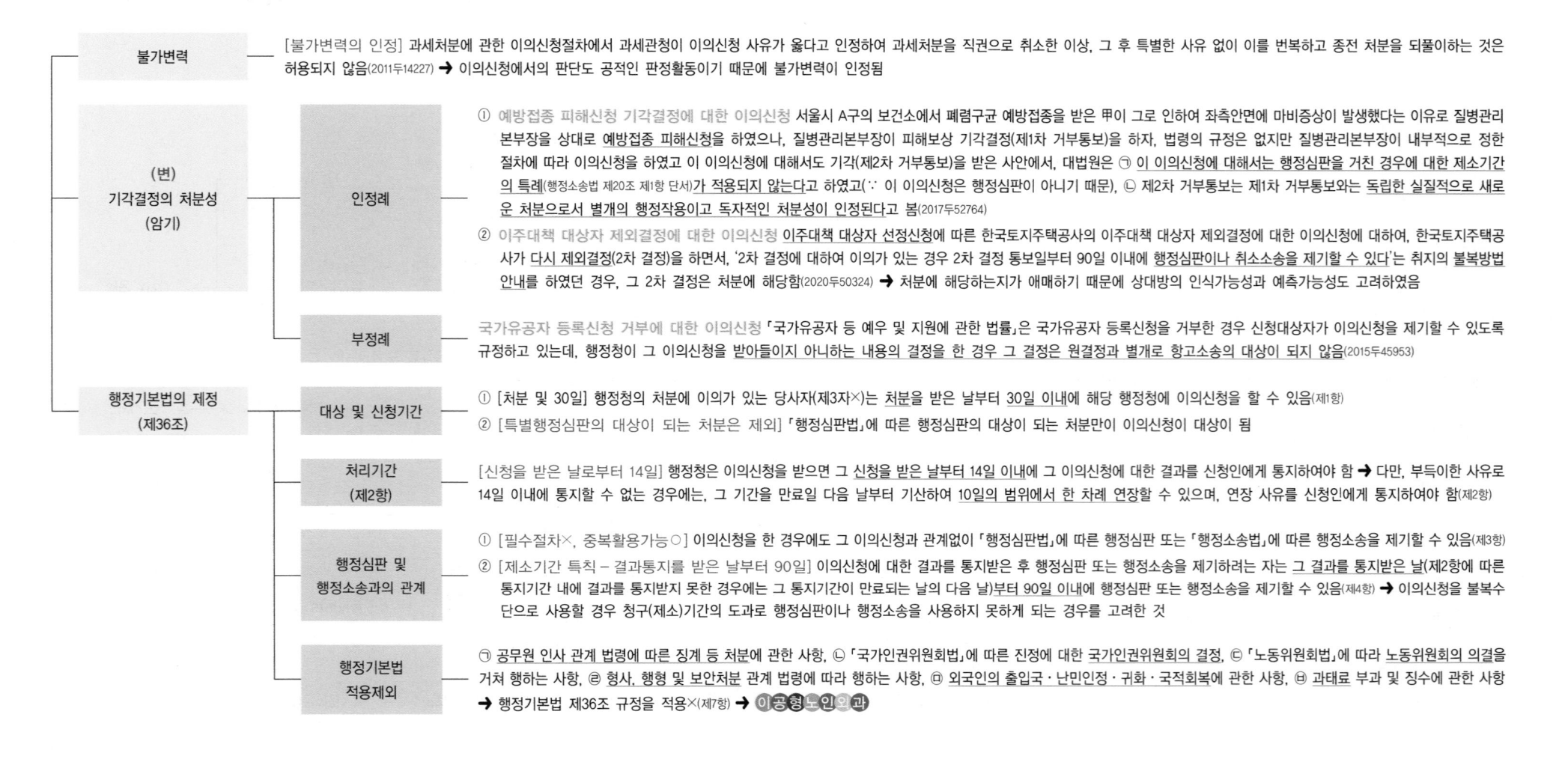

불가변력

[불가변력의 인정] 과세처분에 관한 이의신청절차에서 과세관청이 이의신청 사유가 옳다고 인정하여 과세처분을 직권으로 취소한 이상, 그 후 특별한 사유 없이 이를 번복하고 종전 처분을 되풀이하는 것은 허용되지 않음(2011두14227) ➜ 이의신청에서의 판단도 공적인 판정활동이기 때문에 불가변력이 인정됨

(변)
기각결정의 처분성
(암기)

인정례

① 예방접종 피해신청 기각결정에 대한 이의신청 서울시 A구의 보건소에서 폐렴구균 예방접종을 받은 甲이 그로 인하여 좌측안면에 마비증상이 발생했다는 이유로 질병관리본부장을 상대로 예방접종 피해신청을 하였으나, 질병관리본부장이 피해보상 기각결정(제1차 거부통보)을 하자, 법령의 규정은 없지만 질병관리본부장이 내부적으로 정한 절차에 따라 이의신청을 하였고 이 이의신청에 대해서도 기각(제2차 거부통보)을 받은 사안에서, 대법원은 ㉠ 이 이의신청에 대해서는 행정심판을 거친 경우에 대한 제소기간의 특례(행정소송법 제20조 제1항 단서)가 적용되지 않는다고 하였고(∵ 이 이의신청은 행정심판이 아니기 때문), ㉡ 제2차 거부통보는 제1차 거부통보와는 독립한 실질적으로 새로운 처분으로서 별개의 행정작용이고 독자적인 처분성이 인정된다고 봄(2017두52764)

② 이주대책 대상자 제외결정에 대한 이의신청 이주대책 대상자 선정신청에 따른 한국토지주택공사의 이주대책 대상자 제외결정에 대한 이의신청에 대하여, 한국토지주택공사가 다시 제외결정(2차 결정)을 하면서, '2차 결정에 대하여 이의가 있는 경우 2차 결정 통보일부터 90일 이내에 행정심판이나 취소소송을 제기할 수 있다'는 취지의 불복방법 안내를 하였던 경우, 그 2차 결정은 처분에 해당함(2020두50324) ➜ 처분에 해당하는지가 애매하기 때문에 상대방의 인식가능성과 예측가능성도 고려하였음

부정례

국가유공자 등록신청 거부에 대한 이의신청 「국가유공자 등 예우 및 지원에 관한 법률」은 국가유공자 등록신청을 거부한 경우 신청대상자가 이의신청을 제기할 수 있도록 규정하고 있는데, 행정청이 그 이의신청을 받아들이지 아니하는 내용의 결정을 한 경우 그 결정은 원결정과 별개로 항고소송의 대상이 되지 않음(2015두45953)

행정기본법의 제정
(제36조)

대상 및 신청기간

① [처분 및 30일] 행정청의 처분에 이의가 있는 당사자(제3자×)는 처분을 받은 날부터 30일 이내에 해당 행정청에 이의신청을 할 수 있음(제1항)

② [특별행정심판의 대상이 되는 처분은 제외] 「행정심판법」에 따른 행정심판의 대상이 되는 처분만이 이의신청이 대상이 됨

처리기간
(제2항)

[신청을 받은 날로부터 14일] 행정청은 이의신청을 받으면 그 신청을 받은 날부터 14일 이내에 그 이의신청에 대한 결과를 신청인에게 통지하여야 함 ➜ 다만, 부득이한 사유로 14일 이내에 통지할 수 없는 경우에는, 그 기간을 만료일 다음 날부터 기산하여 10일의 범위에서 한 차례 연장할 수 있으며, 연장 사유를 신청인에게 통지하여야 함(제2항)

행정심판 및
행정소송과의 관계

① [필수절차×, 중복활용가능○] 이의신청을 한 경우에도 그 이의신청과 관계없이 「행정심판법」에 따른 행정심판 또는 「행정소송법」에 따른 행정소송을 제기할 수 있음(제3항)

② [제소기간 특칙 – 결과통지를 받은 날부터 90일] 이의신청에 대한 결과를 통지받은 후 행정심판 또는 행정소송을 제기하려는 자는 그 결과를 통지받은 날(제2항에 따른 통지기간 내에 결과를 통지받지 못한 경우에는 그 통지기간이 만료되는 날의 다음 날)부터 90일 이내에 행정심판 또는 행정소송을 제기할 수 있음(제4항) ➜ 이의신청을 불복수단으로 사용할 경우 청구(제소)기간의 도과로 행정심판이나 행정소송을 사용하지 못하게 되는 경우를 고려한 것

행정기본법
적용제외

㉠ 공무원 인사 관계 법령에 따른 징계 등 처분에 관한 사항, ㉡ 「국가인권위원회법」에 따른 진정에 대한 국가인권위원회의 결정, ㉢ 「노동위원회법」에 따라 노동위원회의 의결을 거쳐 행하는 사항, ㉣ 형사, 행형 및 보안처분 관계 법령에 따라 행하는 사항, ㉤ 외국인의 출입국·난민인정·귀화·국적회복에 관한 사항, ㉥ 과태료 부과 및 징수에 관한 사항 ➜ 행정기본법 제36조 규정을 적용×(제7항) ➜ 이 공 형 노 인 외 과

① 행정심판은 행정소송법상의 항고소송에 대응하는 제도 → 행정소송에 대응하는 제도× → 당사자심판 無, 민중심판 無, 기관심판 無

② 또 행정심판에도 사법절차가 준용되기 때문에, 행정심판은 행정소송법상의 항고소송과 매우 유사한 구조로 제도화되어 있음 → 행정심판은 항고소송과 기본적으로 동일한 구조라는 전제하에 항고소송과의 차이점이 주로 출제되고 있음

③ [행정심판 청구와 행정소송 제기의 관계] 행정심판과 행정소송이 동시에 제기도 가능하고, 행정심판을 나중에 청구하는 것도 가능 → 동시에 제기된 경우 ㉠ 행정심판의 인용재결이 행해지면 동일한 처분등을 다투는 행정소송은 더이상 해당 처분의 효력을 다툴 법률상의 이익이 없게 되지만, ㉡ 기각재결이 있는 경우에는 행정소송의 소의 이익이 상실되지 않으므로 계속해서 행정소송으로 다투어 볼 수 있음(96누18632)

구분	행정심판	항고소송
공통점	① 개괄주의와 대심구조를 취함 ② 불고불리의 원칙(처분권주의)이 적용됨 ③ 불이익변경금지의 원칙이 적용됨 ④ 집행부정지의 원칙이 적용됨 ⑤ 사정판단(사정재결과 사정판결을 말함) 제도가 존재함 ⑥ 당사자의 쟁송제기에 의해서만 개시됨 → 직권개시× ⑦ 처분사유의 추가 또는 변경이 허용되고, 기본적 사실관계의 동일성 내에서만 허용됨	
판정기관	보통 상급행정청 소속의 행정심판위원회	법원
심판대상	① 위법한 처분·부작위와 부당한 처분·부작위 → 부당도 포함○, 재결은 포함× ② 대통령의 처분이나 부작위는 포함×(행정심판법 제3조 제2항)	① 위법한 처분등·부작위 → 부당은 포함×, 재결도 포함○ ② 대통령의 처분이나 부작위도 포함○
목적	① 1차적으로 자율적인 행정의 적법성 보장 ② 2차적으로 국민의 권리구제	① 1차적으로 국민의 권리구제 ② 2차적으로 행정의 적법성 보장
성질	형식적 의미의 행정, 실질적 의미의 사법	형식적 의미의 사법, 실질적 의미의 사법
종류	취소심판, 무효등확인심판, 의무이행심판	취소소송, 무효등 확인소송, 부작위위법확인소송
제기기간	① 취소심판은 처분이 있음을 안 날로부터 90일, 처분이 있은 날로부터 180일 ② 무효등확인심판은 청구기간 제한 없음 ③ 부작위에 대한 의무이행심판은 청구기간의 제한이 없음 ④ 거부처분에 대한 의무이행심판은 처분이 있음을 안 날로부터 90일, 처분이 있은 날로부터 180일	① 취소소송은 처분이 있음을 안 날로부터 90일, 처분이 있은 날로부터 1년 ② 무효등 확인소송은 제소기간 제한 없음 ③ 행정심판을 거치지 않은 부작위위법확인소송은 제소기간 제한 없음 ④ 행정심판을 거친 부작위위법확인소송의 경우 재결서 정본을 송달받은 날로부터 90일, 재결이 있은 날로부터 1년
임시처분제도의 존재	임시처분 제도 존재○	임시처분 제도 존재×
심리의 원칙	① 구술심리 또는 서면심리 ② 비공개심리의 원칙	① 구술심리 원칙 ② 공개재판의 원칙

구분	행정심판	항고소송
사정판단	취소심판○, 무효등 확인심판×, 의무이행심판○	취소소송○, 무효등 확인소송×, 부작위위법확인소송×
인용재결(판결)의 종류	① [취소심판] 취소재결, 변경재결, 변경명령재결 ② [무효등확인심판] 무효확인재결, 유효확인재결, 존재확인재결, 부존재확인재결, 실효확인재결 ③ [의무이행심판] 처분재결, 처분명령재결	① [취소소송] 취소판결 ② [무효등 확인소송] 무효확인판결, 유효확인판결, 존재확인판결, 부존재확인판결, 실효확인판결 ③ [부작위위법확인소송] 부작위위법확인판결
취소심판(소송)변경 가부	처분을 적극적으로 변경하는 재결도 가능	처분등의 일부를 소극적으로 취소하는 판결만 가능
기속력 확보수단	간접강제有, 직접처분有	간접강제有, 직접처분無
재심제도	재심제도 없음	제3자에 의한 재심(행정소송법 제31조)과 소송당사자에 의한 재심(민사소송법 제451조) 모두 있음
사정판단에 부수하는 조치	행정심판위원회는 사정재결을 할 때에 청구인에 대하여 상당한 구제방법을 직접 취하거나 상당한 구제방법을 취할 것을 피청구인에게 명할 수 있음	법원이 사정판결을 함에 있어서는 미리 원고가 그로 인하여 입게 될 손해의 정도와 배상방법 그 밖의 사정을 조사하여야 함
집행정지 요건	처계적리중긴공명 ➡ 중대한 손해가 생기는 것을 예방할 필요성	처계적리회긴공명 ➡ 회복하기 어려운 손해 발생을 예방할 필요성
집행정지에 대한 즉시항고 제도	없음	있음
위원장·재판장의 집행정지 직권결정	있음	없음
잘못 지정한 피고경정·피청구인 경정	신청 또는 직권에 의해	신청에 의해

행정심판위원회

종류		
	처분청 자신 소속의 행정심판위원회	① 지위나 성격상 독립성과 특수성이 인정되는 행정청의 경우, 처분청 자신 소속의 행정심판위원회가 처분청 자신의 처분 또는 부작위에 대한 행정심판 청구를 관할함 ➜ 감사원, 국가정보원장, 대통령령으로 정하는 대통령 소속기관의 장❶, 국회사무총장·법원행정처장·헌법재판소사무처장 및 중앙선거관리위원회사무총장, 국가인권위원회, 고위공직자범죄수사처장 등 ② [실제 설치 − 출제×] 감사원 행정심판위원회, 국가정보원 행정심판위원회, 방송통신위원회 행정심판위원회, 국가인권위원회 행정심판위원회, 국회사무처 행정심판위원회, 법원행정처 행정심판위원회, 헌법재판소 사무처 행정심판위원회, 중앙선거관리위원회 행정심판위원회가 존재함
	중앙행정심판위원회 (국민권익위원회 소속)	① ㉠ 위 행정청 외의 국가행정기관의 장 또는 그 소속 행정청(부·처·청), ㉡ 특별시장·광역시장·특별자치시장·도지사·특별자치도지사(교육감 포함), ㉢ 특별시·광역시·특별자치시·도·특별자치도의 의회(의장, 위원회의 위원장, 사무처장 등 의회 소속 모든 행정청을 포함), ㉣ 지방자치법에 따른 지방자치단체조합 등 관계 법률에 따라 국가·지방자치단체·공공법인 등이 공동으로 설립한 행정청이 행한 처분 또는 부작위에 대한 행정심판 청구를 관할 ② [사례] 서울동작경찰서장의 처분, 지방경찰청장의 처분, 서울특별시장의 처분, 국무총리의 처분, 경기도지사의 처분 등에 대한 행정심판청구는 중앙행정심판위원회가 관할
	시·도행정심판위원회 (시·도지사 소속)	① ㉠ 시·도 소속 행정청, ㉡ 당해 시·도의 관할구역에 있는 시·군·자치구의 장, ㉢ 당해 시·도의 관할구역에 있는 시·군·자치구 소속 행정청, ㉣ 당해 시·도의 관할구역에 있는 시·군·자치구의 의회(의장, 위원회의 위원장, 사무국장, 사무과장 등 의회 소속 모든 행정청을 포함), ㉤ 당해 시·도의 관할구역에 있는 둘 이상의 지방자치단체(시·군·자치구를 말함)·공공법인 등이 공동으로 설립한 행정청이 행한 처분 또는 부작위에 대한 행정심판 청구를 관할 ② [실제 설치 − 출제×] 서울특별시행정심판위원회, 전라북도행정심판위원회, 울산광역시행정심판위원회 등 17개 시·도 행정심판위원회가 존재함(몰라도 됨) ③ [사례] 종로구청장의 처분이나 부작위에 대한 행정심판청구는 서울특별시 행정심판위원회에서 심리·재결하여야 함
	직근 상급행정기관 소속 행정심판위원회	① 법무부 및 대검찰청 소속 특별지방행정기관(⑩ 교도소, 지방검찰청 등)의 장의 처분 또는 부작위에 대한 심판청구는 그 특별지방행정기관의 직근 상급행정기관 소속 행정심판위원회가 관할 ② [실제 설치 − 출제×] 5개 고등검찰청 행정심판위원회(⑩ 부산고등검찰청 행정심판위원회), 4개 지방교정청 행정심판위원회(⑩ 대전지방교정청 행정심판위원회)가 존재함(몰라도 됨)
	특별법상 행정심판위원회	① 공정하고 객관적인 행정심판을 담보하기 위하여 개별법에서 제3자적 기관으로 특별행정심판위원회를 설치하는 경우가 있음 ➜ 이를 '특별행정심판'이라 함 ② [실제 설치 − 출제○] 공무원에 대한 징계처분 등 불이익처분에 대한 행정심판(실정법상의 용어는 '소청')의 재결청인 소청심사위원회, 조세심판에 대한 행정심판의 재결청인 조세심판원, 「국민건강보험법」상 보험료 부과처분에 불복하는 심판청구에 대한 건강보험분쟁조정위원회 등

❶ 행정심판법 시행령은 "대통령 소속기관의 장"을 대통령비서실장, 국가안보실장, 대통령경호처장 및 방송통신위원회로 구체화하고 있다(제2조).

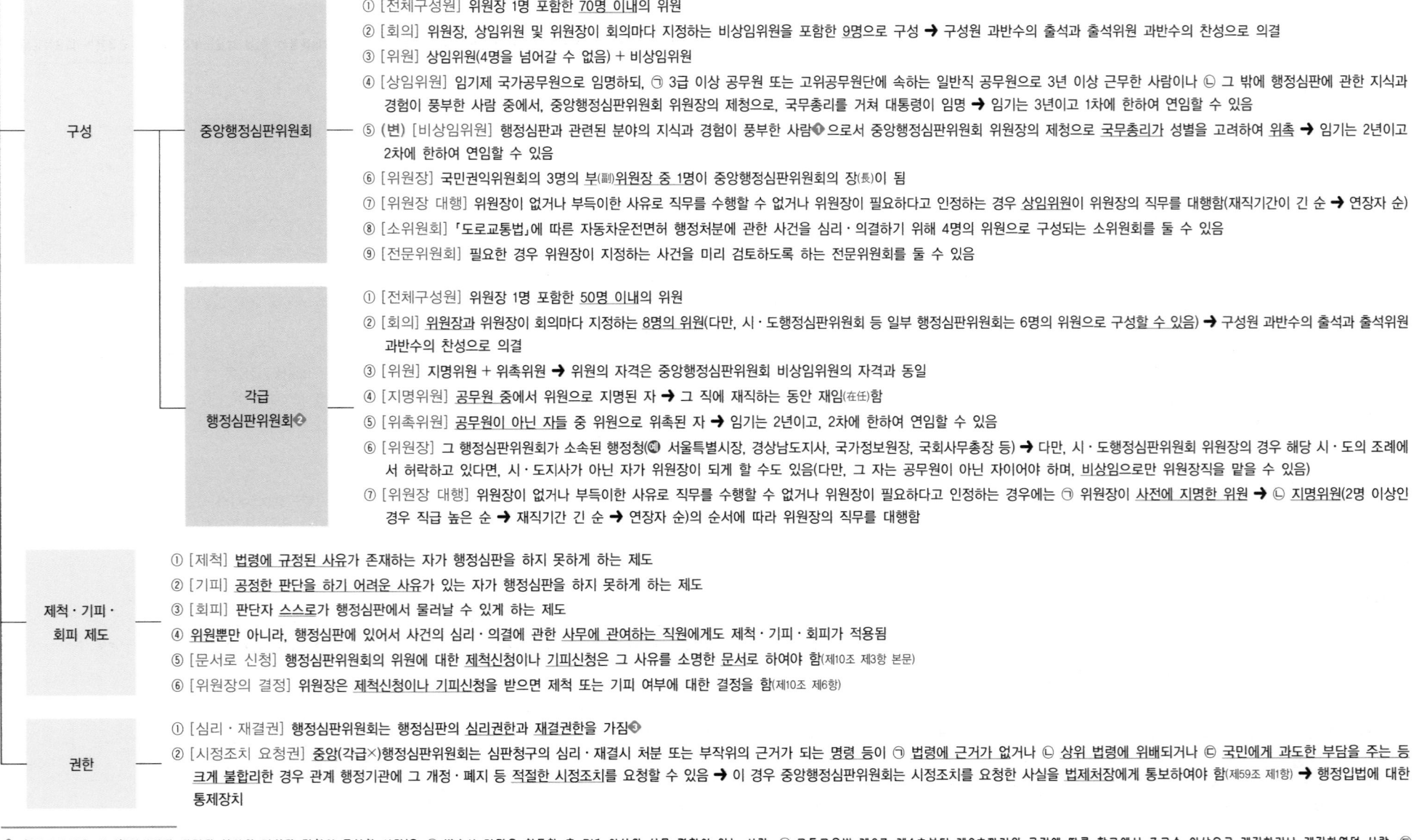

구성	중앙행정심판위원회	① [전체구성원] 위원장 1명 포함한 <u>70명 이내</u>의 위원
		② [회의] 위원장, 상임위원 및 위원장이 회의마다 지정하는 비상임위원을 포함한 9명으로 구성 ➜ 구성원 과반수의 출석과 출석위원 과반수의 찬성으로 의결
		③ [위원] 상임위원(4명을 넘어갈 수 없음) + 비상임위원
		④ [상임위원] 임기제 국가공무원으로 임명하되, ㉠ 3급 이상 공무원 또는 고위공무원단에 속하는 일반직 공무원으로 3년 이상 근무한 사람이나 ㉡ 그 밖에 행정심판에 관한 지식과 경험이 풍부한 사람 중에서, 중앙행정심판위원회 위원장의 제청으로, 국무총리를 거쳐 대통령이 임명 ➜ 임기는 3년이고 1차에 한하여 연임할 수 있음
		⑤ (변) [비상임위원] 행정심판과 관련된 분야의 지식과 경험이 풍부한 사람❶으로서 중앙행정심판위원회 위원장의 제청으로 국무총리가 성별을 고려하여 위촉 ➜ 임기는 2년이고 2차에 한하여 연임할 수 있음
		⑥ [위원장] 국민권익위원회의 3명의 부(副)위원장 중 1명이 중앙행정심판위원회의 장(長)이 됨
		⑦ [위원장 대행] 위원장이 없거나 부득이한 사유로 직무를 수행할 수 없거나 위원장이 필요하다고 인정하는 경우 상임위원이 위원장의 직무를 대행함(재직기간이 긴 순 ➜ 연장자 순)
		⑧ [소위원회] 「도로교통법」에 따른 자동차운전면허 행정처분에 관한 사건을 심리·의결하기 위해 4명의 위원으로 구성되는 소위원회를 둘 수 있음
		⑨ [전문위원회] 필요한 경우 위원장이 지정하는 사건을 미리 검토하도록 하는 전문위원회를 둘 수 있음
	각급 행정심판위원회❷	① [전체구성원] 위원장 1명 포함한 <u>50명 이내</u>의 위원
		② [회의] <u>위원장과 위원장이 회의마다 지정하는 8명의 위원</u>(다만, 시·도행정심판위원회 등 일부 행정심판위원회는 6명의 위원으로 구성할 수 있음) ➜ 구성원 과반수의 출석과 출석위원 과반수의 찬성으로 의결
		③ [위원] 지명위원 + 위촉위원 ➜ 위원의 자격은 중앙행정심판위원회 비상임위원의 자격과 동일
		④ [지명위원] <u>공무원 중에서</u> 위원으로 지명된 자 ➜ 그 직에 재직하는 동안 재임(在任)함
		⑤ [위촉위원] <u>공무원이 아닌 자들 중</u> 위원으로 위촉된 자 ➜ 임기는 2년이고, 2차에 한하여 연임할 수 있음
		⑥ [위원장] 그 행정심판위원회가 소속된 행정청(에) 서울특별시장, 경상남도지사, 국가정보원장, 국회사무총장 등) ➜ 다만, 시·도행정심판위원회 위원장의 경우 해당 시·도의 조례에서 허락하고 있다면, 시·도지사가 아닌 자가 위원장이 되게 할 수도 있음(다만, 그 자는 공무원이 아닌 자이어야 하며, 비상임으로만 위원장직을 맡을 수 있음)
		⑦ [위원장 대행] 위원장이 없거나 부득이한 사유로 직무를 수행할 수 없거나 위원장이 필요하다고 인정하는 경우에는 ㉠ 위원장이 <u>사전에 지명한 위원</u> ➜ ㉡ 지명위원(2명 이상인 경우 직급 높은 순 ➜ 재직기간 긴 순 ➜ 연장자 순)의 순서에 따라 위원장의 직무를 대행함
제척·기피·회피 제도		① [제척] <u>법령에 규정된 사유</u>가 존재하는 자가 행정심판을 하지 못하게 하는 제도
		② [기피] 공정한 판단을 하기 어려운 사유가 있는 자가 행정심판을 하지 못하게 하는 제도
		③ [회피] 판단자 <u>스스로가</u> 행정심판에서 물러날 수 있게 하는 제도
		④ <u>위원뿐만 아니라</u>, 행정심판에 있어서 사건의 심리·의결에 관한 <u>사무에 관여하는 직원</u>에게도 제척·기피·회피가 적용됨
		⑤ [문서로 신청] 행정심판위원회의 위원에 대한 <u>제척신청</u>이나 <u>기피신청</u>은 그 사유를 소명한 <u>문서</u>로 하여야 함(제10조 제3항 본문)
		⑥ [위원장의 결정] 위원장은 제척신청이나 기피신청을 받으면 제척 또는 기피 여부에 대한 결정을 함(제10조 제6항)
권한		① [심리·재결권] 행정심판위원회는 행정심판의 심리권한과 재결권한을 가짐❸
		② [시정조치 요청권] 중앙(각급×)행정심판위원회는 심판청구의 심리·재결시 처분 또는 부작위의 근거가 되는 명령 등이 ㉠ 법령에 근거가 없거나 ㉡ 상위 법령에 위배되거나 ㉢ 국민에게 과도한 부담을 주는 등 크게 불합리한 경우 관계 행정기관에 그 개정·폐지 등 <u>적절한 시정조치</u>를 요청할 수 있음 ➜ 이 경우 중앙행정심판위원회는 시정조치를 요청한 사실을 법제처장에게 통보하여야 함(제59조 제1항) ➜ 행정입법에 대한 통제장치

---

❶ 행정심판법은 이 '행정심판과 관련된 분야의 지식과 경험이 풍부한 사람'을 ㉠ 변호사 자격을 취득한 후 <u>5년 이상</u>의 실무 경험이 있는 사람, ㉡ 고등교육법 제2조 제1호부터 제6호까지의 규정에 따른 학교에서 조교수 이상으로 재직하거나 재직하였던 사람, ㉢ 행정기관의 4급 이상 공무원이었거나 고위공무원단에 속하는 공무원이었던 사람, ㉣ 박사학위를 취득한 후 해당 분야에서 <u>5년 이상</u> 근무한 경험이 있는 사람, ㉤ 그 밖에 행정심판과 관련된 분야의 지식과 경험이 풍부한 사람으로 구체화하고 있다.

❷ 중앙행정심판위원회 이외의 행정심판위원회를 '각급 행정심판위원회' 혹은 단순히 '행정심판위원회'라 한다.

❸ [더 들어가기] 과거에는 재결청이라는 기관을 따로 두어, 재결은 재결청에서 하고, 행정심판위원회는 심리만 하게 하였었다.

행정심판의 당사자와 관계인

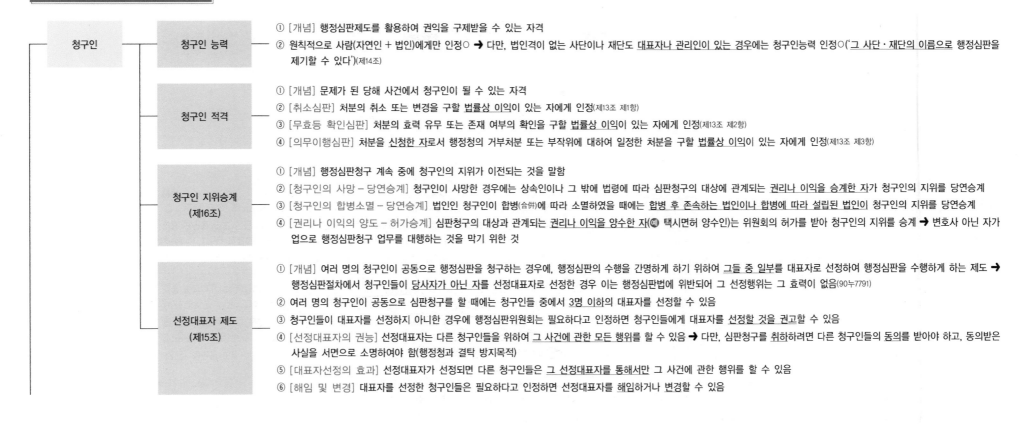

청구인

청구인 능력

① [개념] 행정심판제도를 활용하여 권익을 구제받을 수 있는 자격
② 원칙적으로 사람(자연인 + 법인)에게만 인정○ ➜ 다만, 법인격이 없는 사단이나 재단도 대표자나 관리인이 있는 경우에는 청구인능력 인정○('그 사단·재단의 이름으로 행정심판을 제기할 수 있다')(제14조)

청구인 적격

① [개념] 문제가 된 당해 사건에서 청구인이 될 수 있는 자격
② [취소심판] 처분의 취소 또는 변경을 구할 법률상 이익이 있는 자에게 인정(제13조 제1항)
③ [무효등 확인심판] 처분의 효력 유무 또는 존재 여부의 확인을 구할 법률상 이익이 있는 자에게 인정(제13조 제2항)
④ [의무이행심판] 처분을 신청한 자로서 행정청의 거부처분 또는 부작위에 대하여 일정한 처분을 구할 법률상 이익이 있는 자에게 인정(제13조 제3항)

청구인 지위승계
(제16조)

① [개념] 행정심판청구 계속 중에 청구인의 지위가 이전되는 것을 말함
② [청구인의 사망 – 당연승계] 청구인이 사망한 경우에는 상속인이나 그 밖에 법령에 따라 심판청구의 대상에 관계되는 권리나 이익을 승계한 자가 청구인의 지위를 당연승계
③ [청구인의 합병소멸 – 당연승계] 법인인 청구인이 합병(合倂)에 따라 소멸하였을 때에는 합병 후 존속하는 법인이나 합병에 따라 설립된 법인이 청구인의 지위를 당연승계
④ [권리나 이익의 양도 – 허가승계] 심판청구의 대상과 관계되는 권리나 이익을 양수한 자(⑩ 택시면허 양수인)는 위원회의 허가를 받아 청구인의 지위를 승계 ➜ 변호사 아닌 자가 업으로 행정심판청구 업무를 대행하는 것을 막기 위한 것

선정대표자 제도
(제15조)

① [개념] 여러 명의 청구인이 공동으로 행정심판을 청구하는 경우에, 행정심판의 수행을 간명하게 하기 위하여 그들 중 일부를 대표자로 선정하여 행정심판을 수행하게 하는 제도 ➜ 행정심판절차에서 청구인들이 당사자가 아닌 자를 선정대표자로 선정한 경우 이는 행정심판법에 위반되어 그 선정행위는 그 효력이 없음(90누7791)
② 여러 명의 청구인이 공동으로 심판청구를 할 때에는 청구인들 중에서 3명 이하의 대표자를 선정할 수 있음
③ 청구인들이 대표자를 선정하지 아니한 경우에 행정심판위원회는 필요하다고 인정하면 청구인들에게 대표자를 선정할 것을 권고할 수 있음
④ [선정대표자의 권능] 선정대표자는 다른 청구인들을 위하여 그 사건에 관한 모든 행위를 할 수 있음 ➜ 다만, 심판청구를 취하하려면 다른 청구인들의 동의를 받아야 하고, 동의받은 사실을 서면으로 소명하여야 함(행정청과 결탁 방지목적)
⑤ [대표자선정의 효과] 선정대표자가 선정되면 다른 청구인들은 그 선정대표자를 통해서만 그 사건에 관한 행위를 할 수 있음
⑥ [해임 및 변경] 대표자를 선정한 청구인들은 필요하다고 인정하면 선정대표자를 해임하거나 변경할 수 있음

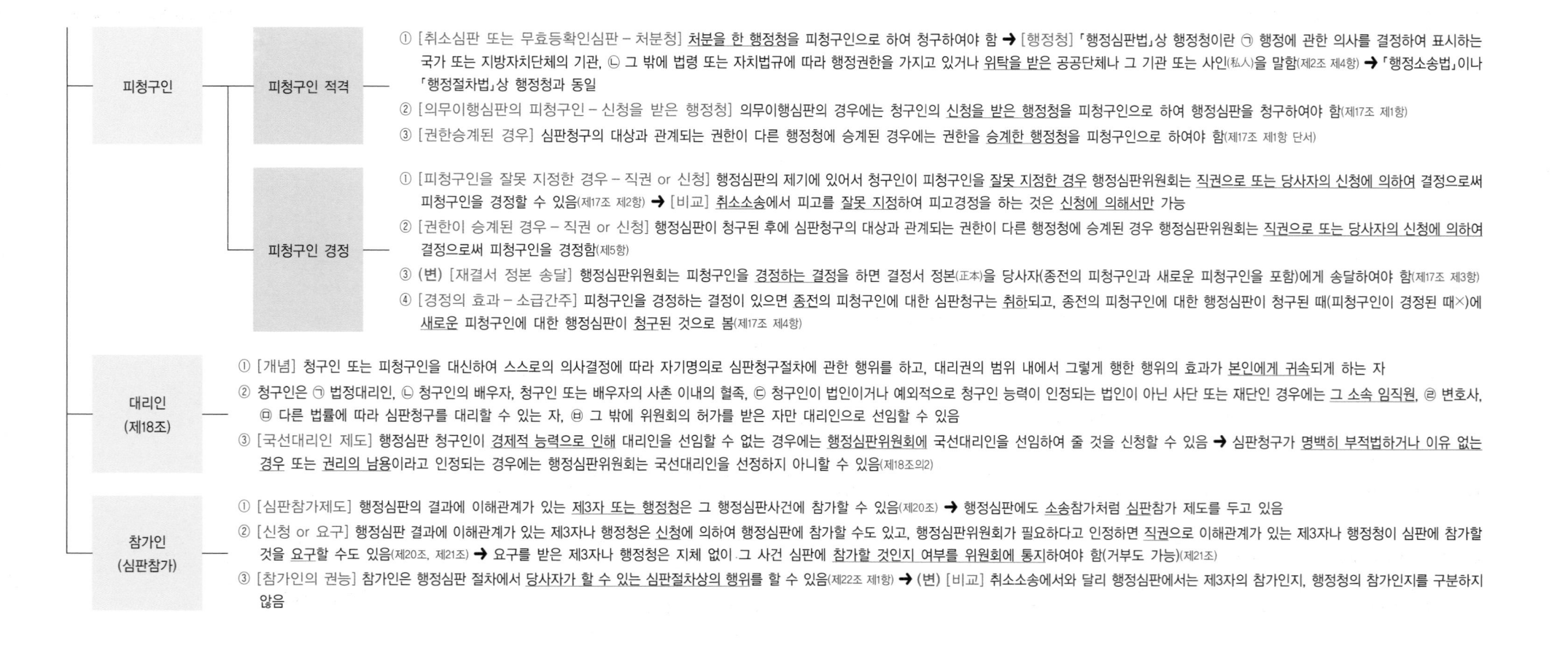

피청구인

피청구인 적격

① [취소심판 또는 무효등확인심판 – 처분청] 처분을 한 행정청을 피청구인으로 하여 청구하여야 함 ➡ [행정청] 「행정심판법」상 행정청이란 ㉠ 행정에 관한 의사를 결정하여 표시하는 국가 또는 지방자치단체의 기관, ㉡ 그 밖에 법령 또는 자치법규에 따라 행정권한을 가지고 있거나 위탁을 받은 공공단체나 그 기관 또는 사인(私人)을 말함(제2조 제4항) ➡ 「행정소송법」이나 「행정절차법」상 행정청과 동일

② [의무이행심판의 피청구인 – 신청을 받은 행정청] 의무이행심판의 경우에는 청구인의 신청을 받은 행정청을 피청구인으로 하여 행정심판을 청구하여야 함(제17조 제1항)

③ [권한승계된 경우] 심판청구의 대상과 관계되는 권한이 다른 행정청에 승계된 경우에는 권한을 승계한 행정청을 피청구인으로 하여야 함(제17조 제1항 단서)

피청구인 경정

① [피청구인을 잘못 지정한 경우 – 직권 or 신청] 행정심판의 제기에 있어서 청구인이 피청구인을 잘못 지정한 경우 행정심판위원회는 직권으로 또는 당사자의 신청에 의하여 결정으로써 피청구인을 경정할 수 있음(제17조 제2항) ➡ [비교] 취소소송에서 피고를 잘못 지정하여 피고경정을 하는 것은 신청에 의해서만 가능

② [권한이 승계된 경우 – 직권 or 신청] 행정심판이 청구된 후에 심판청구의 대상과 관계되는 권한이 다른 행정청에 승계된 경우 행정심판위원회는 직권으로 또는 당사자의 신청에 의하여 결정으로써 피청구인을 경정함(제5항)

③ (변) [재결서 정본 송달] 행정심판위원회는 피청구인을 경정하는 결정을 하면 결정서 정본(正本)을 당사자(종전의 피청구인과 새로운 피청구인을 포함)에게 송달하여야 함(제17조 제3항)

④ [경정의 효과 – 소급간주] 피청구인을 경정하는 결정이 있으면 종전의 피청구인에 대한 심판청구는 취하되고, 종전의 피청구인에 대한 행정심판이 청구된 때(피청구인이 경정된 때×)에 새로운 피청구인에 대한 행정심판이 청구된 것으로 봄(제17조 제4항)

대리인
(제18조)

① [개념] 청구인 또는 피청구인을 대신하여 스스로의 의사결정에 따라 자기명의로 심판청구절차에 관한 행위를 하고, 대리권의 범위 내에서 그렇게 행한 행위의 효과가 본인에게 귀속되게 하는 자

② 청구인은 ㉠ 법정대리인, ㉡ 청구인의 배우자, 청구인 또는 배우자의 사촌 이내의 혈족, ㉢ 청구인이 법인이거나 예외적으로 청구인 능력이 인정되는 법인이 아닌 사단 또는 재단인 경우에는 그 소속 임직원, ㉣ 변호사, ㉤ 다른 법률에 따라 심판청구를 대리할 수 있는 자, ㉥ 그 밖에 위원회의 허가를 받은 자만 대리인으로 선임할 수 있음

③ [국선대리인 제도] 행정심판 청구인이 경제적 능력으로 인해 대리인을 선임할 수 없는 경우에는 행정심판위원회에 국선대리인을 선임하여 줄 것을 신청할 수 있음 ➡ 심판청구가 명백히 부적법하거나 이유 없는 경우 또는 권리의 남용이라고 인정되는 경우에는 행정심판위원회는 국선대리인을 선정하지 아니할 수 있음(제18조의2)

참가인
(심판참가)

① [심판참가제도] 행정심판의 결과에 이해관계가 있는 제3자 또는 행정청은 그 행정심판사건에 참가할 수 있음(제20조) ➡ 행정심판에도 소송참가처럼 심판참가 제도를 두고 있음

② [신청 or 요구] 행정심판 결과에 이해관계가 있는 제3자나 행정청은 신청에 의하여 행정심판에 참가할 수도 있고, 행정심판위원회가 필요하다고 인정하면 직권으로 이해관계가 있는 제3자나 행정청이 심판에 참가할 것을 요구할 수도 있음(제20조, 제21조) ➡ 요구를 받은 제3자나 행정청은 지체 없이 그 사건 심판에 참가할 것인지 여부를 위원회에 통지하여야 함(거부도 가능)(제21조)

③ [참가인의 권능] 참가인은 행정심판 절차에서 당사자가 할 수 있는 심판절차상의 행위를 할 수 있음(제22조 제1항) ➡ (변) [비교] 취소소송에서와 달리 행정심판에서는 제3자의 참가인지, 행정청의 참가인지를 구분하지 않음

행정심판의 청구

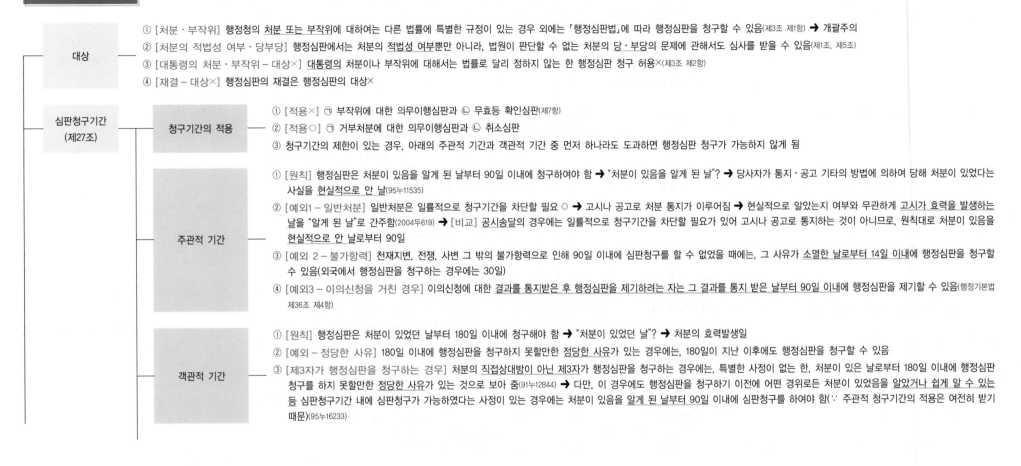

대상

① [처분·부작위] 행정청의 처분 또는 부작위에 대하여는 다른 법률에 특별한 규정이 있는 경우 외에는 「행정심판법」에 따라 행정심판을 청구할 수 있음(제3조 제1항) ➡ 개괄주의

② [처분의 적법성 여부·당부당] 행정심판에서는 처분의 적법성 여부뿐만 아니라, 법원이 판단할 수 없는 처분의 당·부당의 문제에 관해서도 심사를 받을 수 있음(제1조, 제5조)

③ [대통령의 처분·부작위 – 대상×] 대통령의 처분이나 부작위에 대해서는 법률로 달리 정하지 않는 한 행정심판 청구 허용×(제3조 제2항)

④ [재결 – 대상×] 행정심판의 재결은 행정심판의 대상×

심판청구기간 (제27조)

청구기간의 적용

① [적용×] ㉠ 부작위에 대한 의무이행심판과 ㉡ 무효등 확인심판(제7항)

② [적용○] ㉠ 거부처분에 대한 의무이행심판과 ㉡ 취소심판

③ 청구기간의 제한이 있는 경우, 아래의 주관적 기간과 객관적 기간 중 먼저 하나라도 도과하면 행정심판 청구가 가능하지 않게 됨

주관적 기간

① [원칙] 행정심판은 처분이 있음을 알게 된 날부터 90일 이내에 청구하여야 함 ➡ "처분이 있음을 알게 된 날"? ➡ 당사자가 통지·공고 기타의 방법에 의하여 당해 처분이 있었다는 사실을 현실적으로 안 날(95누11535)

② [예외1 – 일반처분] 일반처분은 일률적으로 청구기간을 차단할 필요 ○ ➡ 고시나 공고로 처분 통지가 이루어짐 ➡ 현실적으로 알았는지 여부와 무관하게 고시가 효력을 발생하는 날을 "알게 된 날"로 간주함(2004두619) ➡ [비교] 공시송달의 경우에는 일률적으로 청구기간을 차단할 필요가 있어 고시나 공고로 통지하는 것이 아니므로, 원칙대로 처분이 있음을 현실적으로 안 날로부터 90일

③ [예외 2 – 불가항력] 천재지변, 전쟁, 사변 그 밖의 불가항력으로 인해 90일 이내에 심판청구를 할 수 없었을 때에는, 그 사유가 소멸한 날로부터 14일 이내에 행정심판을 청구할 수 있음(외국에서 행정심판을 청구하는 경우에는 30일)

④ [예외3 – 이의신청을 거친 경우] 이의신청에 대한 결과를 통지받은 후 행정심판을 제기하려는 자는 그 결과를 통지 받은 날부터 90일 이내에 행정심판을 제기할 수 있음(행정기본법 제36조 제4항)

객관적 기간

① [원칙] 행정심판은 처분이 있었던 날부터 180일 이내에 청구해야 함 ➡ "처분이 있었던 날"? ➡ 처분의 효력발생일

② [예외 – 정당한 사유] 180일 이내에 행정심판을 청구하지 못할만한 정당한 사유가 있는 경우에는, 180일이 지난 이후에도 행정심판을 청구할 수 있음

③ [제3자가 행정심판을 청구하는 경우] 처분의 직접상대방이 아닌 제3자가 행정심판을 청구하는 경우에는, 특별한 사정이 없는 한, 처분이 있은 날로부터 180일 이내에 행정심판 청구를 하지 못할만한 정당한 사유가 있는 것으로 보아 줌(91누12844) ➡ 다만, 이 경우에도 행정심판을 청구하기 이전에 어떤 경위로든 처분이 있었음을 알았거나 쉽게 알 수 있는 등 심판청구기간 내에 심판청구가 가능하였다는 사정이 있는 경우에는 처분이 있음을 알게 된 날부터 90일 이내에 심판청구를 하여야 함(∵ 주관적 청구기간의 적용은 여전히 받기 때문)(95누16233)

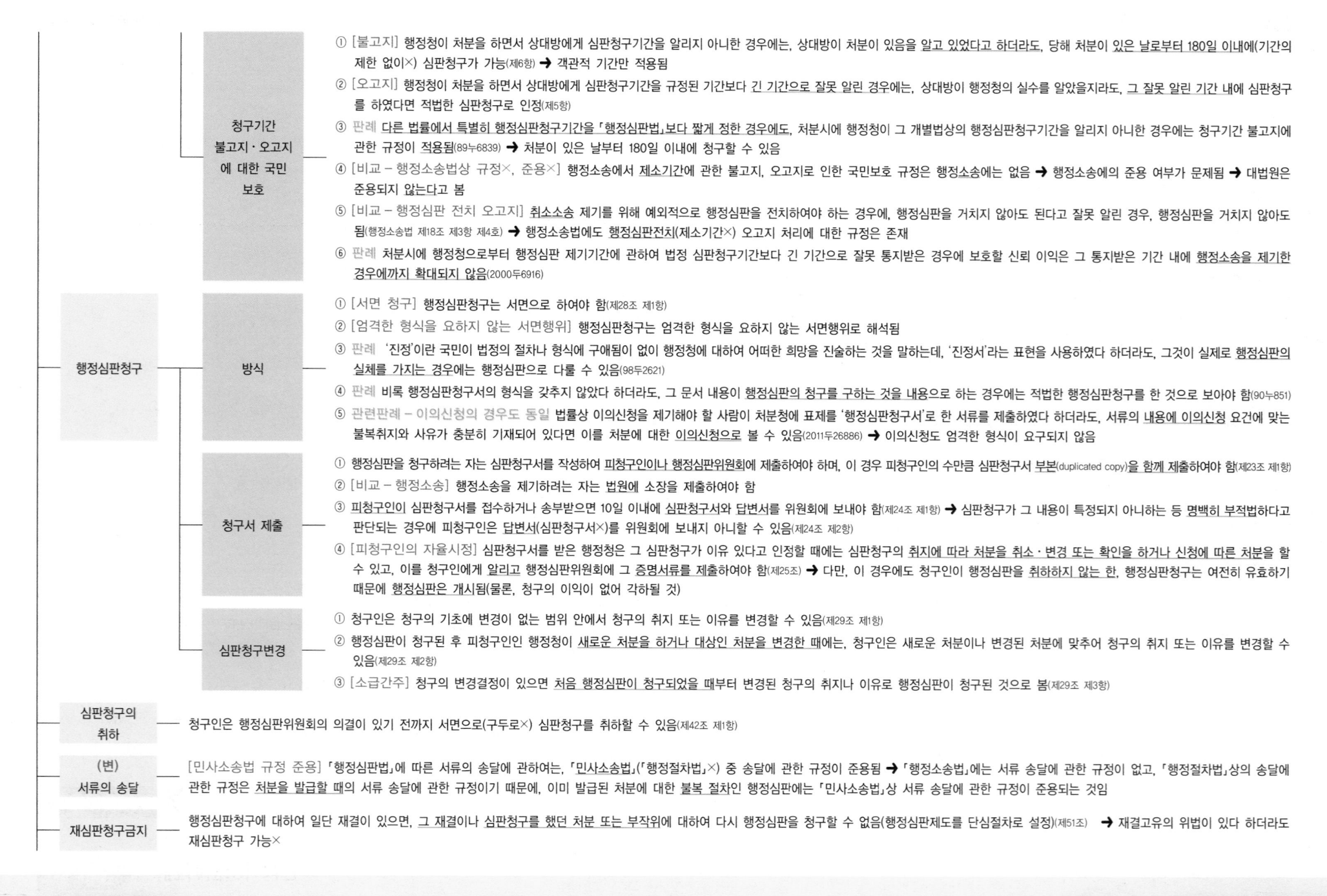

① [불고지] 행정청이 처분을 하면서 상대방에게 심판청구기간을 알리지 아니한 경우에는, 상대방이 처분이 있음을 알고 있었다고 하더라도, 당해 처분이 있은 날로부터 180일 이내에(기간의 제한 없이×) 심판청구가 가능(제6항) ➔ 객관적 기간만 적용됨

② [오고지] 행정청이 처분을 하면서 상대방에게 심판청구기간을 규정된 기간보다 긴 기간으로 잘못 알린 경우에는, 상대방이 행정청의 실수를 알았을지라도, 그 잘못 알린 기간 내에 심판청구를 하였다면 적법한 심판청구로 인정(제5항)

③ 판례 다른 법률에서 특별히 행정심판청구기간을 「행정심판법」보다 짧게 정한 경우에도, 처분시에 행정청이 그 개별법상의 행정심판청구기간을 알리지 아니한 경우에는 청구기간 불고지에 관한 규정이 적용됨(89누6839) ➔ 처분이 있은 날부터 180일 이내에 청구할 수 있음

④ [비교 – 행정소송법상 규정×, 준용×] 행정소송에서 제소기간에 관한 불고지, 오고지로 인한 국민보호 규정은 행정소송에는 없음 ➔ 행정소송에의 준용 여부가 문제됨 ➔ 대법원은 준용되지 않는다고 봄

⑤ [비교 – 행정심판 전치 오고지] 취소소송 제기를 위해 예외적으로 행정심판을 전치하여야 하는 경우에, 행정심판을 거치지 않아도 된다고 잘못 알린 경우, 행정심판을 거치지 않아도 됨(행정소송법 제18조 제3항 제4호) ➔ 행정소송법에도 행정심판전치(제소기간×) 오고지 처리에 대한 규정은 존재

⑥ 판례 처분시에 행정청으로부터 행정심판 제기기간에 관하여 법정 심판청구기간보다 긴 기간으로 잘못 통지받은 경우에 보호할 신뢰 이익은 그 통지받은 기간 내에 행정소송을 제기한 경우에까지 확대되지 않음(2000두6916)

청구기간
불고지·오고지
에 대한 국민
보호

① [서면 청구] 행정심판청구는 서면으로 하여야 함(제28조 제1항)

② [엄격한 형식을 요하지 않는 서면행위] 행정심판청구는 엄격한 형식을 요하지 않는 서면행위로 해석됨

③ 판례 '진정'이란 국민이 법정의 절차나 형식에 구애됨이 없이 행정청에 대하여 어떠한 희망을 진술하는 것을 말하는데, '진정서'라는 표현을 사용하였다 하더라도, 그것이 실제로 행정심판의 실체를 가지는 경우에는 행정심판으로 다룰 수 있음(98두2621)

④ 판례 비록 행정심판청구서의 형식을 갖추지 않았다 하더라도, 그 문서 내용이 행정심판의 청구를 구하는 것을 내용으로 하는 경우에는 적법한 행정심판청구를 한 것으로 보아야 함(90누851)

⑤ 관련판례 – 이의신청의 경우도 동일 법률상 이의신청을 제기해야 할 사람이 처분청에 표제를 '행정심판청구서'로 한 서류를 제출하였다 하더라도, 서류의 내용에 이의신청 요건에 맞는 불복취지와 사유가 충분히 기재되어 있다면 이를 처분에 대한 이의신청으로 볼 수 있음(2011두26886) ➔ 이의신청도 엄격한 형식이 요구되지 않음

방식

① 행정심판을 청구하려는 자는 심판청구서를 작성하여 피청구인이나 행정심판위원회에 제출하여야 하며, 이 경우 피청구인의 수만큼 심판청구서 부본(duplicated copy)을 함께 제출하여야 함(제23조 제1항)

② [비교 – 행정소송] 행정소송을 제기하려는 자는 법원에 소장을 제출하여야 함

③ 피청구인이 심판청구서를 접수하거나 송부받으면 10일 이내에 심판청구서와 답변서를 위원회에 보내야 함(제24조 제1항) ➔ 심판청구가 그 내용이 특정되지 아니하는 등 명백히 부적법하다고 판단되는 경우에 피청구인은 답변서(심판청구서×)를 위원회에 보내지 아니할 수 있음(제24조 제2항)

④ [피청구인의 자율시정] 심판청구서를 받은 행정청은 그 심판청구가 이유 있다고 인정할 때에는 심판청구의 취지에 따라 처분을 취소·변경 또는 확인을 하거나 신청에 따른 처분을 할 수 있고, 이를 청구인에게 알리고 행정심판위원회에 그 증명서류를 제출하여야 함(제25조) ➔ 다만, 이 경우에도 청구인이 행정심판을 취하하지 않는 한, 행정심판청구는 여전히 유효하기 때문에 행정심판은 개시됨(물론, 청구의 이익이 없어 각하될 것)

청구서 제출

① 청구인은 청구의 기초에 변경이 없는 범위 안에서 청구의 취지 또는 이유를 변경할 수 있음(제29조 제1항)

② 행정심판이 청구된 후 피청구인인 행정청이 새로운 처분을 하거나 대상인 처분을 변경한 때에는, 청구인은 새로운 처분이나 변경된 처분에 맞추어 청구의 취지 또는 이유를 변경할 수 있음(제29조 제2항)

③ [소급간주] 청구의 변경결정이 있으면 처음 행정심판이 청구되었을 때부터 변경된 청구의 취지나 이유로 행정심판이 청구된 것으로 봄(제29조 제3항)

심판청구변경

행정심판청구

심판청구의
취하 — 청구인은 행정심판위원회의 의결이 있기 전까지 서면으로(구두로×) 심판청구를 취하할 수 있음(제42조 제1항)

(변)
서류의 송달 — [민사소송법 규정 준용] 「행정심판법」에 따른 서류의 송달에 관하여는, 「민사소송법」(「행정절차법」×) 중 송달에 관한 규정이 준용됨 ➔ 「행정소송법」에는 서류 송달에 관한 규정이 없고, 「행정절차법」상의 송달에 관한 규정은 처분을 발급할 때의 서류 송달에 관한 규정이기 때문에, 이미 발급된 처분에 대한 불복 절차인 행정심판에는 「민사소송법」상 서류 송달에 관한 규정이 준용되는 것임

재심판청구금지 — 행정심판청구에 대하여 일단 재결이 있으면, 그 재결이나 심판청구를 했던 처분 또는 부작위에 대하여 다시 행정심판을 청구할 수 없음(행정심판제도를 단심절차로 설정)(제51조) ➔ 재결고유의 위법이 있다 하더라도 재심판청구 가능×

		고지제도		
고지제도	의의	① 처분을 할 때는 행정심판 청구기간, 청구기관, 청구방법에 대해 알려주어야 함		

고지제도 — 의의

① 처분을 할 때는 행정심판 청구기간, 청구기관, 청구방법에 대해 알려주어야 함
② [법적 성질] 비권력적 사실행위○, 준법률행위적 행정행위인 통지×, 처분×, 처분의 적법요건×, 처분의 효력요건×
③ [고지의 대상이 되는 처분] 「행정심판법」에 의한 고지의 대상이 되는 처분은, 「행정심판법」에 의한 심판청구의 대상이 되는 처분에 한하지 않고, 「행정심판법」 이외의 다른 법령에 의한 심판청구의 대상이 되는 처분도 포함됨

고지제도 비교

「행정절차법」에도 고지제도가 존재하는데, 양자는 다음과 같은 점에서 차이가 있음

구분	행정심판법상 고지		행정절차법상 고지
계기	by 직권	by 신청(요구)	by 직권
상대방	to 처분의 상대방	to 이해관계인	to 처분의 상대방
고지사항	㉠ 해당 처분에 대하여 행정심판을 청구할 수 있는지 ㉡ 행정심판을 청구하는 경우의 심판청구절차 및 심판청구 기간	㉠ 해당 처분이 행정심판의 대상이 되는 처분인지 ㉡ 행정심판의 대상이 되는 경우 소관위원회 및 심판청구 기간	㉠ 그 처분에 관하여 행정심판 및 행정소송을 제기할 수 있는지 여부 ㉡ 그 밖에 불복을 할 수 있는지 여부 ㉢ 청구절차 및 청구기간 ㉣ 그 밖에 필요한 사항
청구기간에 대한 오고지나 불고지 처리에 대한 규정	有		無

행정심판의 심리

기본원칙	불고불리의 원칙 (처분권주의)	[행정심판법 제47조 제1항] "위원회는 심판청구의 대상이 되는 처분 또는 부작위 외의 사항에 대하여는 재결하지 못한다." ➔ 행정심판위원회는 심판청구인이 심판의 대상으로 삼아줄 것을 요구한 대상에 대해서만 심판할 수 있다는 말
	불이익변경금지 원칙	행정심판위원회는 심판청구의 대상이 되는 처분보다 청구인에게 불리한 재결은 할 수 없음(제47조 제2항) ➔ 국민이 행정심판청구를 통한 권리구제를 꺼리는 것을 방지하기 위해 마련된 원칙
	구술심리주의와 서면심리주의 병용	① 행정심판의 심리는 구술심리나 서면심리로 함(위원회의 재량)(어느 한쪽이 원칙×) ➔ 다만, 당사자가 구술심리를 신청한 경우에는 서면심리만으로 결정할 수 있다고 인정되는 경우 외에는 구술심리를 하여야 함(신청이 있으면 언제나 구술심리를 하여야 하는 것×) ② [비교] 행정소송은 구술심리를 원칙으로 함
	대심주의 원칙 (당사자주의)	행정심판은 심판청구인과 피청구인이 판단자 앞에서 서로 대등한 입장에서 공격과 방어를 하고, 이 활동을 바탕으로 심리를 진행해 나감 ➔ 행정심판의 심리도 행정심판위원회가 아니라, 당사자가 주도하는 것이 원칙
	직권심리주의 가미	① [직권조사주의] 행정심판위원회는 필요하면 당사자가 주장하지 아니한 사실에 대해서도 심리할 수 있음(제39조) ② [직권탐지주의] 행정심판위원회는 사건을 심리하기 위하여 필요하면 직권으로 또는 당사자의 신청에 의하여 신문(訊問), 영치(領置), 감정 등 증거를 조사할 수 있음(제36조) ③ [참고 – 행정소송법 제26조] "법원은 필요하다고 인정할 때에는 직권으로 증거조사를 할 수 있고, 당사자가 주장하지 아니한 사실에 대하여도 판단할 수 있다."❶
	비공개심리주의	서면심리주의와 직권심리주의를 취하고 있는 행정심판법의 구조상 비공개주의를 원칙으로 하고 있는 것으로 해석됨(通說) ➔ 명문규정이 있는 것은× ➔ [비교] 행정소송은 공개가 원칙
요건심리		① 행정심판청구가 심판청구의 요건을 갖추고 있는지 여부를 심리함 ② 행정심판청구의 요건 충족 여부는 심리종결시를 기준으로 판단함 ③ [보정요구 제도] 위원회는 심판청구가 적법하지 아니하나 보정(補正)할 수 있다고 인정하면, 기간을 정하여 청구인에게 보정할 것을 요구할 수 있음(제32조 제1항 본문) ➔ 이 기간 내에 보정을 한 경우에는 처음부터 적법하게 행정심판이 청구된 것으로 봄(제4항)
본안심리		[위법·부당 여부 판단 기준시] 행정심판에 있어서 행정처분의 위법·부당 여부는 원칙적으로 처분시를 기준으로 판단하여야 할 것이나, 재결 당시까지 제출된 모든 자료를 종합하여 처분 당시 존재하였던 객관적 사실을 확정하고 그 사실에 기초하여 처분의 위법·부당 여부를 판단할 수 있음(99두5092)
처분사유 추가·변경		① 처분사유의 추가·변경은 행정심판에서도 허용됨 ② [기본적 사실관계의 동일성 요구] 행정처분의 취소를 구하는 항고소송에서 처분청은 당초 처분의 근거로 삼은 사유와 기본적 사실관계가 동일성이 있다고 인정되는 한도 내에서만 다른 사유를 추가 또는 변경할 수 있다는 법리는 행정심판 단계에서도 그대로 적용됨(2013두26118) ③ [비교 – 이의신청의 경우] 다만 판례는 행정청 내부의 시정절차의 단계(강학상 이의신청)에서는 행정소송에서와는 달리 당초 처분사유와 기본적 사실관계의 동일성이 인정되지 않는 사유라 하더라도 이를 처분사유로 추가·변경할 수 있다고 봄(2012두3859)

❶ 행정심판에서도 행정소송법 제26조의 해석론에서와 같은 논의가 이루어질 수도 있지만, 딱히 논의가 이루어지지 않고 있다.

행정심판법상 임시구제수단 – 집행정지와 임시처분

① 「행정심판법」은 임시구제수단(= 가구제수단)으로서 집행정지뿐만 아니라 「행정소송법」에는 없는 임시처분제도까지 두고 있음

② 가구제수단과 기속력 확보수단의 비교는 출제의 포인트

개설

행정심판법상의 제도 비교			
간접강제	직접처분	집행정지	임시처분
① 인용재결 전반❶의 기속력 확보수단 ② by 신청	① 처분명령재결의 기속력 확보수단 ② by 신청	① 소극적 상태를 만드는 가구제수단 ② by 신청 또는 직권	① 적극적 상태를 만드는 가구제수단 ② by 신청 또는 직권

집행정지
(소극적 가구제수단)

집행부정지 원칙
① [원칙 – 집행부정지] 취소소송의 제기와 마찬가지로, 행정심판청구는 처분의 효력이나 그 집행 또는 절차의 속행에 영향을 주지 아니함(제30조 제1항)
② [별도 결정에 의한 집행정지] 행정심판위원회는 위원회는 처분, 처분의 집행 또는 절차의 속행 때문에 중대한 손해가 생기는 것을 예방할 필요성이 긴급하다고 인정할 때에는, 직권으로 또는 당사자의 신청에 의하여 처분의 효력, 처분의 집행 또는 절차의 속행의 전부 또는 일부의 정지("집행정지")를 결정할 수 있음(제30조 제2항)

신청
집행정지 신청은 심판청구와 동시에 또는 심판청구를 한 후에 위원회나 소위원회의 의결이 있기 전까지 할 수 있음(제30조 제5항)

요건

구분	요건	차이
행정'소송'법상 집행정지	처계적리회긴/공명	회복하기 어려운 손해발생 예방 필요
행정'심판'법상 집행정지	처계적리중긴/공명	중대한 손해발생 예방 필요(더 완화된 개념)

집행정지 결정
① [위원장의 단독결정 제도] 원칙적으로 행정심판위원회가 결정하지만, 위원회의 집행정지의 결정을 기다릴 수조차 없을 정도로 급박한 경우에는, 행정심판위원장은 직권으로 위원회의 심리와 결정을 갈음하는 결정을 할 수 있음 ➜ 다만, 이 경우 위원장은 지체 없이 위원회에 그 사실을 보고하고 추인(追認)을 받아야 하며, 위원회의 추인을 받지 못하면 위원장은 집행정지 또는 집행정지 취소에 관한 결정을 취소하여야 함(제30조 제6항) ➜ [비교] 행정소송에는 이런 단독결정 제도 존재×
② [결정서 정본 송달] 행정심판위원회는 집행정지 또는 집행정지의 취소에 관하여 심리·결정하면, 지체 없이 당사자에게 결정서 정본(부본×)을 송달하여야 함(제30조 제7항)

집행정지 취소제도
집행정지를 결정한 후에 ㉠ 집행정지가 공공복리에 중대한 영향을 미치거나 ㉡ 그 정지사유가 없어진 경우에는, 위원회의 직권 또는 당사자의 신청에 의하여 집행정지 결정을 취소할 수 있음(제30조 제4항)

적용 범위
취소심판○, 무효등 확인심판○, 의무이행심판×

불복 – 즉시항고×
집행정지 결정이나 기각 결정에 대해 즉시항고 가능×

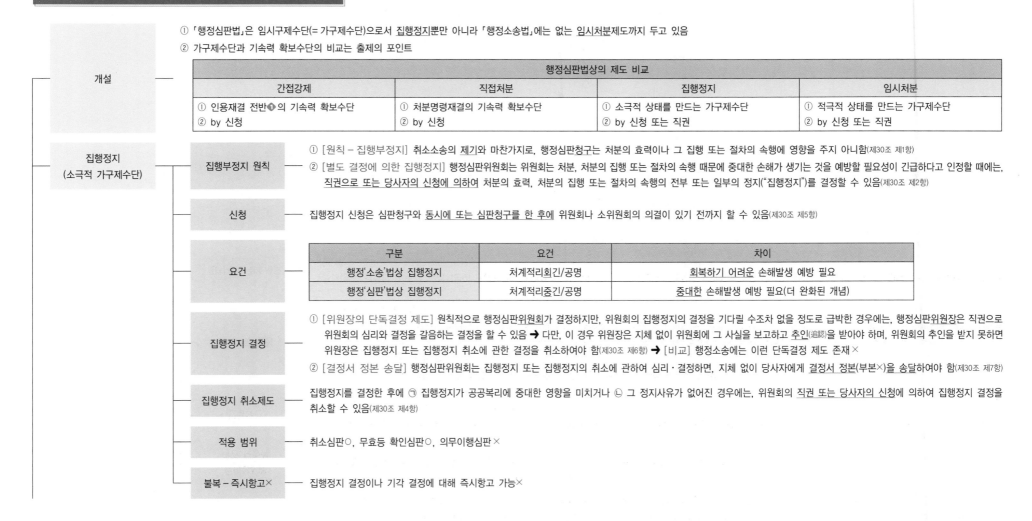

---

❶ 정확히는 취소재결, 무효확인재결, 부존재확인재결에 의해 재처분의무를 부담하거나, 처분명령재결에 따른 처분발급의무를 부담하게 된 상황에 대한 기속력 확보수단으로 존재하는 제도이다. 따라서 취소심판의 인용재결인 변경재결이나 변경명령재결의 경우에는 제외되기는 한다.

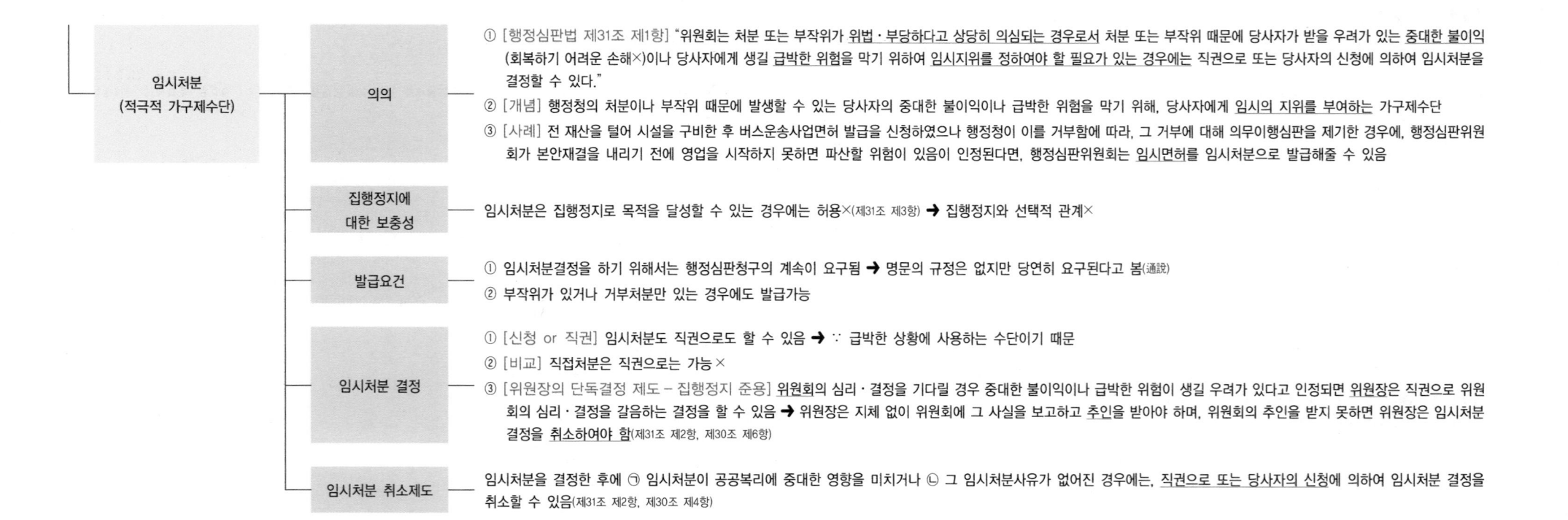

임시처분 (적극적 가구제수단)	의의	① [행정심판법 제31조 제1항] "위원회는 처분 또는 부작위가 <u>위법·부당하다고 상당히 의심되는 경우로서</u> 처분 또는 부작위 때문에 당사자가 받을 우려가 있는 <u>중대한 불이익</u> (회복하기 어려운 손해×)이나 당사자에게 생길 <u>급박한 위험</u>을 막기 위하여 <u>임시지위를 정하여야 할 필요가</u> 있는 경우에는 직권으로 또는 당사자의 신청에 의하여 임시처분을 결정할 수 있다." ② [개념] 행정청의 처분이나 부작위 때문에 발생할 수 있는 당사자의 중대한 불이익이나 급박한 위험을 막기 위해, 당사자에게 <u>임시의 지위</u>를 부여하는 가구제수단 ③ [사례] 전 재산을 털어 시설을 구비한 후 버스운송사업면허 발급을 신청하였으나 행정청이 이를 거부함에 따라, 그 거부에 대해 의무이행심판을 제기한 경우에, 행정심판위원 회가 본안재결을 내리기 전에 영업을 시작하지 못하면 파산할 위험이 있음이 인정된다면, 행정심판위원회는 임시면허를 임시처분으로 발급해줄 수 있음
	집행정지에 대한 보충성	임시처분은 집행정지로 목적을 달성할 수 있는 경우에는 허용×(제31조 제3항) ➔ 집행정지와 선택적 관계×
	발급요건	① 임시처분결정을 하기 위해서는 행정심판청구의 계속이 요구됨 ➔ 명문의 규정은 없지만 당연히 요구된다고 봄(通說) ② 부작위가 있거나 거부처분만 있는 경우에도 발급가능
	임시처분 결정	① [신청 or 직권] 임시처분도 직권으로도 할 수 있음 ➔ ∵ 급박한 상황에 사용하는 수단이기 때문 ② [비교] 직접처분은 직권으로는 가능× ③ [위원장의 단독결정 제도 – 집행정지 준용] <u>위원회의</u> 심리·결정을 기다릴 경우 중대한 불이익이나 급박한 위험이 생길 우려가 있다고 인정되면 <u>위원장은</u> 직권으로 위원 회의 심리·결정을 갈음하는 결정을 할 수 있음 ➔ 위원장은 지체 없이 위원회에 그 사실을 보고하고 <u>추인</u>을 받아야 하며, 위원회의 추인을 받지 못하면 위원장은 임시처분 결정을 <u>취소하여야</u> 함(제31조 제2항, 제30조 제6항)
	임시처분 취소제도	임시처분을 결정한 후에 ㉠ 임시처분이 공공복리에 중대한 영향을 미치거나 ㉡ 그 임시처분사유가 없어진 경우에는, 직권으로 또는 당사자의 신청에 의하여 임시처분 결정을 취소할 수 있음(제31조 제2항, 제30조 제4항)

재결

의의
① 심판청구사건에 대하여 행정심판위원회가 행하는 최종적인 법적 판단
② 행정행위 중 강학상 확인에 해당 ➔ 본래 항고소송의 대상이 될 수 있음(다만, 원처분주의하에서는 문제가 된 처분과 별개의 고유한 하자가 있는 경우에만 항고소송의 대상이 될 수 있게 하고 있음)
③ 형식적 의미의 행정(行政)이자, 실질적 의미의 사법(司法) ➔ "준(準)사법행위"

재결의 방식
① 재결은 서면으로 하며, 재결서에 적는 이유에는 주문 내용이 정당하다는 것을 인정할 수 있는 정도의 판단을 표시하여야 함(제46조 제3항) ➔ 재결서를 판결문에 대응시키고 있음
② 서면으로 하지 않은 행정심판의 재결은 무효(취소사유×)(형식상 하자)

재결기간
[60일 이내 – 30일 연장] 재결은 피청구인 또는 위원회가 심판청구를 받은 날부터 60일 이내에 하여야 하는 것이 원칙이지만, 부득이한 사정이 있는 경우에는 위원장이 직권으로 30일을 연장할 수 있음(제45조 제1항) ➔ 이 기간은 강행규정이 아니라 훈시규정

재결서 송달
① 재결이 이루어진 경우 위원회는 지체 없이 당사자에게 재결서의 정본(officially certified copy)을 송달하여야 함(제48조 제1항) ➔ 재결서 정본이 청구인에게 송달되면 재결의 효력이 발생(제48조 제2항)
② (변) [제3자가 제기한 행정심판의 경우] 처분의 상대방이 아닌 제3자가 심판청구를 한 경우, 위원회는 재결서의 등본을 지체없이 피청구인을 거쳐 처분의 상대방에게도 송달하여야 함(제48조 제4항)

증거자료 반환
(변) 행정심판위원회는 재결을 한 후, 증거서류 등의 반환 신청을 받으면 청구인이 제출한 문서·장부·물건이나 그 밖의 증거자료의 원본을 지체 없이 제출자에게 반환하여야 함(제55조)

사정재결
① [개념] 심판청구가 이유 있다고 인정함에도 불구하고, 이를 인용하는 것이 공공복리에 크게 위배되는 경우에 이루어지는 기각재결
② 사정재결을 할 때도 재결의 주문(主文)에 그 처분 또는 부작위가 위법하거나 부당하다는 점을 구체적으로 밝혀야 함(제44조 제1항 2문) ➔ 사정재결을 하더라도 계쟁처분이 적법·타당한 처분이 되는 것은 아님을 분명히 하는 동시에, 국가배상청구소송에서 입증을 용이하게 하기 위한 것
③ [부수적 보호조치] 사정재결을 할 때 청구인에 대한 상당한 구제방법을 행정심판위원회가 스스로 취하거나, 상당한 구제방법을 취할 것을 피청구인에게 명(命)할 수 있음(제44조 제2항) ➔ 사정판결에는 없는 제도
④ [적용범위] 취소심판○, 의무이행심판○, 무효등 확인심판×(제44조 제3항)

구분		사정재결(제44조)	청구기간제한(제27조)
무효등 확인심판		적용×	적용×
의무이행심판	부작위에 대한	적용○	적용×
	거부처분에 대한	적용○	적용○

조정
① [의의] 행정심판위원회는 당사자의 권리 및 권한의 범위에서(범위 밖의 사안×) 당사자의 동의를 받아(직권으로×) 행정심판 청구의 신속하고 공정한 해결을 위하여 조정을 할 수 있음 ➔ 다만, 그 조정이 공공복리에 적합하지 아니하거나 해당 처분의 성질에 반하는 경우에는 조정이 허용×(제43조의2 제1항) ➔ 공공복리에 적합하지 아니한 조정이 허용되지 않는 이유는, 두 당사자 간의 의사로 다른 사람들에게 피해를 주는 것을 허용할 수는 없기 때문
② (변) [성립요건 – 당사자의 서명 또는 날인 + 위원회의 확인] 조정은 당사자가 합의한 사항을 조정서에 기재한 후 당사자가 서명 또는 날인하고, 위원회가 이를 확인함으로써 완성됨(제43조의2 제3항)
③ (변) [재결에 대한 규정 준용] 재결의 송달(제48조), 기속력(제49조), 직접처분(제50조), 간접강제(제50조의2), 재청구금지(제51조)에 대한 규정이 조정에 준용됨(제43조의2 제4항)

공고 또는 고시에 의한 처분 취소
법령의 규정에 따라 공고하거나 고시한 처분이 재결로써 취소되거나 변경되면, 처분을 한 행정청은 지체 없이 그 처분이 취소 또는 변경되었다는 것을 공고하거나 고시하여야 함(제49조 제5항)

재결의 효력

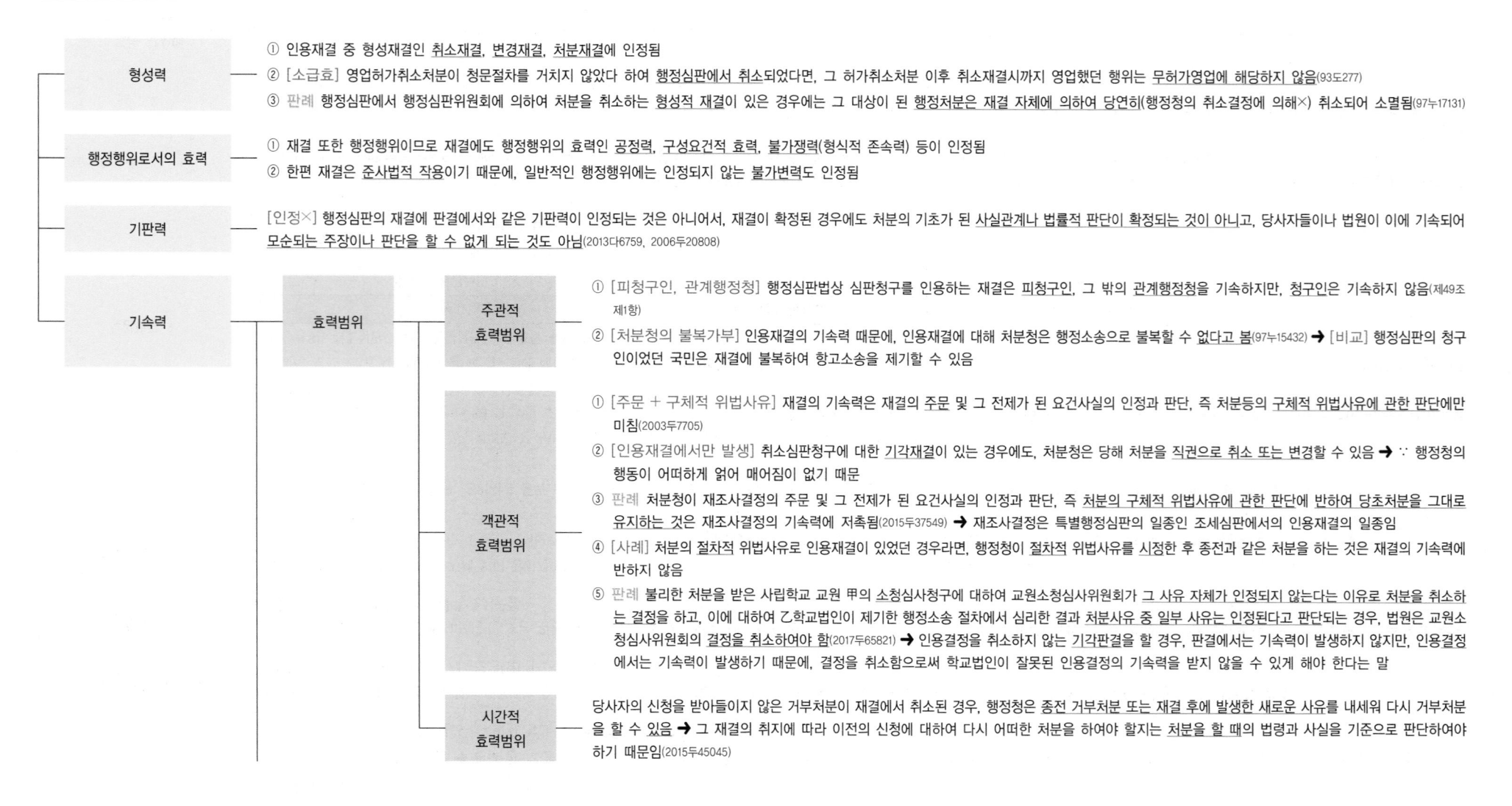

형성력

① 인용재결 중 형성재결인 취소재결, 변경재결, 처분재결에 인정됨
② [소급효] 영업허가취소처분이 청문절차를 거치지 않았다 하여 행정심판에서 취소되었다면, 그 허가취소처분 이후 취소재결시까지 영업했던 행위는 무허가영업에 해당하지 않음(93도277)
③ 판례 행정심판에서 행정심판위원회에 의하여 처분을 취소하는 형성적 재결이 있는 경우에는 그 대상이 된 행정처분은 재결 자체에 의하여 당연히(행정청의 취소결정에 의해×) 취소되어 소멸됨(97누17131)

행정행위로서의 효력

① 재결 또한 행정행위이므로 재결에도 행정행위의 효력인 공정력, 구성요건적 효력, 불가쟁력(형식적 존속력) 등이 인정됨
② 한편 재결은 준사법적 작용이기 때문에, 일반적인 행정행위에는 인정되지 않는 불가변력도 인정됨

기판력

[인정×] 행정심판의 재결에 판결에서와 같은 기판력이 인정되는 것은 아니어서, 재결이 확정된 경우에도 처분의 기초가 된 사실관계나 법률적 판단이 확정되는 것이 아니고, 당사자들이나 법원이 이에 기속되어 모순되는 주장이나 판단을 할 수 없게 되는 것도 아님(2013다6759, 2006두20808)

기속력

효력범위

주관적 효력범위

① [피청구인, 관계행정청] 행정심판법상 심판청구를 인용하는 재결은 피청구인, 그 밖의 관계행정청을 기속하지만, 청구인은 기속하지 않음(제49조 제1항)
② [처분청의 불복가부] 인용재결의 기속력 때문에, 인용재결에 대해 처분청은 행정소송으로 불복할 수 없다고 봄(97누15432) ➔ [비교] 행정심판의 청구인이었던 국민은 재결에 불복하여 항고소송을 제기할 수 있음

객관적 효력범위

① [주문 + 구체적 위법사유] 재결의 기속력은 재결의 주문 및 그 전제가 된 요건사실의 인정과 판단, 즉 처분등의 구체적 위법사유에 관한 판단에만 미침(2003두7705)
② [인용재결에서만 발생] 취소심판청구에 대한 기각재결이 있는 경우에도, 처분청은 당해 처분을 직권으로 취소 또는 변경할 수 있음 ➔ ∵ 행정청의 행동이 어떠하게 얽어 매어짐이 없기 때문
③ 판례 처분청이 재조사결정의 주문 및 그 전제가 된 요건사실의 인정과 판단, 즉 처분의 구체적 위법사유에 관한 판단에 반하여 당초처분을 그대로 유지하는 것은 재조사결정의 기속력에 저촉됨(2015두37549) ➔ 재조사결정은 특별행정심판의 일종인 조세심판에서의 인용재결의 일종임
④ [사례] 처분의 절차적 위법사유로 인용재결이 있었던 경우라면, 행정청이 절차적 위법사유를 시정한 후 종전과 같은 처분을 하는 것은 재결의 기속력에 반하지 않음
⑤ 판례 불리한 처분을 받은 사립학교 교원 甲의 소청심사청구에 대하여 교원소청심사위원회가 그 사유 자체가 인정되지 않는다는 이유로 처분을 취소하는 결정을 하고, 이에 대하여 乙학교법인이 제기한 행정소송 절차에서 심리한 결과 처분사유 중 일부 사유는 인정된다고 판단되는 경우, 법원은 교원소청심사위원회의 결정을 취소하여야 함(2017두65821) ➔ 인용결정을 취소하지 않는 기각판결을 할 경우, 판결에서는 기속력이 발생하지 않지만, 인용결정에서는 기속력이 발생하기 때문에, 결정을 취소함으로써 학교법인이 잘못된 인용결정의 기속력을 받지 않을 수 있게 해야 한다는 말

시간적 효력범위

당사자의 신청을 받아들이지 않은 거부처분이 재결에서 취소된 경우, 행정청은 종전 거부처분 또는 재결 후에 발생한 새로운 사유를 내세워 다시 거부처분을 할 수 있음 ➔ 그 재결의 취지에 따라 이전의 신청에 대하여 다시 어떠한 처분을 하여야 할지는 처분을 할 때의 법령과 사실을 기준으로 판단하여야 하기 때문임(2015두45045)

내용	① 기본적으로 취소판결 기속력에서의 논의와 동일 ➜ 반복금지의무, 재처분의무, 결과제거의무(원상회복의무)가 인정됨
	② [거부처분에 대한 취소재결이 있는 경우 재처분의무] 거부처분에 대한 취소재결이 있는 경우 재처분의무에 대한 규정이 없어, 재처분의무가 인정되는 것인지에 대해 논란이 있었으나, 2017년 개정된 행정심판법은 명문으로(제49조 제2항) 취소재결의 기속력의 내용으로서 재처분의무가 있음을 인정하고 있음
	③ [행정심판법 제49조 제2항] "재결에 의하여 취소되거나 무효 또는 부존재로 확인되는 처분이 당사자의 신청을 거부하는 것을 내용으로 하는 경우에는 그 처분을 한 행정청은 재결의 취지에 따라 다시 이전의 신청에 대한 처분을 하여야 한다." ➜ 이때 무효확인재결, 부존재확인재결에 따른 재처분의무도 함께 규정하였음
	④ [처분명령재결의 기속력] 당사자의 신청을 거부하거나 부작위로 방치한 처분의 이행을 명하는 재결이 있으면, 행정청은 지체 없이 이전의 신청에 대하여 재결의 취지에 따라 처분을 하여야 함(제49조 제3항)
	⑤ 판례 조세부과처분이 국세청장에 대한 불복심사청구에 의하여 그 불복사유가 이유있다고 인정되어 취소되었음에도 처분청이 동일한 사실에 관하여 부과처분을 되풀이 한 것이라면 설령 그 부과처분이 감사원의 시정요구에 의한 것이라 하더라도 위법함(86누127) ➜ ∵ 감사원의 요구라고 해서 행정심판의 재결보다 우월한 것은 아니기 때문

기속력 확보수단	직접처분 (제50조)	① [개념] 처분명령재결에도 불구하고 행정청이 처분을 하지 아니하고 있는 경우, 당사자가 신청하면, ㉠ 행정심판위원회가 기간을 정하여 서면으로 시정을 명(命)하고, ㉡ 그 기간 내에도 이행하지 아니하면 행정심판위원회가 직접 그 처분을 하게 하는 제도
		② 의무이행심판(취소심판×, 무효등확인심판×)의 인용재결인 처분명령재결의 기속력을 확보하기 위한 수단으로서 존재
		③ [절차 – 신청○, 직권×] 처분청이 처분이행명령재결에 따른 처분을 하지 아니한 경우에도 행정심판위원회는 당사자의 신청이 없으면 직권으로는 직접처분을 할 수 없음
		④ [소극적 요건(한계)] 처분의 성질이나 그 밖의 불가피한 사유로 위원회가 직접 처분을 할 수 없는 경우에 해당하지 않아야 함(제50조 제1항 단서) ➜ [사례] 정보비공개결정에 대한 행정심판에서 내려진 정보공개명령재결에 행정청이 따르지 않는다 하더라도, 정보공개는 정보를 보유하는 기관만이 할 수 있기 때문에, 성질상 행정심판위원회는 정보공개처분을 할 수 없음
		⑤ [행심위의 직접처분 통보의무 및 행정청의 필요조치의무] ㉠ 행정심판위원회는 직접 처분을 하였을 때에는 그 사실을 해당 행정청에 통보하여야 하며, ㉡ 그 통보를 받은 행정청은 행정심판위원회가 한 처분을 자기가 한 처분으로 보아 관계법령에 따라 관리·감독 등 필요한 조치를 하여야 함(제50조 제2항)
		⑥ (변) [직접처분에 대한 제3자의 불복] 직접처분으로 인하여 법률상 이익을 침해받은 제3자는, 처분청인 행정심판위원회를 피고로 하여 직접처분의 취소를 구하는 취소소송 제기 가능 ➜ ∵ 어쨌든 결과적으로는 행정청으로부터 처분이 발급된 것과 동일하기 때문
		⑦ (변) [직접처분에 대한 지방자치단체의 불복] 자신의 사무에 대하여 직접처분을 받은 지방자치단체는 행정심판위원회가 속한 국가기관을 상대로 헌법상 권한쟁의심판을 청구할 수 있음(98헌라4) ➜ 경기도선거관리위원회가 성남시의 사무에 대해 직접처분을 하자, 성남시가 경기도지사를 상대로 청구한 권한쟁의심판에 대해 본안에 들어간 사건
	간접강제 (제50조의2)	① [개념] 행정심판의 인용재결에 따라 행정청의 (재)처분의무가 인정됨에도 불구하고, 행정청이 인용재결에 따른 처분을 하지 아니하는 경우, ㉠ 행정심판위원회가 당사자의 신청에 의하여 결정으로 상당한 기간을 정하고, ㉡ 그 기간 내에 이행하지 아니하는 경우에 지연기간에 따라 일정한 배상을 하도록 명하거나, 즉시 배상할 것을 명하는 제도
		② [대상] 처분명령재결❶이나, 거부처분에 대한 무효·부존재확인재결 또는 거부처분에 대한 취소재결(변경재결×, 변경명령재결×)의 기속력을 확보하기 위한 수단으로서 존재 ➜ [비교] 무효확인 소송에서는 판결의 기속력 확보수단으로 간접강제를 사용×(규정이 없기 때문)
		③ [절차 – 신청○, 직권×] 간접강제를 하려면 청구인의 신청이 있어야 하고, 직권으로는 할 수 없음
		④ [행정소송으로 불복] 행정심판청구인은 행정심판위원회의 간접강제 결정에 불복하는 경우 그 결정에 대하여 행정소송을 제기할 수 있음(제4항) ➜ 행정소송의 경우 간접강제결정에 대하여 상급 법원에 항고할 수 있는데(이는 공무원 수험의 범위를 벗어난다), 행정심판의 경우에는 상급법원에 대응하는 개념이 존재하지 않으므로 행정소송을 제기할 수 있게 하고 있는 것임
		⑤ (변) [간접강제 변경결정] 행정심판위원회는 사정의 변경이 있는 경우에는 당사자의 신청(직권×)에 의하여 간접강제 결정의 내용을 변경할 수 있으며, 변경결정을 하기 전에 신청 상대방의 의견을 들어야 함(제2항, 제3항)
		⑥ (변) [집행권원과 같은 효력] 간접강제 결정서 정본은, 간접강제 결정에 대한 청구인의 행정소송 제기와 관계없이, 「민사집행법」에 따른 강제집행에 관하여는 집행권원❷과 같은 효력을 가짐 (제5항) ➜ 간접강제결정이나 간접강제내용 변경결정은 법원의 판결이 아니지만 집행권원으로서의 효력을 가진다는 말
		⑦ (변) [주관적 범위] 간접강제결정 또는 간접강제 변경결정의 효력은 피청구인인 행정청이 소속된 국가·지방자치단체 또는 공공단체에 미침(제5항)

❶ 처분명령재결의 경우에는 그 기속력 확보수단으로서, 직접처분과 간접강제를 모두 활용할 수 있다.

❷ [민사집행법] 집행권원이란 그것을 보유하고 있을 경우, 법원의 추가적인 재판이 없이도 법원에 강제집행을 신청할 수 있게 만드는 문서를 말한다.

전자정보처리조직을 통한 행정심판

① 전자소송에 대응하는 제도가 행정심판에도 '전자정보처리조직을 통한 행정심판'이라는 이름으로 2010년부터 마련이 되어 있음

② [심판청구서의 제출] 전자정보처리조직을 통하여 제출된 전자문서는, 그 문서를 제출한 사람이 정보통신망을 통하여 전자정보처리조직에서 제공하는 접수번호를 확인하였을 때에 전자정보처리조직에 기록된 내용으로 접수된 것으로 보며, 접수가 되었을 때 행정심판이 청구된 것으로 봄(제52조)

③ [서류송달] 피청구인 또는 위원회는 전자정보처리조직을 통하여 행정심판을 청구하거나 심판참가를 한 자에게 전자정보처리조직과 그와 연계된 정보통신망을 이용하여 재결서나 「행정심판법」에 따른 각종 서류를 송달할 수 있음 ➜ 다만, 청구인이나 참가인이 동의하지 아니하는 경우에는 불가능(제54조 제1항)

④ [시점산정] 전자정보처리조직을 이용한 재결서 송달시, 청구인이 전자정보처리조직에 등재된 전자문서를 확인한 때에 전자정보처리조직에 기록된 내용으로 도달된 것으로 봄 ➜ 재결서 등재사실을 통지한 날부터 2주일 이내에 확인하지 아니하였을 때에는, 등재사실을 통지한 날부터 2주가 지난 날에 도달한 것으로 봄(제54조 제4항)

⑤ [비교 – 전자문서에 의한 처분송달(행정절차법)] 행정절차법상 정보통신망을 이용하여 전자문서로 처분을 송달하는 경우에는, 송달받을 자가 지정한 컴퓨터 등에 입력된 때에 도달된 것으로 봄(행정절차법 제15조 제2항)

⑥ [비교 – 전자문서에 의한 처분신청(행정절차법)] 처분을 신청할 때 전자문서로 하는 경우에는 행정청의 컴퓨터 등에 입력된 때에 신청한 것으로 봄(행정절차법 제17조 제2항)

유대웅
행정법총론
핵심정리 #2

PART
07
정보행정법

공공기관의 정보공개에 관한 법률

제1장

공공기관의 정보공개에 관한 법률(정보공개법)

의의 — 공공기관이 보유·관리하는 정보에 대한 국민의 공개 청구 및 공공기관의 공개 의무에 관하여 필요한 사항을 정하고 있는 법률

헌법적 근거

① 헌법상 기본권인 알권리를 보장하기 위한 목적으로 제정된 법률 ➜ 헌법전에는 알권리에 대한 명문의 규정이 없으나, 헌법재판소는 헌법 제21조에서 규정하고 있는 표현의 자유에 근거한다고 봄

② (변) [알권리의 성질] 알권리 즉, 정보에의 접근·수집·처리의 자유는 자유권적 성질과 청구권적 성질을 공유하는 것으로서 헌법 제21조에 의하여 직접 보장되는 권리임(2009두12785)

③ (변) 표현의 자유의 인정범위 헌법 제21조에서 보장하고 있는 표현의 자유는 개인이 인간으로서의 존엄과 가치를 유지하고 국민주권을 실현하는 데 필수불가결한 자유로서, 자신의 신원을 누구에게도 밝히지 않은 채 익명 또는 가명으로 자신의 사상이나 견해를 표명하고 전파할 익명표현의 자유도 그 보호영역에 포함됨(2012다105482)

적용범위

정보공개에 관한 일반법

① [제4조 제1항] "정보의 공개에 관하여는 다른 법률에 특별한 규정이 있는 경우를 제외하고는 이 법이 정하는 바에 의한다."

② 사립학교의 정보공개 – 정보공개법도 적용○ 사립학교에 대하여 「교육관련 기관의 정보공개에 관한 특례법」이 적용되는 경우라고 해서 「공공기관의 정보공개에 관한 법률」을 적용할 수 없는 것은 아님(2011두5049) ➜ 「교육관련 기관의 정보공개에 관한 특례법」은 공공기관 중 사립학교가 정보공개를 하는 경우를 규율하기 위한 목적으로 제정된 특별법이 맞기는 하지만, 규율의 범위가 포괄적이지 않아, 동법이 규율하지 않고 있는 영역에 대해서는 여전히 일반법인 정보공개법이 적용된다고 봄

③ (변) 민사소송법상 문서제출의무의 대상이 아닌 문서 – 정보공개법 적용○ 「민사소송법」상 문서제출의무의 예외에 해당하는 '공무원 또는 공무원이었던 사람이 그 직무와 관련하여 보관하거나 가지고 있는 문서'에 대한 공개는, 「민사소송법」상의 절차에 의할 것이 아니라, 「공공기관의 정보공개에 관한 법률」에서 정한 절차와 방법에 의하여야 함(2008마546) ➜ 이 문서를 민사소송 중에 증거자료로서 제공받는 것은 「민사소송법」 제344조에 의해 허용되지 않지만, 그와 별개로 이 문서도 공공기관이 보유·관리하는 정보라면 「정보공개법」에 근거하여 공개청구가 가능하다는 말

정보공개법의 적용배제

① '정보공개에 관하여 다른 법률에 특정한 규정이 있는 경우'에 해당한다고 하여 정보공개법의 적용을 배제하기 위해서는, ⊙ 특별한 규정이 '법률'이어야 하고, ⓒ 그 내용이 정보공개의 대상 및 범위, 정보공개의 절차, 비공개대상정보 등에 관하여 정보공개법과 달리 규정하고 있는 것이어야 함(2012두17384)

② 형사재판확정기록의 공개 – 정보공개법 적용× 형사재판확정기록의 공개에 관하여는 「형사소송법」의 규정이 적용되므로 「공공기관의 정보공개에 관한 법률」에 의한 공개청구는 허용× (2013두20882) ➜ ∵ 「형사소송법」 제59조의2에서 형사재판확정기록의 공개 여부나 공개 범위, 불복절차 등에 대하여 정보공개법과 다르게 규정하고 있었기 때문

③ 판례 ⊙ 형사재판확정기록에 관해서는 「형사소송법」(정보공개법×) 제59조의2에 따른 열람·등사신청이 허용되고 그 거부나 제한 등에 대한 불복은 준항고에 의하며, ⓒ 형사재판확정기록이 아닌 불기소처분으로 종결된 기록에 관해서는 「정보공개법」에 따른 정보공개청구가 허용되고 그 거부나 제한 등에 대한 불복은 항고소송절차에 의함(2021모3175) ➜ ∵ 후자에 대해서는 별도의 규정이 없기 때문

정보공개조례

① [제4조 제2항] "지방자치단체는 그 소관 사무에 관하여 법령의 범위에서 정보공개에 관한 조례를 정할 수 있다."

② 청주시 행정정보공개조례 사건 청주시의회에서 의결한 청주시 행정정보공개조례안은 행정에 대한 주민의 알 권리의 실현을 그 근본 내용으로 하면서도 이로 인한 개인의 권익침해 가능성을 배제하고 있으므로, 이를 들어 주민의 권리를 제한하거나 의무를 부과하는 조례라고는 단정할 수 없고, 따라서 그 제정에 있어서 반드시 법률의 개별적 위임이 따로 필요한 것은 아님(92추17) ➜ 「정보공개법」이 제정되기 전에, 청주시의회에서 청주시의 정보공개에 관한 조례를 제정한 적이 있었는데, 법률에 근거가 없음에도 제정된 그 조례의 위법성이 문제되었음 ➜ 대법원은 수익적 조례이기 때문에, 법률유보 원칙의 적용을 받지 않아, 상위법령의 위임이 없어도 동 조례는 적법하다고 보았음

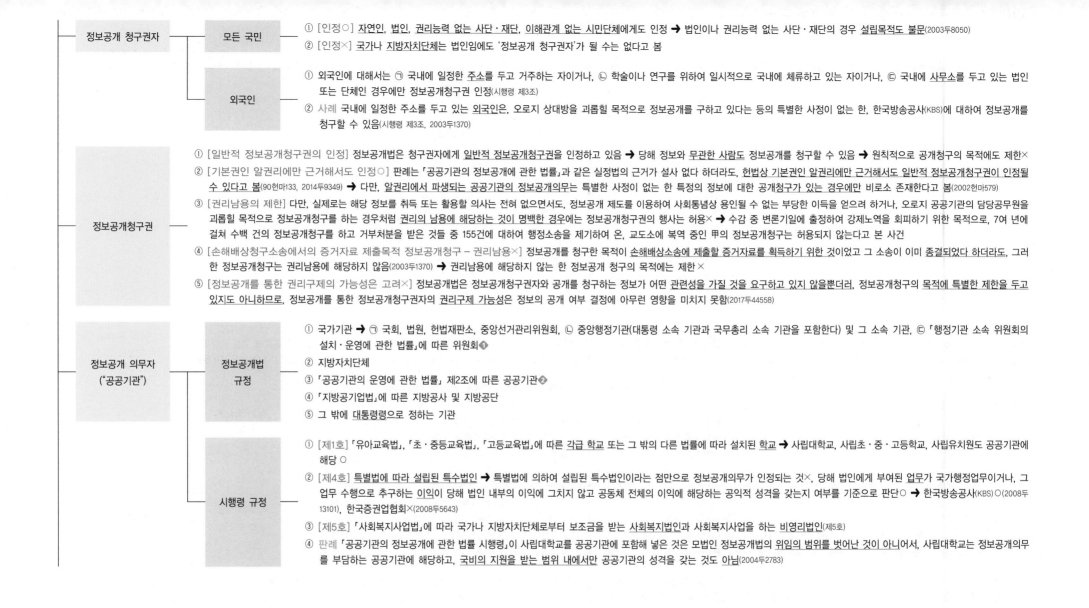

정보공개 청구권자

모든 국민
① [인정○] 자연인, 법인, 권리능력 없는 사단·재단, 이해관계 없는 시민단체에게도 인정 ➜ 법인이나 권리능력 없는 사단·재단의 경우 설립목적도 불문(2003두8050)
② [인정×] 국가나 지방자치단체는 법인임에도 '정보공개 청구권자'가 될 수는 없다고 봄

외국인
① 외국인에 대해서는 ㉠ 국내에 일정한 주소를 두고 거주하는 자이거나, ㉡ 학술이나 연구를 위하여 일시적으로 국내에 체류하고 있는 자이거나, ㉢ 국내에 사무소를 두고 있는 법인 또는 단체인 경우에만 정보공개청구권 인정(시행령 제3조)
② 사례 국내에 일정한 주소를 두고 있는 외국인은, 오로지 상대방을 괴롭힐 목적으로 정보공개를 구하고 있다는 등의 특별한 사정이 없는 한, 한국방송공사(KBS)에 대하여 정보공개를 청구할 수 있음(시행령 제3조, 2003두1370)

정보공개청구권

① [일반적 정보공개청구권의 인정] 정보공개법은 청구권자에게 일반적 정보공개청구권을 인정하고 있음 ➜ 당해 정보와 무관한 사람도 정보공개를 청구할 수 있음 ➜ 원칙적으로 공개청구의 목적에도 제한×
② [기본권인 알권리에만 근거해서도 인정○] 판례는 「공공기관의 정보공개에 관한 법률」과 같은 실정법의 근거가 설사 없다 하더라도, 헌법상 기본권인 알권리에만 근거해서도 일반적 정보공개청구권이 인정될 수 있다고 봄(90헌마133, 2014두9349) ➜ 다만, 알권리에서 파생되는 공공기관의 정보공개의무는 특별한 사정이 없는 한 특정의 정보에 대한 공개청구가 있는 경우에만 비로소 존재한다고 봄(2002헌마579)
③ [권리남용의 제한] 다만, 실제로는 해당 정보를 취득 또는 활용할 의사는 전혀 없으면서도, 정보공개 제도를 이용하여 사회통념상 용인될 수 없는 부당한 이득을 얻으려 하거나, 오로지 공공기관의 담당공무원을 괴롭힐 목적으로 정보공개청구를 하는 경우처럼 권리의 남용에 해당하는 것이 명백한 경우에는 정보공개청구권의 행사는 허용× ➜ 수감 중 변론기일에 출정하여 강제노역을 회피하기 위한 목적으로, 7여 년에 걸쳐 수백 건의 정보공개청구를 하고 거부처분을 받은 것들 중 155건에 대하여 행정소송을 제기하여 온, 교도소에 복역 중인 甲의 정보공개청구는 허용되지 않는다고 본 사건
④ [손해배상청구소송에서의 증거자료 제출목적 정보공개청구 – 권리남용×] 정보공개를 청구한 목적이 손해배상소송에 제출할 증거자료를 획득하기 위한 것이었고 그 소송이 이미 종결되었다 하더라도, 그러한 정보공개청구는 권리남용에 해당하지 않음(2003두1370) ➜ 권리남용에 해당하지 않는 한 정보공개 청구의 목적에는 제한×
⑤ [정보공개를 통한 권리구제의 가능성은 고려×] 정보공개법은 정보공개청구권자와 공개를 청구하는 정보가 어떤 관련성을 가질 것을 요구하고 있지 않을뿐더러, 정보공개청구의 목적에 특별한 제한을 두고 있지도 아니하므로, 정보공개를 통한 정보공개청구권자의 권리구제 가능성은 정보의 공개 여부 결정에 아무런 영향을 미치지 못함(2017두44558)

정보공개 의무자 ("공공기관")

정보공개법 규정
① 국가기관 ➜ ㉠ 국회, 법원, 헌법재판소, 중앙선거관리위원회, ㉡ 중앙행정기관(대통령 소속 기관과 국무총리 소속 기관을 포함한다) 및 그 소속 기관, ㉢ 「행정기관 소속 위원회의 설치·운영에 관한 법률」에 따른 위원회❶
② 지방자치단체
③ 「공공기관의 운영에 관한 법률」 제2조에 따른 공공기관❷
④ 「지방공기업법」에 따른 지방공사 및 지방공단
⑤ 그 밖에 대통령령으로 정하는 기관

시행령 규정
① [제1호] 「유아교육법」, 「초·중등교육법」, 「고등교육법」에 따른 각급 학교 또는 그 밖의 다른 법률에 따라 설치된 학교 ➜ 사립대학교, 사립초·중·고등학교, 사립유치원도 공공기관에 해당 ○
② [제4호] 특별법에 따라 설립된 특수법인 ➜ 특별법에 의하여 설립된 특수법인이라는 점만으로 정보공개의무가 인정되는 것×, 당해 법인에게 부여된 업무가 국가행정업무이거나, 그 업무 수행으로 추구하는 이익이 당해 법인 내부의 이익에 그치지 않고 공동체 전체의 이익에 해당하는 공익적 성격을 갖는지 여부를 기준으로 판단○ ➜ 한국방송공사(KBS)○(2008두13101), 한국증권업협회×(2008두5643)
③ [제5호] 「사회복지사업법」에 따라 국가나 지방자치단체로부터 보조금을 받는 사회복지법인과 사회복지사업을 하는 비영리법인(제5호)
④ 판례 「공공기관의 정보공개에 관한 법률 시행령」이 사립대학교를 공공기관에 포함해 넣은 것은 모법인 정보공개법의 위임의 범위를 벗어난 것이 아니어서, 사립대학교는 정보공개의무를 부담하는 공공기관에 해당하고, 국비의 지원을 받는 범위 내에서만 공공기관의 성격을 갖는 것도 아님(2004두2783)

❶ 위원회, 심의회, 협의회 등 명칭을 불문하고 행정기관의 소관 사무에 관하여 자문에 응하거나 조정, 협의, 심의 또는 의결 등을 하기 위한 복수의 구성원으로 이루어진 합의제 기관을 말한다. 다만, 행정기관 소속인 것만을 말한다.
❷ 공기업이나 준정부기관 등을 가리킨다. 행정학의 영역이므로 이 정도만 알아도 충분하다.

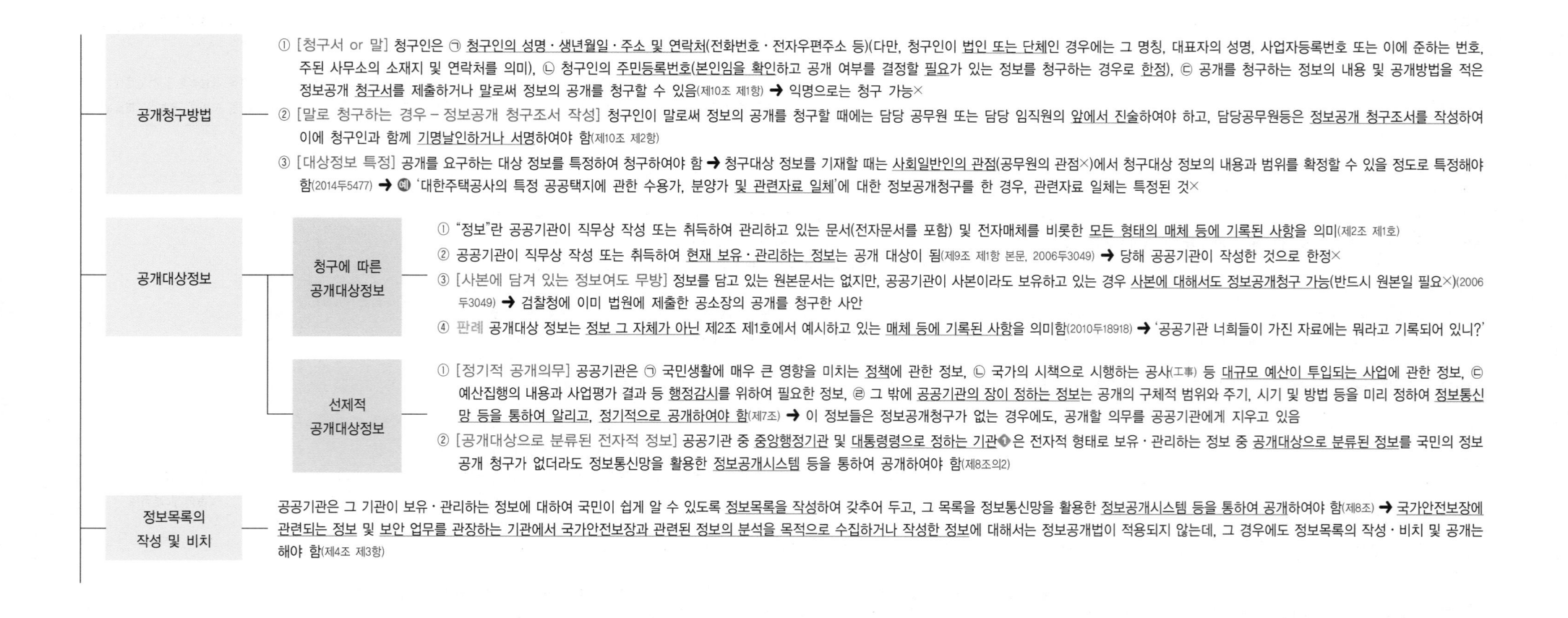

공개청구방법	① [청구서 or 말] 청구인은 ⑤ 청구인의 성명·생년월일·주소 및 연락처(전화번호·전자우편주소 등)(다만, 청구인이 법인 또는 단체인 경우에는 그 명칭, 대표자의 성명, 사업자등록번호 또는 이에 준하는 번호, 주된 사무소의 소재지 및 연락처를 의미), ⑥ 청구인의 주민등록번호(본인임을 확인하고 공개 여부를 결정할 필요가 있는 정보를 청구하는 경우로 한정), ⑥ 공개를 청구하는 정보의 내용 및 공개방법을 적은 정보공개 청구서를 제출하거나 말로써 정보의 공개를 청구할 수 있음(제10조 제1항) ➡ 익명으로는 청구 가능×
	② [말로 청구하는 경우 - 정보공개 청구조서 작성] 청구인이 말로써 정보의 공개를 청구할 때에는 담당 공무원 또는 담당 임직원의 앞에서 진술하여야 하고, 담당공무원등은 정보공개 청구조서를 작성하여 이에 청구인과 함께 기명날인하거나 서명하여야 함(제10조 제2항)
	③ [대상정보 특정] 공개를 요구하는 대상 정보를 특정하여 청구하여야 함 ➡ 청구대상 정보를 기재할 때는 사회일반인의 관점(공무원의 관점×)에서 청구대상 정보의 내용과 범위를 확정할 수 있을 정도로 특정해야 함(2014두5477) ➡ ⑩ '대한주택공사의 특정 공공택지에 관한 수용가, 분양가 및 관련자료 일체'에 대한 정보공개청구를 한 경우, 관련자료 일체는 특정된 것×

공개대상정보

청구에 따른 공개대상정보

① "정보"란 공공기관이 직무상 작성 또는 취득하여 관리하고 있는 문서(전자문서를 포함) 및 전자매체를 비롯한 모든 형태의 매체 등에 기록된 사항을 의미(제2조 제1호)

② 공공기관이 직무상 작성 또는 취득하여 현재 보유·관리하는 정보는 공개 대상이 됨(제9조 제1항 본문, 2006두3049) ➡ 당해 공공기관이 작성한 것으로 한정×

③ [사본에 담겨 있는 정보여도 무방] 정보를 담고 있는 원본문서는 없지만, 공공기관이 사본이라도 보유하고 있는 경우 사본에 대해서도 정보공개청구 가능(반드시 원본일 필요×)(2006두3049) ➡ 검찰청에 이미 법원에 제출한 공소장의 공개를 청구한 사안

④ 판례 공개대상 정보는 정보 그 자체가 아닌 제2조 제1호에서 예시하고 있는 매체 등에 기록된 사항을 의미함(2010두18918) ➡ '공공기관 너희들이 가진 자료에는 뭐라고 기록되어 있니?'

선제적 공개대상정보

① [정기적 공개의무] 공공기관은 ⑤ 국민생활에 매우 큰 영향을 미치는 정책에 관한 정보, ⑥ 국가의 시책으로 시행하는 공사(工事) 등 대규모 예산이 투입되는 사업에 관한 정보, ⑥ 예산집행의 내용과 사업평가 결과 등 행정감시를 위하여 필요한 정보, ⑥ 그 밖에 공공기관의 장이 정하는 정보는 공개의 구체적 범위와 주기, 시기 및 방법 등을 미리 정하여 정보통신망 등을 통하여 알리고, 정기적으로 공개하여야 함(제7조) ➡ 이 정보들은 정보공개청구가 없는 경우에도, 공개할 의무를 공공기관에게 지우고 있음

② [공개대상으로 분류된 전자적 정보] 공공기관 중 중앙행정기관 및 대통령령으로 정하는 기관❶은 전자적 형태로 보유·관리하는 정보 중 공개대상으로 분류된 정보를 국민의 정보공개 청구가 없더라도 정보통신망을 활용한 정보공개시스템 등을 통하여 공개하여야 함(제8조의2)

정보목록의 작성 및 비치

공공기관은 그 기관이 보유·관리하는 정보에 대하여 국민이 쉽게 알 수 있도록 정보목록을 작성하여 갖추어 두고, 그 목록을 정보통신망을 활용한 정보공개시스템 등을 통하여 공개하여야 함(제8조) ➡ 국가안전보장에 관련되는 정보 및 보안 업무를 관장하는 기관에서 국가안전보장과 관련된 정보의 분석을 목적으로 수집하거나 작성한 정보에 대해서는 정보공개법이 적용되지 않는데, 그 경우에도 정보목록의 작성·비치 및 공개는 해야 함(제4조 제3항)

---

❶ 시행령 제5조의2는 "대통령령으로 정하는 기관"을 ⑤ 중앙행정기관의 소속 기관, ⑥ 「행정기관 소속 위원회의 설치·운영에 관한 법률」에 따른 위원회, ⑥ 지방자치단체, ⑥ 「초·중등교육법」 제2조에 따른 각급 학교, ⑩ 「공공기관의 운영에 관한 법률」 제5조에 따른 공기업 및 준정부기관으로 정하고 있다.

| 공개방법 | 종류 | ① 공개란 ㉠ 정보를 열람하게 하거나, ㉡ 그 사본·복제물을 제공하거나, ㉢ 정보통신망을 통하여 정보를 제공하는 것 등을 말함(제2조 제2호) |
| | | ② (변) 정보공개법 제7조 제1항에 따른 정보 등 국민생활에 매우 큰 영향을 미치는 정책에 관한 정보 등 공개를 목적으로 작성되고(and) 이미 정보통신망 등을 통하여 공개된 정보는 해당 정보의 소재 안내의 방법으로 공개함(시행령 제14조 제1항 제5호) |

공개방법의 특정권

① 정보공개법상의 청구인에게는 특정한 공개방법을 지정하여 정보공개를 청구할 수 있는 법령상 신청권이 인정됨(2016두44674)

② [근거 규정] 공공기관은 청구인이 사본 또는 복제물의 교부를 원하는 경우에는 이를 교부하여야 함(제13조 제2항) ➜ 다만, 공개대상정보의 양이 너무 많아 정상적인 업무수행에 현저한 지장을 초래할 우려가 있는 경우에는, 정보의 사본·복제물을 일정기간별로 나누어 제공하거나 열람과 병행하여 제공할 수 있음(제13조 제3항)

③ [공공기관의 정보공개방법 선택 재량권 無] 정보공개법 제13조 제3항에서 규정한 정보의 사본 또는 복제물의 교부를 제한할 수 있는 사유에 해당하지 아니하는 한, 정보공개 청구자가 선택한 공개방법에 따라 공개하여야 하므로, 공공기관은 정보공개방법을 선택할 재량권이 없음(2003두8050)

④ [사본·복제물 공개권한] 공공기관은 정보의 원본이 더럽혀지거나 파손될 우려가 있거나 그 밖에 상당한 이유가 있다고 인정할 때에는 그 정보의 사본·복제물을 공개할 수 있음 (제13조 제4항)

전자적 형태로 공개해 줄 것을 청구한 경우

① [전자적 형태로 보유·관리하고 있던 정보의 경우] 공공기관은 전자적 형태로 보유·관리하는 정보에 대하여, 청구인이 전자적 형태로 공개하여 줄 것을 요청하는 경우에는, 그 정보의 성질상 현저히 곤란한 경우를 제외하고는 청구인의 요청에 따라야 함(의무)(제15조 제1항)

② [전자적 형태로 보유·관리하고 있지 않던 정보의 경우] 공공기관은 전자적 형태로 보유·관리하지 아니하는 정보에 대하여, 청구인이 전자적 형태로 공개하여 줄 것을 요청한 경우에는, 정상적인 업무수행에 현저한 지장을 초래하거나 그 정보의 성질이 훼손될 우려가 없으면 그 정보를 전자적 형태로 변환하여 공개할 수 있음(권한)(제15조 제2항)

③ [검색·편집이 필요한 경우] 공개청구를 받은 정보의 기초자료(폐 개별 수험생들의 수학능력시험 과목별 등급)만 전자적 형태로 보유·관리되고 있는 상황에서 청구인이 요청한대로 자료(폐 개별 수험생들의 수학능력시험 원점수 및 등급구분점수)를 공개하려면 이를 검색·편집하여야 하지만, ㉠ 당해 기관에서 통상 사용되는 컴퓨터 하드웨어 및 소프트웨어와 기술적 전문지식을 사용하여 그 기초자료를 검색하여 청구인이 구하는 대로 편집할 수 있으며, ㉡ 그러한 작업이 당해 기관의 컴퓨터 시스템 운용에 별다른 지장을 초래하지 아니한 다면, 이를 검색·편집하여 제공하여야 함(2009두6001) ➜ 이것은 새로운 정보의 생산에 해당×, 이렇게 검색·편집된 정보도 보유·관리하는 정보에 해당○ ➜ 대입수학능력시험에서 과목별 등급만 공개하던 시절에, 시민단체에서 교육과학기술부장관을 상대로 그 분류의 근거가 되었던 원점수와 등급구분점수의 공개를 요구했던 사안

비용부담

정보공개 및 우송에 드는 비용은 실비 범위에서 청구인이 부담 ➜ 다만, 공개를 청구하는 정보의 사용 목적이 공공복리의 유지·증진을 위하여 필요하다고 인정되는 경우(액수가 큰 경우×)에는 이 비용부담을 감면할 수 있음(제17조 제2항)

정보공개위원회

① [설치] 정보공개에 관한 정책 수립 및 제도 개선에 관한 사항을 심의·조정하기 위하여 행정안전부장관 소속으로 정보공개위원회를 둠(제22조)

② [구성] 정보공개위원회는 성별을 고려하여 위원장과 부위원장 각 1명을 포함한 11명의 위원으로 구성됨(제23조 제1항) ➜ [비교 – 정보공개심의회] 정보공개심의회는 위원장 1명을 포함하여 5명 이상 7명 이하의 위원으로 구성됨(제12조 제2항)

(변) 전년도 정보공개 운영보고

행정안전부장관은 전년도의 정보공개 운영에 관한 보고서를 매년 정기국회 개회 전까지 국회에 제출하여야 함(제26조 제1항)

비공개대상 정보
(제9조 제1항 단서 각 호)

개설

① 제9조 제1항 단서 각 호는 공공기관이 현재 보유·관리하는 정보라 하더라도, 예외적으로 공개하지 않을 수 있는 8가지 사유('비공개대상 정보')에 대해 규율 ➔ 이 경우들에 해당하면 공개할 수 없는 것이 아니라 않을 수 있는 것(재량행위)

② [이익형량에 의한 판단] 비공개사유(8가지 사유)에 해당하는지 여부는 비공개에 의하여 보호되는 업무수행의 공정성 등의 이익과, 공개에 의하여 보호되는 국민의 알권리의 보장과 국정에 대한 국민의 참여 및 국정운영의 투명성 확보 등의 이익을 비교·교량하여 구체적인 사안에 따라 개별적으로 판단(2009두12785)

③ [널리 알려진 정보 – 비공개대상정보×] 공개청구의 대상이 되는 정보가 이미 공개되어 널리 알려져 있다거나, 인터넷이나 관보 등을 통하여 공개하여 인터넷 검색이나 도서관에서의 열람 등을 통하여 쉽게 알 수 있다는 사정만으로는, 정보공개거부처분 취소소송의 소의 이익이 없다거나 비공개대상정보에 해당하게 되는 것은 아님 (2005두15694, 2008두13101) ➔ 이런 사정은 8가지 사유 중 하나×

④ [사경제작용의 주체로서 행한 사업관련 정보 – 비공개대상정보×] 어떠한 정보가 국가·지방자치단체 등이 사경제작용의 주체로서의 지위에서 행한 사업과 관련된 정보라고 해서 비공개대상정보가 되는 것은 아님(2006두20587) ➔ 이런 사정은 8가지 사유 중 하나×

제1호 – 법령 규정

① [제1호] 다른 법률 또는 법률에서 위임한 명령에 따라 비밀이나 비공개 사항으로 규정된 정보

② [법령 형식의 제한] 이때의 "명령"은 국회규칙·대법원규칙·헌법재판소규칙·중앙선거관리위원회규칙·대통령령 및 조례로 한정됨(2004년 개정❶) ➔ 총리령×, 부령×

③ [위임이 없이 제정된 대통령령의 경우] 대통령령인 「교육공무원승진규정」에서 근무성적평정의 결과를 공개하지 아니한다고 규정하고 있더라도, 「교육공무원승진규정」은 정보공개에 관하여 위임을 받아 제정된 명령이 아니므로, 교육공무원승진규정 제26조를 근거로 정보공개청구를 거부하는 것은 위법임(2006두11910) ➔ 상위법인 「교육공무원법」에서 교육공무원에 대한 승진임용의 방식과 기준에 대해서만 대통령령으로 위임하고 있었고, 근무성적평정의 결과의 공개 여부에 대해서는 위임한 바가 없었던 경우였음

④ [국정원 직원에게 지급하는 현금급여 및 월초수당] 국가정보원이 그 직원에게 지급하는 현금급여 및 월초수당에 관한 정보는 비공개대상정보에 해당○(2010두14800) ➔ 「국가정보원법」 제12조에서 이를 비공개대상정보로 규정하고 있었음(아내가 국가정보원 직원이었던 남편의 급여 공개를 청구했으나 거부된 사건)

⑤ [사례 – 공익신고자] 「국민기초생활 보장법」상의 복지급여를 부정수급하고 있다고 신고한 자의 신상정보와 그 내용은 「공익신고자 보호법」 규정에 의하여 비공개대상 정보에 해당○

⑥ 2004년 개정 전 판례 – 규정의 의미 「공공기관의 정보공개에 관한 법률」 제9조 제1항 제1호에서 '법률에서 위임한 명령'에 의하여 비밀 또는 비공개사항으로 규정된 정보는 공개하지 아니할 수 있다고 할 때의 '법률에서 위임한 명령'이란, ㉠ 정보의 공개에 관하여 ㉡ 법률의 구체적인 위임 아래 제정된 법규명령을 말함(2003두8395)

⑦ 2004년 개정 전 판례 법무부령으로 제정된 「검찰보존사무규칙」상의 불기소사건기록 등의 열람·등사 제한규정은 위임 근거가 없어 행정기관 내부의 사무처리준칙으로서 행정규칙에 불과 ➔ 「공공기관의 정보공개에 관한 법률」 제9조 제1항 제1호의 '다른 법률 또는 법률에 의한 명령에 의하여 비공개사항으로 규정된 경우'에 해당×(2003두1370) ➔ 2004년 이전의 판례이므로, 이 법무부령으로 비공개대상정보를 지정할 수 있는지가 문제되었는데, 그렇다 하더라도 위 법무부령은 상위법령의 위임이 없어 제정된 것이어서 행정규칙에 해당하므로 그럴 수 없다고 본 것임

제2호 – 국가의 중대한 이익

① [제2호] 국가안전보장·국방·통일·외교관계 등에 관한 사항으로서(후보군), 공개될 경우 국가의 중대한 이익을 현저히 해칠 우려가 있다고 인정되는 정보(조건) ➔ 조건 충족여부는 공개의 이익과 이익형량하여 판단

② [비공개대상] 보안관찰법 소정의 보안관찰 관련 통계자료는 공개될 경우 국가의 중대한 이익을 해할 우려가 있는 정보에 해당○ ➔ ∵ 단순 통계자료이긴 하지만, 대남공작활동이 유리한 지역으로 보안관찰처분대상자가 많은 지역을 선택하는 등으로 위 정보가 북한의 대남전략에 있어 매우 유용한 자료로 악용될 우려가 있기 때문 (2001두8254)

---

❶ 2004년 이전에는 이때의 "명령"의 종류를 한정하고 있지 않았다. 따라서 당시에는 위임을 받았다면 총리령이나 부령으로도 비공개대상정보를 규정할 수 있었다.

**제4호 –
재판, 수사기록**

① [제4호] ㉠ 진행 중인 재판에 관련된 정보와 ㉡ 범죄의 예방, 수사, 공소의 제기 및 유지, 형의 집행, 교정(矯正), 보안처분에 관한 사항으로서(후보군), 공개될 경우 그 직무수행을 현저히 곤란하게 하거나 형사피고인의 공정한 재판을 받을 권리를 침해한다고 인정할 만한 상당한 이유가 있는 정보(조건) ➔ 조건 충족여부는 공개의 이익과 이익형량하여 판단

② [규정의 의미] 법원 이외의 공공기관이 '진행 중인 재판에 관련된 정보'에 해당한다는 사유로 정보공개를 거부하기 위해서는 ㉠ 그 정보가 반드시 진행 중인 재판의 소송기록❶ 그 자체에 포함된 내용의 정보일 필요는 없으나, ㉡ 재판에 관련된 정보 중에서도 진행 중인 재판의 심리 또는 재판결과에 구체적으로 영향을 미칠 위험이 있는 정보에 해당하여야 함 ➔ 재판에 관련된 일체의 정보라고 해서 언제나 ㉡에 해당하는 것✕(2010두24913)

③ 판례 공개청구된 정보가 수사기록 중의 수사의견서, 보고문서, 메모, 법률검토, 내사자료 등이라 하더라도, 그 공개로 인하여 수사기관의 직무수행을 현저히 곤란하게 한다고 인정할 만한 상당한 이유가 있는 경우에만 비공개대상(2010두7048)

④ 근무보고서, 회의록 중 징벌절차 진행부분 – 공개대상 / 비공개심사·의결부분 – 비공개대상 교도소에 수용 중이던 재소자가 담당 교도관들을 상대로 가혹행위를 이유로 형사고소 및 민사소송을 제기하면서, 그 증명자료의 확보를 위해 정보공개를 요청한 ㉠ '근무보고서'와 ㉡ 징벌위원회 회의록 중 재소자의 진술, 위원장 및 위원들과 재소자 사이의 문답 등 징벌절차 진행부분은 공개대상에 해당○, But 징벌위원회 회의록 중 비공개심사·의결부분은 비공개대상에 해당○(2009두12785)

⑤ (변) 수용자 자비부담물품의 판매수익금과 관련한 수익금 총액, 수용자신문구독현황과 관련한 각 신문별 구독신청자 수 등에 관한 정보 등에 관한 정보 – 공개대상 수용자 자비부담물품의 판매수익금과 관련한 수익금 총액, 수용자신문구독현황과 관련한 각 신문별 구독신청자 수 등에 관한 정보 등에 관한 정보는 '형의 집행, 교정에 관한 사항으로서 공개될 경우 그 직무수행을 현저히 곤란하게 하는 정보'에 해당하기 어려워, 비공개대상정보에 해당하지 않음(2003두12707)

**제5호 –
업무수행지장**

① [제5호] ㉠ 감사·감독·검사·시험·규제·입찰계약·기술개발·인사관리에 관한 사항이나 ㉡ 의사결정 과정 또는 내부검토 과정에 있는 사항 등으로서(후보군), 공개될 경우 업무의 공정한 수행이나 연구·개발에 현저한 지장을 초래한다고 인정할 만한 상당한 이유가 있는 정보(조건) ➔ 조건 충족여부는 공개의 이익과 이익형량하여 판단

② [통지제도] 후보군 ㉡의 경우 비공개결정 사실을 통지를 할 때 의사결정 과정 또는 내부검토 과정의 단계 및 종료 예정일을 함께 안내하여야 하며, 의사결정 과정 및 내부검토 과정이 종료되면 청구인에게 이를 통지하여야 함

③ [규정의 의미] '감사·감독·검사·시험·규제·입찰계약·기술개발·인사관리·의사결정과정 또는 내부검토 과정에 있는 사항 등으로서 공개될 경우 업무의 공정한 수행에 현저한 지장을 초래한다고 인정할 만한 상당한 이유가 있는 정보'란 공개될 경우 업무의 공정한 수행이 객관적으로 현저하게 지장을 받을 것이라는 고도의 개연성이 존재하는 경우를 말함(2010두18758, 2007두9877)

④ [이미 의사가 결정되거나 집행된 회의관련자료 또는 회의록의 경우 – 비공개대상] 정보공개법 제9조 제1항 제5호의 '감사·감독·검사·시험·규제·입찰계약·기술개발·인사관리·의사결정과정 또는 내부검토 과정에 있는 사항'은 예시적으로 열거된 것으로서, 의사결정과정에 제공된 회의관련자료나 의사결정과정이 기록된 회의록 등은 의사가 집행된 경우에는 더이상 의사결정과정에 있는 사항 그 자체라고 할 수는 없으나, 의사결정과정에 있는 사항에 준하는 사항으로서 비공개대상정보에 포함될 수 있음(2002두12946)

⑤ 비공개를 전제로 외국에서 입수한 정보 – 공개대상 외국 또는 외국 기관으로부터 비공개를 전제로 입수한 정보라는 이유만으로, 이를 공개할 경우 업무의 공정한 수행에 현저한 지장을 받을 것이라 단정할 수 없음 ➔ 다만 위와 같은 사정은 정보 제공자와의 관계, 정보 제공자의 의사, 정보의 취득 경위, 정보의 내용 등과 함께 업무의 공정한 수행에 현저한 지장이 있는지를 판단할 때 고려하여야 할 형량 요소임(2017두69892)

⑥ (변) 이미 대외적으로 공표된 도시공원위원회의 회의관련자료 및 회의록 도시공원위원회의 회의관련자료 및 회의록은 시장 등의 결정의 대외적 공표행위가 있은 후에는 이를 의사결정과정이나 내부 검토과정에 있는 사항이라고 할 수 없고 위 위원회의 회의관련자료 및 회의록을 공개하더라도 업무의 공정한 수행에 지장을 초래할 염려가 없으므로 공개대상이 됨(99추85)

⑦ 학교환경위생정화위원회의 회의록 – 비공개대상 학교환경위생구역 내 금지행위(숙박시설) 해제결정에 관한 학교환경위생정화위원회의 회의록에 기재된 발언내용에 대한 해당 발언자의 인적사항 부분에 관한 정보 ➔ 비공개대상 정보에 해당○(2002두12946)

⑧ 학교폭력대책자치위원회 회의록 – 비공개대상 학교폭력대책자치위원회가 피해학생의 보호를 위한 조치, 가해학생에 대한 조치, 학교폭력과 관련된 분쟁의 조정 등에 관하여 심의한 결과를 기재한 회의록 ➔ 비공개대상 정보에 해당○(2010두2913)

⑨ 독립유공자서훈 공적심사위원회 회의록 – 비공개대상 독립유공자서훈 공적심사위원회의 심의·의결 과정 및 그 내용을 기재한 회의록 ➔ 비공개대상정보에 해당○(2013두20301)

⑩ 사법시험 2차시험의 관련 자료 ㉠ 사법시험 제2차 시험의 시험문항에 대한 채점위원별 채점 결과는 비공개대상이나, ㉡ 사법시험 제2차 시험 답안지는 공개대상(2000두6114)

⑪ 심리생리검사 질문내용 – 비공개대상 대검찰청 과학수사담당 심리분석실의 '심리생리검사에서 질문한 질문내용문서' ➔ 비공개대상정보에 해당○(2012두11409)

⑫ 수능시험 원데이터 – 공개대상 '2002학년도부터 2005학년도까지의 대학수학능력시험 원데이터'는 연구목적으로 그 정보의 공개를 청구하는 경우라면, 공개로 인하여 초래될 부작용이 공개로 얻을 수 있는 이익보다 더 클 것이라고 단정하기 어려우므로 비공개대상정보에 해당✕(2007두9877) ➔ [비교] 같은 판례에서 국가수준 학업성취도평가자료는 비공개대상에 해당한다고 보았음

---

❶ [민사소송법] 소송기록이란 소송에서 법원과 당사자가 공통의 자료로서 활용할 수 있는 서면을 말한다. 소장, 답변서, 서증, 증거조사조서 등이 이에 속한다.

	제6호 – 개인정보	

제6호 – 개인정보

① [제6호] 해당 정보에 포함되어 있는 성명·주민등록번호 등 「개인정보 보호법」 제2조 제1호에 따른 개인정보로서(후보군), 공개될 경우 사생활의 비밀 또는 자유를 침해할 우려가 있다고 인정되는 정보(조건) ➜ 조건 충족여부는 공개의 이익과 이익형량하여 판단

② [개인정보 보호법과의 관계] 공공기관이 보유·관리하고 있는 개인정보의 공개에 관하여는 「정보공개법」 제9조 제1항 제6호가 「개인정보 보호법」에 우선하여 적용됨(2015두53770)

③ [제6호의 예외 – 공개대상정보] ㉠ 법령에서 정하는 바에 따라 열람할 수 있는 정보, ㉡ 공공기관이 공표를 목적으로 작성하거나 취득한 정보로서 사생활의 비밀 또는 자유를 부당하게 침해하지 아니하는 정보, ㉢ 공공기관이 작성하거나 취득한 정보로서 공개하는 것이 공익이나 개인의 권리 구제를 위하여 필요하다고 인정되는 정보(이익형량으로 판단), ㉣ 직무를 수행한 공무원의 성명·직위, ㉤ 공개하는 것이 공익을 위하여 필요한 경우로서 법령에 따라 국가 또는 지방자치단체가 업무의 일부를 위탁 또는 위촉한 개인의 성명·직업 ➜ 이 경우들은 제6호의 요건을 충족하더라도 공개해야 함

④ 제6호 ㉢ 해당여부 판단 – 이익형량 「공공기관의 정보공개에 관한 법률」상 '공개하는 것이 공익 또는 개인의 권리구제를 위하여 필요하다고 인정되는 정보'에 해당하는지 여부는 비공개에 의하여 보호되는 개인의 사생활의 비밀 등 이익과 공개에 의하여 보호되는 국정운영의 투명성 확보 등의 공익 또는 개인의 권리구제 등 이익을 비교·교량하여 구체적 사안에 따라 신중히 판단하여야 함(2009두14224)

⑤ 사면실시건의서, 국무회의 안건자료 – 공개대상 사면대상자들의 사면실시건의서와 그와 관련된 국무회의 안건자료는 공개할 경우 비록 당사자들(범죄자들)의 사생활의 비밀 등이 침해될 염려가 있다고 하더라도 공개대상 ➜ 대통령의 사면권 남용을 견제할 마땅한 제도적 장치가 없어 공개하는 것이 공익을 위하여 필요하다고 보았음(이익 형량으로 판단한 것)(2005두241) ➜ ㉢ 사유와 관련된 판례

⑥ 비공개대상 공무원이 직무와 관련 없이 개인적인 자격으로 간담회·연찬회 등 행사에 참석하고 금품을 수령한 정보 ➜ 공개하는 것이 공익을 위하여 필요× ➜ 비공개대상○(2003두8050)

⑦ 비공개대상 불기소처분 기록 중 피의자신문조서 등에 기재된 진술내용이 피의자 등의 인적 사항 이외의 사항이라 하더라도, 그 내용이 개인의 사생활의 비밀이나 자유를 침해할 우려가 있다면 비공개대상에 해당○(2012두2361)

⑧ 비공개대상 지방자치단체의 업무추진비 세부항목별 집행내역 및 그에 관한 증빙서류에 포함된 개인에 관한 정보(⑩ 주민등록번호)는 「공공기관의 정보공개에 관한 법률」 소정의 '공개하는 것이 공익을 위하여 필요하다고 인정되는 정보'에 해당×(2001두6425)

제7호 – 경영·영업상 비밀

① [제7호] 법인·단체 또는 개인의 경영상·영업상 비밀에 관한 사항으로서(후보군) 공개될 경우 법인등의 정당한 이익을 현저히 해칠 우려가 있다고 인정되는 정보(조건) ➜ 특히 공기업이 정보공개청구를 당한 경우에 중요해짐 ➜ 조건 충족여부는 공개의 이익과 이익형량하여 판단

② [제7호의 예외 – 공개대상정보] ㉠ 사업활동에 의하여 발생하는 위해(危害)로부터 사람의 생명·신체 또는 건강을 보호하기 위하여 공개할 필요가 있는 정보(가목), ㉡ 위법·부당한 사업활동으로부터 국민의 재산 또는 생활을 보호하기 위하여 공개할 필요가 있는 정보(나목)

③ [「부정경쟁방지 및 영업비밀보호에 관한 법률」상 '영업비밀'과의 관계] 「정보공개법」상 비공개대상인 '법인 등의 경영·영업상 비밀'은 「부정경쟁방지 및 영업비밀보호에 관한 법률」 제2조 제2호에 규정된 '영업비밀'에 한하지 않고, '타인에게 알려지지 아니함이 유리한 사업활동에 관한 일체의 정보' 또는 '사업활동에 관한 일체의 비밀사항'을 의미함(2007두1798) ➜ 두 법이 제정된 취지가 서로 다르기 때문에 달리 해석하는 것

④ 대한주택공사의 조합원들에게 제공될 무상보상평수 – 공개대상 대한주택공사가 보유하고 있는 재건축사업❶ 계약에 의하여 조합원들에게 제공될 무상(無償)보상평수에 관한 정보 ➜ 비공개대상×(공익법인의 경우 업무의 투명성과 국민의 알권리를 위해 '정당한 이익을 현저히 해칠 우려'가 있는 것으로 인정하지 않는 경향)(2003두9459)

⑤ 대한주택공사의 아파트 분양원가 산출내역 – 공개대상 대한주택공사의 아파트 분양원가 산출내역에 관한 정보 ➜ 비공개대상×(공익법인의 경우 업무의 투명성과 국민의 알권리를 위해 '정당한 이익을 현저히 해칠 우려'가 있는 것으로 인정하지 않는 경향)(2006두20587)

⑥ 한국방송공사의 수시집행 접대성 경비의 건별 집행서류 일체 – 공개대상 한국방송공사의 '수시집행 접대성 경비의 건별 집행서류 일체'는 공개될 경우 한국방송공사의 정당한 이익을 현저히 해할 우려가 있다고 인정하기는 어렵다고 보이므로, 공공기관의 정보공개에 관한 법률 제9조 제1항 제7호의 비공개대상정보에 해당×(2007두1798) ➜ 한국방송공사가 공익법인이기 때문에 '정당한 이익을 현저히 해할 우려'를 인정하지 않은 것으로 해석됨

⑦ 법인 등이 거래하는 금융기관의 계좌번호 – 비공개대상 법인 등이 거래하는 금융기관의 계좌번호에 관한 정보는 영업상 비밀에 관한 사항으로서, 공개될 경우 법인 등의 정당한 이익을 현저히 해할 우려가 있다고 인정되는 정보이어서 공공기관의 정보공개에 관한 법률상 비공개대상정보에 해당함(2003두8302) ➜ ∵ 법인등의 이름과 결합하여 공개될 경우 당해 법인등의 영업상 지위가 위협받을 우려가 있기 때문

❶ 재건축·재개발 사업은 대한주택공사(현 LH공사)와 같은 공기업이 주도하여 진행하기도 하는데, 이를 소위 '공공개발'이라 한다.

| 제3호 | — [제3호] 공개될 경우 국민의 생명·신체 및 재산의 보호에 현저한 지장을 초래할 우려가 있다고 인정되는 정보 |

| 제8호 | — [제8호] 공개될 경우 부동산 투기, 매점매석 등으로 특정인에게 이익 또는 불이익을 줄 우려가 있다고 인정되는 정보 |

정보공개여부의 결정

결정기간 및 연장

① 공공기관은 정보공개의 청구를 받으면 그 청구를 받은 날부터 10일 이내에 공개 여부를 결정하여야 함(제11조 제1항)

② 부득이한 사유로 이 기간 이내에 공개 여부를 결정할 수 없을 때에는 그 기간이 끝나는 날의 다음 날부터 기산(起算)하여 10일의 범위에서 공개 여부 결정기간을 연장할 수 있음 ➜ 이 경우 공공기관은 연장된 사실과 연장 사유를 청구인에게 지체 없이 문서로 통지하여야 함(제11조 제2항)

정보공개심의회

① [설치] 국가기관, 지방자치단체, 공기업 및 준정부기관, 지방공사 및 지방공단("국가기관등")은 정보공개 여부 등을 심의하기 위하여 정보공개심의회를 설치·운영함

② [법적 성격 – 심의기관○, 행정청×] 정보공개심의회는 공개 청구된 정보의 공개 여부를 결정하는 법적인 의무와 권한을 가진 주체가 아니라, 공공기관의 장이 정보의 공개 여부를 결정하기 곤란하다고 보아 의견을 요청한 사항의 자문에 응하여 심의하는 기관임(2001추95) ➜ 정보의 공개 여부를 결정하는 권한은 공공기관의 장이 가짐

③ (변) [구성] 정보공개심의회는 위원장 1명을 포함하여 5명 이상 7명 이하의 위원으로 구성됨(제12조 제2항) ➜ [비교 – 정보공개위원회] 정보공개위원회는 성별을 고려하여 위원장과 부위원장 각 1명을 포함한 11명의 위원으로 구성됨

④ (변) [외부전문가 위촉] 심의회 위원 중 2/3는 해당 국가기관 등의 업무 또는 정보공개의 업무에 관한 지식을 가진 외부 전문가로 위촉하여야 함 ➜ 다만, 국가안전보장·국방·통일·외교관계 분야의 업무를 주로 하는 국가기관의 정보공개심의회의 경우에는 최소한 1/3이상은 외부전문가로 위촉하여야 함(제12조 제3항)

적극공개의 원칙

공공기관이 보유·관리하는 정보는 국민의 알권리 보장 등을 위하여 정보공개법에서 정하는 바에 따라 적극적으로 공개하여야 함(제3조)

정보공개담당자의 의무

공공기관의 정보공개 담당자(정보공개 청구대상 정보와 관련된 업무 담당자를 포함)는 정보공개 업무를 성실하게 수행하여야 하며, 공개여부의 자의적인 결정, 고의적인 처리 지연 또는 위법한 공개 거부 및 회피 등 부당한 행위를 하여서는 안 됨(제6조의2)

부분공개

① 공개 청구한 정보가 제9조 제1항 각 호의 비공개대상 정보에 해당하는 부분과 공개 가능한 부분이 혼합되어 있는 경우로서, 공개 청구의 취지에 어긋나지 아니하는 범위에서 두 부분을 분리할 수 있는 경우에는 제9조 제1항 각 호의 비공개대상 정보에 해당하는 부분을 제외하고 공개하여야 함(제14조)

② [분리가능성의 의미] 공개청구의 취지에 어긋나지 아니하는 범위 안에서 비공개대상 정보에 해당하는 부분과 공개가 가능한 부분을 분리할 수 있다고 함은, 이 두 부분이 물리적으로 분리가능한 경우를 의미하는 것이 아니고, 비공개대상 정보에 관련된 기술(記述) 등을 제외 내지 삭제하고 그 나머지 정보만을 공개하는 것이 가능하고, 나머지 부분의 정보만으로도 공개의 가치가 있는 경우를 의미함(2003두12707)

③ (변) [부분공개 가능×] 한·일 군사정보보호협정 및 한·일 상호군수지원협정과 관련된 각종 회의자료 및 회의록 등의 정보는 정보공개법상 공개가 가능한 부분과 공개가 불가능한 부분을 쉽게 분리하는 것이 불가능한 경우에 해당하므로 부분공개가 불가능함(2015두46512)

④ [일부취소판결에의 응용] 공개를 거부한 정보에 비공개대상정보에 해당하는 부분과 공개가 가능한 부분이 혼합되어 있고, 공개청구의 취지에 어긋나지 아니하는 범위 안에서 두 부분을 분리할 수 있을 때에는, 법원은 청구취지의 변경이 없더라도 공개가 가능한 부분만의 일부취소를 명할 수 있음(2017두69892, 2001두6425)

| | | 통지 | 공개결정 | ① 공공기관은 정보의 공개를 결정한 경우에는 공개의 일시 및 장소 등을 분명히 밝혀 청구인에게 통지하여야 함(제13조 제1항)
② [절차의 생략] ㉠ 법령 등에 따라 공개를 목적으로 작성된 정보나, ㉡ 일반국민에게 알리기 위하여 작성된 각종 홍보자료, ㉢ 공개하기로 결정된 정보로서 공개에 오랜 시간이 걸리지 아니하는 정보, ㉣ 그 밖에 공공기관의 장이 정하는 정보로서, 즉시 또는 말로 처리가 가능한 정보에 대해서는 제11조에 따른 절차(즉, 10일 이내의 결정절차)를 거치지 아니하고 공개하여야 함(제16조) |

정보공개법상 불복절차 트리 구조

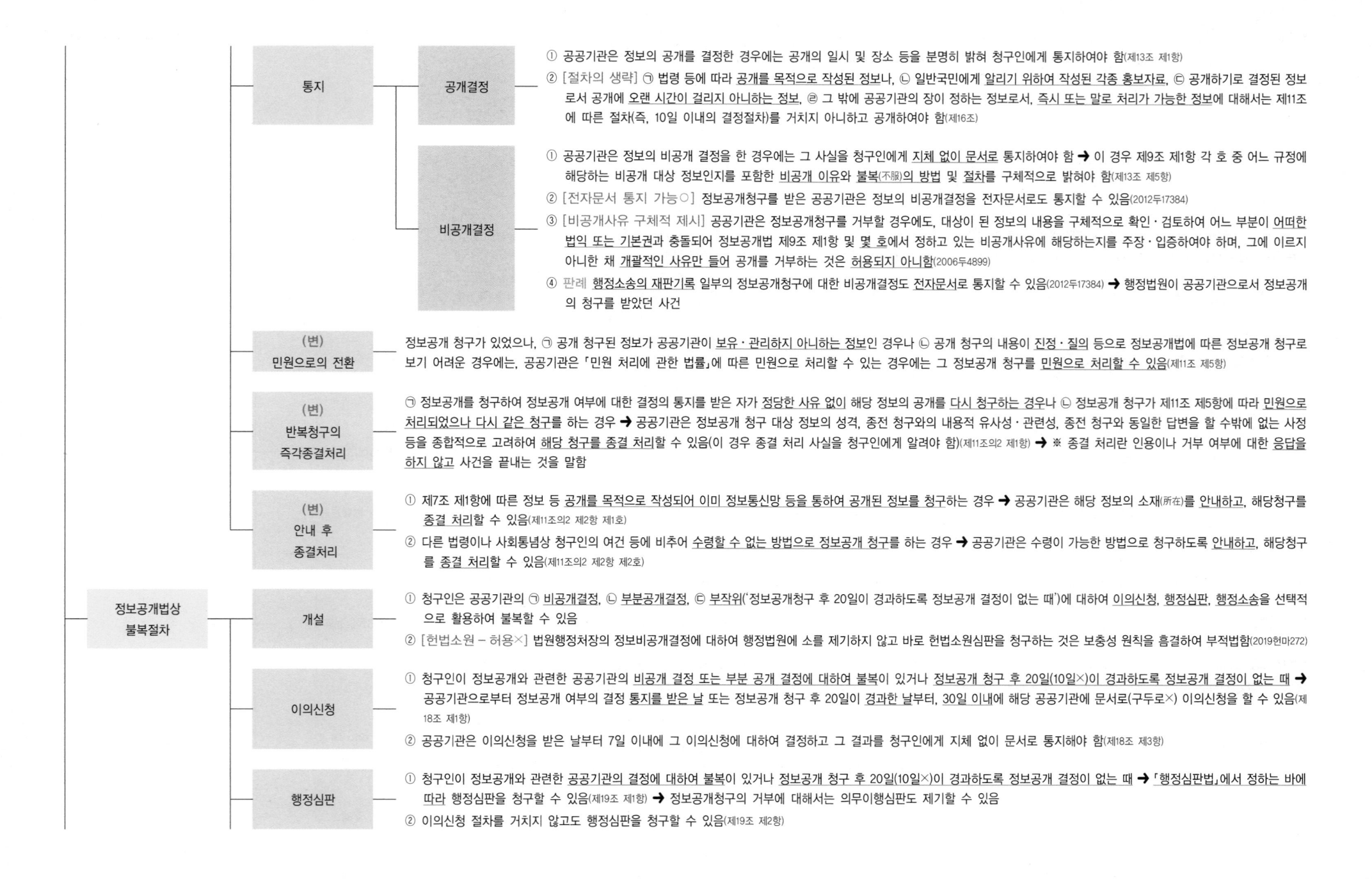

통지 - 비공개결정
① 공공기관은 정보의 비공개 결정을 한 경우에는 그 사실을 청구인에게 <u>지체 없이</u> 문서로 통지하여야 함 ➜ 이 경우 제9조 제1항 각 호 중 어느 규정에 해당하는 비공개 대상 정보인지를 포함한 비공개 이유와 불복(不服)의 방법 및 절차를 구체적으로 밝혀야 함(제13조 제5항)
② [전자문서 통지 가능○] 정보공개청구를 받은 공공기관은 정보의 비공개결정을 전자문서로도 통지할 수 있음(2012두17384)
③ [비공개사유 구체적 제시] 공공기관은 정보공개청구를 거부할 경우에도, 대상이 된 정보의 내용을 구체적으로 확인·검토하여 어느 부분이 어떠한 법익 또는 기본권과 충돌되어 정보공개법 제9조 제1항 및 몇 호에서 정하고 있는 비공개사유에 해당하는지를 주장·입증하여야 하며, 그에 이르지 아니한 채 개괄적인 사유만 들어 공개를 거부하는 것은 <u>허용되지 아니함</u>(2006두4899)
④ 판례 행정소송의 재판기록 일부의 정보공개청구에 대한 비공개결정도 전자문서로 통지할 수 있음(2012두17384) ➜ 행정법원이 공공기관으로서 정보공개의 청구를 받았던 사건

(변) 민원으로의 전환
정보공개 청구가 있었으나, ㉠ 공개 청구된 정보가 공공기관이 보유·관리하지 아니하는 정보인 경우나 ㉡ 공개 청구의 내용이 진정·질의 등으로 정보공개법에 따른 정보공개 청구로 보기 어려운 경우에는, 공공기관은 「민원 처리에 관한 법률」에 따른 민원으로 처리할 수 있는 경우에는 그 정보공개 청구를 <u>민원으로 처리할 수 있음</u>(제11조 제5항)

(변) 반복청구의 즉각종결처리
㉠ 정보공개를 청구하여 정보공개 여부에 대한 결정의 통지를 받은 자가 정당한 사유 없이 해당 정보의 공개를 <u>다시 청구하는 경우나</u> ㉡ 정보공개 청구가 제11조 제5항에 따라 <u>민원으로 처리되었으나 다시 같은 청구를 하는 경우</u> ➜ 공공기관은 정보공개 청구 대상 정보의 성격, 종전 청구와의 내용적 유사성·관련성, 종전 청구와 동일한 답변을 할 수밖에 없는 사정 등을 종합적으로 고려하여 해당 청구를 종결 처리할 수 있음(이 경우 종결 처리 사실을 청구인에게 알려야 함)(제11조의2 제1항) ➜ ※ 종결 처리란 인용이나 거부 여부에 대한 응답을 하지 않고 사건을 끝내는 것을 말함

(변) 안내 후 종결처리
① 제7조 제1항에 따른 정보 등 공개를 목적으로 작성되어 이미 정보통신망 등을 통하여 공개된 정보를 청구하는 경우 ➜ 공공기관은 해당 정보의 소재(所在)를 안내하고, 해당청구를 종결 처리할 수 있음(제11조의2 제2항 제1호)
② 다른 법령이나 사회통념상 청구인의 여건 등에 비추어 <u>수령할 수 없는 방법으로</u> 정보공개 청구를 하는 경우 ➜ 공공기관은 수령이 가능한 방법으로 청구하도록 안내하고, 해당청구를 <u>종결 처리할 수 있음</u>(제11조의2 제2항 제2호)

개설
① 청구인은 공공기관의 ㉠ 비공개결정, ㉡ 부분공개결정, ㉢ 부작위('정보공개청구 후 20일이 경과하도록 정보공개 결정이 없는 때')에 대하여 <u>이의신청</u>, 행정심판, 행정소송을 선택적으로 활용하여 불복할 수 있음
② [헌법소원 – 허용×] 법원행정처장의 정보비공개결정에 대하여 행정법원에 소를 제기하지 않고 바로 헌법소원심판을 청구하는 것은 보충성 원칙을 흠결하여 부적법함(2019헌마272)

이의신청
① 청구인이 정보공개와 관련한 공공기관의 비공개 결정 또는 부분 공개 결정에 대하여 불복이 있거나 <u>정보공개 청구 후 20일(10일×)이 경과하도록 정보공개 결정이 없는 때</u> ➜ 공공기관으로부터 정보공개 여부의 결정 통지를 받은 날 또는 정보공개 청구 후 20일이 경과한 날부터, 30일 이내에 해당 공공기관에 문서로(구두로×) 이의신청을 할 수 있음(제18조 제1항)
② 공공기관은 이의신청을 받은 날부터 7일 이내에 그 이의신청에 대하여 결정하고 그 결과를 청구인에게 지체 없이 문서로 통지해야 함(제18조 제3항)

행정심판
① 청구인이 정보공개와 관련한 공공기관의 결정에 대하여 불복이 있거나 정보공개 청구 후 20일(10일×)이 경과하도록 정보공개 결정이 없는 때 ➜ 「행정심판법」에서 정하는 바에 따라 행정심판을 청구할 수 있음(제19조 제1항) ➜ 정보공개청구의 거부에 대해서는 의무이행심판도 제기할 수 있음
② 이의신청 절차를 거치지 않고도 행정심판을 청구할 수 있음(제19조 제2항)

행정소송	**의의**	① 청구인이 정보공개와 관련한 공공기관의 결정에 대하여 불복이 있거나 정보공개 청구 후 20일(10일×)이 경과하도록 정보공개 결정이 없는 때 ➡ 「행정소송법」에서 정하는 바에 따라 행정소송을 제기할 수 있음(제20조 제1항) ② [소송의 종류] 공공기관의 정보공개에 관한 법률 제5조에 따른 일반적 정보공개청구권을 다투는 이 '행정소송'은 항고소송이라는 것이 다수설과 판례의 입장임 ➡ 정보공개의 이행을 구하는 당사자소송×
	대상적격	① ㉠ 비공개결정·통보행위, ㉡ 부분공개결정·통보행위는 거부처분에 해당 ➡ 정보공개청구권이 신청권으로서 기능하기 때문 ② [청구인이 신청한 공개방법과 다른 방법으로 공개 – 일부거부에 해당] 공공기관이 공개청구의 대상이 된 정보를 공개는 하되, 청구인이 신청한 공개방법 이외의 방법으로 공개하기로 하는 결정을 하였다면, 이는 정보공개청구 중 정보공개방법에 관한 부분에 대하여 일부 거부처분을 한 것이고, 청구인은 그에 대하여 항고소송으로 다툴 수 있음(2016두44674) ③ 부작위도 부작위위법확인소송의 대상인 '처분 부작위'에 해당
	원고적격	① 정보공개청구권은 법률상 보호되는 구체적 권리이므로, 정보공개청구권자가 정보공개청구를 하였다가 거부당하면 (청구인이 청구대상 정보에 대해 개별·구체적 이익이 없다 하더라도) 그 자체로 법률상 이익을 침해받은 것이되고, 추가적인 사정이 없어도 거부에 대하여 다툴 수 있는 취소소송에서의 원고적격이 인정됨(2001두6425) ➡ 별도로 자신에게 해당 정보의 공개를 구할 추가적 법률상 이익이 있음을 입증하지 않아도 됨 ② [사례] 甲은 행정청 A가 보유·관리하는 정보 중 乙과 관련이 있는 정보를 사본 교부의 방법으로 공개하여 줄 것을 청구하였음 ➡ 甲이 공개 청구한 정보가 甲과 아무런 이해관계가 없는 경우라도, 정보공개가 거부되면 甲은 이를 항고소송으로 다툴 수 있는 법률상 이익이 있음 ➡ ∵ 관련이 없어도 정보공개청구권이 인정되기 때문
	소의 이익	① 더 이상 정보 보유·관리× – 소의 이익× 정보공개청구를 거부하는 처분이 있은 후 대상정보가 폐기되었다든가 하여 공공기관이 그 정보를 보유·관리하지 아니하게 된 경우에는, 특별한 사정이 없는 한 정보공개를 구하는 자에게 정보공개거부처분의 취소를 구할 법률상의 이익이 없게 됨(2010두18918, 2003두9459) ➡ ∵ 소송에서 이겨도 공개받을 수 없기 때문 ② 우회적 방법으로 정보공개 받은 경우 – 여전히 소의 이익○ 정보비공개결정 취소소송에서 공공기관이 청구정보를 증거 등으로 법원에 제출하여, 법원을 통하여 그 사본을 청구인에게 교부 또는 송달되게 하여 결과적으로 청구인에게 정보를 공개하는 셈이 되었다 하더라도, 이러한 우회적인 방법은 정보공개법이 예정하고 있지 아니한 방법으로서 이는 정보공개법상 정보를 '공개'한 것에 해당하지 않아 비공개결정의 취소를 구할 소의 이익이 여전히 인정됨(2002두6583) ③ 정보공개를 통한 권리구제의 가능성이 사라진 경우 – 여전히 소의 이익○ 견책(징계)처분에 대한 취소를 구하는 甲의 청구를 기각하는 판결이 확정되었더라도, 견책처분을 받은 甲이 사단장에게 징계위원회에 참여한 징계위원의 성명과 직위에 대한 정보공개청구를 하였다가 이를 거부 받았다면, 甲에게는 여전히 정보공개거부처분의 취소를 구할 법률상 이익이 있음(2022두33439)
	피고적격	행정청(예 서울특별시장, 진주교도소장, 대한주택공사, 계명대학교 총장)을 상대로 소송을 제기하여야 함 ➡ 정보공개심의회를 상대로×
	입증책임	① 공공기관이 해당 정보를 보유·관리하고 있다는 점 – 청구인 청구대상이었던 정보를 공공기관이 보유·관리하고 있다는 점에 관하여는 정보공개를 구하는 자에게 입증책임이 있지만, 그 입증의 정도는 그러한 정보를 공공기관이 보유·관리하고 있을 상당한 개연성이 있다는 점을 증명하면 족하다고 봄(2003두12707) ② 해당 정보를 더이상 보유·관리하고 있지 않다는 점 – 공공기관 정보공개를 구하는 정보를 공공기관이 한때 보유·관리하였으나 후에 그 정보가 담긴 문서들이 문서보존연한이 지났다든가 하여 폐기되어 존재하지 않게 된 것이라면, 그 정보를 더이상 보유·관리하고 있지 아니하다는 점에 대한 증명책임은 공공기관에 있음(2003두12707) ③ 비공개사유에 해당하는 정보라는 점 – 공공기관 정보공개거부처분취소소송에서 해당 정보가 비공개사유에 해당하는 정보라는 점에 대한 입증책임은 피고 공공기관에게 있음(2006두4899)
	비공개열람·심사	① 정보공개 관련 결정에 대하여 행정소송이 제기된 경우에 재판장은 필요시 당사자를 참여시키지 않고 비공개로 해당 정보를 열람할 수 있음(제20조 제2항) ② 판례 청구인이 공개를 청구한 정보의 내용 중 너무 포괄적이거나 막연하여 사회일반인의 관점에서 그 내용과 범위를 확정할 수 있을 정도로 특정되었다고 볼 수 없는 부분이 포함되어 있다면, 이를 심리하는 법원으로서는 마땅히 정보공개법 제20조 제2항의 규정에 따라 공공기관으로 하여금 그가 보유·관리하고 있는 청구대상정보를 제출하도록 하여, 이를 비공개로 열람·심사하는 등의 방법으로 청구대상정보의 내용과 범위를 특정시켜야 함(2014두5477)

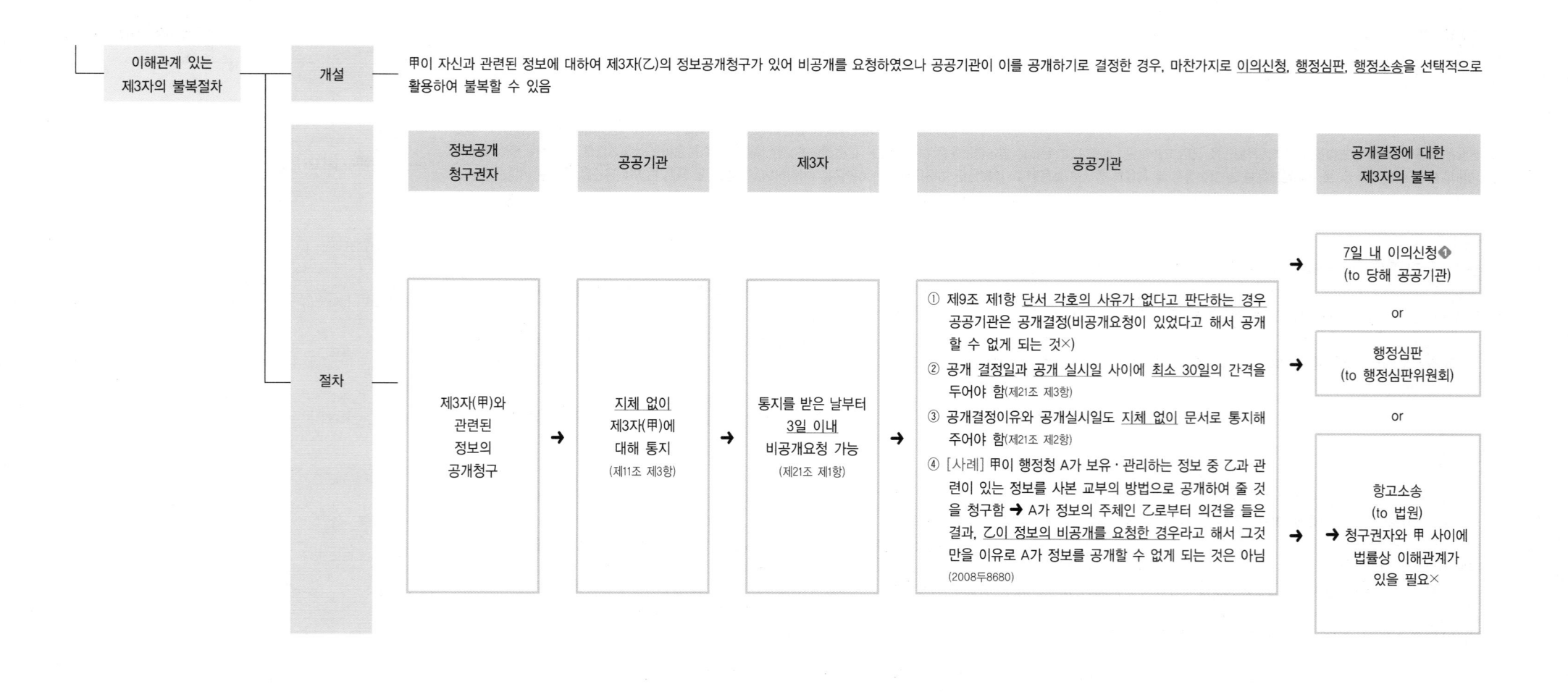

이해관계 있는 제3자의 불복절차

개설

甲이 자신과 관련된 정보에 대하여 제3자(乙)의 정보공개청구가 있어 비공개를 요청하였으나 공공기관이 이를 공개하기로 결정한 경우, 마찬가지로 <u>이의신청, 행정심판, 행정소송을 선택적으로</u> 활용하여 불복할 수 있음

절차

정보공개 청구권자	공공기관	제3자	공공기관	공개결정에 대한 제3자의 불복
제3자(甲)와 관련된 정보의 공개청구	<u>지체 없이</u> 제3자(甲)에 대해 통지 (제11조 제3항)	통지를 받은 날부터 <u>3일 이내</u> 비공개요청 가능 (제21조 제1항)	① 제9조 제1항 단서 각호의 사유가 없다고 판단하는 경우 공공기관은 공개결정(비공개요청이 있었다고 해서 공개할 수 없게 되는 것×) ② 공개 결정일과 공개 실시일 사이에 <u>최소 30일</u>의 간격을 두어야 함(제21조 제3항) ③ 공개결정이유와 공개실시일도 <u>지체 없이</u> 문서로 통지해 주어야 함(제21조 제2항) ④ [사례] 甲이 행정청 A가 보유·관리하는 정보 중 乙과 관련이 있는 정보를 사본 교부의 방법으로 공개하여 줄 것을 청구함 ➔ A가 정보의 주체인 乙로부터 의견을 들은 결과, 乙이 정보의 비공개를 요청한 경우라고 해서 그것만을 이유로 A가 정보를 공개할 수 없게 되는 것은 아님 (2008두8680)	<u>7일 내 이의신청</u>❶ (to 당해 공공기관) or 행정심판 (to 행정심판위원회) or 항고소송 (to 법원) ➔ 청구권자와 甲 사이에 법률상 이해관계가 있을 필요×

❶ 기산점은 공개결정 통지를 받은 날이다.

개인정보 보호법

개설

의의	① 개인정보의 처리 및 보호에 관한 사항을 정하고 있는 일반법 ➔ 헌법상 기본권인 ㉠ 개인정보자기결정권과 ㉡ 사생활의 비밀과 자유(제17조)를 보장하기 위한 목적으로 제정된 법률 ② 「개인정보 보호법」 이외에도 「통신비밀보호법」이나 「행정절차법」 등의 법률에도 개인정보 보호에 관한 규정들이 존재
연혁	① 과거에는 「공공기관의 개인정보보호에 관한 법률」로서 공공기관이 국민의 개인정보를 처리하는 경우만을 규율하였으나, 2011년에 명칭을 「개인정보 보호법」으로 변경하면서, 현재는 민간이 개인정보를 처리하는 경우까지도 일반적으로 규율하고 있음 ➔ 개인정보의 보호에 관한 일반법 ② 판례 옥외집회·시위에 대한 경찰의 촬영행위에 의해 취득한 자료도 '개인정보'에 해당하는 한 「개인정보 보호법」이 적용됨(2014헌마843)
개인정보자기결정권 (헌법학의 영역)	① [개념] 자신에 관한 정보가 언제, 누구에게, 어느 범위까지 알려지고 또 이용되도록 할 것인지를 그 정보주체가 스스로 결정할 수 있는 헌법상 기본권 ② (변) [헌법적 근거] 개인정보자기결정권에 대해서는 헌법에 명문의 규정이 존재× ➔ ㉠ [헌법재판소] 사생활의 비밀과 자유, 일반적 인격권 등을 이념적 기초로 하는 독자적 기본권으로 보고 있음(99헌마513) But ㉡ [대법원] 헌법 제10조의 인간의 존엄과 가치, 행복추구권과 헌법 제17조의 사생활의 비밀과 자유에서 도출되는 것으로 보고 있음(2012다49933) ③ [보호범위] 보호대상이 되는 개인정보는 개인의 신체, 신념, 사회적 지위, 신분 등과 같이 개인의 인격주체성을 특징짓는 사항으로서 그 개인의 동일성을 식별할 수 있게 하는 일체의 정보라고 할 수 있고, 반드시 개인의 내밀한 영역이나 사사(私事)의 영역에 속하는 정보에 국한되지 않고 공적 생활에서 형성되었거나 이미 공개된 개인정보까지 포함○(2012다49933, 2003헌마282) ④ 판례 개인정보를 대상으로 한 조사·수집·보관·처리·이용 등의 행위는 모두 원칙적으로 개인정보자기결정권에 대한 제한에 해당(2014다235080) ⑤ 지문 – 개인정보에 해당○ 시장·군수 또는 구청장이 개인의 지문정보를 수집하고, 경찰청장이 이를 보관·전산화하여 범죄수사목적에 이용하는 것은 모두 개인정보자기결정권을 제한하는 것(2004헌마190) ➔ ∵ 지문(指紋)도 개인정보에 해당하기 때문
정보공개법과의 비교	① 「정보공개법」은 정보의 공개를 원칙으로 하고 비공개를 예외로 하지만(알권리 보호), 「개인정보 보호법」은 정보의 비공개를 원칙으로 하고 공개를 예외로 함(개인정보자기결정권, 사생활의 비밀과 자유 보호) ② 「정보공개법」이 공개의무를 부과하는 정보는 기본적으로 개인정보가 아니지만, 「개인정보 보호법」이 보호하려는 정보는 개인정보임 ③ 「정보공개법」은 공공기관에 의무를 부과하는 법이지만, 「개인정보 보호법」은 개인정보를 처리하는 자라면 공공기관이 아니라 민간이라 하더라도 의무를 부과하는 법임 ④ 개인정보의 '공개' – 공공기관의 정보공개에 관한 법률이 우선 공공기관이 보유·관리하고 있는 개인정보의 공개에 관하여는 「공공기관의 정보공개에 관한 법률」 제9조 제1항 제6호가 「개인정보 보호법」에 우선하여 적용됨(2015두53770) ⑤ 판례 개인이 타인에 관한 정보의 공개를 청구하는 경우에는 「정보공개법」(「개인정보 보호법」×)에 따라 개인에 관한 정보의 공개 여부를 판단하여야 함(2007두9877)
개인정보 보호법상 주요개념	① [처리] 개인정보의 수집, 생성, 연계, 연동, 기록, 저장, 보유, 가공, 편집, 검색, 출력, 정정(訂正), 복구, 이용, 제공, 공개, 파기(破棄), 그밖에 이와 유사한 행위를 총칭(제2조 제2호) ➔ 개인정보 보호법은 일정한 경우에만 개인정보를 '처리'할 수 있게 하고, 위반하면 형사처벌하거나 손해배상책임을 지게하거나 과태료를 부과하거나 과징금을 부과함 ② [정보주체] 처리되는 정보에 의하여 알아볼 수 있는 사람으로서 그 정보의 주체가 되는 사람(제2조 제3호)

개인정보와 개인정보처리자

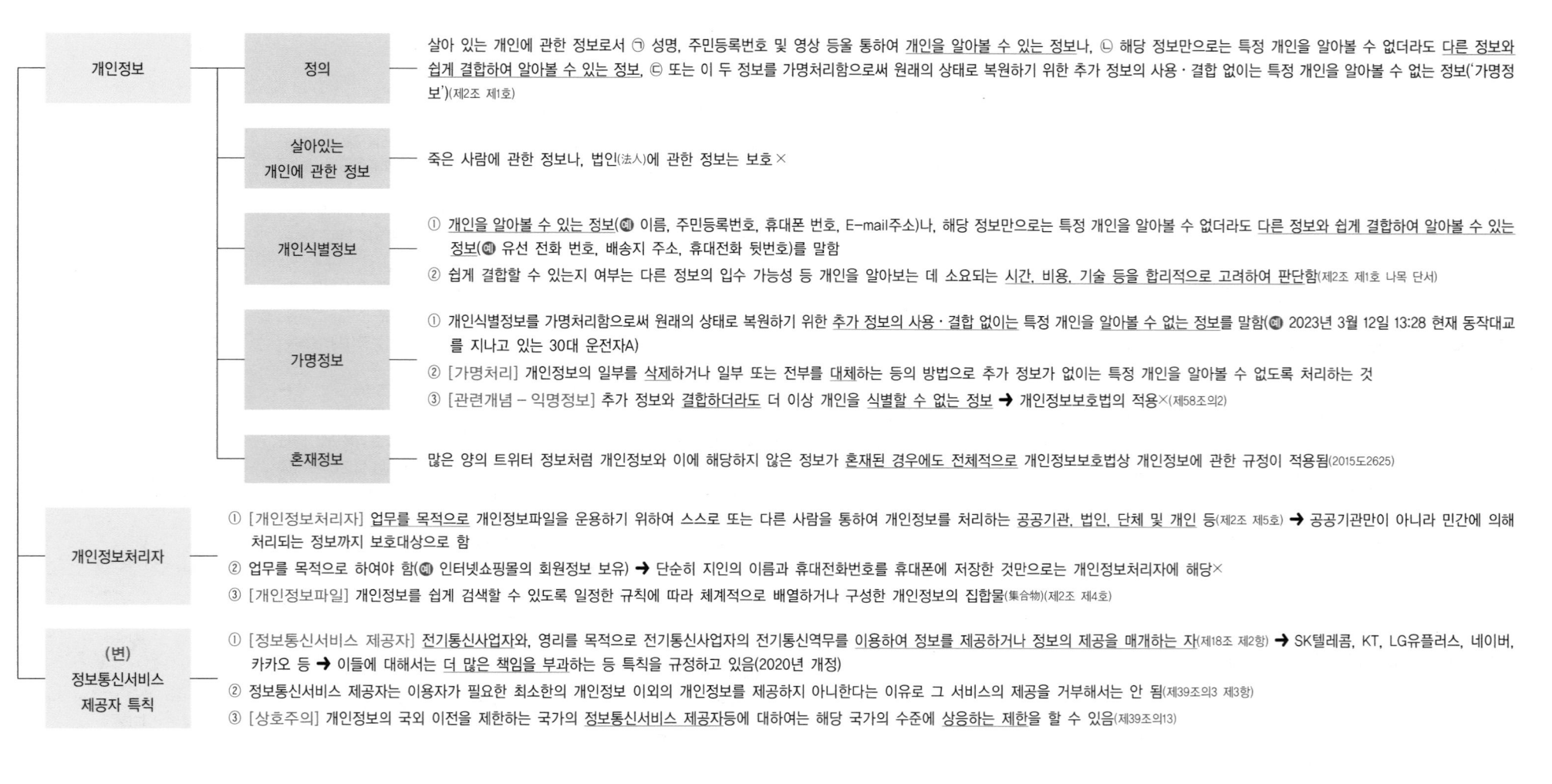

개인정보	정의	살아 있는 개인에 관한 정보로서 ㉠ 성명, 주민등록번호 및 영상 등을 통하여 개인을 알아볼 수 있는 정보나, ㉡ 해당 정보만으로는 특정 개인을 알아볼 수 없더라도 다른 정보와 쉽게 결합하여 알아볼 수 있는 정보, ㉢ 또는 이 두 정보를 가명처리함으로써 원래의 상태로 복원하기 위한 추가 정보의 사용·결합 없이는 특정 개인을 알아볼 수 없는 정보('가명정보')(제2조 제1호)
	살아있는 개인에 관한 정보	죽은 사람에 관한 정보나, 법인(法人)에 관한 정보는 보호×
	개인식별정보	① 개인을 알아볼 수 있는 정보(예 이름, 주민등록번호, 휴대폰 번호, E-mail주소)나, 해당 정보만으로는 특정 개인을 알아볼 수 없더라도 다른 정보와 쉽게 결합하여 알아볼 수 있는 정보(예 유선 전화 번호, 배송지 주소, 휴대전화 뒷번호)를 말함 ② 쉽게 결합할 수 있는지 여부는 다른 정보의 입수 가능성 등 개인을 알아보는 데 소요되는 시간, 비용, 기술 등을 합리적으로 고려하여 판단함(제2조 제1호 나목 단서)
	가명정보	① 개인식별정보를 가명처리함으로써 원래의 상태로 복원하기 위한 추가 정보의 사용·결합 없이는 특정 개인을 알아볼 수 없는 정보를 말함(예 2023년 3월 12일 13:28 현재 동작대교를 지나고 있는 30대 운전자A) ② [가명처리] 개인정보의 일부를 삭제하거나 일부 또는 전부를 대체하는 등의 방법으로 추가 정보가 없이는 특정 개인을 알아볼 수 없도록 처리하는 것 ③ [관련개념 – 익명정보] 추가 정보와 결합하더라도 더 이상 개인을 식별할 수 없는 정보 ➔ 개인정보보호법의 적용×(제58조의2)
	혼재정보	많은 양의 트위터 정보처럼 개인정보와 이에 해당하지 않은 정보가 혼재된 경우에도 전체적으로 개인정보보호법상 개인정보에 관한 규정이 적용됨(2015도2625)
개인정보처리자		① [개인정보처리자] 업무를 목적으로 개인정보파일을 운용하기 위하여 스스로 또는 다른 사람을 통하여 개인정보를 처리하는 공공기관, 법인, 단체 및 개인 등(제2조 제5호) ➔ 공공기관만이 아니라 민간에 의해 처리되는 정보까지 보호대상으로 함 ② 업무를 목적으로 하여야 함(예 인터넷쇼핑몰의 회원정보 보유) ➔ 단순히 지인의 이름과 휴대전화번호를 휴대폰에 저장한 것만으로는 개인정보처리자에 해당× ③ [개인정보파일] 개인정보를 쉽게 검색할 수 있도록 일정한 규칙에 따라 체계적으로 배열하거나 구성한 개인정보의 집합물(集合物)(제2조 제4호)
(변) 정보통신서비스 제공자 특칙		① [정보통신서비스 제공자] 전기통신사업자와, 영리를 목적으로 전기통신사업자의 전기통신역무를 이용하여 정보를 제공하거나 정보의 제공을 매개하는 자(제18조 제2항) ➔ SK텔레콤, KT, LG유플러스, 네이버, 카카오 등 ➔ 이들에 대해서는 더 많은 책임을 부과하는 등 특칙을 규정하고 있음(2020년 개정) ② 정보통신서비스 제공자는 이용자가 필요한 최소한의 개인정보 이외의 개인정보를 제공하지 아니한다는 이유로 그 서비스의 제공을 거부해서는 안 됨(제39조의3 제3항) ③ [상호주의] 개인정보의 국외 이전을 제한하는 국가의 정보통신서비스 제공자등에 대하여는 해당 국가의 수준에 상응하는 제한을 할 수 있음(제39조의13)

정보주체의 권리

정보주체의 권리 (제4조)

① 정보주체는 자신의 개인정보의 처리에 관한 정보를 제공받을 권리를 가짐

② 정보주체는 자신의 개인정보의 처리에 관한 동의 여부, 동의 범위 등을 선택하고 결정할 권리를 가짐

③ 정보주체는 자신의 개인정보의 처리 정지, 정정·삭제 및 파기를 요구할 권리를 가짐 ➜ 개인정보처리자가 정보주체의 요구에 따라 개인정보를 삭제할 때에는 복구 또는 재생되지 아니하도록 조치하여야 함(제21조 제2항) ➜ 다만, 다른 법령에서 그 개인정보가 수집 대상으로 명시되어 있는 경우에는 그 삭제를 요구할 수 없음(제36조 제1항)

④ 정보주체는 자신의 개인정보의 처리로 인하여 발생한 피해를 신속하고 공정한 절차에 따라 구제받을 권리를 가짐

⑤ 정보주체는 완전히 자동화된 개인정보 처리에 따른 결정을 거부하거나 그에 대한 설명 등을 요구할 권리를 가짐

⑥ 가명정보 처리 동의권×

개인정보열람청구권

① 정보주체는 자신의 개인정보의 처리 여부를 확인하고 개인정보에 대한 열람(사본의 발급을 포함) 및 전송을 요구할 권리를 가짐(제4조 제3호) ➜ 정보주체는 개인정보처리자가 처리하는 자신의 개인정보에 대한 열람을 해당 개인정보처리자에게 요구할 수 있음(제35조 제1항)

② [공공기관에 청구하는 경우] 정보주체가 자신의 개인정보에 대한 열람을 공공기관에 요구하고자 할 때에는 공공기관에 직접 열람을 요구하거나, 대통령령으로 정하는 바에 따라 보호위원회를 통하여 열람을 요구할 수 있음(제35조 제2항)

대리인에 의한 청구

개인정보의 열람청구와 삭제 또는 정정청구는 정보주체가 직접할 수도 있고, 대통령령으로 정하는 방법과 절차에 따라 대리인에게 하게 할 수도 있음(제38조 제1항)

◆ 개인정보 보호원칙(제3조) ◆

목적명확화 및 최소침해
—— ① 개인정보처리자는 개인정보의 처리 목적을 명확하게 하여야 하고 그 목적에 필요한 범위에서 <u>최소한의 개인정보</u>만을 적법하고 정당하게 수집하여야 함(제1항)
② 개인정보처리자는 정보주체의 사생활 침해를 <u>최소화하는 방법</u>으로 개인정보를 처리하여야 함(제6항)

목적외 이용금지
—— 개인정보처리자는 개인정보의 처리 <u>목적에 필요한 범위에서</u> 적합하게 개인정보를 처리하여야 하며, 그 목적 외의 용도로 활용하여서는 안 됨(제2항)

정확성 유지
—— 개인정보처리자는 개인정보의 처리 목적에 필요한 범위에서 개인정보의 <u>정확성, 완전성(안전성×)</u> 및 최신성이 보장되도록 하여야 함(제3항)

안전관리
—— 개인정보처리자는 개인정보의 처리 방법 및 종류 등에 따라 정보주체의 권리가 침해받을 가능성과 그 위험 정도를 고려하여 개인정보를 <u>안전하게 관리</u>하여야 함(제4항)

처리 사항 공개 및 권리보장
—— 개인정보처리자는 개인정보 처리방침 등 개인정보의 <u>처리에 관한 사항을 공개</u>하여야 하며, 열람청구권 등 정보주체의 <u>권리를 보장</u>하여야 함(제5항)

익명처리의 원칙
—— 개인정보처리자는 개인정보를 (처리의 예외요건을 갖추어 그 자체로 처리할 수 있다 하더라도) 익명 또는 가명으로 처리하여도 개인정보 수집목적을 달성할 수 있는 경우라면, ㉠ 익명처리가 가능한 경우에는 익명에 <u>의하여</u>, ㉡ 익명처리로 목적을 달성할 수 없는 경우에는 <u>가명에 의하여</u> 처리될 수 있도록 하여야 함(제7항)

신뢰획득노력
—— 개인정보처리자는 「개인정보 보호법」 및 관계 법령에서 규정하고 있는 책임과 의무를 준수하고 실천함으로써 <u>정보주체의 신뢰를 얻기 위하여 노력</u>하여야 함(제8항)

일반적 개인정보	수집·수집목적 내 이용 (제15조, 제16조)	

① [예외적 허용] ㉠ 정보주체의 <u>동의</u>를 받은 경우나, ㉡ 법률에 특별한 <u>규정</u>이 있거나 법령상 의무를 준수하기 위하여 <u>불가피한</u> 경우, ㉢ 공공기관이 법령 등에서 정하는 소관 업무의 수행을 위하여 불가피한 경우, ㉣ 정보주체와 체결한 계약을 이행하거나 계약을 체결하는 과정에서 정보주체의 요청에 따른 조치를 이행하기 위하여 필요한 경우, ㉤ 명백히 정보주체 또는 제3자의 급박한 생명, 신체, 재산의 이익을 위하여 필요하다고 인정되는 경우, ㉥ 개인정보처리자의 정당한 이익을 달성하기 위하여 필요한 경우로서 명백하게 정보주체의 권리보다 우선하는 경우(다만, 이 경우는 개인정보처리자의 정당한 이익과 상당한 관련이 있고 합리적인 범위를 초과하지 아니하는 경우에 한함), ㉦ 공중위생 등 공공의 안전과 안녕을 위하여 긴급히 필요한 경우만 ➜ 개인정보처리자는 개인정보를 수집할 수 있으며 그 수집 목적의 범위에서 이용할 수 있음(제15조 제1항)

② 위 경우 중 어느 하나에 해당하여 개인정보를 수집하는 경우에도 그 목적에 <u>필요한 최소한</u>의 개인정보를 수집하여야 함 ➜ 이 경우 최소한의 개인정보 수집이라는 입증책임은 개인정보처리자가 부담(제16조 제1항)

③ 개인정보처리자는 당초 수집 목적과 합리적으로 관련된 범위에서 정보주체에게 불이익이 발생하는지 여부, 암호화 등 안전성 확보에 필요한 조치를 하였는지 여부 등을 고려하여 대통령령으로 정하는 바에 따라 정보주체의 동의 없이 개인정보를 이용할 수 있음(제15조 제3항)

	수집목적 내 제3자 제공 (제17조)

① [예외적 허용] ㉠ 정보주체의 <u>동의</u>를 받은 경우, ㉡ 법률에 특별한 <u>규정</u>이 있거나 법령상 의무를 준수하기 위하여 <u>불가피한</u> 경우, ㉢ 공공기관이 법령 등에서 정하는 소관 업무의 수행을 위하여 불가피한 경우, ㉣ 명백히 정보주체 또는 제3자의 급박한 생명, 신체, 재산의 이익을 위하여 <u>필요</u>하다고 인정되는 경우, ㉤ 개인정보처리자의 정당한 이익을 달성하기 위하여 필요한 경우로서 명백하게 정보주체의 권리보다 우선하는 경우(다만, 이 경우는 개인정보처리자의 정당한 이익과 상당한 관련이 있고 합리적인 범위를 초과하지 아니하는 경우에 한함), ㉥ 공중위생 등 공공의 안전과 안녕을 위하여 긴급히 필요한 경우만 ➜ 개인정보처리자는 <u>수집한 목적 범위에서</u> 정보주체의 개인정보를 제3자에게 제공(공유를 포함)할 수 있음(제17조 제1항)

② 개인정보처리자는 당초 수집 목적과 합리적으로 관련된 범위에서 정보주체에게 불이익이 발생하는지 여부, 암호화 등 안전성 확보에 필요한 조치를 하였는지 여부 등을 고려하여 대통령령으로 정하는 바에 따라 정보주체의 동의 없이 개인정보를 제3자에게 제공할 수 있음(제17조 제4항)

③ ['처리위탁'은 제3자 제공에 해당×] 개인정보 처리에 관하여 독자적인 이익을 가지는 자에게 정보를 제공하는 것만 제17조에서 말하는 '제3자 제공'에 해당○ ➜ 개인정보 처리위탁에서 수탁자(예 (주)케이앤웍스, (주)트랜스코스모스코리아 등)는 정보제공자의 관리·감독 아래 위탁받은 범위 내에서만 개인정보를 처리하게 되므로, 자기의 이익이 아니라 위탁자의 이익을 위하여 정보를 처리하는 것 ➜ 개인정보 처리위탁에서 수탁자는 제17조의 제3자에 해당×(2016도13263) ➜ 개인정보 처리위탁은 '제3자 제공'에 해당×, But 별도의 개념인 '처리위탁'(제26조)으로 파악 ➜ 처리위탁은 정보주체의 동의를 받을 필요가 없고, 위탁업무의 내용과 수탁자를 '공개'하기만 하면 가능

	수집목적 외 이용· 수집목적 외 제3자 제공 (제18조)

[예외적 허용] ㉠ 정보주체로부터 별도의 동의를 받은 경우나, ㉡ 다른 법률에 특별한 <u>규정</u>이 있는 경우, ㉢ 명백히 정보주체 또는 제3자의 급박한 생명, 신체, 재산의 이익을 위하여 필요하다고 인정되는 경우, ㉣ 개인정보를 목적 외의 용도로 이용하거나 이를 제3자에게 제공하지 아니하면 다른 법률에서 정하는 소관 업무를 수행할 수 없는 경우로서 보호위원회의 심의·의결을 거친 경우, ㉤ 조약, 그 밖의 국제협정의 이행을 위하여 외국정부 또는 국제기구에 제공하기 위하여 필요한 경우, ㉥ 범죄의 수사와 공소의 제기 및 유지를 위하여 필요한 경우, ㉦ 법원의 재판업무 수행을 위하여 필요한 경우, ㉧ 형(刑) 및 감호, 보호처분의 집행을 위하여 필요한 경우, ㉨ 공중위생 등 공공의 안전과 안녕을 위하여 긴급히 필요한 경우만 ➜ 개인정보처리자는, 정보주체 또는 제3자의 이익을 부당하게 침해할 우려가 있을 때를 제외하고는, 개인정보를 목적 외의 용도로 이용하거나 이를 제3자에게 제공할 수 있음(제18조 제1항)

	제공받은 제3자의 수집목적 외 이용·수집목적 외 제3자 제공 (제19조)

[예외적 허용] ㉠ 정보주체로부터 <u>별도의 동의</u>를 받은 경우, ㉡ 다른 법률에 특별한 <u>규정</u>이 있는 경우만 ➜ 개인정보처리자로부터 개인정보를 제공받은 자는 개인정보를 제공받은 목적 외의 용도로 이용하거나 이를 제3자에게 제공할 수 있음

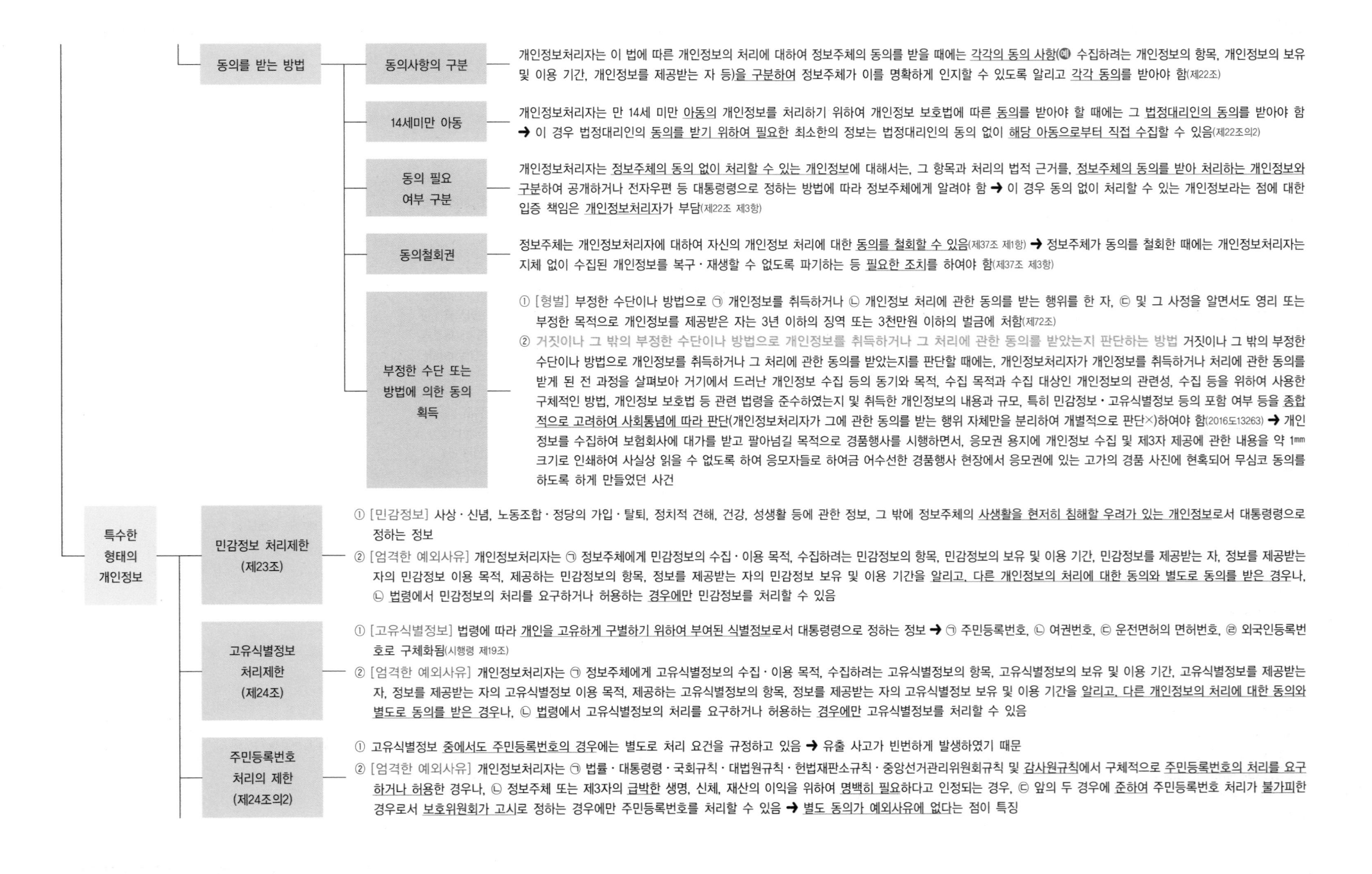

| 동의를 받는 방법 | 동의사항의 구분 | 개인정보처리자는 이 법에 따른 개인정보의 처리에 대하여 정보주체의 동의를 받을 때에는 각각의 동의 사항(囫 수집하려는 개인정보의 항목, 개인정보의 보유 및 이용 기간, 개인정보를 제공받는 자 등)을 구분하여 정보주체가 이를 명확하게 인지할 수 있도록 알리고 각각 동의를 받아야 함(제22조) |

동의를 받는 방법

동의사항의 구분
개인정보처리자는 이 법에 따른 개인정보의 처리에 대하여 정보주체의 동의를 받을 때에는 각각의 동의 사항(囫 수집하려는 개인정보의 항목, 개인정보의 보유 및 이용 기간, 개인정보를 제공받는 자 등)을 구분하여 정보주체가 이를 명확하게 인지할 수 있도록 알리고 각각 동의를 받아야 함(제22조)

14세미만 아동
개인정보처리자는 만 14세 미만 아동의 개인정보를 처리하기 위하여 개인정보 보호법에 따른 동의를 받아야 할 때에는 그 법정대리인의 동의를 받아야 함
➡ 이 경우 법정대리인의 동의를 받기 위하여 필요한 최소한의 정보는 법정대리인의 동의 없이 해당 아동으로부터 직접 수집할 수 있음(제22조의2)

동의 필요 여부 구분
개인정보처리자는 정보주체의 동의 없이 처리할 수 있는 개인정보에 대해서는, 그 항목과 처리의 법적 근거를, 정보주체의 동의를 받아 처리하는 개인정보와 구분하여 공개하거나 전자우편 등 대통령령으로 정하는 방법에 따라 정보주체에게 알려야 함 ➡ 이 경우 동의 없이 처리할 수 있는 개인정보라는 점에 대한 입증 책임은 개인정보처리자가 부담(제22조 제3항)

동의철회권
정보주체는 개인정보처리자에 대하여 자신의 개인정보 처리에 대한 동의를 철회할 수 있음(제37조 제1항) ➡ 정보주체가 동의를 철회한 때에는 개인정보처리자는 지체 없이 수집된 개인정보를 복구·재생할 수 없도록 파기하는 등 필요한 조치를 하여야 함(제37조 제3항)

부정한 수단 또는 방법에 의한 동의 획득
① [형벌] 부정한 수단이나 방법으로 ㉠ 개인정보를 취득하거나 ㉡ 개인정보 처리에 관한 동의를 받는 행위를 한 자, ㉢ 및 그 사정을 알면서도 영리 또는 부정한 목적으로 개인정보를 제공받은 자는 3년 이하의 징역 또는 3천만원 이하의 벌금에 처함(제72조)
② 거짓이나 그 밖의 부정한 수단이나 방법으로 개인정보를 취득하거나 그 처리에 관한 동의를 받았는지 판단하는 방법 거짓이나 그 밖의 부정한 수단이나 방법으로 개인정보를 취득하거나 그 처리에 관한 동의를 받았는지를 판단할 때에는, 개인정보처리자가 개인정보를 취득하거나 처리에 관한 동의를 받게 된 전 과정을 살펴보아 거기에서 드러난 개인정보 수집 등의 동기와 목적, 수집 목적과 수집 대상인 개인정보의 관련성, 수집 등을 위하여 사용한 구체적인 방법, 개인정보 보호법 등 관련 법령을 준수하였는지 및 취득한 개인정보의 내용과 규모, 특히 민감정보·고유식별정보 등의 포함 여부 등을 종합적으로 고려하여 사회통념에 따라 판단(개인정보처리자가 그에 관한 동의를 받는 행위 자체만을 분리하여 개별적으로 판단×)하여야 함(2016도13263) ➡ 개인정보를 수집하여 보험회사에 대가를 받고 팔아넘길 목적으로 경품행사를 시행하면서, 응모권 용지에 개인정보 수집 및 제3자 제공에 관한 내용을 약 1㎜ 크기로 인쇄하여 사실상 읽을 수 없도록 하여 응모자들로 하여금 어수선한 경품행사 현장에서 응모권에 있는 고가의 경품 사진에 현혹되어 무심코 동의를 하도록 하게 만들었던 사건

특수한 형태의 개인정보

민감정보 처리제한 (제23조)
① [민감정보] 사상·신념, 노동조합·정당의 가입·탈퇴, 정치적 견해, 건강, 성생활 등에 관한 정보, 그 밖에 정보주체의 사생활을 현저히 침해할 우려가 있는 개인정보로서 대통령령으로 정하는 정보
② [엄격한 예외사유] 개인정보처리자는 ㉠ 정보주체에게 민감정보의 수집·이용 목적, 수집하려는 민감정보의 항목, 민감정보의 보유 및 이용 기간, 민감정보를 제공받는 자, 정보를 제공받는 자의 민감정보 이용 목적, 제공하는 민감정보의 항목, 정보를 제공받는 자의 민감정보 보유 및 이용 기간을 알리고, 다른 개인정보의 처리에 대한 동의와 별도로 동의를 받은 경우나, ㉡ 법령에서 민감정보의 처리를 요구하거나 허용하는 경우에만 민감정보를 처리할 수 있음

고유식별정보 처리제한 (제24조)
① [고유식별정보] 법령에 따라 개인을 고유하게 구별하기 위하여 부여된 식별정보로서 대통령령으로 정하는 정보 ➡ ㉠ 주민등록번호, ㉡ 여권번호, ㉢ 운전면허의 면허번호, ㉣ 외국인등록번호로 구체화됨(시행령 제19조)
② [엄격한 예외사유] 개인정보처리자는 ㉠ 정보주체에게 고유식별정보의 수집·이용 목적, 수집하려는 고유식별정보의 항목, 고유식별정보의 보유 및 이용 기간, 고유식별정보를 제공받는 자, 정보를 제공받는 자의 고유식별정보 이용 목적, 제공하는 고유식별정보의 항목, 정보를 제공받는 자의 고유식별정보 보유 및 이용 기간을 알리고, 다른 개인정보의 처리에 대한 동의와 별도로 동의를 받은 경우나, ㉡ 법령에서 고유식별정보의 처리를 요구하거나 허용하는 경우에만 고유식별정보를 처리할 수 있음

주민등록번호 처리의 제한 (제24조의2)
① 고유식별정보 중에서도 주민등록번호의 경우에는 별도로 처리 요건을 규정하고 있음 ➡ 유출 사고가 빈번하게 발생하였기 때문
② [엄격한 예외사유] 개인정보처리자는 ㉠ 법률·대통령령·국회규칙·대법원규칙·헌법재판소규칙·중앙선거관리위원회규칙 및 감사원규칙에서 구체적으로 주민등록번호의 처리를 요구하거나 허용한 경우나, ㉡ 정보주체 또는 제3자의 급박한 생명, 신체, 재산의 이익을 위하여 명백히 필요하다고 인정되는 경우, ㉢ 앞의 두 경우에 준하여 주민등록번호 처리가 불가피한 경우로서 보호위원회가 고시로 정하는 경우에만 주민등록번호를 처리할 수 있음 ➡ 별도 동의가 예외사유에 없다는 점이 특징

가명정보 처리특례	① [완화된 예외사유] 개인정보처리자는 **통계작성, 과학적 연구, 공익적 기록보존** 등을 위하여 정보주체의 **동의 없이** 가명정보를 **처리할 수 있음**(제28조의2 제1항) ➔ 가명정보도 개인정보의 일종이지만, 일반적인 개인정보에 비해 더 완화된 요건하에 처리를 할 수 있게 하려는 목적으로, 「개인정보 보호법」의 적용대상인 개인정보에 포함된 것
	② [가명정보 처리시 주의사항1] 가명정보를 제3자에게 제공하는 경우에는 특정 개인을 알아보기 위하여 사용될 수 있는 정보를 포함해서는 안 됨(제28조의2 제2항)
	③ [가명정보 처리시 주의사항2] 개인정보처리자는 가명정보를 처리하는 경우에는, 원래의 상태로 복원하기 위한 추가 정보를 별도로 분리하여 보관·관리하는 등 해당 정보가 분실·도난·유출·위조·변조 또는 훼손되지 않도록 안전성 확보에 필요한 **기술적·관리적 및 물리적 조치**를 하여야 함(제28조의4 제1항)
	④ [특정개인을 알아보기 위한 목적의 가명정보처리] 가명정보를 처리하는 자는 특정 개인을 알아보기 위한 목적으로 가명정보를 처리해서는 안 됨(제28조의5 제1항) ➔ 개인정보 보호위원회는 개인정보처리자가 특정 개인을 알아보기 위한 목적으로 가명정보를 처리한 경우 전체 매출액의 **100분의 3 이하**에 해당하는 금액을 **과징금으로 부과**할 수 있음(제28조의6 제1항)
	⑤ 개인정보처리자는 가명정보를 **처리하는 과정에서** 특정 개인을 알아볼 수 있는 정보가 생성된 경우에는 **즉시** 해당 정보의 처리를 중지하고, 지체 없이 회수·파기하여야 함(제28조의5 제2항)
고정형 영상정보처리기기 설치·운영 (제25조)	① [고정형 영상정보처리기기] 일정한 공간에 설치되어 지속적 또는 주기적으로 사람 또는 사물의 영상 등을 촬영하거나 이를 유·무선망을 통하여 전송하는 장치로서 대통령령으로 정하는 장치
	② [원칙적 금지] 영상도 '개인정보'에 해당할 수 있음 ➔ 영상촬영을 통제해야 할 필요 有 ➔ 고정형 영상정보처리기기를 설치하거나 운영하는 것은 원칙적으로 허용 ×
	③ [공개된 장소의 경우] ㉠ 법령에서 구체적으로 허용하고 있는 경우, ㉡ 범죄의 예방 및 수사를 위하여 필요한 경우, ㉢ 시설의 안전 및 관리, 화재 예방을 위하여 정당한 권한을 가진 자가 설치·운영하는 경우, ㉣ 교통단속을 위하여 정당한 권한을 가진 자가 설치·운영하는 경우, ㉤ 교통정보의 수집·분석 및 제공을 위하여 정당한 권한을 가진 자가 설치·운영하는 경우, ㉥ 촬영된 영상정보를 저장하지 아니하는 경우로서 대통령령으로 정하는 경우에만 예외적으로 고정형 영상정보처리기기를 설치·운영이 허용됨
	④ [공개된 장소 – 안내판 설치등 조치] 공개된 장소에 예외적으로 고정형 영상정보처리기기를 설치할 수 있는 경우에도, 고정형 고정형 영상정보처리기기를 설치·운영하는 자는 정보주체가 쉽게 인식할 수 있도록, 설치 목적 및 장소, 촬영 범위 및 시간, 관리책임자의 연락처(성명×), 그 밖에 대통령령으로 정하는 사항이 포함된 안내판을 설치하는 등 필요한 조치를 하여야 함(제25조 제4항)
	⑤ [사생활 침해 우려 장소의 경우] 불특정 다수가 이용하는 목욕실, 화장실, 발한실(發汗室) 탈의실 등 개인의 사생활을 현저히 침해할 우려가 있는 장소의 내부를 볼 수 있도록 고정형 영상정보처리기기를 설치·운영하는 것은, 교도소, 정신보건 시설 등 법령에 근거하여 사람을 구금하거나 보호하는 시설로서 대통령령으로 정하는 시설❶에만 예외적으로 가능
	⑥ 고정형 영상정보처리기기의 운영자는 고정형 영상정보처리기기의 설치목적과 **다른 목적**으로 고정형 영상정보처리기기를 **임의로 조작**하거나, **다른 곳을 비춰서는 안 되고**, **녹음기능도 사용할 수 없음**(제25조 제5항)
이동형 영상정보처리기기의 운영 (제25조의2)	① [이동형 영상정보처리기기] 사람이 신체에 착용 또는 휴대하거나 이동 가능한 물체에 부착 또는 거치(据置)하여 사람 또는 사물의 영상 등을 촬영하거나 이를 유·무선망을 통하여 전송하는 장치로서 대통령령으로 정하는 장치
	② [공개된 장소 – 불빛 등 표시] 이동형 영상정보처리기기로 사람 또는 그 사람과 관련된 사물의 영상을 촬영하는 경우에는 **불빛, 소리, 안내판** 등 대통령령으로 정하는 바에 따라 **촬영 사실을 표시하고 알려야 함**(제25조의2 제3항)
	③ [사생활 침해 우려 장소의 경우] 불특정 다수가 이용하는 목욕실, 화장실, 발한실, 탈의실 등 개인의 사생활을 현저히 침해할 우려가 있는 장소의 내부를 볼 수 있는 곳에서 이동형 영상정보처리기기로 사람 또는 그 사람과 관련된 사물의 영상을 촬영하는 것은, 인명의 구조·구급 등을 위하여 필요한 경우로서 대통령령으로 정하는 경우에만 예외적으로 가능(제25조의2 제2항)

❶ 교도소·구치소 및 그 지소, 정신의료기관, 정신요양시설, 정신재활시설을 말한다(개인정보 보호법 시행령 제22조 제1항).

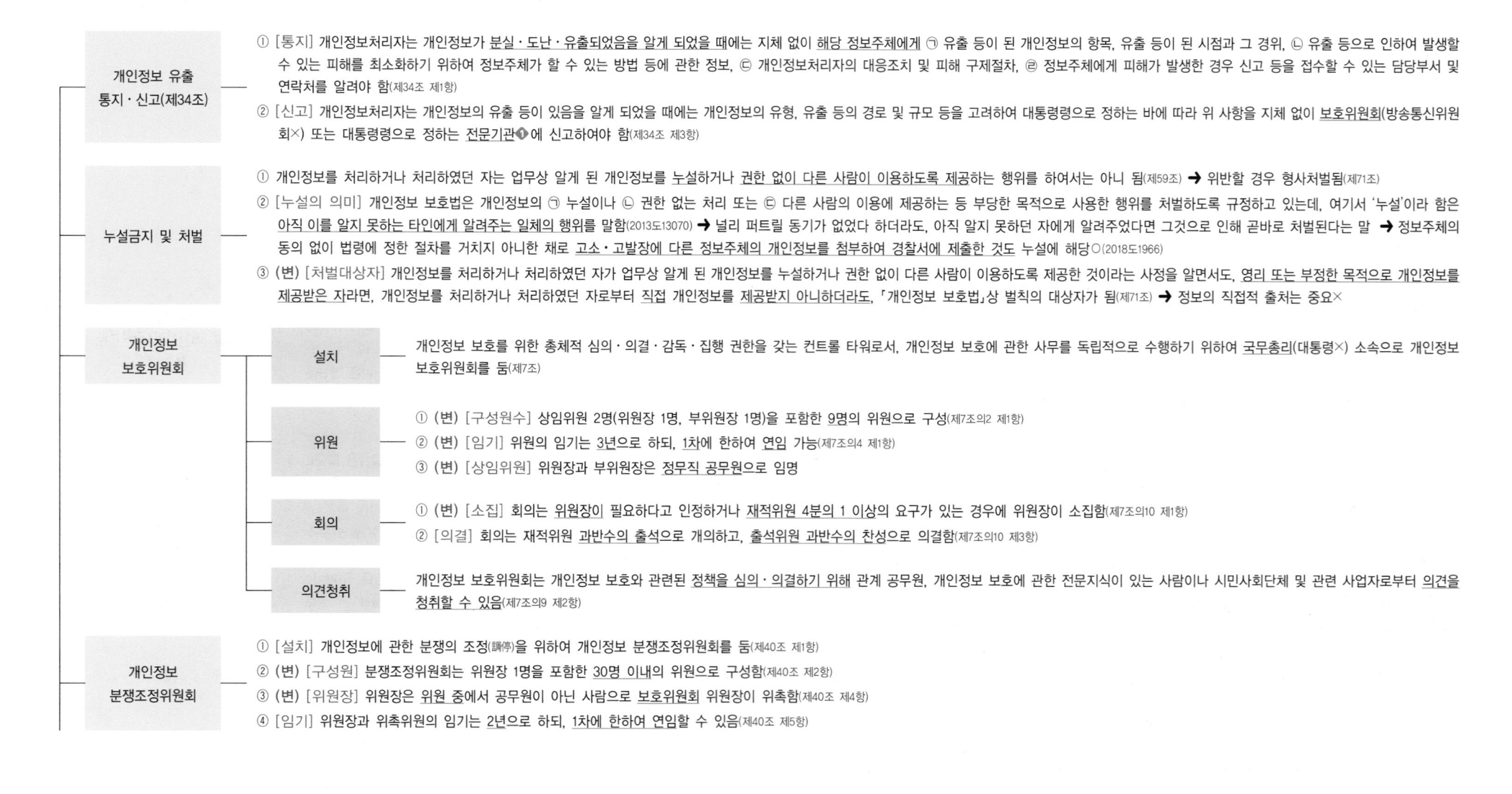

개인정보 유출 통지·신고(제34조)	① [통지] 개인정보처리자는 개인정보가 분실·도난·유출되었음을 알게 되었을 때에는 지체 없이 해당 정보주체에게 ㉠ 유출 등이 된 개인정보의 항목, 유출 등이 된 시점과 그 경위, ㉡ 유출 등으로 인하여 발생할 수 있는 피해를 최소화하기 위하여 정보주체가 할 수 있는 방법 등에 관한 정보, ㉢ 개인정보처리자의 대응조치 및 피해 구제절차, ㉣ 정보주체에게 피해가 발생한 경우 신고 등을 접수할 수 있는 담당부서 및 연락처를 알려야 함(제34조 제1항) ② [신고] 개인정보처리자는 개인정보의 유출 등이 있음을 알게 되었을 때에는 개인정보의 유형, 유출 등의 경로 및 규모 등을 고려하여 대통령령으로 정하는 바에 따라 위 사항을 지체 없이 보호위원회(방송통신위원회×) 또는 대통령령으로 정하는 전문기관❶에 신고하여야 함(제34조 제3항)
누설금지 및 처벌	① 개인정보를 처리하거나 처리하였던 자는 업무상 알게 된 개인정보를 누설하거나 권한 없이 다른 사람이 이용하도록 제공하는 행위를 하여서는 아니 됨(제59조) ➡ 위반할 경우 형사처벌됨(제71조) ② [누설의 의미] 개인정보 보호법은 개인정보의 ㉠ 누설이나 ㉡ 권한 없는 처리 또는 ㉢ 다른 사람의 이용에 제공하는 등 부당한 목적으로 사용한 행위를 처벌하도록 규정하고 있는데, 여기서 '누설'이라 함은 아직 이를 알지 못하는 타인에게 알려주는 일체의 행위를 말함(2013도13070) ➡ 널리 퍼트릴 동기가 없었다 하더라도, 아직 알지 못하던 자에게 알려주었다면 그것으로 인해 곧바로 처벌된다는 말 ➡ 정보주체의 동의 없이 법령에 정한 절차를 거치지 아니한 채로 고소·고발장에 다른 정보주체의 개인정보를 첨부하여 경찰서에 제출한 것도 누설에 해당○(2018도1966) ③ (변) [처벌대상자] 개인정보를 처리하거나 처리하였던 자가 업무상 알게 된 개인정보를 누설하거나 권한 없이 다른 사람이 이용하도록 제공한 것이라는 사정을 알면서도, 영리 또는 부정한 목적으로 개인정보를 제공받은 자라면, 개인정보를 처리하거나 처리하였던 자로부터 직접 개인정보를 제공받지 아니하더라도, 「개인정보 보호법」상 벌칙의 대상자가 됨(제71조) ➡ 정보의 직접적 출처는 중요×
개인정보 보호위원회	**설치** 개인정보 보호를 위한 총체적 심의·의결·감독·집행 권한을 갖는 컨트롤 타워로서, 개인정보 보호에 관한 사무를 독립적으로 수행하기 위하여 국무총리(대통령×) 소속으로 개인정보 보호위원회를 둠(제7조) **위원** ① (변) [구성원수] 상임위원 2명(위원장 1명, 부위원장 1명)을 포함한 9명의 위원으로 구성(제7조의2 제1항) ② (변) [임기] 위원의 임기는 3년으로 하되, 1차에 한하여 연임 가능(제7조의4 제1항) ③ (변) [상임위원] 위원장과 부위원장은 정무직 공무원으로 임명 **회의** ① (변) [소집] 회의는 위원장이 필요하다고 인정하거나 재적위원 4분의 1 이상의 요구가 있는 경우에 위원장이 소집함(제7조의10 제1항) ② [의결] 회의는 재적위원 과반수의 출석으로 개의하고, 출석위원 과반수의 찬성으로 의결함(제7조의10 제3항) **의견청취** 개인정보 보호위원회는 개인정보 보호와 관련된 정책을 심의·의결하기 위해 관계 공무원, 개인정보 보호에 관한 전문지식이 있는 사람이나 시민사회단체 및 관련 사업자로부터 의견을 청취할 수 있음(제7조의9 제2항)
개인정보 분쟁조정위원회	① [설치] 개인정보에 관한 분쟁의 조정(調停)을 위하여 개인정보 분쟁조정위원회를 둠(제40조 제1항) ② (변) [구성원] 분쟁조정위원회는 위원장 1명을 포함한 30명 이내의 위원으로 구성함(제40조 제2항) ③ (변) [위원장] 위원장은 위원 중에서 공무원이 아닌 사람으로 보호위원회 위원장이 위촉함(제40조 제4항) ④ [임기] 위원장과 위촉위원의 임기는 2년으로 하되, 1차에 한하여 연임할 수 있음(제40조 제5항)

❶ 한국인터넷진흥원을 말한다(시행령 제39조 제2항).

| (변) 표준지침의 제정 | 개인정보 보호위원회는 개인정보의 처리에 관한 기준, 개인정보 침해의 유형 및 예방조치 등에 관한 표준개인정보 보호지침을 정하여 개인정보 처리자에게 그 준수를 권장할 수 있음(제12조) |

(변) 개인정보 침해요인 평가제도

중앙행정기관의 장은 소관 법령의 제정 또는 개정을 통하여 개인정보처리를 수반하는 정책이나 제도를 도입·변경하는 경우에는 개인정보 보호위원회에 개인정보 침해요인 평가를 요청하여야 함(의무○, 권한×) (제8조의2)

(변) 공공기관의 개인정보파일 등록

① 공공기관의 장이 개인정보파일을 운용하는 경우에는 개인정보파일의 명칭, 운용목적, 처리방법, 보유기간 등을 보호위원회에 등록하여야 함(제32조)
② [영향평가제도] 공공기관의 장은 대통령령으로 정하는 기준에 해당하는 개인정보파일의 운용으로 인하여 정보주체의 개인정보 침해가 우려되는 경우에는, 그 위험요인의 분석과 개선 사항 도출을 위한 평가를 하고 그 결과를 보호위원회에 제출하여야 함(제33조)

정보주체의 피해구제

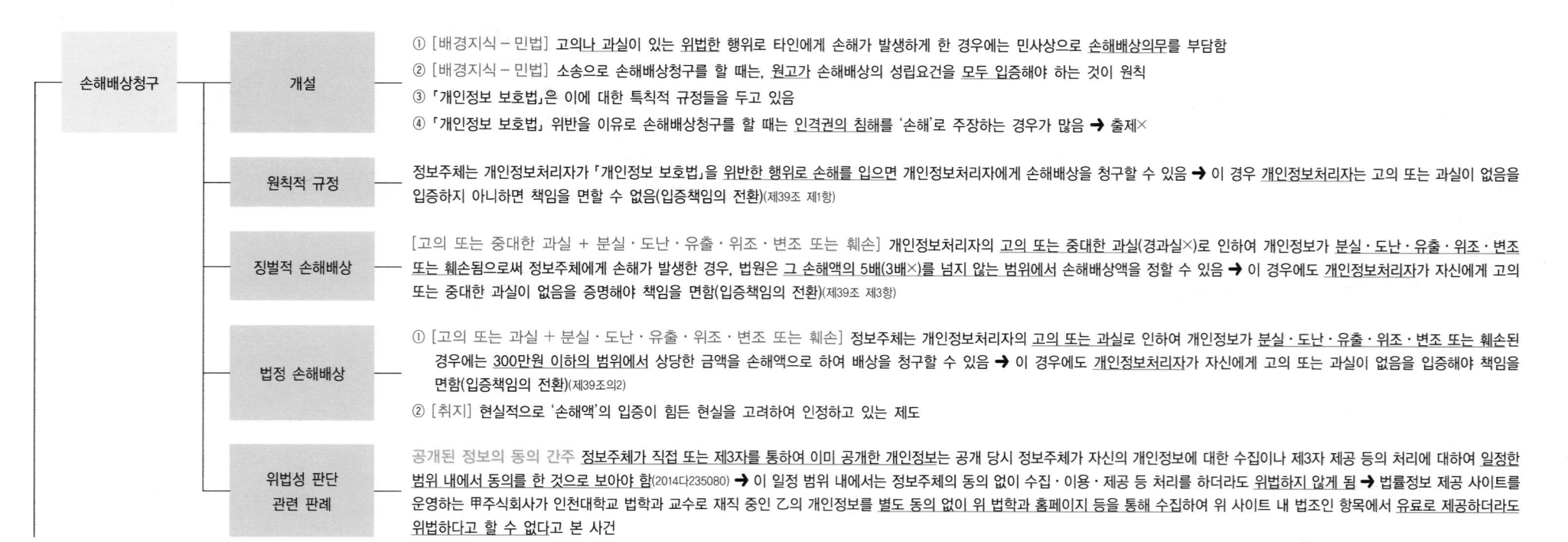

손해배상청구

개설

① [배경지식 – 민법] 고의나 과실이 있는 <u>위법한 행위</u>로 타인에게 손해가 발생하게 한 경우에는 민사상으로 손해배상의무를 부담함

② [배경지식 – 민법] 소송으로 손해배상청구를 할 때는, 원고가 손해배상의 성립요건을 <u>모두 입증</u>해야 하는 것이 원칙

③ 「개인정보 보호법」은 이에 대한 특칙적 규정들을 두고 있음

④ 「개인정보 보호법」 위반을 이유로 손해배상청구를 할 때는 인격권의 침해를 '손해'로 주장하는 경우가 많음 ➔ 출제×

원칙적 규정

정보주체는 개인정보처리자가 「개인정보 보호법」을 <u>위반한 행위</u>로 손해를 입으면 개인정보처리자에게 손해배상을 청구할 수 있음 ➔ 이 경우 개인정보처리자는 고의 또는 과실이 없음을 입증하지 아니하면 책임을 면할 수 없음(입증책임의 전환)(제39조 제1항)

징벌적 손해배상

[고의 또는 중대한 과실 + 분실·도난·유출·위조·변조 또는 훼손] 개인정보처리자의 <u>고의 또는 중대한 과실</u>(경과실×)로 인하여 개인정보가 분실·도난·유출·위조·변조 또는 훼손됨으로써 정보주체에게 손해가 발생한 경우, 법원은 그 손해액의 <u>5배</u>(3배×)를 넘지 않는 범위에서 손해배상액을 정할 수 있음 ➔ 이 경우에도 개인정보처리자가 자신에게 고의 또는 중대한 과실이 없음을 증명해야 책임을 면함(입증책임의 전환)(제39조 제3항)

법정 손해배상

① [고의 또는 과실 + 분실·도난·유출·위조·변조 또는 훼손] 정보주체는 개인정보처리자의 <u>고의 또는 과실</u>로 인하여 개인정보가 분실·도난·유출·위조·변조 또는 훼손된 경우에는 <u>300만원 이하</u>의 범위에서 상당한 금액을 손해액으로 하여 배상을 청구할 수 있음 ➔ 이 경우에도 개인정보처리자가 자신에게 고의 또는 과실이 없음을 입증해야 책임을 면함(입증책임의 전환)(제39조의2)

② [취지] 현실적으로 '손해액'의 입증이 힘든 현실을 고려하여 인정하고 있는 제도

위법성 판단 관련 판례

공개된 정보의 동의 간주 정보주체가 직접 또는 제3자를 통하여 이미 공개한 개인정보는 공개 당시 정보주체가 자신의 개인정보에 대한 수집이나 제3자 제공 등의 처리에 대하여 일정한 범위 내에서 <u>동의를 한 것으로 보아야 함</u>(2014다235080) ➔ 이 일정 범위 내에서는 정보주체의 동의 없이 수집·이용·제공 등 처리를 하더라도 <u>위법하지 않게 됨</u> ➔ 법률정보 제공 사이트를 운영하는 甲주식회사가 인천대학교 법학과 교수로 재직 중인 乙의 개인정보를 별도 동의 없이 위 법학과 홈페이지 등을 통해 수집하여 위 사이트 내 법조인 항목에서 유료로 제공하더라도 <u>위법하다고 할 수 없다</u>고 본 사건

분쟁조정제도	① [조정의 개념] 전문가의 도움을 받아 합의를 바탕으로 분쟁을 자율적으로 해결하는 제도 ➔ 합의가 강제되지는 않아, 합의실패 시 결국 소송으로 해결되어야 함 ② [제도의 취지] 개인정보로 인한 피해는 파급속도가 매우 빠르고 원상회복이 어렵다는 점(예 연예인 甲이 사회적으로 물의를 일으키고 있는 종교단체에 가입되어 있다는 정보가 인터넷 상으로 떠돌고 있는 경우)에서 보다 신속하고 간편하게 구제할 필요가 있기 때문에 존재하는 제도 ③ [조정신청] 개인정보와 관련한 분쟁의 조정을 원하는 자는 개인정보 분쟁조정위원회에 분쟁조정을 신청할 수 있음(제43조 제1항) ➔ 개인정보 분쟁조정위원회는 그 신청내용을 상대방에게 알려야 하며, 상대방은 특별한 사유가 없는 한 분쟁조정에 응하여야 함(제43조 제2, 3항) ④ [조정의 내용] 분쟁조정위원회는, 조사 대상 침해행위의 중지, 원상회복, 손해배상, 그 밖에 필요한 구제조치, 같거나 비슷한 침해의 재발을 방지하기 위하여 필요한 조치 등을 포함한 조정안을 작성함 ➔ 조정안을 제시받은 자가 15일 안에 수락 여부를 알리지 아니하면 조정을 수락한 것으로 봄(제47조) ⑤ [조정 효력] 분쟁조정위원회의 조정을 당사자가 수락하는 경우 조정의 내용은 재판상 화해와 동일한 효력을 가짐 ➔ 법원에서 판결이 내려진 것과 동일한 효력이 인정된다는 말 ⑥ [합의가 이루어지지 않을 경우] 민사소송을 제기하여 구제받아야 함
집단분쟁조정 (제49조)	① [개념] 피해 또는 권리침해가 다수의 정보주체에게 같거나 비슷한 유형으로 발생하는 경우로서 대통령령으로 정하는 사건에 대하여 분쟁조정위원회에 의하여 이루어지는 일괄적인 분쟁조정 ② [의뢰 또는 신청] 국가 및 지방자치단체, 개인정보 보호단체 및 기관, 정보주체, 개인정보처리자의 의뢰 또는 신청에 의하여 개시됨 ③ (변) [개시공고] 집단분쟁조정을 의뢰받거나 신청받은 분쟁조정위원회는 그 의결로써 집단분쟁조정의 절차를 개시할 수 있는데, 이 경우 분쟁조정위원회는 대통령령으로 정하는 기간(14일 이상) 동안 그 절차의 개시를 공고하여야 함 ④ [대상사건] 시행령 제52조는 ㉠ 피해 또는 권리침해를 입은 정보주체의 수가 50명 이상일 것, ㉡ 사건의 중요한 쟁점이 사실상 또는 법률상 공통될 것을 요구하고 있음 ⑤ [취지] 수천, 수만 건에 이르는 개인정보 유출 및 오남용 사건을 개별적인 분쟁조정절차를 통해서 처리하게 되면, 많은 시간과 비용의 낭비가 수반되기 때문에, 집단적 분쟁사건을 효율적으로 신속하게 처리하기 위하여 하나의 분쟁조정절차를 통해 일괄적으로 해결하기 위해 존재하는 제도 ⑥ [단체소송 제기에 대한 필수적 전심절차] 개인정보 단체소송은 개인정보처리자가 개인정보 보호법상의 집단분쟁조정을 거부하거나 집단분쟁조정의 결과를 수락하지 아니한 경우에 법원의 허가를 받아 제기할 수 있음(제55조 제1항) ➔ 단체소송을 제기하기 위해서는 반드시 먼저 집단분쟁조정절차를 거쳐야 함 ⑦ [일부당사자의 소 제기시 – 집단분쟁조정 중지×] 집단분쟁조정의 당사자인 다수의 정보주체 중 일부의 정보주체가 따로 법원에 소를 제기한 경우 ➔ 집단분쟁조정절차를 중지하지 않고, 소를 제기한 일부의 정보주체만 조정절차에서 제외함(제49조 제6항) ⑧ (변) [집단분쟁조정의 기간] 집단분쟁조정 절차개시의 공고가 종료된 날의 다음 날부터 60일(30일×) 이내로 함 ➔ 다만, 부득이한 사정이 있는 경우에는 분쟁조정위원회의 의결로 처리기간을 연장할 수 있음(제49조 제7항)

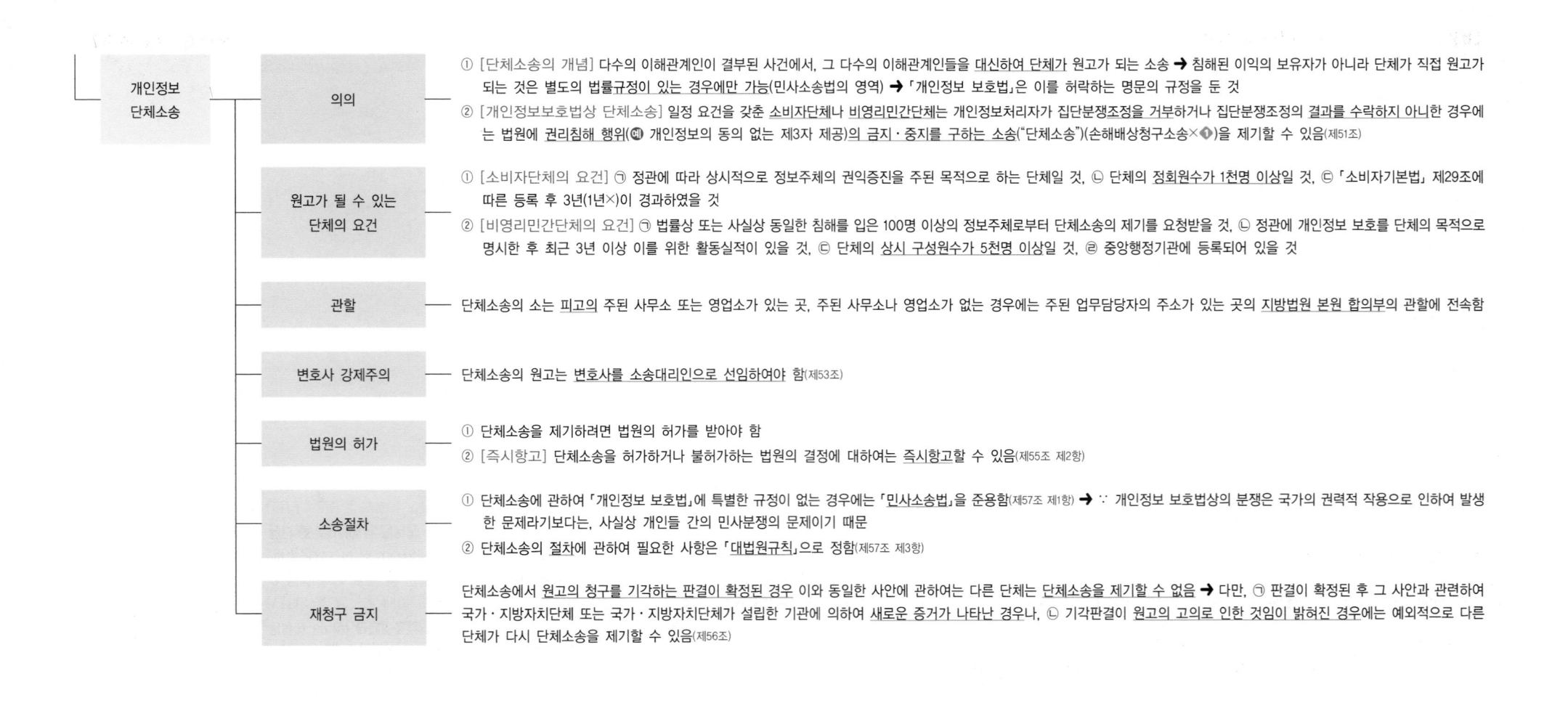

개인정보 단체소송	의의	① [단체소송의 개념] 다수의 이해관계인이 결부된 사건에서, 그 다수의 이해관계인들을 대신하여 단체가 원고가 되는 소송 → 침해된 이익의 보유자가 아니라 단체가 직접 원고가 되는 것은 별도의 법률규정이 있는 경우에만 가능(민사소송법의 영역) → 「개인정보 보호법」은 이를 허락하는 명문의 규정을 둔 것 ② [개인정보보호법상 단체소송] 일정 요건을 갖춘 소비자단체나 비영리민간단체는 개인정보처리자가 집단분쟁조정을 거부하거나 집단분쟁조정의 결과를 수락하지 아니한 경우에 는 법원에 권리침해 행위(에 개인정보의 동의 없는 제3자 제공)의 금지·중지를 구하는 소송("단체소송")(손해배상청구소송× ❶)을 제기할 수 있음(제51조)
	원고가 될 수 있는 단체의 요건	① [소비자단체의 요건] ㉠ 정관에 따라 상시적으로 정보주체의 권익증진을 주된 목적으로 하는 단체일 것, ㉡ 단체의 정회원수가 1천명 이상일 것, ㉢ 「소비자기본법」 제29조에 따른 등록 후 3년(1년×)이 경과하였을 것 ② [비영리민간단체의 요건] ㉠ 법률상 또는 사실상 동일한 침해를 입은 100명 이상의 정보주체로부터 단체소송의 제기를 요청받을 것, ㉡ 정관에 개인정보 보호를 단체의 목적으로 명시한 후 최근 3년 이상 이를 위한 활동실적이 있을 것, ㉢ 단체의 상시 구성원수가 5천명 이상일 것, ㉣ 중앙행정기관에 등록되어 있을 것
	관할	단체소송의 소는 피고의 주된 사무소 또는 영업소가 있는 곳, 주된 사무소나 영업소가 없는 경우에는 주된 업무담당자의 주소가 있는 곳의 지방법원 본원 합의부의 관할에 전속함
	변호사 강제주의	단체소송의 원고는 변호사를 소송대리인으로 선임하여야 함(제53조)
	법원의 허가	① 단체소송을 제기하려면 법원의 허가를 받아야 함 ② [즉시항고] 단체소송을 허가하거나 불허가하는 법원의 결정에 대하여는 즉시항고할 수 있음(제55조 제2항)
	소송절차	① 단체소송에 관하여 「개인정보 보호법」에 특별한 규정이 없는 경우에는 「민사소송법」을 준용함(제57조 제1항) → ∵ 개인정보 보호법상의 분쟁은 국가의 권력적 작용으로 인하여 발생 한 문제라기보다는, 사실상 개인들 간의 민사분쟁의 문제이기 때문 ② 단체소송의 절차에 관하여 필요한 사항은 「대법원규칙」으로 정함(제57조 제3항)
	재청구 금지	단체소송에서 원고의 청구를 기각하는 판결이 확정된 경우 이와 동일한 사안에 관하여는 다른 단체는 단체소송을 제기할 수 없음 → 다만, ㉠ 판결이 확정된 후 그 사안과 관련하여 국가·지방자치단체 또는 국가·지방자치단체가 설립한 기관에 의하여 새로운 증거가 나타난 경우나, ㉡ 기각판결이 원고의 고의로 인한 것임이 밝혀진 경우에는 예외적으로 다른 단체가 다시 단체소송을 제기할 수 있음(제56조)

❶ 손해배상청구소송은 단체소송으로 제기할 수 없게 하고 있는데, 이점이 현행법의 한계로 지적되고 있다.

유대웅

주요 약력

- 서울대학교 법과대학 법학부 졸업
- Oklahoma State University Research scholar
- 현, 남부고시학원 9 · 7급 전임강사

주요 저서

- 유대웅 행정법총론 핵심정리(박문각)
- 유대웅 행정법총론 기출문제집(박문각)
- 유대웅 행정법각론 핵심정리(박문각)
- 유대웅 행정법총론 불 동형 모의고사(박문각)
- 한 권으로 끝! 군무원 행정법(박문각)
- 유대웅 행정법총론 끝장내기(박문각)
- 유대웅 행정법총론 끝장내기 핸드북(박문각)

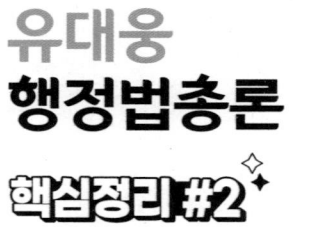

유대웅
행정법총론
핵심정리 #2

초판인쇄 | 2024. 7. 5.   **초판발행** | 2024. 7. 10.   **편저자** | 유대웅

발행인 | 박 용   **발행처** | (주) 박문각출판   **등록** | 2015년 4월 29일 제2019-000137호

주소 | 06654 서울특별시 서초구 효령로 283 서경 B/D 4층   **팩스** | (02) 584-2927

전화 | 교재 주문·내용 문의 (02) 6466-7202

저자와의
협의하에
인지생략

정가 43,000원 (1·2권 포함)   **ISBN** 979-11-7262-079-0
979-11-7262-077-6(세트)